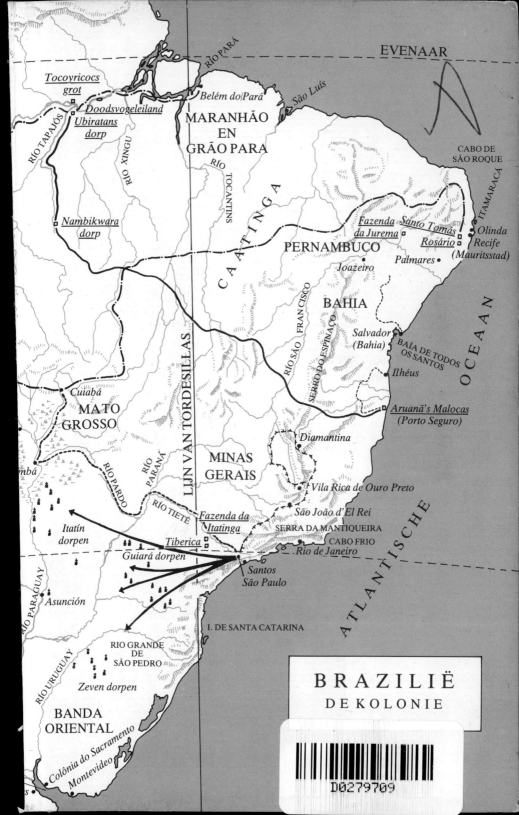

EVENAAR

RÍO PARÁ

Tocoyricocs grot

Belém do Pará

São Luís

RÍO TAPAJÓS

Doodsvogeleiland

Ubiratans dorp

MARANHÃO EN GRÃO PARA

CABO DE SÃO ROQUE

RÍO XINGU

C A A T I N G A

RÍO TOCANTINS

ITAMARACÁ

Nambikwara dorp

Fazenda da Jurema   Santo Tomás

Rosário

Olinda

Recife (Mauritsstad)

PERNAMBUCO

Palmares •

Joazeiro

BAHIA

RÍO SÃO FRANCISCO

O C E A A N

Salvador (Bahia)

BAÍA DE TODOS OS SANTOS

SERRO DO ESPINAÇO

Ilhéus

Cuiabá

MATO GROSSO

Aruanã's Malocas (Porto Seguro)

Diamantina

...mbá

RÍO PARDO

RÍO PARANÁ

LIJN VAN TORDESILLAS

MINAS GERAIS

• Vila Rica de Ouro Preto

RÍO TIETE

Fazenda da Itatinga

• São João d'El Rei

SERRA DA MANTIQUEIRA

Itatín dorpen

Tiberica

CABO FRIO

A T L A N T I S C H E

Guiará dorpen

• Rio de Janeiro

Santos

São Paulo

RÍO PARAGUAY

• Asunción

I. DE SANTA CATARINA

RÍO URUGUAY

RIO GRANDE DE SÃO PEDRO

Zeven dorpen

BANDA ORIENTAL

Colônia do Sacramento

Montevideo

B R A Z I L I Ë
D E K O L O N I E

HET GROENE PARADIJS

Errol Lincoln Uys

HET GROENE PARADIJS

1990 – De Boekerij – Amsterdam

Oorspronkelijke titel: Brazil (Simon and Schuster, Inc., New York)
Vertaling: Hans van Cuijlenborg
Omslagontwerp: Sjef Nix
Omslagillustratie: Yves Besnier

CIP-Gegevens Koninklijke Bibliotheek, Den Haag

Uys, Errol Lincoln

Het groene paradijs / Errol Lincoln Uys ; [vert. uit het Engels door Hans van Cuijlen-
borg]. – Amsterdam : De Boekerij
Vert. van: Brazil. – New York : Simon & Schuster, 1986.
ISBN 90-225-1124-3 geb.
UDC 82-94+82-31 NUGI 340
Trefw.: romans ; vertaald.

Voor mijn vrouw Janette met veel liefs en dank

Beknopte woordenlijst

agregado	letterlijk 'adjunct'; wordt gebruikt voor boeren die grond pachten van een grootgrondbezitter
aguardente	brandewijn
aldeia	dorp, meer speciaal gesticht en geleid door jezuïeten
alferes	onderluitenant
armador	letterlijk 'reder'; iemand die expedities financiert en uitrust
arroba	Spaans-Portugese inhoudsmaat, 12-15 kilo
azulejos	geglazuurde tegels
bábá	koosnaampje voor de voedster of min
bagaço	perskoek van suikerriet
bandeira	letterlijk 'vaandel'; gebruikt voor expedities naar het binnenland van Brazilië
barriga	buik
batuque	bepaalde negerdans
berimbau	snaarinstrument gebruikt voor ritmische begeleiding
bogavante	roeier
boucan	installatie om vlees te roken of te roosteren
branco	wit, blank
burro	ezel
caatinga	bosgebied in het noordoosten van Brazilië, in de zeer uitgesproken droge tijd bladerloos
caboclo	term waarmee Brazilianen worden aangeduid die Indiaanse trekken hebben (vrouwelijk *cabocla*)
cachaça	brandewijn gestookt uit melassestroop en afval van suikerriet
calão	Bargoens
cambão	letterlijk 'slechte ruil'; gebruikt voor de verplichte werkdagen, verschuldigd aan de grootgrondbezitter
cana	(suiker)riet
capanga	huurmoordenaar
capitán	kapitein
cariocas	inwoners van Rio de Janeiro

carpideiras	klaagvrouwen
câmara	stadhuis, raadhuis, gemeenteraad
cerrado	savanne
chata	praam, platboomd vaartuig
colégio	middelbare school, veelal met internaat
colono	kolonist
comendador	commandeur
conde	graaf
conquista	verovering
conquistador	veroveraar
coronel	betekent letterlijk 'kolonel'; aanspreektitel van de grootgrondbezitter, die vaak aan het hoofd van een militie stond
cristão	christen
cruzado	muntsoort
curandeira	genezeres die met planten werkt
degredado	balling
derrama	onroerend-goedbelasting
devassa	gerechtelijk onderzoek
donatário	donataris; hij die gebied toegewezen krijgt
donzela	juffrouw
doutor	titel waarop in Brazilië iedereen recht heeft die een academische graad heeft behaald
escravo	slaaf
estância	buitenverblijf
estero	moeras
extravagância	buitensporigheid
favela	krottenwijk
fazenda	letterlijk 'boerderij'; de term waarmee het domein van de grootgrondbezitter wordt aangeduid
fazendeiro	hereboer, grootgrondbezitter
feiticeira	genezeres die met amuletten werkt
festa	feest
fidalgo	edele
flagelador	geselaar, iemand die zichzelf geselt
fogo	vuur
fornecedor	leverancier
furia	hondsdolheid
futebol	voetbal
garrafa	fles, karaf
gaucho	bewoner van de Argentijnse en Braziliaanse pampa, een uitgestrekt weidegebied

genipapo	grote boom uit Brazilië, met eetbare vruchten
governador	gouverneur
grito	kreet
guarda	garde
hidalgo	edele
homem bom	welgesteld iemand
infante	kroonprins
ingénuo	naïef
jangada	vlot van boomstammen
lavrador	arbeider
liberto	vrijgelaten slaaf
lingua geral	'algemene taal', een door de jezuïeten ontworpen Indiaanse taal, samengesteld uit diverse indianentalen
macaco	aap
maconha	marihuana
madrinha	peetmoeder
maloca	gemeenschapshuis in een indianendorp
maluco	gek
marinheiro	zeeman
mata	bos
mazombo	letterlijk 'die het niet goed gaat'; wordt gebruikt voor in Brazilië geboren Portugezen
menino	jongetje
mestiço	mesties, halfbloed
mocambo	hut
moleque	negertje
moreno	bruin
motorista	chauffeur
mulato	mulat
oitavo	letterlijk 'een achtste'; gewichtsmaat voor goud en edelstenen
pagé	tovenaar, medicijnman
pai	vader
palo brasil	verfhout, in Zuid-Amerika inheemse houtsoort
pé	voet
peça	'stuk' als aanduiding van een slaaf
pelourinho	kaak, schandpaal
poderoso	machtige
porteño	inwoner van Buenos Aires
praça	plein
preto	neger

pueblo	volk; ook wel: dorp
pulperia	kroeg
puta	hoer
quinto	een vijfde
ratazana	(grote) rat
réis	(vroegere) kleinste munteenheid in koninkrijk Portugal en koloniën, in Brazilië nog lang na de onafhankelijkheid gebruikt; 1000 réis = 1 milréis
riacho	riviertje
sangue	bloed
seca	droogte
senzala	slavenkwartier
serra	gebergte
sertanejo	bewoner van de sertão
sim	ja
sinha	'mevrouw' als aanspreektitel door de slaven gebruikt
sinhazinha	'kleine mevrouw', als 'sinha', maar dan voor de dochter van de bazin gebruikt
tarde	avond, namiddag
tarefa	taak
tenente	luitenant
terreiro	terras, erf
terremoto	aardbeving
terrivel	verschrikkelijk
tronco	letterlijk 'boomstam'; marteltuig voor slaven, waarin zij met handen en/of voeten vastgezet werden
urucu	anatto, oranje-gele plantaardige kleurstof
usina	fabriek
vaqueiro	koeiendrijver
vatapá	Afro-braziliaanse stoofschotel van garnalen, kip vis en/of varkensvlees met noten
ventilador	letterlijk 'ventilator" hij die de koffiebonen want
vila	stadje
virgem	maagd
vitória	victorie, overwinning
voluntário	vrijwilliger

Proloog

De Tupiniquin

I

De jonge Indiaan zat bij een zijarm van de grote rivier die de grens
aangaf van het territorium van zijn stam. Het stroompje dat door de
velden slingerde die de stam bewerkte, werd hier en daar verstopt
door in het water gevallen boomstronken, en verdween in de verte in
het groene eiland.

Hij heette Aruanã, zoon van Pojucan, en was groter dan de meeste
jongens van zijn leeftijd. Zijn moeder, Obapira, had nog een seizoen
of vijf geteld sinds de geboorte van haar zoon, maar was toen de tel
kwijtgeraakt want het was niet zo belangrijk om zijn leeftijd precies te
weten voordat hij klaar zou zijn om man te worden. Zover was het nu.
Hij had mooi gevormde ledematen, stevige, rechte schouders, git-
zwart haar dat van oor tot oor in een pony was geknipt, en geëpileerde
wenkbrauwen. Volgens de gewoonte was zijn onderlip doorboord en
getooid met een stuk wit bot ter grootte van zijn duim.

Aruanã zat met zijn voeten in het koele water. Niemand kwam ooit
op deze plek naar de rivier omdat zij hier niet diep genoeg was om er te
vissen of te gaan zwemmen. Maar het was hier heerlijk stil, en dat had
hij die middag net nodig om te kunnen nadenken.

Hij moest denken aan die dagen waarop hij in het dorpshuis lag en
uit het bos de heilige muziek hoorde opklinken, de ritmes die het geluid van de jungle overstemden terwijl de mannen zongen ter ere van
zijn vader, Pojucan de krijger, Pojucan de jager. Twee Grote Regens
waren sinds die tijd voorbijgetrokken en Pojucan, die niet meer aan
de plechtigheden deelnam, jaagde nu helemaal alleen, en vaak zonder succes. En nadat zijn vader uit de stam was gestoten, ging het met
zijn zoon net zo. Hij werd door zijn kameraadjes gepest en getreiterd.

Als ze het beestenspel speelden moest Aruanã altijd Kanuatsin
zijn, het kleine knaagdier dat aan de rand van het bos leefde en dat
altijd gillend moest wegrennen voordat de anderen zich op hem wierpen. Als hij in de rivier ging zwemmen wachtten ze hem op in de struiken om hem daarna op te jagen en te schreeuwen: 'Rennen, Aruanã,

ga gauw naar je zusters want je zult toch nooit een krijger worden!'

Voordat zijn vader verstoten werd, had Aruanã een gelukkige jeugd gehad, waarbij hij met een soepel touw op zijn moeders heupen hing, in het zand speelde terwijl zij met haar pootstok in het veld aan het werk was, of op vogels jaagde met de kleine pijl en boog die Pojucan voor hem gemaakt had. Twee keer in de loop van de vijf eerste Grote Regens van zijn leven, was de stam uit het dorp het bos in getrokken, en voor Aruanã betekenden die verhuizingen een enorm avontuur. Hij was ook niet bang geweest toen zijn familie zich opmaakte om ten strijde te trekken. Voor zover hij zich kon herinneren was er nog nooit een vijand over de omheining gekomen die rond het dorp stond. Ook had hij nooit last gehad van de wezens die diep in het bos wonen en die kinderen eten.

Over dit alles zat hij na te denken toen hij een eindje verderop langs de rivier iets zag bewegen. Hij bleef doodstil zitten, al zijn aandacht gericht op de plek waar het struikgewas bewoog, en hij spitste zijn oren. Zou dat Caipora zijn, de kleine bosgeest waarover zijn stamgenoten alleen fluisterend durfden te praten? Hij kende niemand die echt het kleine naakte vrouwtje op haar ene been in de schaduw had zien rondhinken, en dat was maar goed ook, want haar gloeiende rode ogen brachten ongeluk.

Tot grote opluchting van Aruanã was het niet Caipora maar Ariranha, de jonge otter, die hem even aankeek en toen meteen weer in zijn holletje verdween. Aruanã zat doodstil om het beest niet te laten schrikken en na een poosje hoorde hij weer een geritsel en stak de otter zijn spitse snuit door de bladeren, om dit keer toch maar in het water te duiken.

De jongen vond dat het voor hem eigenlijk ook wel eens tijd werd om te vertrekken. De zon scheen nog wel over de velden maar haar licht drong niet meer door tot in het bos en het zou nu gauw nacht worden. Aruanã haastte zich naar de velden. Hij was blij dat ze vlak bij waren, want zelfs een krijger als zijn vader kon toch nog bang zijn voor de nacht.

Waar is Pojucan nog meer bang voor? vroeg hij zichzelf af. *Wat heeft hij toch gedaan dat zijn volk hem nog slechter behandelt dan een vijand?* En inderdaad waren de gevangenen van de stam er veel beter aan toe. Die werden vertroeteld en gevoed, mochten bij jonge vrouwen in de hangmat slapen, en kregen zelfs liederen opgedragen. Maar voor Pojucan was er alleen maar stilte en Aruanã had zelfs gemerkt dat de andere mannen zijn vader behandelden alsof hij onzichtbaar was.

Aan de rand van het bos was een heuvel, en aan de andere kant van die heuvel lag het dorp. De plaats waar de stam het bos had gekapt en in brand had gestoken was één grote kluwen van lianen en verkoolde struiken geworden. De bomen die de vlammen overleefd hadden rezen zwart en kaal op uit de grond. De andere lagen ontworteld en in stukken gebroken in de as. Verderop strekten zich de *maniok*-velden uit. In de taal van zijn volk betekende *mandi* brood en *oca* huis.

Rond het dorp onder aan de heuvel stond een dubbele omheining van zware palen die met lianen aan elkaar gebonden waren – twee grote cirkels die de vijf huizen rond een pleintje beschermden. Die *malocas* waren geen simpele boshutten maar grote huizen waarin de verschillende families woonden. Elk huis bood onderdak aan een stuk of honderd mannen, vrouwen en kinderen. Ze waren zestig voet lang, tien voet breed en hoog, en vormden een ingewikkelde structuur van balken en zijbalken, met lianen aan elkaar gebonden en bedekt met grote palmbladeren.

Aruanã ging door de dubbele omheining heen en liep naar zijn *maloca*, toen een jongetje op hem afkwam dat tegen hem zei: 'Naurú heeft om de ara-veren gevraagd. Wij moeten vannacht luisteren.'

Dat vond Aruanã leuk. Het betekende dat hij binnenkort man zou worden.

Naurú, de *pagé* – profeet, waarzegger, tovenaar – hield al een tijdje het groepje jongeren in de gaten en liet nu weten dat de rode en blauwe ara-veren van zijn heilige kalebassen moesten worden vervangen, en dat was het teken voor de jongeren dat de initiatie begon.

Tabajara, de oudste van Aruanã's *maloca*, liet zijn vrouwen bij zich komen en zich twee uur lang door hen verzorgen. Hij had Potira, die nog bijna een kind was, met kleine stevige borstjes en grote ogen; Sumá, die zwom als een vis, en Moema, de 'Oude Moeder', zijn eerste echtgenote, iets dat zij de anderen constant inpeperde.

Als Tabajara's lichaam geverfd moest worden, liet Oude Moeder niemand anders de verf klaarmaken met *genipapo*-vruchten en *urucu*-bessen – de eerste blauw-zwart, de andere oranje-rood. Vervolgens tekende zij prachtige figuren op Tabajara's huid. Grote zwarte strepen om de tatoeages op zijn borst uit te laten komen: net zoveel strepen als hij vijanden gedood had. Uitgaande van het midden van het lichaam, deelde ze daarna de huid in stukken in die zij half rood, half zwart verfde, tot onder toe. Moema kon dat zo goed dat iedereen vergat dat zij een scherpe tong had en zich altijd overal mee bemoeide.

Toen Aruanã de *maloca* binnenkwam en naar achter liep, keek Oude Moeder hem na.

'Ik zie zijn ongeluk,' zei zij. 'Het is niet goed voor een jongen om zo te leven.'

'Een jongen moet veel leren,' antwoorde Tabajara. 'Om te beginnen met wat hij vannacht zal horen.'

'Ja, maar ik bedoel...'

'Hem die wij niet mogen noemen,' zei de oudste meteen.

'Ik was niet van plan hem te noemen,' verdedigde Moema zich.

'Wou je zeggen dat je niet aan hem dacht?'

Ze antwoordde niet, maar begon driftig zijn rug in te wrijven met *urucu*-verf. Tabajara wilde geen discussies met zijn vrouw over dit probleem. De vader van de jongen had de stam te schande gemaakt, en dat was des te erger voor zijn *maloca* omdat al de bewoners ervan familie van hem waren. Tabajara keek hoe Aruanã in zijn hangmat kroop en zwoer dat hij bij de zoon zou letten op het minste teken van de zwakheid die zijn vader had vertoond.

Potira en Sumá zaten op hun knieën en waren bezig met een van de weinige persoonlijke bezittingen waar hij waarde aan hechtte: een prachtige vuurrode mantel, gemaakt van honderden zorgvuldig uitgezochte ibis-veren, die één voor één aan een touw waren geregen en op een katoenen ondergrond waren vastgemaakt.

Ook de rest van zijn verentooi was voor hem heel belangrijk. Die bestond uit een grote knalgele hoofdtooi en een versiering van struisvogelveren die hij rond zijn billen droeg.

Voordat ze zijn gezicht begon te verven bekeek Oude Moeder dat van dichtbij, om een triomfantelijke kreet te slaken toen zij nog een haar van een wenkbrauw ontdekte. De grote krijger Tabajara beet op zijn tanden toen zijn vrouw de lelijke haar er met twee op elkaar geklemde schelpjes uittrok.

Toen zijn hele lichaam geverfd was, legde de oudste zelf de laatste hand aan zijn toilet door een groene steen, twee keer zo groot als het stukje bot van Aruanã, door het gat in zijn onderlip te steken. Het stond zo mooi dat zijn echtgenotes een goedkeurend gemompel lieten horen.

Dit was de eerste keer dat de jongeren de oudsten alleen ter ere van hen hun feestkleding zagen dragen. Ze zaten in een halve cirkel tussen de *malocas* en zagen Tabajara naderen die er, zo klein als hij was, met zijn grote verentooi als een reus uitzag.

'Slaap wel vannacht, Ara, vogel van het woud, vleugel van onze voorvaderen,' riep hij uit. 'Slaap zacht want zij die u zoeken zijn als de wormen van de dageraad. Hoe verheugd zullen onze vijanden zijn als die nietsnutten tegen hun dorpen worden uitgestuurd!'

De overige oudsten lieten brommend hun instemming met deze woorden horen en de mannen die rond het pleintje stonden herhaalden ze, terwijl ze elkaar de bierkruiken doorgaven en dronken.

Aruanã wenste dat de grond onder zijn voeten zou opensplijten toen Tabajara, die voor de jongeren heen en weer liep, pal tegenover hem bleef staan. In het licht van het houtvuur, dat de schaduwen van zijn lichaam beter deed uitkomen, werd hij even schrikbarend als de geesten die in het donker rondwaarden.

'Opstaan!' beval hij.

De jongen krabbelde overeind.

'Ga bij het vuur staan zodat iedereen je kan zien. En zeg mij dan, mijn kind, op grond waarvan kunnen wij hopen dat jij de ara-veren zult vinden?'

Met kloppend hart antwoordde Aruanã: 'Ik wil een man van mijn stam worden. Het is mijn plicht om voor de *pagé* veren te vinden en die zal ik nakomen.'

'Goed gesproken, mijn kind, maar om de Ara te vinden moet jij alleen het bos in. Je zult geen krijgers naast je hebben om je te helpen. En wat doe je als je Caipora tegenkomt? Of als je de man tegenkomt die *tabak* zoekt?'

De Tabakman, net zo'n geest als het vrouwtje dat op één been hinkte, loerde op eenzame krijgers, vroeg hen wat heilig kruid en nam vreselijk wraak op hen als ze het niet gaven.

'Ik weet niet wat ik dan zou doen,' antwoordde Aruanã.

Die jongen is tenminste eerlijk, dacht Tabajara, verbaasd dat de zoon van de naamloze man zoveel oprechtheid en zo weinig vrees toonde tegenover de oudsten. Veel van zijn vriendjes zouden te bang geweest zijn om ook maar een woord te zeggen.

Plotseling vestigden alle blikken zich op een vormloze gestalte die uit de schaduwen naar voren trad en onsamenhangende geluiden uitstiet. Naurú was de enige van de stam die lichamelijk mismaakt was – hij had een bochel en een te kort been. Over het algemeen doodden de Tupiniquin misvormde kinderen bij de geboorte, want hun geplaagde lichamen waren een teken dat de geesten niet tevreden waren. Maar Naurú's moeder had hem aan de rand van het bos verstopt totdat er een paar Grote Regens voorbij waren en het feit dat hij dat overleefde werd als een wonder beschouwd dat gewild was door dezelfde geesten die hem hadden moeten veroordelen. Doordat hij heel lang verschrikkelijk eenzaam was geweest, in een schuilplaats die zijn moeder bij het water had gebouwd, was de jonge Naurú kil en gesloten, en liet alles wat andere kinderen van zijn leeftijd de stuipen op het lijf joeg, hem koud. Het duurde dan ook niet lang of de oude *pagé* van het dorp begon op hem te letten. Hij wijdde hem in in de geheimen van de bovennatuurlijke wereld waarin gewone mensen vreemden zijn.

Toen Naurú naar hem toe liep, en toen hij de doordringende blik van de bewaker van de heilige kalebassen op zich gericht zag, smolt Aruanã's moed weg.

'Ik ken die jongen,' zei de *pagé*, dit keer helder en duidelijk zodat iedereen het kon horen, 'hij komt uit jouw *maloca*.'

'Drie kinderen van mijn huis zullen veren voor jou zoeken,' antwoordde Tabajara, die altijd heel voorzichtig werd als hij met Naurú te maken kreeg, 'en Aruanã is één van hen.'

Het dorp kende geen opperhoofd als zodanig – de oudsten bestuurden het gezamenlijk – maar Tabajara had een zeker overwicht, vooral als hij de krijgers van de stam aanvoerde. Er was maar één man die net zo'n groot prestige had als hij, en dat was Naurú.

'Waarom heb ik dan, toen hij opstond, een schaduw tussen ons voelen verrijzen?'

'Dat weet ik niet,' antwoordde Tabajara.

Op hetzelfde moment begreep hij dat hij er geen goed aan had gedaan om de aandacht op Aruanã te vestigen.

'Hij is het kind van een man die zijn volk te schande heeft gemaakt,' ging de tovenaar verder.

Aruanã begon te trillen.

'Wenst Naurú dat deze jongen geen veren zal gaan zoeken?'

'Nee, hij moet gaan,' antwoordde de tovenaar meteen. 'Maar ik zou weleens willen weten waarom jij zijn vader in jouw *maloca* blijft herbergen.'

'Is het dan niet voldoende dat hij voor ons onzichtbaar is geworden?'

'Het is niet goed dat hij het dorp herinnert aan de schande waarvan hij de oorzaak was. We zien hem dan wel niet, maar hij is toch onder ons.'

Tabajara begreep dat Naurú de dood van de naamloze man eiste. Hij zag ook het leed op Aruanã's gezicht en vroeg zich af of de jongen het ook zo begreep, al was hij nog zo jong.

'Ik heb je gehoord, Naurú, en ik zal de voorouders smeken een oudste te helpen die beter had moeten opletten.'

Meer woorden wilde Tabajara er beslist niet aan vuil maken, dus draaide hij zich om naar de jongeren en beet Aruanã toe: 'Ga weer bij de anderen zitten.'

Hij zag hoe de menigte uiteenweek om de weg vrij te maken voor Naurú, die naar de hut met de heilige kalebassen hinkte. Tabajara was enerzijds bang voor de macht van de *pagé*, maar walgde er ook van als hij zag hoe die daar misbruik van maakte. Naurú had duizenden keren de gelegenheid gehad om over Pojucan te beginnen, maar hij moest het zonodig ten overstaan van het hele dorp doen.

Voordat Pojucan in ongenade viel scheen hij voorbestemd om aan het hoofd van zijn *maloca* te komen staan, omdat hij als krijger en jager ver boven de andere mannen uitstak. Maar twee Grote Regens geleden hadden de mannen van de stam het dorp van hun vijanden aangevallen. Er werd urenlang hevig gevochten, velen sneuvelden aan beiden zijden, en ten slotte waren de krijgers van de stam teruggedrongen tot in het bos, waarbij zij doden en gewonden achter moesten laten.

Pojucan was door de vijand gevangengenomen maar drie dagen nadat de stam was teruggekeerd, was ook hij naar het dorp teruggekomen. Hij was ontsnapt, en dat was een schande. Vluchten betekende alle hoop opgeven om ooit nog in het paradijs van de krijgers te komen, het betekende dat de vluchteling een man zonder grond en zonder naam werd.

Tabajara had niets van het gedrag van Pojucan begrepen en zat er nog steeds mee. Hij pakte de kalebas met bier die hem aangereikt werd en begon gulzig te drinken. De mannen begonnen zich te verspreiden maar de jongens, die niet wisten wat er van hen verwacht werd, bleven doodstil zitten. Oude Moeder, die net een nieuwe kruik bier bracht, begon te lachen toen ze hen zag.

'Oei! Wat een idioten! Blijven jullie daar zitten tot de Ara jullie roept? Sta toch op! Ga naar jullie hangmatten en vraag jullie vaders hoe je op de Ara moet jagen.'

Aruanã ging de rokerige *maloca* binnen waar twintig gezinnen woonden, waarvan de hangmatten aan weerszijden van een centrale gang waren opgehangen. Dat die weinig waarde hechtten aan persoonlijke bezittingen – met uitzondering van verentooien – was ook te zien aan het kleine aantal voorwerpen dat ieder gezin bezat: aarden potten, pijlen en bogen, knotsen, stenen bijlen en pootstokken. Elke familie hield dag en nacht een vuur brandend. Daarop werd het eten gekookt, en het diende om de kwade geesten op een afstand te houden.

Aruanã dacht verdrietig aan wat Naurú gezegd had maar begreep nog steeds niet welke verschrikkelijke misstap zijn vader begaan had om een naamloze man te worden. Hoe kon zo'n dappere krijger nu zijn eer verloren hebben?

Toen hij bij de hangmatten van zijn familie kwam – die zo ver moge- lijk van die van Tabajara verwijderd waren sinds Pojucan terug was –, zag de jongen dat zijn vader bezig was een pijl te maken. Er waren er al twee klaar, en die lagen vlak bij hem in zijn hangmat – pijlen die Aruanã zeker nodig zou hebben om op de Ara te jagen. Hij werd er ontzettend blij door. Nog nooit had zijn vader zich ook maar in het minst voor hem geïnteresseerd.

Pojucan begroette zijn zoon en ging verder met zijn pijl. Deze was anders dan de pijlen voor mensen of groot wild, hij eindigde in een rond bolletje, en niet in een punt van been of geslepen bamboe. Deze pijl diende om neer te slaan, niet om te doden.

Pojucan voorzag het projectiel van veren en bekeek het.

'Met zo'n pijl ben ik de eerste die een ara naar beneden haalt,' ver- klaarde Aruanã opgewonden. 'Ik zal meer veren mee naar huis bren- gen dan alle heilige kalebassen bij elkaar kunnen hebben.'

Zijn vader keek hem aan.

'Toen ik voor de eerste keer op jacht ging was ik bang voor het bos,' zei hij zacht.

'Dat ben ik ook, vader. Maar toch zal ik gaan.'

'Je hoeft niet buiten ons grondgebied. Daar zitten genoeg ara's.'

'Ik ken de tekens, ik zal ernaar uitkijken.'

Aruanã bedoelde de tekens waarmee de stam zijn gebied afbaken- de: een gebroken tak over een pad, een inkeping in een boomstam. 'U bent voorbij de grenzen gegaan, vader. Ook dat zal ik nooit vergeten, want ik ben uw zoon.'

'Er zijn dingen in het woud waar zelfs de dapperste krijger bang voor is.'

'U leidde de jacht, u zag de sporen van de dieren voordat de ande- ren ze zagen. Waarom is dat veranderd, vader?'

'Dat was lang geleden,' antwoorde Pojucan. 'Dat was een ander leven.'

Hij wist zelf nog steeds niet wat er met hem gebeurd was tijdens zijn gevangenschap. Hij had voor zijn vijanden moeten dansen en hen moeten bespotten totdat zij daar met de ploertendoder een eind aan zouden maken. Waarom had hij in de tweede nacht naar de sterren zitten kijken en bedacht dat hij beter kon leven dan eervol te sterven?

'Zoek de ara tussen de middelste takken,' zei hij plotseling. 'Want daar woont hij.'

Maar Aruanã wilde de gelegenheid om zijn vader te horen praten niet voorbij laten gaan.

'Ik ken dat andere leven niet waar u het over hebt.'

'Genoeg erover. Concentreer je nu maar op de zonsopgang. Dit is jouw eerste jacht. Ga maar slapen, dan kunnen je ogen morgen de ara vinden.'

'Mijn vader is Pojucan de krijger, Pojucan de jager. Ik zal hem altijd eerbiedigen.'

Pojucan ging met bezwaard gemoed in zijn hangmat liggen en draaide zijn zoon de rug toe. Naurú wilde zijn dood, dat wist hij. Vandaag of morgen zou een groep krijgers een hinderlaag in het bos leggen of zich in de *maloca* op hem werpen, hem buiten de omheining slepen, en zijn lichaam overlaten aan de gieren. Niemand zou zijn dood bewenen. Er zou niet gezongen of gedanst worden om de voorouders op te roepen.

Maar waarom zou hij de gebochelde Naurú over zijn lot laten beslissen?

Pojucan was niet zo stom om een openlijke confrontatie met de *pagé* aan te gaan. Hij zou twee keer veroordeeld worden als hij Naurú zou durven uitdagen waar de ouden bij waren. Hij was bang voor de tovenaar en diens macht, maar er smeulde een vuur in hem sinds hij had gekozen voor het leven in plaats van voor een eervolle dood.

Aruanã kon niet slapen en lag een hele poos te luisteren naar de insekten die in het dak rondscharrelden, naar het gekraak van de palen die de hangmatten droegen en de geluiden van het bos, die dichterbij leken dan de nacht.

Hij hoorde bij de Tupiniquin, een van de grootste stammen uit het bos, die leefde tussen het gebied van de Tupinambás en dat van de Guaiaras. De gevangenen die na een stammenoorlog werden meegenomen gingen altijd prat op de omvang van hun eigen dorp, veel groter dan dat van deze stam. Aruanã geloofde hen niet, maar luisterde toch en leerde zodoende dingen over de gronden waar zij vandaan kwamen.

Twee keer had de stam het dorp verlaten om elders te gaan wonen en de tweede reis had Aruanã een verbijsterende ontdekking bezorgd. Op een ochtend, toen zij de nieuwe *malocas* gebouwd hadden, waren de mannen naar de rivier gegaan en daar in drie kano's gestapt. Iedere keer als de jongen, die voor in een van de kano's zat, aan zijn vader vroeg waar zij heen gingen, had die alleen maar gelachen en was hij doorgegaan met peddelen.

Ze waren een heel stuk de rivier afgezakt toen Aruanã na een bocht een gedreun hoorde.

'Vader, wat is dat?' vroeg hij angstig.

Voordat Pojucan had kunnen antwoorden, waren de oevers van de rivier verdwenen en verwijderde het vaste land zich heel snel terwijl de kano's over een enorme blauwe watervlakte dreven. Achter hem zag Aruanã wit zand, mooie palmbomen, en verder, in de heuvels, de groene vlekken van het bos.

Tussen het zand en de plek waar het water en de lucht samenkwamen, tekende zich een schuimende witte streep af. Toen de mannen die zagen, riepen zij elkaar waarschuwingen toe en probeerden zij om te draaien. Ze waren bijna bij het witte zand toen de schuimende streep een van de boten te pakken kreeg en die deed kapseizen. De twee andere schoten te hulp maar de schipbreukelingen waren al naar de kant gezwommen, lachend over hun pech. Ze lieten zien dat het blauwe water een mahoniebruine kleur had gegeven aan de *urucu*-verf die zij op hun lichamen hadden.

Aruanã sliep in terwijl hij aan die gelukkige dag terugdacht waarop zijn vader hem het blauwe water had laten ontdekken, dat tot het einde van de aarde stroomt.

Pojucan werd als eerste wakker, maar bleef in zijn hangmat liggen wachten tot zijn zoon op zijn beurt wakker zou worden. Aruanã stond niet meteen op, maar ging zitten, en aarzelde kennelijk om naar het bos te gaan terwijl het nog donker was. Pojucan hield zijn ogen dicht, deed alsof hij sliep maar beval zijn kind zachtjes: 'Vertrek nu. Als die luiaards nog hun ogen zitten uit te wrijven ben jij al over de rivier heen. Ga nu, mijn zoon!'

Tevreden keek hij toe hoe Aruanã uit zijn hangmat kroop, bij een van de potten hurkte en een paar happen maniok nam. Vervolgens hing de jongeman de pijlkoker van boomschors om zijn schouder, nam zijn boog, keek nog een keer naar de hangmatten, en liep naar de lage deur van de *maloca*, schoof het gordijn dat ervoor hing opzij en ging naar buiten. Vlak na het vertrek van zijn zoon, sprong Pojucan uit zijn hangmat en ging naar de naburige *maloca* om het enige levende wezen op te zoeken dat het recht had om met hem te praten.

De man lag nog in zijn hangmat en groette Pojucan. Hij was mager, had een lichte, bijna gele huid, en een puntige neus, waardoor hij de bijnaam Lange Snavel droeg. Zijn echte naam was Ubiratan en niemand wist precies of hij nu eigenlijk een gevangene was of niet. Sommige ouden hielden vol dat zij hem met hun kano's gevangen hadden; anderen zeiden dat zij hem gevonden hadden nadat zijn vreemde boot waarin hij rondvoer gezonken was in de schuimende wateren van de baai, aan het eind van de rivier van de stam. Omdat over het algemeen aangenomen werd dat hij gevangen was genomen vond niemand het erg dat hij met de naamloze man sprak – temeer omdat hij een tijdje nodig had gehad om het dialect van de stam te leren.

Ubiratan kwam van de stam van de Tapajós, die nooit in oorlog was geweest met de Tupiniquin. Hij wist niet welke afstand zijn dorp scheidde van dat van Pojucan, maar hij was vier Grote Regens geleden vertrokken, en de sterren waren aan de hemel van plaats veranderd.

Hij beschouwde de Tupiniquin als een eenvoudig volk in vergelijking met het zijne. Zij vonden dat ze een grote stam vormden, maar hun *malocas* lagen her en der in het bos verspreid, hun verschillende clans hadden weinig contact met elkaar, en wat hem het meest verbaasde was dat ze het nooit hadden over een groot opperhoofd, over een man die over alle clans heerste. Aan het hoofd van de Tapajós stond een opperhoofd wiens bevelen in de hele streek werden gehoorzaamd, die uit alle dorpen krijgers bijeen kon roepen en wiens naam overal gerespecteerd werd.

Het was ook een wens van dat opperhoofd geweest die indirect de oorzaak was van het huidige ongeluk van Ubiratan. Hij was een handige pottenbakker, en was naar het verst afgelegen dorp van de stam gestuurd om de blauwe aarde te halen die de Tapajós gebruikten om hun mooiste vazen van te maken. De klei was alleen maar te vinden buiten de gebiedsgrenzen van de Tapajós, in een niemandsland waar een bende vijandige krijgers hem gevangennam en hem in haar kano's meenam tot aan het einde van de Moeder van de Rivieren.

Op een dag zei de leider van het dorp waar hij gevangen was dat hij met twee kano's vertrok voor een lange reis en wees hij Ubiratan aan om met hem mee te gaan. In plaats van stroomopwaarts de rivier op te varen, gingen de kano's voorbij het grote eiland en zakten zij de rivier af. Een van de twee kano's zonk tijdens een onweer; die van Ubiratan kapseisde in de baai.

Gescheiden van zijn metgezellen, en stervend van de honger, zwierf hij op de kust rond tot hij een familie vissers tegenkwam die boten gebruikten zoals hij ze nog nooit had gezien.

Die *jangadas* bestonden uit een stuk of acht balsastammen van ongeveer gelijke grootte, door lianen bij elkaar gebonden. Om de wind te kunnen vangen, hingen ze een grote mat aan twee mangrovetakken die op het dek boven de stammen stonden en vastgehouden werden door lianen, in de vorm van een A. Ubiratan leerde algauw om deze vreemde kano te besturen en liet hem net zo snel over het water glijden als de vissers, waarbij hij hem aan de achterkant stuurde, met een soort grote peddel.

Op een dag was hij door een plotselinge windstoot in de witte wateren terechtgekomen, waardoor de *jangada* omsloeg, en toen hadden de Tupiniquin hem gevangengenomen.

Tot die man wendde Pojucan zich thans om hulp.

'Was jij gisteravond op de open plek?' vroeg hij hem.

'Ik heb Naurú gehoord,' antwoordde Ubiratan.

'Ik geloof dat Tabajara iets zal ondernemen voordat de zon ondergaat.'

'Ben je niet bang?'

'Nee. Ik heb vier Grote Regens meegemaakt sinds ik de laatste keer dood ben gegaan en ik ben klaar om ook deze te ondergaan.'

'Ja, maar hoe heb je dan geleefd?'

Ubiratan vond het vreemd dat een man tussen de zijnen een balling kon zijn omdat hij geweigerd had te sterven: je kon beter in leven blijven om de vijand opnieuw te bestrijden in plaats van je, waar vrouwen en kinderen bij waren te laten afslachten.

De beide mannen verlieten het dorp, en liepen in de richting van de kano's, tot aan een plek aan de rivier waar de stuifregen al in de lucht hing.

'Mijn zoon is al in het bos,' zei Pojucan. 'Hij is voor de anderen vertrokken. Hij zal de eerste zijn die de ara vindt, het kind van de naamloze man,' zei hij met een vreugdeloze lach. 'Zeg eens, Ubiratan, is het voor jou net zo moeilijk om ver van de jouwen te leven?'

'Dat is precies hetzelfde.'

'Ubiratan, zoon van de Tapajós, moet die altijd bij de Tupiniquin blijven, ver van de Moeder van de Rivieren?'

'Wat moet ik anders?'

'Je kunt toch naar huis teruggaan.'

'Ja, maar er is veel land tussen deze plaats en die waar ik vandaan kom,' zuchtte Ubiratan.

'Is dat de enige reden waarom je niet gaat?'

De Tapajó knikte. Tot nu toe had hij zich ingehouden maar toen hij begreep waar de Tupiniquin op aan wilde, zei hij gespannen: 'Het is een lange en gevaarlijke reis, die jou ver voorbij de gronden zou voeren die je kent, zelfs voorbij de sterren die zo belangrijk voor jou zijn.'

'Maar jij hebt hem toch gemaakt, is het niet?' hield Pojucan vol.

Ubiratan had er weleens aan gedacht om weg te gaan; hij had vaak genoeg de gelegenheid gehad, maar alleen durfde hij het niet aan.

'Hier rest mij verder niets dan een roemloze dood,' ging de Tupiniquin verder. 'Ik ga met je mee, naar jouw dorp toe.'

Ubiratan nam Pojucan in zijn armen, en drukte hem tegen zijn borst.

'Vriend, wat ik over gevaren vertelde is waar, maar samen kunnen wij die wel de baas.'

Ze kwamen overeen dat ze die avond nog zouden vertrekken, apart van elkaar het dorp uit zouden gaan en elkaar zouden ontmoeten in het kleine bos achter de velden van de clan.

Aruanã voelde zich heel klein in deze schemerwereld waar varens groeiden die twee keer zo groot waren als hij, waar lichtvlekken tussen de takken speelden, hoog boven hem in het bladerdak, waardoor vreemde schaduwen voor zijn ogen dansten.

Voorzichtig gleed hij tussen de kronkelige bomen door, die door de wurgvijg werden omstrengeld, of gevangen waren in een net van lianen en klimplanten die zulke dikke takken hadden dat je ze met twee handen kon omvatten. Een vochtige, door water verzadigde wereld, heel stil nu het lawaai van de wakker wordende vogels opgehouden was. Af en toe verbraken papegaaien en toekans op verschillende hoogte de stilte met een plotselinge schelle kakofonie die bijna onmiddellijk ook weer ophield. Verderop was een troep brulapen te horen.

Hoewel hij zenuwachtig was voelde de jongen toch een vreemde opwinding toen hij in het bos doordrong. Daar was zijn leven ook begonnen: toen zijn moeder voelde dat het kind geboren zou worden, was ze het dorp uit gegaan, naar de bomen toe, en was ze in het vochtige duister neergehurkt om hem geboren te laten worden.

In Aruanã's wereld gebeurde weinig dat niet rechtstreeks te maken had met de jungle. Het bos was vol geheimen, en gevaarlijk, het groeide zo hard en was zo vruchtbaar dat je het tegen moest houden aan de rand van de kaalslag, omdat de bomen en de struiken anders de *malocas* binnengroeiden.

In het bos vonden ze de dieren en de planten die hun overvloedig voedsel verschaften, waarmee ze huizen bouwden en waarvan ze wapens maakten. Maar dit paradijs was ook het rijk van het kwaad.

Voordat hij de rivier overstak, had Aruanã al een paar keer naar de verf gekeken die hij op zijn lichaam had. Dat was de enige bescherming tegen Caipora en de andere demonen uit het bos, die een roodgeverfde man niet konden zien. Toen hij aan de overkant was, was hij met kloppend hart blijven staan, ervan overtuigd dat hij iets vreselijks zou zien verschijnen, maar er was niets gebeurd zodat hij weer moed gevat had en was doorgelopen.

Een zwerm grote felblauwe vlinders vloog vlak bij hem omhoog en hij rende verrukt achter hen aan. Toen hij in het bos kwam, bleef hij weer staan om de sterke geuren op te snuiven, naar de vreemde insekten te kijken, en naar de planten die boven op de bomen groeiden, kleurige vlekken in het donkergroene gordijn van bladeren.

Al twee keer had hij beweging gezien in de middelste takken, daar waar zijn vader hem had aangeraden de ara te zoeken. De eerste keer was het alleen maar een kalkoen, die zwaar op de grond was geland; de tweede keer was het inderdaad de ara met stralende veren. Aruanã had geschoten, maar miste en verloor zijn pijl. Toen had hij geprobeerd om de ara te lokken door zijn roep na te doen en de vogel had spottend geantwoord, zonder zich te laten zien.

Vernederd was de jongen doorgelopen, zich ervan bewust dat hij nog veel moest leren voordat hij de taal van het bos zou begrijpen. Hij dook tussen de hoge varens en hoorde allerlei beestjes weglopen toen hij eraan kwam. Ik moet de mooiste vinden, dacht hij. Zo kunnen ze allemaal zien wat voor grote krijger ik later word, en zal niemand meer mijn vader te schande durven maken.

Hij kwam in zulk dicht kreupelhout terecht dat hij er nauwelijks doorkwam. Hij schreeuwde toen de doorns in zijn huid bleven steken maar omdat hij al te ver was om nog om te keren, besloot hij door te lopen. Dat ging met moeite, en tussen twee bomen door zag hij dat de zon al hoog aan de hemel stond.

Ten slotte was hij door de barrière van doorns heen en liep hij zonder geluid te maken over een dik tapijt van rottend mos, toen hij de ara op een lage tak van een enorme boom zag zitten. Zonder een geluid te maken legde Aruanã een pijl op zijn boog, mikte en liet de pees los. Dit keer viel de vogel neer. Met een kreet van vreugde rende de jongen erop af om hem op te rapen en zag dat hij lange veren had, prachtig gekleurd.

'Vergeef mij, ara, dat ik ze van je afpak,' zei hij terwijl hij ze uit de vogel trok. 'Vanavond zal jouw glorie de heilige kalebassen van mijn volk sieren.'

Toen hij klaar was, legde hij de vogel voorzichtig neer en wikkelde hij de veren zorgvuldig tussen twee palmbladeren om ze op weg naar huis te beschermen.

Toen hij in het dorp terugkwam, was Aruanã teleurgesteld dat hij zijn vader niet in de *maloca* aantrof. Hij groette Obapira, zijn moeder, en toen zij zich omdraaide verborg hij de palmbladeren onder zijn hangmat: zij mocht niet de eerste zijn die zijn prachtige buit zou zien. Hij ging op zoek naar Pojucan en liep net over de open plek toen hij twee andere jongens tegenkwam, zonen van een oudste uit een andere *maloca*.

'We hebben je terug zien komen,' zei een van hen. 'Uit jouw manier van lopen viel van alles op te maken.'

'En wat zag jij er dan aan?'

'Dat je tevreden was.'

'Dat ben ik ook. Ik ben alleen het bos in gegaan, waar Caipora woont en ik ben ongedeerd teruggekomen.'

'Wij hebben die palmbladeren ook wel gezien,' zei de andere broer.

'Jullie zult ze voor het eind van de nacht nog wel een keer zien,' zei Aruanã. 'En jullie, hebben jullie ook iets te tonen?'

De beide jongens deden een beetje verlegen, wat op zichzelf een antwoord was, maar hij liet zich de gelegenheid niet ontgaan om wraak te nemen op die jongens die hem anders altijd pestten.

'Hebben jullie veren gevonden?' vroeg hij nog eens.

'De ara vloog daar waar wij heen zijn gegaan niet rond,' antwoordde een van de broers met tegenzin. Maar toen klaarde zijn gezicht op, en zei hij: 'Maar we hebben iets veel beters gevonden! Kom maar mee, dan delen we met jou.'

Ze hadden een bijenvolk gevonden en waren met honing thuisgekomen, die zij in hun *maloca* verborgen hadden. Zittend op de grond, begonnen de drie jongemannen de lekkernij op te snoepen. Aruanã dacht erover na dat de beide jongens altijd aan het hoofd van de groep stonden die hem het leven zuur maakte. Zou dit het eerste gevolg van zijn succesvolle jacht zijn?

Ze vroegen hem wat hij midden in het bos gezien had en gaven ten slotte toe dat zij niet veel verder waren gekomen dan de rand ervan. Aruanã schrok dat zij de zaak zo hadden durven beduvelen terwijl hun gevraagd was te bewijzen dat zij klaar waren om tot mannen ingewijd te worden. Toen hij dat onder woorden bracht schrokken de beide broers op hun beurt en smeekten hem het tegen niemand te vertellen.

Een geluid van de andere kant van de *maloca* waarschuwde Aruanã dat het bijna tijd was om zijn veren te laten zien. Hij had niet zo lang bij die twee broers moeten blijven zitten, maar hun vriendschappelijke houding was zo'n verandering, en de honing was zo lekker! Hij stond op, veegde zijn handen af aan de palmbladeren van de *maloca*, en zag dat al een heleboel mannen naar de open plek liepen. Hij rende naar zijn hangmat, nam de bladeren waarin de veren zaten en liep snel naar buiten.

Aruanã drong door de menigte om naar de hut te komen waar de heilige kalebassen lagen, voor welke de jongens van zijn leeftijd moesten gaan zitten. Zij die veren gevonden hadden – buiten Aruanã waren dat er slechts twee – werden apart gezet van een tiental overige jongemannen die nogal sip keken.

Naurú zat in zijn hut, die vanbinnen verlicht werd door een vuurgloed. De mannen van de stam kwamen tijdens hun diverse levensfasen in die ruimte om hulp te vragen of een boodschap van de geesten te ontvangen, en dan waren ze altijd bang, want ze waren nooit zeker van het resultaat.

Die avond was de tovenaar, voordat hij naar buiten kwam, begonnen te zingen en de heilige kalebassen te schudden, steeds harder, met een voor zijn magere mismaakte lichaam opvallend sterke stem. Een mantel van giereveren (alleen de *pagé* had het recht om zich te bekleden met de veren van de zwarte gier, de vogel van de dood) lag over zijn bochel en zij die vooraan zaten sprongen op van schrik toen hij plotseling zijn hut uit kwam. Hij bleef vlak voor de voorste rij mannen staan, keek hen aan en slaakte een vreselijke kreet, terwijl hij alsmaar met de kalebassen schudde. Rond zijn nek hing een lang snoer van honderden kiezen die afkomstig waren uit de kaken van vijandige krijgers.

Naurú huppelde naar het grootste groepje jongemannen en begon zo heftig voor hen te dansen dat sommige jongens begonnen te kreunen. Toen liep hij naar de drie anderen toe, draaide een paar keer om hen heen waarbij hij iets mompelde, bleef staan, en keek heel lang naar het gezicht van een van de jongens voordat hij een kalebas voor hen neerlegde.

Aruanã was de laatste die het examen van de tovenaar moest ondergaan. De uitdrukking op diens gezicht gaf hem geen best voorgevoel, ondanks de prachtige veren die hij mee terug had genomen. Hij voelde zich heel opgelucht toen Naurú een heilige kalebas voor hem neerlegde en een stap achteruit deed, maar werd weer ongerust toen de *pagé* plotseling naar zijn hut terugliep. Vrijwel meteen kwam de tovenaar er weer uit, met tabak die hij op gloeiende houtskool in brand stak. Hij ging tussen de beide groepen jongens op de grond zitten, snoof de rook van het rolletje droge bladeren op en blies die weer uit.

Tabajara, door de ouden aangewezen om het woord te doen, trad naar voren met een nog mooiere verentooi dan de vorige dag.

'Grote *pagé*, stem van de geesten van ons volk, ik vraag om gehoord te worden.'

Naurú blies brutaal een rookpluim in de richting van de ouden en zei toen: 'Zij luisteren.'

'Toen de stam hoorde dat de veren van de heilige kalebassen vernieuwd moesten worden, wilden alle krijgers hun boog pakken...'

Deze verklaring werd door een koor van stemmen ondersteund en Tabajara wachtte tot het weer stil werd. Naurú trok verder aan zijn rolletje bladeren, en leek weinig geïnteresseerd.

'Maar de *pagé* wilde dat het anders ging. De stem van de geesten zei dat anderen dan de krijgers gestuurd moesten worden om veren voor de kalebassen te zoeken. Dat hebben wij eerst niet gehoord...'

'Jij twijfelt aan de stem van de geesten?' vroeg Naurú kortaf.

'Helemaal niet.'

'Nu, waarom treuzel je dan?'

'Mijn gedachten waren zwak – net als zij die Naurú had aangewezen om op de ara te jagen.'

'Er was een reden voor die beslissing.'

'Wij hebben ten slotte de wijsheid daarvan begrepen.'

'Maar niet van meet af aan?'

'Wij waren bang dat wij de toorn van de voorvaderen zouden wekken als wij kinderen de taak van mannen zouden opdragen, grote *pagé*.'

'Waren het dan niet de voorvaderen zelf die daarom vroegen, omdat die jongens eindelijk eens mannen moesten worden?'

'Dat hebben wij ten slotte ook begrepen.'

Dit gesprek tussen de oude en de *pagé* was een ritueel dat aan de initiatie van elke leeftijdsgroep voorafging. Om indruk te maken op de jonge mannen, gingen ze hier soms erg ver mee en de tovenaar liet nooit een gelegenheid voorbijgaan om de oude die het woord moest voeren belachelijk te maken. Maar Tabajara, die gewend was de provocaties van Naurú te ontwijken, wendde zich tot de jongens die met lege handen waren teruggekomen en schreeuwde hen toe: 'Ik zie geen enkele ara-veer! Wat voor soort mannen moeten jullie worden?'

Geen van hen durfde te antwoorden.

'Mannen waar het kleinste meisje nog de spot mee drijft,' ging de oude verder, 'die in hun hangmat blijven liggen als er gejaagd moet worden en die zich verstoppen als de vijand eraan komt. Kijk eens om jullie heen. Zien jullie zulke mannen?'

Verschillende jongens knikten van nee.

'Bij de Tupiniquin vinden jullie die niet, dat zouden de voorvaderen niet goed vinden. Zeg ons, grote *pagé*, wat er van zulke schepselen terecht moet komen.'

Naurú stond op en wankelde een beetje onder invloed van de tabak, waarvan hij de scherpe rook gulzig had opgesnoven. Hij liep naar de jongens toe, en ging zo dicht bij ze staan dat het speeksel dat van zijn doorboorde lip droop op de voorste viel. Die verroerde geen vin en keek trillend in de bloeddoorlopen ogen van de tovenaar.

'Naar het bos met hen,' schreeuwde Naurú. 'Laat ze maar aan Caipora over, die op één been zo hoog kan springen als de hemel. "Dans, lafaard!" eist zij, "dans voor Caipora." En Jurupari, met de tanden van een jaguar en de klauwen van een valk, wat eet die graag zulke arme ongelukkigen! Kijk eens hoe zijn ogen branden, hoor eens hoe zijn buik rommelt!'

De *pagé* begon een verschrikkelijk verhaal te vertellen, over afschuwelijke beesten en demonen, over monsters die geboren waren om lafaards te martelen – en jongens die niet met veren terugkwamen.

Toen hij klaar was, liep Tabajara naar de drie andere jongens, en beduidde de buurman van Aruanã om op te staan.

'Stem van de geesten, dit is een echte zoon van de Tupiniquin, een jongen die een man zal worden!'

Aruanã wachtte opgewonden op zijn beurt maar voelde zich ook heel verdrietig omdat zijn vader er niet bij was om zijn overwinning te kunnen zien. Toen zijn beide buren hun veren hadden laten zien en hij geroepen werd, stond hij op.

'Zoon van mijn *maloca*,' zei Tabajara, 'ik ben trots op jou. Jouw oog is goed en jouw boog is snel. Vertel ons waar jij de ara gevonden hebt.'

'Verder dan ik ooit met onze jagers het bos in geweest ben.'

'Ik heb gezien dat je voor zonsopgang de *maloca* verliet, terwijl zij die met lege handen teruggekomen zijn, nog in hun hangmatten lagen te slapen. Was je dan niet bang voor de schemering?'

'Ik ben vertrokken op het uur dat de jagers moeten vertrekken.'

Tevreden met het antwoord van de jongen, glimlachte de oude. De vorige dag had hij nog getwijfeld aan die zoon van de naamloze man, nu was hij blij dat hij zich vergist had.

Maar Naurú was niet tevreden. De zoon van een man die de wet van de voorvaderen had geschonden had niet voor de heilige kalebassen moeten zitten. Maar hij had de ara gevonden, dus viel er moeilijk iets tegen hem in te brengen.

'Vandaag heb jij geluk gehad,' zei de tovenaar.

'En handig was hij ook,' zei Tabajara er snel achteraan.

'Laat hij zijn veren tonen!' beval Naurú.

Aruanã knoopte langzaam de lianen los waarmee de palmbladeren vastzaten. Zijn handen trilden van opwinding want hij wist dat iedereen naar hem keek – en dat zijn veren mooier waren dan die van de andere jongens.

Met stralende ogen van ingehouden genot vouwde hij de bladeren open – en kreeg bijna een stuip van schrik: de prachtige ara-veren waren veranderd in een beetje reigerdons.

'Mijn veren!' riep hij uit. 'Waar zijn ze?'

De mannen van de stam zeiden niets, waaruit bleek dat zij hem niet geloofden, en keken toen naar de tovenaar, want die moest de belediging, de voorouders aangedaan, wegwassen. Tot ieders verbazing begon Naurú te lachen en voor Aruanã heen en weer te dansen, waarbij hij zich op zijn dijen sloeg. Hij lachte tot hij tranen in zijn ogen kreeg en de anderen, die zagen dat hij zich vrolijk maakte, deden net als hij. De beide jongens die Aruanã hadden opgehouden door hem honing aan te bieden en zij die in de tussentijd de veren hadden omgewisseld, begonnen ook te schaterlachen, net als alle mannen – met uitzondering van Tabajara.

De oude was woest: de jongen had hem ten overstaan van het hele dorp belachelijk gemaakt. Hij greep hem bij zijn arm en gromde: 'Mijn woede is nog niets vergeleken bij die van onze voorouders.'

'Ik heb niet gelogen. Ze hebben de veren die ik had meegenomen afgepakt. Het zijn de andere jongens die...'

'Houd je mond! Zie je niet dat Naurú gaat spreken?'

De *pagé*, die ondertussen uitgelachen was, liep met een schrikbarende uitdrukking op zijn gezicht naar Aruanã toe.

'Zo, dus jij hebt lang door het bos gelopen?'

'Ja, grote *pagé*. En ik heb de ara gevonden.'

'En als jij de waarheid spreekt, waarom zijn de ara-veren dan veranderd in reigerdons?'

Tabajara vroeg zich af wat de tovenaar nu precies wilde en kwam tussenbeide.

'Hij zei dat andere jongens...'

'Onzin! Toen Aruanã zijn veren gaf, hebben de voorouders de andere kant uitgekeken. Ik wil weten waarom.'

De mannen mompelden, en een van hen riep: 'Grote *pagé*, we smeken u, luister naar de klacht van de geesten. Luister vanavond naar ze, of anders zal de angst in onze *malocas* heersen.'

Naurú pakte de kalebassen en begon ze te schudden, terwijl hij kreunde alsof hij erge pijn had. Zijn lichaam begon te trillen, steeds sterker, maar plotseling bleef hij staan.

'Het is Grijze Vleugel,' zei hij. 'Grijze Vleugel, onze voorvader.'

De menigte herhaalde die naam die zij voor het eerst hoorde. Met een schelle stem, anders dan zijn normale stem, ging de tovenaar verder: 'Ik zie Grijze Vleugel vertrekken om tegen de vijand te strijden.

De Tupiniquin vallen aan bij de dageraad, als de Cariris nog in hun hangmatten liggen te slapen. Het gevecht is lang, de slachting is groot. Grijze Vleugel wordt gevangengenomen... De volgende dag laat hij zien hoe laf hij is, hij vlucht het dorp uit...'

'Dat is de man zonder naam,' zei een van de mannen. 'En zijn zoon is voor de voorouders getreden met reigerdons.'

Aruanã probeerde ervandoor te gaan, maar Tabajara hield hem tegen.

'Ik had je gewaarschuwd voor die man,' ging Naurú verder, nu weer met zijn normale stem.

'Dat hebben wij gehoord, grote *pagé*,' zeiden de mannen.

'Wat heb je gedaan met mijn waarschuwingen?' vroeg de tovenaar.

Tabajara duwde Aruanã opzij en antwoordde: 'Ik heb het gehoord, en wij zullen dienovereenkomstig handelen.'

'Nu!' riep een man.

'Ga Grijze Vleugel halen! Dood hem.'

'Nee!' riep Aruanã. 'Dat is Grijze Vleugel niet, dat is Pojucan, mijn vader, krijger van de Tupiniquin!'

De paar mannen die hem hoorden begonnen te grinniken.

'Je hebt het gehoord,' zei Naurú tegen Tabajara. 'Laat die man zonder naam grijpen, en leg hem eens en voor altijd het zwijgen op!'

Hij raapte de heilige kalebas op die voor de voeten van Aruanã lag en verdween in zijn hut. De menigte verspreidde zich. Een groepje mannen liep naar Tabajara toe die als oudste de plicht had om hen naar de man zonder naam te brengen. Anderen gingen naar de opening in de omheining, waarlangs vast en zeker de krijgers zouden komen die hem moesten executeren.

Aruanã werd door iedereen vergeten en bleef voor de hut van de *pagé* zitten.

'Vader,' huilde hij, 'is het mogelijk dat uw zoon van een eerloze krijger heeft gehouden?'

Hij raapte zijn moed bij elkaar en rende naar zijn *maloca*, waar hij een paar mannen voor de ingang zag staan. Hij stopte. Een van hen maakte zich los van het groepje en liep naar hem toe.

'Je moet snel weggaan,' zei hij. 'Je vader wacht op je.'

'Ze zullen hem dood maken. Dat kan ik nooit aanzien.'

'Ze zullen hem niet vinden,' legde de man uit in wie Aruanã de Tapajó herkende.

'Hij ligt vast en zeker in zijn hangmat.'

'Je vader is het dorp uit, en ik ga met hem mee.'

'Maar waar is hij dan?'

Ubiratan beduidde Aruanã om hem te volgen tot een punt langs de omheining dat het verst verwijderd was van de poort, en hielp hem toen om over de palen te klimmen, waarop hij hetzelfde deed.

Vader en zoon vonden elkaar terug in het bosje waar de jongeman Ariranha, de otter, had gezien. Pojucan had tegen Aruanã gezegd dat ze naar het land van de Tapajós gingen, maar dat zijn zoon ook in het dorp kon blijven.

'Ik volg mijn vader,' had Aruanã slechts gezegd.

II

Juni 1491 – april 1497

Zo ondernamen Pojucan en Aruanã van de Tupiniquin, en Ubiratan, een Tapajó, de oversteek van een half continent. De beide mannen hadden hun bogen en hun ploertendoders meegenomen, plus nog wat snijdende gereedschappen, wat maniok en hun sterkste amuletten: jaguartanden en schelpenkettingen.

De eerste avond roeiden zij stroomopwaarts het binnenland in, want volgens Ubiratan kwamen ze zo bij een rivier die in de Moeder van de Rivieren uitmondde.

In de loop van de volgende dagen staken zij waterlopen over, door-kruisten bossen, gingen door dalen en klommen tegen hellingen op. Soms was er volop voedsel; soms vonden zij niets te eten of zelfs maar te drinken.

Ze kwamen maar langzaam vooruit, en zeiden niet veel, altijd op hun hoede voor gevaar: insekten, reptielen, vijandige stammen. Voordat de nacht viel zochten zij een plek waar ze konden slapen en soms vonden zij eenvoudige onderkomens die door zwervende India-nen waren achtergelaten: een eenvoudig afdak van palmbladeren op een tak, een plaats waar je een nacht of hooguit een paar weken kon blijven. Toch kreeg op sommige dagen de angst de overhand – als ze sporen van mensen hadden gezien, of in de verte een grote kudde pe-kari's hadden gehoord, die in staat was om alles wat op haar weg kwam plat te trappen – en sliepen zij in een boom.

Pojucan had de leiding maar Ubiratan trad op als gids, waarbij hij de hemel bestudeerde, en zich oriënteerde op de helderste sterren. Hij wist dat binnenkort de Grote Regen zou vallen en dacht dat zij, als die zou ophouden, bij het gebied van de Shavantes zouden zijn, de buren van de Tapajós.

Op een avond – drie nieuwe manen na het begin van de reis – was Aruanã dicht bij het vuur gaan liggen om naar de mannen te luisteren. Hij sliep vaak lang voor hen in maar dit keer bleef hij wakker om naar Ubiratan te luisteren die sprak over een grote *pagé* van de Tapajós.

'Jullie zijn bang voor Naurú, maar toch kent slechts één Tupiniquin-dorp hem,' zei de vroegere gevangene. 'Maar de tovenaar Tocoyricoc is beroemd tot in de verste uithoeken van het land van de Tapajós, en zelfs daarbuiten.'

'Tocoyricoc?' herhaalde Pojucan niet zonder moeite. 'Wat een vreemde naam.'

'Dat betekent hij-die-goed-ziet, tenminste volgens hemzelf. Hij is bij de Tapajós gekomen voordat ik geboren werd, uit een land waar de zon slaapt. Zijn wijsheid is groter dan die van welke oudste ook. Hij was al heel oud toen ik vertrokken ben, maar misschien leeft hij nog.'

Ubiratan wist een heleboel te vertellen over die Tocoyricoc die in stenen *malocas* had gewoond, in dorpen die tegen de helling van een berg aanhingen, vlak bij de zon.

'Voordat hij aan de rand van ons dorp in een grot ging wonen, zwierf hij alleen door het bos. Hij is niet bang voor de geesten die daar wonen, want hij gelooft niet dat zij bestaan.'

'Oei! Dan is hij goed gek,' zei Pojucan. 'Of het moet zijn dat... de Tupiniquin weten dat het kwaad de gestalte van een man kan aannemen.'

'Er schuilt absoluut geen kwaad in hem,' zei Ubiratan. Hij keek eens naar zijn handen en zei toen: 'Hij heeft mij geleerd potten te bakken, maar ik was te dom om alles te begrijpen wat hij me kon laten zien.'

'En waar is dat land waar de zon slaapt?'

Daarop wist Ubiratan het antwoord niet.

Het bos veranderde in een hoogvlakte met gras en hier en daar bosjes. De weinige bomen die er waren stonden langs oevers van rivieren of rondom meertjes. Ook het weer veranderde, want het einde van het lange, droge seizoen naderde. Het was drukkend warm. Af en toe kondigde de rollende donder een weldadige bui aan, maar als de wind opstak verdween ook de regen weer.

Het drietal liep over een onafzienbare grasvlakte in de richting van een bos waar ze een beetje koelte konden vinden toen Pojucan een verlaten maniokveld ontdekte. De drie mannen stortten zich op dit geschenk van de hemel zonder te weten dat zij vanuit het bos gadegeslagen werden.

De drieëndertig mannen, vrouwen en kinderen die tussen de bomen verborgen zaten waren Nambikwaras, een volk dat tijdens het droge seizoen door de savanne trok, op zoek naar voedsel. Zij hadden deze maniok bij een vorige trektocht geplant en wilden net gaan oogsten want ze hadden al een paar dagen niets anders dan larven, sprinkhanen en een paar knaagdieren gegeten die de vrouwen met stokken te pakken hadden gekregen.

Hun opperhoofd, die luisterde naar de naam Haas, was een magere man met zwarte ogen en een uitgemergeld gezicht. Hij was anderhalve meter lang en stak boven alle andere leden van zijn bende uit – liever gezegd van zijn familie, want ze waren allemaal op de een of andere manier familie van elkaar. Honderden groepen zoals de zijne leefden verspreid over de savanne. Als de regen kwam, verenigden zich er een stuk of vier in een soort dorp, waar zij op het einde van de winter wachtten.

Haas was in gezelschap van zijn beste jagers die gehurkt achter de doornbosjes onder de bomen tegen elkaar zaten te mompelen.

'Laten we ze doodmaken,' stelde een korte, dikke man voor, die door de anderen Pad werd genoemd.

'Hij heeft gelijk,' zei Rots, die zo heette omdat een woedende tapir hem niet omver had kunnen gooien. 'Zij zijn met z'n drieën, wij met z'n zevenen. Dat is makkelijk genoeg.'

Hij had zijn boog, die groter was dan hijzelf, aan zijn voeten liggen en ook zijn pijlen, waarvan de punt met curare was ingesmeerd.

'Nee,' zei Haas. 'Als we ze doodschieten, moeten we voor de bomen gaan staan, dan is het geen verrassing meer.'

'Wat doet dat er nou toe!' zei Rots.

'Jij zegt dat we met z'n zevenen zijn maar twee van ons zijn oud, en een derde is nog maar een jongen.'

'Onze kinderen huilen over die maniok.'

'Laten we hen die dan maar laten opgraven.'

Aruanã droeg de rest van de maniok naar de plaats waar zijn vader en Ubiratan de knollen zaten schoon te schaven. Daarna raspten zij ze op een ruwe tak en begonnen toen de pulp tussen stroken schors uit te persen om het giftige sap eruit te halen.

De jongen werd naar het bos gestuurd om een tak en schors te gaan zoeken en liep dus op de bomen af. Haas en vier van zijn jagers, die trilden van opwinding, verrasten Aruanã op een open plek en omsingelden hem, zodat hij er niet aan hoefde te denken om te vluchten. Met uitpuilende ogen van angst bood de jongeman geen tegenstand toen de Nambikwaras hem zijn boog afpakten en kakelend om hem heen begonnen te draaien. Haas legde hem een liaan om zijn nek en gaf het andere uiteinde aan Pad.

'Breng die kleine dief naar het kamp,' beval Haas.

De Nambikwaras kregen moed nu ze de jongen gevangen hadden en gingen op de beide andere maniokdieven af, maar kwamen onderweg een kudde pekari's tegen – vijftig vraatzuchtige wilde varkens die in staat waren om in een paar minuten een man aan stukken te rijten, en die plotseling uit de bosjes kwamen zetten. Rots schoot en legde een van de leiders van de kudde neer. De andere pekari's bleven even staan en vielen toen grommend en krijsend de jagers aan, die zich verspreidden en naar de dichtstbijzijnde bomen renden.

Rots struikelde over een dode tak en viel; drie beesten met rechtopstaande haren draafden bijna nonchalant naar hem toe om hem aan te vallen. De Nambikwara begon te schreeuwen toen de witte slagtanden van de eerste pekari in zijn billen drongen. Buiten adem van de pijn lukte het hem om een lage tak te pakken te krijgen en in een boom te klimmen.

Zijn metgezellen, die al her en der in de bomen zaten, durfden geen vin te verroeren. De kudde donkere gestalten onder hen stortte zich van de ene boom op de andere, en bonkte tegen alle stammen aan.

'Ze blijven vast tot de nacht valt,' kreunde Rots. 'Het doet zeer. Verdomme, wat doet dat zeer.'

'Toch moeten we wachten,' besliste Haas.

'En die maniokdieven dan?'

Pojucan en Ubiratan hadden het lawaai gehoord. Ze waren bang dat Aruanã was aangevallen door de pekari's, namen hun wapens en renden naar het bos. Ze gingen op het gegrom af en vonden algauw de beesten en de mannen die in de takken zaten.

De wilde varkens waren zo druk rond de bomen bezig om hun prooien eruit te krijgen, dat ze geen aandacht schonken aan de nieuwkomers. De pijlen van Pojucan en Ubiratan legden twee andere beesten neer, waardoor de rest van de kudde ervandoor ging.

De Nambikwaras, die op hun vlucht hun wapens hadden laten vallen, bleven in hun schuilplaats zitten en waren nu bang dat de mannen die zij van plan waren geweest aan te vallen, gevaarlijker zouden worden dan een kudde woedende varkens. Maar Pojucan en Ubiratan kwamen dichterbij, lieten hun bogen zakken en beduidden dat zij vriendschap wilden sluiten.

De kleine jagers kwamen uit de bomen, bleven dicht tegen elkaar aan druk staan praten, maar konden zich tegenover hun redders niet verstaanbaar maken. Toen ze dachten aan wat er zou gebeuren als die mannen te weten zouden komen dat zij de jongen gevangen hadden genomen, werden ze bang. Rots raakte in paniek en Haas probeerde hem gerust te stellen, al was hij zelf ook ongerust.

'Ze zien er niet kwaad uit. Ze hebben ons geholpen.'

'Ja, en als ze te weten komen dat wij die andere hebben?'

Haas besloot meteen om met de vreemdelingen vrede te sluiten. Dat bleek echter moeilijker dan hij gedacht had en hij had heel wat tekens en gebaren nodig om hun duidelijk te maken dat zij de jongen 'tegen waren gekomen' en hem met een van de jagers naar het kamp hadden gestuurd. Haas deed zijn uiterste best om de beide mannen op hun gemak te stellen wat het lot van hun jonge metgezel betrof, die hen ongedeerd in het kamp zat op te wachten.

Toen Pojucan eindelijk begreep wat er gaande was, werd hij woedend, greep Haas bij zijn nek en schudde hem door elkaar.

'Hij is mijn zoon,' gromde hij. 'Als hem wat overkomen is, zul jij ervoor boeten.'

De Nambikwara beduidde dat iedereen nu naar het kamp zou gaan om de jongen terug te halen.

'We moeten ze volgen,' zei Pojucan tegen Ubiratan.

'Ik ben niet bang,' zei de Tapajó minachtend. 'Dit zijn kinderen.'

Terwijl Pojucan Haas meenam om de maniok op te halen, maakten Ubiratan en de jagertjes de pekari's klaar om ze mee te nemen naar het Nambikwara-kamp. Ten slotte ging de hele groep op weg, gevolgd door Pojucan en Ubiratan, die schietklaar waren voor het geval iemand een poging zou doen om te ontvluchten. Rots liep met moeite, waarbij hij een hand vol bladeren op zijn open wond hield, en met zijn vrije hand een van zijn metgezellen hielp om een varken te dragen.

In het kamp had Aruanã ondertussen een van de meest benarde ogenblikken van zijn leven meegemaakt. Hij was door Pad dwars door het bos gesleept, en was bij elke stap die hem verder van zijn vader verwijderde, banger geworden. Het Nambikwara-kamp lag aan de oever van een rivier, tegenover een watervalletje, vrij rustig omdat het het einde van het droge seizoen was. Toen hij daar aankwam zag de jongeman zeven hutten die gemaakt waren door bebladerde takken tegen een boomstam aan te zetten. Daarnaast stonden grote manden van gevlochten bamboe, een paar kalebassen, eenvoudige aardewerken potten, zwart van het vuur, en lagen er verspreid resten van dieren – stukken huid, tanden, klauwen – en wat droge planten. De mannen, ook Pad, droegen niet meer dan een reepje schors aan een ceintuur om hun geslachtsdelen te bedekken, de vrouwen droegen alleen maar schelpenkettinkjes.

Sommigen waren bezig om bessen klaar te maken die zij die ochtend in het bos hadden geplukt, maar de meesten lagen te luieren in het zand terwijl de kinderen aan de oever van de rivier speelden. Toen Pad er met zijn gevangene aankwam, renden ze allemaal naar hem toe en begonnen luid pratend het lichaam van Aruanã aan te raken, en vrolijk om hem heen te dansen, alsof hij een teruggevonden verloren zoon was. Het meest enthousiast waren drie jonge vrouwen uit de groep, kleine gracieuze wezentjes met een zachte beige huid. Twee van hen namen de liaan van Pad over en trokken Aruanã giechelend naar de oever van de rivier, onder de waterval, doken daarna in het water, begonnen te spatten en slaakten vrolijke kreetjes toen de 'gevangene' dat ook deed.

Na afloop van dat spelletje nam de mooiste van de meisjes de Tupiniquin bij de arm, haalde hem uit het water, en bracht hem lachend weer naar de hutten. Toen ze voorbij Pad kwamen, zei die iets terwijl hij op de penis van de gevangene wees, wat de andere Nambikwaras in schaterlachen deed uitbarsten. Aruanã merkte dat het meisje dat aan zijn arm hing alleen maar glimlachte.

Ze was iets kleiner dan hij, dus niet groot, ze had ronde en stevige borstjes, een zachte huid, fijne trekken, en lange glanzende haren. Ze nam hem mee tussen de hutten, beduidde hem te gaan zitten en algauw schaarde de rest van de groep zich om hen heen. Pad vertelde hoe ze hem gevangen hadden en dat de anderen waren achtergebleven om de maniok te kunnen meenemen.

Toen de jagers tussen de bomen te voorschijn kwamen, sprong Aruanã overeind, en sperde zijn ogen wijd open toen hij de twee gestalten zag die achter hen aankwamen. De ontvangst was nog hartelijker dan voor hem, en de kleine Nambikwaras dansten tussen de pekari's en de vreemdelingen.

Haas vroeg om stilte, en zei tegen de zijnen dat de twee grote jagers hun gasten waren zolang zij wilden, waarbij hij natuurlijk niet vertelde dat hij en zijn mannen in werkelijkheid de gevangenen waren.

Aruanã rende naar Pojucan toe en zei: 'Vader, ik heb een heleboel geleerd. Ik was gevangene en ik wachtte tot het nacht zou worden.'

'En wat was je van plan dan te gaan doen?'

'Ik zou naar het bos gevlucht zijn.'

'Dat doet een Tupiniquin niet,' antwoordde Pojucan, tamelijk kortaf.

'Ik wilde bij u en Ubiratan zijn, en niet in de hutten van die mannen.'

Pojucan glimlachte.

'Hebben ze je goed behandeld?'

'O ja,' zei Aruanã terwijl hij naar het meisje keek dat naast hem zat.

De Nambikwaras wisten dat de tijd van zwerven ten einde liep en zaten al te denken aan terugkeer naar hun winterkwartier. De pekari's en de maniok stelden hen in staat om uitgebreid het einde van een gelukkig seizoen te vieren: ze aten, zongen en dansten uren achter elkaar.

Eén echtpaar zat apart van de rest en mocht niet meedoen aan het festijn. De vrouw voedde een baby en Haas, die ook tovenaar was, had opdracht gegeven dat het echtpaar, totdat het kind niet meer aan de borst zou zijn, bepaalde verboden spijzen niet mocht eten en dat de man niet mocht jagen. Maar het ergste was dat zij ook niet met elkaar mochten vrijen. En neuken was datgene waar de Nambikwaras het gekst op waren – ze lieten nooit een gelegenheid voorbijgaan om het te doen, en schepten er een groot genoegen in.

De echtparen, die na het feest bij het vuur lagen, begonnen te fluisteren en elkaar te strelen. Een van de jonge jagers hielp zijn vriendinnetje om op te staan en nam haar mee naar de bosjes. Ze waren nog jong, en schaamden zich nog een beetje: later zouden ze zich ongetwijfeld niets meer van de blikken van de anderen aantrekken.

Ochtendbloem, het jonge meisje dat zich zoveel voor Aruanã interesseerde, bleef de hele avond naast hem zitten, en deelde haar kom maniok met hem. Toen het feest was afgelopen en Pojucan op de grond in slaap was gevallen, nam Ochtendbloem Aruanã's hand in de hare. De twee jongelieden bleven een hele poos zo zitten, en keken elkaar in de ogen. Toen al de anderen sliepen, beduidde zij hem haar te volgen en nam hem mee naar de oever van de rivier, waar zij met hem vree met alle tederheid waartoe een Nambikwara in staat was.

De eerste regens vielen niet lang nadat Pojucan had besloten om met de Nambikwaras mee te trekken naar hun winterkwartier. Losbarstend natuurgeweld kondigde de komst van de regens aan. Rukwinden joegen door het bos, veegden de *cerrado*, de vlakte, schoon, en deden daar waar de grond braak lag stofwolken opwaaien. De hemel was vol bliksemschichten die vaak een grote boom in het bos raakten of kreupelhout in brand zetten. Toen barstte de bui los, kort en hevig, sloeg op de bladeren en stroomde langs de bomen naar beneden. Alles wat niet goed vastzat of verrot was viel op de grond; enorme stammen, ontdaan van de lianen die hen overeind hielden, vielen krakend op de grond. In de *cerrado* stroomde het water over de gebarsten aarde; duizenden beekjes die in het droge seizoen verdwenen waren kwamen weer te voorschijn en smolten samen tot stromen die alles meesleepten.

Deze gewelddadige inleiding op een lang regenseizoen verdreef de mist en de drukkende hitte maar werd een paar keer onderbroken, om plaats te maken voor een wolkeloze hemel. Vervolgens veranderden de onweersbuien in een gestage regen; de oevers van de rivieren kwamen onder te staan en het nog steeds wassende water overstroomde hele stukken bos en *cerrado*.

De Nambikwaras liepen achter elkaar, waarbij de vrouwen manden op hun rug droegen die bijna even groot en zwaar waren als zijzelf, en die met een band om hun voorhoofd zaten. De mannen liepen voorop, met pijl en boog in de hand. Onder de modder en rillend liepen zij in het onweer tot ze niet verder konden en in kleine zielige groepjes tussen het hoge gras bij elkaar gingen zitten.

Om in het bos te komen waar zij de winter zouden doorbrengen, moesten zij een klein stukje grondgebied oversteken waar hun vijanden, de Shavantes, jaagden. Dezen waren machtig en wreed en waren een deel van het jaar ook nomadisch, waarbij hun jachtseizoen ophield als de Nambikwaras kwamen – op wie zij met meer plezier en volharding joegen dan op wild.

Er was één volle maan voorbij toen zij na een hevige onweersbui sporen van Shavantes vonden. Tegen de middag, toen zij tegen de modderige helling van een heuvel opklommen, maakte Pojucan zich los van de groep: hij had een beetje verder naar beneden iets opgemerkt. Haas en Ubiratan kwamen bij hem toen hij de botten van een tapir onderzocht.

'Daar hebben er veel van gegeten,' merkte de Tapajó op.

De Nambikwara, die helemaal opgewonden werd, porde in de vochtige as van het vuur, doorzocht de bosjes in de buurt en zei daarna: 'Shavantes!'

Hij wees op de resten van hun hutten, gemaakt van jonge bomen, die rond waren, op een plek waar het gras platgedrukt was door matten.

Die nacht kampeerden zij in een dal achter de heuvel. Zij hielden hun vuren zo klein mogelijk, maar konden toch van verre gezien worden omdat er in het grazige dal geen bomen stonden. Zenuwachtig wachtten zij het ogenblik vlak voor zonsopgang af – het ogenblik dat de Shavantes altijd uitkozen om aan te vallen.

De aanval kwam pas drie dagen later, op de oever van een modderige rivier die de Nambikwaras en de Shavantes het Gele Water noemden. Tegen het einde van het droge seizoen zwommen honderden schildpadden naar de stranden om er hun duizenden eieren te leggen, die door vele anderen op prijs werden gesteld, zowel mensen als dieren.

Als zij pas omgewoeld zand zagen, lieten de Nambikwara-vrouwen hun manden vallen, knielden neer en begonnen koortsachtig te graven om de schat aan het daglicht te brengen. De mannen liepen rond door het water en vingen in korte tijd tien prachtige schildpadden.

Verschillende jonge Shavante-krijgers, de voorhoede van een veel grotere groep dan die van de Nambikwaras, bereikten tegen het einde van de middag de rivier en zagen de vijand rond de vuren zitten die voor het festijn waren aangestoken. Jaloers bekeken zij hen vanaf de andere oever, en vertrokken toen weer om naar de rest van hun groep te gaan. Terwijl de Nambikwaras zich volstopten met eieren en schildpaddevlees, trokken de Shavantes op naar het Gele Water.

Ze vielen vlak voor zonsopgang aan, op het moment dat de vijand diep in slaap was, en het bloedbad zou verschrikkelijk zijn geweest als Aruanã geen alarm had geslagen. Ochtendbloem en hij waren een eindje verderop op een strandje gaan liggen. De jongeman was wakker geworden door de nachtelijke koude, maar Ochtendbloem sliep nog vredig naast hem, dus was hij blijven liggen.

Toen hij aan de overkant van het water een gestalte zag bewegen, schudde hij het meisje wakker en mompelde hij: 'Shavantes!'

Met de paar Nambikwara-woorden die hij kende, maakte hij haar duidelijk daar te blijven terwijl hij de anderen ging waarschuwen. Hij verwijderde zich van de oever, en rende gebogen door het hoge gras in de richting van de plaats waar het kampement moest zijn. Hij stuitte op een doornbosje, maar voelde niet eens hoe de scherpe punten zijn huid openhaalden toen hij erdoorheen ging.

Het kamp lag recht voor hem, niets bewoog in de diepe schaduw rond de vuren. Sinds Pojucan de botten van de tapir gevonden had, hielden de Nambikwaras elke nacht de wacht, maar het festijn van de vorige avond, met veel bier dat de vrouwen met *buriti*-bladeren hadden toebereid, had ook de schildwachten gevloerd.

Toen verscheen Aruanã tussen de slapende lichamen.

'De Shavantes!' schreeuwde hij. 'De Shavantes komen eraan.'

Iedereen was meteen wakker. De jongeman rende naar Pojucan en Ubiratan, die hun bogen al te pakken hadden.

'Ik heb ze op het strand gezien. Ze zijn met velen.'

Even brak er paniek uit, de vrouwen en de kinderen begonnen te schreeuwen alsof de vijand zich al op hen stortte, met de ploertendoder opgeheven. Haas beval hun zich rustig te houden, naar de andere kant van de doornbosjes te lopen en ervandoor te gaan. Als de mannen zouden winnen, zouden ze hen de volgende dag terugvinden; in het tegenovergestelde geval hadden de vrouwen en de kinderen tenminste een kans om aan de vijand te ontsnappen en een andere groep Nambikwaras tegen te komen.

De eerste Shavante-schreeuw doorbrak de stilte vlak voor zonsopgang. Er was dicht struikgewas op de tegenoverliggende oever, waardoor de Shavantes dekking hadden tot aan de rand van het water. Maar die oever lag wat lager dan de andere, waardoor de Nambikwaras een zeker voordeel hadden.

Het kleine aantal strijders – dertien Nambikwaras tegen negenentwintig Shavantes – maakte het gevecht er niet minder heftig om. In beide kampen bevonden zich voortreffelijke boogschutters en de Shavante-pijlen hadden al vier Nambikwaras geraakt – van wie er twee op slag dood waren. Pojucan wendde zich tot Aruanã, die als een man vocht, en vroeg hem om droog gras te gaan zoeken. De jongen kroop buiten het schootsveld van de vijand en bracht zijn vader het gevraagde. Pojucan omwond de punt van drie heel lange jachtpijlen ermee en liep naar het vuur toe.

De brandende projectielen deden precies wat van hen verwacht werd en staken de bosjes waar de Shavantes in verborgen zaten, in brand.

Rots, die het plan van de Tupiniquin begreep, riep naar zijn mannen om op te houden met schieten en op het ogenblik te wachten dat de vijand het water in zou gaan.

Toen het vuur zich uitbreidde doken verschillende Shavantes, in plaats van zich terug te trekken, in het water en liepen zij naar de tegenovergestelde oever. Drie van hen zakten meteen in het water maar de vijf anderen liepen door, schreeuwend en met hun ploertendoders zwaaiend. Een van de aanvallers werd door een pijl doorboord toen hij bij de andere oever was, en de vier overigen stortten zich op de Nambikwaras.

Het treffen was kort en hevig. De Nambikwaras sloegen de Shavantes met hun lange bogen, gooiden zand en stenen naar hen toe, en takken die klaarlagen voor het vuur. Pojucan en Ubiratan stortten zich zwaaiend met hun stenen bijlen op dezelfde vijand en hakten hem om als een boom.

Een van de twee nog ongeschonden Shavantes lukte het om langs de rivier te vluchten; de andere werd door de Nambikwaras omsingeld, en als een beest in elkaar geslagen. De rest van de groep Shavantes, die zag dat acht dappere krijgers gevallen waren, en die stroomopwaarts waren getrokken om aan het vuur te ontkomen, gaven het op en verdwenen, achtervolgd door spottende uitroepen van de Nambikwaras.

Haas ging op de oever staan en pestte de vluchtende vijand door zich uit te roepen tot 'krijger der krijgers', en 'slachter van Shavantes'. Maar hij vergat Aruanã niet en toen de laatste Shavante verdwenen was, wendde de Nambikwara zich tot zijn mannen en herinnerde hen eraan dat de jonge Tupiniquin hen gewekt had uit hun dodelijke slaap.

Aruanã hoorde het niet, want hij rende al naar Ochtendbloem toe.

Hij vond het meisje op de plek waar hij haar had achtergelaten, met haar mooie lichaam totaal verminkt door de slagen van de Shavante die langs het water gevlucht was.

Het was maar een klein potje van gebakken aardewerk, met een nauwe opening, rondbuikig van vorm, maar Ubiratan raakte er meer van in extase dan van alles wat hij op zijn reis tot nog toe gezien had. De Tapajó en zijn twee metgezellen waren achter de Nambikwaras naar hun winterdorp gegaan, dat in de buurt van een rivier lag die volgens hem naar de Moeder van de Rivieren voerde.

Hij bekeek het voorwerp zorgvuldig, ging met zijn vingers langs de randen ervan, schatte de dikte en de sterkte van het materiaal. De eigenaar ervan, één van de tweehonderd Nambikwaras die hoorde bij de vier families die in het dorp samenkwamen, wilde het niet afstaan, wat begrijpelijk was want niemand anders bezat een dergelijke pot. Ubiratan wilde weten hoe hij eraan gekomen was. Van mannen die de rivier afgezakt waren, antwoordde de Nambikwara. Grote mannen, net als Ubiratan en zijn vriend. Hij was aan zijn pot gehecht want het was iets moois – de zijnen maakten dergelijke dingen niet – maar begreep niet waarom Ubiratan zo blij werd toen hij het zag. Deze vertelde dat hij het werk van zijn volk, de Tapajós, herkende.

Het regende dagen achter elkaar. De winterhutten waren slechts armzalige onderkomens van takken en bladeren waarin de kleine Nambikwaras zaten te rillen terwijl zij tekeergingen tegen deze gedwongen onderbreking van hun zwerftochten. Ze joegen, visten, en waren geamuseerd toen Ubiratan hun toonde hoe zij vis moesten vangen met de vlezige *timbó*-vezels. Toen hij met stukken van deze groene liaan in het water had geslagen, sprongen de vissen boven het oppervlak uit, trilden nog wat en bleven dan bewegingloos liggen, met de buik naar boven. Maar na een paar keer vissen hadden de Nambikwaras geen interesse meer in dit systeem en gingen zij weer rond hun vuren zitten om over de echte jacht te praten.

Ze toonden ook bijna geen interesse voor de kano die Pojucan en zijn metgezellen maakten. Voor de Nambikwaras was het water nooit een middel geweest om zich te verplaatsen. Vrij als zij waren om naar willekeur over de *cerrado* rond te trekken, zagen zij het nut er niet van in om zich te beperken tot de richting die deze of gene rivier nam. Toch keken zij in het begin nieuwsgierig hoe Pojucan een boom uitkoos, die omhakte, en toen vorm gaf aan de stam voordat hij begon die in te branden en uit te hollen met bijlen en krabbers.

Aruanā was nog gehaaster dan zijn beide metgezellen om te vertrekken. De herinnering aan Ochtendbloem bleef pijnlijk en weggaan bij Haas, Rots en Pad, die hem allemaal aan het meisje deden denken, zou hem helpen haar sneller te vergeten.

Hij was dus blij toen het eindelijk ophield met regenen en hij zittend in de kano de Nambikwaras vaarwel kon zeggen terwijl Pojucan en Ubiratan peddelden. De kano, twintig voet lang en in het midden vier voet breed, lag door alle meegenomen voorraad diep in het water. Ubiratan, die dicht bij de Moeder van de Rivieren had geleefd en zich op het water net zo op zijn gemak voelde als op het land, kon een kano beter besturen dan de Tupiniquin en zat dus achterin. Hij stuurde naar het midden van de rivier, waar de stroom het sterkst was, en algauw werden zij meegevoerd door het oerwoud.

In de bochten van de rivier waren vaak kleine zand- of grindstrandjes. Daartegenover had het water dan de oever geërodeerd, die loodrecht oprees en vaak vier of vijf passen hoog was. Op sommige plaatsen had de vloed van de Grote Regen de oevers overstroomd en veranderde de rivier in een soort groot meer.

's Morgens vroeg liepen er witte kraanvogels langs het water, die stil bleven staan als de kano langskwam of schreeuwend als zenuwachtige schildwachten wegvlogen. Prachtige roze-met-witte lepelaars filterden het water met hun snavel op zoek naar wormen; zwermen papegaaien stieten schelle kreten uit in de bomen, zwarte en plechtstatige gieren zaten op de takken geduldig te wachten tot hun maaltijd door de stroom langsgevoerd zou worden.

Onbeweeglijke alligators lagen in de modder en volgden met hun blikken de vaart van de kano, waarbij zij soms een grommend geluid uit hun kelen lieten ontsnappen. In de bomen gingen de apen ondertussen door met hun rumoerige gesprekken. Er hing er één aan een lage tak toen de mannen voorbijkwamen, en die ontblootte zijn tanden.

Vanaf de eerste dag deelde het drietal de tijd in op een manier die daarna nauwelijks meer veranderde. Ze stonden voor zonsopgang op, peddelden tot de hitte onverdraaglijk werd, trokken dan de kano op de kant, namen een bad, gingen soms het bos in, maar bleven meestal slapen tot achter in de middag. Dan vertrokken ze weer en begonnen ze weer te peddelen tot zonsondergang. Ze reisden ook wel 's nachts als ze in de gaten hadden dat er een dorp in de buurt was, en gleden dan snel over het zilverkleurige lint dat vaak voorbij de hutten kwam van een volk dat aan de rivier leefde.

De reis bleek dus betrekkelijk gemakkelijk, behalve wanneer de rivier een waterval passeerde en hun kleine bootje in een smalle doorgang tussen de rotsen werd geworpen. Dan hadden ze al hun kundigheid nodig om te voorkomen dat de uitgeholde boomstam omkieperde. En als de rotsige rivierbedding omhoogkwam, ontstonden er weer andere obstakels, grote stukken graniet die door het water en het zand gepolijst waren. Dan moesten ze de kano dragen, of hem door het kreupelhout trekken.

Twee nieuwe manen lang reisden zij door het hart van een enorm continent – twee mannen en een jongen, in harmonie met een wilde natuur – en lieten zij slechts weinig sporen achter, in een enkele inham langs de rivier. Maar de ingeboren angst voor het kwaad dat mensen op zulke geheimzinnige plaatsen altijd belaagt, kreeg hen vaak in zijn greep.

Op een ochtend wilde Ubiratan niet van het strand af waar zij hadden geslapen.

'De dageraad moet eerst drie keer voorbijgegaan zijn,' verklaarde hij.

Aruanã, die de mondvoorraad welke zij voor de nacht hadden uitgeladen, weer in de kano aan het laden was, onderbrak zijn werk. Pojucan, die gebaad had en nu bij het vuur zat te drogen, gaf geen commentaar en wachtte op de uitleg van de Tapajó.

'Ik heb gedroomd dat het kwaad op ons loert,' zei Ubiratan. 'Het had de vorm van een man, zijn lichaam was bedekt met tapirhaar en liep uit in een slangestaart. Zijn hand met lange scherpe klauwen greep mijn arm, hij hield zijn lelijke gezicht vlak voor het mijne, en keek mij aan met zijn rode ogen. Hij stonk naar de dood.'

Pojucan herkende de geest die de Tupiniquin plaagde.

'Dat is Jurupari,' mompelde hij, 'hij die het ongeluk in onze *malocas* brengt. Maar waarom moeten we dan drie dagen wachten?'

'De vogel van de ochtend heeft drie keer gezongen.'

Ze bleven drie dagen en drie nachten op het strand, bijna zonder een oog dicht te doen, zozeer voelden zij de dreiging van Jurupari op hen rusten. Ze bestreken hun lichamen met al de *urucu*-verf die ze hadden in de hoop dat hun helderrode huid hen zou beschermen. Toen vertrokken ze, nog steeds bang, maar die nacht gebeurde er niets.

Zes ochtenden later waren zij midden op de rivier toen een wind-vlaag plotseling het water in beweging bracht, takken van de bomen rukte als waren het twijgjes, en oude bomen ontwortelde. Toen sloeg een waterhoos over de inzittenden van de kano, die door de stroom werd meegevoerd. De rivier die nu vijandig was geworden, schudde hen heen en weer zonder dat zij bij de oever konden komen.

Midden in het onweer hoorden zij een vreselijk gekraak.

Een enorme boomstam die ze enige tijd tevoren hadden gezien, en die net onder de oppervlakte van het water dreef, had zich met zoveel kracht in de kano geboord dat die aan stukken gevlogen was.

De storm woedde nog steeds maar de beide mannen en de jongen, die allemaal goede zwemmers waren, verloren elkaar niet uit het zicht. De rivier was op die plaats zo breed dat er geen sprake van was de oever te bereiken voordat het onweer over zou zijn. Ze vochten om aan de stroom te ontkomen, en zagen een drijvend eiland, een stuk jungle dat door het woedende water was losgerukt, een brok grond dat bijeen werd gehouden door een netwerk van wortels.

Ze kwamen alle drie op hetzelfde moment bij het eiland, en spoorden elkaar aan om erop te klimmen terwijl zij houvast zochten tussen de glibberige wortels. Ten slotte lukte het hun om erop te komen en zakten zij uitgeput in elkaar.

Het onweer trok voorbij, even snel als het gekomen was. Toen de wind eenmaal was gaan liggen, bleef het eiland onbeweeglijk midden-in de rivier drijven, waarbij het bijna onmerkbaar met de stroom mee-dreef. In de avondschemering stelden zij vast dat hun schuilplaats on-geveer veertig passen breed was en minstens vijf keer deze afstand lang. Rechts, achter een hoop dood hout, was er een dicht bamboebos en op de plek waar zij erop waren geklommen groeiden gras en kreu-pelhout. Ze zochten dit deel van het eiland af in de hoop dat ze er iets zouden vinden om vuur mee te maken.

Het vinden van twee stokken, één van hard en één van zacht hout, was vrij gemakkelijk. Maar de punt van de eerste stok aanslijpen en een inkeping in de tweede maken, dat was een probleem, als zij niet iets van steen hadden. Pojucan knielde neer, groef in de grond, en vond ten slotte een grote steen die precies voor dat doel geschikt was. Vervolgens hield hij de stok van zacht hout onder zijn voet, plaatste de punt van de andere in de inkeping en liet hem snel in zijn handen draaien. Omdat het hout vochtig was, was er een tijdje nodig voordat de wrijving voldoende hitte voortbracht om het zaagsel rondom de punt in brand te laten vliegen. Nadat ze er drogere takjes die ze had-den kunnen vinden bij hadden gegooid, hadden ze al snel een goed brandend vuur.

Wat betrof hun voedsel, konden zij na niet te lang zoeken een paar bittere bessen vinden, en weliswaar zaten zij op het water, maar daar konden ze niet makkelijk bij. Ze dronken net als dieren, plat liggend op de grond, waarbij ze elkaar vasthielden om niet in de rivier te glijden. Ze kwamen weer bij het vuur zitten en na een kort stilzwijgen verklaarde Ubiratan, enigszins triest: 'Ik had het wel gezegd, het is een lange en vreselijk moeilijke reis. We hebben al een heel stuk achter de rug, maar ik kan met geen mogelijkheid zeggen hoeveel manen ons nog scheiden van mijn dorp.'

'Zonder kano lukt het ons nooit,' antwoordde Pojucan. 'We moeten een ons vriendelijk gezind dorp zien te vinden.'

'Goed, dat zien we dan wel als we van deze drijvende grond afgekomen zijn.'

Pojucan stond op, zei dat hij hout ging zoeken, en liep naar de bomen midden op het eiland. Bij elke stap raakte hij meer geïntrigeerd door deze geheimzinnige plek. Er was een dichte onderbegroeiing met varens en mos, waar hij echter makkelijk doorheen kon, en de Tupiniquin begon sneller te lopen om te kijken wat er aan de andere kant was, op het punt waar de grote 'kano van grond' het water doorkliefde. Een paar keer hoorde hij een dof gegrom, maar hij zei tegen zichzelf dat hij zich vast vergiste, want dit was niet mogelijk.

Verscholen tussen de bamboe staarden de jaguars met hun gele, koude ogen in de duisternis.

Het mannetje lag met zijn poten gestrekt voor zich, en zijn achterlijf opgericht. Hij mat meer dan acht voet van zijn snuit tot aan de wortel van zijn staart, en woog ongeveer honderdvijftig kilo. Het vrouwtje was kleiner, lag met haar staart te zwaaien en opende haar massieve kaken alsof ze wilde gaan grommen, maar ze begon alleen maar te hijgen.

Tussen de bomen en het rietveld was een natuurlijke open plek, en die betrad Pojucan nu. Hij had geen enkele reden om overdreven voorzichtig te zijn want tot nu toe had hij op het eiland geen enkel levend wezen gezien, behalve dan insekten. Toch bleef hij plotseling doodstil staan, en boog enigszins voorover in de richting van de bamboe. Wat was dat voor geluid? Misschien was het Capybara, het grote knaagdier dat veelvuldig voorkwam op de oevers. Pojucan luisterde gespannen om het karakteristieke klappen van de kaken van het beest te horen.

De mannelijke jaguar kroop vooruit door een opening tussen het riet. Brullend sprong hij uit de bamboe en wierp zich op de man. Pojucan werd omgegooid, zijn borst werd opengehaald door de klauwen van het roofdier en hij slaakte een kreet. De jaguar klom op de man die zich verdedigde en zette zijn tanden in diens nek. Het vrouwtje dat er grommend omheen draaide, zag het bloed spuiten en kwam dichterbij. Het mannetje, met de snuit onder het bloed, trok zich terug en keek hoe zijn metgezellin met haar ruwe tong de wonden op de borst van de man likte. Hij liet een langgerekt klagend geluid horen, haalde een paar keer zijn poot over zijn snuit en bleef onbeweeglijk zitten, met zijn kop een beetje schuin. Even bleef hij zo, toen rende hij naar de bomen. Het vrouwtje, dat geen zin scheen te hebben om hun prooi achter te laten, sprong ten slotte toch achter haar metgezel aan.

Ubiratan en Aruanã, die Pojucans kreet hadden gehoord, werden nog banger door de stilte die daarop volgde. Ze zaten dicht bij het vuur, durfden niets te zeggen en zich niet te verroeren. Ze keken elkaar aan en lazen onmacht in elkaars ogen, waardoor ze nog banger werden.

De jaguars kwamen nu uit het bos te voorschijn maar bleven op een afstand van de vlammen. Het mannetje brulde, en het vrouwtje antwoordde daarop door grommende geluidjes te maken.

'Wegrennen,' mompelde Ubiratan tegen de jongen. 'Daarheen, en snel.'

Aruanã aarzelde en ging er toen op handen en voeten vandoor zonder de warme urine te voelen die over zijn dijen stroomde. Toen ging hij rechtop staan en rende, viel over takken en wortels, stortte in het water en verdween onder de oppervlakte. Voordat hij de jongeman volgde, nam Ubiratan een brandende tak en gooide die in de richting van de beide katten. De tak kwam vlak bij het vrouwtje neer, die er meteen vandoor ging. Het mannetje vluchtte ook weg, maar beschreef een halve cirkel waardoor hij dichter bij de man uitkwam.

Ubiratan verwachtte aangevallen te worden en toen de jaguar uit het donker te voorschijn kwam, sloeg hij hem met een brandende tak. Het enorme dier, dat aan de kop geraakt werd, verdween met een woedende kreet in de nacht. De Tapajó slaakte ook een kreet van pijn, want de tak had zijn handen verbrand.

Struikelend ging hij de kant uit die Aruanã ook gegaan was, kwam aan de rand van het eiland, liet zich er van af glijden en ontdekte dat de jongen aan een wortel hing. Hij ging naar hem toe, met vertrokken gezicht elke keer als hij zijn verbrande handen moest gebruiken. Doodsbang bleven zij beiden omhoog staren. Ubiratan moest de rest van de nacht doorbrengen terwijl hij aan het eiland hing. Als de pijn onverdraaglijk werd en hij buiten bewustzijn dreigde te raken, hield Aruanã, ondanks zijn angst en zijn vermoeidheid, hem boven water:

de jongen wist dat het bloed dat van de handen van de Tapajó stroomde, piranhas zou aantrekken.

De dag brak aan en zij bleven wachten, maar toen de zon de mist boven de rivier had verjaagd, ontdekten zij dat het drijvende eiland tegen de oever aan lag. Aruanã trok een boomstam los die vlak bij hen tussen de wortels vastzat en daar hielden zij zich aan vast om bij de oever te kunnen komen. Ze stonden nog niet in het gras of Aruanã draaide zich om en keek naar het eiland.

'Pojucan,' mompelde hij.

Hij herhaalde die naam steeds harder, alsof hij het tegen de geesten zelf had.

'Pojucan! Pojucan!'

Dat was voor hem de enige manier om eer te bewijzen aan hem die tussen de zijnen een naamloze man was geweest.

De jonge krijger was een van de mooiste vertegenwoordigers van zijn ras. Als hij door het dorp liep, keken de andere mannen zwijgend naar hem en de vrouwen lieten duidelijk hun genoegen blijken. Hij had soepele ledematen, een brede borst, en sterke spieren. Hij bezat de katachtige gratie van de jaguar – een dier waarvan hij een gereputeerd jager was. Zijn energieke gezicht met zijn doordringende ogen straalden autoriteit uit. In het gevecht zag men zijn moed; in het woud bleek hij heel gewiekst en niet voor één gat te vangen.

De mensen uit het dorp bewonderden en respecteerden hem, maar het lukte hun niet hem echt te leren kennen. Verschillende jonge meisjes dachten dat ze hem voor zich gewonnen hadden, maar hij had geen van hen tot vrouw genomen. Twee oude tantes van het opperhoofd hielden het vuur bij zijn hangmat gaande, en die regeling leek hem voortreffelijk te passen. Vonden sommigen zijn houding een beetje vreemd, dan hielden ze die mening toch voor zich want de jongeman was de favoriet van hun opperhoofd, die hem Kleine Broer noemde.

Dit opperhoofd, met lelijke littekens op zijn handen, was Ubiratan, en Kleine Broer was Aruanã, de Tupiniquin. Vijf Grote Regens waren voorbijgegaan sinds de nacht dat de jaguars Pojucan hadden gedood.

De rest van hun reis was een ware nachtmerrie geweest. De Tapajó had hevige koortsen gekregen en Aruanã, die de planten kende waarmee hij hem in zijn *maloca* genezen zou hebben vond die daar waar zij waren niet. Toen Ubiratan gedeeltelijk weer op krachten was gekomen, waren zij te voet langs de rivier verder getrokken. Twee volle manen later bereikten zij wankelend een vissersdorp waarvan de inwoners hen opnamen.

Ze bouwden weer een kano en bereikten dit keer het einde van de rivier. Ze maakten een heel seizoen door op het water want toen zij bij de samenloop aankwamen was de Grote Regen alweer begonnen. Hoewel de rivier waar zij vanaf kwamen heel breed was, verdween hij helemaal in de gele wateren van de Moeder van de Rivieren, die statig voortstroomde.

Het kostte hen drie dagen om van de eerste Tapajó-*malocas* die zij tegenkwamen bij de plek te komen waar Ubiratans familie woonde. Er waren zoveel kampen geïnstalleerd op de oever dat zij er in een ochtend meerdere vonden, en ook aan de overkant stonden dorpen, op de eilanden van de Moeder van de Rivieren.

De laatste ochtend kwamen zes oorlogskano's met geverfde en met veren versierde krijgers hen tegemoet om hen welkom te heten. Ritmisch peddelend zetten de mannen een welkomstlied in, want het nieuws van hun komst had de ronde al gedaan sinds zij zich bij de eerste *malocas* hadden gemeld. Toen de reizigers met hun gevolg bij het Tapajó-dorp aankwamen probeerde het grote opperhoofd die met de oudsten op het strand stond geenszins zijn vreugde te verbergen, nu hij een zoon terugkreeg die hij al lang geleden beweend had.

'Waarom heb je ons nooit verteld dat jouw vader het grote opperhoofd van je stam was?' vroeg Aruanã eens aan Ubiratan.

'Dat had geen enkele zin bij de Tupiniquin.'

Na twee Grote Regens stierf Ubiratans vader in het gevecht en Hij-die-Terugkeert, zoals zijn volk hem noemde, werd nu het grote opperhoofd. Omdat Pojucan dood was beschouwde Ubiratan zich verantwoordelijk voor Aruanã en liet hij hem de initiatieriten ondergaan – een beproeving die een jongeman die tijdens de dramatische episoden van de reis al een man geworden was, niet hoefde te vrezen. Ubiratan vertrouwde hem aan zijn beste krijgers toe, riep zijn beste jagers en droeg hun op om hem alles te leren wat zij wisten.

Toen de stam zich op de open plek verzamelde, liet Ubiratan Aruanã naast hem plaats nemen en Kleine Broer was vast de gelukkigste van alle mannen – want hij was nu een man, in de ruimste zin van het woord. Maar iedere keer als de Grote Regen kwam kreeg hij dat gevoel van leegheid dat hij ook had gehad in de nacht dat zijn vader gedood was. Hij dacht aan de ongelooflijke afstand tussen het Tapajó-kamp en het dorp waarvan hij zich herinnerde dat het het zijne was. Ik ben een Tupiniquin, dacht hij vaak. Uit de *maloca* van Tabajara, naar wiens stem met eerbied wordt geluisterd op de open plek.

Hij streed en jaagde met de mannen van Ubiratan, vrijde met hun dochters, maar toch miste hij iets. Als hij naar de sterren keek, zoals zijn vader dat ook had gedaan, dacht hij aan zijn volk en gaf hij zich over aan een heimwee dat leek op wat Ubiratan had gekend toen hij in het Tupiniquin-dorp woonde. Hij kon de ontering van Pojucan niet vergeten, noch de vernedering die hijzelf had ondergaan na de diefstal van de ara-veren, maar er was ook nog iets anders, een nog sterker gevoel, te vaag om omschreven te worden, een gevoel dat hem naar zijn voorouders trok.

Hij zou geen last van dat gevoel hebben gehad als hij niet diep onder de indruk was geraakt van die geheimzinnige man over wie Ubiratan tijdens de reis zoveel verteld had. Aruanã zag Tocoyricoc pas twee Grote Regens nadat hij bij de Tapajós was aangekomen, toen hij plaats mocht nemen tussen de mannen van de stam. Toen, niet eerder, bracht Ubiratan hem bij de oude man in wie vele Tapajós hun boodschapper uit de geestenwereld zagen.

Tocoyricoc was gebogen door ouderdom en na iedere ontmoeting vertrok Aruanã weer met de gedachte dat dit wel de laatste zou zijn, maar de oude man leefde nog steeds. Niemand wist hoe oud hij was en ook niet waar hij precies vandaan kwam – in ieder geval uit een land waar de zon onderging en waar de bergen tot in de wolken reikten. Sommigen vertelden dat hij bij de Tapajós was gekomen in de tijd dat de overgrootvader van Ubiratan opperhoofd was, maar niemand was daar zeker van.

Tocoyricoc was klein en mager, zijn gezicht was een en al rimpel, en hij was kaal, maar zijn blik was nog steeds even levendig als zijn geest. Aruanã en hij waren zo vaak samen dat er Tapajó-oudsten waren die zich daarover zorgen begonnen te maken: zij waren bang dat een man die niet echt bij de stam hoorde te dik bevriend zou raken met Hij-die-Goed-Ziet.

De oude man kwam zelden uit de grot waar hij woonde, en die tegen een heuvel aan lag, drie dagen lopen van het hoofddorp van de Tapajós. Toen Aruanã de eerste keer de ingang ervan vond, was hij een beetje teleurgesteld. Hij wist niet wat hij zou aantreffen, maar in ieder geval had hij geen donker gat in de grond verwacht. Terwijl Ubiratan om audiëntie voor hem verzocht, bleef Aruanã buiten, en keek hij naar de vier meisjes die de oude man verzorgden. Voor hen was het een eer dat zij twee seizoenen lang voor Hij-die-Goed-Ziet mochten zorgen. Aruanã zag dat ze heel jong waren en nog geen man hadden gehad. Ze bleven maar naar hem kijken en zaten te giechelen terwijl ze maniok klaarmaakten.

Toen hij ten slotte bij Tocoyricoc binnen mocht en zijn ogen gewend waren aan dat halve duister, zag Aruanã een enorme grot met een hoog plafond, overdekt met dikke trossen slapende vleermuizen, met achterin een grote gaanderij, afgesloten door een natuurlijk platform, net groot genoeg voor de enige bewoner van de plaats.

Het was koud en vochtig in de grot, die slechts verlicht werd door een vuur dat in een hoekje van het platform brandde, en waarvan de rook opsteeg naar de beroete rots. Aruanã kon alledaagse voorwerpen onderscheiden – kalebassen, flessen, kruiken – en ook onbekende dingen. Het meest intrigeerde hem een vierkant voorwerp dat tegen de wand hing, vlak bij de oude man, en waarop een vreemde gestalte te zien was.

Aruanã had nog nooit een man gezien – of was dit de geest van een man? – die op zo'n manier was afgebeeld: een kleine dikke krijger met grote oren, vierkante ogen en het vreemdste kapsel dat hij ooit gezien had, bewaakt door kleinere krijgers die om hem heen stonden.

'Wat stelt dat voor, vader?' vroeg de Tupiniquin een tijdje later, toen hij het zich kon veroorloven dergelijke vragen te stellen.

Eerst echter had hij Tocoyricoc de gelegenheid moeten geven om hem te ondervragen over zijn reis en waar hij vandaan kwam.

'Ach, dat is het verleden,' antwoordde de oude man.

Het verleden? dacht Aruanã, nieuwsgierig geworden. Hoe kon iets dat aan de muur hing het verleden zijn?

'Ik heb nog nooit iemand gezien die gevangenzat... in een hangmat,' zei hij, omdat dat de beste omschrijving van het geheel was die bij hem opkwam.

Het magere lichaam van Tocoyricoc schudde van het lachen.

'Dat is geen man,' antwoordde hij toen hij weer bijgekomen was, 'dit stelt niets meer voor dan een tekening in het zand.'

'Maar zand heeft geen kleur!'

De oude man legde uit hoe hij de voorstelling had geweven met soepele palmvezels, met verschillende kleuren geverfd. Aangezien de jongeman hiervan nogal perplex stond, vergeleek hij de techniek van het weven met het maken van een hangmat, hetgeen de zaak iets duidelijker maakte.

'In ieder geval heb ik nog nooit een dergelijke krijger gezien,' zei Aruanã.

'Dat geldt voor alle mannen uit het bos.'

'Maar bestaat hij ook echt?'

'Jazeker. Hij is een wijze en machtige man.'

'Machtiger dan het grote opperhoofd?'

'Dat is geen vergelijking.'

'En u, maakte u deel uit van hen die om hem heen staan?'

Het kon zijn dat Tocoyricoc hierop niet wilde antwoorden, of hij raakte de draad van het gesprek kwijt, want hij vroeg: 'Het grote opperhoofd zegt dat jij komt van de plaats waar de zon opgaat.'

'Van het einde van de aarde, vader.'

'Hoe noemt jouw volk zich?'

'Ik ben Tupiniquin. En u, waar komt u vandaan?'

'Uit het verleden,' mompelde de oude man. Omdat hij aan de ogen van de jongeman kon zien dat er weer een vraag kwam, voegde hij er direct aan toe: 'Ik heb door de seizoenen gereisd, over de grote bergen midden in het bos, en langs rivieren die ons ver van onze dorpen voerden.'

'Waarheen was u op weg?'

'Wij waren op zoek.'

'Naar wat?'

'Naar de dingen buiten onze wereld.'

Tijdens de ontmoetingen die volgden sneed de oude man steeds hetzelfde thema aan. Gezeten op het eerste krukje dat Aruanã ooit gezien had, boog hij zich voorover naar zijn jonge vriend als hij sprak. Soms raakte hij de draad van zijn verhaal kwijt en moest Aruanã wachten tot zijn geheugen hem weer hielp.

In de grot bevond zich nog een ander voorwerp dat voor de Tupiniquin magischer was dan de kleine krijger tegen de wand. Dat was een bos koorden van verschillende kleur en lengte die Tocoyricoc in zijn eigen taal *quipu* noemde. De oude man beweerde dat je daarmee de sterren kon tellen of het verleden kon oproepen. De eerste keer dat Aruanã het door hem zag gebruiken, nam hij een rood koord en legde uit: 'De eerste knoop is de slag in de Zwarte Vallei, waar een jonge Tocoyricoc streed. Twee knopen plus één, is de leeftijd die hij toen had en dat is het aantal vijanden dat hij doodde.'

'Dit is tovenarij.'

'Dit is een manier om je de dingen te herinneren.'

Met de quipu kon de oude man de Grote Regens uit zijn verleden tellen en de gebeurtenissen die de jaren van elkaar scheidden weer ophalen. Iedere kleur duidde op iets of op een bepaalde gebeurtenis, en iedere knoop was een merkteken voor zijn geheugen. Zwart stond voor de tijd, rood voor de oorlog, wit voor de vrede, en groen voor de trektochten door het bos. Uit de grote koorden kwamen kleinere dunnere koordjes; minder uitgesproken kleuren stelden minder belangrijke gebeurtenissen voor. De quipu bewaarde alles wat hij gezien en meegemaakt had.

Tocoyricoc had in een land geleefd waar de bergen tot de wolken kwamen, en waar iemand die er niet geboren was gebrek aan lucht scheen te krijgen.

'Het is het land waar de meester – jij zou hem groot opperhoofd noemen – is verschenen. De zoon van de zon. Hij is gekomen om onze wereld te veranderen toen ik zo oud was als jij nu. Voor hij die veranderde, waren wij een armzalig volk, dat leefde zoals zij die het bos niet zien.'

Met een van emotie trillende stem sprak de oude man over dat wezen dat uit de hemel was gekomen. Hij liet Aruanã zijn gouden oorringen zien – 'zonnetranen' – en zei dat die nog niets waren vergeleken bij die van de meester. Hij was het opperhoofd van alle opperhoofden, de opperste heerser van de vier uithoeken van de aarde.

'Waar de meester ons aanvoerde, schudde de aarde onder onze vijanden. Ik heb met onze krijgers gestreden totdat geen enkele stem zich meer tegen hem verhief. Toen de vijandelijke *malocas* waren verbrand en zij die weerstand hadden geboden waren gedood, vergaf de meester de anderen en nam hij hen op in ons volk. Toen het weer vrede was,' ging Tocoyricoc verder, 'begonnen zij het land te veranderen volgens de plannen van de meester. Zij bouwden grote *malocas* van steen, en tempels.' Het woord 'tempel' betekende niets voor Aruanã totdat de oude man die vergeleek met de hutten waarin de heilige kalebassen bewaard werden.

'Jij zoekt toch ara-veren om die te versieren, niet dan?' ging Tocoyricoc verder. 'Jij huilt toch van vreugde als je Ubiratan zijn versierselen van groot opperhoofd ziet dragen? Dat alles is niets vergeleken met de pracht van de tempel die bewaakt wordt door vrouwen die de maagden van de zon genoemd worden.'

De Tupiniquin kon zich geen vrouw voorstellen die tot iets anders in staat was dan het dragen van het zaad van een man of maniok klaarmaken.

'En kenden die dan geen man?' vroeg hij.

'Dat is verboden, maar het komt wel voor. Als er uit die verbintenis een jongen geboren wordt, wordt hij gedood, want geen enkel mannelijk kind mag de lucht van de *maloca* van de meester inademen. Als het een meisje is, verbergen ze haar totdat ze zo oud is dat ze ook een van de maagden van de zon kan worden.'

Aruanã hoorde in de grot nog een heleboel andere vreemde en wonderlijke verhalen. Tocoyricoc had het met hem over kano's die heel ver het blauwe water opvoeren, over gaten in de grond waar mannen in het donker het zilveren licht van de maan zochten, over rivieren en meren vol met tranen van de zon, over grote touwen gespannen tussen de bergen zodat de mannen van de ene top naar de andere konden lopen.

'Maar waarom bent u dan niet naar huis teruggegaan?' vroeg de Tupiniquin eens aan de oude man.

'Ik was alleen.'

'Maar toch hadden anderen voor u de bergen verlaten.'

'Sommigen kwamen om in het bos, door pijlen, anderen werden door ziekte geveld.'

'Ook ik ben vertrokken met mijn vader en met Ubiratan. Maar dat was om een duidelijke reden. U zocht alleen maar, zegt u. Dat begrijp ik niet.'

'Wij zochten de tranen van de zon en het licht van de maan voor de meester, maar daarbij zijn wij te ver gegaan... Ik heb een Grote Regen afgewacht, toen nog een, en toen nog een, totdat het verleden voorgoed verloren was.'

'Ik zou die wonderen waar u het over hebt graag willen zien,' zuchtte de jongeman.

Even plotseling als onverwacht werd Tocoyricoc woedend, stond op van zijn kruk, en liep op zijn wankele benen naar de plaats waar Aruanã stond.

'Nee!' riep hij met een schelle stem. 'Zoek je eigen volk maar op. Vind je *maloca* voordat je oud wordt en sterft zoals ik.'

Deze raad raakte de Tupiniquin recht in zijn hart. Elk seizoen leek de afstand tussen hem en zijn dorp groter te worden. Sommige nachten, als hij in zijn hangmat lag, zag hij een oude man die huilend op de dood wachtte, ver van zijn stam, en die oude man had zijn gezicht. Hij kon dan wel Kleine Broer zijn, lieveling van het grote opperhoofd, Tocoyricoc had gelijk: vroeger of later zou Aruanã het er toch met Ubiratan over moeten hebben.

Eens op een avond, na de vijfde Grote Regen, was de jongeman alleen met het opperhoofd van de Tapajós, voor de grot van Tocoyricoc. De meisjes waren naar het dorp teruggestuurd, de grond was bedekt met scherven van gebroken potten, en de vuren buiten de grot waren gedoofd.

Tocoyricoc had om Ubiratan en Aruanã gevraagd en gezegd dat niemand anders mee mocht komen.

In de grot leek de oude man, die op zijn platform lag, nog slechts op een hoop botten.

'Voordat de zon hoog in de hemel staat zal ik de reis ondernemen,' zei hij met zwakke stem. Hij schudde met de kalebas die hij in zijn hand hield, en ging verder: 'Ik heb met de voorvaderen gesproken, ik weet nu wat er moet gebeuren.'

Tocoyricoc, die bijna geen adem meer had, gaf precieze instructies voor zijn begrafenis. Hij wist dat de Tapajós hun doden niet verbrandden maar voorspelde vreselijke straffen als men hem niet zou gehoorzamen.

'Ik wil niet slapen bij de voorvaderen van de Tapajós,' legde de oude man uit. 'Ik moet terugkeren naar de mijnen. Ik heb het gevraagd aan jouw vaders, en die hebben mijn wens ingewilligd.'

'Ik heb u gehoord,' stelde Ubiratan hem gerust.

Opeens leek het alsof Tocoyricoc doodmoe was, maar hij stak nog een trillende hand op en beduidde Aruanã dichterbij te komen.

'Het verleden moet verdwijnen,' mompelde de stervende. 'Het hele verleden, behalve dit.'

Hij haalde een amulet van jade van zijn hals, dat een klein dier voorstelde zoals de jongeman nog nooit gezien had.

'Draag dat, Tupiniquin,' zei hij fluisterend. 'Breng dat naar jouw volk.'

'Ik ben u heel dankbaar, vader. Ik zal het meenemen.'

'Jouw volk, Tupiniquin. Laat het niet uit je gedachten verdwijnen.'

Tegen zonsopgang, toen Ubiratan en Aruanã de grot binnenkwamen, ontdekten zij dat die verlaten was. Snel zochten zij in de donkerste hoeken, en gingen toen weer naar buiten. Geen van beiden zei een woord maar zij dachten allebei hetzelfde: hoe hadden ze zo stom kunnen zijn om te denken dat Tocoyricoc een eenvoudig menselijk wezen was geweest zoals zijzelf?

Ze stonden nog voor de grot, trillend van angst in de koude ochtendlucht, toen de zon opkwam. Boven de geluiden van het woud uit hoorden zij de kreet van een man, wat hen deed opkijken naar de heuvel vlak voor hen.

Tocoyricoc, wie het was gelukt de top ervan te bereiken, stak zijn armen uit om de zoon van de zon te ontvangen, om de meester met zijn laatste krachten te begroeten. Toen het licht zijn lange witte mantel bescheen, draaide hij zich om in de richting van de twee mannen en toen weer naar de gloeiende bol. Ten slotte kwam hij naar beneden. Hij was halverwege de heuvel toen hij een kreet slaakte, voorover viel en doorrolde totdat zijn lichaam tussen twee rotsen bleef steken.

Ubiratan en Aruanã droegen hem tot voor de ingang van de grot, legden hem te midden van zijn bezittingen op een bed van takken, en staken dat in brand. Toen hij de vlammen langs de gekleurde koorden van de quipu zag lekken, mompelde Aruanã: 'Nu is er geen verleden meer.'

Ze wachtten tot het vuur alles had verteerd, en verspreidden toen de as over de wateren van de Moeder van de Rivieren. Voor een volk dat eindeloos zorg besteedde aan het voorbereiden van zijn doden en de stoffelijke resten opborg in grote aardewerken kruiken, beschermd tegen de kwade geesten, was dit een niet al te beste en gevaarlijke manier om naar het land der voorvaderen te gaan – maar Tocoyricoc had het zo gewild.

'En jij, ga jij nu naar huis?' vroeg Ubiratan terwijl hij naar de as keek die op het water dreef.

Aruanã antwoordde niet.

'Het is een lange en verschrikkelijk moeilijke reis,' zei de Tapajó, en hij dacht aan de dag dat hij die woorden had uitgesproken voor de vader van de jonge krijger. 'Maar het is mogelijk,' voegde hij er aan toe.

III

Maart 1499 – april 1500

Twee Grote Regens waren voorbijgegaan toen kinderen die op een ochtend in het ondiepe water van de rivier speelden, een krijger uit het bos op de andere oever zagen komen. Ze renden gillend naar de *malocas*, en hun vaders grepen hun wapens, maar aan de poorten van het dorp stond geen bende vijanden, alleen maar die grote vreemdeling die nu vastberaden op de palissade afstapte.

Mannen en vrouwen drongen samen bij de smalle opening in de omheining, en verdrongen elkaar om de komst van die krijger te zien. De oudste van de ouden vroeg om stilte en liep toen naar voren, met zijn ploertendoder in de aanslag, maar de vreemdeling riep hem toe: 'Tabajara! Mijn vader! Grote man uit mijn *maloca*!'

Aruanã de Tupiniquin had de zijnen teruggevonden.

Zijn terugkeer vormde een nieuw probleem voor het dorp. De Tupiniquin wisten wat zij moesten doen met een krijger die uit een vijandig dorp was ontsnapt, zoals Pojucan: lafaards werden naamloze mannen tot zij stierven. Maar Aruanã had een dergelijke fout niet begaan. Dagenlang eisten de vrouwen het recht op om de vreugde van Obapira, de moeder van Aruanã, die nog leefde en die zich had kaalgeschoren als teken van rouw toen zij dacht dat haar zoon dood was, te delen. Maar de mannen waren voorzichtiger: sommigen dachten aan de geesten die weleens de vorm van een mens konden aannemen; anderen herinnerden zich de rotstreek die zij met Aruanã hadden uitgehaald toen zij zijn ara-veren ruilden voor reigerdons.

Vreemd genoeg was het Naurú – de verschrikkelijke bochel, die met de jaren nog lelijker was geworden – die een goed woord deed voor Aruanã, de zoon van een man die hij zelf ter dood veroordeeld had. Toch was dat ook weer niet zo heel vreemd, want de *pagé*, die met de geesten sprak, raadde altijd wat goed voor hem was.

De mannen verzamelden zich rond de open plek waar Naurú, getooid met zijn mantel van giereveren, al lag te kreunen onder invloed van machten die bezit van hem hadden genomen. Toen hij tegenover de *pagé* stond, was Aruanã, die tijdens zijn reis overigens de ergste gevaren had doorstaan, meteen op zijn hoede. Hij zag er prachtig uit, want Oude Moeder had erop gestaan zijn lichaam te verven, ondanks het protest van Obapira die – met weinig resultaat – probeerde om haar plaats naast haar zoon in te nemen. In de gaten in zijn lippen en in zijn wangen had hij groene stenen gestoken die hij uit het land van de Tapajós had meegenomen, en rond zijn nek hing de amulet van jade die Tocoyricoc hem had gegeven. De mannen begonnen te dansen en stampten ritmisch op de grond, om de droge peulen die aan hun enkels hingen te laten schudden. Uit vele monden klonk dezelfde kreet: 'Spreek, stem der geesten.'

Naurú draaide midden in de kring rond, trok aan zijn rol tabak en blies de rook naar bepaalde dansers toe. De mannen sprongen steeds vlugger rond, bogen hun hoofd naar de tovenaar en riepen: 'Spreek, stem der geesten, spreek!'

Ten slotte stak Naurú zijn heilige kalebas omhoog en riep: 'De geesten zullen spreken!'

De kring van dansers hield de pas in en stond stil. Roerloos wachtte de *pagé* tot het helemaal stil was en toen zei hij met een diepe, monotone stem, helemaal anders dan zijn gewone stem: 'Dit is Macachera! Hij die onze passen bewaakt.'

Macachera was de geest die met reizigers meeging, en die hen, al naar gelang zijn humeur, behoedde voor de gevaren op hun weg of hen belaagde met ziekte en angst.

'Een van u heeft een reis gemaakt.'

Alle blikken vestigden zich op Aruanã.

'Ja, dat klopt,' zeiden de mannen.

'Macachera heeft alles gezien.'

'Laat hem spreken,' riepen de krijgers.

'Moge de vijand beven voor deze Tupiniquin! Hij heeft de wateren van de Moeder van de Rivieren gezien, hij weet meer dan wie dan ook in zijn *maloca*. Hij verheugt de voorvaderen eindeloos. Laat hem dat weten!'

'Wij heten onze broeder Aruanã welkom,' riepen de mannen in koor.

Naurú vroeg om meer tabak, rookte en kondigde toen aan dat Macachera de open plek verlaten had. Hij voerde een vreemd dansje uit, waarbij hij zijn kromme been achter zich aan sleepte en met zijn magere lichaam schudde, en stond ten slotte voor Aruanã stil.

'De veren waren wit!' riep hij uit.

Omdat de krijger niet antwoordde, ging de *pagé* met een dreigende stem verder: 'Omdat er een naamloze man onder ons was.'

Stomverbaasde uitroepen klonken nu uit de kring van krijgers. De meesten van hen herinnerden zich de verschrikkelijke tijd waarin het dorp de schande moest dragen van hem die aan de Cariris ontvlucht was. Diens zoon was nu teruggekomen, maar met eer, zoals Macachera dat had laten zien. Waarom noemde de man die met de stem der geesten sprak nu weer die naamloze man?

'Denk aan de toorn van de voorouders,' zei de tovenaar waarbij hij de heilige kalebas voor zich uit hield. 'Naurú hoorde hun wens, en die werd niet ingewilligd.'

Tabajara, die zich nog steeds verantwoordelijk achtte voor de vlucht van Pojucan, schudde zijn hoofd en keek bezorgd.

'De naamloze man is vele Grote Regens geleden vertrokken,' ging de *pagé* verder. 'Ik sta nog steeds voor jullie, zoals altijd. Dat zien de geesten.'

'Wij zien u ook,' riepen enkele krijgers.

'Kijk dan maar goed!'

De tovenaar liep naar het midden van de open plek, knielde neer, groef in het zand en haalde eruit wat hij zocht: jaguarklauwen. Hij kwam weer overeind, en strompelde naar de plaats waar Aruanã stond.

'Spreek zijn naam uit, zodat zij het allemaal kunnen horen,' beval Naurú.

'Pojucan.'

'Po-ju-can,' herhaalde de *pagé*. 'Met deze klauwen heeft Naurú Po-ju-can gevonden, daar waar de grond op het water drijft! Naurú en Macachcra, die hem heeft geleid!'

De mismaakte schudde de klauwen voor de jonge krijger heen en weer, die een stap achteruit deed.

'Maar dat is voorbij,' ging de *pagé* verder, nu met een rustiger stem. 'De voorvaderen zijn gehoorzaamd.'

Aruanã trilde, en alle anderen ook, want ze werden eraan herinnerd dat niemand kon ontsnappen aan de woede van Naurú, ook al moest die, om zijn toorn te kalmeren, de vorm aannemen van een jaguar en naar het eind van het woud gaan.

Een poosje later, toen de Tupiniquin een Cariri-dorp overvielen, bevond Aruanã zich in de voorhoede van de aanvallers. Geen krijger was ooit zo woest geweest. Toen er geen pijlen meer waren, stortte hij zich op de vijanden met zijn ploertendoder en zwaaide die in de rondte totdat zijn lichaam onder het bloed zat, en glom als *urucu*-verf.

Maar na de terugkomst in het dorp, met de Cariri-gevangenen, werd Aruanã, zoon van Pojucan, pas echt een man onder de mannen van zijn stam.

Drie dagen nadat zij het Cariri-dorp ten prooi aan de vlammen hadden achtergelaten, kwamen zij aan de rand van de open plek met hun drie gevangenen: twee dikke krijgers die broers leken, en een derde, groter dan de anderen, waar de Tupiniquin zich al vrolijk over maakten omdat hij grotere billen had dan zij ooit gezien hadden.

Tabajara stond een eindje voor de andere mannen terwijl Oude Moeder, die in de wolken was, de vangst bekeek. Toen zij haar vingers in een Cariri-borst duwde, schreeuwden de andere vrouwen van plezier en sloegen zich op de dijen. Toen zij de gevangenen bespotten, voegden zij hun eigen beledigingen nog bij die van de oude vrouw.

De twee dikke gevangenen keken alleen maar heel dreigend naar de vrouwen, maar Grote Kont stortte zich brullend op hen. Ze belaagden hem daardoor des te erger, totdat ze niet meer konden en Oude Moeder beval: 'Maak ze klaar!'

'Maak mij goed klaar, vrouwen!' antwoordde Grote Kont. 'Als ik verschijn voor hen die achter de zon leven, moeten zij een echte krijger zien!'

Omdat hij zo brutaal was kreeg hij een paar trappen, en toen greep een Tupiniquin, zo massief als een rots, hem bij zijn nek zodat hij nauwelijks meer adem kon halen, terwijl de anderen zijn hoofd begonnen kaal te scheren met schelpen. Vervolgens werd zijn lichaam ingesmeerd met een plakkerige gom en werd hij door vieze grijze veren gerold. Terwijl de twee andere krijgers hetzelfde lot ondergingen, stond Oude Moeder op, en zei dat zij tevreden was.

'Het is al heel wat manen geleden dat wij Cariri-beesten hebben gezien,' zei ze tegen Tabajara.

Deze raadpleegde de oudsten van de twee andere *malocas* en Aruanã luisterde verstrooid naar het gesprek terwijl hij naar een mooie jonge vrouw keek die Juriti – tortelduifje – heette, en die zojuist Oude Moeder drie katoenen draden had gebracht. Ook Juriti keek naar Aruanã en zij glimlachten tegen elkaar.

'Wij hebben lang gewacht,' ging Oude Moeder verder. Ze stampte van ongeduld met haar voet op de grond van de open plek. 'Zeg nu maar eens hoeveel snoeren er zullen zijn!'

'Dat is al besloten,' antwoordde Tabajara. 'Er zal maar één snoer zijn.'

'Maar één?' zei ze verbaasd.

Het was in feite veel meer dan ze eigenlijk verwacht had.

'Kijk eens, Cariris,' kraste zij, 'onze voorvaderen willen niet wachten.'

Ze nam een koord van Juriti, bond er één enkel kralensnoer aan vast en ging toen weer naar Grote Kont, die in lachen uitbarstte toen zij hem het snoer om de nek bond.

Dit ontketende weer een nieuwe golf van hysterie bij de vrouwen: dit enkele snoer betekende dat de Cariri-beesten voor de volgende nieuwe maan ter dood zouden worden gebracht.

'Yware-pemme! Breng Yware-pemme!' riep Oude Moeder, die in de *maloca* van Tabajara op een mat van palmbladeren zat.

Sinds de Cariri-gevangenen aangekomen waren, bereidde zij het feest voor en niets werd zorgvuldiger behandeld dan Yware-pemme, de grote ploertendoder.

Als reactie op haar bevel kwamen vier jonge meisjes onder leiding van Juriti het gemeenschapshuis binnen en naderden langzaam dansend, met Yware-pemme in hun armen. Hij leek op een oorlogswapen, met een grote platte slangekop, maar was twee keer zo groot als de ploertendoders die de mannen meenamen in de strijd. Als een sterke krijger ermee sloeg, kon hij de hardste schedel in één klap verbrijzelen.

Juriti en de andere meisjes legden het wapen op de grond voor Oude Moeder, die zich voorover boog om het liefdevol te strelen.

'Zing, groot hout van de dood. Mogen de voorvaderen de klap zien.'

Ze keek op en zei geïrriteerd: 'Waar zijn de veren? Waar is de gom? Vlug, breng die hier!'

Vervolgens zag ze toe op het maken van mooie veren bloemen, waarbij zij op het minste of geringste foutje lette. Andere vrouwen vlochten lange snoeren van schelpen, waar de oude vrouw niet minder nauwlettend op toezag. En weer anderen wreven de kop van Yware-pemme in met gom en bestrooiden hem met een fijn mengsel van as en gewreven eierschalen, waarbij zij de namen van de krijgers die gevallen waren in de strijd tegen de Cariris of de Tupinambás, bezongen – krijgers die al tot rust waren gekomen door de wraak van Yware-pemme.

Oude Moeder stond op en met een stokje tekende zij op de kop van Yware-pemme een figuur die leek op die welke de gezichten van de mannen sierde. Toen werd het wapen versierd met slingers van bloemen en veren. Met Oude Moeder voorop, kwamen de vrouwen uit de *maloca* en liepen zij in een golvende rij achter Yware-pemme naar de zon. Toen de stoet vlak bij een paal tegenover de hut van Naurú kwam, zei Oude Moeder: 'Alles is klaar!'

'Dat hebben wij gezien,' antwoordde de tovenaar, zonder dat hij echter naar buiten kwam.

De vrouwen zetten de ploertendoder tegen de paal en rolden er lange schelpensnoeren omheen. Net toen zij klaar waren, kwam de *pagé* uit zijn hut, liep hinkend om de paal heen en bekeek de bloemen en de schelpen – tot grote opluchting van de vrouwen was hij er tevreden mee.

'Wie vertrekt als eerste?' vroeg Oude Moeder.

'Grote Kont,' antwoordde Naurú zonder te aarzelen.

Zij voor wie deze voorbereidingen waren bestemd – de drie Cariri-gevangenen – liepen vrij in het dorp rond en Grote Kont had zich zo vindingrijk getoond in beledigingen die hij zijn vijanden naar het hoofd slingerde dat iedereen hem was gaan bewonderen. Een laatste taak restte de vrouwen nog: dat was om tegenover de paal waar de ploertendoder tegenaan stond een eenvoudig onderkomen te bouwen – ver genoeg van Naurú dat die niet gestoord zou worden. Toen dat gebeurd was, ging iedereen weer naar zijn *maloca*.

Diezelfde avond dronken de mannen – de gevangenen incluis – totdat ze op de open plek allemaal onderuitgingen. Toen iedereen genoeg bier en beledigingen had gehad, werden de Cariris naar de deur van de provisorische hut gebracht. De vrouwen dronken niet mee want die moesten voor zonsopgang opstaan.

De volgende ochtend werd Aruanã kreunend wakker. Hoe had hij het in zijn hoofd kunnen halen om net zoveel bier als de oudsten te willen drinken! Hij draaide zich om in zijn hangmat en de *maloca* begon weer om hem heen te draaien.

'Opstaan!' schreeuwde Oude Moeder tegen de jonge krijger en de rest. 'Zijn jullie de beesten vergeten die op de open plek zijn?'

'Bemoei je met je eigen werk,' riep Tabajara haar welwillend toe.

Hij maakte een gebaar om haar weg te jagen, waardoor hij zijn evenwicht verloor en uit zijn hangmat viel. Oude Moeder begon te schateren van het lachen, Tabajara deed met haar mee, en de andere mannen ook al snel. Dit is een goed begin voor een grote dag, dacht de oude vrouw toen ze naar buiten ging.

Op de open plek keken de oude mannen naar Oude Moeder toen zij de eerste van de vele dansen leidde die de vrouwen moesten uitvoeren voordat de zon zou ondergaan. Er stond een groep rond de hut van de gevangenen, en anderen draaiden rond de paal. Naurú stond aan de andere kant van de open plek, als een grijze onbeweeglijke gestalte die getuige wilde zijn van het wakker worden van de Cariris. Voor de *pagé* was het een lange en vermoeiende nacht geweest. Terwijl de anderen sliepen of zich bezopen, had hij de kalebassen en de kruiden klaargemaakt, en de poeders en de stukken hout verborgen die de executieplaats moesten aangeven.

Toen verfden de vrouwen de lichamen van de mannen met een purperrode kleurstof die de boze geesten die naar de ceremonie kwamen kijken moest afweren. Vervolgens keerden zij terug naar de hut van de Cariris, die voor de executie moesten worden aangekleed. Net als op de dag waarop zij gekomen waren, werden zij ingesmeerd met gom, en bedekt met dof gekleurde veren.

Toen de vrouwen tevreden waren met hun werk, braken zij de hut af waarin de gevangenen hun laatste nacht hadden doorgebracht en brachten zij hen naar de 'gidsen van de geesten', krijgers op wie de eer rustte om deze beesten te tonen aan hen die men niet kon zien.

De vrouwen plaatsten drie grote kruiken voor de gidsen van de geesten en trokken zich toen terug. Twee gidsen, die zich niets aantrokken van de beledigingen van de gevangenen, kwamen dansend op de eerste kruik af en trokken er een lang wit koord uit. Zoals voorzien, slaakten de vrouwen kreten van verrassing – al hadden ze er weken aan besteed om dat touw met palmvezels te vlechten.

De overige gidsen van de geesten pakten Grote Kont en hielden hem vast terwijl de twee eersten het touw rond zijn borst bonden, waarbij zij twee lange einden vrij lieten waaraan hij meegetrokken kon worden. Toen de beide andere Cariris op dezelfde manier waren vastgebonden, verlieten de vrouwen de open plek, roepend dat de gidsen klaar waren, en renden zij weg om zich in de *malocas* te verbergen.

De gidsen van de geesten liepen met de gevangenen rond de nu verlaten open plek, bleven bij elke *maloca* staan om zich te wenden tot de dode krijgers die wachtten tot zij gewroken zouden worden. Toen brachten zij hen naar de omheining, naar palen waarop de schedels van andere vijanden gestoken waren, en zeiden hun dat ook zij binnenkort over het dorp zouden waken.

Toen de gidsen terugkwamen op de open plek en aankondigden dat zij de Cariris aan de dode krijgers hadden getoond, kwamen de vrouwen weer uit de *malocas*. Zij moesten nu slag gaan leveren om hun rechten op de gevangenen te verkrijgen – niet tegen de gidsen van de geesten, die nu wegliepen, maar tegen de Cariris zelf, en zonder hulp van de mannen.

'Kom op, Cariris!' schreeuwden zij.

Grote Kont en zijn twee dikke broers drukten zich tegen elkaar aan, omsingeld door een krijsende menigte vrouwen en kinderen onder leiding van Oude Moeder, wier slappe tieten over haar borst hingen. De gevangenen hadden iets gekregen om zich mee te verdedigen, namelijk stenen en potscherven die op de grond lagen. Grote Kont was de eerste die een scherf naar Oude Moeder wierp en riep: 'Mogen de botten van jouw zonen in onze dorpen verbleken, oude vrouw!'

Ze werd aan haar schouder geraakt en slaakte een kreet van woede, die meteen werd overgenomen door haar metgezellinnen. De twee andere gevangenen deden Grote Kont na, en er begonnen stenen en scherven in de rondte te vliegen. De vrouwen doken lachend weg, of kreunden als een van de projectielen zijn doel raakte.

Op een teken van Oude Moeder liepen zij naar de Cariris toe en sleepten ze aan hun touwen naar de andere kant van de open plek.

'Goed kijken, Cariris,' riepen zij, helemaal opgewonden, 'hier gaat het gebeuren!'

De gevangenen schonken amper enige aandacht aan de plek waar zij gingen sterven.

Een groep meisjes, waaronder Juriti, bracht dansend Yware-pemme. De menigte week uiteen om hun doorgang te verschaffen. Vele handen werden uitgestoken om de ploertendoder aan te raken, de mooie bloemen erop waren nog ongeschonden, en een tevreden gemompel verspreidde zich door de rijen opgewonden vrouwen. Toen de meisjes het wapen aan de gevangenen toonden, riep Grote Kont: 'Maar dat is niet meer dan een takje! Een stokje voor kinderen.'

Maar een van de beide broers bekeek de enorme ploertendoder met een uitdrukking van afschuw, wat niet onopgemerkt voorbijging.

'Rennen, Cariri!' riep een vrouw tegen hem. 'Wij houden je niet tegen. Loop maar weg, laat je voorouders maar eens zien wat een lafaard is!'

De jongeman verroerde geen vin en de Yware-pemme-draagsters liepen weer weg.

Vervolgens gaf Oude Moeder instructies voor de aanleg van het vuur. De sterkste vrouwen staken grote gevorkte takken in de grond, die de palen moesten dragen waarop dunnere takken gelegd zouden worden. Hierdoor ontstond een *boucan*, die zou dienen om het vlees te roken dat bij deze grote gelegenheid gegeten zou worden.

Ondertussen stonden de jongemannen, onder wie Aruanã, voor de hut met de heilige kalebassen te wachten op een teken van de oudsten, die aan de kant stonden, en van de tovenaar. Ten slotte liepen Naurú en Tabajara naar de jonge krijgers toe.

'Hebben jullie je keus gemaakt?' vroeg een van hen.

'Laat hem het zijn, hij die de voorouders met vreugde heeft overladen!' antwoordde Tabajara.

'Yware-pemme!' riep Aruanã uit. 'Ik ben het!'

Hij herinnerde zich wat onder deze omstandigheden gebruikelijk was en ging, nu rustiger, door: 'Dit is te veel eer. Ik kan Yware-pemme niet vasthouden. Kies maar iemand anders.'

Juriti en haar vriendinnetjes, die op dit moment zaten te wachten, kwamen naar voren om de grote ploertendoder aan Tabajara te overhandigen. De oude had hem nog niet te pakken, of ze gingen ervandoor, want nu was het geen spelletje meer met Yware-pemme. Toen zij weg waren, antwoordde Tabajara Aruanã: 'We hebben gehoord wat je zei, maar de wijzen van de *malocas* hebben gesproken.'

'Dat zijn allemaal betere mannen dan degene die je nu voor je hebt.'

'Zij hebben Yware-pemme al leren kennen.'

'Zij weten hoe je ermee om moet gaan.'

'Leer jij dat dan ook eens, Aruanã, krijger van de Tupiniquin!'

Langzaam liet Tabajara de ploertendoder zakken, en zette hem tussen de benen van de jongeman. Aruanã kon nu niet meer doen alsof hij uit bescheidenheid de opdracht van de oudsten weigerde, en nam Yware-pemme, waarna hij begon de acht krijgers aan te wijzen die hem zouden assisteren. Deze hulpkrachten namen hem mee tot achter de *malocas*, bedekten zijn lichaam met as om de felrode *urucu*-verf af te dempen, en tekenden zijn voorhoofd. Zij namen de groene stenen uit zijn onderlip en zijn wangen weg, en vervingen die door gewone stukjes bot. Toen plakten zij grijze veren op zijn borst, net zoals bij de gevangenen. Nadat ze hem zodoende zo lelijk mogelijk hadden gemaakt, wreven zij zichzelf met as in.

Ze haalden de veren bloemen van de ploertendoder en begaven zich onder leiding van Aruanã naar de executieplaats. Toen Grote Kont zijn beul zag naderen, zei hij hem zich te haasten, want zijn plezier zou slechts kort duren.

'Jij zult sterven, Tupiniquin, als mijn volk zich op weg begeeft. Jij zult sneuvelen, met alle anderen uit je *maloca*. Sla mij maar neer, nu! Wek de haat van mijn broers maar op – en dat zijn vele broers, Tupiniquin, met vele bogen!'

Zijn wens ging in vervulling. Aruanã stortte zich op hem, zwaaiend met de enorme ploertendoder. Op het laatste ogenblik probeerde

Grote Kont de klap nog te ontwijken, maar hij was niet snel genoeg, wankelde en stortte neer. De andere gevangenen keken toe hoe Yware-pemme onder vreselijk gekraak op zijn schedel neerkwam tot hij niet meer bewoog.

'Jouw broers,' zie Aruanã met verbazingwekkende kalmte, 'staat dit te wachten.'

Oude Moeder en haar vriendinnen renden naar voren om het lijk te pakken. Ze grepen Grote Kont en droegen hem zingend naar de boucan. Oude Moeder knielde neer bij het lijk en stak een puntig stuk hout tussen de enorme billen van de Cariri. Dat was om het gat te stoppen, zodat de rijke sappen straks niet op het vuur zouden druipen.

Weer deed Yware-pemme zijn werk en al snel waren er drie groepjes vrouwen op de open plek druk aan de gang. Ondertussen begonnen de mannen kalebassen met bier te legen. De eerste slok was voor de beul, en Tabajara, als hoofd van de *maloca*, reikte hem de kalebas aan. De jongeman dronk, gaf de kalebas aan de oudste terug en zei: 'Dank u, vader.'

'Waarvoor?'

'De herinnering aan de naamloze man is uitgewist.'

'Een jonge krijger met drie namen moet zich geen zorgen maken over het verleden,' antwoordde Tabajara. Hij zweeg even, en ging toen verder: 'Jouw hangmat hangt nu vlak bij de mijne, en ik ben binnenkort een oude man.'

Aruanã keek nederig omlaag. Niet alleen zouden de namen van zijn drie slachtoffers voortaan aan de zijne worden toegevoegd, maar Tabajara liet nu bovendien duidelijk doorschemeren dat hij hem eens zou opvolgen.

'Als de voorouders het willen,' antwoordde de jonge krijger.

Naurú kwam hinkend naderbij.

'Hij moet nog vóór het dansen vertrekken,' zei hij.

Aruanã keek over de schouder van de tovenaar heen naar de vrouwen. Zij die niet bezig waren met de lijken, dansten eromheen en zongen liederen van wraak. Ze duwden de kinderen naar de dode vijanden, en zetten ze ertoe aan om hun handjes in het bloed te dopen.

Juriti zat op een heuveltje, haar met bloed bedekte armen ten hemel geheven, en zong, met haar hoofd achterover. Aruanã had moeite om zijn blikken van haar los te maken en had al helemaal geen zin om de ceremonie te verlaten die nu net begon.

Tabajara en Naurú brachten hem gauw naar de *maloca*, waar hij de veren van zijn lichaam haalde, om vervolgens in zijn hangmat te kruipen. Naurú legde er net zo'n boogje neer als bij pasgeborenen werd neergelegd, mompelde een paar woorden en ging toen met Tabajara naar buiten.

De eer om Yware-pemme te gebruiken had ook haar keerzijde. Drie dagen lang mocht Aruanã niet uit zijn hangmat komen, behalve als dat absoluut noodzakelijk was, want in die tijd bedreigden zij die hij geëxecuteerd had hem op alle mogelijke manieren. Ziekten, waanzin, plotselinge dood – er kon van alles gebeuren als de spoken van de gevangenen hem te pakken zouden krijgen. De derde dag zou de tovenaar de namen van de Cariris hardop uitspreken en zou Aruanã geen risico meer lopen.

Op de open plek werden de lichamen van de vijanden opgebonden en aan stukken gesneden. De armen van Grote Kont werden bij de schouder afgesneden, de benen boven de knie. Vier vrouwen pakten ieder een lid en dansten daarmee schreeuwend over de open plek: 'Word wakker, Tupiniquin die in de strijd gevallen zijn! Uw dood is gewroken. Dit zijn de benen die tegen jullie optrokken, de handen die de boog vasthielden.'

De ledematen van de andere Cariris werden met bamboemessen en stenen bijlen in stukken gesneden. Hun borst werd ingeslagen, en de darmen die uit de buikholte kwamen werden opzij gelegd om daarmee, met nog ander slachtafval, een bouillon te maken die allen zouden drinken om de kracht van de vijand te krijgen. Naurú liep naar elk lijk toe om zwijgend de duimen en de geslachtsdelen op te eisen, die hij zou meenemen naar de hut van de heilige kalebassen – de eerste om er een drank van te maken die de schietvaardigheid met pijl en boog zou vergroten, de laatste om er een vruchtbaarheidsdrank van te maken. Toen de ledematen van de Cariris op de boucan lagen, ving Oude Moeder het vet dat langs de palen droop op in een eenvoudige aardewerken pot.

Toen werd er flink gegeten, waarbij ze onderling soms ruzie maakten over de verschillende delen. Mannen dansten op de open plek en bezongen hun vreugde getuige te hebben mogen zijn van het leed van de Cariris. Zo zou het allen vergaan, zeiden ze tegen elkaar, die de botten van Tupiniquin zouden durven afkluiven.

Er vonden nog andere slagen plaats, en er werden ook nog andere gevangenen ter dood gebracht. Doordat hij een paar krijgers bij elkaar zette om de vijand te verhinderen de rivier die vlak bij het dorp stroomde over te steken, had Aruanã duidelijk laten zien dat hij de kwaliteiten van een opperhoofd had. In de clan was de vreugde dan ook groot toen Juriti een zoon baarde en Aruanã in zijn hangmat bleef voor de inligperiode.

Van een vader die een kind aan het dorp schonk werd veel gevergd. De moeder droeg het zaad, maar dat kon alleen tot ontwikkeling komen met de geest van de vader. Als hem iets overkwam, overkwam het kind ook iets.

De eerste vijf dagen van zijn isolement mocht hij niet jagen en geen vlees eten, want de krachten die hij dan zou verwerven zouden de baby juist verzwakken. Hij mocht slechts fluisterend spreken en moest zoveel mogelijk in zijn hangmat blijven liggen totdat de gevaren voor de pasgeborene geweken zouden zijn.

Vier ochtenden eerder had Aruanã Juriti in de *maloca* horen kreunen en zachtjes horen zeggen: 'Ik moet gaan.'

Hij sprong uit zijn hangmat om haar te helpen op te staan.

'Komt hij met zonsopgang?'

Ze knikte, met haar hand op haar dikke buik.

'O Aruanã,' smeekte zij, terwijl zij met haar zachte donkere ogen zijn gezicht afzocht, 'geef het kind van jouw zaad vrede.'

'Ben je ongerust?'

'Er is zoveel wat ons dit geluk kan ontnemen.'

'Maar mijn duifje, ik heb kracht genoeg voor dit eerste kind.'

'Als ik alleen zal zijn, zal ik denken aan jouw moed.'

Ze klemde haar kaken op elkaar, want er kwam weer een wee.

'Het is vast een jongen,' zei zij, en glimlachte. 'Een groot krijger, net als zijn vader.'

Maar haar glimlach verdween snel, en maakte plaats voor een zorgelijke uitdrukking.

'Mogen de voorouders je beschermen, Aruanã.'

'Ik ben klaar. Ga nu... en breng het kind mee terug.'

Juriti gooide wat hout op het vuur, controleerde de maniok en de vruchten die ze de afgelopen dagen geplukt had, en vroeg zich af of dat voldoende zou zijn om Aruanã's honger te stillen. Toen hij weer in zijn hangmat lag, ging zij naar buiten en liep naar het bos.

Vanaf de plek waar zij ging zitten wachten tot ze zou baren, kon zij de rivier horen die haar eraan herinnerde dat haar volk in de buurt was. Tegen de middag kwam de baby en Juriti kon, al deed zij vreselijk haar best, een paar pijnkreten niet onderdrukken. Toen het kind op de mat viel waarboven zij gehurkt zat keek zij snel om zich heen om er zeker van te zijn dat er geen boze geest was die op hen zat te loeren. Toen sneed zij met een schelpje de navelstreng door, zoals Oude Moeder het haar geleerd had, en maakte de baby schoon. Het was een zoon, het werk van Aruanã. Ze was nog heel zwak toen ze opstond en langzaam wegliep met het kleine lichaampje tegen het hare. Bij de rivier bleef ze staan om Aruanã's zoon te wassen en ze was dolblij toen ze zag hoe stevig de boreling was.

Lang voordat Juriti terug was was Aruanã al gewaarschuwd, en hij schommelde in zijn hangmat heen en weer, doodmoe maar blij. Juriti kwam hem het kind tonen. Hij hoorde het flink tekeergaan, bekeek het kleine lijfje en was opgelucht toen hij merkte dat al zijn pogingen om hen te beschermen tot nog toe succesvol waren geweest. Dit gaf hem moed om gelaten een lange periode van stilliggen tegemoet te zien.

De ochtenden volgden elkaar snel op, want alle vrienden kwamen naar de *maloca* om de jonge vader op te zoeken en hem geluk te wensen. Juriti kwam zo snel mogelijk naar hem toe als zij klaar was op de velden, en deed haar best om hem te helpen in deze moeilijke periode. Iedere dag kwam Naurú bezweringen over het kind uitspreken. Bij zijn laatste bezoek vroeg hij om de navelstreng die Juriti aan Aruanã had gegeven. Bij de volgende volle maan zou de tovenaar stukjes ervan in het dorp verbergen om de zoon van Aruanã een talrijk nageslacht te verzekeren.

Op de vijfde dag was de inligperiode voorbij en restte er nog één rite: Aruanã moest in zijn eentje naar het strand van het Blauwe Water dat tot het einde van de aarde stroomde, om daar kleine witte schelpjes te zoeken voor de eerste ketting van zijn zoon. Als de baby die zou dragen, kon zijn onderlip doorboord en zijn naam voor de eerste keer uitgesproken worden.

De Tupiniquin genoot ervan om alleen over het strand te wandelen. Een eenzame man aan de rand van zijn eigen wereld die veel voetstappen in het zand drukte. Achter de muur van palmen begon het bos, dat hij tot in de diepte had doorzocht; daarboven spande zich de hemel, die hij deelde met de verre Tapajós, met de Nambikwaras en met hen wier nagedachtenis was bewaard door Tocoyricoc.

Hij keek naar het strand en zocht schelpen, waarbij hij nogal kieskeurig was, want ze waren voor zijn zoon bestemd.

'Mijn zoon!' riep hij uit. 'Mijn zoon!' Hij begon te dansen van vreugde. 'Zoon van Aruanã! Zoon van de Tupiniquin!'

Maar plotseling, net toen hij zich de gelukkigste man ter wereld voelde, kreeg hij een vreemd gevoel. Hij bleef staan en keek naar de palmen, daarna naar het blauwe water dat tot het einde van de aarde stroomt. En hoewel hij niets abnormaals zag, bleef hij stokstijf staan. Instinctief wist hij dat er iets niet in orde was.

71

Hij klemde zijn vingers om zijn ploertendoder, deed een paar stappen, en bleef weer staan om de kust en de branding af te staren, waaruit volgens zeggen geesten kwamen die de mens aanvielen.

Omdat hij op het strand niets verdachts zag, keek hij naar de horizon. Lange tijd bekeek hij, zonder dat hij het zelf in de gaten had, het ding dat zijn onrust gewekt had, en toen pas zag hij echt wat hem had gealarmeerd.

Kleine stukjes wolk waren op het einde van de aarde gevallen. Vier, vijf, zes... bij elkaar boven de horizon, onder een heldere hemel, thans vurig gekleurd door de zonsondergang.

Aarzelend liep Aruanã naar het water toe en knipperde met zijn ogen terwijl hij naar die vreemde wolken staarde. Maar de witte vlekken werden al snel groter, en onder elk ervan verscheen een donkere streep, waardoor de Tupiniquin begreep dat hij zich vergist had: dit waren geen wolken, maar grote kano's die van het einde van de wereld kwamen aanvaren.

Hij zag hoe ze naderden. Maar omdat de zon achter de bomen verdwenen was, kon hij ze niet goed meer zien. Toch bleef hij nog even roerloos staan, totdat het tot hem doordrong dat hij beter zo snel mogelijk naar het dorp terug kon gaan om te vertellen wat hij gezien had. Om helemaal zeker te zijn keek hij nog een laatste keer naar de horizon, want dit was toch wel een heel ongewone ontdekking voor een man die schelpen was gaan zoeken. Jazeker, ze waren er, nu nog donkerder, die kano's die van het einde van de wereld kwamen.

Boek een

De Portugezen

IV

Maart – april 1526

Zijne excellentie Gomes de Pina, die samen met de kapitein op de kampanje van de *São Gabriel* stond, voelde zich niet helemaal lekker. Terwijl hij zijn met een strook versierde mouw naar zijn mond bracht, keek hij naar een groep zeelieden die op het dek in een halve cirkel om het vuur heen zat waarop een walgelijke maaltijd werd klaargemaakt. Wie zich in de buurt van die *marinheiros* waagde, werd met dreigende blikken en scheldwoorden weggejaagd.

Vierenzestig dagen nadat zij de monding van de Taag waren uitgevaren, was één derde van de mannen die aan het einde van de maand maart van dit jaar, 1526, scheep waren gegaan op de *São Gabriel*, gestorven aan scheurbuik of dysenterie. Wat er nog over was van de voorraad voedsel was verrot of gaan gisten, en zou in ieder geval nog amper voor een week toereikend zijn. De zeelieden, die gewend waren aan lange reizen, waren in het ruim op jacht gegaan naar ratten en die knaagdieren, gestroopt en op het vuur gegrild, stonden dus nu op het menu. En ze waren niet van plan om met wie dan ook dit lekkers te delen.

'*Ratazana?*' kreunde zijne excellentie.

'Inderdaad, rat,' zei de kapitein van het schip met nauwelijks verholen leedvermaak.

Hij was van gemiddelde grootte en stevig gebouwd, met een intelligent gezicht dat mahoniebruin was geworden van de zon, had melancholieke groene ogen en een baard, die ondanks zijn zesendertig jaar al grijs was. Hij heette Nicolau Gonçalves Cavalcanti en stamde van vaderszijde af van een oud geslacht Florentijnse kooplieden, dat zich in Lissabon gevestigd had. Van de familie van zijn moeder, de Gonçalves, had hij het bloed van het oude Portugal – van de Iberiërs en de Kelten, van de Fenicische zeevaarders en de Romeinen uit de provincie Lusitanië, van de Zwaben en de Wisigothen, en ook van de sensuele Moren die het schiereiland zes eeuwen lang hadden overheerst.

Cavalcanti merkte dat het schouwspel van de geroosterde ratten niet de enige oorzaak was van het onwelzijn van Gomes de Pina. Zijne excellentie verdroeg niet de minste verandering van zijn uiterlijk, hij was dan ook een *fidalgo*, een edele van het hof van Lissabon. Ondanks de tropische hitte kwam hij elke dag uit zijn nauwe hut zetten, gekleed in een wambuis met splitten, een dikke kniebroek en een zijden cape, om op het achterkasteel te gaan staan in een houding van allesverpletterend gezag. Het zweet stroomde Gomes de Pina die dag dus, net als alle andere dagen, van het voorhoofd en hij haalde moeilijk adem.

'Vierenzestig dagen vanaf Lissabon, veertig vanaf de Kaapverdische Eilanden, en nog steeds geen Terra de Santa Cruz,' zuchtte de *fidalgo*. 'Heeft die Guinese stuurman zich soms vergist?'

'Volgens mij niet,' antwoordde Cavalcanti. 'Het ziet ernaar uit dat er land in de buurt is.'

Twee dagen eerder hadden zij algen gezien en een vlucht vogels die langs de voorsteven was gevlogen.

'Jawel, kapitein, tekens genoeg, maar waar is Santa Cruz?'

Cavalcanti antwoordde niet meteen. Hij stond te denken dat Gomes de Pina de oude naam gebruikt had – land van het heilige kruis – die door Pedro Alvares Cabral aan dit gebied gegeven was toen hij het voor Portugal in 1500 ontdekte. Maar op de kaden van Lissabon heette het voor de zeerotten *Terra do Papagaio* (het land van de papegaaien) of *Terra do Brasil*, vanwege het *palo brasil*, het pernambukhout dat van die woeste kusten kwam.

'Dat het schip zo langzaam vaart is niet de schuld van de stuurman,' zei Cavalcanti ten slotte.

João Fernandes was in feite een uitstekende stuurman. Zoals alle zeelieden uit die tijd bediende hij zich voornamelijk van een kompas, een kijker, een simpel touw met knopen en een drijvende houtsplinter om de richting van het schip af te lezen. Ook had hij een quadrant en een astrolobium, tafels en kaarten. Hij was bij benadering zeker van zijn breedte, maar met de instrumenten die hij had kon hij niet meten op welke lengte hij zat. Zijn gevoel voor de richting van een schip op de oceaan telde dan ook meer, evenals zijn overtuiging dat een stuurman die zich tien mijl op duizend vergiste die naam niet waard was.

Gomes de Pina had eronder te lijden dat een *fidalgo* als hij, die stond te trappelen om zich nuttig te maken, niet meer hoefde te doen aan boord van een oude schuit. De *São Gabriel*, een kwart eeuw eerder de schrik van de Arabische en de Swahili dhows van Malindi tot aan de kust van Malabar, was nu een versleten schip dat zich achter twee andere aansleepte – karvelen met Latijnse zeilen – te zamen het eskader onder bevel van Gomes de Pina vormend.

Wat de *São Gabriel* onderscheidde van die smalle schuiten, was zijn afmeting – honderdtwintig ton in plaats van vijftig – , grote vierkante zeilen boven een brede romp, en zijn hoge voor- en achterkasteel. In het midden laag, ongeveer één derde van zijn lengte breed, zag hij er rond en opgeblazen uit. Zijn fok en zijn grote mast droegen ieder twee vierkante zeilen en twee marszeilen, zijn bezaansmast een Latijns zeil. Aan de hoog opgestoken boegspriet zat slechts een enkel zeil. Hij had een groot drijfvermogen en meer zeilen dan de karvelen, maar miste hun snelheid en hun wendbaarheid, waardoor zij voor de wind uit konden varen. De *São Gabriel* was daarentegen veel beter bewapend met bombardes, veldslangen en valkenetten – in totaal twintig stuks. De romp en de reling zaten vol littekens uit een strijd-baar verleden. Het was een oude maar stevige boot die op de oostelij-ke zeeën had rondgezworven en die heel wat te lijden had gehad van al die lange reizen: vanaf het vertrek was de bemanning constant aan het pompen geweest.

Gomes de Pina was opperbevelhebber en had als opdracht om de kust te bewaken tegen de piraten uit Dieppe en Honfleur die het per-nambukhout kwamen stelen en die de Portugese schepen in brand sta-ken. João III, koning van Portugal, stond erop dat die Normandische kapers niet langer ongestraft zijn bezittingen in de Nieuwe Wereld zouden plunderen.

Deze avonturiers maakten gebruik van de stilzwijgende toezegging van de admiraal van François I, die niet veel aandacht schonk aan de protesten uit Lissabon en volhield dat Zijne Heiligheid de paus zich vergist had in 1494, toen hij zijn zegen had gehecht aan het verdrag van Tordesilhas, waarbij de nog onbekende wereld verdeeld werd tussen Spanje en Portugal. Terra do Brasil behoorde tot die helft van de wereld welke onder de bescherming van de Portugese monarch viel. 'Laat mij de desbetreffende passage uit Adams testament dan maar zien, die mij van de Nieuwe Wereld uitsluit,' had François I ge-roepen.

Dit alles had Gomes de Pina aan Cavalcanti verteld, die dat ook al aan het hof gehoord had. Er waren al andere eskaders uitgevaren, vóór het hunne, en die hadden ook wel resultaat geboekt. Maar de kust van de Terra do Brasil was lang, bezaaid met ontelbare baaien en kreken waarin je je kon verbergen, en voor iedere Normandische boot die zij tot zinken brachten, kwamen er drie andere heelhuids in Dieppe terug, waar het pernambukhout tot poeder werd verwreven om er de Vlaamse stoffen mee te kleuren.

Een van de zeelieden die rond het vuur zaten kon niet langer wachten. Terwijl de opperbevelhebber en de kapitein toekeken, trok hij zijn lange mes, stak er een bruingeroosterde rat aan, liep ermee naar de rand van een luik en begon hem gulzig te verslinden. Gomes de Pina draaide zich om, en liep samen met Cavalcanti naar het andere eind van het dek.

'Ik moet vaststellen dat het u niet veel doet dat uw mannen ongedierte eten,' zei hij. 'Het verbaast me trouwens niet, u met uw ervaring...'

'Ik heb wel erger meegemaakt. In Goa hebben wij ratten gegeten – dikke en dunne – en toen die op waren, hebben wij het leer van onze riemen en onze koffers gekookt. Wij dankten de Heilige Maagd daar ook nog voor!'

Dat was zestien jaar geleden, herinnerde Cavalcanti zich. Hij was toen jong officier aan boord van *Frol da Rosa*, het admiraalsschip van Afonso de Albuquerque, de onderkoning van Portugees Indië. Hij zag zich weer bij de eerste triomfantelijke overwinning in Goa, in 1510, toen de *Frol da Rosa* twintig oorlogsschepen aangevoerd had tegen de mohammedanen die het eiland tussen de Mandavi en de Zuari, een sleutelpositie aan de kust van Malabar, in bezit hadden. Sofala, Aden, Ormoes, Malakka: allemaal strategische punten op de handelsroutes door de Indische Oceaan, maar geen daarvan was zo belangrijk als Goa. 'De ongelovigen mogen de andere dan hebben,' zei Albuquerque, 'wij kunnen vanuit Goa Indië veroveren.'

De koningen en sultans aan de Indische kust hoorden de naam van de admiraal niet graag, en hadden hem de bijnaam *O Terrível*, de Verschrikkelijke, gegeven. De eerste slag om Goa duurde niet lang: de Turkse huursoldaten, in dienst van de mohammedanen, gingen er vandoor, en lieten de Hindoestaanse eilandbewoners de Portugezen met open armen ontvangen, maar Ismael Adi Shah, de sultan van Bijapore en heer van Goa, die tijdens de aanval afwezig was, kwam met krijgsolifanten en duizenden mannen terug, en dwong de zeelieden van Albuquerque om terug te gaan aan boord van de schepen die in de Mandavi lagen.

Cavalcanti vroeg zich af wat de matrozen van de *São Gabriel* van een dergelijke tijd af wisten. Drie maanden lang konden de boten vanwege de moesson niet om de zandbanken in de monding van de Mandavi heen. De Portugezen hadden een aantal raids uitgevoerd op de kust, die door de kanonnen van Adi Shah beschermd werd, en wanhopige acties ondernomen om het belegerde eskader te vrijwaren van branders die de rivier af kwamen drijven. Onder de indruk van de kracht van zijn vijand, had Adi Shah een vredesvoorstel gedaan. 'Zeg hem dat Goa van de koning van Portugal is,' had Albuquerque geantwoord.

De schepen hielden het vierentwintig dagen uit, en op de vijfentwintigste dag, toen de moesson ophield, konden ze eindelijk het anker lichten. Maar Albuquerque kwam algauw terug met een leger van zeventienhonderd soldaten. Op de dag van Sint-Catharina, om tien uur 's morgens, gaf het garnizoen van Goa zich over.

Drie dagen en drie nachten was er om de stad gevochten. Op de ochtend van de vierde dag, toen *O Terrível* zijn troepen liet ophouden, hadden de Portugezen in naam van de koning – en ook in naam van Christus – zesduizend ongelovigen gedood, mannen, vrouwen en kinderen.

'Spaar de weduwen en de meisjes,' had de admiraal gezegd. 'Zij die een lichte huid hebben en er mooi uitzien.' Na de plundering van Goa gaf hij tweehonderd van de mooiste inwoonsters aan zijn dapperste krijgers. 'Goed uitzoeken,' raadde hij hun aan, 'want deze vrouwen zullen de kinderen van ons groot Indisch imperium ter wereld brengen.'

Wat is er nog over van die glorieuze tijd? dacht Cavalcanti. Vandaag de dag voerden mannen als Gomes de Pina het bevel over de schepen des konings, met een bemanning van boeren die bakboord nog niet van stuurboord konden onderscheiden! Hoe durfde Gomes de Pina zich te vergelijken met Albuquerque? De één was een strooplikkende hoveling, een ijdel, zachtgekookt ei; de ander een magere krijger met een haviksneus, en met de geest van een ziener.

Na de dood van de onderkoning was Cavalcanti drie jaar in Goa gebleven en had de corruptie in de Portugese enclave zien opbloeien. In 1518 kreeg hij van een gouverneur wiens omkoopbaarheid hij openlijk aan de kaak had durven stellen, opdracht om naar Lissabon terug te gaan. Omdat hij zo eerlijk was, was Cavalcanti naar Portugal teruggegaan zonder iets anders dan zijn koninklijke premie: een beetje peper dat hij voor eigen rekening mocht verkopen. Zijn vader, koopman van beroep, had zijn teleurstelling niet onder stoelen of banken gestoken: 'Jij bent volkomen imbeciel, Nicolau. Je gaat naar het oosten om rijk te worden. Wat heb jij mee teruggenomen van die tien jaar dat je daar gezeten hebt?'

'Niets,' had Cavalcanti moeten toegeven.

In februari 1526 had hij een maand voor vertrek aangemonsterd bij het eskader van Gomes de Pina. Na Goa had hij op koninklijke schepen gevaren die naar de Nederlanden gingen, naar Bristol of naar de Hanzehavens, langs de oude scheepvaartroutes die Lissabon hadden geleerd welke mogelijkheden er in de handel staken. Goa was het eindresultaat geweest van een lange moeizame poging, ondernomen door kleine Portugese *barchas* en karvelen, die de noordelijke havens de achtersteven hadden toegekeerd en naar het zuiden gevaren waren, om langs de lange Afrikaanse kust op zoek te gaan naar goud, slaven en 'paradijskorrels', Guinese peper.

Cavalcanti keek naar beneden en zag dat zijn mannen met hun ratten van het vuur wegliepen. Ze gingen her en der verspreid zitten en trokken zich niets van het geroep van andere zeelieden aan, die bedelden om de resten van dit walgelijke festijn. De matrozen die geen rat kregen, kregen wat zoute vis, wat door kakkerlakken aangevreten beschuit en een bekertje vies water. Behalve Gomes de Pina, die in Lissabon met zijn persoonlijke proviand aan boord was gegaan, bestaande uit gedroogd vlees, confituur en gedroogd fruit, waar zijn bedienden goed op pasten.

Toen hij eens naar de opperbevelhebber keek bedacht Cavalcanti zich dat zijn vader gelijk had: hij moest iets anders zoeken dan eer en glorie van het christendom in het oosten. 'Mannen worden niet tot de *conquista* gedreven om zielen te winnen, maar vanwege rijkdom en macht,' had de koopman hem vaak voorgehouden. Als voorbeeld gaf hij dan het succes van de grootste van alle kooplieden, prins Henri. Maar toen de kroonprins na een vernederend gevecht tegen de ongelovigen in Tanger begrepen had dat hij de Moren voor de poorten van Portugal niet kon bestrijden, had hij zijn zeerovers en zijn agenten naar de plaatsen gestuurd waar de vijand zijn rijkdom vandaan haalde.

'Wat voor nut had het troepen te laten sterven in Noord-Afrika terwijl hij zonder te vechten een fortuin aan slaven, goud en ivoor naar zijn handelsposten kon laten komen?' vroeg Cavalcanti's vader. 'Henri omgaf zich met zieners en denkers die grootse plannen smeedden om het Heilige Land te heroveren, en luisterde naar hen zoals je ook naar astrologen luistert, maar de taal die hij het liefste bezigde was die van de kapiteins die met schepen vol schatten terugkeerden, die van kooplieden zoals jouw grootvader, Nicolau, die de helft van de winst die hij met zijn licentie behaalde aan de kroonprins moest afstaan.'

Nog voordat hij naar het oosten was gegaan, had Cavalcanti van een vriend van zijn vader, een oude jood met de naam Isaac Cardoso, gehoord wat voor fabelachtige winsten er te maken waren. Het was een simpele les, die hij nooit vergeten was.

Cardoso had massaslachtingen en achtervolgingen overleefd voordat hij gedwongen werd om zich met duizenden andere joden tot het christelijke geloof te bekeren. Cavalcanti zag hem nog met zijn vader voor de winkel op een bank zitten, in de tijd dat de eerste grote vloot die naar Indië was gestuurd, die van Pedro Alvares Cabral, net terug was. Isaac hield een klein mesje in één hand, en in de andere hand een pijp kaneel. Hij sneed er een klein stukje af en zei: 'Dit is voor de man die het naar Calcutta gebracht heeft.' Toen sneed hij er weer een stukje af, en zei: 'Dit voor de Arabier wiens dhows het naar Djeddah hebben gebracht, aan de Rode Zee. En dit voor de kapitein van de boot die het naar Suez bracht. Dit is voor de douanerechten in Suez en voor de karavaan die het naar Caïro brengt. Nu wil de Nijlschipper ook zijn deel en we moeten de kameeldrijver betalen die de koopwaar naar Alexandrië brengt.'

Het bergje schilfertjes werd steeds groter.

'Dit is nog voor de Alexandrijnse Moor die doorvoerrechten in zijn haven heft; dit is wat Venetië vraagt voor het transport per galei en voor de winst van zijn kooplieden. Dan heb ik het nog niet gehad over alle steekpenningen die onderweg betaald moeten worden.'

Ten slotte keek Isaac naar het kleine stukje kaneel dat hij nog in de hand had, en zei: 'Daarop moeten het paleis en de Portugese kooplieden dan nog winst maken.' Toen nam hij een tweede pijp, net zo groot als de eerste, sneed er iets meer dan één derde af en zei toen: 'Dit kost het Cabral om de kaneel hierheen te halen. De rest is voor onze koning.'

Deze uiteenzetting van Cardoso had nog meer indruk gemaakt op de beide broers Cavalcanti – de ene jonger, de ander ouder dan hij – die de vaderlijke handelspost hadden overgenomen toen hij de voorkeur gaf aan een leven als zeeman. Het was niet de drukte in de loodsen, waar kapiteins en kooplieden uit vele verschillende koninkrijken rondliepen, maar de rustige sfeer van Sintra die hem in die richting beïnvloed had. Door zijn huwelijk met Inez Gonçalves was vader Cavalcanti in het bezit gekomen van vreedzame dalen in het voorgebergte van de Serra de Sintra. Daar, tussen de oude verweerde rotsen met daarop Moorse vestingen en in de verte het azuurblauwe waas van de Atlantische Oceaan, daar lagen het verleden en de toekomst, klom hij dwars door het dichte kreupelhout tot aan de voet van de oude schuilplaats van de ongelovigen, stond hij op de punt van de Cabo da Roça, in de wind, en voelde hij zich één met de wereld.

Toen hij na tien jaar in de Oost te zijn geweest naar Portugal terugkwam, zag hij kerken en paleizen die hij nog nooit gezien had, koninklijke opslagplaatsen die uitpuilden van de goederen, kooplieden en bankiers van velerlei nationaliteit die zich samendrongen voor de *praças* en allemaal een deel van de rijkdom opeisten. Als man die er zijn steentje toe had bijgedragen om ze te laten ontstaan, had hij er trots op kunnen zijn, maar er waren ook andere minder verheugende feiten: rotte schepen, gedecimeerde bemanningen, minder scheepswerven met minder boten in aanbouw, hordes avonturiers en ballingen die het land binnenkwamen, en gezinnen waarvan soms drie zoons aan verre kusten opgeofferd waren.

Cavalcanti had het daar met Gomes de Pina over gehad, maar de *fidalgo* maakte zich nergens ongerust over. Als er minder zonen zouden zijn om de Portugese grond te bewerken, hoefden zij alleen maar *peças* uit Afrika te laten komen, slaven. 'Niets mag de bouw van het imperium in de weg staan,' had hij plechtig verklaard. 'Niets mag een volk dat voorbestemd is groots te worden daarin hinderen.'

Het vertrek, vierenzestig dagen eerder, had totaal niet geleken op dat van de koninklijke vloten van vroeger, maar Gomes de Pina, zwelgend in zijn nobele afkomst, scheen dit verval niet in de gaten te hebben. Hij had de schepen opdracht gegeven op de Taag te wachten terwijl hij een mis bijwoonde in de nieuwe kerk van de Hiëronymieten, in Belém gebouwd als dank aan God dat Hij Portugal de weg naar Indië gewezen had. Daar had hij zijn familie en de daarbij behorende profiteurs samen laten komen zoals de grote zeevaarders Vasco da Gama of Pedro Alvares Cabral dat ook hadden gedaan, en ze waren allemaal geknield in de eenvoudige kapel die nu door een prachtig klooster was vervangen.

Toen was hij met die hele aanhang naar de oever van de rivier gelopen, waar een sloep lag te wachten om hem naar zijn schip te brengen. Kaarsrecht en met zijn kin naar voren was de *fidalgo* langs de Sint Vincentius-toren gelopen, een fort dat op de rotsen in de Taag staat, zonder te vermoeden dat de schildwachten ervan amper naar de vertrekkende 'held' keken.

Nu, midden op de Atlantische Oceaan, keek hij naar mannen onder zijn bevel, die de beentjes van ratten zaten af te kluiven.

'Walgelijk,' zei hij. 'Hebben ze dan geen enkel zelfrespect?'

'Ze hebben respect voor de doden,' antwoordde Cavalcanti sarcastisch.

De opperbevelhebber zweeg en draaide hem de rug toe.

Twee dagen later voer de *São Gabriel* onder een bleke tropische maan bij een flink briesje, waarbij de voorsteven langzaam rees en daalde op een rustige zee. De karvelen voeren aan bakboord vooruit en de vaantjes op hun achterstevens dansten in de wind. Vanuit het stuurhuis zette een lichtmatroos een wijsje in om het derde uur van de wacht aan te kondigen. Vlak bij de voorspriet bromde een matroos een antwoord om aan te geven dat ook hij de wacht hield. Op het achterkasteel glimlachte Cavalcanti om de provocerende manier waarop de lichtmatroos zong. Brito Correia, die amper één meter vijftig lang was, was de jongste en de brutaalste van alle lichtmatrozen aan boord. Hij was een halfbloed, als kind in Santarém te vondeling gelegd, en zei dat hij dertien was, maar Cavalcanti schatte hem jonger.

De kapitein liep naar de slecht verlichte stuurhut en controleerde de gevolgde route. Toen boog hij over het luik boven het stuurhuis en schreeuwde naar de roerganger: 'Houden zo!'

Met zijn blikken zocht hij in de verte de karvelen op de maanverlichte zee. Hij vroeg zich af of het net zo'n nacht geweest was in het jaar onzes Heren 1492, toen Cristovão Colombo het eiland San Salvador ontdekt had. O Santa Maria! Die Genuese avonturier die voor Castilië en Aragon gevaren had! Arm Portugal, bestolen door die Spaanse honden en door verraders aan boord van hun schepen!

De persoonlijke haat van Cavalcanti voor de Spanjaard was kenmerkend voor de lange rivaliteit tussen Portugal en het buurland. Columbus was pas bescherming gaan zoeken bij Ferdinand en Isabella toen Joã III van Portugal hem afgewezen had, omdat hij niet onder de indruk was van de plannen van een Genuees zonder ervaring en zonder geld. De triomfantelijke terugkeer van admiraal Columbus, die verkondigde dat men naar 'Indië' kon komen door naar het westen te varen, had de Portugezen gealarmeerd, want die probeerden om er te komen door om Afrika heen te varen, en paus Nicolaas V had Portugal in 1454 het alleenrecht gegeven om dit deel van de wereld te verkennen en te veroveren.

Na de ontdekking van Columbus vroegen de katholieke monarchieën om arbitrage van Rome, waar paus Alexander VI een serie bullen uitgaf die ten slotte vorm kreeg in het Verdrag van Tordesilhas, in 1494: de Portugese en de Spaanse bezittingen zouden gescheiden worden door een 'demarcatielijn', die van noord naar zuid liep, op driehonderdzeventig mijl ten westen van de Kaapverdische Eilanden. Portugezen kregen de landen en de continenten die ontdekt waren of nog ontdekt moesten worden ten oosten van deze lijn; de Spanjaarden hadden het privilege voor het gebied ten westen hiervan. In 1498, toen Columbus zijn derde reis maakte, lukte het de Portugese zeeman

Vasco da Gama om via Kaap de Goede Hoop in Indië te komen. Twee jaar later zocht Pedro Alvares Cabral, aan het hoofd van de tweede Indische vloot, een goede wind ten zuidwesten van de Kaapverdische Eilanden en week zover van zijn route af dat hij ten slotte op 22 april 1500 landde op de Terra de Santa Cruz.

Cavalcanti wist niet veel van de Terra do Brasil, behalve dan dat er geen goud, geen zilver en geen specerijen te vinden waren. Het was niet meer dan een uitgestrekt *terra incognita*, dat slechts hout, veren en weinig waardevolle slaven opleverde: verlegen mannen die ziek werden als ze aan boord genomen werden en die, als zij de overtocht al overleefden, algauw nadat zij aan land waren gegaan stierven.

Cavalcanti had in Lissabon, op het Rossioplein, eens een stuk of negen van deze inboorlingen gezien, meegenomen door de kapitein van een van de eerste schepen die met pernambukhout terugkwamen. Ze hadden een koperkleurige huid en een gespierd lichaam, al was dat kleiner dan dat van de slaven uit Guinea. Hun eigenaar had hun opdracht gegeven zich te beschilderen als voor de oorlog en vertelde de omstanders dat hij zelf de kleine stoffen jurkjes had laten maken die zij droegen, want in hun land liepen zij naakt als Adam en Eva. Getooid met papegaaieveren, liepen zij op blote voeten, met om hun enkels gedroogde peulen waarvan de zaden bij elke beweging rammelden. Maar niets had Cavalcanti zo geïntrigeerd als de kleurige stenen die in hun onderlippen of hun wangen staken, en de stukjes bot die hun neuzen sierden.

'Dansen, Tupinambás!' had de kapitein bevolen, eerst in het Portugees en toen, tot groot vermaak van de nieuwsgierigen, in de eigen taal van de wilden. 'Dansen, grote krijgers die jullie zijn!'

Cavalcanti wist dat brute en halfgekke Portugezen zich op de Terra do Brasil gevestigd hadden, sommigen tegen hun zin, omdat zij slechts de keus hadden tussen ballingschap of het schavot. Maar anderen waren uit eigen beweging naar de kampen gegaan die her en der verspreid langs de kust lagen om houthakker te worden of arbeider bij hen die het koninklijk privilege hadden om pernambukhout te exploiteren. Voor die mannen voer het eskader van Gomes de Pina uit.

Staande op het achterkasteel, leunend op het wendbare kanon dat daar stond opgesteld, dacht Cavalcanti aan de missie van het eskader – twee jaar lang voor de kust patrouilleren – en vroeg zich af of de *São Gabriel* dat zou overleven. Een eind verderop voeren de karvelen *Nossa Senhora da Consolação* en *São Bento*, een spoor van schuim achterlatend. De *São Gabriel* had zelfs met volle zeilen moeite om ze bij te houden.

Plotseling zag de kapitein een vlam uit een van de bakboordkanonnen van de *Consolação* schieten. Praktisch op hetzelfde moment riep de wacht op de voorplecht van de *São Gabriel*: 'Land! Land!'

In werkelijkheid kon de man er niets van zien, maar het signaal van de *Consolação* was duidelijk.

'Land! Land!' riep hij nog eens, terwijl hij zich omdraaide naar het achterschip.

De karvelen draaiden bij om op het langzamere schip te wachten. Aan boord van de *São Gabriel* zetten de zeelieden een lied in.

Stuurman Fernandes kon tevreden zijn. Morgen zou het eskader afzakken naar Porto Seguro, de 'veilige haven' die admiraal Pedro Alvares Cabral had gezocht nadat hij Brazilië voor de eerste keer gezien had.

Vlak voor zonsopgang werd de landwind frisser. Aan boord van de *São Gabriel* en van de andere schepen werden het blinde zeil, de grote marszeilen en de bramzeilen ontplooid, werd een bonnet aan het grootzeil vastgemaakt en werd de ra, die voor de nacht was neergelaten, weer omhooggehesen. Eeltige handen trokken de vallen en de boelijns aan en maakten die vast. Gebruik makend van de zeewind voeren de schepen in zuidwestelijke richting, waarbij ze zich van de kust verwijderden zonder evenwel de wit-groene lijn uit het oog te verliezen welke hier en daar werd onderbroken door een lage bergrug die schitterde in de zon. Al snel kwam de berg die Cabral Pascoal had genoemd, omdat hij er na de paasweek aan land was gegaan, in zicht.

Toen zij eindelijk voor de grote baai lagen, zagen ze vlak bij het strand het grote kruis dat daar door Cabral was opgericht en links daarvan stapels rondhout. Toen zij dichterbij kwamen zagen zij ook kleine gestalten die over het witte zand heen en weer liepen.

De *São Gabriel* minderde vaart. Fernandes, de stuurman, had een grof geschetste kaart van deze wateren, maar hij was voorzichtig en vertrouwde daar liever niet al te veel op. Aan de zuidkant van de baai braken de golven op riffen die op de kaart stonden, maar de aangeduide plaats was zo weinig nauwkeurig dat Fernandes andere verborgen gevaren vermoedde. Er werd besloten om twee sloepen uit te zetten – één van de *São Gabriel*, en een andere van de *Consolação* – om de diepte te peilen.

Cavalcanti gaf opdracht om de sloep die in de kuil lag te water te laten, een klus waar de bemanning een hekel aan had want het ding was groot en ze hadden weinig plaats om ermee te manoeuvreren. Vloekend gingen de matrozen in de weer met poelies en takels, haalden zich de handen open en werkten zich in het zweet in de hitte van de middag voordat de zware boot over de reling ging.

'Ik wil tien van de beste matrozen, gewapend en gevechtsklaar,' zei Cavalcanti. 'De mannen aan de kust zijn misschien Normandische plunderaars. We brengen Fernandes naar de sloep van de *Consolação*, en dan gaan wij aan land.'

'Normandische plunderaars?' vroeg Gomes de Pina verbaasd. 'Hier, in Porto Seguro?'

'Mogelijk, ja.'

'Maar ze staan al sinds wij aangekomen zijn op het strand.'

'Dat zegt niets.'

'In Lissabon heeft men mij verteld dat er handelsposten zijn in de Baai van Allerheiligen, in Cabo Frio, in Pernambuco, en hier,' hield de *fidalgo* vol.

Handelsposten, dacht Cavalcanti minachtend. Goa, Malakka, dat waren handelsposten, prachtige handelsposten, opgericht door Portugese kooplieden. Maar die stapeltjes rondhout met een handjevol ballingen eromheen?

'Met alle respect, admiraal, er is iets niet in orde met die groep mannen.'

'Omdat zij alleen zijn?' vroeg Gomes de Pina terwijl hij naar de kust staarde. 'Lijkt de afwezigheid van wilden u vreemd?'

Cavalcanti keek naar zijn superieur met een gevoel dat aan bewondering grensde. Deze opmerking, van een man die tijdens de overtocht behoorlijk in zijn achting gedaald was, verraste hem. Inderdaad, waar waren de Tupiniquin? Sinds de tijd van Cabral dansten zij op het strand als de grote boten die klokjes en kraaltjes bij zich hadden aankwamen.

'Vooruit, kapitein,' ging Gomes de Pina verder. 'Als het zeerovers uit Dieppe zijn weet u wat u moet doen.'

Achter op de sloep gezeten die in de richting van die van de *Consolação* voer zweette Cavalcanti onder zijn leren harnas. Nadat zij Fernandes hadden weggebracht, voeren zij verder de baai in.

'Die palmen daar,' zei de kapitein terwijl hij wees op een plek aan de lijzijde van het rondhout, 'land daar maar.'

Hij keek naar de mannen die op het strand bewogen en begon te hopen dat het echt zeerovers waren. Met hulp van Jean d'Ango, de rijkste handelaar uit Dieppe, vielen zij al jarenlang Portugese schepen aan, onderschepten zij de vloot afkomstig uit Indië, en hielden zij zelfs strooptochten tot in de monding van de Taag. Tijdens zijn vorige reis had hij het enorme huis gezien dat deze d'Ango aan de kade van Dieppe liet bouwen met gestolen exotisch hout – een paleis dat betaald werd met het bloed van *marinheiros* uit Lissabon.

Hoe dichter de sloep het land naderde, des te wantrouwender werd Cavalcanti. Die mannen hadden naar het water moeten rennen om hun Portugese broeders te begroeten.

'Harder roeien!' beval de kapitein terwijl hij het strand bekeek, van de monding van een rivier in het zuiden tot aan het rondhout aan de rand van de baai waar het kruis van Cabral stond.

De laatste twijfel over de identiteit van deze mannen verdween toen hij een rookpluim zag.

Twee kanonnen, verborgen bij de stapels hout, openden het vuur op de sloep, die nu binnen schootsafstand was. De eerste kogel viel vóór de boot in het water, de tweede raakte hem. Het scheelde een haar of hij had een haakschutter geraakt die zich net voorover boog, maar trof de roeier die achter hem zat, nam een deel van de bakboordreling mee en liet de sloep bijna kapseizen. Een man schreeuwde – niet de eerste roeier, die op slag dood was, omdat de helft van zijn gezicht was weggeslagen – maar een andere matroos die aan bakboord zat, en die overal splinters had. Cavalcanti, met zijn voeten in het water dat rood werd door het bloed van zijn mannen, beval: 'Harder roeien! In Gods naam.'

De zeelieden, verlamd door de aanval, begonnen weer aan de riemen te trekken. Cavalcanti vond dat het beter was om door te varen naar het strand dan om te keren. De Normandiërs zouden niet de tijd hebben om te laden totdat de sloep zou landen.

Hij draaide zich om om naar de schepen te kijken en zag dat zijn mannen op het dek van de *São Gabriel* druk bezig waren. Zij manoeuvreerden om met hun kanonnen die van de kust te kunnen raken, maar de Normandiërs zouden ruimschoots de tijd krijgen om nog een tweede keer op de sloep te schieten voordat de *São Gabriel* in staat zou zijn het vuur te openen.

Verschillende zeerovers renden naar het deel van het strand dat Cavalcanti had uitgekozen om er te landen. Hun kanonniers, die hen dekten, hadden hun tijd niet verspild en weer dreunde hun geschut, maar dit keer vlogen de kogels over de sloep heen.

De haakschutters uit de sloep openden op hun beurt het vuur en voordat zij hun wapens hadden kunnen herladen, schuurde de kiel van de sloep over de bodem en lag deze met een schok stil. Cavalcanti herwon zijn evenwicht, sprong in het water, trok zijn zwaard en schreeuwde: 'Portugal! Voor God en São Tiago!'

De meeste mannen deden net als hij, maar de haakschutters aarzelden om uit de boot te stappen, wat zij met hun leven betaalden. Een zeerover rende op de Portugezen af en gooide een knetterende granaat in de sloep die aan de voeten van de haakschutters ontplofte, waardoor zij allebei werden gedood en de romp werd doorboord.

Cavalcanti baande zich met zijn zwaard een weg door de Normandiërs. De beide partijen waren nu even sterk – acht tegen acht – maar de kapitein had expres ervaren mannen meegenomen. Het gevecht was kort en gewelddadig. In een paar minuten sneuvelden vier Normandiërs, drie anderen bliezen de aftocht en vroegen om genade, maar werden niet gespaard.

'Naar de kanonnen!' schreeuwde de kapitein.

Hij rende zelf over het strand maar bleef plotseling staan. De kanonniers van de *São Gabriel* en van de *Consolação* openden het vuur, en mikten op de sector met de stapels hout. Er brak brand uit toen de munitieopslag van de Normandiërs werd geraakt, en er volgde een reeks ontploffingen. Toen de Portugese kanonnen zwegen viel er een doodse stilte over het strand. Cavalcanti liep langzaam naar het vernietigde kampement, waar hutten en boomstammen in brand stonden. De kapitein stuurde drie van zijn mannen achter de vluchtende kanonniers aan, liet toen zijn matrozen alleen achter en liep naar de monding van de rivier.

Nog steeds geïntrigeerd door de afwezigheid van inboorlingen staarde hij naar de palmbomen en naar de rand van het bos, zonder een spoor van de bewoners ervan te zien. Hij bleef staan, wachtte even, liep toen weer verder, maar hoorde niets anders dan het geluid van zijn laarzen die witte schelpjes aan de waterkant stuktrapten.

Plotseling besefte hij dat hij zich te ver van zijn manschappen had gewaagd, en wilde omkeren toen de Tupiniquin tussen de bomen bij de rivier te voorschijn kwamen. Voor de tweede keer die middag schoot het zwaard van de Portugees uit zijn schede, maar de inboorlingen namen geen vijandige houding aan toen zij naderbij kwamen. De man die hen aanvoerde viel hem in het bijzonder op.

Het was een bruin bebaarde reus, met het gezicht van een bruut, en was gewapend met een lange stok. Hij ging gekleed in een vest van dierehuid, een verscheurde broek en een versleten cape. Op zijn hoofd droeg hij een muts van versleten blauwe velours en aan zijn voeten stukken leer, met lianen bijeengebonden.

Toen hij een paar stappen van Cavalcanti verwijderd was riep hij hem in voortreffelijk Portugees toe: 'U mag Afonso Ribeiro wel bedanken, vriend. En dank de Heilige Moeder maar dat zij die oude *degredado* op uw weg gestuurd heeft, want zonder hem zouden de Normandiërs u gedood hebben.'

Gomes de Pina genoot van elk ogenblik van het feest. Hij vond het overvloedige voedsel en het verse fruit verrukkelijk maar stelde nog meer de aanwezigheid van de Tupiniquin-vrouwen op prijs, die hem bedienden en voor hem dansten. Een van hen, die er goed uitzag en heel vriendelijk tegen hem deed, was een en al aandacht voor de *fidal-go*. Zij was de dochter van een oudste van een van de *malocas* – een soort prinses, volgens Afonso Ribeiro.

'Ze zijn nog zo jong en onschuldig,' zei de opperbevelhebber van het eskader tegen Cavalcanti. 'Ik zie het paradijs vóór de zondeval.'

Hij had besloten om het meisje mee te nemen naar zijn hut zodra hij van het feest weg zou kunnen en haar tot zijn vriendin te maken gedurende de tijd dat de schepen in de baai zouden liggen.

De Portugese edelman en zijn officieren zaten op matten, op de open plek in het bos waar de *malocas* omheen stonden. En links van hen waren de oudsten in druk gesprek gewikkeld over die mannen met lange haren.

Affonso Ribeiro, die zichzelf *degredado*, gevallene, noemde, liep te paraderen van de ene groep naar de andere. Hij had de vodden die hij had aangetrokken om de Portugezen te ontvangen verruild voor een vreemd soort rok die hij in het bijzijn van zijn landgenoten uit schaamte droeg. Als hij alleen was met de Tupiniquin, alleen met zijn drie vrouwen en zijn zestien kinderen, liep hij helemaal naakt rond.

Wat hij een week voor het feest tegen Nicolau Cavalcanti had verteld, was waar: de kapitein van de *São Gabriel* en diens mannen dankten hem het leven want zonder hem zouden de Tupiniquin waarschijnlijk aan de zijde van de Normandiërs hebben gevochten.

De zeerovers uit Dieppe gebruikten een andere methode om het pernambukhout te exploiteren dan de Portugezen. In plaats van handelsposten op te richten, stuurden zij mannen uit om vriendschap te sluiten met de inboorlingen en tussen hen te leven. Daarna zetten zij hen op tegen de Portugezen die er volgens hen slechts op uit waren hen af te slachten of hen als slaven te gebruiken.

De Normandiërs die het eskader op het strand had gezien waren een maand eerder aan land gegaan – en Ribeiro stond er ook toen om hen te ontvangen.

'Hoe had ik, een vergeten onderdaan van Dom Manuel, hen tegen kunnen houden?' had hij tegen Gomes de Pina gezegd.

Dat Manuel dood was en opgevolgd door João III kon een man die zich alleen het Portugal kon herinneren waaruit hij zesentwintig jaar eerder verbannen was, niets schelen.

'Ze konden net zoveel bomen nemen als de Tupiniquin omhakten,' had hij ook nog verteld. 'Maar ik wilde ze niet in mijn dorp hebben, en mijn familie was het daarmee eens.' Er waren in alle *malocas* veel inboorlingen die Ribeiro als zijn familie beschouwde, buiten zijn vrouwen en zijn kinderen. 'Vandaar dat de Normandiërs alleen waren toen u landde.'

Gomes de Pina was niet erg dankbaar tegenover een man wiens status van *degredado* hij niet kon vergeten. Thuis veroordeeld voor hun misdaden, waren zij op onbekend grondgebied uitstekende boodschappers. Zij werden afgezet op de kust om met de inboorlingen te leven, die zij hun gewoonten en hun taal leerden. Als zij dat overleefden en succes hadden, wilde de koning eventueel overwegen om hun gratie te verlenen – maar dan pas na twintig jaar.

Toen Cabrals vloot naar Indië was vertrokken, na de Terra do Brasil ontdekt te hebben, werd Afonso Ribeiro, een geitendief afkomstig uit Belmonte, de geboortestad van Cabral, ter plekke achtergelaten. Gelukkig waren de Tupiniquin hem welwillend gezind geweest, met name een jonge krijger die zeer werd gerespecteerd en die, toen Ribeiro zijn taal geleerd had, tegen hem gezegd had dat geen enkele man het verdiende om naamloos en zonder volk te leven. Salpina, de derde vrouw van de Portugees, was een van de dochters van deze krijger, genaamd Aruanã, de oudste van zijn *maloca*.

Halverwege de middag kon Gomes de Pina zijn zin om met het prinsesje te gaan spelen niet langer bedwingen en beduidde hij zijn officieren dat hij terug wilde naar het admiraalsschip. Met uitzondering van Nicolau Cavalcanti, die bij Ribeiro bleef, vertrokken de Portugezen door het bos, dronken van maniokbier, waarbij zij lachend achter de meisjes die hen begeleidden aanliepen.

De reden dat Cavalcanti in het dorp bleef was de dochter van Afonso Ribeiro. In veel opzichten gedroeg zij zich zoals de andere vrouwen die aan de gasten van de clan werden aangeboden en deed zij haar uiterste best om lief te zijn, zonder daarbij ook maar een spoor van scrupules te tonen. Maar zij had nog iets anders dat de kapitein aantrok en wat hem deed denken aan mooie Portugese roosjes: de lichtelijk hautaine maniertjes die zij af en toe tentoonspreidde, en de pruilende stand van haar lippen. Dus in plaats van te doen als zijn metgezellen bleef hij liever, om te kunnen genieten van dit mengsel van verleiding en exotisme.

Afgezien van genot moest Cavalcanti ook nog aan andere dingen denken. Hem waren de schedels opgevallen die aan de ingang van de omheining in de zon hingen te bleken, en hij had zoete muziek gehoord, afkomstig uit fluiten gemaakt van mensenbeenderen. Tevens had hij de zeer wantrouwende en afkeurende blikken die de beide to-

venaars met elkaar gewisseld hadden opgemerkt. Dat had hij ook tegen Ribeiro verteld, maar de balling had er alleen om gelachen.
'Vroeger had het dorp een *pagé* die u de stuipen op het lijf zou hebben gejaagd. Die twee oude tovenaars zitten altijd samen in de heilige hut. Zij weten niet wat het is om met een vrouw naar bed te gaan en houden net zoveel van elkaar als van de geesten waar ze mee dansen.'
Voor Cavalcanti was het duidelijk dat de krijger Aruanã, die thans tegenover hem naast Ribeiro zat, de machtigste van de ouden was.
'Hij wil u een vraag stellen,' zei de banneling. Hij zweeg om naar Aruanã te luisteren, en vertaalde toen: 'Waarom komt u van zo ver om hout te halen? Hebt u dat dan niet genoeg in uw eigen land?'
'Zeker, wij hebben wouden,' antwoordde de kapitein, 'maar daar groeit niet de boom die wij in deze landen vinden. Wij gebruiken hem om er mee te verven.'
De Tupiniquin knikte. Dat had Ribeiro hem ook al verteld.
'Maar waarom wilt u er zoveel?'
Cavalcanti dacht aan koning João III en deed zijn best om uitleg te geven: 'In ons land hebben wij een opperhoofd dat heel rijk is...'
Omdat hij gezien had wat de Indianen van de blanken hadden verworven, voegde hij eraan toe: 'Bijlen, messen, verrekijkers en kralen – meer dan nodig is voor alle mannen van deze clan en alle stammen van deze kust. Het hout dat wij meenemen is voor hem bestemd.'
'Maar sterft die man dan nooit?'
'Jawel, net als alle andere mensen.'
Aruanã sprak even met de oudsten, voordat hij verder ging: 'En als hij doodgaat, van wie zijn dan al die dingen die hij achterlaat?'
'Van zijn kinderen, zijn broers en zijn zusters.'
De Tupiniquin barstte in schaterlachen uit.
'Dan is die man volkomen getikt – en jullie ook, jullie die voor hem zoveel leed verdragen.'
Ribeiro probeerde niet te verhelen dat hij zich vermaaktc toen hij vertaalde, iets dat Cavalcanti niet op prijs kon stellen: een dergelijke belediging uit de mond van een Moor zou bestraft moeten worden met de dood.
'Ook wij houden van onze kinderen,' ging Aruanã verder, 'maar wij weten dat deze aarde in hun behoeften zal voorzien zoals hij ook voorziet in de onze.'
De kapitein raakte geïrriteerd en keek naar de plaats waar de dochter van Ribeiro met haar vriendinnen zat, een eindje van de mannen vandaan. Toen hij zag dat Cavalcanti keek, sloeg de *degredado* hem met zijn grote klauw op de schouder.
'Vindt u haar mooi, dat kind van Afonso Ribeiro?'

'Ze is knap,' mompelde de zeeman.

'Dan is Jandaia van u, zolang u maar wilt.'

Hoewel dit gesprek in het Portugees gevoerd werd ontging Aruanã de zin ervan niet. Sinds de Langharigen in de baai verschenen waren, waren ze altijd zeer in hun nopjes geweest als zij vrouwen cadeau kregen. Dat kon hij begrijpen, maar er waren een heleboel andere dingen die hem ook nu nog intrigeerden, vele jaren na de dag waarop hij voor de eerste keer hun bebaarde gezichten op het witte strand had gezien waar hij schelpjes zocht voor de ketting van zijn eerste kind.

Nooit zou hij vergeten hoe hij aan boord van hun kano, samen met Tabajara – die hij in allerijl had gewaarschuwd – ontvangen was. Langzaam was hij voorbij de mannen gelopen die blinkende platen op de borst droegen en gewapend waren met lange pijlen, en hij had een vreemd koeterwaals gehoord. Sommigen hadden hun hand uitgestoken naar zijn verentooi, anderen waren geïnteresseerd geweest in zijn penis.

Toen ze dichterbij kwamen om zijn huid aan te raken, was hij achteruit gestapt, niet uit angst maar vanwege de geur die van hen afkwam, een verschrikkelijke stank, althans voor een man die gewend was om een paar keer per dag in de rivier te baden.

De man van wie Ribeiro later vertelde dat hij Cabral heette was op een veel indrukwekkender zetel gaan zitten dan het krukje van Tocoyricoc, en bovenal, hij droeg iets heel vreemds om zijn nek.

'Dat heb ik eerder gezien!' had Aruanã uitgeroepen, waarbij hij op Cabrals ketting wees.

'Wat dan?' had Tabajara gevraagd.

'Dat zijn zonnetranen, net als die van Tocoyricoc.'

Cabral was meteen opgewonden opgesprongen. De tolk in de boot had vragen gesteld in verschillende talen maar Aruanã was blijven wijzen op de ketting, en vervolgens op de grond, waarbij hij met gebaren probeerde te vertellen dat het land van de zonnetranen hier heel ver vandaan was.

Nu wist de Tupiniquin – zonder evenwel te begrijpen waarom – dat de Portugezen boven alles die zonnetranen begeerden, en ook die manetranen die zij respectievelijk goud en zilver noemden.

Vervolgens hadden ze hem voedsel aangeboden dat zo verschrikkelijk vies smaakte dat Aruanã het meteen weer uitgespuugd had, net als de rode bittere vloeistof die ze hem wilden laten drinken. Vervolgens hadden de Portugezen hem een kruik aangereikt die hij voorzichtig aan zijn lippen had gezet. Nog nooit had hij zulk vies water geproefd.

Toen zij weer terug waren in het dorp, verklaarden Aruanã en Tabajara op de open plek dat de mannen met de lange haren geen vijanden van de Tupiniquin waren. De volgende dag brachten zij de Portugezen naar de helderste bronnen, de vrouwen plukten voor hen vruchten en noten. Bogen, pijlen, veren en vogels werden geruild tegen klokjes, armbanden en gekleurde kralen.

Toen zij vertrokken lieten de Langharigen in het dorp een zekere Ribeiro achter, die de Tupiniquin later Ticuanga noemden: week als maniokpasta toen hij aankwam, was hij in de zon hard geworden als een *ticuanga*-gebakje. Dit 'cadeau' van Cabral had de Tupiniquin erg geïntrigeerd, omdat zij niet begrepen hoe je gevangenen kon achterlaten. Want Ribeiro was duidelijk een gevangene van de Langharigen. In het begin wisten de Tupiniquin niet wat ze met hem aan moesten, maar langzaam maar zeker was Ticuanga een grote joviale krijger geworden, die kon vrijen en vechten als de beste mannen van de clan.

Aruanã zat nog over Ribeiro na te denken toen hij die zag opstaan, omdat er een groep jonge krijgers dansend over de open plek aankwam. De reus voegde zich bij hen, stampte met zijn voeten steeds sneller op de grond, op het ritme van de kalebassen die zij schudden, en viel toen buiten adem naast Cavalcanti op de grond.

'*Senhor*,' zei de kapitein tegen hem, 'het is nu zesentwintig jaar geleden dat u uit Lissabon bent weggegaan. De nieuwe koning zou u zeker een jeugdzonde willen vergeven. Zou u uw geboortegrond niet terug willen zien?'

'Ik naar Portugal teruggaan? Nooit van mijn leven. Hier is mijn land en mijn familie!'

Ribeiro's antwoord bevredigde Cavalcanti niet helemaal, en hij bleef zich afvragen waarom die balling de voorkeur gaf aan deze wilden boven zijn landgenoten en waarom de Tupiniquin hem als een van de hunnen accepteerden.

Aan het einde van de dans begonnen verscheidene oudsten over een lange reis te vertellen die Aruanã gemaakt zou hebben. Cavalcanti luisterde verstrooid naar Ribeiro's vertaling want hij wist dat de geest van dergelijke wilde schepsels vol zat met hersenspinsels. Waar bevond zich bijvoorbeeld het legendarische Afrikaanse koninkrijk van de prediker Johannes met zijn gouden wagens en zijn met juwelen bedekte paleizen? Jarenlang hadden de *marinheiros* de inboorlingen die over dat fabelachtige keizerrijk vertelden, geloofd, maar toen de Portugezen in Ethiopië waren gekomen, hadden zij inderdaad zwarte christenen ontdekt, echter niet meer rijkdom dan in één enkel schip van Dom João III als het uit Indië terugkwam.

Ribeiro, die een sloot bier had gedronken, zei dat hij naar zijn hangmat ging.

'En u, kapitein, hebt u geen zin om te gaan slapen?' vroeg hij op spottende toon terwijl hij schuins naar zijn dochter keek. 'Kom, Jandaia, kindje van me! Kom de kapitein eens laten zien wat de vrouwen uit Lissabon nooit zullen leren!'

Lachend kwam het jonge meisje bij hen zitten.

Cavalcanti had vrouwen gekend die na gevechten veroverd waren, vrouwen vol tederheid die in Goa op hem zaten te wachten. Maar nog nooit had een vader hem zo graag zijn dochter afgestaan.

Ribeiro klopte hem op zijn rug en liep toen met enige moeite naar zijn *maloca*. Cavalcanti keek eens om zich heen en vroeg zich af waar hij Jandaia mee naar toe zou kunnen nemen, toen hij zag dat zij al wegliep en hem beduidde haar te volgen. Ze ging met hem het dorp uit, stak de velden over, en liep toen door het bos tot aan een waterval. Tussen geweldig hoge bomen viel het water van een rotsplateau in een vijver met daaromheen mos en varens. Hij trok zijn harnas uit terwijl Jandaia het water in liep.

'*Maravilhosa*,' mompelde hij.

Hij leunde tegen een boom om de naakte gestalte te bekijken die in de vijver rondspartelde maar stond vrijwel direct weer op zijn eigen benen om de walgelijke larven die meteen over hem heen kropen van zich af te schudden. Hij riep Jandaia maar zij speelde verder, bespatte haar borsten en beduidde hem bij haar te komen. Omdat hij aarzelde, zwom zij naar hem toe, waarbij haar prachtige lichaam met het grootste gemak het water doorkliefde.

'Kom, Portugees.'

Niet in staat om langer weerstand te bieden, deed hij de rest van zijn kleren uit, dook in de vijver en vloekte even toen het koude water zijn lichaam omsloot. Hij achtervolgde Jandaia door de vijver heen, drukte haar tegen zich aan, fris en nat als hij was, en voelde hoe zijn eigen lichaam in vuur en vlam werd gezet. Terwijl zij tegen de rotswand leunden, lachten zij en keken naar de waterval die over hun lichamen spatte.

Toen zij op het mos lagen te vrijen, voelde hij eerst een soort woede omdat hij zoveel onschuld nam. Toen begon Jandaia zachtjes onder hem te bewegen en nam hij het langzame ritme van het meisje over totdat hij schreeuwde van genot.

Van het eskader van Gomes de Pina maakten twee priesters deel uit, Aloysius Barreto en Miguel da Costa. Pater Aloysius was een joviale man van een jaar of vijftig met een hoogrode gelaatskleur, die zijn roerige kudde goed kende en die heel goed kon leven met de zwakheden ervan. *Padre* Miguel, die veel jonger was, zag eruit als een roofvogel, had niet de minste genade met arme zondaren die onder het vaandel van de orde van Christus reisden en werd dan ook alom veracht.

Op de tweede zondag van hun verblijf in Porto Seguro, beval de *fidalgo* dat de bemanning zou deelnemen aan de mis, opgedragen aan de voet van het kruis van Cabral, op het strand. Er was een altaar opgericht waarnaast kleine houten heiligenbeeldjes waren gezet, die elk schip bij zich had, en de matrozen werden allemaal verzameld toen *padre* Aloysius de mis begon te lezen, vergezeld door *padre* Miguel, wiens stem even onaangenaam was als zijn manier van doen.

Op enige afstand, in de schaduw van de palmbomen, stond Afonso Ribeiro, samen met de oudsten van de Tupiniquin. Aruanã herinnerde zich de dag waarop Cabral voor de eerste keer voor het kruis zijn devote plicht had gedaan. Terwijl de *pagés* van de Langharigen hun heilige riten uitvoerden, hadden de Tupiniquin hen nagedaan, waren zij geknield als zij ook knielden, hieven zij net als zij hun armen ten hemel, en zeiden zij geen woord als de anderen stil waren. Er waren geen kalebassen versierd met veren, geen stemmen van geesten, maar de Tupiniquin wisten dat Monan, de schepper van de eerste mens, bij de zon in de hemel woonde en dat het goed was om te zingen om hem te eren.

Juriti, de vrouw van Aruanã en de enige vrouw die aanwezig was, was bang geworden toen een van de mannen met een lange bruine jurk aan op haar af was gelopen. Trillend had zij zich tegen Aruanã gedrukt, die, ook verbaasd over het gedrag van de Portugese *pagé*, zijn best had gedaan om haar gerust te stellen door te zeggen: 'Wees maar niet bang.'

Met een welwillende glimlach had de man de jonge vrouw een stukje stof aangereikt dat zij aarzelend had aangenomen en dat zij op de grond had laten vallen zodra hij zich weer omgedraaid had.

'Dat is voor Monan,' had Tabajara uitgelegd terwijl hij naar dat deel van de hemel had gewezen waar de zon sliep. 'Dat is hun manier om met de geest van Monan te spreken – en met al degenen die de wereld van de voorouders bewonen.'

De meeste Tupiniquin hadden te kennen gegeven dat zij het hiermee eens waren, maar een van hen had geprotesteerd en gezegd: 'En Naurú dan? En de heilige kalebassen dan?'

'Wij horen onze voorouders, zij horen die van hun volk,' had de oudste gezegd.

'Maar wie hoort dan de meeste woorden?' had de krijger nog gevraagd.

Tabajara wist niet wat hij daarop moest antwoorden, maar toen had Aruanã verklaard: 'Bij ons spreekt de stem van de geesten tegen de Tupiniquin op het dorpsplein. Anderen horen die in hun *malocas*. Dat is precies hetzelfde.'

Maar na de eerste Langharigen waren er anderen gekomen, en die hadden alsmaar tegen Aruanã verteld dat hij zich vergiste, dat het niet hetzelfde was, dat hún Monan met een veel luidere stem sprak. Dat zou *padre* Miguel dus waarschijnlijk ook wel gezegd hebben als hij Tupi gesproken had, maar aangezien hij de taal van de inboorlingen niet kende, las hij slechts de *marinheiros* en hun officieren de les omdat ze zo zondig waren.

'Broeders, broeders, waarom zijn jullie zo zwak? Jullie vermaken je met die eenvoudige en onschuldige wilden, die de zonde niet kennen, terwijl jullie hun gehoorzaamheid aan God en de Kerk zouden moeten bijbrengen.'

Aan het einde van de mis werden Ribeiro en de Tupiniquin aan boord van de *São Gabriel* gebracht waar Gomes de Pina hun een maaltijd aanbood, bereid van zijn persoonlijke reserve: ham, rijst, verschillende snoeperijen, alles weggespoeld met wijn waarvan de Tupiniquin grote hoeveelheden naar binnen sloegen. Sinds de tijd waarin Aruanã de donkere vloeistof op het dek van het schip van Cabral had uitgespuugd, was zijn volk aan wijn gewend geraakt. Sterker dan maniokbier, had het een uitwerking die leek op die van tabak, die tijdens hun ceremoniën gerookt werd, want daardoor kregen zij zin om te dansen, te springen en te zingen.

Dat was trouwens wat de matrozen van de *São Gabriel* en de Tupiniquin deden, waarbij de opperbevelhebber van het eskader en zijn officieren geamuseerd toekeken, terwijl zij netjes aan tafel bleven zitten. Cavalcanti merkte dat Ribeiro niet deelnam aan de feestvreugde en niet zo uitbundig deed als hij van hem gewend was. Pas na het feest kreeg de kapitein, die naar het dorp terugging om Jandaia op te zoeken, de verklaring voor het gedrag van de *degredado*.

Toen de sloep landde, wankelden Aruanã en de andere oudsten over het strand en gingen algauw in de schaduw van de palmbomen liggen. Ribeiro en Cavalcanti liepen door en namen een kortere weg over een heuvel van rode aarde die achter het strand lag. De beide mannen klommen op de top ervan, waar achter een muur van planten de ruïne van een kerkje stond. Ribeiro wilde meteen weer naar beneden gaan, maar Cavalcanti hield hem tegen. Hij had elders een andere kerk gezien, ook een ruïne, tien jaar eerder gebouwd door twee franciscanen, althans volgens Ribeiro. Een van de monniken was verdronken in een rivier die de Tupiniquin nog altijd de Rivier van de Bruine Rok noemden; de andere, nog steeds volgens Ribeiro, was naar Portugal teruggegaan. Maar de ruïne van de kerk die Cavalcanti nu zag was duidelijk ouder en had kennelijk niets te maken met de andere.

'Wie heeft deze kerk gebouwd?' vroeg de kapitein.

'Franciscanen,' antwoordde Ribeiro.

De zeeman draaide de aarden muren de rug toe en keek naar de zee. In de diepte lag de uitgestrekte baai met de schepen erin. In het noorden was een andere kreek en in het zuiden de rivier die naar het Tupiniquin-dorp voerde. 'Hoe kan dat dan? De kerk ligt vlak bij de plek waar de Normandiërs hun kampement hadden.'

'Ik had het over andere franciscanen, die lang geleden gekomen zijn.'

'Was jij hen vergeten?'

'Nee.'

'Toch heb je mij niets verteld toen je mij die andere kerk wees.'

'Wat viel er te vertellen? Hun kerk is een ruïne, net als de andere.'

'Wanneer zijn de eerste monniken gekomen?'

'Met de boten van Noronha,' antwoordde Ribeiro. Fernando de Noronha was de eerste geweest die door koning Manuel in 1502 gemachtigd werd om het pernambukhout te exploiteren. 'Zij hebben deze kerk gebouwd maar... hun missie was niet zo'n succes.'

Cavalcanti hoorde een zekere zwaarmoedigheid in de toon waarop de balling dat zei, en dat verbaasde hem bij een figuur die anders zo levenslustig was.

'Waarom is het hun niet gelukt?'

Ribeiro keek naar de ruïne en toen naar de kapitein.

'Het waren goede monniken, maar zij begrepen de Tupiniquin niet. O, ze vonden ze aardig, en hij die zij het aardigste vonden kon hun bloed wel drinken. "Broeder Naurú," zeiden zij tegen hem, "wij zijn allemaal schepselen Gods. Open je hart en je zult het paradijs vinden waar wij over spreken."'

'Wie is die Naurú?' vroeg Cavalcanti.

'De duivel in eigen persoon. De stem van de geesten, met zeggenschap over leven en dood. Mannen als Aruanã heersen over het dorp, maar Naurú heerste door angst.'

'En jij, was jij ook bang voor hem?'

'Ja, kapitein. De twee sodemieters die nu in de heilige hut leven maken met hun kalebassen en hun ceremoniën indruk op de Tupiniquin, maar de krijgers hebben het nog steeds over Naurú alsof hij er nog was.'

'En die franciscanen dan?'

'Hun aanwezigheid maakte Naurú woest. Vanaf de komst van Cabral had hij geprobeerd om de Tupiniquin op te zetten tegen hen die zij Langharigen noemen, omdat zij Naurú in de tien dagen die Cabral in de baai had doorgebracht, links hadden laten liggen. De krijgers luisterden niet meer naar een dolle tovenaar die mannen afkomstig van de opkomende zon slechts beschouwde als duistere wezens. En toen die franciscanen kwamen, werd Naurú's woede weer gewekt. Hij sleepte zijn mismaakte lichaam van *maloca* naar *maloca* om de Tupiniquin te waarschuwen tegen het ongeluk dat de bruinrokken hen zouden bezorgen. En toen zijn voorspellingen uitkwamen, verheugde hij zich over het leed van zijn volk.'

'Maar jij bent ook een Portugees. Waarom ontzag Naurú's haat jou dan? Jij leeft nu als een prins tussen die wilden. Hoe komt dat?'

'Naurú was intelligent, geslepen. Hij kon een *degredado* herkennen, een man zonder volk en zonder land, als hij er een zag. Wat kon een dergelijk miserabel wezen tegen het gemanipuleer van Naurú uitrichten?'

Ribeiro zag dat de zon achter de bomen verdween, en voegde er nog aan toe: 'Kom, kapitein, ik zal u naar mijn Jandaia brengen.'

Maar Cavalcanti had wel in de gaten dat het verhaal van de balling nog lang niet uit was.

'Welk ongeluk brachten de franciscanen dan?'

Ribeiro zuchtte geresigneerd.

'Broeder Gaspar hoestte, en gaf zijn ziekte aan het dorp door. Toen de Tupiniquin in hun *malocas* lagen te kreunen van de koorts, liet de stem van de geesten zich op het dorpsplein horen. Het kwaad zat in de lichamen van de bruinrokken, verklaarde Naurú. Broeders van de duisternis waren zij, en zij hadden de Tupiniquin betoverd.'

'En dat geloofde de clan?'

'Jawel.'

'En wat deden die franciscanen dan?'

'Niets,' zei Ribeiro, die zijn schouders ophaalde. 'De Tupiniquin luisterden naar Naurú en naar het geschreeuw van hun kinderen, en verboden de monniken om binnen de omheining te komen.' Hij wendde zijn blik af en keek over de baai heen. 'Zij konden niets doen.'

'En toen, zijn zij toen vertrokken, net als die van de andere kerk?'

De balling antwoordde niet.

Alles was rustig op dit korte onzekere ogenblik dat de dag scheidde van het plotselinge vallen van de tropennacht. De hemel stond in vuur en vlam met de kleuren van een zon die niet meer te zien was; het bos werd donkerder, en was gedompeld in stilte.

Vanuit de diepte van zijn ziel stiet Afonso Ribeiro een verschrikkelijke, meelijwekkende angstkreet uit.

'*Meu Deus!*'

Zijn zware schouders begonnen te trillen, zijn grote handen sloegen om zijn slapen. Hij liep weg van Cavalcanti, naar de ruïne van de kerk, en leunde tegen de muur van gedroogde klei, terwijl de tranen over zijn boeventronie stroomden.

'Kapitein, ik was nog maar een kind! Wat had ik kunnen doen tegen Naurú?' riep hij uit.

Fluisterend voegde hij hieraan toe: 'Ze werden met de ploertendoder afgemaakt. Op de open plek.'

'En was jij daarbij?'

'Wat had een kind als ik kunnen doen?'

Cavalcanti hoefde niet meer te weten over het martelaarschap van de twee monniken, maar Ribeiro ging verder met zijn biecht: 'De Tupiniquin hebben mij erop uit gestuurd om de broeders hier bij de kerk te gaan halen, ik moest tegen hen zeggen dat ze naar het dorp ontboden werden.'

'En toen gingen zij hun dood tegemoet?'

'Ja.'

Nu begreep de kapitein waarom Ribeiro zo goed in de clan was geïntegreerd. Doordat hij de franciscanen had helpen doden, had hij de inboorlingen laten zien dat ook hij bij het dorp hoorde, net als de krijgers die klaarstonden om de beide monniken aan stukken te rijten. Na een dergelijke daad kon hij niets anders doen dan bij de Tupiniquin blijven, en zijn vaderland voorgoed opgeven.

Op hetzelfde ogenblik kreeg Cavalcanti zin om zijn zwaard te trekken en onmiddellijk het vonnis uit te voeren, voor de kleine kerk die Ribeiro had helpen vernietigen, maar hij hield zich in.

'Laten wij gaan,' mompelde hij.

En de beide mannen namen het pad waaroverheen Ribeiro ooit de franciscanen naar het dorp had gebracht.

De veronderstellingen van Cavalcanti raakten een kern van waarheid. Ribeiro's medeplichtigheid bij het doden van de monniken had hem tot broeder van de Tupiniquin gemaakt.

Maar de bekentenis van de *degredado* had het meest duistere deel van het verhaal niet aan het licht gebracht.

Affonso Ribeiro had niet de moed kunnen opbrengen om aan een Portugees te vertellen dat hij, Ticuanga, Yware-pemme boven de geschoren schedels had gezwaaid, en dat zijn borst nog de merktekenen van die daad droeg.

V

Juni – september 1526

Zijn mannen noemden hem kortweg de Tijger, dat was voldoende. Voordat hij zijn eigen boot had, had hij met Jean Fleury gevaren, zwervend langs de kusten van Afrika en Brazilië, op zoek naar de rijk beladen schepen uit Lissabon en uit Cadiz. Met Fleury had hij de eerste schat die Cortes uit Mexico gestuurd had, geroofd: goud, zilver en vuistgrote smaragden. Hij had zich in de buurt van de grote rotshellingen van Sint-Vincent gewaagd om de galjoenen van d'Avila te pakken te krijgen. Volkomen onverschillig had hij de Portugese koopvaarder *Bom Jesus* – met aan stukken gereten zeilen en weggeslagen kastelen – met de hele bemanning zien zinken nadat zijn lading verfhout aan boord van de boot van Fleury was gebracht.

De Tijger, Gautier de Saint-Julien, bezat thans de helft van de kraak *le Croissant*, waarvan de andere helft toebehoorde aan Jean d'Ango, koopman uit Dieppe, die altijd bereid was om te investeren in een onderneming die de macht van zijn Portugese en Spaanse concurrenten kon aantasten.

Dat Portugal hem beschouwde als een dief, als een plaag die over de zeeën waarde, dat wist de Tijger. Het vermaakte hem zeer, ook al was hij het er helemaal niet mee eens: hij voer niet als piraat maar als goed Normandiër, die zijn rechtvaardige deel van de rijkdom van Amerika en het Oosten opeiste.

'Die mannetjes,' zei hij minachtend als hij het over zijn Portugese rivalen had, 'de wereld is niet groot genoeg om hun hebzucht te kunnen stillen. Ze zetten voet aan land, en noemen dat meteen een "verovering"!'

Niettemin was de Tijger altijd bereid om hun hun bezit te laten... op voorwaarde dat zij schatting betaalden aan de mannen uit Dieppe. Teneinde zijn eerste 'belastingen' te kunnen innen was Gautier de Saint-Julien in januari 1526 met zijn boot *le Croissant* naar Brazilië gevaren. Vervolgens had hij de kust gevolgd tot aan Cabo Frio, tot de baai van Guanabara, met steile rotspunten die er de wacht hielden achter de rustigste haven ter wereld.

Hij was in volle zee blijven varen om de Portugese handelsposten te ontwijken, en wachtte op de terugkeer van een galjoen vol hout. Omdat hij niets ving, had hij besloten aan te meren teneinde zelf een lading samen te stellen. Hij wist dat er geen enkele Portugees in Porto Seguro was, behalve een idioot die Cabral daar achtergelaten had, en had dus de *Croissant* de baai ingestuurd waar deze man en zijn Tupiniquin op het strand stonden te wachten.

Alles was met Afonso Ribeiro geregeld: elf mannen van de *Croissant* zouden aan land blijven om het rondhout samen met de inboorlingen klaar te maken. Van zijn kant zou Ribeiro voor alle behoeften van de Fransen zorgen, in ruil voor buskruit, kogels en een prachtige haakbus uit Neurenberg.

Terwijl zijn mannen het pernambukhout opstapelden, zou de Tijger naar Pernambuco gaan, op zoek naar een vangst. Omdat hij niet wist hoe lang hij weg zou zijn – twee maanden, misschien meer – liet hij twee kanonnen van zijn schip aan land achter.

Na zijn vertrek uit Porto Seguro raakte de kraak in een storm voordat hij in Bahia de Todos os Santos (de baai van Allerheiligen) terechtkwam, waarin de Tijger zich durfde te wagen omdat hij zijn geduld verloor. Hij voer 's nachts over de ondiepte, en bleef onder de wind van een eiland voor de kust. Toen de zon opkwam ontdekte hij aan stuurboord, vlak bij de handelspost met pernambukhout, twee Portugese karvelen.

De wind stond goed, de matrozen van de *Croissant* waren klaar voor het gevecht en de Tijger had een behoorlijk slecht humeur. Zijn kanonnen schoten drie kogels in het eerste schip, die brand veroorzaakten. Het tweede nam hij door het te enteren en zijn mannen, die over de reling sprongen, hadden al snel het weinige verzet dat zij ontmoetten gebroken. Voordat de kleine kustbatterij hem ernstig had kunnen beschadigen, was de *Croissant* met de gekaapte karveel, waarvan de overlevenden over boord werden gegooid, buiten schootsafstand.

De Tijger was tevreden. Zijn maandenlange geduld was beloond. *Le Croissant*, die net van de werf kwam, had zijn vuurdoop gehad en het zou niet lang meer duren voordat alle Portugezen die in deze wateren voeren met schrik een naam zouden horen die op spottende wijze het embleem van de Turkse vijand opriep.

Maar de tevredenheid van de Tijger verdween toen hij hoorde wat er in Porto Seguro was gebeurd. Hij wendde de steven naar de baai, voer langs de kust en was op twee dagen van zijn bestemming toen zijn wachtposten rook boven een verlaten strand zagen. Hij stuurde een sloep aan land en pikte zodoende drie van zijn mannen op die hij in Porto Seguro had achtergelaten, en die hun kanonnen in de steek hadden gelaten toen zij hadden begrepen dat zij geen verzet konden bieden aan de Portugezen. Vervolgens waren zij naar dit verlaten strand gegaan in de hoop – hoe klein die dan ook was – de aandacht te kunnen trekken van de *Croissant*, als die voorbij zou varen.

Van het gezicht van de Tijger viel geen woede te lezen, hij bleef kil en ondoorgrondelijk kijken terwijl hij met zijn officieren een aanvalsplan besprak. Haast had hij niet. Als hij het Portugese eskader niet in de val kon laten lopen zou hij het van de ene kant van de kust naar de andere achtervolgen om het te vernietigen, schip na schip.

Het was een ideale nacht om aan te vallen. Achter de lage wolken scheen een bleek licht, een forse bries beroerde het water van de baai en de tuigage van de Portugese schepen, waarvan het geluid het gekraak van de riemen in de dollen en het geplons van de riembladen in het water overstemde.

Niet alleen de elementen werkten mee, ook de omstandigheden waren gunstig voor de Tijger om wraak te nemen. Na twee weken een gemakkelijk leventje geleid te hebben had Gomes de Pina weer plichtsbesef gekregen en opdracht gegeven om over een paar dagen te vertrekken. Dus waren de mannen begonnen de boten te kielen, te beginnen bij de *Consolação*, die nu in ondiep water op één kant lag, waarbij hij met touwen vastzat aan de dichtstbijzijnde bomen. De meeste matrozen sliepen aan boord van de *São Gabriel*, de rest had zich aan land geïnstalleerd, in de buurt van de onbruikbare kanonnen.

Op de *São Gabriel* was Cavalcanti naar bed gegaan nadat *padre* in Miguel het avondgebed was voorgegaan. De priester had de overtocht met *padre* Aloysius aan boord van de *São Bento* gemaakt, maar omdat hij zich zorgen maakte over de losbandige manier van leven die hij vaststellen moest was hij op het admiraalsschip gegaan in een poging de *marinheiros* op het juiste pad te brengen, onder toezicht van de verdwaasde *fidalgo*.

Buiten Gomes de Pina, die op het dek sliep, was Cavalcanti de enige die een hut had. Die lag aan stuurboord naast de stuurhut, en was net groot genoeg om er een brits en een hutkoffer in te zetten. De kapitein lag nog niet, of hij viel in een halfslaap waarbij hij aan Jandaia en aan haar volk dacht. Hij was niet alleen gecharmeerd geraakt door haar onschuld, maar ook door die van alle Tupiniquin. Hij begon te begrijpen waarom de krijger Aruanã het nut er niet van inzag om verfhout te verzamelen. De Tupiniquin wisten niet wat geld, eigendom en handel was. Zij hadden geen koning en geen Kerk, maar leefden een makkelijk en harmonieus leven, te midden van een natuur die in hun behoeften voorzag. Open en vrijgevig als zij waren boden zij hun gasten alles aan wat zij bezaten.

Cavalcanti werd gewekt door een schreeuw – de hoge schreeuw van een man die verrast wordt vlak voordat hij sterft – gevolgd door het doffe gebonk van stappen op het dek en het gekraak van een romp tegen die van de *São Gabriel*. Hij sprong van zijn brits, trok zijn zwaard uit de schede, gooide de deur van zijn hut open en liep door het donkere stuurhuis, waar Fernandes, de stuurman, in gevecht was met drie mannen.

Cavalcanti schoot hem te hulp.

'De Normandiërs!' schreeuwde Fernandes.

Het stikte van de Fransen op het schip, ze kwamen over de reling aanzetten. Hoe hebben zij dichterbij kunnen komen? vroeg Cavalcanti zich af.

Op het ogenblik van de entering waren er zestig matrozen aan boord van de *São Gabriel*, waarvan de bemanning was aangevuld met een flink deel van die van de *Consolação*. Binnen een paar minuten kwamen twintig van hen om. Een groepje was naar het voorkasteel gevlucht, vroeg om genade en werd afgeslacht. Het enige serieuze verzet dat de Normandiërs ontmoetten kwam uit het stuurhuis, waar Cavalcanti en Fernandes samen met een paar zeelui vochten die daar voor de nacht waren gaan liggen.

Op het achterkasteel richtten de mannen van de Tijger een slachtpartij aan, waarbij zij de donkere gestalten die tegen de reling lagen sabelhouwen toedienden, en zich op hen stortten die de tijd hadden gehad om overeind te komen.

Gomes de Pina verscheen aan dek, gleed uit in het bloed en schreeuwde woedend tegen de piraten. Hoewel hij nog nooit met een zwaard had gevochten, bediende hij zich er moedig van en doodde hij twee vijanden achter elkaar. Een derde verwondde hem aan de wang, en sloeg zo hard met zijn sabel dat het lemmet van de *fidalgo* brak. De Fransman deed een stap achteruit om hem de genadeslag te geven; Gomes de Pina keek naar het nutteloze wapen dat hij nog in de hand had voordat hij zich op dat van de Normandiër wierp. Hij werd doorboord, zakte op de spijgaten in elkaar en was vrijwel direct dood.

De *São Gabriel* scheen verloren. Maar toen gebeurde er een wonder.

Toen de eerste gevechten op het dek uitbraken, was Brito Correia, de wees uit Santarém, in het want gevlucht. Vanuit zijn schuilplaats zag hij de *Consolação* in vlammen opgaan en bij het licht van de brand zag hij dat de vijand zich op de *São Bento*, de andere karveel, stortte.

De wanhopige strijd en de dood van Gomes de Pina verjoegen de angst van de lichtmatroos, die nu alleen nog maar aan wraak dacht. Te klein om een zwaard te kunnen vasthouden, droeg hij een dolk, die hij uit de schede trok en tussen zijn tanden klemde terwijl hij zo hoog mogelijk in de mast klom. Hij keek naar de mannen die onder hem heen en weer liepen en koos de meest wrede van de strijders die hij kon zien, namelijk de Tijger.

Brito liet de touwen los en al woog hij niet veel, hij viel met de kracht van een kogel op de Normandiër. Hij wierp hem omver en stak hem zijn wapen in de zij toen zij allebei omvielen. Een van de mannen van de Tijger zag wat er gebeurde, en sloeg zo hard met zijn sabel toe dat hij een duimdiep gat in de reling maakte, net voor de lichtmatroos. Voordat de Fransman opnieuw zijn wapen kon heffen, sprong Brito over het luik dat naar het stuurhuis voerde.

De Tijger, die nog leefde, beval zijn mannen door te gaan met vechten, maar een Normandische officier die op het achterkasteel stond begreep dat zij een fout hadden gemaakt: ze hadden de *São Gabriel* geënterd met vijfentwintig man, denkend dat ze er maar veertig zouden aantreffen, maar het was duidelijk dat de boot de bemanning van het schip dat gekield werd had opgenomen. Het was misschien nog mogelijk om hem te pakken te krijgen, maar nu de Tijger gewond was wilde de officier dat risico niet lopen. Hij stuurde zijn mannen op zijn baas af om die te helpen, en gaf toen bevel tot de terugtocht.

Het gevecht hield bijna even plotseling op als het begonnen was. De zeelieden renden naar de brand die op het voorkasteel was uitgebroken; anderen baanden zich een weg over het dek, maakten genadeloos de gewonde vijanden, die lagen te schreeuwen van de pijn, af en spaarden alleen hen die hun verwondingen konden overleven – om die de volgende ochtend op te hangen.

'Maak de kanonnen klaar!' schreeuwde Cavalcanti aan stuurboord. 'Is er een kanonnier die mij kan horen?' Een man antwoordde hem. 'Houd je klaar en pas op je buskruit met dat vuur.'

De kapitein sprong naar de trap die naar het achterkasteel voerde op het moment dat *padre* Miguel begon te roepen dat de opperbevelhebber van het eskader dood was. Voor de priester was de slag een nachtmerrie geweest. Hij was de hut van Gomes de Pina in gevlucht, had zich in een hoekje gedrukt en kreunend zijn heftigste gebeden gezegd. Tegenover hem vroeg Itariri, de kleine prinses, die ook

doodsbang was, zich af welke kwade geesten het schip hadden overvallen. Nu was ook zij uit de hut gekomen en knielde neer bij het lijk
van de *fidalgo*.

Cavalcanti gunde zich geen tijd om na te denken over het feit dat hij
nu aan het hoofd van het eskader stond. Hij zag dat de *Consolação*
brandde, zag de piratensloepen rond de *São Bento* en nog andere
sloepen die de aanvallers van de *São Gabriel* naar het strand brachten.
Hij rende naar bakboord en zocht het Franse schip in de maneschijn,
maar kon het niet zien. Hij liep terug naar het midden van de boot, en
werd gerustgesteld door het geschreeuw van Fernandes die aankondigde dat zij de brand op het voorkasteel meester waren.

'Alles klaar,' zei de kanonnier aan stuurboord.

De kapitein draaide zich om, en stelde vast dat ook andere matrozen plaats hadden genomen achter de beide wendbare stukken. Het
was nog donker maar de vlammen die uit de karveel oplaaiden verlichtten een deel van de baai.

'Vuur op de sloepen!' beval Cavalcanti.

Drie kanonnen donderden en spuugden hun kogels naar de
bootjes. Zuilen van water spoten omhoog maar het was niet te zien of
de sloepen al dan niet geraakt werden. Terwijl de kanonnen van de
São Gabriel herladen werden, openden die van de *São Bento* het vuur
op de Portugese boot.

'Mijn God!' riep Cavalcanti uit, toen hij bevestigd zag dat de karveel in handen van de Fransen was.

Maar hij herstelde zich snel en nam een besluit. Hij moest alle vuurkracht waarover de *São Gabriel* beschikte op de Normandiërs en hun
buit richten, want hij had niet genoeg mannen om de karveel te kunnen enteren om hem terug te veroveren.

Toen nam hij de gevaarlijke beslissing om het grootzeil en de fok te
hijsen, in de hoop dat de wind, die hem gunstig was, hem in een betere
aanvalspositie zou brengen. Hij gaf zijn bevelen, matrozen verlieten
de kanonniers en hun kameraden gingen verder om te vechten tegen
het vuur, haalden het anker op of klommen in de masten. Fernandes
nam persoonlijk het roer en de stuurboordkanonniers bleven schieten, al was de vijand moeilijk te raken.

Ook de vijand manoeuvreerde de *São Bento*, zonder echter de zeilen te hijsen. De kogels afgeschoten vanaf de karveel raakten de *São
Gabriel* op de achterplecht, waardoor de bezaansmast tot een afgebroken stompje werd gereduceerd. De spier viel neer in een wirwar
van touwen en staggen; de planken van de reling en de bovenbouw
werden weggeslagen, en de splinters vlogen over het dek, waarbij ze
hen die daar waren verwondden.

Toen het anker eenmaal was opgehaald voer de *São Gabriel* langzaam vooruit naar de *São Bento*. Artillerievuur van de karveel deed de touwen breken en doorboorde de fok van de boot, echter zonder ernstige schade aan te richten.

Toen de beide schepen op minder dan tweehonderd passen van elkaar verwijderd waren, loste de *São Gabriel* een salvo van vuur en ijzer. Een van de kogels doorboorde de romp van de karveel vlak bij de vloedlijn, kwam in het ruim terecht, brak de lampen die daar hingen en trok een spoor van vuur in de richting van het kruithuis. Het dek van de *São Bento* kwam omhoog toen een explosie de buik van het schip openreet, de grote mast deed omvallen en prompt alle kanonnen tot zwijgen bracht.

Aan boord van de *São Gabriel* was niemand blij over de vernietiging van de karveel, waarin ongetwijfeld Portugese zeelieden en officieren waren omgekomen, evenals de joviale *padre* Aloysius. Rechts verlichtte de vuurzee die de *Consolação* verteerde nog steeds de baai.

Cavalcanti liep naar Fernandes toe.

'Haal ons uit deze hel,' zei hij tegen hem.

De kapitein wendde de steven naar de Portugese handelspost van Pernambuco, in het noorden, vanwaar hij vervolgens richting Lissabon zou varen. Maar de zuidoostelijke passaatwinden dwongen hem om van plan te veranderen. Een week lang vocht de *São Gabriel* tegen de stroom, en maakte zoveel water dat er constant moest worden gepompt. Ten slotte gaf Cavalcanti het op en voer hij zuidwaarts naar Cabo Frio. Daar was een handelspost voor pernambukhout, maar de Portugezen die daar woonden ontvingen hun bezoekers nogal afstandelijk. Zij verwachtten een eskader dat hen zou beschermen tegen de Normandische piraten, niet één enkel en dan ook nog een beschadigd schip.

De bemanning repareerde de *São Gabriel* zo goed en zo kwaad als het ging, en nam de weinige leeftocht aan boord die de Portugezen van de handelspost wilden afstaan. Rekening houdend met het feit dat ze weken, zo niet maanden, zouden moeten wachten voordat zij weer naar het noorden konden varen, stelde Fernandes voor om met de zuidoostelijke winden naar Afrika te zeilen. Dat zou de reis enkele honderden mijlen langer maken, maar een beschadigd schip met een gereduceerde bemanning wellicht meer zekerheid bieden. Er waren inderdaad niet meer dan dertig man aan boord – de kapitein inbegrepen – plus drie lichtmatrozen, de priester en het prinsesje.

De *São Gabriel* voer twee weken met mooi weer voordat hij in een storm terechtkwam die hem ernstig beschadigde. Drie dagen en drie nachten sloegen enorme golven over de boot, zetten de brug en het ruim onder water, braken de spieren en sloegen twee zeelieden overboord. De vierde dag bleef de hemel de hele ochtend dreigend grijs maar tegen de middag brak er een bleek zonnetje door de wolken dat de door en door koude en vermoeide mannen verwarmde. Toen ze op krachten waren gekomen begonnen zij de raas te repareren, de touwen te vervangen en de zeilen te stoppen.

Ondanks onophoudelijk pompen bleef het ruim onderlopen en vijf dagen lang voer de *São Gabriel* zo diep dat de mannen bang waren dat hij zou zinken voordat ze een haven zouden bereiken. De ochtend van de zesde dag klonk er een kreet uit de mast; alle mannen draaiden zich om om te zien wat de wacht had gezien en bleven zwijgend staan. Ze waren zo opgelucht dat ze niets meer konden zeggen.

Het schip voer naar de monding van een rivier, in de richting van een rode heuvel. Fernandes, die Gomes de Pina een 'Guinese stuurman' noemde, kende de plek want hij had schepen van de Guinese kust tot aan Kaap de Goede Hoop gestuurd. Hij gaf opdracht de diepte te peilen en nam het roer.

Een paar mijl stroomopwaarts lag de haven van Mpinda, door de Portugezen aangedaan sinds de zeevaarder Diogo Cão hem in 1482 had ontdekt. De rivier heette de Nzere, een naam die de Portugezen uitspraken als *Zaire*. Met uitgestrekte provincies in het zuiden maakte hij deel uit van het Bakongo-koninkrijk.

Terwijl de *São Gabriel* langzaam over het geel gekleurde water voer, slaakten de mannen plotseling kreten van vreugde, want op een van de oevers stond een marmeren pilaar, het symbool van de rechten van hun koning op deze wijkplaats.

Toen Cavalcanti het anker had laten uitgooien, zag hij twee sloepen met gewapende soldaten naderen. In de voorste zaten twee mannen die de kapitein meteen herkende, vanwege de zelfgenoegzame uitdrukking op hun gezichten, officiële personen die zwolgen in het gezag dat zij, duizenden mijlen van Lissabon verwijderd, meenden te kunnen uitoefenen.

De superintendent Sancho de Sousa kwam als een groot admiraal aan boord, liet zijn gewapende escorte voor zich uitgaan en zich opstellen op het dek, voordat hij zichzelf en zijn douaneofficier voorstelde.

Sousa was een klein, nerveus, kalend mannetje met staalgrijze ogen. Hij vroeg aan Cavalcanti: 'Bent u de kapitein van dit schip?'

'Ja. Admiraal Gomes de Pina die het bevel voerde over ons eskader, is dood.'

Sousa keek vol achterdocht naar Fernandes en de *marinheiros* die om hem heen stonden.

'U ziet hier alles wat overgebleven is van een vloot die de koning naar de Terra do Brasil heeft gestuurd,' verduidelijkte Cavalcanti.

De superintendent trok een wenkbrauw op.

'Santa Cruz?'

'De Normandiërs hebben ons in Porto Seguro aangevallen. Wij hebben twee karvelen verloren, alle mannen die aan boord ervan waren, en de opperbevelhebber van ons eskader.'

'Wanneer was dat?'

'Een maand geleden. En we hebben ook nog een vreselijke storm gehad.'

De Sousa fluisterde iets in het oor van zijn douaneofficier en vroeg toen aan Cavalcanti: 'Waarom bent u hierheen gekomen?'

De zeeman hield het niet meer en beet hem toe: '*Senhor*, wij waren zo langzamerhand in staat om zelfs in de hel te landen.'

'Aangevallen door de Normandiërs, een storm gehad...' bromde De Sousa. 'Hebt u daar bewijzen voor?'

'Bewijzen? Ziet u dan niet hoe het schip en de mannen eraan toe zijn? Welke bewijzen wilt u nog meer?'

'Waar is de rest van de bemanning?'

'Dood! Gevallen in de strijd tegen de Franse piraten.'

'Wij hebben hetzelfde verhaal vaak uit de mond van muiters gehoord.'

Cavalcanti hoorde zijn stuurman achter hem antwoorden: 'Vraagt u maar aan hem of wij muiters zijn.'

Fernandes wees op *padre* Miguel, die op het achterkasteel stond.

De Sousa keek naar de priester en toen naar de Tupiniquin-vrouw die rechts van hem stond.

'En die inboorlinge, wat zal zij antwoorden?'

'De aanvoerder van ons eskader is dood, en ik ben zijn plaatsvervanger,' zei Cavalcanti kortaf. 'Wij zijn geen muiters en ik ben van plan om dit schip naar Lissabon terug te brengen.'

'Wij komen morgen terug,' zei De Sousa. 'Tot dan neem ik geen beslissing.'

'Wij kunnen dus niet aan land gaan?'

'Morgen.'

'In dat geval, *senhor*: wilt u zo vriendelijk zijn om u met uw escorte terug te trekken? *En wel onmiddellijk.*'

De Sousa kwam de volgende dag terug met een andere man die voor hem aan boord klom en die hem de kans niet gaf om ook maar een woord te zeggen. De nieuweling stelde zich voor als Lourenço Velloso, zonder echter zijn rang of zijn functie aan te geven, en vroeg Cavalcanti beleefd om zijn verhaal nog eens te vertellen. Hij was groter dan de meeste Portugezen, had lange sluike zwarte haren, helderbruine ogen en een goed gebouwd lichaam. Hij was de bastaardzoon van een Portugese agent en een Berberse vrouw, en was de meest welvarende slavenhandelaar uit Mpinda.

Toen Cavalcanti klaar was, wendde Velloso zich tot De Sousa en zei met gezag: 'Dit verhaal klinkt heel plausibel. En zou hij vannacht hier gebleven zijn als hij gelogen had?'

'Zeker, zeker,' haastte de superintendent zich te zeggen. 'Ik wilde alleen uw mening weten, *senhor*.'

'Die weet u nu dan. Laat hem nu maar aan land gaan, anders zult u in Lissabon verantwoording moeten afleggen voor uw besluit.'

'Nooit, maar dan ook nooit ben ik van plan geweest om hen daarvan te weerhouden,' zei De Sousa, heftig geschrokken. 'Vertel hun dan van de gevaren die onze schepen lopen tussen mijn haven en Lissabon. Zelfs u bent ladingen kwijtgeraakt, die in handen van piraten zijn gevallen.'

In plaats van echter uit te weiden over zijn tegenslagen, informeerde Velloso naar de behoeften van Cavalcanti, en een paar uur later, toen de *São Gabriel* eindelijk aan wal lag, bracht de slavenhandelaar de kapitein naar de plaatselijke inheemse overheid, die levensmiddelen naar de haven stuurde. Tegen het einde van de week werd het schip gekield en konden ze de omvang van de schade die de romp had opgelopen vaststellen. Weer bood Velloso hulp door een groep inboorlingen ten dienste van de timmerlieden van de boot te stellen.

Cavalcanti ontdekte algauw dat deze hulp niet helemaal van eigenbelang gespeend was.

'Een bijna leeg schip dat naar Lissabon vaart,' zei de slavenhandelaar tussen neus en lippen door. 'Waarom neemt u geen lading slaven mee? Dan komt u tenminste niet als een bedelaar in het vaderland terug.'

De kapitein wierp hem een woedende blik toe. Hij had het bepaald niet nodig herinnerd te worden aan de slechte ontvangst die hem bij terugkeer wachtte. Toch beloofde hij om het idee van Velloso te overwegen. Om hem over te halen stelde de handelaar een ruil voor: vijf zwarte slaven, die zijn persoonlijk eigendom zouden worden, tegen de Tupiniquin-vrouw.

'En wat bent u van plan met die wilde?'

'Ik heb de talenten van die schepselen horen roemen. Toch wil ik haar niet voor mijn persoonlijke gebruik, maar om haar cadeau te doen aan het koninklijk huis. Deze exotische vogel zal de ManiKongo zeer bevallen.'

Velloso, die al negen jaar in Mpinda woonde, wijdde uit over de ManiKongo – heer van de Kongo – en over de koninklijke veste van Mbanza, meer landinwaarts gelegen. Cavalcanti, die slechts een vage indruk van dit koninkrijk had door wat er op de kaden in Lissabon over verteld werd, had niettemin moeite met sommige details uit de beschrijving van Velloso. Hoe moest hij bijvoorbeeld geloven dat deze zwarte leider zich Afonso I liet noemen, zoon van koning João da Silva en koningin Eleonore? Hoe moest hij geloven in deze monarch die zijn rijk niet door middel van opperhoofden en oudsten bestuurde, maar door middel van edelen die hij titels gaf als graaf, markies, markgraaf en baron?

Volgens Velloso was de jonge Afonso door zijn vader uit de hoofdstad verbannen, toen deze zijn aanvankelijk gunstige mening over de Portugezen gewijzigd had. Afonso ging dus in ballingschap met hen die net als hij het christelijk geloof hadden aangenomen. Toen koning João da Silva stierf, kwam Afonso terug om slag te leveren, en overwon hij een familielid dat heiden gebleven was. Na deze overwinning werden de Portugezen, die hem geholpen hadden, zijn broeders, en Christus werd uitgeroepen tot Redder van zijn volk. Om ervoor te zorgen dat alle onderdanen daarvan op de hoogte zouden zijn, stuurde hij zijn zoon Henrique naar Lissabon en naar Rome, waar Leo X diens benoeming aan het hoofd van het bisdom Utique bevestigde.

Drie weken na aankomst van de *São Gabriel* nodigde Velloso, die naar de hoofdstad moest, Cavalcanti, Fernandes en *padre* Miguel uit met hem mee te gaan. De kapitein weigerde. Hij kon zijn schip niet verlaten.

'Hoe dat zo?' vroeg de slavenhandelaar. 'Uw mannen hebben nog minstens een maand nodig om het weer in orde te brengen. Gaat u toch met ons mee. Ik beloof u dat wij terug zullen zijn voordat het werk af is.'

'God weet dat wij slecht nieuws naar Lissabon te brengen hebben. Ons Brazilië is zonder verdediging. Wij kunnen ons niet veroorloven om ook maar één enkele dag te missen.'

'Maar we hebben maar een dag of zes nodig om naar de hoofdstad te komen,' drong Velloso aan. 'Gaat u toch mee, kapitein, uw voeten zullen de grond niet raken! Ik zal zelf voor u het beste houten paard uit Mpinda uitzoeken.'

Een 'houten paard' was een stevige stam waarop in het midden een leren zadel werd gelegd. Twee slaven droegen zodoende een man, zolang de weg het toeliet. Cavalcanti liet zich ten slotte overhalen en zei: 'Luister goed, *senhor* Velloso. Ik houd u persoonlijk verantwoordelijk als het vertrek van de *São Gabriel* ook maar één enkele dag wordt uitgesteld.'

Achtenveertig uur later vertrokken zij richting Mbanza, de hoofdstad, maar ze hadden nog geen twee mijl afgelegd toen de kapitein uitriep: 'Bij alle heiligen, laat mij alstublieft lopen!'

Hij stapte onhandig van zijn houten paard en beet Velloso, die naderbij kwam, toe: 'Mijn darmen liggen helemaal door elkaar. Ik wil dit verschrikkelijke ding niet meer!'

'Zoals u wilt.'

Toen zij weer op weg gingen, was *padre* Miguel de enige van het groepje van Cavalcanti die op zijn houten paard bleef zitten. Brito Correia liep al vanaf het begin van de reis, evenals het prinsesje, dat dromerig voor zich uitkeek en geen flauw idee had waar zij was.

Zij liepen in zuidoostelijke richting en kwamen, naarmate ze de hoofdstad naderden, door steeds dichter bevolkte streken. De dorpen bestonden uit verzamelingen hutten en scharen kinderen renden naar hen toe om hen schreeuwend te begroeten; hun ouders bekeken hen uit de verte, zonder zich te verroeren.

De derde dag werd het bos minder dicht en het landschap meer gevarieerd, met velden manshoog groen- en goudgeel gras, vruchtbare velden en rivieren met bruggen van lianen en stammen eroverheen. Bij elke oversteek moest de kleine karavaan stoppen en tol betalen aan de vertegenwoordiger van het lokale opperhoofd. Vlak na een van die bruggetjes kreeg Cavalcanti een idee van wat hem te wachten stond.

Zes grote, machtige krijgers met geoliede schouders die blonken in de zon kwamen schreeuwend en zwaaiend met hun armen de weg afrennen. Instinctief sloeg Cavalcanti zijn hand aan zijn zwaard.

'Niet doen!' zei Velloso meteen. 'Zij zullen u niets doen.'

'Maar wat willen zij dan?'

'Aan de kant! Snel!'

De dragers van het houten paard van de slavenhandelaar hadden niet op dat bevel gewacht en waren al in het gras langs de weg gedoken. De andere reizigers deden haastig als Velloso, die de kapitein beduidde zijn mond te houden en af te wachten.

Enkele minuten later verscheen een groep krijgers met in hun midden een bed dat door slaven gedragen werd. Daarop lag een indrukwekkend grote man tussen kussens en doeken. Jonge negers liepen hem met palmbladeren koelte toe te waaien.

'Wie is dat?' vroeg Cavalcanti toen hij voorbij was.

'Het hoofd van een westelijke provincie,' antwoordde Velloso. 'Hij is minder belangrijk dan hij lijkt. Als de koning hier voorbijkomt, laat hij zich niet slechts aankondigen door zes krijgers. Dan moet de hele weg schoongemaakt worden en wee de dorpsbewoner die een steentje of een sprietje gras vergeet.'

Nadat zij door een breed dal met aan de overzijde een steile helling waren getrokken, kwamen zij op de ochtend van de zesde dag bij de hoofdstad aan. Mbanza lag op een tafelberg die boven het vochtige warme land waar zij doorheen waren getrokken, uitstak. Al twee eeuwen bestuurden de koningen van Bakongo hun koninkrijk vanuit deze hooggelegen schuilplaats.

De residentie van de ManiKongo maakte een vreemde indruk op Cavalcanti. Hij was verbaasd om midden in Afrika een stadsmuur aan te treffen die leek op die welke in Portugal werden gebouwd. Het waren trouwens Lissabonse metselaars die de werkzaamheden, nu bijna klaar, leidden. Binnen de muren leefden duizenden mensen, en waar je ook keek, overal stonden hutten. De meeste stadsbewoners leken op de dorpsbewoners die zij onderweg waren tegengekomen, maar sommige krijgers droegen zwaarden, lansen, capes en tunieken. Tussen groepjes hutten stonden kleine maar stevig gebouwde stenen huizen.

Velloso leidde de groep door rechte straten, omzoomd met bomen, naar het zuidelijke deel van de stad.

'Hier leven uw landgenoten,' zei hij, terwijl hij op de Portugese wijk wees. 'En daar (hij wees op een hoge muur) is het paleis van de ManiKongo. Ik heb een dag of twee nodig om audiëntie voor u te regelen,' zei hij geruststellend tegen Cavalcanti. 'Hij zal degeen die hem zo'n charmant cadeau brengt vast willen zien,' legde hij verder uit, terwijl hij naar de jonge Tupiniquin keek.

In de hoofdstad woonden ongeveer honderd Portugezen. Buiten Dom Carlos Machado, ambassadeur van Portugal, die Velloso heel hartelijk ontving, en andere vertegenwoordigers van João III, die de slavenhandelaar ook met veel respect behandelden, waren er metselaars en timmerlieden, boeren en handelslui. Sommigen waren er kennelijk al langer dan Velloso, en hadden een huis vol kinderen, verwekt bij inheemse vrouwen. Er waren ook Portugese dames, niet de weeskinderen en de prostituées die Cavalcanti in de vooruitgeschoven posten van het imperium had leren kennen, maar vrouwen die waren geselecteerd om in Mbanza koken en naaien te onderwijzen.

De dag na aankomst ging *padre* Miguel een kerk bekijken die in de buurt van het koninklijk paleis werd opgetrokken, samen met *padre* Antônio Andrade, een magere, energieke man, die de katholieke missie in Bakongo leidde.

'Wij hebben absoluut geen problemen met de inboorlingen,' legde hij de bezoeker uit. 'Maar, mijn beste, wat een afschuwelijk klimaat! Hier kunnen wij God goed dienen, maar in het oerwoud en in de moerassen overleeft geen enkele blanke de koortsen.'

Padre Miguel vroeg aan zijn gids wat de oorzaak was van het feit dat die negers zo ontvankelijk waren voor het woord Gods.

'Dat komt door hun koning,' antwoordde *padre* Antônio zonder één moment te aarzelen. 'Affonso kent het evangelie en de heiligenlevens. Hij is zeer praktizerend en straft afgoderij streng, heidenen worden met hun afgoden verbrand.'

Terwijl *padre* Miguel de kerk bezocht, maakten Cavalcanti en Fernandes hun opwachting bij ambassadeur Dom Machado, die weinig aandacht aan hen besteedde. De diplomaat wilde zo snel mogelijk twee jonge negerinnen die hem aangeboden waren gaan bekijken. Ze waren de vorige dag door een kolonist gebracht, die hen toevallig bij de jacht gevonden had. De man wilde ze aan de ambassadeur verkopen, die door zijn activiteiten in dit soort handel bijna een concurrent van Velloso was geworden.

'Iedereen doet er hier aan,' verklaarde de slavenhandelaar tegen de beide mannen toen zij het huis van Dom Machado weer verlaten hadden. 'De mensen die hier als timmerlieden, steenhouwers of zelfs onderwijzers worden heen gestuurd begrijpen al snel dat ze rijk kunnen worden met die handel. Zelfs priesters die zich beroemen op de bekering van zovele heidenen vinden het niet erg om evenzoveel inboorlingen als beesten te zien verhandelen.'

Op de markt van Mbanza kwamen zij midden in een menigte handelaren en kopers terecht, en bleven staan voor een groepje magere halfnaakte mannen met een gelige huid en enigszins toegeknepen ogen. Omdat Cavalcanti vond dat ze leken op inboorlingen die hij in het oosten had gezien, antwoordde Velloso: 'Zij komen niet uit het oosten, maar uit het zuiden. Dat zijn Khoi-khois, die in de buurt van de Kaap leven en die hier koper en struisvogels komen verkopen.'

Hij toonde de Portugezen nog andere negers die van ver kwamen. Swahili kooplieden, de meest door de wol geverfde reizigers, die Afrika in de volle breedte overstaken met hun koopwaar van Moren. Deze handel was aanzienlijk verminderd sinds de Portugezen het monopolie op de slavenhandel aan de oostelijke kust hadden verkregen, maar kleine groepjes waagden zich nog in het binnenland met goudstof van de Monomotapas in Groot-Zimbabwe.

Er staken twee gebouwen boven de markt uit, de fabriek en de smidse. Toen Cavalcanti stoffen ontdekte die met palmvezel geweven waren, betastte hij ze om zich ervan te overtuigen dat ze niet van oosterse zijde waren. Meer nog dan van de felle kleuren en de zachtheid van deze vezelstoffen, raakte hij onder de indruk van het werk van de Bakongo-smeden: werktuigen, speerpunten, maar vooral ook sieraden en muziekinstrumenten.

Toen de drie mannen bij een deel van de markt kwamen dat door een omheining was afgesloten, zei Velloso: 'Laat mij u nu de ware rijkdom van dit koninkrijk tonen.'

Nadat hij de mannen had gegroet die bij de poort de wacht hielden, liet hij zijn gasten binnen de omheining komen en zei hij: 'Hier is genoeg voor een paleis in Sintra!'

Meer dan driehonderd negers – mannen, vrouwen en kinderen – lagen op de grond. Sommigen hieven het hoofd op, anderen dommelden verder.

'Waar komen die vandaan?' vroeg Cavalcanti.

'Zo'n beetje overal vandaan. Zij die hen vangen brengen ze hier of naar Mpinda om ze te verkopen, aan mij of aan anderen. De vertegenwoordigers van Afonso controleren hier of zij geen onderdanen van het koninkrijk zijn.'

De slavenhandelaar wachtte even en ging toen verder: 'Wij hebben nooit genoeg. Vandaag wil Spanje *peças* voor zijn koloniën in de Nieuwe Wereld. Wie weet wat morgen de vraag zal zijn voor gebieden die nog ontdekt moeten worden? De Bakongos weten niets van slavenhandel af. Zij hebben altijd slaven gehouden, maar beschouwen hen als leden van de familie. Sommigen komen en gaan wanneer ze willen, anderen hebben minder vrijheid. Maar de Bakongos verkochten hun slaven niet voordat wij ze leerden dat ze daar winst mee konden maken.'

Twee dagen later verleende koning Afonso hun audiëntie. Bij de ingang van het koninklijk slot stonden vier musici die op lange trompetten van bewerkt ivoor bliezen. Naast hen stond de koninklijke wacht, kolossen die witte tunieken droegen, met schilden van buffelhuid en wapens die identiek waren aan die van de soldaten die koning João III in Lissabon moesten beschermen.

Nadat zij de buitenste muur waren gepasseerd, stonden de bezoekers weer tegenover een andere muur. Tussen deze beide muren woonden de raadslieden van de koning en zijn schildwachten. Een muzikant blies op zijn trompet, en twee pages traden naar voren om de Portugezen te ontvangen.

'Maar dat zijn dwergen,' fluisterde Brito Correia.

'Nee,' zei Velloso. 'Ze zijn allemaal zo groot, in hun stam. Het zijn kleine mannen uit het bos.'

De pygmeeën beduidden de groep om hen te volgen door een doolhof van smalle gangen tussen hoge schotten van gevlochten takken – de laatste muur rond het koninklijk paleis.

'Als wij binnenkomen moeten wij knielen,' zei de slavenhandelaar.

Omdat Cavalcanti en *padre* Miguel hier bezwaar tegen maakten, zei hij nog: 'Geen enkele vreemdeling haalt het in zijn hoofd op een andere manier voor de ManiKongo te verschijnen.'

Zij volgden de pygmeeën langs het ingewikkelde traject in het labyrint alsof zij midden in een grote bijenkorf liepen. Bij een kruising van twee gangen sloot een van de kleine negers een gang die rechtsaf ging, af en Fernandes vroeg waar die heen ging.

'Die kunt u nemen als u kennis wilt maken met de heilige krokodillen,' antwoordde Velloso.

Itariri was diep onder de indruk van deze vreemde *maloca*. Zij liep met onbedekte borsten en droeg alleen maar een mooi stukje stof rond haar heupen dat de slavenhandelaar haar had aangeboden. Sinds zij aangekomen waren was zij bij een Portugees opgesloten, en daar had zij mannen voorbij zien komen die haar nieuwsgierig en geamuseerd bekeken, terwijl zij woorden uitspraken die zij niet begreep. Toen zij uit het labyrint kwamen was zij verbaasd om te zien hoe haar metgezellen op de knieën vielen, maar zij deed hen al snel na.

Afonso I, heer van de Kongo, zat op een met goud en ivoor ingelegde troon, bekleed met luipaardhuiden. Hij was gekleed als een Portugees edelman, droeg een purperrode tabberd, een zijden tuniek, een satijnen cape waarop zijn wapens waren geborduurd, en fluwelen pantoffels. Toch droeg hij nog een paar dingen waaraan te zien was dat hij uit een stam kwam: een halsband van ijzer, en op zijn linkerschouder het embleem van zijn koningschap: een zebrastaart.

Direct aan zijn rechterzijde stond zijn zoon Henrique, die de witlinnen albe droeg, de kazuifel en de overige kleding van een bisschop van de Kerk van Rome. Achter de prelaat, links van de koning, stonden de raadslieden en de provinciehoofden, ook weer gekleed als *fidalgos*. Overal elders stonden schildwachten. In tegenstelling tot die bij de ingang zagen zij er traditioneel uit, en hun geoliede lichamen, hun veren en hun dierevellen vormden een schril contrast met de geraffineerde uitrusting van de monarch en zijn hoogwaardigheidsbekleders. Ook waren er vrouwen, gekleed als Portugese *donas*. Lange fluwelen jurken, mantilla's en sieraden zoals weinig Lissabonse dames die droegen.

Er waren verscheidene stenen gebouwen binnen de omheining, maar het eigenlijke paleis bestond uit meerdere grote hutten, waarvan slechts de ronde daken te zien waren. Alleen de koning, zijn naaste familie en zijn bedienden mochten dit deel van het paleis betreden, door gordijnen en matten die in de wind heen en weer bewogen, gescheiden van de rest van het geheel.

De Portugese ambassadeur liep naar de koning toe, fluisterde iets tegen hem en wendde zich toen tot de geknielde bezoekers.

'Zijne Hoogheid Afonso I, heer van de Kongo, heet u welkom en wenst hem te horen die uit Santa Cruz komt.'

Cavalcanti trad naar voren.

'Majesteit, wij zijn u oneindig dankbaar voor de ontvangst die uw volk ons bereid heeft.'

'Dat is ook wat wij van onze vrienden verwachten,' antwoordde de koning.

Vervolgens luisterde hij aandachtig toe, waarbij hij soms iets uitriep, naar wat de Portugees over Brazilië te vertellen had. Afonso wist al iets over dat land want andere schepen die naar Portugal terugvoeren waren langs Mpinda gekomen. In de koninklijke tuinen groeiden planten die daarvandaan meegenomen waren, vooral cassave, waarvan Afonso exemplaren naar zijn meest afgelegen provincies had gestuurd.

Toen het ogenblik aangebroken was om Itariri aan de koning aan te bieden, raakten de Bakongo-edelen enigszins opgewonden, want ze hadden nog nooit een man of een vrouw uit Brazilië gezien.

'Een geschenk voor het koninklijk huis,' zei Velloso.

'Sta eens op, meisje,' beval Afonso.

De slavenhandelaar beduidde de Tupiniquin om op te staan en legde uit: 'Zij spreekt onze taal niet, majesteit, maar zij is van adellijke afkomst. Bij de haren is zij een prinses.'

Affonso kwam van zijn troon af, liep naar het meisje toe, en draaide om haar heen terwijl hij haar van top tot teen bekeek. 'Behoort zij bij degenen die mensenvlees eten?' vroeg hij aan Cavalcanti.

'Ja, majesteit.'

'Een beestachtige praktijk. Buiten ons grondgebied zijn er heidenen die zich daar ook aan overgeven.'

Itariri stond te trillen en keek recht voor zich uit.

'Ze ziet er goed uit,' zei Afonso ten slotte. 'Laat haar naar de vrouwen brengen.'

Toen de pygmeeën de jonge Tupiniquin hadden meegenomen, besteedde de koning aandacht aan Velloso.

'Ik zou het op prijs stellen om andere dergelijke geschenken te ontvangen.'

'Dat begrijp ik, majesteit,' antwoordde de slavenhandelaar.

'De Portugezen begrijpen altijd de woorden van de Manikongo... als hun dat uitkomt. Waar is het schip dat ik hen gevraagd heb?'

Velloso wendde zich tot Dom Machado.

'Majesteit,' zei de ambassadeur gehaast, 'het is moeilijk...'

'*Moeilijk!*' zei Afonso bits. 'Dat is het enige woord dat u kent, u en uw voorgangers. Een scheepje, een karveeltje voor de grootste vriend die u in Afrika hebt. Dat is alles wat ik vraag.' Hij keek Cavalcanti aan. 'Ik moet mij misschien tot uw Normandische vrienden wenden, kapitein. Die uit Dieppe, die u hierheen gejaagd hebben, zouden misschien bereid zijn om een schip voor mij te vinden.'

Omdat Cavalcanti niets zei, hernam Dom Machado: 'Majesteit, wij wachten op nieuwe instructies uit Lissabon. Onze koning is op de hoogte van uw behoeften.'

'Die dieven op São Thomé ook?'

De diplomaat wist niet wat hij hierop moest antwoorden. De gouverneur en de kooplieden van het eiland São Thomé, ten noordwesten van het koninkrijk gelegen, beheersten praktisch de hele slavenhandel en de andere handelsactiviteiten van de Bakongo's. Zelfs Lourenço Velloso moest hen zoethouden door een deel van zijn slaven aan hen af te staan. Hun agenten waren zelfs in het koninkrijk actief, en bevorderden het vangen van Bakongo's.

Affonso I werd geobsedeerd door het denkbeeld om zelf een boot te hebben waarmee zijn studenten en zijn vertegenwoordigers naar Lissabon of naar Rome zouden kunnen varen, zonder tussenkomst van de Portugezen op São Thomé.

'Ik dank u zeer voor uw geschenk,' zei de ManiKongo volkomen onverwacht. Hij draaide zich om, klom op de verhoging waarop zijn troon stond en riep over zijn schouder naar Cavalcanti: 'En u, kapitein, vertelt u in Lissabon vooral hoeveel verdriet de Portugezen hun broeder Afonso bezorgen.'

Het was duidelijk dat de audiëntie hiermee beëindigd was.

Drie dagen later namen de bezoekers weer de weg naar Mpinda, vergezeld van een zestigtal slaven. Dat was een deel van de lading die Velloso met de *São Gabriel* naar Lissabon wilde sturen. De avond voordat zij in de haven aankwamen, kampeerden zij in de buurt van een dorp waar zij ook op de heenweg waren gestopt. De slaven werden bewaakt door zes robuuste krijgers die de slavenhandelaar in de hoofdstad in dienst had genomen – mannen die net zo goed in de gaten moesten worden gehouden als de gevangenen, om te voorkomen dat zij de koopwaar zouden beschadigen. Zij sloegen de slaven bij de minste provocatie.

'Wat doet u als u in Lissabon terug bent?' vroeg de handelaar aan de kapitein.

De beide mannen lagen bij het vuur en Velloso was net even naar de slaven gaan kijken, die honderd passen verderop lagen.

'Ik zal rapport uitbrengen en dan zal ik proberen om weer daarheen te gaan.'

'Naar Brazilië?'

'Jazeker. Om die Normandische honden te vinden die het eskader vernietigd hebben.'

'Waarom interesseert u zich toch voor dat land?' zei Velloso, die een geeuw onderdrukte.

'Brazilië is een uitgestrekt en vruchtbaar gebied dat wij niet zomaar kunnen overlaten aan het uitschot uit Dieppe.'

'Lissabon houdt nooit erg van berichten die spreken over nederlagen,' herinnerde de slavenhandelaar hem. 'Dat heeft zelfs Cabral gemerkt.'

Dat is waar, dacht Cavalcanti rillend. Nog voordat hij in Porto Seguro was aangekomen, had de admiraal een schip verloren voor de Kaapverdische Eilanden. Op de terugweg had een orkaan vier andere doen zinken bij Kaap de Goede Hoop. Van de dertien schepen kwamen er zeven terug in Portugal, waaronder twee zonder lading. De admiraal werd zeer geprezen voor zijn ontdekking van de Nieuwe Wereld, maar hij kreeg daarna nooit meer een hoge commandopost.

In Mpinda was het werk maar langzaam gevorderd en ze moesten nog twee weken wachten voordat de romp helemaal gerepareerd was. Terwijl de kapitein en de stuurman de werkzaamheden leidden, bemoeide *padre* Miguel zich met de slaven – van wie vijf persoonlijk eigendom van Cavalcanti waren. Twee dagen voordat zij ingescheept zouden worden, liet Sancho de Sousa hen op de borst brandmerken. Toen verzamelde *padre* Miguel hen en vertelde hij hun met tussenkomst van een tolk dat zij gedoopt zouden worden.

'U zult het zout van ons geloof proeven,' zei de priester. 'Uw zielen zullen vervolgens vrij zijn.'

De slaven renden naar hem toe in de hoop dat de ceremonie meer dan hun heidense harten zou bevrijden, maar daarin werden zij teleurgesteld.

Op de ochtend van het vertrek vroeg de lichtmatroos Brito Correia Cavalcanti te spreken.

'Alstublieft, kapitein, ik heb helemaal geen familie meer in Santarém. Dom Velloso is geen slechte man.'

De slavenhandelaar was aan boord gekomen om het inladen van zijn goederen te begeleiden, een somber groepje waaruit geen klacht opklonk, en dat voortliep in een stilte die alleen onderbroken werd door het geluid van de ijzers waarmee de slaven vastzaten. Velloso was tijdens de reis gesteld geraakt op de lichtmatroos en toen zij in Mpinda terugkwamen had hij aan Cavalcanti toestemming gevraagd om hem mee te nemen naar een zuidelijke provincie om daar een nieuwe bron van *peças* aan te boren. De bastaard van een Berberse vrouw en de jonge mulat uit Santarém leken op elkaar als vader en zoon.

Toen Velloso en Brita van het schip af waren, gaf Cavalcanti opdracht om het anker te lichten. Hij stond op het achterkasteel terwijl de bemanning manoeuvreerde om de *São Gabriel* midden op de rivier te krijgen, met de boeg naar de monding toe. De kapitein zat in de rats over het rapport dat hij in Lissabon over de verloren schepen moest uitbrengen. Hij herinnerde zich nog hoe teleurgesteld zijn vader was geweest toen hij met lege handen uit Indië was teruggekomen en realiseerde zich dat hij deze keer onder nog slechtere omstandigheden naar huis ging.

VI

In de wapenzaal van het paleis van Sintra luisterde de *fidalgo* Dom Duarte Coelho Pereira op een dag in oktober 1534 naar de archivaris Belchior da Silveira die hem een uittreksel voorlas uit een verzoek dat tot de koning was gericht. Dom Duarte zag er energiek uit, had een heldere blik, een wilskrachtige kin, en zijn voorhoofd zat vol rimpels – evenzovele tekenen van de vastberadenheid van een man die, toen de koning hem vanwege zijn diensten in de adelstand had verheven, zelfs een rode op zijn achterpoten staande leeuw had gekozen om zijn blazoen te sieren.

De *fidalgo* en de archivaris, een dik mannetje met een streng gezicht, gevat in een grijze haardos, waren de enige aanwezigen in de zaal. De reputatie van Dom Belchior was niet alleen te danken aan zijn liefde voor papieren. Hij had ook een opvallend geheugen en wist zoveel dat sommigen wier wapenen het vertrek sierden de herinneringen van de kleine archivaris zelfs vreesden.

Het verzoek dat Dom Belchior voorlas was acht jaar eerder door Nicolau Cavalcanti aan de kroon gericht, en had betrekking op het tragische lot van het eskader van admiraal Gomes de Pina. De archivaris was aangeland bij de laatste paragrafen die de beschouwingen van Cavalcanti behelsden, gericht tot koning João III zelf: 'Het lijkt mij toe, sire, dat wij groot voordeel kunnen behalen met dit land van Santa Cruz, als wij er maar kolonisten installeren zoals in de bezittingen van Uwe Hoogheid in Afrika en in Indië. De Normandische piraten vallen ongestraft uw handelsposten voor pernambukhout aan, evenals uw schepen, omdat zij slechts weinig bewijzen van uw rechten op Santa Cruz zien. De handelsposten beschikken over weinig mannen en zijn dus slecht verdedigd: langs de hele kust is er niet één kolonie die die naam waardig is.

In Porto Seguro hebben wij ontdekt dat dit land niet alleen een bron van verfhout en papegaaien is, maar ook een onafzienbaar vruchtbaar en goed beregend gebied dat veel onderdanen van Uwe Hoogheid zou

kunnen opnemen, voor ondernemingen die gelijken op die op Madeira of de Azoren. Ik heb de velden van de Tupiniquin gezien, die deze
grond op zeer primitieve wijze bewerken, maar er niettemin overvloedige oogsten van hebben.

Sire, het is noodzakelijk om daar mannen heen te sturen die zich er
met hun families kunnen vestigen. Laat hen de bomen, die uw eigendom zijn, met rust laten, maar laat hen dezelfde planten verbouwen
als op de Azoren en op São Thomé, met name het suikerriet, en Uwe
Hoogheid zal grote winsten kunnen behalen.'

In de tijd dat Cavalcanti dit verzoek indiende had de Kroon, die zich
meer zorgen maakte over het verlies van haar eskader, hem direct
vergeten. Toen de archivaris klaar was met voorlezen, vroeg Dom
Duarte hem: 'Wat weet u van die Nicolau Cavalcanti?'

'Hij is de zoon van de Lissabonse koopman João Cavalcanti. Voordat hij met Gomes de Pina uitvoer, heeft hij gediend onder Dom
Afonso de Albuquerque.'

'Ik kan me niet herinneren dat ik een Cavalcanti in Indië gekend
heb.'

'Hij was in Goa en Ormoes.'

'Zijn naam zegt mij niets.'

Dom Belchior wreef over zijn neus. Als Cavalcanti zich in het oosten onderscheiden zou hebben, zou Dom Duarte Coelho zich dat herinneren. De archivaris wist dat Coelho in Indië succes op succes behaald had. Praktisch onbekend toen hij in 1509 vertrokken was, had
hij naast Albuquerque gestreden bij de inname van Malakka in 1511,
en had zich vervolgens gedurende achttien jaren met roem weten te
overladen. Ambassadeur in Siam geworden, was hij ook naar China
gereisd, naar Indië en naar Java, en had hij de koninklijke schepen in
triomfantelijke gevechten tegen de Maleise en Chinese vloten aangevoerd.

Hijzelf beschouwde zijn verbintenis met een van de meest geëerde
families van het land ook als een van zijn overwinningen. Zijn vrouw,
dona Brites, was de nicht van Jorge de Albuquerque, de neef van *O
Terrível* zelf. Dit was inderdaad een knap staaltje voor een onechte
zoon van goede, maar niet hoge, komaf. Sommige *fidalgos* van het
hof bleven hem als een soldaat die geluk gehad had behandelen. Dat
stak hem zeer en hij greep elke gelegenheid aan om zijn positie te verbeteren.

Een maand eerder, in september 1534, had koning João aan Coelho
een prachtige kans geboden om zich nog verder te verheffen boven

hen die de spot dreven met zijn onduidelijke afkomst. Hij maakte deel uit van een groep edelen aan wie de monarch grond in Brazilië geschonken had.

In 1531 was er een begin met de kolonisatie gemaakt op een eiland in een baai ten zuiden van Porto Seguro en Cabo Frio, en de resultaten daarvan waren zo veelbelovend geweest dat koning João zijn bezittingen in de nieuwe wereld had onderverdeeld in kapiteinschappen die hij uitdeelde onder de edelen van het hof, zowel aan hen die dat verdienden als aan hen die hij gewoonweg aan de kant wilde schuiven.

Een jaar eerder had de Portugese vloot de Franse zeerovers een nederlaag toegebracht en eenentwintig Normandiërs, onder wie de fameuze Tijger, waren bij de handelspost in Pernambuco terechtgesteld. Dom Duarte was daar blij mee, want de grond die hem was toegewezen lag juist in die streek.

'Dom Duarte,' had de koning afgekondigd, 'u moet zestig mijlen tellen vanaf de rivier die het eiland Itamaraca omspoelt (en ik wil dat u dat eiland Santa Cruz zult noemen), tot aan de rivier de São Francisco, ten zuiden van Kaap São Agostinho. U moet op die twee plaatsen een pilaar oprichten met mijn wapenen daarop en uw gronden zullen zich uitstrekken ten westen van deze merktekenen, zover als maar mogelijk is.' João III was niet erg expliciet geweest. Het domein van Dom Duarte zou lopen tot aan de denkbeeldige lijn die de Spaanse en Portugese bezittingen scheidde volgens het verdrag van Tordesilhas, maar niemand wist hoeveel land dat betrof.

Tien van die zestig mijlen zouden het persoonlijk eigendom van Dom Duarte en zijn erfgenamen zijn; over de rest zou hij zeggenschap hebben overeenkomstig die van een feodale heer. De oorkonde van João III waarin deze stukken grond werden toegekend was tot in de details nauwkeurig: er zou in de kolonie geen koninklijke belasting op zeep worden geheven, en ook geen zoutaccijns; van de twintig vissen die de kolonisten zouden vangen, zou er één van Dom Duarte zijn; een tiende van het koninklijk deel dat geheven werd op alle edele metalen en stenen zou hem toebehoren. Niettemin was het hem verboden om pernambukhout te exploiteren, want de koning behield het monopolie daarop.

Als tegenprestatie voor de hem vanwege zijn in het oosten betoonde moed toegekende stukken grond, moest Dom Duarte zelf de inrichting van de kolonie financieren. Nu had hij in Indië een fortuin vergaard, maar de risico's waren enorm. De schipbreuk van een of twee schepen, voordat zij bij de nieuwe gebieden zouden zijn, zou zijn ondergang betekenen.

Deze lugubere gedachten vervlogen toen hij wat Dom Belchior hem net verteld had eens overdacht.

'Ik ken die Cavalcanti niet,' herhaalde de *fidalgo*, 'maar het is duidelijk dat hij zich geen zand in de ogen laat strooien door papegaaien en rondhout. Hij begrijpt waar de winst in Brazilië zit.'

'Waar?'

'Suiker! Dat zal de schat van de nieuwe wereld zijn! Ik zou die kapitein Cavalcanti wel eens willen ontmoeten. Weten wij waar hij momenteel woont?'

'U zult hem ongetwijfeld kunnen vinden op de landerijen van zijn vader, een paar mijl buiten Sintra. Hij vraagt al jarenlang om naar Brazilië te mogen terugkeren om de piraten te bestrijden, maar zijn verzoek is nooit ingewilligd.'

'Vaart hij dan niet meer?'

'Dat weet ik niet, maar hij wordt vaak in Sintra gesignaleerd.'

'Goed, dan ga ik hem opzoeken,' zei Dom Duarte.

Hij verliet de wapenzaal nadat hij van Dom Belchior aanwijzingen had ontvangen hoe bij het domein van de Cavalcanti's te komen.

João Cavalcanti had moeite om zijn bezoeker de teleurstelling over zijn zoon te verbergen. Gezeten aan een eikehouten tafel in een vertrek met een laag plafond en met witgekalkte muren, zaten de koopman en Dom Duarte op Nicolau te wachten, die in de velden aan het werk was, en die men had laten halen.

'Heeft hij het nog vaak over Brazilië?' vroeg de *fidalgo*.

'Over welk Brazilië hebt u het, *senhor*?'

'Hoe bedoelt u?'

'Het Brazilië waar hij voor zijn koning heeft gestreden of dat wat in handen is van Lissabonse intriganten? Hebt u zijn rapport gelezen?'

Dom Duarte knikte.

'Hij heeft de *São Gabriel* toch mee teruggebracht?' ging de koopman verder. 'Hij heeft tegen de Normandiërs gestreden, heeft zijn leven gewaagd in verschrikkelijke stormen op de Atlantische Oceaan. Is hij daarvoor bedankt? Nee! Hij had beter naar zijn vader kunnen luisteren en die kunnen opvolgen in zaken, zoals mijn andere zonen.'

'Zeer zeker niet!' zei een krachtige stem.

Omdat zij naar de deur toe zaten hadden de beide mannen Nicolau niet zien binnenkomen. João Cavalcanti stelde hem voor, en trok zich toen terug onder voorwendsel nog iets te doen te hebben.

'Laten wij ook naar buiten gaan,' stelde Dom Duarte voor toen de oude man vertrokken was.

Zij gingen naar de binnenplaats en de *fidalgo*, die het U-vormige gebouw bekeek, met rechts het woonhuis en de kapel, in het midden een bergplaats en links een grote opslagschuur, gaf als commentaar: 'Dit is een huis waar een man trots op kan zijn.'

Cavalcanti knikte zwaarmoedig. Sinds hij niet meer voer en zich ertoe beperkte om zonder veel enthousiasme leiding te geven aan de bedienden en de slaven van zijn vader, was hij een kille, eenzame man geworden, wiens toekomst wanhopig vernietigd leek.

Dom Duarte bekeek hem eens en zag een man met karakter, die echter ten prooi was aan een diepe melancholie. Zijn verdrietige groene ogen en zijn gerimpelde voorhoofd spraken boekdelen, waardoor de zeeman zijn verbittering niet aan de bezoeker hoefde uit te leggen. Zijn haren en zijn baard waren vrijwel helemaal grijs geworden. Terwijl Dom Duarte met hem sprak over het rapport dat hij aan de koning had gestuurd, antwoordde hij: 'Dat heb ik acht jaar geleden geschreven, *senhor*.'

'Wat u toen schreef geldt vandaag de dag nog steeds. Suiker is de toekomst van Brazilië. En Pernambuco, waar ik mijn kolonie ga vestigen, zal de mooiste suikerrietvelden van de hele kust hebben.'

'Hoeveel tijd hebben zij die Indië corrupt gemaakt hebben nodig om Brazilië ook te verpesten?'

'Er hebben veranderingen plaatsgevonden in Goa en Malakka.'

'Voor wie? Voor de dieven die de erfenis van Dom Afonso naar de knoppen hebben geholpen? De situatie is zo wanhopig dat Vasco da Gama, gestuurd om de orde te herstellen, drie maanden later gestorven is, met gebroken hart omdat hij gezien heeft wat ze met de grote ontdekkingen uitgehaald hebben. En in Lissabon zitten ze ook alleen maar hun zakken te vullen!'

'Dat klopt,' gaf Dom Duarte toe, 'maar in Brazilië wordt dat anders. Als een man daar rijk wil worden zal hij dat moeten doen in het zweet zijns aanschijns. Daar zijn geen markten, geen kooplui, en ook geen sultans om onder druk te zetten. Het is het ideale land voor een eerlijk man.'

'Laten wij God bidden dat het zo zal blijven.'

'Ik meen te weten dat u verscheidene keren gevraagd hebt om ernaartoe terug te mogen keren.'

'Dan moet u ook weten dat mijn verzoeken allemaal afgewezen zijn.'

'Uw vader vertelde mij dat u een vrouw en twee flinke zonen hebt. Ik heb families als de uwe nodig om mijn kolonie op te bouwen.'

'Ik ben tevreden op de landerijen van mijn vader. De zee is mijn thuis niet meer. Nadat mijn verzoeken verworpen waren, heb ik mij tot mijn broers gewend en ik heb hun gesmeekt om mij een schip te geven. Dat hebben zij gedaan. Op mijn eerste reis naar Genua heeft een storm mijn kleine *barca* op de Corsicaanse kust geworpen, waar ze aan stukken is geslagen. Een dergelijke kapitein kan u van geen enkel nut zijn, Dom Duarte.'

De *fidalgo* deed alsof hij het trieste relaas van zijn gastheer niet hoorde en zei: 'Ik ben bereid om alles wat ik heb te riskeren in dit avontuur. Ik heb van Malakka tot Cochin gevochten en wat heb ik daarvan overgehouden? Rijkdommen? Jazeker. Roem? Men noemt mij Dom Duarte, de "Leeuw van het Oosten", maar wat blijft daarvan hangen als ik dood ben? Een herinnering aan mij, ergens in een uithoek van de wereld? Ik wil dat mijn naam bewaard blijft van het ene tot het andere einde van de Terra de Santa Cruz!'

Pedro, de jongste van de beide zonen, stond voor de deur van de stal en lette meer op het gesprek van de beide mannen dan op de dieren.

'Hoe oud is hij?' vroeg Dom Duarte.

'Veertien.'

'Waar droomden wij niet van toen wij zo oud waren! Wij hebben onze dromen waargemaakt in het oosten. En vandaag de dag, Cavalcanti, is er een nieuwe wereld voor jongemannen zoals uw zoon.'

'Het is een prachtig en wild land, maar het heeft échte mannen nodig om het te veroveren,' zei de vroegere zeeman, die weer wat enthousiaster werd.

Dom Duarte had in de gaten dat hij op het punt stond hem over te halen en vertelde hem tot in de details wat er in de oorkonde van de koning stond, de mogelijkheden die de kolonisten die met hem mee zouden gaan naar Pernambuco geboden werden. Landerijen zover als je kon kijken, rijkdom te halen uit toekomstige suikerrietoogsten, roem de beschaving en het geloof naar de tropen gebracht te hebben.

'Denkt u eens wat een dergelijke onderneming voor uw kinderen zou kunnen betekenen,' argumenteerde de *fidalgo* nog voordat hij vertrok. 'Ik bied u geen fort aan, en geen handelspost waar u jarenlang in opgesloten zou zijn. Ik bied u een paradijs aan, dat de mannen wacht die zich waardig tonen om erin te wonen.'

Dagen gingen voorbij zonder dat Nicolau het met zijn vader of zijn vrouw over het bezoek van Dom Duarte had. Hij zwierf alleen door de bossen of over het strand, zag weer het koperkleurige lichaam van een jonge najade of vlammen die een karveel verteerden. Na een week stond zijn besluit vast en zijn vrouw Helena begreep het toen hij weer over Brazilië begon te praten. Wat de plannen van Nicolau ook zouden zijn, zij zou zich er niet tegen verzetten. Zij was een jaar na zijn terugkeer uit Indië met hem getrouwd, wetend hoe deze lange reis hem getekend had. Wat haar thans wanhopig maakte, was de zwaarmoedigheid waarin hij was weggezakt sinds hij op de landerijen van zijn vader woonde.

Helena was een rustige vrouw, die sinds haar huwelijk bij haar schoonouders woonde. Vaak had zij gehoopt dat Nicolau een eigen huis zou nemen maar ze had zich nooit beklaagd. Buiten de bezoeken die zij aan haar ouders bracht, in de naburige stad Collares, verliet zij nooit het domein van haar schoonvader.

Toch liet zij, toen haar man erover begon om zich in een totaal andere wereld te vestigen, niet de minste ongerustheid blijken. Daarentegen riep de oude koopman, toen Nicolau zijn vader en zijn broers, gezeten rond de eikehouten tafel, van zijn beslissing om te vertrekken op de hoogte stelde, uit: 'Wat zoek je daar? Hout dat je alleen maar kunt omhakken met toestemming van de koning? Vogels, apen, wilden?'

'Dom Duarte gelooft voldoende in de onderneming om er zijn fortuin aan te wagen.'

'Dan is hij niet alleen rijk, maar ook dwaas.'

'Hij gaat daar niet heen om handel te drijven maar om een kolonie te stichten.'

'Een kolonie? Sinds wanneer zit het kolonistenbestaan in ons bloed? Portugezen zijn kooplieden, reders, zeelieden – dat moest jij beter dan wie dan ook weten.'

'Madeira is welvarend,' antwoordde Nicolau rustig.

'Madeira, de Azoren – dat zijn eilanden die voor de deur van Lissabon liggen! Brazilië ligt aan het andere eind van de wereld. Vandaar verfhout meenemen is één ding, maar je er vestigen... jullie zullen daar als wilden leven en iedereen zal jullie vergeten.'

'Dom Duarte en de andere *donatários* vertrekken op last van de koning.'

'Ja, ja, en zal hij nog aan hen denken als hun zeilen achter de horizon verdwenen zijn?'

Nicolau deed alsof hij de vraag niet gehoord had.

'De Braziliaanse grond is vruchtbaar,' zei hij stellig. 'Het suikerriet zal Pernambuco welvarend maken.'

'Nu, als je het dan zo graag wilt,' zuchtte de oude man. 'Maar jouw zonen, Henriques en Pedro? Wat moeten die op zo'n plek, met wilden en apen als onderwijzers?'

'Pedro zal het er naar zijn zin hebben,' antwoordde Nicolau glimlachend.

Zijn jongste zoon was een wilde waaghals die helemaal niet van studeren hield; zijn broer, die vijftien jaar was, was kalmer en gereserveerder.

'En Henriques zal daar meer mogelijkheden vinden dan hier,' voegde Nicolau er nog aan toe.

De oude koopman en zijn drie zonen gingen door de zaak te bepraten waarbij zij wijn dronken uit de wijngaarden van de familie van Helena. Toen werden de kinderen geroepen om hun te vertellen wat Pedro al vermoedde sinds hij een week eerder naar het gesprek van zijn vader met Dom Duarte had geluisterd. De zonen van de broers van Nicolau waren er ook bij en Inácio, de oudste neef, een zacht en ziekelijk kind, was zeer onder de indruk van het nieuws.

'Oom,' vroeg hij aan Nicolau, 'gaat u bij de heidenen wonen?'

'Ja, op hun grond,' antwoordde hij lachend.

Voorbestemd om priester te worden, leefde de bleke Inácio in de vrees voor mannen in zwarte jurken, die zijn leermeesters waren.

'*Padre* Miguel zegt dat het wilden zijn, voor wie misschien geen redding meer is,' waagde hij op te merken.

Cavalcanti sprong op.

'*Padre* Miguel?'

'De priester bij wie ik in Lissabon gestudeerd heb.'

'Kent hij Brazilië dan?'

'Jazeker. Hij heeft gepreekt onder de Tupiniquin, maar hij zegt dat zij een hart van steen hebben.'

'Dat verbaast me niet van hem.'

Meer zei Nicolau niet. Het Brazilië dat *padre* Miguel zich herinnerde was niet het beloofde land waarheen hij zou vertrekken.

Zij stieten schelle kreten uit toen zij op het pleintje verschenen, hun borsten besmeerd met *urucu*-verf, hun hoofden versierd met diademen van veren, terwijl zij hen die om genade smeekten, zich beroepend op het feit dat zij Normandiërs waren, voor zich uitjoegen. Deze smeekbeden konden hun achtervolgers niet vermurwen, en zij werden onder een golf van voorwerpen bedolven.

De krijgers keken geamuseerd naar de Portugese kinderen, die slag leverden met maniokmeel en rotte eieren. Nicolau Cavalcanti die ook stond toe te kijken, was niet verbaasd om te zien dat zijn zoon Pedro de aanval tegen de 'Normandiërs' leidde. Er was bijna een jaar verstreken sinds zij in Brazilië waren aangekomen, in maart 1535, en de jongen was weg van zijn nieuwe land. Daarentegen was het niet zo gemakkelijk om te weten te komen wat Henriques ervan dacht, want die bleef gereserveerd, een dromer.

De vasten zou morgen beginnen en de kleine gemeenschap vierde carnaval. De kolonisten stonden rond de open plek, buiten bereik van de spelende kinderen. Minder dan honderd zielen leefden in het kapiteinschap Pernambuco, dat Dom Duarte Coelho Pereira, nog steeds ambitieus, zelf liever Nova Lusitania noemde – de naam die de Romeinen hadden gegeven aan de landen die zij aan gene zijde van de Taag veroverd hadden.

De *fidalgo* had de bevelen van zijn koning opgevolgd. Toen hij was ontscheept had hij een stenen pilaar opgericht, vijftig passen verwijderd van een kamp van houthakkers, op de linkeroever van een rivier die hij direct Santa Cruz doopte. Aan de overkant lag een groen eiland waar hij afgunstig naar keek, maar dat de pilaar buiten zijn domein situeerde.

De Portugezen begonnen vlak bij de pilaar een kolonie te stichten die zij eveneens Santa Cruz doopten maar zij gingen algauw het binnenland in om zich op een hogere plaats te vestigen die zij Villa do Cosmos noemden. Omdat zij echter verleid werden door de klank van het inheemse woord *Iguarassu* (grote rivier), gebruikten zij die vervolgens om de waterloop en het dorp te benoemen.

Hun huizen stonden achter een stevige omheining van stenen en pleisterspecie. Sommige huizen, zoals dat van Dom Duarte en van Cavalcanti, waren van steen en van klei; andere waren eenvoudige hutten van takken. Aan een kant van het plein stond een lang en laag gebouw van gedroogde klei – de *câmara* – waar Dom Duarte en zijn officieren vergaderden. Maar het gebouw waar zij het meest trots op waren, was de kerk, die recentelijk gebouwd was op het hoogste punt van het dorp. Daarachter lagen velden maniok en suikerriet. Ze leken nog in niets op de grote cultures waar de oorkonde van de koning op doelde, maar het was in ieder geval een begin. Met het oog op de eerste oogst bouwde Jerónimo de Albuquerque, de zwager van Dom Duarte, de eerste suikerpers. Hij noemde het een molen – een term die Dom Duarte tevreden overnam in zijn rapport aan de koning – maar het was in feite een eenvoudige machine die twee mannen in werking konden zetten.

Als je het werk in aanmerking nam dat nodig was om de donkere blokken ongeraffineerde suiker te krijgen, begreep je wat voor taak op de schouders van de kolonisten rustte. Het betekende dat je alleen aan de rand van het bos stond, de eerste bijl in de eerste boom moest zetten, het eerste gekraak van de woudreus moest horen, en vervolgens de explosie als de stam brak en viel; het betekende met het kapmes de eerste struiken omhakken en de eerste vuren aansteken, die zich vervolgens ontwikkelden tot een muur van vuur die alles op zijn tocht vernietigde.

Als je tussen de verkoolde stammen rondliep, die vanbinnen nog rood waren, en de lucht van verbrande aarde rook, begreep je wat voor enorme onderneming dit was; de rode grond moest geploegd worden, daarna moesten het suikerriet er met handen die opengehaald werden door as en splinters, geplant worden.

Terwijl de kinderen doorgingen met op het plein oorlogje spelen, luisterden Nicolau en verschillende kolonisten naar Dom Duarte die het had over de wisselvalligheden die hun nog te wachten stonden, niet alleen om suikerriet te telen maar ook in hun relaties met de inboorlingen.

Onder de krijgers die voor het feest uitgenodigd waren bevond zich Tabira, het eenogige opperhoofd van de Tobajaras, die in de buurt leefde. Zijn gedoofde oog herinnerde aan zijn moed. Toen hij een aanval leidde tegen een vijandelijk dorp, had hij een pijl in zijn oog gekregen. Zonder vaart te minderen had hij het projectiel eruit gehaald en verder gevochten.

De krijgers van Tabira leken op de Tupiniquin van Aruanã, met één duidelijk verschil. Zij hadden zich nog nooit overgegeven aan kannibalisme. Toen Dom Duarte zich ontscheept had, hadden Tabira en zijn mannen hun lichamen geverfd en versierd met veren, en hem hartelijk ontvangen. De *fidalgo* was daar heel blij mee geweest, totdat hij begreep waarom zij zich zo gedroegen. Tabira streefde wanhopig naar een bondgenootschap met de Portugezen, tegen zijn oude vijanden, de Potiguaras en de Caetés.

Van alle Tupi-stammen waren de Potiguaras (garnaleneters) de machtigsten, omdat zij grote, sedentaire dorpen hadden, her en der verspreid over honderden mijlen ten noorden van de Portugese kolonie. Hun opperhoofden hadden zich verbonden met de Franse houthakkers, die tussen hen woonden en die de oorzaak van de macht van de Potiguaras kenden. In tegenstelling tot andere stamhoofden, lieten die van de Potiguaras geen meningsverschil tussen de clans van hun volk toe en zorgden zij er zo voor dat dat volk een eenheid bleef.

De Caetés, de derde stam uit de streek, vijanden van de Tobajaras van Tabira en van de Potiguaras, vormden een kleine en wrede, oorlogszuchtige bende die net als de Tupiniquin haar slachtoffers ritueel afslachtte. Onlangs waren deze krijgers, die genoegen schepten in het

129

lijden van hun slachtoffers, op een nieuwe en geduchte vijand gestoten: de Portugese slavenhandelaars, die 's nachts aan land kwamen, de dorpen ten zuiden van de kolonie van Dom Duarte aanvielen en hele *malocas* vol mannen, vrouwen en kinderen meenamen.

'Ik zal die dieven hangen als ik ze te pakken krijg,' zei Dom Duarte tegen de kolonisten die om hem heen stonden. 'Zij zijn erger dan de Normandiërs.'

'Zij kunnen uit elk kapiteinschap afkomstig zijn,' merkte zijn zwager Jerónimo op.

'Natuurlijk,' gaf Dom Duarte toe. 'Zij begaan hun misdaden niet in hun eigen kolonie, want dan zouden zij hún Tupis tegen zich krijgen.'

De woede van de *fidalgo* tegen het gespuis dat zíjn Caetés stal vloeide voort uit de angst dat die inboorlingen de kolonisten van Pernambuco zouden aanvallen. Hij had zich evenwel niet verzet tegen het in slavernij nemen van wilden en niet lang geleden hadden de Tobajaras een twintigtal Potiguaras meegenomen naar hun dorp. Voor die tijd zagen de Tobajaras het nut er niet van om gevangenen te maken, en maakten zij hun vijanden op het slagveld af. Nu kregen zij een handvol rommel voor elke Potiguara die in goede gezondheid aan de kolonisten afgeleverd werd.

Omdat zij bondgenoten van de Portugezen waren, werden de Tobajaras niet tot slavernij gedwongen, maar moedigde men hen aan om als vrije mensen in de suikerrietvelden te werken, in ruil voor stoffen en andere zaken. Toch had dat systeem weinig succes want de Portugezen die het pernambukhout voor de koning exploiteerden pikten de Tobajara-mankracht van de kolonisten af.

'Toen wij hier kwamen, deden de Tobajaras alles wat wij hun vroegen,' ging Dom Duarte verder. 'Zij waren tevreden met een vergrootglas of een waardeloos mes. Maar nu... hoe wil de koning dat ik een rustige en welvarende gemeenschap opbouw als zij die hout voor hem hakken de wilden bederven? Zij betalen de Tobajaras meer dan welke kolonist ook. En bovendien begrijpt de stomste inboorling al heel gauw dat hij beter tijdens een kort seizoen bomen kan hakken dan in onze velden werken.'

'Met de haakbussen en de speren die zij van de houthakkers krijgen, zullen zij beter de Potiguaras kunnen bestrijden en ons meer gevangenen brengen,' merkte Cavalcanti op.

Ook hij zag geen enkele tegenstelling tussen beide houdingen: de Potiguaras tot slaven degraderen en protesteren tegen de diefstal van Caetés.

'Dat klopt, maar zullen ze ons er ooit genoeg brengen?'

'Een man heeft zes slaven nodig om goed te kunnen leven,' antwoordde Cavalcanti. 'Eén die voor hem vist, een ander die voor hem jaagt, en de rest kan dan op het veld werken.'

'Zes?' zei Jerónimo. 'Die wilden blijven als oude mannen voor hun hutten zitten kletsen en zuipen, en sturen hun vrouwen naar het veld. Nee, geen zes. Laten we zeggen zéstig, dan kunnen we echt iets beginnen op onze gronden.'

Dom Duarte wendde zich opnieuw tot Cavalcanti.

'Die man die u hier wilt laten komen, zou die ons probleem kunnen oplossen?'

'Hij woont al sinds de tijd van Cabral bij de inboorlingen, *senhor*. Hij kent ze beter dan wie ook.'

'Maar zal hij zich hier willen installeren?'

'Ik denk dat hij uw aanbod niet kan afslaan.'

Cavalcanti was van plan om naar Porto Seguro te gaan om Afonso Ribeiro en zijn familie naar Pernambuco te halen. De vervelende geschiedenis met de franciscaner fraters zat Nicolau niet meer dwars, want hij dacht aan alle hulp die een man als de *degredado* zou kunnen geven als het ging om hun betrekkingen met de Potiguaras en de Caetés. Dom Duarte zou hem grond in zijn kapiteinschap aanbieden en aan de koning schrijven om gratie te krijgen voor een man die al zoveel jaren geleden een geit had gestolen.

De *fidalgo*, die het centrum van zijn kolonie al een keer verplaatst had, was nog niet tevreden over de keus van Iguarassu. De plaats zo midden in het bos, was niet goed geschikt als hoofdstad van Nova Lusitania. Een paar weken eerder had hij zijn 'Lissabon' zien liggen: aan de kust, zes mijl zuidelijker, lagen zeven heuvels die uitkeken over het binnenland en die prachtig aan de zeekant verdedigd konden worden. Er waren daar ook rivieren, waarlangs de kolonisten suikerriet zouden kunnen planten en een beetje verderop, onder de kust, een lang rif dat een prachtige natuurlijke haven vormde.

Dom Duarte was verzot op een ridderroman, waarvan de heldin, Olinda, een naam droeg die precies paste bij die zeven heuvels, want dat betekende 'de mooie'.

In Porto Seguro trof Cavalcanti Ribeiro bereid om met zijn vrouwen – de dochter van Aruanã, Salpina, inbegrepen – zijn twintig kinderen en zijn andere familieleden naar Pernambuco te gaan. Sinds het vertrek van de *São Gabriel* had de clan zijn *malocas* aan de noordkant van de baai neergezet en toen de kapitein het nieuwe dorpsplein opliep, herkende Ribeiro hem meteen. Jandaia stond verlegen aan de kant terwijl haar vader en Nicolau elkaar ontmoetten. De *degredado*, die zag dat de zeeman naar zijn dochter keek, vroeg verbaasd: 'Herinnert u haar nog na al die jaren?'

'Jandaia,' zei Cavalcanti.

Zij was zoals hij zich haar herinnerde, met haar soepele, koperkleurige lichaam, haar lange zwarte haren, haar ondeugende pruillipje en haar ietwat schuchtere manieren. Toen hij haar naam uitsprak keek zij naar de grond.

Ribeiro vertelde de kapitein dat Jandaia twee kinderen had, een jongen en een meisje, van een krijger die haar na het vertrek van de *São Gabriel* tot vrouw genomen had. Deze man was bij een aanval van de Cariris om het leven gekomen.

Het kostte twee maanden om Ribeiro en zijn stam naar de kolonie te brengen. Dom Duarte gaf hem een lap grond bij de omheining van Iguarassu en de *degredado* bouwde daarop een *maloca*, precies zoals die welke hij bij de Tupiniquin had. De blokhutten van de kolonisten vond hij maar niets, hij hield ze voor dat zijn ruime en goed doorluchte *maloca* veel comfortabeler was, maar zij moesten niets hebben van zijn 'wilde' voorkeuren: zij waren gekomen om een beschaving te vestigen, niet om er een kwijt te raken.

Twee maanden na aankomst van Ribeiro ondernam Nicolau Cavalcanti weer een reis. Hij nam zijn zonen, plus de balling en drie Potiguara-slaven, mee op een tochtje over een rivier in de buurt van Olinda. Net als Dom Duarte, die zich op zijn heuvels had geïnstalleerd, begon ook Cavalcanti te denken dat Iguarassu en de landerijen daaromheen niet de ideale plek waren om zich definitief te vestigen. Olinda was een veel betere plaats, maar de *donatário* en zijn familie hadden thans het alleenrecht over de zeven heuvels. Iguarassu opgeven om in de buurt van Olinda te gaan zitten kwam neer op leven in de buurt van een fort of een handelspost. Daarom ging Nicolau zo vaak mogelijk erop uit, waarbij hij in het bos een plek zocht waarvan hij geen precieze voorstelling had maar die hij op het eerste gezicht zou herkennen.

Even voor de middag kwam het groepje bij een plaats waar de rivier zich splitste. Zonder een moment te aarzelen stuurde Nicolau de beide kano's naar de nauwste arm. Hoe verder zij kwamen, des te lichter werd het bos, vooral op de oever waarachter een rij heuvels lag. Na een uur liet Cavalcanti halthouden en de boten op een strandje aan de voet van een steile helling trekken. Hij wilde daar de nacht doorbrengen maar was van plan om nog voor het vallen van de avond de heuvel te beklimmen.

Dit bleek niet gemakkelijk. Zij moesten zich soms vasthouden aan boomwortels en aan lianen die over de grond hingen, maar Cavalcanti kwam toch snel hoger, omdat hij gehaast was om te zien hoe het uitzicht zou zijn. Hij werd niet teleurgesteld.

De jongens waren nog voor hem boven en Pedro riep opgewonden: 'Vader, kom gauw! Heel Brazilië ligt aan onze voeten!'

Nicolau merkte dat de heuvel de laatste was van een lange keten die naar het noordwesten afboog. De rivier die zij gevolgd hadden stroomde traag langs deze hoogten. Ver weg in het zuiden strekte zich nog een andere rij soortgelijke heuvels uit, en tussen beide heuvelruggen die op ongeveer vier mijl uit elkaar lagen, lag een even breed als lang dal, waar de groene mantel van het bos lichtjes over uitgespreid lag. Een tweede rivier stroomde het dal via een rotsspleet in het zuiden binnen, voegde zich vervolgens bij de andere stroompjes, om ten slotte een meertje te vormen, in de buurt waarvan de rook van een groepje *malocas* omhoogkringelde.

Met kloppend hart stelde Cavalcanti zich suikerrietvelden tussen die heuvels voor – een enorm stuk grond om met vuur en bijl te ontginnen, seizoen na seizoen, om ten slotte een fantastische oogst te krijgen.

Ribeiro kwam hijgend en protesterend als laatste boven. Net als de inboorlingen bij wie hij zovele jaren had gewoond, hield hij niet van onnodige inspanningen. Hij leunde tegen een boom terwijl Nicolau en zijn zoons van de ene helling naar de andere liepen, om een betere uitkijkpost te vinden.

'Is het geen prachtig landschap?' riep Cavalcanti uit.

'Goede grond, *senhor*,' beaamde de balling, 'maar ver van Olinda.'

'Ver? Een dag over de rivier.'

'Twee of drie als je dwars door het bos gaat. In Brazilië kan dat een hele afstand betekenen.'

De kapitein begreep wat hij bedoelde.

'Maar de krijgers van Tabira zijn onze vrienden.'

'Vandaag wel,' antwoordde Ribeiro, terwijl hij zijn schouders ophaalde. 'Maar blijft dat zo?'

'Ik bouw niet om terug te gaan naar Lissabon,' verklaarde Cavalcanti. 'Als ik deze gronden neem, dan is dat voor mijn zonen, en voor hún zonen. Dat hebben zij ons in Sintra beloofd.'

Cavalcanti dacht aan niets anders toen hij naar Olinda terugkeerde. Toen hij Dom Duarte op de hoogte bracht van zijn plannen, vond deze het, net als Ribeiro, gevaarlijk om zo ver van de andere kolonisten af te gaan zitten.

'Maar de Tobajaras zitten nog tussen de Potiguaras en de Caetés,' voerde Cavalcanti aan.

'Ontgin die vallei nu wat later, Nicolau,' raadde Dom Duarte aan. 'Blijf bij de anderen, langs de rivieren in de buurt van Olinda. Er is daar goede grond voor ons allemaal.'

'Ik wil niet slechts een *roça, senhor*,' antwoordde de kapitein, waarbij hij zinspeelde op de stukjes die als moestuin in gebruik waren. 'Ik ben hier gekomen om dezelfde reden als u, namelijk om suikerriet te telen, en suikerriet vraagt om grote landerijen.'

'Natuurlijk, en je zult ook krijgen waar je om vraagt. Maar als jij midden in het bos gaat zitten, overleef je dat misschien niet eens.'

De weken daarop bleef Nicolau echter bij zijn mening en overreedde ten slotte Dom Duarte zijn verzoek in te willigen en het land in te schrijven in het kadastrale register van de kolonie. Als gevolg hiervan ontving de vroegere zeeman, met gesloten beurs, een domein van ongeveer twaalf vierkante mijlen – een waar koninkrijk voor een man die uit Portugal kwam. In de eigendomsakte stond dat Cavalcanti dit domein acht jaar lang moest bewonen en bewerken. Dichter bij Olinda was deze periode korter, maar Dom Duarte geloofde niet dat Cavalcanti zich zo snel in het binnenland zou vestigen.

De kapitein ging door met zijn velden in Iguarassu te bebouwen en bereidde zich rustig voor om zijn dal te 'veroveren'. Hij beschreef de schoonheid ervan vaak aan Helena, die aandachtig maar zonder enthousiasme luisterde. Die wilde streek bleef voor haar even ver en schrikbarend als toen zij haar man de eerste keer had horen praten over zijn plan om daar te gaan wonen.

Zij bracht haar dagen door in het versterkte dorp, in de hut van steen en pleisterkalk die Nicolau gebouwd had, een even primitief onderkomen als dat van de boeren op het domein van haar vader in Portugal. Het bestond uit één enkel vertrek, met een tussenwand die het gedeelte van de ouders afschermde. De jongens hadden hun hangmatten in het andere gedeelte opgehangen, en daar at de familie ook. De hut, met haar lage en slecht gevierkante balken die stikten van de insekten, haar smalle openingen die als venster moesten dienen, bleef somber en luguber, ondanks alle moeite die Helena zich gaf om er een woonhuis van te maken. Als het regende werd de aangestampte lemen vloer vochtig en veranderde in een deel van het vertrek in modder.

Helena klaagde niet tegenover Nicolau maar moest vaak tegen haar tranen vechten als zij met de andere vrouwen samen was. Eén ding hield haar op de been, en dat was het onwankelbare geloof van Dona

Brites, de echtgenote van Dom Duarte, die altijd klaarstond om de vrouwen van de kolonisten die met hun man meegekomen waren aan te horen en ze te troosten.

Niettemin was er een onderwerp dat Helena niet met Dona Brites of met wie dan ook besprak, en dat was de verhouding van haar man met de inheemse Jandaia. Helena wist dat Nicolau met de dochter van Ribeiro vree. Als hij in het echtelijk bed kwam nadat hij een poosje met de Tupiniquin had doorgebracht, was hij vuriger dan Helena hem vroeger ooit gekend had. Ze was niet jaloers, hij kon met net zoveel meisjes uit het bos vrijen als hij wilde, hij zou zijn Portugese vrouw, de moeder van zijn erfgenamen, nooit in de steek laten – daarvan was Helena even overtuigd als de andere vrouwen wier mannen zich net zo gedroegen.

Op een avond, toen Nicolau uit de velden terugkwam, zei ze tegen hem: 'We krijgen nog een kind.'

Hij was wild van blijdschap. Pedro, hun jongste zoon, was nu zestien. Sinds hij geboren was had Helena nog twee kindjes ter wereld gebracht, maar die waren jong gestorven. 'Deze laatkomer in dit nieuwe land is een zegening,' zei hij terwijl hij zijn vrouw innig omhelsde. Terwijl hij haar tegen zich aandrukte dacht hij eraan dat iedereen binnenkort zou kunnen zien dat niet alleen zijn vrouw maar ook zijn inlandse maîtresse in verwachting van hem was.

Een paar dagen later liep Nicolau over een stuk grond naast zijn hut en droeg hij zijn Potiguara-slaven op om de grond gereed te maken door de karresporen vol te gooien. Vervolgens leidde hij de bouw van een paar muren in het verlengde van die van de hut, en legde hij zijn echtgenote uit waarom hij dit nieuwe vertrek wilde aanbouwen: 'Jij mag je niet vermoeien. In jouw staat...'

Helena zat op een krukje, had haar handen op haar knieën en luisterde.

'De dochter van Ribeiro is nog sterk,' ging hij door. 'Zij zal je helpen, ze zal bij jou in de buurt blijven. Ze zal niets weigeren wat jij haar vraagt, mijn Dona Cavalcanti!'

Helena glimlachte en omdat Nicolau dit als een teken van dankbaarheid interpreteerde klapte hij in zijn handen.

'Goed, dan ga ik haar zoeken.'

En hij ging haastig naar buiten, blij om voortaan twee vrouwen die hem zo na aan het hart lagen in de buurt te hebben.

Geen enkele kolonist had bezwaar tegen de manier waarop de kapitein zijn huishouden inrichtte. In Nova Lusitania was er vrijwel geen man, of hij nu getrouwd was of vrijgezel, die niet minstens één inlandse maîtresse had.

De beide priesters van de kolonie protesteerden zwakjes, waarop sommige Portugezen reageerden door met hun concubines bij hen te komen. 'Wij voeren ze niet naar de zonde, maar naar het geloof,' verklaarden zij volkomen oprecht. 'Leert u hun nu, *padre*, om goede christenen te worden.'

Om Jandaia te gaan halen hoefde Nicolau niet ver. Het was maar een paar honderd stappen van de omheining van het dorp naar de open plek waar Ribeiro zijn *maloca* had neergezet. De balling had gratie van de koning gekregen en grond ontvangen die zijn zonen een poosje hadden bewerkt, voordat zij hun vrouwen en hun dochters er verder voor lieten zorgen.

Op de dag dat Cavalcanti Jandaia kwam halen, lag Ribeiro zoals gewoonlijk met zijn zonen onder een boom, van wie er een paar voor de houthakkers werkten, en voor twee *degredados* die onlangs naar Pernambuco verbannen waren.

Die twee mannen, Rodrigues Bueno en Paulo da Costa, beiden afkomstig uit Coimbra, kenden elkaar niet voordat zij aan boord van hetzelfde schip naar Brazilië gebracht werden. Bueno was een stevige kerel met een gezicht vol littekens, veroordeeld wegens diefstal. Costa was pas tweeëntwintig, en was een tenger mannetje met een gebogen rug. Hij was van goede komaf, maar verslaafd aan gokken en om zijn schulden te kunnen betalen had hij koninklijke munten ontwaard door ze af te vijlen en het vijlsel weer te verkopen. De beide boeven hadden onderweg vriendschap gesloten en elkaar beloofd om het beste van hun ballingschap te maken.

Ribeiro wist wat Cavalcanti met zijn dochter van plan was, en was daar dik tevreden mee. Het was goed om banden te hebben met een man die droomde van grote suikerrietvelden.

'Kapitein, wat een mooi huis bent u aan het bouwen!' zei hij ironisch. 'Maar het is niets vergeleken met mijn palmenpaleis.'

De mannen die op de grond lagen grinnikten.

'Waar is zij?' vroeg Cavalcanti kortweg.

'Waarom zoveel haast?' zuchtte Ribeiro. 'Jullie Portugezen,' ging hij verder, alsof hij er zelf niet een was, 'willen zo snel mogelijk rijk worden, net als in Indië. Maar hier zijn we in Brazilië. Hier vergt dat tijd.'

Nicolau zei niets.

'Tijd en mannen,' ging Ribeiro verder nadat hij een slok bier had genomen.

Hij wendde zich tot Mathias, een van zijn zonen, die de luiste uit de hele kolonie was en wiens jonge gezicht al getekend was door de drank.

'Jij, armzalige hond,' bromde de vader tegen de jongen, 'wil jij werken voor *senhor* Cavalcanti?'

Mathias mompelde iets onverstaanbaars.

'Net als de rest!' riep Ribeiro uit. 'Hij wil niet werken want hij vindt dat niet nodig. Jullie Portugezen begrijpen er niets van! Deze mannen willen liever sterven dan zich de rug breken in jullie velden. Vrouwen moeten de grond bewerken, mannen zijn krijgers.'

'Dat kon wel eens veranderen,' zei Cavalcanti, alsof hij dat heel zeker wist. 'Ik zal dat dal bewerken, en als er tien inboorlingen nodig zijn om het werk van een man te doen, dan zal ik er tien nemen, en net zoveel keer tien als nodig is.'

Vreemd genoeg interesseerde het antwoord van Nicolau Mathias. De zoon van Ribeiro was tot de onaangename slotsom gekomen dat je, om met de Portugezen samen te leven, rijk moest worden, en Bueno en Da Costa waren met een middel aan komen lopen om dat te worden. Je hoefde alleen maar langs de kust te trekken om Potiguaras te vangen en die naar mannen als Cavalcanti te brengen. Dat was een gevaarlijke klus, en de winst was klein – een Potiguara was momenteel net zoveel waard als een schaap uit Portugal – maar het was beter dan bomen hakken of van 's morgens vroeg tot 's avonds laat op het land te werken.

Ribeiro's vrouwen begonnen van de velden terug te komen. Jandaia en Salpina, de jongste echtgenote van de balling, begonnen druk te praten toen zij Cavalcanti zagen. Hoewel hij de Tupi-taal momenteel goed beheerste, kon Nicolau dit veel te snelle geklets niet volgen.

'De kinderen,' zei Ribeiro. 'Salpina vraagt zich af wie voor hen zal zorgen.'

Dat liet Cavalcanti volkomen koud. Hij had niets te maken met de jongen en het meisje die Jandaia bij de Tupiniquin-krijger had. Ribeiro sprak een hartig woordje tegen zijn vrouw en zei toen tegen de bezoeker: 'Ze blijven wel hier. Een paar meer of minder in mijn *maloca*...'

De seizoenen volgden elkaar op en zes jaar lang bleven de vruchtbare gronden in het dal onbebouwd. Cavalcanti was al in de vijftig en had veel goede wil nodig om in zijn eigen droom te blijven geloven. Telkens als hij twijfelde aan het realiseren ervan, hoefde hij maar naar Tomás, zijn jongste zoon, te kijken om weer moed te vatten.

Het was een intelligent kind van vijf, met groene ogen en de donkere huidkleur van zijn vader. Hij leek veel op zijn broers toen die zo oud waren maar had ook iets ondefinieerbaars dat hem van hen deed verschillen – misschien het idee dat hij bij de Nieuwe Wereld hoorde. Pedro had Brazilië geadopteerd maar Henriques, de oudste zoon van Nicolau, was met nog andere kolonisten naar Portugal teruggegaan en droomde niet meer van uitgestrekte vruchtbare dalen. Hun gebrek aan enthousiasme was nauwelijks laakbaar, want Iguarassu bleef een kleine deprimerende voorpost met sombere gebouwen, met een molen die een oogst suikerriet vermaalde welke nog niets opbracht, en een onophoudelijk groeiend aantal graven. Tomás vormde met de beide andere jongens die Jandaia Nicolau had geschonken, een druk trio dat de hut met leven vulde en de teleurstellingen van dit Nova Lusitania deed vergeten, een plaats die haar glorierijke naam niet waard was.

Helena was lief voor Jandaia, en behandelde haar meer als een jonge zuster dan als dienstmeid. Toen de maîtresse van haar man voldoende Portugees kende, nam Helena haar mee naar de kerk en leerde haar hoe zij zich als een goed christen moest gedragen. De weinige meningsverschillen tussen de twee vrouwen betroffen onveranderlijk Afonso Ribeiro, die Helena absoluut niet in haar huis wilde hebben.

Nicolau had er ten slotte spijt van gekregen dat hij de ongevoeglijke familie van de balling naar de kolonie had gehaald, want elke keer als er moeilijkheden waren, waren die afkomstig uit de *maloca* van Ribeiro, die het centrum geworden was voor de *degredados* die de koning nog steeds naar Brazilië verbande. De grote Bueno en zijn vriend Da Costa, typische vertegenwoordigers van dat uitschot, hadden trouwens bijna alle moeite van Dom Duarte tenietgedaan.

Samen met Mathias Ribeiro vielen zij Potiguara-dorpen aan en kwamen zij terug met een heleboel slaven. Dom Duarte zag dit door de vingers omdat zij buiten de grenzen van de kolonie opereerden. Een van hun recentste tochten was slecht afgelopen en ze mochten blij zijn dat ze het er levend af hadden gebracht. Maar ze gingen algauw weer op strooptocht en kwamen na drie weken met meer gevangenen dan ooit terug.

De volgende ochtend ontdekten de kolonisten van Olinda en van Iguarassu dat de hele stam van Tabira vertrokken was, op een paar dronkaards en vrouwen na die bij de Portugezen leefden. Niet één van hen liet zich die dag zien, terwijl zij anders vrij kwamen en gingen in de beide dorpen, of in de velden werkten.

Pas aan het einde van de week ontdekte men wat er gebeurd was, dank zij een dochter van een plaatselijk opperhoofd die de zwager van Dom Duarte als vrouw had genomen. Zij werd naar het dorp van haar vader gestuurd, en kwam met de volgende boodschap bij Dom Duarte terug: 'Zij vragen waarom jij het volk tot slavernij brengt.'

'Maar dat is niet waar!' was de reactie van de *donatário*. 'Wij hebben nog nooit de vrede in de bevriende dorpen verstoord.'

'Waarom zijn er dan krijgers uit de *malocas* van de oom van Tabira binnen de omheiningen van Iguarassu?'

Dom Duarte wist wat de gastvrijheid van de stam van Tabira voor de kolonie kon betekenen. Als het bondgenootschap met de Tobajaras geschonden werd, zouden de kolonisten overgeleverd zijn aan de Potiguaras en de Caetés. Hij gaf dus direct opdracht om Mathias Ribeiro, Bueno en Da Costa te arresteren, bevrijdde hun gevangenen en nodigde de plaatselijke opperhoofden uit om bij het proces aanwezig te zijn.

Na een snel, maar correct proces, waarbij verschillende voormalige gevangenen getuigden, velden Dom Duarte en zijn magistraten een vonnis waartegen geen beroep mogelijk was: 'Hang ze op!'

Toen Mathias aan de beurt was, moest hij over de open plek gesleept worden. Hij smeekte om genade en klampte zich vast aan de pij van de monniken die hem naar het schavot brachten, een grote stenen zuil afkomstig uit Lissabon, voorzien van vier ijzeren armen.

De krijgers van Tabira waren vrijgelaten maar hadden zich in de tijd die zij samen met de Potiguaras tussen vier muren hadden doorgebracht, gerealiseerd dat de slavernij hun ook boven het hoofd hing. Dom Duarte hoopte dat zijn doortastende rechtspraak de Tobajaras op hun gemak zou stellen maar daar kwam niets van terecht en zij die voor de Portugezen werkten, lieten de velden in de steek.

'Ik ben hier niet gekomen om een kolonie van arme boeren te stichten,' zei de *fidalgo* tegen zijn landgenoten die de meeste verantwoordelijkheid droegen. 'God weet dat wij ons best doen om iets te maken van dit land met zijn inboorlingen! Maar geef ze een bijl, een mes, of een stuk stof, en ze werken niet meer.'

'We moeten er allemaal slaven van maken,' zei een kolonist. 'Dat is de enige mogelijkheid om hen aan het werk te krijgen.'

'Die inboorlingen zullen nooit doen wat wij van ze verwachten,' zei Cavalcanti.

Hij bezat nu vijftien slaven maar was tot de conclusie gekomen dat Ribeiro zich niet vergist had toen hij hem eens zei: 'Haal die wilden bij hun bomen weg en zij gaan kapot, als planten zonder wortels.'

'Wij moeten doorgaan met onze pogingen, maar ook elders zoeken,' zei hij nog.

'Mijn zonen zullen niet hoeven te ploegen,' waarschuwde een andere kolonist.

'De mijne ook niet,' zei Cavalcanti.

'Wie moet het dan doen?'

'Slaven uit Afrika.'

Er klonk goedkeurend gemompel. Deze oplossing was vaak bediscussieerd, maar ten slotte te kostbaar bevonden. Als een Potiguaraslaaf een schaap waard was, was een neger uit Afrika een hele kudde waard, zo duur was het om hem over de Atlantische Oceaan te laten komen. Maar Cavalcanti had zijn argumenten: 'Eén enkele Afrikaan kan het werk doen van tien Potiguaras. Denk maar aan de velden in Portugal en op Madeira – aan al die plaatsen waar die slaven de grond bewerken... In het koninkrijk van de ManiKongo heb ik uitgestrekte reservaten met *peças* gezien, en heb ik mannen leren kennen die hen weten voor te bereiden op lange reizen.'

Cavalcanti overtuigde Dom Duarte, die ten slotte de koning schreef om om slaven te vragen. De brief vertrok met het eerste schip dat naar Lissabon ging, maar het duurde iets meer dan twee jaar voordat een karveel afkomstig uit Mpinda in februari 1545 langs het lange rif voer dat voor de kust bij Olinda lag.

Nicolau stond vooraan in een groep planters die toekeken hoe de sloep van het schip naderbij kwam.

'Kapitein!' riep de man die achter op de schuit zat. 'Kapitein Cavalcanti!'

Hij sprong uit de sloep en rende naar de groep kolonisten.

'Brito!' riep Nicolau uit. 'Brito Correia!'

Al snel stond de vroegere lichtmatroos van de *São Gabriel* voor zijn toenmalige commandant. Hij had bredere schouders gekregen, ze waren misschien wel een flinke voet breder geworden, maar hij was inderdaad de kleine held die zich met een dolk op de Tijger had geworpen. De beide mannen aarzelden en vielen toen in elkaars armen, waarbij rang of stand even wegvielen.

Toen Lourenço Velloso stierf, had de wees uit Santarém het hele fortuin van de slavenhandelaar, en dat was niet niets, geërfd, en de zestig slaven die aan boord waren waren van hem. Cavalcanti kocht er zes: drie volwassen mannen en drie jongens. De meest indrukwekkende, een grote gespierde kerel, had een christelijke naam – Sebastião. Hij had op een van de scholen van koning Afonso gezeten, begreep een beetje Portugees en Correia suggereerde zijn vroegere kapitein om hem als opzichter te gebruiken. Cavalcanti sprak de slaaf aan, maar hij antwoordde niet.

'Sebastião! Sebastião!' riep Brito. 'Ben jij het Portugees vergeten?' Maar de man weigerde nog steeds iets te zeggen en Pedro Cavalcanti nam hem mee.

'Het enige waar zij naar luisteren is de zweep,' waarschuwde Correia.

Maar Nicolau hoorde hem niet. Hij keek naar de rij slaven die het strand opliepen en dacht eraan dat hij zich nu in zijn dal kon gaan vestigen.

Op twaalf maart 1546, een jaar na de komst van de slaven, dankte Nicolau Cavalcanti de Heer voor al Diens zegeningen. Geknield bij de palissade die hij op de heuvel boven het meertje had laten bouwen, bad hij samen met de vierentwintig zielen van zijn domein. Acht daarvan hoorden bij wat hij als zijn familie beschouwde: Helena en Tomás, Pedro, thans getrouwd met de dochter van een kolonist, Maria, en hun zonen; maar ook Jandaia en de twee bastaarden die zij hem geschonken had.

Sebastião en de vijf andere Bakongos stonden bij de tien Indiaanse slaven, van wie de helft Potiguara was. De beide groepen hadden weinig sympathie voor elkaar. De Afrikanen hadden natuurlijk algauw een streepje voor op de Indianen, die zij primitief, simpel en lui vonden.

Cavalcanti had het domein, waar de suikerrietvelden achter de heuvel lagen waarop de omheining stond, Santo Tomás genoemd. Langs de rivier die uit de rotsen kwam werd een molen gebouwd.

De *malocas* die Nicolau op de dag dat hij het dal ontdekt had had gezien, lagen aan het andere eind van de heuvelrug. De ongeveer honderd inboorlingen die daar woonden had hij bij zijn aankomst hartelijk bejegend, veel cadeaus gegeven en hun nog meer beloofd als ze hem zouden helpen de grond te bewerken. Zoals zo vaak bij de eerste contacten tussen Portugezen en Braziliaanse stammen, waren ze in de *malocas* blij geweest. De Indianen vonden het een eer als er vreemdelingen in de buurt kwamen wonen en vermaakten zich als zij de Potiguaras onder leiding van negers naar de velden zagen gaan.

De Cavalcanti's hadden zich aan de grens van de kolonie geïnstalleerd en Dom Duarte had daar geen bezwaar tegen gemaakt, al vond hij de onderneming gevaarlijk, want hij was tevreden dat de kolonie uitdijde. Als Nicolau het in zijn dal zou uithouden, zouden anderen op het idee komen om zich te vestigen op de landerijen tussen Santo Tomás en Olinda. Maar op de dag dat Cavalcanti God dankte voor dit eerste jaar, ook al was dat nog zo bescheiden geweest, waren er gebeurtenissen op til die Santo Tomás in het ongeluk zouden storten.

In Iguarassu, onder de boom waar hij te midden van zijn hofhouding van ballingen resideerde, hield Afonso Ribeiro een rede.

'*Senhores*, ik vraag u, waarom werken in het paradijs? Waarom je rug breken als het land je voedt zonder dat je er iets voor doet?'

De '*senhores*', een onsamenhangend groepje luiaards en criminelen, slaakten dronkemanskreten. De kinderen en kleinkinderen van Ribeiro liepen tussen hen rond, een hele meute bastaards van allerlei leeftijd, die oppasten niet in de buurt van de heer des huizes te komen.

Inboorlingen uit naburige *malocas* waren ook naar hem komen luisteren, al begrepen zij niet veel van wat hij zei. Maar bij hem kwamen ze tenminste geen priester tegen die hen berispte of planters die zeiden dat ze op hun velden moesten komen werken, maar alleen mannen zoals zij, die graag kletsten, zongen en dansten.

'Die beste Dom Duarte geeft het voorbeeld,' ging Ribeiro verder. 'Hij werkt hard voor de kolonie... en laat de zonen van anderen ophangen om uit de penarie te komen,' voegde hij er met sombere stem aan toe. 'Maar ik zeg het u, *senhores*, hij is te laat gekomen.'

De *degredados* hielden op te drinken en lawaai te maken om de rest te kunnen horen.

'Anderen voor hem zijn hier al gekomen, als herders met de opdracht de inboorlingen ten hemel te leiden. Ze hebben hen wijs gemaakt dat de grote kano's hen naar het land van de voorvaderen zouden brengen. Ik heb met mijn eigen ogen wilden van vreugde zien huilen als ze tot slaaf werden gemaakt. Maar nu weten alle stammen dat de Portugezen hen willen onderwerpen, en ik weet het zelf ook, want ik ben Ticuanga, krijger van de Tupiniquin!'

Ribeiro stond op, liep wankelend zijn *maloca* binnen, en kwam eruit met een kalebas die hij voor de inboorlingen heen en weer begon te schudden terwijl hij met zijn grote voeten op de grond stampte.

'Dans, Muraci! Dans, Piragybe!' riep hij.

Die beide krijgers kwamen met nog een paar anderen naar voren om met Afonso Ribeiro mee te doen.

De zuippartij, die vroeg begonnen was, ging door tot in de nacht, tot er niets meer te drinken was. Een *degredado* met de naam Martim Pinto, een struikrover uit Cascais, had een nog volle kruik voor zichzelf gereserveerd, en zat daarmee tussen zijn benen. Toen een jonge krijger die wilde pakken, begon hij te schreeuwen: 'Dief! Smeerlap!'

Hij greep de inboorling bij zijn enkel en liet hem op de grond vallen. Andere krijgers schoten te hulp, en boze kreten klonken op. Pinto stortte zich met een dolk in de hand op de jonge inboorling. Plotseling werd het stil en de ruzie hield even snel op als hij begonnen was. Ribeiro, die er niet aan mee had gedaan, liep naar het lichaam van de

142

jonge krijger, die lag te sterven.

'*Meu Deus*, Pinto! Jij hebt de zoon van een opperhoofd gedood!'

Drie dagen later zwoer de vader van de vermoorde krijger voor de zijnen zijn zoon te zullen wreken. Hij had opdracht gegeven om het hoofd van zijn nakomeling af te snijden en het schoon te maken.

'Dit is mijn zoon,' klaagde hij terwijl hij de schoongemaakte schedel aan zijn volk toonde. 'Zij die ontkennen dat het kwaad is gekomen moeten nu maar kijken naar zijn stomme lippen en zijn blinde ogen.'

Hij gaf de schedel aan een groep van zes krijgers die hij uitzond om de volgende boodschap door het bos te verspreiden: 'Wij hebben de Portugezen als broeders ontvangen. Wij hebben gezongen en gedanst als onze vrouwen bij hen gingen liggen. Wij hebben hen die hen wantrouwden bespot. Wij hebben zitten lachen toen wij onze vijanden in hun velden zagen werken. Dit is de zoon van ons opperhoofd – en hij lacht niet meer.'

De krijgers gingen van *maloca* naar *maloca*, en richtten vaak het woord tot clans die hun eigenlijk vijandig gezind waren. Zo kwam het nieuws ook bij de Potiguaras in het noorden, waar de ouden op goede voet stonden met de Franse houthakkers die tussen hen woonden. De Normandiërs herinnerden aan het lot van de Tijger en van twintig andere zeerovers die door de Portugezen in Pernambuco in 1533 gevangen waren genomen. Acht van hen waren opgehangen, en de anderen waren tot hun schouders in het zand ingegraven om vervolgens tot doelwit voor haakschutters te dienen.

'Als ze al zo wreed zijn met christenen, hoe zullen ze dan de Potiguaras behandelen?' vroegen de Normandiërs.

Als antwoord hierop besloten de oudsten om het dorp van de kolonisten die zich in Itamaraca hadden geïnstalleerd, tegenover Iguarassu, te vernietigen.

Toen de schedel ten slotte bij de Caetés kwam, vijanden van de Tupi-stammen, werden de oude twisten vergeten. De krijgers namen hun ploertendoders en hun bogen en trokken naar het noorden. De weg van een van hun groepen, veertig man sterk, leidde door het dal van het domein van Santo Tomás.

Op 27 maart 1546, tegen het eind van de middag, zag Nicolau Cavalcanti rook opstijgen boven de molen waar Pedro met Sebastião en drie inheemse slaven aan het werk was. Op het domein van Santo Tomás, ver weg van Olinda en Iguarassu, wist men niets van de zuippartij en wat daarvan het gevolg was geweest.

Nicolau dacht eerst dat zijn zoon een stuk bos rond de molen ontgon, maar toen de rook dichter werd begon hij ongerust te worden. Pedro was nog niet thuis toen de andere slaven na het werk op de velden naar hun hutten kwamen. Hij zette de meesten van hen langs de palissade op wacht, waarschuwde Helena en de andere vrouwen, en ging toen met twee Bakongos naar beneden, naar de molen.

Toen hij op de kaalslag eromheen aankwam, zag Nicolau Cavalcanti een tafereel dat hem met afgrijzen vervulde.

'*Meu filho, meu filho*! Heilige Moeder Gods, mijn zoon!' riep hij uit. Pedro en drie Indiaanse slaven waren bij klaarlichte dag overvallen, en hadden alleen een zwaard en twee bijlen om zich te verdedigen. Er stak een dozijn pijlen in het lichaam van de zoon van Nicolau, zijn onderbuik was opengereten en één bloederige massa geworden.

Cavalcanti brulde het uit van verdriet en stond op zijn benen te wankelen. Zonder ergens anders naar te kijken dan naar het verminkte lichaam van zijn zoon, deed hij een paar stappen achteruit.

Sebastião was water gaan halen bij de rivier toen de Caetés tussen de bomen vandaan waren gekomen. Toen hij de Indianen zag aanvallen, was hij naar de andere oever gevlucht. Hij kwam uit zijn schuilplaats, stak de rivier over en stamelde een paar woorden tegen zijn meester, die hem aankeek zonder hem te zien.

Trillend keek Cavalcanti naar het bos, maar van hen die deze wreedheid begaan hadden was geen spoor meer te bekennen. Een balk van de brandende molen brak krakend doormidden en viel midden in de vuurzee.

Nicolau begon de resten van de kleren van zijn zoon te verzamelen. Ten slotte merkte hij de aanwezigheid van Sebastião op, maar hij schudde zijn hoofd toen de slaaf het lijk van Pedro wilde dragen. De beide Bakongos die met hun meester meegekomen waren keken angstig naar het bos.

Voorzichtig tilde Cavalcanti het lichaam van zijn zoon op en liep naar de jungle. De Bakongos baanden met hun handen een weg. Ten slotte kwamen ze bij de palissade, waarvan de ingang versperd was met balken en doornbossen. Toen de Afrikaanse slaven de doorgang hadden vrijgemaakt, kwam Helena naar voren, met haar handen voor haar gezicht, terwijl haar lippen bewogen zonder geluid voort te brengen. Plotseling slaakte zij een kreet en viel aan de voeten van haar man op haar knieën.

'Pedro! Jezus, Jezus, mijn Pedro!' snikte zij terwijl zij naar het verminkte lichaam keek.

Nicolau wilde haar wegduwen maar Helena greep zich aan zijn benen vast tot hij zich met een woedend gebaar bevrijdde.

'In 's hemelsnaam!' riep hij. 'De wilden die dit gedaan hebben kunnen ons elk moment aanvallen.'

Hij duwde zijn vrouw weg, keek recht voor zich uit en liep naar de hut van Pedro. Hij ging naar binnen, legde zijn zoon op de grond en bedekte hem. Toen hij naar buiten kwam, was Maria, Pedro's vrouw bij Helena.

'O, Nicolau,' kreunde zij, *'senhor...'*

Hij sloeg een arm om haar tere schouders en drukte haar tegen zich aan.

'Dat zullen we die wilden betaald zetten,' beloofde hij. 'Bid nu voor onze zoon.'

Toen hij voelde dat zij weer overeind kwam, liet hij haar los en liep weg. Sebastião kwam met belangrijk nieuws naar hem toe rennen. Een van de Potiguara-slaven had geprobeerd over de omheining te vluchten maar was weer gevangen.

'Waar is hij?' vroeg Cavalcanti.

De Afrikaan bracht hem naar een jonge, steviggebouwde inboorling, die hij drie maanden geleden in Olinda had gekocht. De man zat met gebogen hoofd op de grond, zijn armen achter zijn rug aan een paal gebonden. Toen zijn meester eraan kwam, keek de slaaf doodsbang naar hem op.

Zonder een woord te zeggen trok Nicolau zijn zwaard dat hij met beide handen vasthield. De Potiguara probeerde zich uit alle macht te bevrijden, en ging zo hard tekeer dat de paal scheef werd getrokken.

Cavalcanti zwaaide met zijn wapen en hakte hem het hoofd af.

De zes andere Indiaanse slaven van het domein waren bij deze executie aanwezig. Nicolau beval een van hen, een Potiguara die al vier jaar bij hem was en die hij José had genoemd, om naar voren te komen.

'Zijn er soms nog anderen die naar de wilden toe willen?'

'Nee, *senhor*!' riep José, die in Olinda gedoopt was, uit. 'Wij zijn goede christenen. Maar hij,' zei hij terwijl hij naar het onthoofde lichaam keek, 'was een wilde.'

'Zet zijn kop boven op de palissade,' zei Cavalcanti. 'Om die beesten uit het bos te laten zien wat hen te wachten staat.'

'Ja, *senhor*, geloofd zij de Heer,' zei José, waarbij hij een van de weinige christelijke uitroepen die hij kende opzegde.

Behalve de Cavalcanti's waren er binnen de omheining nog zes Bakongo's en zes inheemse slaven, vier mannen uit naburige *malocas*, Helena, Maria en Jandaia, Tomás en de andere kinderen. Sebastião schatte de bende die de molen had vernietigd op minstens veertig krijgers.

Nicolau vroeg een van de Indianen uit de naburige *malocas* of zijn mensen zouden willen komen helpen de palissade te verdedigen. De man antwoordde dat het geen zin had om het risico te lopen door het bos te gaan. Ze waren vast al op de hoogte van wat er bij de molen was gebeurd, en dus het oerwoud ingevlucht. Cavalcanti dacht dat hij wel eens gelijk kon hebben.

Hij bekeek wat hij had om zich mee te verdedigen en beval Sebastião om de beide valkenetten die hij van een schip gehaald had dat in de buurt van Olinda schipbreuk had geleden, te laden. Vervolgens zette hij wachtposten uit, maar er kwam geen aanval, die nacht niet, en de volgende dag ook niet. Toch liet Cavalcanti zijn waakzaamheid niet verslappen. Op de ochtend van de tweede dag stuurde hij een Bakongo en een Potiguara om water te halen in de rivier, en de negerslaaf kwam een paar minuten later terugrennen. De Caetés, die zich in het bos verborgen hadden, hadden de andere man gedood; de Afrikaan had alleen maar kunnen ontsnappen omdat hij achter de Potiguara liep.

Pedro moest zonder hulp van een priester begraven worden. Cavalcanti, die naast Helena en Maria, op haar achttiende al weduwe, stond, voelde dat hij kwader werd bij iedere schep grond die op de ruwhouten kist werd gegooid. Hij keek naar Tomás, wiens smoeltje van negenjarig kind heel ernstig stond. Hij had twee zoons verloren. Eén had Brazilië verlaten, de andere rustte nu voor eeuwig in zijn grond. *De derde zou hij niet verliezen!*

Een week na de begrafenis dook er een groep Indianen uit het bos op en rende naar de palissade. Cavalcanti stond op het punt opdracht te geven om met een van de valkenetten te vuren, toen hij verschillende inboorlingen uit de naburige *malocas* herkende. De groep bestond uit negen mannen, vrouwen en kinderen. Toen zij binnen waren, vertelde een van hen dat veel leden van zijn stam zich in het bos schuilhielden, en dat anderen gedood waren door de bende die de molen had aangevallen. Het waren Caetés, die nog woester waren dan de Potiguaras.

Cavalcanti besefte wel dat de nieuwkomers snel zijn voedselvoorraad en zijn water zouden doen slinken, maar hij ontving ze toch graag, want zij verdubbelden bijna het aantal manschappen waarover hij beschikte.

Die avond ging hij vroeg slapen, nadat hij Helena en Jandaia bij een van de valkenetten op wacht had gezet, en Sebastião met een tweede Bakongo bij de andere. Hij zou ze voor zonsopgang, het moment waarop de kans op een aanval het grootst was, aflossen.

146

De Caetés, die de palissade dag en nacht in de gaten hielden, besloten die avond aan te vallen. Twee groepen van acht krijgers, die de voorhoede vormden, kropen tot aan de bomen tegenover de kanonnen.

Helena en Jandaia, gewapend met lansen, staarden zwijgend in de duisternis. Ze hoorden een geluid aan de andere kant van de palissade, vroegen zich af of zij Nicolau wakker moesten maken, maar zagen dat Sebastião en de andere Bakongo kennelijk niet gealarmeerd waren.

Even later zette de eerste groep Caetés lange stokken tegen de palissade aan. Twee krijgers klommen naar boven, maar toen zij op het platform wilden gaan staan waar ook de twee vrouwen waren, duwden die hen met hun lansen terug. Helena stootte met zoveel kracht toe dat haar wapen de borst van een van de aanvallers doorboorde. Meteen hield zij haar toorts bij de valkenet, die zijn schroot over het open terrein vlak voor de palissade spoot.

Ook Sebastião vuurde nu en Cavalcanti, die wakker was geworden, klom naar boven, naar de vrouwen. Hij hielp Helena om het kanon te herladen en zag dat zijn mannen langs de hele omheining pijlen de duisternis inschoten. Vier Bakongo-slaven, gewapend met musketten, slaakten de oorlogskreten van hun volk terwijl zij op de vijand schoten.

De twee eerste kanonschoten waren al voldoende om de Caetés terug te dringen, en het lukte maar drie van hen om op de slechtst verdedigde plek over de omheining te klimmen. Cavalcanti, die ze naar de gebouwen zag rennen, sprong van het platform af – een sprong van tien voet, waardoor hij even buiten adem raakte – en rende toen naar de krijgers, waarbij hij schreeuwde om zijn troepen te waarschuwen.

Een van de Caetés bleef staan en gooide een ploertendoder in de richting van Cavalcanti, die rakelings langs zijn schedel vloog. De Portugees liep verder en gaf de Indiaan een dodelijke klap met zijn zwaard.

De tweede Caetés kreeg hij te pakken bij de ingang van de hut waar de kinderen waren. De man daagde hem uit, zwaaide met zijn ploertendoder en begon van de ene voet op de andere te springen. Cavalcanti stormde met zijn zwaard in de aanslag op hem af, maar de krijger ontweek hem en raakte zijn tegenstander met zijn wapen aan de schouder. Nicolau wankelde achteruit, hervond zijn evenwicht en viel weer aan, zonder zich iets van de pijn in zijn schouder aan te trekken. Hij raakte de pols van de Caeté, die daarop zijn ploertendoder liet vallen. Een schreeuw van een kind in de hut leidde de vroegere zeeman af en de Indiaan maakte daarvan gebruik om naar de omheining te vluchten.

Doodsbang rende Nicolau naar binnen en riep: 'Tomás! Tomás!'

Maar zijn zoon was ongedeerd. De Potiguara-slaaf José hield een bijl boven een Caeté die op de grond lag. Cavalcanti liet zijn zwaard vallen, rende naar Tomás, en tilde hem met zoveel kracht omhoog dat het kind ervan kreunde. Hij drukte het tegen zich aan en mompelde: 'Heilige Moeder Gods, dank u.'

Die nacht volgde er geen andere aanval. Bij zonsopgang hoorde Cavalcanti, die op het platform geklommen was, in de verte schoten. Hij durfde de omheining niet te verlaten om te kijken waar die vandaan kwamen maar hoefde niet lang te wachten om uit het bos een flinke troep Portugezen onder leiding van Afonso Ribeiro aan zien komen.

Nicolau begon als een gek over het platform heen en weer te springen, en uit alle macht naar de oude *degredado* en zijn metgezellen te roepen. Hij kwam naar beneden en gaf zijn slaven opdracht om de toegang vrij te maken van balken en takken.

'Ribeiro!' riep hij dolblij uit. 'Ze hebben ons niet vergeten!'

'Dom Duarte was bang voor uw veiligheid. En ik, Affonso Ribeiro, heb mij als vrijwilliger gemeld om met deze mannen naar Santo Tomás te gaan.'

'Moge God jullie belonen!'

Een officier van de militie van Dom Duarte vertelde Cavalcanti dat de aanval op het domein niet op zichzelf stond. De inboorlingen waren in de hele kolonie in opstand gekomen, zelfs de clans die met de Tobajaras een bondgenootschap hadden. Er waren kolonisten gedood en Iguarassu en Olinda waren belegerd. *Marinheiros* die in de buurt van Olinda aan land waren gegaan hadden de hoofdstad ontzet, maar Iguarassu was nog steeds omsingeld.

Cavalcanti wilde weten waarom deze opstand was uitgebroken, maar de officier antwoordde: 'Dat vertel ik u later wel. We moeten nu snel zijn. U en uw mensen moeten naar Olinda vluchten.'

Nog geen uur later bracht Nicolau zijn familie en zijn slaven naar de rivier, waarlangs zij naar Olinda liepen. Toen ze aan de voet van de heuvel waren vanwaar hij het dal de eerste keer had bekeken, draaide hij zich om en zag hij boven de omheining rook opstijgen. Hij legde zijn hand op de schouder van zijn zoon Tomás, die naast hem liep en beloofde hem: 'We zullen teruggaan. Deze grond is van de Cavalcanti's. Voor altijd! Jouw broer Pedro is ervoor gestorven.'

Boek twee

De jezuïet

VII

Er was, op die zwoele ochtend in maart 1550, niemand die getuige was van het lijden van *padre* Inácio Cavalcanti. Zij die de priester hadden kunnen zien – de mannen die hem naar het domein Santo Tomás brachten – sliepen nog. Het was niet de eerste keer dat Inácio het bos inging, maar dit keer deed hij dat met onbekenden, ver van degenen met wie hij zijn eerste jaar in Brazilië had doorgebracht. Hij voelde een soort eenzame verbondenheid met deze wilde natuur, die hij nog nooit tevoren gevoeld had.

Hij reciteerde vurig het onzevader en het Ave Maria en bekeek tussen beide gebeden door eerbiedig de omgeving. Zijn blik gleed langzaam langs de stam van een monumentale mahonieboom omhoog tot het punt waar de takken ontsproten, onder het bladerdak van het bos, en daalde toen weer af naar het plantenmozaïek op de grond. Hij stak zijn hand uit om met zijn lange dunne vingers over een groot blad, vochtig van de dauw, te strelen, volgde de moeizame weg van een dikke tor op een jacarandawortel die uit de grond stak, en droomde toen weg bij een zwerm kleine gele vlindertjes die tussen de bladeren van een struik ronddanste. Hij voelde een dringende behoefte om op te staan en het bos in te gaan, om zonder angst met grote stappen tussen die bomen door te lopen, om één te worden met de beesten, de planten en al die wonderen van deze tuin des Heren.

Met knikkende knieën en zijn wangen nat van de tranen smeekte hij zachtjes: 'Mijn God, open mijn ogen, mijn hart en mijn ziel voor deze rijke boomgaard. Moge mijn armzalige lichaam al het lijden kennen dat onze Heer is toegebracht.'

Inácio Cavalcanti, dertig jaar oud, was een grote magere man met smalle schouders. Hij had een fijn besneden gezicht, een bleke huidkleur en zachte blauwe ogen onder een kortgeknipte dos bruin krulhaar. In tegenstelling tot de meeste van zijn tijdgenoten, had hij geen baard. Zijn gebrek aan kracht compenseerde hij met zijn geestkracht en zijn enthousiasme.

Het was vijftien jaar geleden sinds zijn oom Nicolau hem gevraagd had naar *padre* Miguel, zijn leraar. Al die tijd had Inácio de verwachtingen van zijn familie niet teleurgesteld, die een teer en leergierig kind aan God wilde wijden.

Was het *padre* Miguel die de jonge Inácio had geïnspireerd met verhalen over de verloren zielen van de wilden, toch had hij bij zijn leerling niet het verlangen naar het land van Santa Cruz gewekt. Voor Inácio begon de reis toen hij een man ontmoette die hij ten slotte als een heilige ging vereren.

In juni 1540 was pater François Xavier met een andere priester, Simon Rodrigues de Azevedo genaamd, in Lissabon aangekomen. Beiden behoorden bij een pas gestichte orde die tot doel had voor Christus en Diens kerk te strijden: de Sociëteit van Jezus, een kleine groep mannen, getraind door een apostel-soldaat, Ignatius van Loyola geheten. Deze had, nadat hij in de strijd tegen de Fransen bij het stadje Najera gewond was geraakt, zijn zwaard weggeworpen om een veel ambitieuzere strijd te gaan voeren, die van de verovering van zielen.

François Xavier en Simon Rodrigues waren als missionarissen naar Indië gestuurd, en hadden in Lissabon gehoord dat zij nog acht maanden moesten wachten voordat de volgende vloot naar Goa zou vertrekken. Rodrigues, voormalig secretaris van een kardinaal aan het hof, werd welwillend door koning João III ontvangen. Met de jaren hield de monarch zich steeds meer bezig met de zeer speciale verplichting die op Zijne Zeer Katholieke Majesteit rustte, namelijk het zieleheil van zijn onderdanen. Hij was dan ook zeer aangedaan toen de beide jezuïeten verklaarden dat de hoofdstad, die baadde in weelde, net zo weinig blijken van vroomheid gaf als de dorpen die zij bij de heidenen wilden gaan opzoeken. Zodoende hielden de beide priesters zich bezig met de reiniging van Lissabon terwijl zij op een schip moesten wachten.

In die tijd had Inácio zijn studie in Lissabon afgerond en was hij van plan om naar Sainte-Barbe te gaan, hetzelfde college dat ook Loyola, Xavier en de andere stichters van de Sociëteit van Jezus hadden bezocht. Maar op een dag, toen hij door Lissabon wandelde, bleef hij op het grote Rossioplein staan om naar François Xavier en Rodrigues te luisteren.

Voor het strenge gebouw waar de inquisitie huisde gingen zij tekeer tegen de zondigheid van de burgers van de stad. De oproepen van François Xavier tot eenvoud, goede wil en vroomheid raakten Inácio Cavalcanti en honderden andere Portugezen, die zwoeren dat zij het aantal boetelingen dat door de smalle straten van de hoofdstad zwierf zouden doen toenemen.

Bij een van die processies wankelde Inácio, verzwakt door vasten en zelfkastijding, viel en sloeg met zijn hoofd op de keien. Toen hij zijn ogen weer opendeed, zat François Xavier naast hem geknield.

'Dit lijden brengt ons dichter bij Christus,' had de jezuïet gezegd, 'maar wij moeten ook onze krachten sparen voor de grote veldslagen die ons nog wachten.'

Geknield in het oerwoud, dacht Inácio aan die woorden van Xavier: 'De grote veldslagen die ons nog wachten.' Hoe vurig verlangde hij ernaar om het zwaard des geloofs in de strijd tussen goed en kwaad te voeren! Hoezeer stond hij te trappelen om de heidense zielen de liefde en de redding van Christus te brengen!

Er was een jaar verstreken sinds hij in de Terra de Santa Cruz was gekomen en tot nog toe was de oogst maar mager geweest. Maar hij had geduld, de tijd van de grote oogst zou komen als de verloren kinderen, zo lang weg van hun Vader, uit de duisternis zouden worden gehaald waarin zij sinds de schepping rondzwierven.

In Lissabon was Inácio praktisch niet meer van de zijde van Xavier geweken sinds zij elkaar ontmoet hadden. Toen het ogenblik van vertrek voor de laatste was aangebroken – Simon Rodrigues was ziek en aarzelde, had zich door João III laten overhalen om in Lissabon te blijven – huilde Inácio openlijk.

'Volg Simon,' raadde Xavier hem aan. 'Dan zal de Heer je vast wel wijzen wat Zijn bedoelingen met jou zijn.'

Inácio was in het oude klooster van São Antônio ingetreden, dat de koning aan Rodrigues had geschonken om er het eerste verblijf van de Sociëteit in Portugal van te maken. Inácio's vroomheid en toewijding vielen Rodrigues op en hij zond hem naar de universiteit van Coimbra – die João III eveneens aan de jezuïeten had geschonken – om de studie te volgen die hij anders in Parijs zou hebben gedaan.

'Wapen je om harten en geesten te veroveren,' had de jezuïet de jongeman aangeraden.

Vlak voordat hij naar Coimbra vertrok, was Inácio op bezoek gegaan bij *padre* Miguel, die in een bedompt krot in Alfama, de oudste wijk van Lissabon, aan de tering lag te sterven. Hij had met enthousiasme gesproken over de missie van François Xavier, over de Sociëteit van Jezus en vooral over zijn vurig verlangen naar de mooiste beloning van alle, namelijk het martelaarschap voor God.

Padre Miguel rilde toen hij naar hem luisterde.

'Inácio! Inácio! Mogen mijn zwakheden je bespaard blijven!'

'Uw zwakheden?'

'Tot tweemaal toe heeft de Heer mij geroepen om Zijn wilde wijn-

153

gaard te verzorgen, en tot twee keer toe heb ik hem teleur moeten stellen.' De priester schoof heen en weer over zijn stromatras vol ongedierte. 'In Santa Cruz, en ook in Afrika.'

Een maand later was *padre* Miguel overleden. Inácio was al in Coimbra waar hij een kleine slaapzaal moest delen met negen andere novicen die allemaal de gelofte van armoede, kuisheid en gehoorzaamheid wilden afleggen. De dag na zijn aankomst had hij een jongeman, niet al te groot en even mager als hij, leren kennen, die zich stotterend had voorgesteld: 'M...Manuel da Nó...Nóbrega.'

Inácio had zich op zijn beurt voorgesteld en had toen de nieuwkomer een nog vrij bed aangewezen. Nóbrega had geknikt om hem te bedanken, en nadat hij een pakje op zijn deken had gezet, had hij de aanwezigheid van Inácio volkomen vergeten om te knielen en te bidden.

De andere novicen noemden deze zoon van een magistraat algauw de Stotteraar, maar het was Inácio opgevallen dat zijn spraakgebrek als bij toverslag verdween als hij in volledige verbondenheid met God was. Die eerste nacht, toen de anderen sliepen, had Nóbrega zich tot Inácio gewend en hem gevraagd: 'Waarom rusten wij terwijl er een wereld vol zondaars op ons wacht?'

Waarop beide jongens het college waren uitgeglipt om door de straten van Coimbra te gaan zwerven. Het was twee uur in de ochtend, en de stad sliep maar dat weerhield Nóbrega er niet van om als een gek tekeer te gaan met het klokje dat hij droeg en samen met Inácio uit volle borst te schreeuwen: 'Zondaren wacht de hel! Zondaren wacht de hel.'

Gedurende de vier volgende jaren – in de loop waarvan Inácio en Nóbrega tot priester werden gewijd en toegelaten werden tot de Sociëteit van Jezus – hadden zij onophoudelijk het goede woord gepreekt, geesten uitgedreven bij bezetenen, zondaressen geholpen, en galeiboeven de biecht afgenomen.

Tegen het eind van 1548, toen Simon Rodrigues, die voor Portugal aan het hoofd van de Sociëteit was komen te staan, hem naar Lissabon liet komen, was Inácio dolgelukkig. Sinds François Xavier zeven jaar eerder vertrokken was had hij nooit de hoop verloren om ook naar het oosten te gaan. Brieven die met onregelmatige tussenpozen in Lissabon en in Rome aankwamen, bevatten soms nieuws van de missionaris. Goa, Ceylon, Cochin, Malakka – de soldaat Gods deed de 'heidense' kusten een voor een aan.

Van Rodrigues, die een invloedrijk personage aan het hof was geworden, hoorde Inácio dat Xavier van plan was om naar het koninkrijk van Cipangu te gaan om het heilig vaandel op te heffen te midden van de veldheren van de rijzende zon. Maar Inácio zou niet naar hem toe gaan, zoals hij had gehoopt.

'Wij hebben jou niet in het oosten nodig,' had Rodrigues gezegd. 'Jij gaat met Nóbrega en vier andere paters de heidenen van Santa Cruz bekeren.'

Met uitzondering van Pernambuco en São Vicente waren de kapiteinschappen die João III gewild had, allemaal mislukt. De Fransen bedreigden opnieuw de Portugese bezittingen en wat nog veel erger was, de vijanden die van plan waren het gebied te bezetten waren protestant. Dom João had dus Tomé de Sousa gestuurd, met duizend kolonisten en soldaten, onder wie ruim honderd *degredados*, om de Braziliaanse kolonie opnieuw te bevolken, waarbij de Sousa de eerste gouverneur-generaal zou worden.

Inácio, Nóbrega en de vier andere jezuïeten waren in februari 1549 met de vloot van de Sousa vertrokken. Na een reis van twee maanden waren zij in Bahia de Todos os Santos aan land gegaan, vierhonderd mijl ten zuiden van Pernambuco, en Tomé de Sousa was meteen begonnen om een stad te bouwen, waaraan hij de naam São Salvador gaf. In één jaar tijds bouwden Nóbrega en zijn paters een kapel en een slaapzaal en waren zij begonnen de onderdanige inboorlingen die vlak bij de muren van de nieuwe stad woonden te bekeren. De intelligentste kleine Tupinambás leerden al lezen en schrijven met de kinderen van de kolonisten. Maar Nóbrega had grootsere plannen. Hij had gehoord over de oom van Inácio, die in Pernambuco woonde, en had zijn vriend opdracht gegeven om daarheen te gaan.

'Stel u op de hoogte, pater Inácio, van de zielen die in Nova Lusitania op redding wachten,' had Nóbrega gezegd.

Inácio ging in Olinda aan land en was meteen op weg gegaan naar het domein Santo Tomás.

'Heer,' bad hij, geknield in het bos, 'wij zijn gekomen om dit volk het juk van het geloof op te leggen. Moge het dat met vreugde dragen!'

Hij stond weer op en liep naar de plek waar zijn gidsen sliepen, twee mestiezen en twee Tobajaras.

'Opstaan! Opstaan, mijn zonen!' riep hij vrolijk. 'Laten wij op weg gaan!'

Een van de mestiezen, die Portugees sprak, kwam overeind en wreef zich de ogen uit.

'Geen haast, *padre*. Wij zijn al in het dal van de Cavalcanti's.'

'Mijn zoon, wij móeten ons haasten. Wij hebben niet genoeg tijd.'

De nakomeling van een Portugese houthakker en een Potiguara rekte zich eens uit.

'Ken jij onze Heer?' vroeg de jezuïet hem plompverloren.

'*Sim, padre.*'

Inácio liep naar de andere gidsen. De beide Tobajaras leken vrij veel op de Tupinambás die de priester in São Salvador had gezien. Ze waren klein, hadden een koperkleurige huid, donkere ogen, en een rond, glad gezicht met een platte neus. Zij verfden hun lichamen niet, zoals de inheemse gewoonte was, en waren eraan gewoon geraakt hun naaktheid te verbergen met een ongemakkelijke korte broek.

Wat Inácio in de inboorlingen fascineerde, was hun kapsel, die smalle strook haren rondom het hoofd, met een kale plek van één slaap naar de andere, een soort tonsuur. Zou dat een inwijdingssymbool zijn? En als dat zo was, van wie hadden die heidenen dan geleerd om de bovenkant van hun schedel kaal te scheren, wat aan de doornenkroon deed denken?

De jezuïeten hadden de reizen van de apostelen bestudeerd en geconcludeerd dat als er één tot Brazilië gekomen was, dit niemand anders kon zijn dan de Heilige Thomas. Als het hem gelukt was om tot Indië te komen, waar hij ten slotte gestorven was, was het dan niet mogelijk geweest dat zijn missie hem eerst aan deze kusten gebracht had?

De mesties stond op en zei glimlachend: 'Zeker kennen wij de Heer, en de *padres* uit Olinda kennen wij ook. Bijna net zo goed als onze moeders en onze zusters ze kennen,' voegde hij er nog lachend aan toe.

'God zij geprezen!' riep de naïeve Inácio uit.

'Nee, *padre*, verder gaan wij niet,' verklaarde de gids.

Als om zijn woorden kracht bij te zetten, ging hij op de stam van een omgehakte boom zitten.

'Maar ik begrijp er niets van,' zei Inácio.

De mesties krabde zich aan zijn dij.

'Het domein van *senhor* Cavalcanti ligt daar,' zei hij met een hoofdknikje. 'U kunt er ook zonder ons wel komen.'

Ze stonden nu aan de voet van de heuvel waarop Nicolau Cavalcanti zijn eerste omheining gebouwd had, die vier jaar eerder door de Caetés vernietigd was, en nu was vervangen door nieuwe verdedigingswerken. De bomen op de helling waren omgehakt en verbrand; kleurloze percelen lagen her en der verspreid; armzalige plantjes kwamen hier en daar boven de as uit; ergens klampte een geïsoleerde palmboom zich als een schipbreukeling aan de grond vast.

'Maar waarom gaan jullie dan niet met mij mee?' hield Inácio vol.

'De *senhor* is nogal gauw aangebrand,' legde de halfbloed uit, 'wij zijn behoorlijk bang voor hem. Wij blijven liever wachten tot de *padre* ons beduidt dat wij kunnen komen. Wij hebben trouwens vrienden in de naburige *malocas*, en daar worden wij goed ontvangen!'

De jezuïet drong niet verder aan, verliet zijn vier gidsen en begon de heuvel op te klimmen. Zijn voeten, gestoken in sandalen, zaten al snel onder het stof en de as die hij al lopend deed opdwarrelen. De zon brandde hem dwars door zijn zwarte soutane op de rug en toen hij eindelijk voor de ingang van Santa Tomás stond, was hij buiten adem en droop van het zweet. Hij bleef staan, en prevelde een kort gebed voordat hij door de poort van de omheining liep.

Inácio had in Olinda honderden plantages gezien maar was nog nooit binnen de omheining ervan geweest en wist dus niet wat hem te wachten stond. Misschien een paar huizen, een schuur, een suikermolen, andere gebouwen die nodig waren voor een geïsoleerd, hard leven. Maar het eerste dat hem opviel op het domein van zijn oom, was de viezigheid. Schapen, varkens, geiten en kalveren liepen vrijelijk rond over een enorme binnenplaats die vol lag met uitwerpselen. Er waren ook honden, die wakker werden toen Inácio aan kwam lopen en uit de schaduw te voorschijn vlogen om tegen hem tekeer te gaan. Zwermen zwarte, lawaaierige vliegen, die hij vergeefs probeerde te verjagen, vlogen voor hem uit.

Zoals hij verwacht had stonden er meerdere gebouwen binnen de omheining. Aan de andere kant van de binnenplaats lieten ossen onder een dak van palmbladeren de molenstenen van een molen draaien waarin mannen suikerriet wierpen. Daarnaast stonden andere slaven, negers of inboorlingen, rond de ketels met melassestroop.

Het hoofdgebouw, een lelijk vierkant geval met grijze muren, met hier en daar vensters van ongelijke grootte die sterk op schietgaten leken, zag er heel sinister uit. Dit fort met een palissade eromheen, verdedigd door kanonnen, deed vermoeden dat het bestaan op deze verre gronden niet van gevaar ontbloot was. Inácio schrok er niet van – daarvoor had hij te veel geloof en enthousiasme – maar hij voelde een zekere waakzaamheid opkomen, aangescherpt door de herinnering aan de moord op zijn neef Pedro, die hier had plaatsgevonden.

Hij stond bijna op de drempel van het huis toen er een man naar buiten kwam in wie hij met moeite de Nicolau Cavalcanti herkende, die hij zich nog uit Portugal kon herinneren. De trekken waren natuurlijk nog ongeveer dezelfde – ondanks de veel diepere rimpels, de baard en de witte haren – maar wat hij vooral miste was dat gevoelige, intelligente gezicht, en die melancholieke uitdrukking van zijn oom.

De vroegere zeeman had thans een harde, wrede blik die Inácio weer deed denken aan de woorden van zijn gids, de mesties. Hij liep blootsvoets, had lange, vieze teennagels en leek meer op een bedelaar dan op de meester van een plantage. Zijn stoffige broek werd opgehouden met een touw rond zijn middel, zijn vest van grof gelooid leer hing los om zijn schouders, en liet zijn behaarde borst onbedekt. Maar afgezien van zijn verwaarloosde uiterlijk leek Nicolau behoorlijk in conditie voor een man van zestig.

'Welaan, *padre*, wat wil de Kerk nu weer van *senhor* Cavalcanti?' bromde hij.

'Ik ben het, Inácio Cavalcanti – uw neef!'

Nicolau boog zich voorover om de priester eens van dichtbij te bekijken.

'Felipes zoon,' mompelde hij in zichzelf terwijl hij het gezicht van zijn bezoeker bekeek. 'Een kind dat aan God gewijd was... Moedertje! Moedertje!' riep hij plotseling, met een glimlach die zijn gele verrotte tanden bloot deed komen.

'De zoon van Felipe is hier, hier in Nova Lusitania!'

Een gebogen, in het zwart geklede vrouw kwam uit het halfduister en knipperde met haar ogen tegen het zonlicht.

'*Padre*,' zei zij zachtjes. '*Padre*.'

'Dit is Inácio, de zoon van Felipe.'

Zij knikte, maar uit niets bleek dat zij de zoon van haar zwager had herkend.

'Tante Helena...' begon Inácio, maar verder kwam hij niet, zoveel leed zag hij in elke rimpel van dat doodvermoeide gelaat.

'Kom jij uit Olinda?' vroeg Nicolau.

'Rechtstreeks, ja. Ik heb eerst een jaar in São Salvador doorgebracht met gouverneur Tomé de Sousa, die van de koning opdracht heeft gekregen om zijn kolonie in de Nieuwe Wereld weer nieuw leven in te blazen.'

Nicolau keek even somber, maar toen weer blij.

'Kom binnen, zoon van mijn broer, je hebt een lange reis achter de rug. We hebben vlees, maniok en bonen...'

Voordat Inácio een stap naar voren had kunnen doen, legde Helena haar hand op zijn arm en vroeg: 'En mijn kind, Henriques?'

'Hij maakt het goed en werkt in de winkel met mijn vader. U weet natuurlijk dat hij getrouwd is?'

Toen hij aan het gezicht van de oude vrouw zag dat zij dat niet wist, wilde Inácio verdere details geven, maar zijn oom onderbrak hem door te zeggen: 'Wij hebben al geen jaren iets gehoord van die lafaard, hij is gevlucht, hij was niet van het slag om deze grond te veroveren. Zo, dus hij is getrouwd? Misschien is hij dapper genoeg om een vrouw te kunnen bevredigen.'

'Hij is heel blij dat hij teruggegaan is, oom... Arme Pedro! Ik bid vaak voor hem.'

'Bid maar, bid maar,' zei Nicolau, 'ik maak liever die wilden af die hem hebben vermoord.'

Hij draaide zich om en liep naar binnen. Inácio liep achter hem aan en zag het enige, grote, vertrek met laag plafond, dat net zo vies was als de binnenplaats. Een primitieve ladder voerde naar de eerste verdieping. Nicolau stelde zijn neef voor aan de weduwe van Pedro, Maria, en zei dat zijn zoon Tomás die nu dertien was, buiten aan het spelen was met die van Pedro. De andere vrouwen en kinderen die in het vertrek waren, zwegen toen de priester binnenkwam, maar begonnen al snel weer te praten en wiegden heen en weer in hun hangmat. Nicolau nam niet de moeite te vertellen wie zij waren noch welke taak zij op het domein hadden. Verschillende halfbloedkinderen raakten de soutane van Inácio aan of trokken aan de rozenkrans die aan zijn ceintuur hing, maar gingen er spoorslags vandoor toen Nicolau in de inheemse taal iets tegen hen bromde.

Hij nam Inácio mee naar een grote boerentafel die in een ander deel van het vertrek stond, en waar ook weer hangmatten hingen. Dat waren natuurlijk de zijne en die van tante Helena, dacht de jezuïet, wie dit alles zeer tegen de borst stuitte.

Tegen de muren van het huis stonden de meest uiteenlopende voorwerpen: wapens, buskruit, stapels cassave, bonen, kruiken wijn en kruiken water, gebroken en verroeste stukken gereedschap, kettingen om de slaven vast te binden, en aan de balken hingen stukken gedroogd vlees. Kippen pikten op de aangestampte lemen vloer, papegaaien vlogen rond langs het plafond waar twee aapjes aan een touw hingen te schreeuwen en hun tanden naar de bezoeker ontblootten. Vliegen, trager en dikker dan die van buiten, zwermden door de lucht die stonk naar bederf en zweet.

Twee vrouwen brachten wat kommen maniok, grote stukken draderig en verbrand vlees, en bonen die zwommen in het vet. Inácio zei een dankgebed, dat door geklets onderbroken werd, en vervolgens viel Nicolau aan op het voedsel, waarbij hij tussen de happen door zijn neef over de eerste jaren in Iguarassu vertelde . Toen Inácio uiting gaf aan zijn vreugde om in dit prachtige bos te kunnen preken, deze 'tuin

Gods', vertelde zijn oom hem wat hij over de jungle dacht. Een vijandige reus die vernietigd moest worden, met vuur of met de bijl, zodat er in dit land christenen konden wonen. 'Je moet het bos vernietigen om er niet door vernietigd te worden,' besloot hij.

Inácio werd echter nog meer geschokt door de houding van zijn oom ten opzichte van de inboorlingen. Nadat hij de moord op Pedro met een heleboel verschrikkelijke details had verteld, verklaarde Nicolau: 'Sindsdien heb ik duizend keer mijn ogen gesloten en het verminkte lichaam van mijn zoon teruggezien. Duizend keer heb ik gezworen hem te zullen wreken. En die wraak,' zei hij op een opmerkelijk rustige toon, 'die heb ik al vaak genomen.'

'Beste oom, wraak is een zaak van God,' antwoordde Inácio kalm.

'Echt waar, *padre*? Dan heeft God mij deze handen gegeven, en deze wil, om in Zijn naam te handelen. Heidenen zijn Pedro komen vermoorden en het resultaat van ons werk teniet komen doen. Zij hebben geprobeerd om de hele kolonie te vernietigen, maar we hebben ze uit Iguarassu en uit Olinda verjaagd, we hebben ze achtervolgd, en die we te pakken kregen hebben we afgemaakt. Maar er zijn er nog in het bos, meer dan genoeg, want ze fokken als konijnen.'

Nicolau nam een slok wijn voordat hij doorging: 'Als het kan vangen we ze, en dan laten we ze voor ons vissen, jagen en werken. Maar ze zijn wreed, haatdragend, rancuneus en oneerlijk. Voor de barbaarse manier waarop ze hun vrije tijd besteden hebben ze energie genoeg, maar als ze op het veld moeten werken worden het weke doetjes.'

'Misschien moeten wij geduld met ze hebben. Het zijn nog kinderen, geen mensen met verstand.'

'Natuurlijk,' gaf Nicolau toe. 'En wij bewijzen hun een grote dienst door ze uit het bos te halen. Wij leren hun te ploegen, te zaaien, te oogsten – allemaal dingen die hier onbekend waren voordat wij hier kwamen.'

Hij stond van tafel op.

'Rust maar wat uit, Inácio,' zei hij. 'In een land vol heidenen moet een vermoeid christen goed uitrusten. Daar kom je vanzelf wel achter.'

Nicolau liep naar een vrouw in een witte jurk, die in een hangmat lag, en zei iets in het Tupi tegen haar, wat haar deed lachen. Ze stond op haar beurt op en beiden liepen zij het huis uit.

'Heer,' bad Inácio in stilte, 'haal de doorns weg die dat hart verwonden.'

De vrouw in de witte jurk was Jandaia, de dochter van Afonso Ribeiro. Zij was met veertig jaar van een uitgesproken schoonheid en gratie die haar in de ogen van Nicolau verleidelijker dan ooit maakte. De pruilerige uitdrukking uit haar jeugd was verdwenen maar de enigszins hautaine uitdrukking was gebleven. Het feit dat Nicolau nog steeds hetzelfde voor haar voelde gaf Jandaia zelfvertrouwen. Hij sliep met andere vrouwen uit de grote zaal, maar hen gebruikte hij zonder tederheid en er was er niet een die haar plaats had ingenomen.

Zij gingen naar het suikerrietveld vlak bij de palissade, waar zij vaak de liefde bedreven, maar toen zij haar jurk uittrok kleedde hij zich niet direct uit en bleef bij haar staan met een dromerige uitdrukking op zijn gezicht. Zij ging op haar knieën zitten en trok het touw dat hem tot ceintuur diende, los zodat zijn broek op zijn enkels viel. Ze streelde hem, hij ging met zijn hand door haar haren maar bleef ongevoelig voor haar kussen. Toen zij opkeek zag zij dat hij zijn ogen gesloten had, zoals hij vaak deed wanneer zij hem aanraakte, maar de zorglijke uitdrukking was er nog.

'Wat is er?' vroeg zij.

Hij schudde zijn hoofd, legde een hand op Jandaia's schouder, ging tussen het suikerriet liggen en trok haar mee. Hij schopte zijn broek, die nog steeds op zijn enkels hing, uit en begon ruw en snel met haar te vrijen, waarbij hij Jandaia op de grond drukte en met het leer van zijn vest tegen haar huid schuurde. In plaats van hartstochtelijk de naam van zijn maîtresse uit te spreken, zoals hij altijd deed, stootte hij nu alleen een soort hijgend gegrom uit, tot hij klaarkwam. Toen rolde hij onder geritsel van droge bladeren van haar af en bleef doodstil liggen.

'Wat is er toch?' vroeg Jandaia nog een keer.

Ze had die vraag echter nog niet gesteld of ze wist al wat het antwoord zou zijn.

'Is het die magere zwarte gier die je dwarszit?'

Nicolau vond dat een leuke beschrijving van Inácio.

'Ja,' zei hij, 'een zwarte vogel. Maar hij aast op zielen.'

'Nou en?' vroeg Jandaia, die zich vrolijk maakte. 'Laat hij die van de *malocas* van mijn vader maar nemen. Bij Afonso Ribeiro zijn er duivels genoeg.'

Nadat zij de Caetés die Iguarassu en Olinda belegerden hadden verjaagd, hadden de Portugezen onderzoek gedaan naar wat er bij Ribeiro gebeurd was. Dom Duarte had erop gestaan dat Jandaia's vader en zijn hele 'stam' uit Pernambuco verbannen zouden worden. Maar na een lange nacht van liefde had Jandaia Nicolau gesmeekt om een goed woordje voor haar vader te doen, met het argument dat ook zij verbannen zou worden naar de verre gronden van de Tupiniquin, waar zij vast en zeker dood zou gaan. Nicolau had toen tegenover Dom Duarte verklaard dat hij persoonlijk garant stond voor Ribeiro, wiens naaste familie – ontdaan van uitschot en zuiplappen – zich op Santo Tomás zou vestigen. En daar bevond zij zich nog.

'Inácio is zuiver, te zuiver voor de Terra do Brasil,' zei Nicolau somber. 'Ik vrees het ergste voor dat priestertje. Mannen als Ribeiro – en ikzelf – zullen zijn onschuldig hart breken.'

Inácio lag in een hangmat die Helena in een schuur naast het hoofdgebouw had laten ophangen, maar kon niet slapen omdat hij alsmaar moest denken aan wat hij op Santo Tomás gezien en gehoord had. Tegen het einde van de middag, toen de slaven met hun meester terugkwamen van de velden, was deze naar de priester gelopen en had tegen hem gezegd: 'Kijk eens naar mijn *peças* uit Afrika, deze zwarte zonen van de aarde, sterk en gezond. En kijk nu dan maar eens naar hen die zij voor zich uitdrijven, die schapen met hun waterige ogen! Hoe valt deze aarde te veroveren met zulke dienaars?'

Die 'dienaars' waren tien Afrikanen en een vijftigtal inboorlingen die er inderdaad armzalig uitzagen en geslagen voortliepen. Zij leken noch uitgeput door hun dagtaak noch opgelucht door het vooruitzicht van de rust die hen wachtte. De meesten waren klein – sommigen hadden zelfs iets vrouwelijks, zo fijn waren zij gebouwd, in vergelijking met de veel steviger bouw van de negers – en ze leken geresigneerd en volgzaam.

'Waar komen die Indianen vandaan?' had Inácio gevraagd.

'Er zitten Caetés bij, Potiguaras, en een paar Tobajaras van vijandige clans. Ik heb ze zelf na de opstand gevangen; de anderen heb ik gekocht. Een vat goedkope wijn, een verroeste lans, een stuk stof, en die wilden zijn bereid om hun broer uit te leveren. Sommigen heb ik losgeknoopt.'

Toen hij zag dat zijn neef zijn wenkbrauwen fronste had Nicolau uitgelegd: 'Die daar heeft zijn leven aan mij te danken. Hij zat vast aan het witte touw van zijn vijanden, die op het punt stonden hem af te maken, toen ik hem het leven redde. Denk je dat hij mij dankbaar is? Welnee, hij beklaagt zich en noemt mij een dief, hij zegt tegen de anderen dat ik hem beroofd heb van een glorieuze dood. Met zulke schepsels, Inácio, zul je nog heel wat te stellen krijgen.'

Terwijl hij sprak was een groepje jongens naar de beide mannen toe gekomen en begroette hen luidruchtig in het Tupi en in het Portugees.

'Tomás!' had Nicolau geroepen. Een van de jongemannen was naar voren gekomen. 'Dit hier is de zoon van jouw oom Felipe.'

'Een *padre*?' had Tomás uitgeroepen.

'Ja, kleine wilde, en doe nu maar eens wat eerbiediger tegen hem.'

De jongen had het angstige, bleke gezicht van zijn neef eens bekeken en had hem toen, zij het aarzelend, volgens de regels begroet.

'Komt hij uit Olinda?' had hij daarna aan zijn vader gevraagd.

'Nee, uit Portugal.'

'Echt?' had het kind verstrooid gevraagd, om vervolgens weer naar zijn kameraadjes terug te rennen.

'Tomás is een grote troost voor ons sinds de dood van Pedro,' had Nicolau zijn neef bekend. 'Een laatkomer, *padre*, die God ons op deze wilde grond nog geschonken heeft. Tomás weet niets van Lissabon, van *fidalgos* en van kooplieden, en ik wil graag dat dat zo blijft. Hij lijkt misschien een beetje op de wilden van dit land, maar hij zal beter dan wie dan ook weten hoe hij het moet veroveren.'

'Maar u moet hem naar Portugal sturen voor zijn opvoeding!'

'Wat heeft hij daaraan in het bos?'

In de loop van de avond had Inácio de gelegenheid gekregen om de zoon van Nicolau en Helena van dichterbij te bekijken. Hij vond hem grof, slecht opgevoed, net zo wild als de vader graag wilde. Hij sprak beter Tupi – de taal van zijn speelkameraadjes – dan Portugees en van het Latijn wist hij alleen maar de woorden van de paar gebeden die hij kende. Zijn halfnaakte lijf, verbrand door de zon, deed hem lijken op de mestiezen met wie hij speelde. Nicolau gaf hem in alles zijn zin en protesteerde niet als hij met veel lawaai het huis binnenstormde en ook niet als hij het gesprek van volwassenen onderbrak. Inácio had met droefheid moeten vaststellen dat het kind in veel opzichten, zowel wat zijn slechte manieren als zijn driftige karakter betrof, als twee druppels water op de meester van dit dal leek.

Voordat de nacht viel, had Nicolau zijn neef verteld wat hij sinds hij zich met Dom Duarte Coelho in Pernambuco had geïnstalleerd, had meegemaakt.

'Wij hebben perioden van vrede gehad – soms bijna een jaar zonder moeilijkheden. Maar dan begingen de wilden weer een of andere misdaad tegen een christen en moesten wij ze straffen. Santo Tomás is het verst van Olinda verwijderde domein. Niemand durft voorbij mijn dal te gaan want het bos zit vol met heidenen. Wij zijn maar met een handvol, zij zijn met velen. Mijn Tomás zal al een oude man zijn als wij nog niet de hele streek van dat barbaarse ras hebben gezuiverd!'

Dat was een sombere voorspelling, waardoor Inácio in zijn hangmat wakker bleef. Hij begon net in te dutten toen hij een dof geluid hoorde, dat zich herhaalde, en dat afgestemd leek op het geklop van zijn hart. Hij spitste zijn oren en herkende het ritme van trommels waardoorheen melodieuze noten van een snaarinstrument klonken. Hij stond op, liep de schuur uit en de warme nacht in. De muziek kwam uit het slavenkwartier aan de andere kant van de omheining en deed in het dal van Santa Cruz de verre echo van Afrika weerklinken. Inácio vroeg zich af waarom het lot van die mannen hem vanzelfsprekend leek, toen hij daarnaar luisterde. Sinds de tijd van prins Henri werkten er negers in Portugal, die daarheen gestuurd waren voor hun christelijke meesters. Zij werden uit hun onwetendheid verlost, zij werden onttrokken aan hun harde natuurwetten, hun werd de redding van Christus aangeboden, een onschatbaar geschenk. Wat voor mooiere beloning konden zij verwachten, ondanks hun ijzers?

Inácio ging naar zijn hangmat terug en werd vlak voor zonsopgang weer wakker, dit keer van pijnkreten. Hij rende naar buiten en zag de slaven verzameld voor het huis staan, rond een soort bok waarop een Indiaan was vastgebonden, zijn armen en benen gespreid.

Nicolau stond aan één kant, met Tomás en een groepje kinderen; aan de andere kant stond Sebastião, de opzichter, en die gaf de maat aan voor twee Afrikaanse slaven die zwaaiden met gesels van dikke repen tapirhuid.

Het slachtoffer was een jonge Caeté, die schreeuwde van de pijn en om genade vroeg.

Inácio rende naar zijn oom toe.

'In Gods naam, houd op met dat barbaarse gedoe!'

'Neef, deze kleine Caeté heeft een vluchtpoging ondernomen. Wat is er voor barbaars aan om hem te leren hoe hij zich tussen christenen moet gedragen?'

'U leert hem op deze manier helemaal niets.'

Toen de jonge inboorling twintig zweepslagen had gehad, gaf Sebastião de negers opdracht te stoppen en liep hij naar voren met een kom citroensap vermengd met zout. Toen hij die vloeistof op de open wonden gooide slaakte de Caeté een langgerekte kreet, om vervolgens te zwijgen. De Afrikaanse slaven maakten hem los en legden hem op de grond. Het was duidelijk dat de jonge inboorling ging sterven.

Padre Inácio Cavalcanti knielde bij hem neer, gaf hem zijn eerste en zijn laatste oliesel, en stuurde zodoende zijn eerste heidense ziel naar God.

Twee dagen later liet de jezuïet zijn gidsen uit de naburige *malocas* komen en maakte hij zich op om te vertrekken. Hij zei tegen zijn oom

164

dat hij naar Santo Tomás terug zou komen voordat hij uit Pernambuco weg zou gaan maar dat hij nu eerst de hele kolonie wilde zien, zoals pater Nóbrega hem verzocht had.

'Ga maar naar de anderen,' zei Nicolau goedkeurend, 'en kom me dan maar eens vertellen of je vindt dat ze erg van mij verschillen.'

Op de plantages tussen het dal van zijn oom en Olinda werd Inácio beleefd en gastvrij ontvangen. De planters vonden het prachtig dat hij kwam en toonden zich, als hij er was, heel vroom, verrasten hem door hun goede manieren. Hadden zij, gerekend naar Lissabonse maatstaven, nog niet die welvaart, dan bezaten zij toch al velden met suikerriet die grote dalen bedekten en verzekerden zij de jezuïet dat Pernambuco ooit in rijkdom zou kunnen wedijveren met de rijkste Portugese gebieden.

Maar net als Nicolau leefden die vriendelijke en openhartige mannen een volkomen immoreel leven en spraken zij enthousiast over de vele zonden die zij begingen met jonge heidenen. Ze hadden nog niet begrepen dat de jezuïet die naar hun gepoch luisterde anders was dan de geile priesters van Olinda, die concubines hadden, dat hij diep geschokt werd door hun gedrag en door het feit dat zij zo openlijk hun verbasterde nakomelingschap toonden.

Olinda, de hoofdstad, schokte Inácio nog dieper. Terwijl hij door de smalle steegjes zwierf die over de heuvels kronkelden viel het hem op dat er veel vreemdelingen waren, Italianen, Galliciërs, Canariërs. Hij werd aangesproken door schreeuwerige dronkelappen, door nietsnutten die hem de grootste perversiteiten probeerden aan te smeren, zonder de minste eerbied voor zijn soutane. Hij rilde bij het zien van halfnaakte inheemse of halfbloedvrouwen, die zich wellustig aan de voorbijgangers aanboden. En tot zijn grote droefenis zag hij dat ook priesters in de klauwen van de duivel waren gevallen. Even kwaad als geschokt ging hij naar de *donatário* zelf, in zijn bastion van witte steen dat hij op een van de zeven heuvels van Olinda had laten bouwen.

'*Padre* Inácio,' zei Dom Duarte, nadat hij hem hartelijk had ontvangen, 'welk een vreugde om een echte dienaar Gods onder ons te hebben!'

Tot grote verrassing van Inácio bleek de man die over deze poel des verderfs heerste een goed christen te zijn. Zijn vrouw, Dona Brites, was nog devoter, en vroeg hem meteen nadat zij aan elkaar voorgesteld waren: '*Padre*, bent u met uw jezuïetenbroeders hier gekomen om de zielen van die arme schepselen te redden?'

'Onze missie ligt bij de gouverneur Tomé de Sousa, in São Salvador,' antwoordde Inácio. 'Vandaar willen wij de heidenen van Santa Cruz voor ons winnen.'

'Kijkt u maar daar, achter die toren,' zei Dona Brites terwijl zij wees op de versterking die tijdens het beleg van Olinda gebouwd was, 'dan ziet u genoeg zondaars.' Zij wendde zich tot haar man, die goedkeurend knikte, en ging toen verder: 'Dan zult u ook het klooster zien dat wij begonnen zijn te bouwen voor de fraters van de Heilige Franciscus, die niet gekomen zijn. Dat zal voor u en de uwen zijn, als u naar Nova Lusitania komt.'

Ze was een grote en indrukwekkende vrouw en maakte op Inácio nog meer indruk dan haar man. In Lissabon hadden ze het vaak over Dom Duarte, die meer tot stand had gebracht dan allen die een kapiteinschap in Santa Cruz hadden gekregen. Maar toen hij zijn grijze haren zag, zijn vermoeide gezicht en zijn trillende ledematen, concludeerde de priester dat de inspanningen die hij zich getroost had om een kolonie te stichten hem hadden uitgeput.

'Waarom willen ze mij mijn land afnemen?' vroeg Dom Duarte onverwacht.

'Neemt u mij niet kwalijk, *senhor*, ik weet niet waar u het over hebt.'

'Koning João had mij zestig mijl Braziliaanse grond beloofd, die voor altijd voor mij zou zijn. Wij hebben dat gebied voet voor voet op het bos en de wilden veroverd. Dit jaar hebben we voor het eerst winst kunnen maken. En nu stuurt de koning Tomé de Sousa om mij af te pakken wat mij gegeven was.'

'Over dergelijke kwesties kan ik geen uitspraken doen,' antwoordde Inácio.

'Maar ik wel!' riep Dom Duarte. 'Het is de Sousa, die in de adelstand verheven bastaard, die u gestuurd heeft om mij hier te bespioneren!'

'Nee, Dom Duarte, dat is pater Manuel da Nóbrega.'

De *donatário* keek de jezuïet ongelovig aan.

'Zegt u dan maar tegen Dom Tomé en zijn agenten dat ik ze hier niet wil hebben. Nova Lusitania is het kapiteinschap van Dom Duarte en zijn planters, en die staan niets af aan indringers. Zeker, wij hebben onze zondaren – moge God genade hebben met hun zielen – maar onze Heer heeft ons al die jaren gesteund en zal dat ook blijven doen – zonder de interventie van Dom Tomé de Sousa.'

In de weken die volgden ontdekte Inácio dat Dom Duarte een goed mens was, in en in gelovig, maar incapabel en te oud om te regeren.

De priester was van plan om tegen pater Da Nóbrega en de gouverneur te zeggen dat zij, om de heidenen in Pernambuco te bekeren, zich eerst moesten bezighouden met hen die zo'n slecht voorbeeld gaven en daarom het kapiteinschap onder gezag van de gouverneur moesten stellen.

Deze overwegingen vertrouwde hij natuurlijk niet aan Dom Duarte toe, maar hij ging algauw tekeer tegen hen die openlijk in zonde leefden.

'Geeft u hun die echtgenotes in Portugal hebben opdracht om die hierheen te laten komen, of naar hen terug te gaan. En vraagt u dan aan de priesters om hen die samenwonen naar het altaar te voeren.'

'Ik heb de vrijgezellen altijd aangeraden om die vrouwen te trouwen,' antwoordde Dom Duarte. 'Ik heb ze gewaarschuwd dat ze de verdoemenis riskeren, maar vergeefs. Probeert u het te begrijpen, *padre*. Ze zien in hen geen inboorlingen, zij zien in hen Moorse prinsessen uit hun meest perverse dromen. Ze kunnen niet zonder ze leven.'

'Maar hoe zullen ze dan sterven?'

'U hebt uw oom toch gezien, is het niet?'

'Jawel, voordat ik door uw gebied rond ben gaan trekken.'

'Hebt u gezien hoe hij leeft?'

'Jawel,' antwoordde Inácio koeltjes.

'Nicolau is een van de steunpilaren van onze gemeenschap geweest. Ik dank de Heer dat Hij mij mannen zoals hij geschonken heeft. Zonder hen zou dit kapiteinschap even armoedig en verlaten zijn als de rest.'

Inácio wist niet goed hoe hij op deze loftuiting op zijn oom moest reageren.

'Ik zal hem de boodschap overbrengen, Dom Duarte,' zei hij. 'Ik ga deze week nog terug naar Santo Tomás.'

Toen de priester weg was, zei Dona Brites tegen haar man: 'Je had misschien beter wat onomwondener over zijn zogenaamd deugdzame oom kunnen praten.'

'Regen, regen en nog eens regen,' bromde de reisgenoot van Inácio geërgerd.

Sinds hun vertrek uit Olinda, twee dagen eerder, had het niet opgehouden te regenen. Soms een bui, soms motregen die nog door het dichtste bladerdak heen kwam. De beide mannen hadden twee mestiezen als gidsen, en de beide Tobajaras op wie Inácio bij zijn eerste reis ook een beroep had gedaan.

'Wat een fantastische regen!' zei de jezuïet enthousiast. Hij trok zich niets aan van de ergernis van zijn reisgenoot en liet de enorme druppels op zijn gezicht vallen. 'Wat een zegening voor dit paradijs!'

Jacob de Noronha, bijgenaamd Papagaio – de papegaai – bleef mopperen terwijl hij doorliep over de kletsnatte grond. Hij leek een beetje op een papegaai, omdat hij een groot hoofd had, maar geen nek, een kromme neus en een kort bovenlijf, maar in werkelijkheid dankte hij zijn bijnaam aan de vogels die hij in Olinda in zijn huis hield.

Noronha had een mooi huis met vier vertrekken, die allemaal openstonden voor zijn lawaaierige gevleugelde vrienden. Vermeldenswaard waren twee prachtige ara's die hij te pakken had gekregen door er evenveel energie in te steken als anderen gebruikten voor de slavenjacht. Papagaio had eerst onderhandeld met bevriende inboorlingen uit Olinda maar had ten slotte zijn verzoek gericht tot een stam in het binnenland.

De kolonisten vonden dat hij een beetje gek was, maar hadden eerbied voor hem. Sommigen accepteerden zijn buitenissigheid met de uitleg dat Jacob in zijn privé-leven een jood was, en dus geneigd tot deze vorm van exotisch plezier. Toch stonden ze allemaal bij hem in het krijt, want hij bouwde molens en leende daarvoor geld.

Van de vijf molens in de kolonie waren er drie – waaronder die van de Cavalcanti's – onder zijn leiding gebouwd. Weer andere plantages dankten hun bestaan aan zijn financiële steun, hoewel hij eerder suikerkoopman was dan woekeraar. Hij gaf namelijk geen leningen dan alleen door van tevoren de oogsten op te kopen waarvan hij zeker was dat die over de rivier naar Olinda zouden komen.

Jacob was Lissabon en de inquisitie in 1536 ontvlucht. Na een kort verblijf op het eiland São Thomé had hij zich in Brazilië gevestigd, waar Dom Duarte hem had getolereerd, ondanks zijn joodse afkomst. De *donatário*, die een overtuigd katholiek was, was ook een praktisch mens. 'In Pernambuco,' zei hij altijd, 'moet je de bomen in brand steken, niet de mensen. Als je midden tussen heidense stammen zit, wat voor nut heeft het dan om een kleine jood te achtervolgen die zijn steentje komt bijdragen aan de opbouw van Nova Lusitania?' Dus had Dom Duarte zijn kapiteinschap opengesteld voor Jacob en andere Israëlieten wier talenten Olinda geen windeieren legden.

De meesten van hen waren *cristãos novos* die aan de brandstapel waren ontsnapt door zich te laten dopen, maar in Pernambuco konden ze hun oude geloof weer belijden, zij het niet al te openlijk. Sommigen verwierven zich plantages maar de meesten bleven liever in Olinda wonen, net als Papagaio.

Noronha ging naar Santo Tomás om zelf eens te gaan kijken wat de komende oogst beloofde. Cavalcanti had veel geld van hem geleend om zijn plantage te vergroten: meer slaven, meer grond, een grotere molen. Van de vijfenzeventigduizend morgen die Nicolau bezat waren er slechts honderdvijftig beplant met suikerriet, honderd andere moesten dit seizoen ontgonnen worden.

Papagaio was aangenaam verrast geweest door de neef van de planter. Toen hij die magere man met dat strenge gezicht bij hem zag komen, had De Noronha zich afgevraagd of hij hem kwam bekeren. In werkelijkheid had Inácio horen vertellen dat de Papegaai naar Santo Tomás moest en wilde hij alleen maar samen met hem reizen.

Omdat de onophoudelijke regen hun tocht vertraagde, duurde het drie dagen voordat zij in het dal waren. Inácio zat na drie maanden van omzwervingen in de kolonie weer aan de boerentafel in de grote kamer. Buiten was het fris en nat; binnen was alles klam. Inácio had moeite met de vochtige lucht en voelde zich niet lekker in zijn soutane, waaronder hij vreselijk moest zweten.

Drie Portugezen die op het domein te werk waren gesteld en die de jezuïet bij zijn eerste bezoek niet had gezien, zaten aan één kant van de tafel, apart van de 'familie'. Een van hen was een vakkundig suikerarbeider, afkomstig van Madeira, en de beide anderen kenden de suikerrietcultuur ook. Toen ze klaar waren met eten, namen ze afscheid van *senhor* Cavalcanti en van de genodigden om weer aan het werk te gaan.

Inácio merkte dat Jacob, die naast hem zat, maar heel weinig at – kippebeetjes – en onverschillig leek voor de vulgaire manieren van Nicolau, voor de bastaardhonden die in afwachting van een stukje tussen hun benen door liepen, en voor de vliegen die over de tafel zwermden.

Toen hij naar het gesprek van zijn oom met de Papegaai luisterde, kreeg de jezuïet de indruk dat suiker het enige ter wereld was dat hen interesseerde. Ze hadden het over de cultuur van het suikerriet, over kleigrond die daarvoor het beste was, en over de opvolging van de seizoenen die in acht moest worden genomen. Na de regens, dat was dus vanaf juni, moest er ontgonnen en geplant worden, daarna moest het onkruid verwijderd worden, vijf keer per jaar in de nieuwe velden, drie keer in de oudere. Elke voet grond tussen de rijen rietstengels moest worden ontdaan van wilde planten die daar snel groeiden. Bovendien waren er ratten, wormen en ziekten waartegen onophoudelijk gestreden moest worden, behalve op heiligendagen, de rustdagen voor de slaven. Die kregen elke dag een kalebas vol maniok, een beetje in de zon gedroogd vlees en een portie melassestroop – dezelfde die de paarden en koeien ook kregen.

Inácio hoorde de beide mannen praten over de beste methoden om het sap uit het suikerriet te krijgen, door het te vermalen, hoorde hoe zij zich afvroegen of zij wel opnieuw de plek waar Pedro vermoord was konden nemen om er een grotere molen neer te zetten, waarbij de rivier dan voor de aandrijving zou zorgen. De molen die door de ossen werd aangedreven was binnen de omheining gebouwd uit voorzorg tegen de wilden, maar de eigenaar van Santo Tomás had nu een dergelijke reputatie van wreedheid dat het domein niet meer bedreigd scheen te worden door nieuwe strooptochten.

Suiker! Wat een magisch woord voor Nicolau en voor Papagaio. De beide mannen zaten zelfs druk te praten over de hopen *bagaço*, de baggase die bij de molen overbleef als de drie met ijzer beslagen cilinders het riet hadden gekraakt. Het gewonnen sap liep door houten gootjes in de eerste ketel, waarvan de suikerarbeider de temperatuur constant in de gaten moest houden om te voorkomen dat het sap te hard zou koken. Inácio leerde dat dat sap verwarmd moest worden, dat er lemmetjes aan toegevoegd moesten worden om een dun laagje aan het oppervlak te doen verschijnen dat dan afgeschuimd werd om zodoende een heldere stroop te krijgen. Dan werd het sap opnieuw gekookt en geroerd tot het dik en stroperig werd. Met die melasse kon men zowel blokken ruwe suiker maken als witte kristallen, nadat deze gefiltreerd was in aardewerken potten.

Suiker! Terwijl zij het hadden over de karren met grote wielen die van zonsopgang tot zonsondergang langzaam door de velden reden, moest Inácio alsmaar denken aan dat beeld van die Caeté die gegeseld werd tot de dood erop volgde. Heer, riep hij in zichzelf uit, hoevele anderen zullen nog gekruisigd worden om de oogst binnen te kunnen halen?

Papagaio werd een en al aandacht toen Cavalcanti het over de volgende oogst had. Hij voorzag dat zijn landerijen ongeveer tweeduizend *arrobas* – een gewichtsmaat die overeenkwam met tweeëndertig pond – suiker zouden produceren, die vervolgens via de rivier naar Olinda zouden worden gestuurd. De Noronha berekende dat ze dus ongeveer zestig kisten van elfhonderd pond nodig zouden hebben – hetgeen overeenkwam met het grootste deel van een lading van een schip – om de oogst naar Lissabon te sturen. Hij glimlachte tevreden, want ook voor hem zou daar een aardige winst inzitten, en vervolgens stelde hij Cavalcanti een manier voor om de produktie nog te verhogen.

'Bouw die molen nou niet alleen voor Santo Tomás, maar ook voor de andere planters. Jij bent maar alleen, en je hebt maar één zoon, je kunt nooit al de gronden van jouw domein bebouwen. Laat nu anderen die geen grond hebben hierheen komen om suikerriet in jouw dal te planten. Zij moeten hun oogst naar jouw molen brengen, en jij neemt twee derde in ruil voor de diensten die jij hun verleent.'

'Dit dal is van mij,' antwoordde Nicolau ijzig. 'Niemand anders zal er ook maar het minste stukje grond van bezitten.'

'Wie heeft het over bezitten? Die mannen zullen jouw boeren zijn. Planters in Olinda hebben dat systeem al toegepast. Zij geven een stuk of twintig morgen aan een dappere man en zijn familie. Zolang hij bouwt en zijn riet naar de molen brengt, is alles in orde; zo niet, dan moet hij oprotten. Hij heeft geen enkel recht op de grond. De mannen van jouw *malocas* – dat oude uitschot van Ribeiro en de rest – wat doen die als dank voor jouw gastvrijheid?'

'Niets! En daar dank ik God voor.'

'Dat zou weleens anders kunnen worden,' zei Papagaio rustig.

'Laten we Ribeiro nou maar vergeten, die is voor mij niets waard. Maar ik wil wel nadenken over jouw suggestie. Het dal is groot, en er is grond genoeg voor veel mensen. Als ze bereid zijn te leven onder míjn wet, dan ben ik wel bereid om ze voor mij te laten werken.'

Nicolau wende zich nu tot zijn neef, die hem zwijgend aankeek.

'Nu jij de omgeving hebt gezien, Inácio, zeg me eens wat je eigenlijk hebt gezien.'

De jonge priester schoof heen en weer op zijn stoel, en voelde zich niet op zijn gemak. Nicolau maakte zijn tanden schoon met de nagel van zijn pink en mompelde: 'Nou, kom op, ik luister.'

'Dit prachtige land...' begon Inácio aarzelend, 'deze vruchtbare tuin die onze Heer op deze verre kusten heeft geplant... dit hout en deze plantages zijn een hymne over de grootheid van de Schepper... maar toch, waarde oom, is het ook een triest land.'

Hij pauzeerde even, verwachtte een reactie, maar de beide andere mannen hielden hun mond. Nicolau ging verder zijn tanden schoon te maken, en Papagaio keek naar de tafel alsof hij niet goed wist wat te zeggen.

'Het is een triest land vanwege de mensen die er wonen,' ging de jezuïet verder. 'Zij bevuilen Santa Cruz door hun zonde. Hoe kunnen wij de grootste taak ter wereld volbrengen, namelijk de bekering van de heidenen, als wij ons van de Heer afwenden?'

'Zelfs Dom Duarte, die toch leeft in de vreze Gods, zal je vertellen dat deze heidenen niet te pacificeren zijn door preken, maar alleen door het zwaard,' antwoordde Nicolau. 'Ga maar naar ze toe, want dat wil je toch, maar neem dan wel een knuppel en een garde mee, want dat is de enige manier om ze op hun knieën te krijgen!'

De volgende morgen gingen Nicolau en Papagaio de velden en de pas ontgonnen gronden inspecteren, waarbij zij Tomás en hun speelkameraadjes meenamen. Inácio zat alleen op een bank voor de schuur, zag ze weggaan en bedacht zich dat hij het met Nicolau nog eens over de opvoeding van de jongen moest hebben. Hij stelde voor om Tomás naar Lissabon naar zijn eigen vader Felipe te sturen en wist dat zijn voorstel door Helena gesteund werd. De oude vrouw had hem inderdaad toen zij een keer alleen waren gevraagd: '*Padre* Inácio, moet mijn kind nu echt als een wilde groot worden? Ik smeek u, maak zijn vader duidelijk dat hij hem even zeker verliest als hij Henriques verloren heeft wanneer hij hem een klein dier laat worden, zonder hulp van de godsdienst.'

De jezuïet zat aan deze woorden te denken toen hij een jonge vrouw door de poort in de omheining zag komen. Ze keek om zich heen, zag hem en liep recht op hem af. Het was een heel mooie mulattin, met een rond gezicht met mysterieuze katachtige spleetogen, een klein, enigszins plat neusje en een gladde bruine huid. Klein en goed gebouwd, met een prachtige kastanjebruine haardos die tot haar middel viel.

Het enige kledingstuk dat zij droeg was een soort van geel rokje dat ruim zat en rond haar nek een prachtig snoer van veren. Doordat zij zulke fijne trekken had zag zij er fris en bevallig uit, bijna als een kind.

Inácio stond op en liep op haar toe. Ze aarzelde even, knikte toen om hem te groeten en bleef naar de grond kijken.

'Hij vraagt naar u,' zei zij in het Portugees.

'Wie dan, mijn kind?'

'Afonso Ribeiro – in de *malocas*.'

'De oude man?'

Ze knikte, en keek toen snel naar het grote huis waar Helena op de drempel verschenen was.

'Ik kom meteen,' beloofde Inácio.

'Hij heeft de hele nacht naar u gevraagd. Hij heeft de ziekte... net als de rest.'

'Welke ziekte?'

Ze schudde haar hoofd om aan te geven dat ze er verder niets van wist.

'Ben jij zijn dochter?'

'Nee, ik ben Unauá, de dochter van Jandaia. Mijn moeder woont in het grote huis.'

Toen hij de mulattin eens aandachtiger bekeek merkte Inácio inderdaad een overeenkomst met de mooie vrouw in de witte jurk. Ze had dezelfde gelaatstrekken en dezelfde zelfverzekerde houding.

Nu stak Helena blootsvoets de met uitwerpselen bedekte binnenplaats over en dus liep de priester naar haar toe en zei: 'Afonso Ribeiro vraagt naar mij, hij is ziek.'

'Hij is een slecht mens, een zondaar, *padre*. Ga hem maar opzoeken. Als iemand de genade Gods nodig heeft, is hij het wel.'

'Leeft dat kind bij hem?' vroeg Inácio terwijl hij op Unauá wees die achter hem aangelopen was.

'Zij woont in zijn *maloca*, ja, maar zij is een onschuldig schepsel, *padre*. Zij is de dochter van een vrouw in mijn huis.'

'Die met die witte jurk?'

'Ja, Jandaia.'

'En deze dochter woont niet bij haar moeder?'

'Nee. Zij heeft een broer – de zoon van een Tupiniquin-krijger die al lang dood is. Een van de vrouwen van Ribeiro, die ook Tupiniquin is, zorgt voor haar. Een echte wilde. U zult haar wel zien als u daarheen gaat.'

'Maar waarom voedt hun moeder hen niet op?'

'Ze heeft nog andere kinderen,' antwoordde Helena terwijl zij naar het kruis keek dat aan de rozenkrans van de priester hing. 'Gaat u Ribeiro nu maar opzoeken, *padre*.'

Ze draaide zich om, liep naar het huis terug en ging naar binnen zonder zich om te draaien.

Voordat hij met Unauá op de open plek kwam waar de *malocas* stonden, kreeg Inácio al een indruk van armoede en laksheid. De velden in de buurt leken slecht onderhouden, en waren bijna helemaal overwoekerd. Inheemse vrouwen porden met stokken in de grond op zoek naar maniok, maar afgaande op het kleine hoopje wortels dat ze hadden opgegraven, zat er bijna niets meer onder al dat onkruid.

Wat de *malocas* zelf betrof, kennelijk kwam het bij niemand op om de rottende bladeren die de daken bedekten te vervangen. Op de open plek, nog viezer dan de binnenplaats van het domein, speelden rissen kinderen in de modder, terwijl de volwassenen, die geen last schenen te hebben van de stank, naar ze keken.

Een vrouw en een jongeman kwamen hen tegemoet.

'Dat is Salpina,' mompelde Unauá, 'het lievelingetje van Ribeiro. En mijn broer Guaraci,' zei zij er trots achteraan.

Salpina droeg geen kledingstuk aan haar met *urucu*-verf beschilderde lichaam. Zij verplaatste zich met een zekere waardigheid, die afstak tegen de manier waarop andere vrouwen die over de open plek rondzwierven zich bewogen. Unauá's broer, een prachtige inboorling met gespierde armen en benen, bezat de lenige gratie van een wild dier.

'Hij wacht binnen op u,' zei Salpina terwijl zij de jezuïet strak aankeek.

Toen hij Ribeiro's *maloca* binnentrad werd Inácio overweldigd door een strontlucht die hem bijna rechtsomkeert deed maken. Toen zijn ogen aan het halfduister gewend waren, zag hij vele wilden in hun hangmatten liggen. Sommigen lagen te woelen en kreunden toen hij eraan kwam, maar de meesten bleven onbeweeglijk liggen, met gesloten ogen, waarschijnlijk te zwak om nog te bewegen.

De bloeddiarree waaraan de helft van de bewoners leed, dunde de *malocas* uit. Zij volgde op een epidemie van griep, een ziekte die door de Portugezen was meegebracht en waartegen de inboorlingen maar weinig weerstand hadden. Sommigen probeerden het kwaad te bestrijden met afkooksels van kruiden en planten, en papegaaiebouillon, maar de meesten lagen uitgeput tussen hun eigen uitwerpselen, en wachtten op de dood.

Terwijl hij tussen de hangmatten doorliep werd Inácio opeens vreselijk kwaad. Zijn oom Nicolau, de heerser over deze gebieden en deze *malocas*, moest op de hoogte zijn van deze epidemie en het verschrikkelijke lijden dat zij veroorzaakte. Toch had hij er niets over gezegd.

Salpina, die voor de priester uitliep, was bij de hangmat van Afonso Ribeiro blijven staan. Inácio kwam bij haar staan en zag een steviggebouwde man die op zijn rug lag, met zijn borst vol ongedierte, een grijs gezicht, met roze vlekken daar waar zijn bloedvaten waren gebarsten. Zijn lichaam, rollen vlees die door de mazen van de hangmat in elkaar werden gedrukt, stonk naar verrotting. Uit zijn ogen, die diep in de kassen lagen en straalden van de koorts, was angst te lezen.

'Dank aan de Heilige Moeder, u bent er, *padre*,' zei hij met een verbazend krachtige stem.

'Ik ben meteen gekomen,' antwoordde Inácio.

Uit de hangmat klonk een geborrel en de priester begreep dat de stervende probeerde te lachen.

'Iedereen is Afonso Ribeiro komen halen,' ging de balling verder. 'De soldaten van de koning, de Normandiërs, Gomes de Pina, Nicolau Cavalcanti, Dom Duarte... wie is er nu aan de beurt?'

'Vrees niet,' zei Inácio, die niet al te best begreep waar deze stervende man het over had.

'Zij moeten daarheen terug. Dit is geen plaats voor ze, hier. Brengt u ze naar hun stam terug, *padre*.'

De jezuïet was even perplex maar realiseerde zich toen dat hij het over Salpina, Unauá en Guaraci had.

'Salpina is een Tupiniquin, de dochter van een oudste met de naam Aruanã,' zei Ribeiro. 'Zij leeft al jaren bij mij, maar is de *malocas* van haar vader nog niet vergeten. Zij moeten dit dal uit, *padre*.'

Met enorme inspanning draaide hij zijn hoofd om, om zijn favoriete echtgenote te zien.

'Ze heeft Pernambuco altijd verschrikkelijk gevonden, al vanaf de dag dat zij er aankwam. Haar enige vreugde, haar enige liefde, waren die twee jonge Tupiniquin. Het meisje is negentien, de jongen is een jaar jonger. U moet ze terugbrengen!'

'Waarheen?'

'Dat weet uw oom wel.'

'Zal hij er geen bezwaar tegen maken?'

Ribeiro luisterde niet, maar herhaalde: 'Brengt u ze terug, anders zijn ze verdoemd, net als de anderen die u hier ziet.'

Zijn lichaam schudde door een hoestaanval die hem even van zijn stem beroofde en toen sprak hij: 'Toen uw oom naar dit dal terugkwam, heeft hij gezegd: "Er telt maar één ding, en dat is het domein van Santo Tomás." De mensen uit de *malocas* begrepen al snel dat het verleden voorbij was. "Werk maar, werk maar," zei Nicolau Cavalcanti tegen hen – net als de andere planters – "werk en jullie zullen geen wilden meer zijn. Werk en jullie zullen het ware paradijs in deze Terra do Brasil zien!"' Ribeiro probeerde zijn hoofd op te richten. 'Toch heb ik ze gewaarschuwd, Nicolau Cavalcanti en de anderen, dat de inboorlingen liever doodgaan dan op suikerrietvelden te werken. Ik, Ticuanga van de Tupiniquin, ik had het voorspeld.'

Afonso Ribeiro begon te ijlen, had het over feesten en gevechten die hij bij de Tupiniquin had meegemaakt, toen hij bij de stam van Aruanã leefde. Verschillende keren richtte hij het woord tot Salpina en tot de twee jongelui om hun te vertellen dat de man met de zwarte jurk zou helpen hen naar huis te brengen. Toen zweeg hij en was alleen nog het schorre geluid van zijn ademhaling te horen.

Toen stelde Inácio de vraag die hem al een poosje bezighield: 'Die vrouw, Jandaia, is dat uw dochter?'

In zijn delirium had de balling zoveel vrouwen en concubines aan zichzelf toegeschreven dat de priester er geen wijs meer uit werd.

'*Sim*,' zei Ribeiro met een zwak lachje. 'Die heb ik aan *senhor* Cavalcanti gegeven.'

De jezuïet begreep niet meteen wat dit antwoord allemaal inhield, en vroeg: 'Unauá en haar broer, willen die hun moeder verlaten?'

'Hun moeder? Die is hun moeder niet meer sinds zij zich in het huis van *senhor* Cavalcanti heeft geïnstalleerd.'

Dit keer begreep Inácio het.

'God almachtig! En ik had niets in de gaten.'

'Ach, uw oom verschilt niet van de rest. Hij is geen slecht mens maar sinds Porto Seguro heeft hij zijn leven aan dit land gewijd. En dit land, *padre*, verovert de mensen en hun zielen.'

Inácio realiseerde zich dat hij de zonden van zijn oom niet gezien had omdat hij ze niet had willen zien.

'Ik heb ook gezondigd, *padre*,' zei Ribeiro.

Inácio beduidde de Tupiniquin om bij de hangmat weg te gaan.

'Wanneer hebt u voor het laatst gebiecht?' vroeg hij zacht.

Afonso begon heftig te trillen en kon zich niet meer beheersen. Met ogen vol doodsangst riep hij uit: 'Ik heb gezondigd, ik heb gezondigd, *padre*. Kijk eens wat er van mij terecht is gekomen! Ticuanga... Prins van de Tupiniquin... schenk mij vergiffenis!'

Het duurde een uur voordat de priester de hele biecht van Ribeiro had afgenomen. Toen hij eindelijk de *maloca* uitging, stond Unauá op hem te wachten om hem terug te brengen, maar hij beduidde haar dat hij wel alleen zou gaan.

Toen hij bij de rand van het bos was, viel hij op zijn knieën en begon te huilen, zijn magere lichaam schokte van de snikken. Een paar uur lang bad hij dat de grote zondaar die hij de biecht had afgenomen vergeven zou worden. Pas toen het donker werd stond hij op en vervolgde hij zijn weg naar de omheining.

Toen hij de grote vochtige kamer binnentrad keek Inácio eens naar de vrouwen die daar waren en vroeg zich af wie van hen dienstmaagd en wie van hen concubine was. Aan de voeten van Nicolau speelde een groepje kinderen en dit levende bewijs van de losbandigheid van zijn oom maakte zijn verontwaardiging en zijn wanhoop alleen nog maar groter. Langzaam liep hij naar de bank waar Nicolau en Jacob de Noronha zaten. Toen hij hem zo terneergeslagen zag raadde de meester van Santo Tomás wat zijn neef bij Ribeiro gehoord had. Hij keek strak naar de muur, legde zijn handen gevouwen op tafel en reciteerde: 'En Sara gaf Hagar aan Abraham als bijslaap, en toen zij alleen en in verwachting was zag de Heer haar wanhoop. Gij zult een zoon baren, zei Hij haar, en die zult gij Ismaël noemen. Ga naar uw meesteres terug en wees haar slavin.'

'Moge God u deze blasfemie ook vergeven,' mompelde Inácio.

Nicolau wendde zich tot Papagaio die zich zo klein mogelijk maakte en duidelijk zijn aanwezigheid betreurde.

'Ik ben bang voor die priester,' zei Cavalcanti alsof zijn neef er niet bij was. 'Ik zou hem zo graag het verdriet over wat hij gaat zien besparen!'

'Moge niets mij bespaard blijven!' riep Inácio krachtig uit. 'Moge ik alle kwellingen leren kennen! Moge ik alle verdorvenheid die in dit land is gebracht uitspugen!'

'Weet je, Papagaio,' ging Nicolau verder, 'ik hoorde bij de mannen die dachten dat zij het paradijs in de Oost zouden vinden. Zeelieden, soldaten, allemaal zagen ze de poorten van de hemel voor zich opengaan. Ze vertrokken om voor Christus te strijden, maar werden aangetast door hebzucht, door alle ondeugden die de mens kent. Waarom denkt mijn neef dat het hier anders zal gaan? Waarom zouden de vroegere Indië-gangers op deze kusten opeens engelen moeten worden?'

'Wij zijn allemaal zondaren,' antwoordde Inácio. 'Maar wat hebben wij gedaan met de heilige gelofte van Cabral, die deze grond de naam Santa Cruz gaf om hem aan God te wijden?'

Nicolau wendde zich tot zijn neef en zei kwaad tegen hem: 'In Gods naam, doe je ogen eens open, *padre*, en bekijk hem dan eens goed, deze grond van het Heilige Kruis!'

'Ik zie hem, oom,' zei de priester kalm. 'Ik zie de mannen die u kruisigt zodat het suikerriet in uw velden zal groeien. Ik zie hoe zij hun krachten verliezen op deze gronden die eens van hen waren...'

'Hun gronden? *Hun gronden?* Opgepast, *padre*, jij ziet alleen maar zondaren onder ons, maar wij zijn christenen, en wij kunnen God bidden om ons vergiffenis te geven. Jij huilt voor heidenen.'

'Ik huil voor de kinderen van de Heer die op ditzelfde ogenblik liggen te sterven.'

'Ze sterven net zoals ze leven – als beesten.'

Helena, die in haar hangmat lag, barstte in snikken uit en Papagaio stond op om haar te gaan troosten.

'Ga dan naar je heidenen!' schreeuwde Nicolau tegen Inácio. 'Praat maar liefdevol tegen die wilden die de ledematen van hun vijanden afsnijden! Omhels ze maar als ze hun bloedbevlekte handen naar je uitsteken. Ga!'

De jezuïet liep het huis uit, liep onbevreesd de nacht in en ging terug naar de *malocas*. Hij bleef er vier dagen en was naast Ribeiro toen deze de laatste adem uitblies, waarbij hij God smeekte hem te vergeven. De *degredado* werd de volgende ochtend aan de rand van de open plek begraven. Salpina toonde niet de minste interesse voor de eredienst, maar Inácio merkte tevreden op dat Unauá en haar broer Guaraci die nieuwsgierig volgden.

Gedurende de vier dagen die hij in de *malocas* doorbracht, verzorgde Inácio de zieken en waste hij hun bevuilde lichamen. De vierde dag kwam een inboorling hem waarschuwen dat Papagaio naar Olinda terugging. De priester verliet met tegenzin de zo wanhopig zieke mensen, maar hij kon niet blijven. Da Nóbrega wachtte al een maand lang op zijn terugkeer uit Pernambuco.

De volgende dag verliet hij de *malocas* met de gidsen die hem op de heenweg hadden begeleid. Maar ook met Salpina, Unauá en Guaraci. Trouw aan de plechtige belofte die hij aan Afonso Ribeiro had gedaan, was hij van plan om hen met zich mee te nemen naar Bahia en daar een manier te vinden om hen naar hun *malocas* bij Porto Seguro terug te sturen.

Salpina liep voor hem uit waarbij zij geërgerd aan de jurk plukte die zij op zijn verzoek droeg. Unauá was gekleed in haar gele rokje; haar broer Guaraci droeg een gescheurde broek en liep vastbesloten voor de groep uit. Zijn moeder was Jandaia, een dochter van Ribeiro, maar de vrouw die hem had opgevoed als haar eigen zoon was Salpina – Salpina, de dochter van Aruanã de Tupiniquin, wiens vader een groot krijger was geweest.

Nicolau was niet thuis, maar was bij zonsopgang vertrokken, niemand wist waarheen; Tomás, die Inácio graag nog een keer had gezien, was er ook niet – hij was waarschijnlijk ergens aan het spelen met de zonen van Jandaia. Maar Helena ontving de priester en vroeg hem haar de biecht af te nemen.

Daarna bracht zij hem naar de ingang van de omheining, waar Papagaio met de anderen op hem stond te wachten. Toen het moment van vertrek aangebroken was keek Inácio nog eens naar het huis en zag hij Jandaia op de drempel staan.

'Ze heeft er helemaal geen verdriet om dat ze die zoon en die dochter verliest,' zei Helena. 'Al jarenlang toont ze niet de minste liefde voor hen. Al haar aanhankelijkheid gaat naar de anderen...'

Inácio keek aangedaan naar de vrouw op blote voeten, gekleed in een eenvoudige zwarte jurk.

'Beoordeel haar niet alleen daarop, *padre*,' ging zij verder. 'Mijn Nicolau heeft vijftien jaar van zijn leven gegeven om dit wilde land te veroveren. Ik heb ze samen met hem doorgebracht en met…' Ze keek naar Jandaia. 'Ik begrijp het wel.'

Omdat Inácio iets wilde zeggen zei zij er snel achteraan: 'Ik begrijp het wel, en ik vergeef het hem.'

VIII

Januari 1552 – december 1553

Op 6 januari 1552, zestien maanden na zijn terugkeer uit Pernambuco, stond pater Inácio Cavalcanti tussen een groepje mannen dat zich boven op een helling die uitkeek over de Bahia de Todos os Santos verzameld had om recht te zien spreken – op de manier van de gouverneur, Tomé de Sousa.

De soldaten die het escorte van de Sousa vormden droegen stralende harnassen en helmen en hielden hun lansen goed rechtop, alsof zij voor de koning zelf defileerden. De kanonniers stonden met ontbloot hoofd rond de twee stukken geschut en de rokende emmers.

De gouverneur, zijn hoge officieren en de stadsbestuurders van São Salvador stonden op dertig passen afstand achter de kanonnen. Hun escorte stelde zich links van hen in onberispelijke slagorde op, want De Sousa vond dat alles tot in de details perfect moest zijn. *Padre* Da Nóbrega, die deel uitmaakte van de notabelen, was vergezeld van vier in het wit geklede misdienaars – twee zonen van kolonisten, en twee jonge Tupinambás – die een verguld kruis droegen dat straalde in de zon.

Inácio, die met een andere jezuïet en twee lekebroeders rechts van de kanonnen stond, merkte op dat de gouverneur alleen een donkere, fluwelen baret droeg, en een zwarte cape zonder de minste versiering. Maar deze strenge uitrusting verborg de intense vreugde die de vertegenwoordiger van João III voelde. In minder dan drie jaar tijds had hij van de kolonie van de Baai van Allerheiligen, het bolwerk van een handvol wanhopige mannen in hun ter ziele gaand kapiteinschap, een veilig en welvarend grondgebied gemaakt. Hij had de stad verplaatst van een moeilijk verdedigbare plek naar de hoogten boven de Baai.

Tomás de Sousa bemoeide zich met iedereen die onder zijn bevel stond. Hij die door Dom Duarte behandeld werd als een 'in de adelstand verheven bastaard' (hij was inderdaad de onwettige zoon van een *fidalgo* van het hof) was ook een man met een onuitputtelijke energie, die gezworen had orde en voorspoed te brengen in een wetteloze kolonie.

De gouverneur wist dat het oerwoud aan de andere kant van de Baai – waar verschillende clans in vrede met de Portugezen samenwoonden – duizenden Tupinambás verborg. 'Zoveel wilden dat wij er nooit gebrek aan zullen hebben,' had hij naar Lissabon geschreven, 'al snijden wij ze allemaal in abattoirs aan stukken.' De Sousa aarzelde niet om hen die zijn plannen dwarsboomden te straffen, en dat niet alleen in zijn eigen belang maar ook voor de glorie die hij op deze grond aan de koning beloofd had. 'João de Vrome', zoals hij thans genoemd werd, had laten weten dat hij ditmaal geen enkele misstap van zijn inheemse onderdanen zou dulden.

'Als de Tupinambás van de Baai u dwarszitten,' had Dom Duarte tegen zijn gouverneur gezegd, 'straf hen dan totdat zij om genade vragen. Als zij om vrede smeken, breng dan een paar opperhoofden van hen naar hun dorpen terug en hang ze voor hun hutten op.'

In de loop van de laatste maanden was Inácio aanwezig geweest bij meerdere ontmoetingen tussen Tomé de Sousa en *padre* Da Nóbrega. Hij had gemerkt dat de gouverneur de suggesties die de jezuïeten gaven serieus nam, want hij respecteerde ze en beschouwde hen als wapenbroeders in de strijd om de kolonie van João III weer op te bouwen.

'Zeker, *padre* Inácio,' had De Sousa bij het laatste onderhoud gezegd, 'laten wij een beetje christelijke naastenliefde en vergevingsgezindheid tegenover de inboorlingen tonen, als dat mogelijk is, maar laten wij hen ook de gerechtigheid Gods leren kennen.'

In naam van laatstgenoemde gerechtigheid had de gouverneur deze ceremonie bevolen, die hij met de volgende woorden opende: 'Zijne Zeer Katholieke Majesteit heeft mij opgedragen om alles te doen teneinde de vriendschap van de stammen van de Baai te winnen en ons te verzekeren van hun hulp tegen onze vijanden. Maar vertrouw hen niet blindelings, heeft de koning in zijn wijsheid eraan toegevoegd, alsof hij de misdaad waarover het vandaag gaat voorzien had.'

Twee oude Tupinambás werden voor de gouverneur geleid, ooms van een opperhoofd die de toorn van de gouverneur hadden gewekt door vier *degredados* te vermoorden. Die Portugezen, die zich in het oerwoud hadden gewaagd om contact met de inboorlingen te zoeken en handel met ze te drijven, waren door krijgers uit de *malocas* van de beide ooms afgeslacht en opgegeten.

Zo de ballingen al de wet van de gouverneur hadden overtreden, was de misdaad die door de Tupinambás was begaan nog veel ernstiger. Tomé de Sousa had een strafexpeditie bevolen, maar zijn mannen hadden slechts deze twee bejaarden te pakken gekregen, die nog in hun hangmat lagen terwijl de rest van de clan gevlucht was naar een dal ver weg van de Baai.

Met behulp van een tolk beval een officier de gevangenen om voor de gouverneur te knielen en zijn glanzende laarzen te kussen. Toen stonden zij weer op en liep *padre* Da Nóbrega met zijn vier misdienaars die het kruis droegen naar ze toe. Een gemompel klonk uit de menigte toen de jezuïet riep: 'Moge God medelijden met u hebben! Moge de genade van de Heer met u zijn.'

Inácio merkte dat de Tupinambás met een soort verering naar de priester en het kruis keken en voegde een stil gebed toe aan dat van zijn superieur. Nadat hij de gouverneur met een blik had beduid dat de Kerk haar taak had gedaan, trok Da Nóbrega zich met zijn vrome escorte terug.

De kolonisten begonnen elkaar te verdringen om beter te kunnen zien wat er nu ging gebeuren en er werden een paar soldaten op ze afgestuurd om de orde te herstellen. Anderen begonnen een langzaam ritme op hun trommels te slaan terwijl de inboorlingen naar de kanonnen werden gevoerd. Weer anderen bonden hun armen en hun benen langs het geschut vast, waarbij hun borsten en buiken tegen de metalen monding werden gedrukt. Een van de inboorlingen vroeg schreeuwend om genade en riep zijn voorouders aan als getuige voor het feit dat er maar één echt opperhoofd op deze aarde was, namelijk gouverneur Tomé. Maar de andere hield zijn mond, en had een verbazend rustige uitdrukking op zijn gezicht.

'Vuur!' beval de commandant van de kanonniers.

Padre Inácio sloot zijn ogen toen de twee kanonnen bijna tegelijkertijd losbrandden, waarbij de lichamen van de beide Tupinambás aan stukken werden gescheurd.

Inácio wist dat de gouverneur gelijk had gehad om een rechtvaardige straf te eisen voor de verschrikkelijke misdaad van de Tupinambás. De twee oude mannen, die hadden bekend dat zij van het vlees van de *degredados* gegeten hadden, verdienden een veroordeling. Maar hun dood was verschrikkelijk geweest.

Het gebulder van de kanonnen, de aan stukken gereten lichamen, de verschrikkelijke stilte die erop gevolgd was – alles duidde op de kloof tussen de inboorlingen en de Portugezen, en weer voelde Inácio hoe noodzakelijk de missie van de jezuïeten in dit land was. Slechts in Christus konden de wilden en de christenen broeders zijn.

Telkens als hij aan deze broederlijke eenheid dacht, dacht hij ook aan het prachtige voorbeeld van Unauá die met Salpina en Guaraci deel uitmaakte van een klein groepje inboorlingen dat door de jezuïeten was bekeerd.

Unauá was een goed christen geworden. *Padre* Da Nóbrega had haar zes maanden eerder gedoopt, tegelijk met tweeëndertig andere wilden, onder wie Guaraci, die de naam Cristovão had gekregen als eerbetoon aan de heilige schutspatroon van reizigers. Voor Unauá had Inácio Catarina gekozen, ter nagedachtenis aan de heilige uit Siena, de vrouw van verzoening en vrede. Het meisje vertelde hem dat Salpina vreselijk gelachen had toen ze haar haar nieuwe naam had verteld.

'Mijn vader, Aruanã, oudste van de Tupiniquin, heeft drie namen gekregen voor de Cariris die hij gedood heeft,' had haar pleegmoeder gezegd. 'En jij, mijn dochter, wat heb jij gedaan om die eer te verdienen?'

'Ik heb de weg des Heren gevolgd,' had Unauá geantwoord.

'En heb je hem ook gedood?'

'O nee,' had het meisje verschrikt uitgeroepen.

Drie maanden later werd de vreugde die de bekering van Unauá en haar broer Inácio had bezorgd verstoord door het verdwijnen van Guaraci – de jezuïet verdacht Salpina hem tot deze vlucht te hebben aangezet.

'Hij is weg, *padre*,' had Unauá op een ochtend in november gezegd. 'Hij is bij zonsopgang vertrokken.'

'Ik heb beloofd jullie naar Porto Seguro terug te brengen, en dat zal ik doen ook. Dat wist Guaraci ook.'

Maar er was al meer dan een jaar verstreken sinds zij in de Baai aangekomen waren, de jongeman was het wachten beu en had besloten om te voet naar zijn *maloca* te gaan.

'Maar dat is een onmogelijke reis voor een jongen,' had Inácio gezegd.

Omdat hij zag dat Unauá haar hoofd schudde, had hij zichzelf verbeterd door te zeggen: 'Voor een man alleen. Heeft Salpina hem dan niet gewaarschuwd?'

'Ze heeft hem gewaarschuwd voor het gevaar, maar hij antwoordde dat hij de bescherming van de Heer zou inroepen. Hij heeft ook nog gezegd dat als hij hier bleef hij een dienaar van de Portugezen zou worden. In zijn hart is hij nog steeds Tupiniquin, *padre*.'

'En jij, mijn kind, wat ben jij in je hart?'

'Ik ben niet zoals mijn broer.'

'Nee. Jouw hart is vol van de liefde voor onze Heer.'

Inácio had met hulp van het meisje Tupi geleerd, dat hij thans vloeiend sprak. Deze taal verschilde van stam tot stam nogal sterk, maar de jezuïeten hadden gemerkt dat zij een *lingua geral* konden spreken die even duidelijk was voor een Tupinambá als voor een Tupiniquin of een Tobajara uit Olinda.

Bij zijn terugkeer uit Pernambuco had Inácio pater Da Nóbrega rapport uitgebracht, die door zijn beschrijving gealarmeerd was geraakt en meteen naar het kapiteinschap was gegaan om zelf over de ernst van de situatie te kunnen oordelen. Uit hun beider reizen trokken de twee priesters de conclusie dat de inboorlingen gescheiden moesten worden van de kolonisten om hen te beschermen tegen de slavernij en hen te onttrekken aan verderfelijke invloeden.

Maar ze waren het niet met elkaar eens over de middelen die daartoe aangewend moesten worden. *Padre* Da Nóbrega was ervan overtuigd dat de jezuïeten grote *aldeias* – dorpen – in het binnenland moesten stichten, om daar de verspreide clans bijeen te brengen. 'Hoe kunnen anders zo weinig priesters zich bezighouden met zo'n grote kudde?' benadrukte hij telkens. Hij raadde ook aan om inboorlingen in de buurt van São Salvador te vestigen, zodat zij toch zouden kunnen profiteren van de weldaden van de beschaving.

Maar Inácio, die zich de *malocas* van Santo Tomás nog herinnerde, hield vol dat de Indianen in hun eigen dorpen moesten blijven, buiten bereik van de Portugezen die er alleen maar op uit waren deze mannen te onderwerpen en hun vrouwen te vernederen. De jezuïeten moesten naar hen toe gaan.

De dag na de terechtstelling van de beide Tupinambás gaf *padre* Da Nóbrega Inácio toestemming om een missie bij de inboorlingen te stichten.

'Mi…misschien hebt u ge…gelijk, be…beste vriend. Mi…misschien moeten wij die ki…kinderen de genade Gods in hun ei…eigen dorpen brengen.'

Inácio was dol van vreugde en legde zijn plan uit.

'Salpina, de Tupiniquin die ik uit Pernambuco heb meegenomen, is de dochter van een opperhoofd. Laat mij met haar naar het dorp van haar vader gaan, in Porto Seguro. Ik zal Catarina ook meenemen, onze geliefde bekeerlinge, wier voorbeeld vast en zeker haar broeders zal ontroeren.'

Vier weken later, op een ochtend in februari, daalde gouverneur Tomé de Sousa, die Inácio's plan had goedgekeurd, de heuvel af om de beide jezuïeten een goede reis te wensen. Zij gingen samen scheep – Inácio met bestemming Porto Seguro, Da Nóbrega voor zijn eerste bezoek aan het kapiteinschap São Vicente. Vanuit Rome had Ignatius van Loyola, de priester-generaal, da Nóbrega onlangs verheven tot de rang van vice-provinciaal van Santa Cruz en laten weten dat de Sociëteit van Jezus de kapiteinschappen binnenkort zou kunnen beschouwen als een provincie op zich. Vooruitlopend op die beslissing wilde Da Nóbrega de meest afgelegen voorposten van het gebied waarop hij voor Christus slag zou gaan leveren, verkennen.

De gouverneur werd vergezeld door een oude, enigszins gebogen kolonist, die de Tupinambás Caramuru noemden, de Visman, en die daar al woonde toen de vloot van Tomé de Sousa in maart 1549 was aangekomen.

Caramuru, die in werkelijkheid Diogo Alvares heette, was de enige overlevende van de schipbreuk van een Portugees schip dat in 1510 op de zandbanken aan de ingang van de Baai gelopen was. De Tupinambás hadden hem op de rotsen gevonden en hij had twintig jaar tussen hen gewoond, tot Dom Francisco Coutinho aankwam, een van de *donatários* van João III. Het was Dom Francisco niet gelukt om een kolonie te stichten op de gronden die de koning hem had toegewezen, en hij was onder de ploertendoders van de inboorlingen gevallen. De Tupinambás hadden Caramuru gespaard omdat hij hun vriend was en omdat zijn vrouw, Paraguaçu, Grote Rivier, de dochter was van hun machtigste opperhoofd.

Met genegenheid keek Tomé de Sousa naar de beide priesters die met Salpina en Unauá bij de sloep stonden die hen aan boord moest brengen van een schoenerbrik die in de baai lag.

'Mijn waarde soldaten van Christus,' sprak hij geroerd. 'Uw compagnie is klein, maar uw geloof is groot! Had ik in mijn gevolg honderd mannen die net zo toegewijd waren als u, dan zouden wij dit land snel eronder krijgen.'

'Met Gods wil, gou...gouverneur, zal het werk dat u h... hebt ondernomen vruchten afwerpen,' verzekerde Da Nóbrega.

'Het werk dat ik heb ondernomen!' zuchtte De Sousa. 'Wij zitten na twee, wat zeg ik, bijna drie jaar nog steeds op minder dan tien mijl van de kust waar wij aan land zijn gegaan.'

'Een mijl in Brazilië is net zoveel als tien mijl in Portugal,' zei Caramuru nu. 'Honderd mijl is niet niks!'

'*Sim*, Caramuru, maar het oerwoud en de wilden die erin leven zorgen ervoor dat wij als krabben aan deze kust vastzitten.'

'Sinds uw komst zijn onze scharen gegroeid,' zei de Visman. 'Dit kapiteinschap verliezen wij nooit meer!'

De gouverneur aanvaardde de loftuitingen van de oude kolonist zonder verder commentaar te geven en wendde zich tot de beide jezuïeten.

'Ik zal voor uw missie bidden, vice-provinciaal. Uw pogingen om de zielen van die heidenen te winnen zullen zeker de zegen van de hemel krijgen – en van onze vrome vorst. "Maar u, Dom Tomé," zal hij mij vragen, "wat hebt u geoogst? Wat hebt u mij gezonden om mijn schuren mee te vullen?" Langs dit deel van de kust is het pernambukhout op, en wat zijn het suikerriet of de katoen die wij met veel moeite verbouwen daarmee vergeleken waard? Waarom zijn alle rijkdommen van deze Nieuwe Wereld gereserveerd voor de Spanjaard? Hij heeft de edelstenen, het goud en bergen zilver.'

'Er zijn on...ongetwijfeld nog a...andere schatten te ont...ontdekken,' zei Da Nóbrega. 'Dit uitgestrekte vruchtbare gebied kan een paradijs van melk en honing worden.'

'Dat is precies wat Dom Duarte in Olinda ook denkt.'

'Het is ook zo, gouverneur,' zei Inácio nu. 'Ik heb in zijn kapiteinschap uitgestrekte velden suikerriet gezien.'

'In de velden van Dom Duarte groeit niet alleen suikerriet,' antwoordde Tomé de Sousa.

De toespeling was duidelijk. De beide jezuïeten hadden aan de gouverneur de situatie in Pernambuco beschreven en aangeraden om de koning te verzoeken het kapiteinschap van Dom Duarte af te nemen. En het was nog veel urgenter om de priesters uit Olinda van hun inheemse concubines af te halen en hen op te laten houden met hun zonde. Wat volgens Da Nóbrega nodig was, was een bisschop, om de priesters, de soldaten en de kolonisten, die allemaal zondigden uit zwakheid, weer op het juiste pad te brengen. Tomé de Sousa had op het verzoek van de jezuïet gereageerd door aan de koning niet alleen een bisschop te vragen maar ook weesmeisjes, wier onschuld misschien de betovering zou breken die de inheemse vrouwen over de argeloze kolonisten hadden geworpen.

De beide jezuïeten gingen niet in op de toespeling van de gouverneur, die plotseling begon te klagen: 'Ik ben moe, o, wat ben ik moe.'

'De Heer ziet a... alles wat u voor dit land d... doet,' verzekerde Da Nóbrega. 'Hij zal u uw wel...welverdiende rust ge...geven.'

Tomé de Sousa liep naar *padre* Da Nóbrega toe en omhelsde hem.

'God zij met u,' zei hij. Toen wendde hij zich tot Inácio en zei: 'U weet dat ik grote verwachtingen heb van uw Tupiniquin, die zich altijd welwillend tegenover de Portugezen hebben opgesteld. Als u hen kunt laten begrijpen hoezeer wij van hen houden, zullen zij samen met ons tegen de Tupinambás, hun gezworen vijanden, optrekken en ons helpen om hen klein te krijgen. Laat hun de liefde zien die zij van ons kunnen verwachten,' besloot de gouverneur terwijl hij zijn hand op de schouder van de jezuïet legde.

Zij hoorden het geluid toen ze nog maar op een paar honderd passen afstand van de *malocas* waren. Stemmen van mannen en vrouwen, vergezeld van het geratel van honderden kalebassen en het scherpe geluid van benen fluitjes.

Salpina had een hemelse uitdrukking op haar gezicht en deed haar best om Unauá te volgen, die voor haar uit liep en zenuwachtig, met enigszins gefronste wenkbrauwen, naar het oerwoud keek. Aan kop liep João Cardim, een kolonist uit Porto Seguro, zwaar beladen met een harnas en een indrukwekkende hoeveelheid wapens. Cardim had er bij Inácio op aangedrongen om te keren, want het was gevaarlijk om de Tupiniquin te storen als zij aan het feestvieren waren.

Het was nu twee weken geleden dat de jezuïet bij Porto Seguro aan land was gegaan, na een aangename reis zonder incidenten. *Padre* Da Nóbrega was een paar dagen bij hem gebleven in het kleine dorp op de heuvels die boven het strand lagen voordat hij met de schoenerbrik naar São Vicente vertrok. Uitermate opgewonden had Inácio vervolgens de laatste etappe van de reis voorbereid, naar de *malocas* van Aruanã, op een dag lopen van Porto Seguro gelegen.

Toen het dorp in zicht kwam, hield Cardim de pas in, maar Inácio riep hem dat hij voort moest maken.

'O, ze lopen niet weg,' antwoordde de kolonist boven het gezang van de vrouwen en de opgewonden kreten van de mannen uit. 'We kunnen beter voorzichtig naar ze toe lopen.'

'Waarom dan? Wij brengen hun de dochter van een oudste terug.'

'Je weet het nooit zeker met die wilden, *padre*. Ze zijn zo achterbaks als slangen.'

'Hebt u weleens last met ze gehad, Cardim?'

'Nee, *padre*.'

'Loop dan door,' beval Inácio streng.

Plotseling slaakte Salpina een kreet van vreugde en begon zij naar de lange hutten te rennen, die de groep van Inácio het zicht op de open plek ontnamen. Unauá bleef in de buurt van de jezuïet, die snel naar haar keek en zag dat zij bang was.

'Kom mee!' riep hij, terwijl hij achter Salpina aanrende, die net achter een *maloca* verdwenen was.

Inácio liep met grote passen, waarbij hij zijn vierpuntige hoed in één hand hield, en met de andere zijn soutane optilde. Het eerste dat hij zag was een menigte mannen, vrouwen en kinderen, naakt en bedekt met purperrode en zwarte verf en getooid met veren kronen. De mannen dansten op het ritme van de kalebassen en de gedroogde peulen die aan hun enkels hingen, waarbij zij wolken rood stof deden opdwarrelen. Toen de priester aankwam rennen veranderden de vreugdekreten van de inboorlingen in verraste uitroepen.

Inácio drong door de menigte heen en merkte dat veel Tupiniquin verschrikkelijk dronken waren, dat zij stonken naar bier, palmwijn en tabak. Een groep oude, lelijke vrouwen met roodgeverfde armen ging om hem heen staan en begon kakelend rond te dansen.

Plotseling week de menigte uiteen, waardoor het midden van de open plek zichtbaar werd.

'Genadige God!' riep Inácio en zijn ogen puilden uit van afschuw.

De oude vrouwen die met bebloede handen om hem heen hadden gedanst, dezelfde die de eer hadden gehad om het vuur te mogen klaarmaken, waren net klaar met de eerste van twee Cariris die die dag onder Yware-pemme, de grote ploertendoder, gevallen waren. Ze hadden de ledematen van het lijk gesneden en het vlees op de *boucan* gelegd, waarbij het vet spetterde in de vlammen. In de buurt van een grote ketel waarin een donkere vloeistof rookte lagen het hoofd van het slachtoffer, zijn darmen en ander slachtafval.

Inácio wist niet wat hem de meeste afschuw inboezemde, het gezicht van de dode of dat van de levenden. Kinderen met bloedvlekken op hun handen en hun wangen speelden in de buurt van het vuur; van zweet druipende krijgers stonden met een vraatzuchtige uitdrukking te wachten; jonge vrouwen toonden zonder de minste schaamte hun naaktheid aan zeven oudsten, die onbeweeglijk als aasgieren aan de kant stonden.

De tweede Cariri lag met ingeslagen schedel en een stukje hout in zijn anus op de grond.

Plotseling werd Inácio woedend, liep naar de oudsten toe en stak een beschuldigende vinger naar hen uit.

'De duivel is hier gekomen!' schreeuwde hij. 'De duivel is hier!'

Twee van hen keken hem niet-begrijpend aan, de anderen keken nieuwsgierig naar elkaar. De inboorlingen die rond de *boucan* stonden begonnen te mompelen, omdat zij in de war raakten door deze aanval op de oudsten. Inácio rende met zwaaiende armen op ze af.

'Ga weg! Ga weg!' beval hij. 'Ga weg van deze vervloekte plaats!'

Een jongetje liep hem voor de voeten, hij tilde het op en droeg het naar de dichtstbijzijnde groep vrouwen.

'Breng dit kind weg van deze verschrikking!'

Een geschrokken jonge inboorling pakte het kind en rende weg. Sommige vrouwen begonnen te lachen, maar de grootmoeders niet, die bleven staan waar ze stonden en wierpen vernietigende blikken op de blanke man.

Inácio wendde zich weer tot de oudsten, merkte dat de menigte zich verspreid had en dat er nog maar twee oude mannen stonden. Salpina rende naar hem die de oudste leek en riep: 'O Aruanã, mijn vader! Hier is Salpina, de dochter van Juriti.'

Ondanks zijn eenenzeventig jaar, zijn gekrompen gestalte en zijn slappe huid, had Aruanã toch nog iets van de grote krijger die hij was geweest, in de wilskrachtige manier waarop hij zijn kin vooruitstak, en de vaste blik die hij op de indringer met zijn zwarte jurk wierp. De vele littekens op zijn borst en zijn dijen waren aangezet met donkere verf; een lange cape van ibisveren reikte tot aan zijn enkels.

Hij herkende direct zijn dochter, de vrouw van Ticuanga, al was zij al zeventien jaar weg uit de *malocas*.

'Salpina,' was het enige dat hij zei.

Nadat hij haar even had aangekeken, vestigde hij zijn aandacht weer op de priester.

'*Padre*,' zei zij, zich omdraaiend naar Inácio, 'dit is Aruanã, de grootste van alle Tupiniquin!'

Inácio antwoordde niet. Hij voelde dat de oudsten naar hem keken, liep naar het tweede lijk en tilde het op. De menigte begon laag en boos te mompelen, en stond nu in een grote cirkel om hem heen. Cardim, met de haakbus in de hand, was klaar om te schieten.

Twee van de oudsten stonden op om te gaan overleggen met de buurman van Aruanã, Pium, het Vliegje, die iets vrouwelijks over zich had. Hij had een plat neusje, en een voor zijn leeftijd opmerkelijk weinig gerimpeld gezicht. Hij was een van de twee homoseksuele *pagés* die Afonso Ribeiro nog gekend had. Sinds de dood van zijn vriend was hij verbitterd geraakt en was hij een geduchte tegenstander geworden van hen die zich tegen hem durfden te verzetten.

'Arme lijdende ziel,' zei Inácio, terwijl hij het lichaam van de Cariri-krijger wegdroeg. 'Deze man moet in Gods aarde begraven worden, en hier niet blijven liggen rotten als aas voor de duivel!'

'Hemelse goedheid!' riep Cardim uit. '*Padre* Inácio, leg dat lijk neer! U maakt dat ze ons allemaal vermoorden!'

Maar Inácio begon langzaam weg te lopen.

Aruanã, Pium en de oudsten zaten druk met elkaar te praten maar niemand ondernam iets om de witte man tegen te houden. Door alcohol en tabak verdoofd, reciteerde de tovenaar alleen maar een hele reeks namen van bosduivels die vast en zeker klaarstonden om de dief met zijn zwarte jurk op te vangen.

Zonder een woord te zeggen liep Inácio voor Cardim langs, die even aarzelde en toen langzaam achteruitliep, met zijn haakbus gericht op het middelste deel van de groep oudsten. De jezuïet was al een eind van de open plek af toen de kolonist zich omdraaide en achter hem aanrende.

Samen begroeven zij de Cariri in het bos, na met de messen van Cardim een ondiepe kuil gegraven te hebben. Vervolgens viel Inácio op zijn knieën en begon hij te bidden, terwijl Cardim zenuwachtig om zich heen keek. Zij werden bespied, daar was hij zeker van.

'We moeten weg, *padre*, *en wel onmiddellijk*, nu we de kans nog hebben. Ze zijn overal om ons heen.'

'Weggaan? Geen sprake van. Hier is mijn missie,' zei Inácio terwijl hij opstond, met een bijna extatische uitdrukking op zijn gezicht. 'Ik dank u dat u mij hier gebracht hebt. Gaat u nu maar, naar uw familie. Ik blijf bij mijn Tupiniquin.'

'Dan moet u het zelf maar weten! Geef uw leven dan maar aan die wilden!'

Cardim liep snel weg zonder ook maar één keer achterom te kijken.

Inácio bleef een uur bij het graf van de Cariri bidden en liep toen weer naar het dorp toe. Toen hij in de buurt van de *malocas* kwam hoorde hij opnieuw het verschrikkelijke geluid van het feest en bleef in het oerwoud staan. Hij ging tegen een boom zitten en wachtte, waarbij hij zijn ledematen na het vallen van de nacht langzaam aan nat liet worden. Ten slotte zakte zijn hoofd op zijn borst en sliep hij in.

Hij werd voor zonsopgang wakker in het grijze, stille bos. Toen hij opkeek zag hij dat Unauá vlak bij hem zat.

'Wat doe jij daar, mijn kind?'

'Ik wacht samen met u, *padre*,' antwoordde zij eenvoudig.

Toen de Tupiniquin uit hun *malocas* begonnen te komen, zagen zij tot hun verrassing dat de 'zwartjurk' die de Cariri gestolen had weer teruggekomen was. Geknield voor de as van de *boucan*, huilde de blanke man, en bad hij in het Tupi. Unauá, die vlak bij hem stond, stelde de kinderen die ernaar kwamen kijken gerust. Langzaam maar zeker liep de hele clan te hoop om deze vreemde Langharige te bekijken die moedig genoeg was om terug te komen naar de plaats waar hij de voorouders zwaar had beledigd.

Langer dan drie uur bleef de zwartjurk op zijn knieën zitten, zonder te drinken of te eten. Zelfs de oudsten kwamen hem bekijken en Pium keek vanaf de drempel van zijn hut naar hem met een ijzige uitdrukking op zijn gezicht.

Gedurende de volgende drie maanden was er een soort wapenstilstand tussen pater Inácio Cavalcanti en de Tupiniquin. Nieuwsgierig geworden, bleven zij de priester bekijken die van zijn kant getuigde van een onwankelbare vriendschap. Nadat hij de diepte van hun zedelijk verval had gemeten, was Inácio zo verstandig om geduldig te blijven.

Als missionaris had hij de plicht om de vice-provinciaal op de hoogte te stellen van de geboekte vooruitgang, een verplichting waaraan hij voldeed in brieven, gesteld in het Latijn, in de eenzaamheid van zijn kleine hut. Iedere boodschap liet hij door een Tupiniquin naar Porto Seguro brengen, zonder te weten wanneer het volgende schip naar São Salvador zou vertrekken.

'*Padre* Da Nóbrega, hun harten zijn van steen,' klaagde hij in zijn eerste brief. 'Ik moet mij voor het ogenblik tevredenstellen met de kleinste steentjes, waarvan ik telkens een handvol neem, om ze zonder moeite fijn te kunnen drukken en er zand van te kunnen maken, even puur en even fijn als dat van het strand.'

Hij doelde hiermee op de kinderen, met name de jongens die nog niet gevraagd waren om ara-veren te gaan zoeken, en de meisjes die nog te jong waren om met hun moeders in de velden te gaan werken. Bij hen boekte hij flink vooruitgang. Een week na Inácio's aankomst arriveerden de goederen die voor de missie bestemd waren, met name een grote hoeveelheid suiker uit Pernambuco. De kinderen die zijn lessen kwamen volgen, voor zijn hut op de grond gezeten, hadden recht op een lepel suiker die hij in hun handen liet stromen. Ze begonnen te giechelen en heen en weer te draaien als de witte korrels door hun handpalmen rolden, en slikten de lekkernij zo snel mogelijk door.

Maar zijn eerste bekeerlingen kreeg hij niet alleen maar dank zij de suiker. Aanvankelijk richtte Inácio zich vol ernst tot de kinderen, bijna huilend in zijn ijver om hen de liefde van Jezus bij te brengen. Toen hij merkte dat hun aandacht makkelijk afgeleid werd, kwam hij op het idee om de methoden van de tovenaar eens van dichterbij te bekijken...

Op een ochtend, tot groot genoegen van zijn gehoor, liet *padre* Inácio zijn plechtige houding varen. Terwijl hij het verhaal van David en Goliath vertelde, deed hij eerst alsof hij de reus van drie meter hoog was, met een bronzen harnas aan, toen speelde hij het herdertje dat de kudde van zijn vader beschermde tegen de leeuw en de beer. Toen Goliath ter aarde stortte, in zijn voorhoofd geraakt, slaakten de kleine Tupiniquin kreten van vreugde en vroegen zij om nog meer verhalen.

Langzaam maar zeker gaf de jezuïet de kinderen kleine rolletjes in zijn bijbelse verhalen en leerde hij hun om in een goed geordende processie over de open plek te lopen. Waar zij vooral gek op waren, was de aandacht die hij hen gaf, en die zij maar zelden kregen. Nog geen drie maanden na zijn aankomst kon *padre* Inácio dan ook aan Da Nóbrega schrijven: 'Tweeënzeventig kinderen zijn gedoopt. Waarde vriend, hoe graag zou ik willen dat u het geluk van deze kleine zielen die ik aan het oerwoud heb onttrokken, zou kunnen zien!'

De rest van het dorp verdroeg hem met een mengsel van nieuwsgierigheid en wantrouwen, maar stelde zich niet vijandig tegenover hem op. Aruanã en de overige oudsten hadden het niet meer over de 'gestolen' Cariri en besloten dat de priester een tijdje in het dorp kon blijven. Maar de relatie tussen Inácio en Pium, de *pagé*, bleef delicaat. Ieder van hen beschouwde de ander als een machtige en kwaadaardige rivaal, maar geen van beiden was klaar voor een confrontatie die hem zijn gezicht kon laten verliezen tegenover de oudsten en de krijgers.

Inácio had van pleisterkalk een hut van tien bij twaalf voet gebouwd, die als woonhuis, bureau, kapel en ziekenhuis diende. Overdag was het er vaak benauwend warm, 's nachts was het er vochtig en stikte het van de insekten. Het meubilair was eenvoudig en bestond uit een tafel en een krukje, die Inácio zelf gemaakt had, twee hutkoffers met zijn voorraad en een paar persoonlijke bezittingen, en een klein schilderijtje zonder lijst van de Heilige Paulus, dat zijn vader Felipe hem voor zijn vertrek uit Lissabon gegeven had, een crucifix en een beeld van de Heilige Etienne, de martelaar. Zijn lange knokige lichaam wilde maar niet wennen aan een hangmat, en daarom sliep hij op een veldbed van takken bedekt met palmbladeren.

Later bouwde hij tegen de hut een groter afdak dat aan de zijkant open was – zijn 'kerk' – waar hij een altaar van steen en aarde installeerde, dat hij altijd met een fijn laken bedekte als hij voor zijn bekeerlingen de mis las.

Zijn maaltijden kwamen van verschillende kanten. Vaak stuurden de vrouwen uit een van de acht gemeenschapshuizen hem een kom maniok of bonen. Als de mannen van de jacht terugkwamen kreeg hij een deel van het wild, Unauá lette er altijd op dat hij te eten had, en zorgde ervoor dat zijn hut en de kerk schoon bleven.

Het meisje woonde bij Salpina in de *maloca* van Aruanã, maar het gebeurde vaak dat zij de nacht niet in haar hangmat doorbracht. De stam vermaakte zich over haar afwezigheid totdat een krijger haar op een nacht slapend voor de hut van *padre* Inácio aantrof. Toen begrepen de Tupiniquin wat de zwartjurk bedoelde als hij het had over het huwelijk met God.

Hoewel hij volledig de jezuïetengelofte van armoede, kuisheid en gehoorzaamheid accepteerde, kende Inácio ook perioden van eenzaamheid die aan hem vraten en die hem weleens deden verlangen naar een ander gezelschap dan dat van simpele zielen. Hij werd vaak uitgenodigd om bij de oudsten te komen zitten, om met de mannen uit de *malocas* samen te eten, en kwam altijd doodmoe van die bijeenkomsten terug, want terwijl de Indianen hun bier dronken en hun tabak rookten, moest Inácio met zorg elk woord afwegen.

Dat was anders als hij met Unauá was. Zij had het christelijk geloof omhelsd, en als hij tegen haar sprak, dan was dat om haar kennis van de mysteriën van het geloof te verdiepen. Ook gebeurde het wel dat het meisje hem ondervroeg over zijn persoonlijke leven en dan luisterde zij even aandachtig naar hem als naar alles wat hij zei. Zij wist dat hij van het oerwoud hield, van de planten die er groeiden, en legde na een wandeling vaak een bosje kruiden of een paarse orchidee op zijn tafel. Als hij dan terugkwam vond hij het geschenk dat op hem lag te wachten en voelde hij een diepe vreugde om zo'n vroom en aanhankelijk kind te kennen.

Tegen het einde van juni 1552 stuurde het groepje kolonisten uit Porto Seguro een boodschapper om *padre* Inácio uit te nodigen voor de viering van Sint-Jan. Hun priester was naar Bahia vertrokken, en zij wilden dat de jezuïet de pastorale ceremoniën van die dag zou leiden. In een kleine kerk met witgekalkte muren op de heuvel die boven de Baai lag kweet hij zich van die taak. Het was een mooi gebouwtje dat op de plaats stond waar de franciscanen Diogo en Gaspar hun ongelukkige missie hadden gevestigd. De kolonisten kwamen met drommen tegelijk naar de missen die hij opdroeg en de meesten van hen wilden biechten. Vervolgens werd er feestgevierd, want er moest gedanst worden en een vreugdevuur worden ontstoken.

Voor de gelegenheid lieten zelfs de strengste planters hun slaven begaan, om hen zodoende ook de heilige te laten eren. De Afrikanen, blij met deze rustdag, gaven uitdrukking aan hun gevoelens van dankbaarheid door allerlei snoeperij gemaakt van suiker, cashewnoten, maniok, maïsmeel en kokosnoten mee te nemen naar het feest, zoete mengsels die zij zich nog uit Afrika konden herinneren en die zij in de Nieuwe Wereld ontdekt hadden. De Indianen, minder enthousiast, waren geïntrigeerd door wat hun meesters deden, omdat veel van hen, in de geest van eenvoud en gestrengheid die bij Sint-Jan hoorde, hun oudste kleren aantrokken om even armoedig te lijken als hun dienaars.

Cardim, de kolonist die de jezuïet bij de Tupiniquin had gebracht, was vaak in de buurt van Inácio te vinden. In het bijzijn van verschillende planters en van de vrederechter Vasco Barbosa, een dikke, slordige man die zeer op de waardigheid van zijn functie stond en daarom geen oude vodden had aangetrokken, maar ondanks dat niet minder vies leek, riep Cardim uit: 'O *senhores*, zelfs Daniël stelde zich in de leeuwenkuil niet aan een groter gevaar bloot. U had moeten zien hoe de *padre* dat lichaam pakte dat die barbaren wilden gaan opeten!'

'Ik heb slechts gedaan wat God – en onze koning – van ons verwachten,' protesteerde Inácio. 'Namelijk die mannen losmaken van hun verschrikkelijke verleden.'

Barbosa stopte een van de lekkernijen die door de slaven gemaakt waren met van suiker kleverige vingers in zijn mond en verklaarde: 'God zij geprezen voor het geloof en de moed van Zijn dienaren! Moge Hij zorgen dat ik mij vergis, maar ik heb er niet veel hoop op dat die wilden ooit verlicht zullen worden.'

'Kom dan naar de *malocas*, *senhor* Barbosa, dan zult u de vooruitgang zien die de laatste maanden geboekt is. Ik verzeker u dat de Tupiniquin vuriger dan veel van ons wensen om het woord Gods te horen.'

'Ik heb horen spreken over uw groepje kinderen,' hernam de rechter. 'Daar hebt u misschien de oplossing gevonden, *padre*. Maar hun ouders, die onze kolonisten nog altijd bedreigen? Moeten wij een hele generatie lang in angst voor de Tupiniquin, de Tupinambás en de Cariris leven?'

'Een hele generatie en zo nodig nog meer – totdat wij ze verenigen in de schoot van de moederkerk.'

'Kinderen zijn het!' riep Barbosa plotseling uit. 'Volgens mij zijn het allemáál kinderen. Je moet ze uit het bos halen, ze leren te gehoorzamen en het land van de kolonisten leren bewerken.' Met zijn blikken vroeg – en verkreeg – hij goedkeurende knikjes van de mannen die om hem heen stonden. 'Als ze onderworpen en volgzaam zullen zijn als goede kinderen, dan kunnen we mannen van ze maken, die het waard zijn om beloond te worden voor hun toetreden tot het christendom!'

'Na wat ik gezien heb, meneer de rechter, sparen onze wetten hen niet lang genoeg om hen deze beloning te kunnen laten smaken.'

'Wij willen hun helemaal geen kwaad doen maar het is moeilijk om hun onze meest eenvoudige verlangens duidelijk te maken.'

'Helemaal geen kwaad, behalve dan door ze te geselen of ze door een kanon aan stukken te laten scheuren?'

Nu werd het gezicht van Barbosa helemaal paars.

'Wij hebben het in Afrika en in Indië voor het zeggen omdat wij niemand toestaan onze wetten en gewoonten met voeten te treden – en evenmin het Heilig Kruis. Waarom moeten de ridders uit Portugal de misdaden van deze wilden verdragen? Ze zijn ondankbaar, wreed, lui; ze geven zich over aan hun ondeugden – u bent daar zelf getuige van geweest.'

'Zij zijn óók kinderen van God,' zei Inácio vastberaden.

'*Padre*, veroordeel ons nu niet omdat wij een beetje bevooroordeeld zijn, vooral nadat wij oprechte pogingen hebben gedaan om met hen samen te werken. Da Silva, hier aanwezig, weet dat de Tupiniquin ontzettende leugenaars zijn!'

Domingos da Silva bezat gebieden ten zuidwesten van de Baai, op de plaats die voorheen werd bezet door de *malocas* van Aruanã en de zijnen. Afkomstig uit Setubal, een haven ten zuiden van Lissabon en beroemd om zijn zoutpannen, was hij twintig jaar eerder als houthakker naar Porto Seguro gekomen, om later weer terug te komen en zich definitief in het kapiteinschap te installeren. Hij was kort en gedrongen, had kleine varkensoogjes onder zware wenkbrauwen, zijn mond was vrijwel tandeloos, en hij was driftig, een eigenschap die hij had overgedragen aan zijn drie zonen, van wie Marcos de ergste was. Bijgenaamd 'de Stille', had Marcos een inboorling die andere slaven had aangezet om van de plantage van de Da Silvas te vluchten, gewurgd en vervolgens laten vierendelen.

'*Sim*!' zei de planter instemmend. 'Verschrikkelijke leugenaars! Zo heb ik een slaaf die zegt dat hij de *padre* kent.' Zijn tandeloze mond plooide zich in een vochtige glimlach. 'Hij zegt dat hij hem ontmoet heeft op het grondgebied van Dom Duarte Coelho in Pernambuco.'

'Ik heb inderdaad door dat kapiteinschap gereisd.'

'Dat zal best, maar die wilde vertelt dat hij een paar maanden heeft doorgebracht in de Baai met...'

'En waar hebt u hem gevonden!' onderbrak Inácio hem.

'Mijn Marcos heeft hem in het bos opgepikt, waar hij lag te sterven van de honger,' antwoordde de planter terwijl hij zijn schouders optrok. 'We hebben hem gevoed, we hebben hem uitgebreid verzorgd en wat doet hij nu? Nu denkt hij alleen nog maar aan weglopen.'

'Dan geloof ik niet dat hij tegen u liegt,' zei de jezuïet.

Da Silva wierp hem een onheilspellende blik toe en wendde zich toen tot de rechter. Die twee waren goede vrienden, want de justitie was altijd aan de kant van de Da Silvas, en verzekerde hen altijd van de toestemming om schadelijke inboorlingen gevangen te nemen en tot slaaf te maken. Deze toestemming was nodig geworden onder het bewind van gouverneur Tomé de Sousa, die prijs stelde op een duidelijke verhouding tot de wilden.

'Kunt u dit uitleggen, *padre*?' bromde de rechter.

'Hoe heet hij?' vroeg Inácio. 'Zijn naam?'

Da Silva moest even nadenken en antwoordde toen: 'Guaraci.'

'Dat dacht ik al.'

'Kent u hem dan echt?' zei de planter.

'Jazeker ken ik hem. Hij is de kleinzoon van de *degredado* Afonso Ribeiro.'

Da Silva ontblootte lachend zijn laatste tanden.

'Net als alle kleine *caboclos* uit Porto Seguro!'

Inácio kende het gebruik van het woord *caboclo*, 'koperkleurig', niet, waarmee de kruising tussen een blanke en een inboorling werd aangeduid.

'Na de dood van Ribeiro ben ik met Guaraci en zijn zuster uit Olinda vertrokken. Ik heb ze naar Bahia gebracht en ze beloofd om ze naar de *malocas* te brengen waar hun vader vandaan kwam.'

'Dan kan hij het niet zijn,' verklaarde Barbosa.

'Jazeker. Ik ben langer dan een jaar in de Baai geweest. Guaraci kon niet wachten en is te voet naar Porto Seguro vertrokken.'

Da Silva leek de woorden van de jezuïet heel vermakelijk te vinden.

'Gaat u hem die zich Guaraci noemt dan maar eens opzoeken, *padre*. Hij kan nu nergens meer heen.'

'Ik zal hem morgen gaan opzoeken,' antwoordde Inácio.

De andere kolonisten zwegen en keken beurtelings naar de priester en naar de planter, van wie zij verwachtten dat hij in woede zou uitbarsten. Maar Da Silva barstte in lachen uit, en wel zo hard dat hij naar een bosje moest lopen om zijn behoefte te gaan doen.

'*Padre*, dat zou niet zo verstandig zijn,' waarschuwde Cardim. 'Da Silva heeft voor niets of niemand eerbied.'

Ondanks deze waarschuwing ging Inácio de volgende dag op weg naar de gebieden van de Da Silvas, in gezelschap van drie Tupiniquin die hem tot Porto Seguro ook als gids hadden gediend. Drie uur lang voeren zij langzaam een rivier op die in de Baai uitkwam en trokken toen hun kano aan land op een plaats die Cardim aan de jezuïet had beschreven.

In nog geen uur stonden zij voor de omheining van de Da Silvas, vergelijkbaar met die van Nicolau Cavalcanti en gelegen op de heuvel aan de voet waarvan de *malocas* van de Tupiniquin stonden toen Aruanã nog kind was.

Inácio was op nog geen vijfhonderd passen van de omheining toen hij Domingos da Silva en een jongere man te paard de heuvel af zag komen in zijn richting. Zij hielden hun rijdieren pas in toen zij vlak bij de priester waren.

'Zo, *padre*, dus u komt die kleine zwerver opzoeken?' schreeuwde de planter hem toe.

Zijn zoon Marcos, die bij hem was, stak zijn hand uit naar de zweep die aan het zadel hing. Veertien voet tapirleer, fijn gevlochten, en meestal gebruikt voor de ossen die de karren moesten trekken, maar die de jongeman ook gebruikte voor de ruggen van mannen die hem ongehoorzaam waren.

'Laten wij geen ruzie maken, *senhor*,' zei Inácio. 'Er is hier sprake van een misverstand. Guaraci probeerde om bij zijn mensen te komen, hij is verdwaald en bijna van honger gestorven.'

'*Sim, padre, sim*, en hier heeft hij kost en inwoning gevonden. Het is toch niet meer dan rechtvaardig dat hij voor die gastvrijheid betaalt?'

Inácio probeerde om vooral maar kalm te blijven.

'Ik leef bij de Tupiniquin om ervoor te zorgen dat er vrede heerst tussen hen en u. Ik breng hun de boodschap van liefde en van het mededogen van de Heer. Hoe kan ik die overbrengen als wij hen noch het een noch het ander tonen?'

Marcos da Silva had zijn zweep ontrold en liet hem met een driftig gebaar klappen.

'Die jongen staat onder mijn verantwoordelijkheid,' ging de jezuïet vastberaden verder. 'Vertrouw hem aan mij toe, want anders zult u er tegenover de gouverneur zelf verantwoording voor moeten afleggen.'

'De gouverneur?' vroeg Domingos da Silva terwijl hij naar zijn zoon glimlachte. 'Waarom zou zijne excellentie De Sousa zich druk maken over een enkele inboorling terwijl hij zich druk moet maken over heel Brazilië?'

Plotseling kreeg Inácio genoeg van dit vruchteloze gesprek en liep op de omheining af. Met een gemene stem riep de planter hem toe: 'God beschermt u misschien voor de klauwen van de Tupiniquin, maar hier bent u op mijn terrein.'

De priester liep echter gewoon door. Marcos da Silva vloekte, zwaaide met zijn zweep en deed vlak voor Inácio's voeten een wolk van stof opwaaien.

'Hé, priester, achteruit!'

Maar de jezuïet liep door. Weer zwaaide Marcos met zijn zweep, en het uiteinde ervan striemde over de rechterwang van Inácio. Deze gooide zijn hoofd achterover waardoor zijn hoed op de grond viel. De riem had een lang, fijn litteken achtergelaten, dat begon te bloeden. Met ogen vlammend van woede deed hij zijn mond open maar hij zei niets en na even te zijn blijven staan, liep hij weer door – waarbij hij ditmaal op de zweep lette. Toen Marcos hem terug wilde trekken, zette Inácio zijn voet op het leer, greep het beet en trok eraan.

Marcos, die zijn voeten niet meer in de stijgbeugels had, verloor zijn evenwicht en viel op de grond. Terwijl hij een hele reeks vloeken uitbraakte stond hij op, en trok een korte kromme dolk uit de schede. Domingos da Silva reed snel naar zijn zoon toe en schreeuwde: 'Marcos! Nee!'

De jongeman moest aan de kant springen maar begon meteen in de richting van Inácio te lopen.

'Dat is een priester!' zei zijn vader. 'Ga ervandoor – voordat je voor altijd verdoemd bent!'

Hij sloeg zijn zoon met zijn leidsels in het gezicht totdat de laatste er ten slotte vandoor ging, waarbij hij voorbij de drie Tupiniquin rende, die zonder een woord te zeggen naar de confrontatie hadden staan kijken.

'Neem hem dan maar mee, uw kostbare wilde!' riep hij met een schelle, trillende stem tegen de jezuïet. Vervolgens lachte hij zenuwachtig, en zei: 'Waarom zou ik me druk maken over een jonge slaaf terwijl de Heer er ons volop aanbiedt?'

'Breng mij naar hem toe,' beval de jezuïet, knipperend met zijn rechteroog boven zijn gestriemde wang.

Guaraci was opgesloten in het slavenkwartier van de plantage. Hij lag naakt met zijn benen wijd op zijn rug en zat vast in twee van zes ijzeren gaten. De vier andere hielden de benen van twee andere slaven vast. Toen hij bevrijd werd, was hij te zwak om op te kunnen staan.

'Oh, Cristovão,' mompelde Inácio, waarbij hij de doopnaam van de jonge Indiaan gebruikte, 'wat hebben ze je aangedaan?'

Helemaal ondersteboven keek hij naar het broodmagere lichaam, waar de botten bijna door de huid heen staken. Met hulp van de Tupiniquin droeg hij hem naar de kano waarmee zij gekomen waren. Guaraci probeerde een paar keer iets te zeggen, maar zijn woorden bleven hem in de keel steken. Toen hij zijn mond wijd opendeed, zag Inácio dat zijn tong helemaal open lag en gezwollen was – verbrand door de gloeiende kool die Marcos da Silva in zijn mond had gestopt om hem voor zijn leugens te straffen.

Toen Guaraci weer kon praten, vertelde hij de mannen van de clan over zijn ongelukkige avontuur en Aruanã luisterde aandachtiger dan alle anderen. Terwijl de krijgers luidruchtig kalebassen met bier aan elkaar doorgaven of hun ongeduld lieten blijken door door het gat in hun lippen te fluiten als Guaraci de draad van zijn verhaal kwijtraakte, vroeg hij om stilte en hielp hij de jongeman door te zeggen: 'Wie kan nu in één nacht alles vertellen wat hij tijdens een reis heeft gezien waarbij de sterren in de hemel van plaats veranderen?'

Padre Inácio, die bij de oudsten op de grond zat, droeg af en toe ook zijn steentje bij om de krijgers te kalmeren en zij die zijn gebaren zagen hielden hun mond. De verhouding van de jezuïet met de clan was veranderd sinds zijn terugkeer uit Porto Seguro, vijf weken eerder. De Tupiniquin hadden gezien hoe Guaraci eraan toe was en hadden het verhaal van de drie krijgers gehoord die de zwartjurk hadden begeleid. De oudsten waren onder de indruk van het litteken op zijn gezicht, een paarse streep van zijn rechteroog tot aan zijn mondhoek, een bewijs van de vriendschap die de priester voor hen voelde. 'Hij heeft het over zijn liefde voor de Tupiniquin en hij laat blijken dat hij het meent,' had Aruanã verklaard.

Mocht Inácio zich gelukkig prijzen dat hij beter door de oudsten en de krijgers geaccepteerd werd, hij moest zich ook steeds meer zorgen maken over de houding van Pium. De *pagé* riep steeds vaker mannen en vrouwen samen bij de hut van de heilige kalebassen om de boze geesten die hen bezaten te verdrijven en dwong hen die te vriendschappelijk met de priester omgingen om bij hem te komen. Zo ging het met een vrouw die te lang met haar kind in de hut bleef waarin de zwartjurk de kleine Tupiniquin liet zingen, of de ouders van een jongen die er te zeer naar verlangde om de witte jurk te dragen die de Portugezen aanboden.

Die avond zat Pium een beetje aan de kant in de schaduw, en vestigde al zijn aandacht op *padre* Inácio. Hij wist dat de krijgers hem thans vergeleken met die Jezus wiens lof hij altijd zong, omdat hij nu ook geaccepteerd had zich te laten geselen en te lijden voor de Tupiniquin. En tot grote wanhoop van de tovenaar begonnen de mannen zich nu te interesseren voor die geest met de naam Jezus.

Inácio was zich dat bewust en zijn hart was vervuld van hoop toen hij naar de Indianen rond het vuur keek.

Ondanks zijn aanvankelijke aarzeling had Guaraci het verhaal van

zijn reis afgemaakt, en uitgelegd hoe hij door het gebied van de Tupinambás was getrokken en ontsnapt was aan Cariri-bendes om ten slotte in de handen van de Da Silvas te vallen. Zijn gezicht klaarde op
toen hij vertelde hoe hij, bevrijd uit zijn boeien, naar de kano gedragen was.

'Hij heeft me gered!' riep hij uit.

Vele krijgers keken naar Inácio en prezen hem.

'Hij heeft mij gered!' herhaalde Guaraci. 'Ik heb tot de Heer gebeden en hij heeft mij vader Inácio gestuurd. Toen ik begrepen had dat
die mannen mij ten slotte zouden doden, zei ik tegen mezelf, als ik nu
die God smeek Wiens zoon voor mij gestorven is, zal Hij misschien
naar mij luisteren. "Help mij, bevrijd mij," smeekte ik.' Guaraci
zweeg en schoof naar de jezuïet toe. 'En Hij luisterde naar mij. Zonder rook, zonder heilige kalebassen, en Hij stuurde mij *padre* Inácio.'

Een van de oudsten stond paf.

'Die zwartjurk,' zei hij, terwijl hij op de priester wees, 'is hij de
zoon van God?'

'Nee, nee,' riep Inácio terwijl hij opstond. 'Ik ben slechts een van
Zijn dienaars op aarde. Een gewoon mens die probeert om wat hij
kent van de liefde Gods voor alle mensen, met andere mensen te delen.' Hij legde zijn hand op Guaraci's schouder. 'Deze zoon van een
Tupiniquin-krijger heeft de Heer gevonden en Diens macht begrepen.'

Pium lachte kakelend. 'De zwartjurk gaat prat op een macht die
groter is dan alles wat wij kennen en pretendeert dat deze jongen daar
een deel van gekregen heeft. Hoe kan het dat een schepsel die de stem
van de geesten niet met ara-veren heeft geëerd, die nooit gestreden
heeft, die nooit een vijand naar de open plek heeft gebracht, hoe kan
het dat zo iemand zo'n macht heeft?'

Inácio wilde antwoorden maar de *pagé* ging verder: 'Waarom hebben de voorouders van de Tupiniquin geen recht op wat deze jongen
zegt ontvangen te hebben?'

'Bemin God, dan zal Hij misschien ook naar de voorouders luisteren. Zij zijn niet meer hier op het dorpsplein maar hun geest is nog
steeds in leven. Als jullie je harten opent voor de Heer, zal Hij zich
ook tot jullie voorouders wenden.'

'In het land van de voorouders vinden onze moedigste krijgers eer
en glorie.'

'Jazeker, Pium,' bevestigde Inácio. 'Alle zielen van de voorouders
zijn er verenigd.' De tovenaar keek nu tevreden. 'Maar voorbij het
land van de voorouders, is er een groter paradijs, waar God wacht om
hen te kunnen ontvangen.'

'Er is níets voorbij het land van de voorouders,' zei de *pagé* met nadruk.

'Jawel, Pium.'

Aan de gelaatsuitdrukking van de krijgers die om hem heen zaten te zien, had de jezuïet daar een krachtig argument naar voren gebracht, en het zaad van de twijfel gezaaid, dat thans kon kiemen. Immers, wie zou het in zijn hoofd halen om de voorouders de toegang tot een nog grotere glorie te ontzeggen?

'Jullie hebben gezien wat de Portugezen gebracht hebben, hun grote kano's, hun krachtige wapens, hun prachtige ijzeren gereedschappen. Kijk dan nu naar hun God, de grote geest van liefde en van vrede tussen de mensen.'

De tovenaar liep naar de oudsten toe en zwaaide met zijn handjes.

'Laat jullie niet beetnemen door de woorden van een Langharige, een van hen die ruggen geselt en tongen verbrandt!'

'*Padre* Inácio is niet als de rest,' wierp Guaraci tegen.

'Jij weet helemaal niks, kleintje,' antwoordde Pium, om zich vervolgens weer tot de ouden te wenden. 'Als jullie naar zijn leugens luisteren, zal de lange rust van de voorouders onderbroken worden. Tupiniquin, luister naar Pium; als jullie naar de gezangen van deze zwartjurk luisteren dan hoort de stem van de geesten jullie niet meer!'

Hij draaide zich plotseling om en liep weg, waarbij hij kwade voorspellingen bleef uiten. Voordat Inácio iets had kunnen zeggen, zei Aruanã: 'Pium heeft gelijk. Pojucan, mijn vader, kende de weg van de voorouders niet en is gedood.'

'Tupiniquin, als jullie God niet kennen, Die over alles heerst, zullen jullie worden meegesleurd door de meester van de dood,' verklaarde Inácio met een plotseling dreigende stem. 'Maar ik weet dat jullie die grote zielverpester al kennen, die wij de duivel noemen. Dat is Jurupari! Vrienden, Jurupari beloert hen die de Heilige Geest niet ontvangen. Wij Portugezen, wij weten al lang dat God ons in Zijn genade toont hoe wij aan de duivel kunnen ontsnappen, aan Jurupari. Tupiniquin, laat mij u naar uw heil voeren!'

Waarop de jezuïet op een even spectaculaire wijze als de tovenaar het toneel verliet.

'Kom mee,' zei hij tegen Guaraci, 'we hebben werk te doen. Heer sta ons bij, help ons in de strijd tegen Jurupari!'

De oudsten waren volkomen in de war. Niet alleen wist deze blanke man van het bestaan van Jurupari, een demon uit het woud, maar hij was bovendien niet bang voor hem. Hij trok het bestaan van het land van de voorouders niet in twijfel maar ontkende dat de heilige kalebassen ook maar de minste macht hadden. Terwijl ze hem nakeken, riep Aruanã uit: 'O stem der geesten, bescherm hem, al begrijpt hij onze voorouders niet. Bescherm hem, want hij is onze vriend.'

Toen de kinderen de volgende dag naar catechisatie kwamen ontvingen Unauá en Guaraci hen, en niet *padre* Inácio. Die had die ochtend vroeg gezegd: 'Vrienden, ik moet in mijn hut blijven om tegen Jurupari te strijden.'

Twee dagen lang kwam de zwartjurk niet te voorschijn en de oudsten, die zich zorgen maakten over de gevolgen die deze provocatie van de demon Jurupari zou kunnen hebben, kwamen ten slotte naar de hut van Inácio toe. Met rood-zwart beschilderde lichamen, en met hun machtigste amuletten om, staken zij de open plek over.

Unauá en Guaraci zaten voor de hut en begroetten hen met eerbied – en ook met iets van angst. Aruanã, die voorop liep, tilde de mat bij de ingang op en slaakte een kreet.

'Wie heeft dat gedaan?'

Guaraci sprong op en hield de oude, die al naar de priester toe liep, tegen.

'Nee, hij wil dit zo.'

'Hij wil dat?' vroeg Aruanã verbaasd.

De grond was bezaaid met doorntakken, en daar bovenop lag Inácio. Hij had alleen maar een lendendoek om en zijn hele lichaam zat onder het bloed. Hij keek naar Aruanã en mompelde nauwelijks hoorbaar: 'Ik probeer het lijden van Jezus te doorgronden, de zoon van God, die de grootste strijd tegen het kwaad heeft gevoerd. Ik smeek de Heer jullie zijn genade te betonen, om jullie de ingeslagen schedels te vergeven evenals het opgegeten vlees. Ik vecht tegen Jurupari, die door die daden gevoed wordt.'

'Houd op, *padre*, alstublieft,' smeekte Aruanã terwijl hij achteruitliep. 'Stop dat...'

Maar hij wist dat wat hij zag niet te benoemen.

'Nee,' kreunde de priester. 'Als mijn boetedoening ook maar één enkel hart kan vermurwen...'

Maar Aruanã hoorde hem al niet meer, want hij was weggevlucht.

Algauw was het hele dorp in rep en roer toen ze hoorden wat er met de zwartjurk was gebeurd. Binnen in de hut van Pium klonken de kalebassen, maar niemand durfde ernaartoe te gaan. De Tupiniquin raakten bijna in paniek toen Inácio wankelend het plein op kwam lopen. Guaraci en andere bekeerlingen volgden hem met een zwaar kruis dat zij hem hielpen op zijn schouders te laden. Hij zakte onder het gewicht ervan in elkaar, maar stond toen langzaam zonder hulp weer op.

Het moment waarop de jezuïet met het kruis op zijn rug het plein begon over te steken, leidde Unauá de kinderen achter hem aan en liet hen de gezangen zingen die hij ze geleerd had. Zwijgend keken de Tupiniquin naar deze processie en zagen dat veel van hun kinderen huilden. De zwartjurk struikelde een paar keer en Guaraci moest hem helpen om weer op te staan, maar onder het masker van pijn en uitputting straalde zijn gelaat – zoals het gelaat van een krijger straalt, die zojuist een vijand heeft verslagen.

Zeven maanden hierna stuurde Inácio een rapport van het afgelopen jaar naar zijn superieur:

'*Padre* Da Nóbrega, ik voel mij zo nietig als ik de wonderen zie die de Heer elke dag onder de Tupiniquin verricht. Na mijn boetedoening overladen zij mij met vragen. "Wat maakt het voor een dode man uit, of hij nu al dan niet opgegeten wordt? U ziet dat wij naakt als Adam rondlopen, nadat God hem uit het paradijs had verjaagd – maar welke zonde hebben wij dan begaan? Waarom hebben wij Gods woord nodig terwijl onze voorouders zonder konden leven?" Zij zitten in zoveel leugens en bijgeloof verstrikt dat ze de grootste moeite hebben om de simpelste waarheid te aanvaarden.

De voornaamste oude, Aruanã, een intelligente, trotse wilde, luistert urenlang naar mij als ik het over Jezus, Maria, en de wonderbaarlijke macht Gods heb, maar vervolgens praat hij er zo verward over dat ik God slechts kan bidden om hem het licht te schenken.

Velen, behalve de oudsten, in wie het kwaad diep geworteld is, komen mij elke dag het reinigend water van de doop vragen en zijn oprecht bang voor de kwellingen van de verdoemenis, die ik hun onophoudelijk voorhoud.

Sommigen zijn gedoopt en dezelfde dag nog getrouwd, want zij houden van elkaar en zijn elkaar trouw, en de meesten hebben slechts één vrouw. Ook op dat punt weer zijn de oudsten het meest recalcitrant, want zij nemen soms vier vrouwen. Zij willen daar niet mee ophouden en het lukt mij ook niet om hen uit hun grote hutten te krijgen, waar zij allemaal samenwonen, om in kleinere huizen te gaan wonen waarin iedere familie een zeker privé-leven zou kunnen hebben.

Maar de wanhoop die ik voel omdat ik niet in staat ben het kwaad met wortel en tak uit te roeien, wordt gecompenseerd door de kinderen, die volhardende engeltjes. Sommigen zijn zo ijverig in het geloof dat zij mij aangedaan de zonden van hun ouders vertellen. "Alstublieft, *padre*, vraagt u aan Jezus hun te vergeven," pleiten zij dan, zo bang zijn zij voor de tirannie van de duivel. Dank zij de kinderen ook, is Pium, de grote tovenaar, in diskrediet geraakt.

"Pium, met zijn gevolg van demonen en kwade geesten, is alleen maar een bijgelovige oude man die jullie vaders heeft geleerd te geloven in zijn duivelse leugens," heb ik tegen de bekeerlingen verteld. Als ik het moment gekomen acht, zal ik mijn legertje aanzetten om ten strijde te trekken tegen deze meester van het kwaad.

Pium stak een keer het plein over toen zes jongetjes naar hem toe liepen, om hem heen begonnen te dansen en tegen hem zeiden dat zij als kinderen van Jezus eerbied hadden voor hun vaders, grote krijgers, grote jagers. Maar omdat Pium niet ten strijde trok en ook niet ging jagen, hadden ze niets van hem te vrezen, zeiden zij. Ze liepen achter hem aan tot aan zijn hut en gingen tekeer als kleine hondjes die in de staart van Lucifer beten: "Zeg eens, Pium, waarom moeten wij bang voor jou zijn? Wij zijn bang voor Jurupari, maar Jezus heeft Zijn leven gegeven om ons van hem te redden! Pium, geef nu maar toe dat je een oude man bent, en verder niets!"

God zij geloofd, want de *pagé* riep dat hij inderdaad een vermoeide oude man was, die alleen maar met rust gelaten wilde worden. Sinds die tijd komt hij zijn hut niet meer uit. De oude vrouwen gaan hem nog wel opzoeken, maar de stemmen die de clan schrik aanjoegen zijn weggestorven, en de heidense feesten zijn vergeten – dit alles dank zij onze Verlosser, Die ons in dit oerwoud van zielen naar het licht leidt!'

Padre Da Nóbrega had Inácio graag hulp gestuurd, maar het kleine groepje jezuïeten van Santa Cruz had zoveel te doen dat dat niet mogelijk was en Inácio moest alleen doorgaan met zijn werk bij de Tupiniquin. Vijf maanden later kwam er in Porto Seguro een schip aan met het tevreden antwoord van Da Nóbrega, maar hoe blij Inácio ook was dat hij zijn superieur had kunnen behagen, die vreugde werd bedorven door ander nieuws dat in de brief stond.

Tomé de Sousa, de grote verdediger van de Sociëteit van Jezus, was zijn taak in dit grote land moe en had koning João gevraagd om uit de functie van gouverneur ontheven te worden. Hij was vervangen door Dom Duarte da Costa, die Da Nóbrega voorzichtig omschreef als een eerlijk en vastberaden man die de koning gediend had in de Raad – een toespeling op de omstandigheid dat Da Costa dus geen enkele ervaring in burgerlijke of militaire zaken had. Met de vloot van Da Costa was ook de eerste bisschop van Brazilië aangekomen, Pedro Fernandes Sardinha, de vroegere vicaris-generaal van Indië, die zijn zestigste verjaardag in de Baai kwam vieren. Over hem schreef Da

Nóbrega: 'Hij is een wilskrachtig man met vastgeroeste ideeën die deze kolonie graag als een groot bisdom zou zien stralen. Hij is dus wel tevreden met ons, en bidt voor de bekeerlingen, maar houdt zich in de eerste plaats bezig met de zielen die uit Europa komen.'

Inácio vond het nieuws van zijn vriend niet bepaald geruststellend. Er was nog iets in Da Nóbrega's brief waardoor hij heel verdrietig werd: François Xavier was afgelopen december gestorven, op een eiland in de Baai van Kanton, waar hij zich opmaakte voor een grote reis door China.

De getroffen jezuïet zat met zijn ogen gesloten en zijn hoofd in zijn handen aan tafel, toen hij voelde dat er iemand de hut binnenkwam. Hij keek op en zag Unauá in de deuropening staan. Door het licht van buiten straalde haar kastanjebruine haar en viel er een schaduw over haar wangen. Haar amandelvormige ogen in haar ronde, eerlijke gezicht, hadden iets zachts. Ze was opgewonden, want haar lippen waren half geopend en haar gebaren waren zenuwachtig.

'Slecht nieuws van *padre* Nóbrega,' zei hij tegen haar. 'Een van onze beste apostelen is naar de hemel gegaan terwijl hij op het punt stond China binnen te trekken, een groot heidens land.'

'Hij zal er met Jezus zijn.'

'Vast en zeker, mijn kind.'

Hij noemde haar nog steeds 'mijn kind', al was ze bijna twintig.

'Dan is het dus een grote vreugde,' zei Unauá.

'Jawel, maar zijn prachtige voorbeeld is ons ontnomen – vooral voor hen die niet zo moedig zijn.'

'Maar dat bent u wel.'

'Ik ben maar een zwakke, onwaardige man.'

Hij draaide zijn hoofd om en nu viel het licht op het lange litteken op zijn wang.

'Ik kan er niet tegen als u zo verdrietig bent,' zei het meisje. 'U hebt mijn broer en mij zulke kostbare geschenken gegeven. O, *padre*, wees nu niet verdrietig,' mompelde zij terwijl zij haar hand naar hem uitstak.

Hij keek haar aan en zag dat er tranen in haar ogen stonden.

'Elke dag dank ik de Heer dat ik jou heb. Mijn kind, jij bent een ware zegen in deze vreemde wereld.'

'*Padre*, ik ben vol liefde voor Jezus – en voor u.'

'Unauá,' mompelde Inácio.

'U bent zo goed! Waarom zou er kwaad in steken als u Unauá zou nemen?'

'Mijn kind,' antwoordde de priester terwijl hij haar hand pakte. 'Ik heb een keus gedaan, en daar moet ik mij aan houden.'

'Dat weet ik. U draagt de jurk van de Kerk.'

'Ik heb gezworen God te dienen, met heel mijn ziel en heel mijn lichaam.'

Inácio had nog nooit een vrouw gehad. In zijn jeugd was hij verliefd geworden op de dochter van vrienden van de familie en hij dacht nog steeds vol tederheid aan haar terug. Maar hij was nog knaap toen hij de gelofte van kuisheid aflegde. Vervolgens was hij zo druk bezig geweest met zijn missie dat hij meestal alleen maar hoefde te bidden om de verleidingen des vlezes van zich te houden. Maar nu dit jonge, charmante meisje hem het mooiste van alle geschenken aanbood, vond hij het prachtig de kracht op te brengen om haar te weigeren.

Unauá maakte haar hand vrij.

'Ik begrijp het,' zei zij zachtjes. Ze liep naar de deur, maar draaide zich om en zei: 'Toch vind ik het jammer.'

De volgende dag, toen *padre* Inácio na schooltijd naar zijn hut terugkwam, zag hij op tafel een paarse orchidee liggen, een perfecte bloem die in het hart van het oerwoud geplukt was.

Twee maanden later moest Inácio weer aan die orchidee denken. Het was oktober 1553 en hij was in het oerwoud, ver van de *malocas*, om de geestelijke oefeningen te doen die de pater-generaal Ignatius van Loyola voor zijn discipelen had voorgeschreven. Guaraci en twee andere bekeerlingen waren bij de priester, maar op zijn eigen verzoek bleven zij op een afstand om zijn eenzaamheid niet te verstoren. De plaats waar zij uitrustten was vier dagen lopen van de *malocas* verwijderd en om er te komen waren zij langs dorpen van clans gegaan die hen vriendschappelijk ontvingen, want de reputatie van de Langharige die zijn bloed voor de Tupiniquin had geofferd, was wijd en zijd verbreid.

Inácio liep richting Ilhéus, het kapiteinschap ten noorden van Porto Seguro, omdat hij van plan was zijn hele missiegebied te leren kennen. Hij was ook nog steeds van plan om *padre* Da Nóbrega om hulp te vragen, maar in afwachting van een assistent ging hij van clan tot clan om zijn plicht te vervullen. De omvang van deze taak viel op te maken uit het aantal dorpen dat zij onderweg aandeden: negen Tupiniquin-kampementen van vierenzestig *malocas*, volgens schattingen van de jezuïet meer dan drieduizend zielen. Zou hij een andere route genomen hebben, dan zou hij net zoveel dorpen tegengekomen zijn, verzekerden zijn gidsen, tot aan de bossen van de vijand, de Tupinambás.

Toen zij voorbij de laatste groep *malocas* waren gekomen, was Inácio op zoek gegaan naar een plek waar hij kon mediteren. In deze heuvelachtige streek die minder vochtig was dan de kust, was het bos wat meer open, maar het bleef weelderig, vooral langs de rivieren die overal stroomden. Ze waren net een stroompje overgestoken en liepen langs een heuvel toen Inácio een beetje hogerop een grote paarse vlek zag. Hij beduidde zijn gidsen te blijven staan, en klom omhoog om de orchideeën te gaan bewonderen, die rond een grillig gegroeide boom stonden.

Daar besloot hij zich terug te trekken en zich over te geven aan zijn contemplatie. Elke ochtend verliet hij zijn metgezellen voor zonsopgang om pas bij het vallen van de avond weer terug te keren. Gezeten op de grond mediteerde hij over zonde, dood, het oordeel Gods en de hel. Na twee dagen van eenzaamheid sprak hij met Jezus, de Maagd Maria en de Heiligen. Ten slotte voelde hij zich gereinigd en vervuld van nieuwe moed om zijn missie te kunnen vervullen.

Op de terugweg bracht hij de laatste nacht van de reis door in een Tupiniquin-dorp dicht bij dat van Aruanã. De oudsten ontvingen de jezuïet beleefd en lieten een provisorisch onderkomen voor de nacht voor hem bouwen. De vrouwen die het op de open plek optrokken zeiden bij wijze van grapje dat het leek op de hut die de gevangenen kregen voordat zij moesten aantreden voor Yware-pemme.

Inácio kreeg de indruk dat de oudsten, al waren zij gastvrij, afstandelijk bleven, zich niet voor zijn reis interesseerden en hem alleen lieten zodra zij de kans daartoe kregen. Hij vertelde het aan Guaraci, die er geen uitleg voor had. Toen zij de volgende dag zouden vertrekken merkte hij dat twee bekeerlingen verdwenen waren.

'Wat hebben jullie met ze gedaan?' vroeg de priester aan de oudsten.

'Niets,' antwoordde een van hen. 'Ze zijn helemaal alleen vertrokken.'

'Maar wij waren samen op reis!'

'Misschien lopen zij vlugger,' suggereerde een oudste, alsof hij zich totaal geen zorgen maakte.

'Kom mee,' zei Inácio tegen Guaraci, 'we gaan proberen ze in te halen.'

Nadat hij de oudsten van de clan bedankt had, beloofde hij spoedig terug te komen en zei hij nog: 'Ik wil niets anders, vrienden, dan u laten delen in de grote vreugde van het naburige dorp, waar steeds meer Tupiniquin elke dag Jezus en Zijn liefde leren kennen.'

Al was hij aanvankelijk geïntrigeerd door de verdwijning van de beide krijgers, toch dacht Inácio dat ze misschien alleen zo snel mogelijk naar hun vrouwen terug wilden, die ze een maand lang niet gezien hadden. Zij behoorden tot zijn vurigste bekeerlingen en hadden het huwelijk en ook de doop aanvaard.

Inácio zette af en toe onder het lopen door het bos een hymne in en Guaraci, die blij was dat ze gauw thuis zouden zijn, nam die over als hij de woorden kende. De jongeman vergeleek hun vrolijke wandeltocht met de verschrikkelijke reis die hem van de Baai naar Porto Seguro had gevoerd en bedacht dat de God die hij gevonden had echt heel machtig was.

Zij liepen door een open gedeelte van het oerwoud toen de priester plotseling stopte met zingen en Guaraci beduidde om te blijven staan.

'Wat is er?'

'Weet ik niet,' antwoordde Inácio, terwijl hij naar de bladeren keek. 'Er is iets...'

Guaraci volgde de blikken van de priester en zei: 'Ik zie niets.'

'Wacht maar.'

Inácio ging van het pad af, dook tussen de bosjes en riep plotseling: 'Daar!'

Guaraci had zijn boog gespannen en hield die schietklaar.

'Een vrouw,' ging de jezuïet verder. 'Een oud vrouwtje dat tussen de bomen heen en weer springt.' Hij knipperde met zijn ogen. 'Nee – twéé vrouwen... De arme zielen, zouden ze verdwaald zijn?'

Een van de oude vrouwen stiet een klaaglijk geluid uit, dat meteen door de ander werd overgenomen, en toen ook door een derde, die niet te zien was en wier gekreun overging in waanzinnig gekrijs waaraan geen touw viel vast te knopen. Toen ze de beide mannen naar hen toe zagen komen, sloegen zij op de vlucht.

'Blijf toch hier!' riep Inácio terwijl hij achter hen aanrende. 'We doen jullie geen kwaad! Wat gebeurt er toch?' vroeg hij aan Guaraci. 'Waarom gaan zij ervandoor?'

'Misschien Cariris?'

Inácio antwoordde niet maar liep achter de vrouwen aan, die plotseling ophielden te gillen.

'Cariris,' herhaalde Guaraci, 'misschien een val?'

De priester ging langzamer lopen.

'Alstublieft, *padre*, ga nu niet verder. Als dit Tupiniquin zouden zijn uit onze *malocas*, waarom zouden ze dan wegvluchten voor *padre* Inácio, van wie zij weten dat hij hun vriend is?'

De jezuïet moest even lachen.

'Sinds wanneer zijn de grootmoeders die zo gek zijn op Pium de vriendinnen van Inácio?'

'Waarom zouden ze dan vluchten?' hield Guaraci vol.

Even bleef de missionaris onbeweeglijk staan en staarde naar de bomen voor hem. Als ze zouden doorlopen zouden ze die oude vrouwen misschien uit hun schuilplaats verjagen. Maar als Guaraci nu gelijk had? Als het inderdaad een val was?

'Laten we maar weggaan,' besloot hij ten slotte.

Twee uur later ontdekte *padre* Inácio waarom die oude vrouwen waren weggevlucht.

Hij stond midden op de open plek van Aruanã's dorp, daar waar de Tupiniquin vroeger hun gevangenen afslachtten, en kneep zo hard in het crucifix aan zijn rozenkrans dat zijn knokkels wit werden.

De dubbele omheining was op meerdere plaatsen neergehaald en de acht *malocas* waren door brand verwoest. Er was geen hut gespaard gebleven. De grond lag vol met gebroken potten, verscheurde veren hoofdtooien, weggegooide bogen en ploertendoders, en lijken waaraan de gieren al begonnen te plukken.

Langzaam en kreunend liep Inácio naar een *maloca* en riep toen plotseling uit: 'Guaraci! Waar zijn ze? *Waar zijn onze geliefde zielen?*'

Zonder te antwoorden liep de jongeman tussen de ruïnes van de grote hut waar Salpina, Unauá en hijzelf hun hangmatten hadden hangen.

'De kinderen...' stotterde Inácio, 'de kinderen Gods... waar zijn ze?'

Ze liepen van *maloca* naar *maloca*, bleven voor de hut met de heilige kalebassen staan, die ook vernietigd was en zagen in de as dierlijke en menselijke beenderen liggen. Inácio barstte voor zijn kapel en zijn school, waar nog maar weinig van over was, in snikken uit. Plotseling rende hij erop af, duwde de zwartgeblakerde balken opzij en liep naar het altaar toe. Het kruis, dat door Da Nóbrega zelf was ingezegend, was op de grond gegooid, en van zijn nederig voetstuk gerukt. Hij haalde het uit de as en drukte het liefdevol tegen zijn vochtige wang.

Wankelend kwam hij uit het puin en schreeuwde tegen Guaraci: 'Wie heeft dit verschrikkelijks veroorzaakt? Cariris, dat satansgebroed?'

'Nee, niet de Cariris.'

'*Wie dan?*'

'Zij,' zei de jonge Indiaan, en hij stak zijn arm uit naar iets dat op de grond lag, niet ver van de ruïne van de kapel. 'Dat gebruiken de Langharigen.'

Zonder het kruis van het altaar los te laten liep Inácio naar hem toe en raapte op wat Guaraci had aangewezen: een ijzeren voetboei. 'Maar het zijn christenen!' snikte hij. 'Kinderen Gods! Die kunnen ze niet meenemen. Unauá... de anderen... Nee! Nee! Zij kunnen de kinderen Gods niet meenemen! Here God, hoor mij dan toch!'

Lang bleef hij staan, zwijgend, met het kruis in één hand en de voetboei in de andere, terwijl hij zijn blikken over het verwoeste dorp liet glijden. Toen begreep hij dat er daar niets meer te doen viel, te midden van de aasgieren en de resten van een trotse Tupiniquin-gemeenschap.

Verdrietig en woedend liep *padre* Inácio met Guaraci het oerwoud weer in en de volgende ochtend zocht hij met bloeddoorlopen ogen en zijn magere lichaam trillend van vermoeidheid de rechter van Porto Seguro, Vasco Barbosa, op en gooide hij de boei die zij in de buurt van de kapel gevonden hadden, op diens tafel.

'Hier is het bewijs van een wrede misdaad die tegen de Tupiniquin begaan is,' zei hij. 'Hun *malocas* zijn vernietigd, de inwoners dood of verdwenen, het huis Gods is een puinhoop. Er is niets meer van over – níets!'

Barbosa boog zich voorover en keek naar de kras die de boei in het hout van de tafel had gemaakt.

'*Padre*, ik weet...'

'Weet u het? Was u op de hoogte van deze misdaad?'

'Ik heb ervan gehoord toen het al gebeurd was,' verbeterde de rechter. Hij ging met zijn nagel door de kras op tafel. 'Slavenhandelaars, *padre*. Zij zijn ten zuiden van Porto Seguro aan land gegaan, en hebben de Tupiniquin twee weken geleden aangevallen en meegenomen.'

'Maar waarom hier?' vroeg de jezuïet bijna schreeuwend. 'Hier, waar zoveel Indianen tot God gekomen zijn?'

'Ze zijn verderop in het zuiden aan land gegaan,' zei Barbosa nog eens. 'Twee schepen, naar men zegt, met een honderdtal goed bewapende mannen. Dat gebeurt constant langs de kust, maar dit keer hebben zij dorpen aangevallen op uitnodiging van Marcos da Silva. Ze hebben de Tupiniquin in hun slaap overvallen. Da Silva is met hen uit Porto Seguro vertrokken.'

'Allemaal meegenomen,' mompelde Inácio, meer tegen zichzelf dan tegen de magistraat. 'Zelfs de kinderen.'

'Nee, niet allemaal.'

De priester keek verrast op.

'Zijn er dan nog ontsnapt?'

'Honderd mannen kunnen niet zevenhonderd mensen vangen,' merkte Barbosa op, alsof hij het over diefstal van vee had.

'Waar zijn ze?' schreeuwde Inácio, terwijl hij zich vooroverboog.

Barbosa schoof achteruit.

'In het oerwoud,' antwoordde hij. 'Bent u van plan ze op te gaan zoeken?'

'Dat is mijn missie.'

'Ik bezweer u, verlaat deze ruïne. Ga naar Bahia terug, naar Manuel da Nóbrega. Hier vindt u niets dan leed en mislukking.'

Barbosa stond op en liep om de tafel heen.

'Ik heb mijn taak ook niet kunnen volbrengen,' mompelde hij.

'Hoe bedoelt u?'

Met een trieste blik zei de rechter: 'Ik heb gedaan wat ik dacht dat rechtvaardig was, *padre.*'

'Waar wilt u op aan?'

'Uw christenen, die het bos ingevlucht zijn, hebben vier handelaren gevangen en ze naar mij toe gebracht. "Zij hebben onze *malocas* aangevallen," zeiden ze mij. "Straf hen, Portugees!" God weet dat ik gedaan heb wat ik dacht dat rechtvaardig was. De mannen die zij gevangen hadden waren wilden, net als zij, geen Tupiniquin maar Indianen van een of andere stam die de handelaren hielp.'

'Wat hebt u gedaan?' vroeg de jezuïet streng.

'Ik heb de Tupiniquin gevraagd of zij christenen waren en ze hebben mij geantwoord dat *padre* Inácio hen onderwezen had, en hun had geleerd om de Portugese wet te respecteren. Ze zijn me dus als gehoorzame onderdanen komen opzoeken. Ik dacht dat die wilden dat onderling maar moesten regelen en heb ze verteld de gevangenen zelf te straffen.'

'U hebt de gevangenen aan hen overgelaten?' riep Inácio bezorgd uit.

De rechter zuchtte diep, en zei: 'We hebben gehoord hoe zij ze gestraft hebben...'

'Dat wil ik dan nu horen.'

'*Sim, sim.* Daar, in het oerwoud, hebben uw bekeerlingen andere Tupiniquin aangetroffen die zich daar verborgen hielden en samen hebben zij hun de schedels ingeslagen en de lichamen geroosterd.'

Inácio keerde met Guaraci naar het bos terug om de overlevenden van zijn missie te vinden. Ze gingen eerst naar de vernietigde *malocas*, toen naar de plek waar zij de oude vrouwen hadden gezien en toen naar het dorp waar twee Tupiniquin-krijgers hen in de steek hadden gelaten. Ze bleven er vijf dagen, en ondertussen werd duidelijk dat de clan op de hoogte was van wat er was gebeurd maar niet wilde of niet kon vertellen waar de vluchtelingen heen waren gegaan – behalve dan dat ze waren gevlucht in de 'richting van het land waar de zon slaapt'.

Inácio begreep dat hij alleen nog maar terug kon gaan naar Porto Seguro, maar dit keer nam hij wel een route meer naar het westen. Omdat de priester steeds vermoeider raakte, liepen zij niet zo snel. Soms moest Guaraci de *padre* bij de hand pakken om hem te leiden, want dan was het alsof hij bijna blind was. De jongeman maakte zich zorgen over hem. Vaak lag hij te ijlen, had het over gesels en boeien, werd kwaad vanwege een of andere zonde, en herhaalde dan fanatiek de tien geboden. Soms bleef hij roerloos en zwijgend zitten, keek dan verward naar het donkere bos, en Guaraci vond dat alles steeds onrustbarender.

Op een ochtend kon de jonge Indiaan Inácio niet wakker krijgen. Hij was al twee dagen rillend en zwetend blijven liggen. De jezuïet sliep urenlang, totdat de stuiptrekkingen die door zijn lichaam voeren eindelijk ophielden. Op de derde dag wekte Inácio's stem Guaraci.

'Dank u, Heer. Dank u.'

De Indiaan bracht hem een beetje water.

'De koorts heeft mij verlaten,' zei de man Gods zwakjes terwijl hij de kalebas aannam. 'Mijn uur is nog niet gekomen.'

Precies op dat moment kwam een twintigtal Tupiniquin, gewapend met bogen en ploertendoders, bedekt met *urucu*- en *genipapo*-verf, uit het bos te voorschijn. De priester probeerde op te staan maar daar had hij de kracht niet toe.

Guaraci herkende er een paar en riep: 'Mijn broeders, wij zoeken jullie al een paar dagen.'

De krijgers antwoordden niet. Met een norse uitdrukking stonden zij in een halve cirkel rond de missionaris. Een van hen, die achteraan stond, ging vlak voor Inácio staan, met een ploertendoder in zijn rechterhand.

'João,' zei de jezuïet. 'João.'

De inboorling, een bekeerling die de *padre* zelf had gedoopt, antwoordde niet. Guaraci deed een stap in de richting van de groep.

'Jullie kennen mij toch nog wel, ik ben Guaraci, de broer van Unauá. Waarom zeggen jullie niets?'

Omdat zij bleven zwijgen, wendde hij zich tot Inácio, en vroeg: 'Zegt u eens wat tegen hen, *padre*.'

'O, Tupiniquin, ik ben teruggekomen. Ik zal samen met jullie deze vreselijke beproeving doormaken,' zei de priester. Weer probeerde hij op te staan, maar dit keer vroeg hij om hulp van Guaraci, die een arm om hem heen sloeg. 'Vrienden, ik voel mee met jullie verdriet, ik wil jullie helpen.'

De halve cirkel van krijgers week uiteen om doorgang te verlenen aan de oudste Aruanã, die langzaam naderbij kwam, waarbij zijn ketting van tanden over zijn borst heen en weer zwaaide.

'Laat hem eens zonder jouw hulp staan,' beet hij Guaraci toe.

De jongeman deed een stap opzij en Inácio wankelde, maar viel niet.

'Deze mannen willen dat de schedel van de zwartjurk wordt verpletterd,' verklaarde Aruanã.

'Laat dat dan zo zijn!' zei de jezuïet vurig.

'Ben je dan niet bang?'

'Nee, Aruanã. Ik zal blij zijn te kunnen sterven voor onze Heer.'

De krijgers slaakten de kreten die traditioneel bestemd waren voor de moed van de gevangene die zijn vijanden uitdaagde.

'Nee!' onderbrak Guaraci hen. 'Hij is geen vijand. Hij is *padre* Inácio, die jullie altijd heeft liefgehad.'

'Hij houdt van ons zoals zijn Jezus van ons houdt,' zei Aruanã. 'Wij zullen hem niet doden.'

De mannen begonnen afkeurend te mompelen maar de oudste beduidde hen te zwijgen.

'Jij zult blijven leven, *padre* Inácio, omdat Pium dat aanraadt,' legde hij uit. ' "Laat hem maar leven," zei de *pagé*, "hij zal het land van de voorouders niet zien maar zal tot zijn laatste snik tegen Jurupari blijven vechten." '

'Genadige God,' kreunde de priester. 'Ze begrijpen het! Aruanã, breng mij naar je volk terug, ik smeek het je.'

'Nee, *padre*. Wij willen de woede van de stem van de geesten niet weer over ons uitroepen, zoals wij dat op ons dorpsplein gedaan hebben. Pium had ons gewaarschuwd tegen jouw Jezus, en hij had gelijk.'

Met een stem vol verdriet zei Aruanã: 'Jouw Jezus heeft zelfs de zuster van deze jongen, Unauá, niet gespaard. De Langharige die jou in het gezicht heeft geslagen heeft haar meegenomen.'

Inácio zakte in elkaar.

'Waar is nu Zijn macht?' vroeg de oudste.

De jezuïet kon hierop geen antwoord geven.

De oude krijger deed een stap achteruit en beval Guaraci: 'Breng hem naar de zijnen.'

De jongeman keek beurtelings naar Inácio en naar Aruanã.

'Dat kan ik niet,' zei hij. 'Mijn plaats is hier, bij de Tupiniquin.'

'Guaraci?' vroeg de priester nauwelijks hoorbaar.

Aruanã keek een hele poos naar de jongeman voordat hij besloot: 'Breng hem naar Porto Seguro, en kom dan naar jouw volk terug, Tupiniquin.'

'Dank u,' zei Guaraci, en hij meende het.

De jonge Indiaan bleef bij de vier krijgers die Inácio naar de kust droegen, waar hij scheepging aan boord van een boot die naar het noorden voer. De priester stond erop dat Guaraci met hem mee zou gaan, maar deze weigerde. Hij wilde zijn familie nu niet weer in de steek laten.

'Maar jij hoort bij de familie van Jezus,' herinnerde de missionaris hem.

'Nee, ik ben Tupiniquin.'

IX

Juni 1559 – september 1583

'Daar is hij! De beschermer! Hij die over uw levens en uw veiligheid
waakt! Hij komt eraan!'
  'De Heer zij geprezen!'
  'Dank u, mijn God!'
  Een menigte kinderen met witte jurkjes aan – Tupinambás en Caetés – stond in een rij langs de weg waarlangs de gouverneur-generaal
Mem de Sá naar de missie van de Heilige Petrus en Paulus ging, zes
mijl buiten São Salvador. Het was 29 juni 1559, het feest van de beide
heiligen.
  Dom Mem de Sá, een van de meest gerespecteerde rechters uit Portugal, was door koning João III tot gouverneur-generaal benoemd in
plaats van de incapabele Duarte da Costa, de opvolger van Tomé de
Sousa. Onder Dom Duarte waren er conflicten ontstaan tussen de
gouverneur en de Kerk, over de manier waarop de inboorlingen gepacificeerd moesten worden en over de buitengewone laksheid van Da
Costa tegenover het zedelijk verval van vele kolonisten.
  Het was duidelijk dat de nieuwe gouverneur volledig de goedkeuring van de jezuïeten en hun gevolg kon wegdragen. Toen de stoet de
aldeia binnenkwam, staken de kinderen palmbladeren uit om een erepoort voor zijne excellentie en zijn gevolg te vormen; anderen gooiden handenvol rozeblaadjes naar hen toe. Ernstig knikkend, met iets
dat leek op een strenge glimlach, onderging Mem de Sá dit eerbetoon.
  Hij was een kleine, stijve man, die niet van festiviteiten hield. Een
paar maanden eerder had hij gehoord dat zijn zoon Fernão, twintig
jaar oud, door de wilden was gedood, en hij had zich teruggetrokken
om te bidden voor het kind dat hijzelf de strijd in had gestuurd. Toen
hij in 1556 tot gouverneur benoemd werd, was hij al negenenvijftig.
Hij was weduwnaar, lid van de Raad des Konings en rechter bij het
Hooggerechtshof. João III had deze man dictatoriale bevoegdheden
verleend, en hij was slechts de koning verantwoording schuldig, maar
de monarch was nog voor het vertrek van de nieuwe gouverneur

overleden en zijn opvolger, Dom Sebastião, was toen nog maar een kind van twee. Niettemin had de regentes Catarina, de grootmoeder van de koning, de beslissing van João III aangehouden.

Nog voordat hij zich in de Baai ontscheepte, had Mem de Sá al een voorproefje gehad van de moeilijkheden die hem in de Terra do Brasil te wachten stonden. Zijn vloot was voor de kust van Guinea in stil water terechtgekomen, en de hitte en de honger hadden tweeënveertig van de driehonderdzesendertig zeelieden het leven gekost. Bovendien had het acht maanden geduurd voordat ze in São Salvador waren. Toen hij, drie dagen na Kerstmis 1557, eindelijk aankwam, had Mem de Sá precies dat aangetroffen wat hij verwacht had. Een heet land, een poel van verderf die een groot wetgever op duizend manieren tegen de borst stuitte.

Nadat hij zijn functies aanvaard had, had Mem de Sá zich direct teruggetrokken om de geestelijke oefeningen van Ignatius van Loyola te doen. Tijdens die acht dagen van voorbereiding had hij over het leven in Brazilië de mening gevraagd van Manuel da Nóbrega en diens jezuïetenbroeders en had hij nauwelijks iets gehoord waarover hij tevreden kon zijn.

Sindsdien waren achttien maanden verstreken en werd er enige vooruitgang geboekt. Met bijzonder genoegen bracht hij een bezoek aan zijn jezuïetenvrienden in deze *aldeia*, die de paters tot in de details met zijn hulp en zijn aanmoedigingen hadden opgezet. De samensmelting tussen vier kleinere missies had ongeveer achthonderd inboorlingen van alle leeftijden bij elkaar gebracht, aan het hoofd van wie Da Nóbrega *padre* Inácio Cavalcanti had gezet. Mem de Sá wist dat deze priester een vreselijke mislukking achter de rug had in zijn eerste poging om de heidenen te bekeren, in Porto Seguro. *Padre* Inácio had ettelijke keren de gouverneur gevraagd om een zekere Marcos da Silva te vervolgen, de voornaamste verantwoordelijke voor de vernietiging van het Tupiniquin-dorp, maar de slavenhandelaar was de kapiteinschappen ontvlucht en hield zich ten westen van de lijn van het verdrag van Tordesilhas op, in het grote Spaanse vicekoninkrijk Peru.

De gouverneur liep langzaam, met bijna koninklijke waardigheid, tussen de rijen kinderen door waarachter de ouders zich hadden opgesteld. Deze Indianen waren de trots van de paters: niet één van hen liep naakt, niet één van hen droeg amuletten of beschilderde zijn lichaam.

Van alle aanwezigen was *padre* Inácio Cavalcanti waarschijnlijk het meest ontroerd door deze dag. Hij stond voor de poort van de kerk, samen met *padre* Da Nóbrega en vijf andere jezuïeten die allemaal zwijgend naar de stoet van de gouverneur keken. De kinderen die de erepoort vormden moesten die ochtend gedoopt worden, en zouden de gouverneur als peetvader krijgen.

Dank zij de ijver van *padre* Da Nóbrega en de macht van gouverneur Mem de Sá was er hard gewerkt aan de *aldeia*. Een prachtige kerk op het plein, slaapzalen voor jongens en meisjes, een *colégio* voor het onderwijs aan de kinderen, rijen huizen met op iedere hoek een kruis – om hen die uit het bos kwamen er constant aan te herinneren dat God in de *aldeia* aanwezig was.

Toen *padre* Da Nóbrega, de provinciaal voor heel Santa Cruz, Inácio's mislukking bij de Tupiniquin had vernomen, had hij met zijn vriend gehuild en er toen op gestaan om diens voeten te wassen om hem te laten blijken hoezeer hij van hem hield. Terug in de Baai, was Inácio twee jaar op het *colegio* de São Salvador gebleven en was toen naar een van de vier missies gegaan die nu waren verenigd in de *aldeia* van de Heilige Petrus en Paulus. Hij was thans bijna de donkere jaren onder Da Costa vergeten, in welke tijd vrijwel alles verloren was gegaan. Da Costa, een hautaine man, totaal onverschillig voor de heilige plicht om de inboorlingen tot God te brengen, en altijd klaar om naar hen te luisteren die om meer slaven vroegen. De rijke planters onderhielden privé-legertjes die het binnenland konden intrekken op zoek naar opstandige inboorlingen. Als ze onderweg onschuldige *malocas* tegenkwamen en de al even onschuldige inwoners tot slaaf maakten, was er niemand die zich daarom bekommerde. De jezuïeten protesteerden maar zij waren met weinigen en hadden zelf de grootste moeite om zich te beschermen tegen deze milities en benden heidenen.

Da Costa hield niet erg van de jezuïeten, maar Pedro Fernandes Sardinha, de eerste bisschop van Brazilië, die tekeerging tegen de zonden van de kolonisten en vooral tegen hun bandeloosheid, verachtte hij nog meer. De bisschop hield Dom Alvaro da Costa, de zoon van de gouverneur, en een groep jongelui die hun nachten doorbrachten met drinken, spelen en hoererij, als zij niet bezig waren Indianen af te slachten of tot slaaf te maken, daarvoor primair verantwoordelijk.

'Hij is een libertijn!' had de prelaat van de kansel geschreeuwd. 'Dom Alvaro da Costa is losbandiger dan alle andere inwoners van de kolonie!'

Dom da Costa had op deze kwaadsprekerij gereageerd door de kolonisten in het gevolg van de bisschop van agitatie te beschuldigen,

217

waarop de bisschop hem en zijn zoon dreigde te excommuniceren. Uiteindelijk had de koning persoonlijk tussenbeide moeten komen. 'Kom terug naar het vaderland, mijn waarde bisschop, wij moeten deze problemen bespreken.'

Nadat hij gezworen had om Brazilië te bevrijden van Da Costa en diens libertijnen, was Sardinha naar Lissabon vertrokken. Zijn schip leed tussen Bahia en Pernambuco schipbreuk, maar de bisschop en een honderdtal passagiers slaagden erin de kust te bereiken, waar de Caetés hen op stonden te wachten. De schipbreukelingen probeerden de wilden ervan te overtuigen dat zij een man Gods niet op moesten eten – wat de eetlust van de inboorlingen alleen maar vergrootte. Ze slachtten alle Portugezen af, op drie na, wie het lukten te ontsnappen en vertelden dat de eerste bisschop van Brazilië door de heidenen was opgegeten.

Verteerd van spijt, gaf Dom Duarte da Costa opdracht dat de Caetés moesten worden gearresteerd en tot slaven worden gemaakt. De legertjes van de planters schuimden de kust af, vernietigden het ene dorp na het andere, en namen de Caetés mee naar hun plantages of naar de slavenmarkten, waarbij de bekeerlingen van die stam voor de jezuïeten verloren gingen.

Het was een duistere periode voor Santa Cruz. In en tot ver rondom de Baai heerste anarchie. Omdat ze niet bang hoefden te zijn weggejaagd te worden, vielen ketters de kust aan. De Fransen waren zo brutaal terug te komen, dit keer niet alleen om pernambukhout te stelen, maar bovendien om zich er te vestigen, en stichtten op een eiland in de Baai van Guanabara een kolonie. Een groot aantal manschappen verdedigde er een bolwerk van Hugenoten, omgeven door granieten rotsen. De Fransen sloten een bondgenootschap met alle inboorlingen die ze maar tegen de Portugezen konden opzetten. Hun pogingen hadden succes, want een groep *degredados*, die al jaren op een plaats woonden die zij Rio de Janeiro noemden, had het zo bont gemaakt bij de Indianen dat zij op aanstichting van de Fransen in opstand waren gekomen en de Portugezen hadden afgeslacht.

Inácio keek eens naar de gouverneur. Wat een wonder! dacht hij. Toen alles verloren scheen, had God een man als Mem de Sá gestuurd, met de wijsheid van Salomo en de arm van Jozua. Op zo'n groot grondgebied waren er vele plaatsen waar de macht van de gouverneur niet gold, maar waar dat wel het geval was, was De Sá begonnen om de wet in alle strengheid toe te passen. Zijn officieren hadden gokkers, zwervers, souteneurs en *degredados* die weigerden hun leven te beteren gearresteerd en opgesloten. Zijn troepen hadden de wet die het verbood om illegaal inboorlingen tot slaaf te maken en hen wreed te behandelen, doen eerbiedigen. De stammen waren evenwel gewaarschuwd: verbreek de vrede, verstoor het werk van onze planters, en wij dwingen jullie in de jezuïetendorpen te gaan wonen, waar jullie goed van kwaad zullen leren onderscheiden.

Inácio wendde zich tot José de Anchieta, een kleine kromme en vaak zieke broeder, maar onvermoeibaar als het erom ging zielen te winnen. Inácio was er inmiddels van overtuigd dat het fout was geweest om de Tupiniquin in hun dorpen te willen bekeren. Hij begreep Da Nóbrega en Anchieta nu, die op het idee van de *aldeias* gekomen waren en daar in de donkere jaren onder Da Costa aan vastgehouden hadden.

Toch merkte Inácio dat de vijandige houding van Da Costa de zaak van de jezuïeten in feite geen schade had toegebracht. In de Baai verzetten de wereldlijke en de geestelijke autoriteiten zich tegen hen en Da Nóbrega had begrepen dat dat ook in het noorden het geval was. Zolang de familie van Dom Duarte Coelho Pereira het in Pernambuco voor het zeggen zou hebben, zouden de Sociëteit en haar dienaars daar niet welkom zijn, omdat zij de macht van de *donatários* wilden afschaffen. Dit was de reden waarom *padre* Da Nóbrega een grote jezuïetengemeenschap in het zuiden van de kolonie wilde vestigen.

Nadat hij Inácio in Porto Seguro had achtergelaten was Da Nóbrega door São Vicente, het zuidelijkste kapiteinschap, getrokken. Twaalf mijl van de kleine haven van Santos, boven op de hoogvlakte op bijna tweeduizend voet, had de jezuïet een grote vlakte ontdekt die de inboorlingen Piratininga noemden, en waarin hij de toegangspoort tot de binnenlanden van Santa Cruz zag. Er was toentertijd een kolonie die Santo André heette en geleid werd door João Ramalho, een *degredado* die zichzelf tot koning had uitgeroepen door de dochter van een plaatselijk opperhoofd te trouwen. In feite trouwde hij alle dochters, en zijn nakomelingschap was even talrijk als dat van een bijbelse patriarch. De bastaarden van Ramalho en andere mestiezen die boven op die steile rotsen woonden, waren bekend als de *mamelucos*.

Terug in Bahia, had Da Nóbrega aan De Sousa toestemming gevraagd deze gebieden open te stellen voor de missie van Christus, maar dat had de gouverneur geweigerd. Er waren veel te weinig jezuïeten voor zo'n grote onderneming en bovendien zou het openen van die gebieden de kolonisten te ver van de kust afhalen. Als die paar duizend kolonisten zich over het binnenland, een immens *terra incognita*, zouden gaan verspreiden zouden ze er even zeker de weg kwijt raken als op de oceaan.

Ten tijde van Da Costa waren Da Nóbrega, Anchieta en nog enkele anderen naar Piratininga teruggegaan. Op drie mijl afstand van de kolonie met *mamelucos*, hadden zij op 25 januari 1554 de *aldeia* de São Paulo gegrondvest. Toen had Da Nóbrega nog verder zuidelijk gekeken, naar de Spaanse kolonie van Asunción, in de provincie Paraguay. Tussen die stad en São Paulo woonden veel stammen die verwant waren aan de Tupis van de kust. Twee paters waren op weg gegaan met de opdracht contact met hen te maken – om vervolgens te worden afgeslacht door wilden die door een Spanjaard tegen hen waren opgezet, omdat hij boos was dat de twee paters per se wilden dat hij zijn concubine zou trouwen.

'Inácio?'

'Ja?' zei de priester, uit zijn gedachten gerukt.

José de Anchieta lachte naar hem.

'De gouverneur,' zei de kleine jezuïet rustig.

Mem de Sá liep met *padre* Da Nóbrega naar de andere jezuïeten toe. De gouverneur was sober gekleed, wat goed bij hem paste, alleen het gevest van zijn zwaard was onderaan versierd, en er gingen dan ook geruchten dat hij dat wapen beter kon hanteren dan men van een magistraat zou verwachten.

'*Padre* Inácio, wat een prachtig werk hebt u hier verricht,' verklaarde hij na de jezuïeten begroet te hebben.

'Dat is dank zij de Heer,' zei Inácio.

'En de toewijding van zijn dienaars. Tomás, de zoon van uw oom Nicolau, is met mannen uit Pernambuco in São Salvador. Wij hebben u misschien nodig voor de Tupiniquin, *padre*. Maar daar hebben we het later wel over.'

De gouverneur ging met zijn gevolg de kerk binnen en liet de kinderen, die om het gebouw heen dromden, over aan Inácio en Anchieta.

'De incidenten in Ilhéus en Porto Seguro,' mompelde Anchieta, als uitleg van de woorden van Mem de Sá.

'Ja, daar heb ik van gehoord. Twee kolonisten vermoord.'

'Onze oude generaal wacht niet lang meer.'

'Ik ben er bang voor.'

'De Tupiniquin zouden bang moeten zijn. Als ze zouden weten hoe ze de Tupinambás de les hebben gelezen!'

De les waar Anchieta op doelde had bestaan uit een serie veldtochten tegen de Tupinambás van de Baai, die sinds de tijd van Tomé de Sousa vrijwel helemaal onderworpen waren, terwijl ze toen nog *degredados* aten. Dikke Pad, een bijzonder arrogante oudste, had de nieuwe gouverneur uitgedaagd, omdat hij afgezant was van een koning die nog maar een kind was. Hij, Dikke Pad, was een man, die van plan was te leven zoals hij dat altijd gedaan had. Om dat te bewijzen had hij zijn krijgers eropuit gestuurd om een goede vette vijand te vangen, had die geslacht en openlijk opgegeten. Daarna had hij de volgende boodschap aan Mem de Sá gestuurd: 'Kom mij maar berechten! Of blijf anders met die lafaards in São Salvador!'

Mem de Sá had 's nachts aangevallen, de *malocas* verbrand en Dikke Pad gevangengenomen. Niettemin had de uitdaging van de wilde een andere clan ertoe aangezet om drie bekeerde inboorlingen te doden en deze misdaad had Mem de Sá een campagne laten ontketenen die pas was afgelopen toen er ruim honderd *malocas* vernietigd waren, en de inwoners ervan gedood, verspreid over het bos of naar een *aldeia* gebracht. Terwijl hij de Tupinambás aan het pacificeren was had de gouverneur een oproep gekregen uit Espírito Santo, een kapiteinschap ten zuiden van Porto Seguro, bedreigd door de wilden. Hij had zijn zoon Fernão er met een legertje heen gestuurd, en dat onderwierp de opstandige stammen, maar Fernão liet er het leven bij.

Inácio had medelijden met de clans die de woede van Mem de Sá hadden gewekt, maar was het niet geheel oneens met wat de gouverneur deed. Deze beschermde de inboorlingen die het christelijk geloof hadden aangenomen maar bestreed hen die dat nog steeds weigerden, te vuur en te zwaard.

Terwijl Mem de Sá, zijn officieren en de edelen uit São Salvador in de kerk, een eenvoudig gebouw met witgekalkte muren, plaats namen, brachten Inácio en Anchieta de kinderen naar binnen, om vervolgens zoveel ouders en vrienden binnen te laten als het gebouw kon bevatten. De notabelen gingen op banken links van het altaar zitten, de kinderen rechts, bij de doopvont.

De ceremonie begon met het lezen van de tweeënveertigste psalm, die Anchieta prachtig in het Tupi vertaalde.

'Geprezen zij de Heer!' riepen verschillende kinderen in koor.

Vervolgens droeg *padre* Da Nóbrega de mis op en doopte toen met hulp van Inácio en een andere tot priester gewijde jezuïet de kinderen. Het eerste kind dat het sacrament ontving was een jongen van negen, die na de nederlaag van Dikke Pad naar de *aldeia* was gebracht. Niemand wist wie zijn ouders waren.

De gouverneur stond bij de doopvont, voor zijn petekind dat de naam Pedro kreeg.

'Kom maar, dan word je opnieuw geboren, mijn kind,' zei hij heel rustig om de doodsbange Tupinambás op hun gemak te stellen. 'Dit heilige water zal de zonde van jouw eerste vader wegwassen.'

De jongen keek naar het zwaard van Mem de Sá.

Toen begon *padre* Da Nóbrega langzaam te spreken, zonder last te hebben van zijn spraakgebrek: 'Wat verwacht jij van de Kerk van God?'

Het kind aarzelde en keek met zijn grote bruine ogen naar *padre* Inácio, bij wie hij catechismus-onderwijs gevolgd had.

'Het geloof,' antwoordde hij.

'En wat brengt het geloof jou?'

'Het eeuwig leven,' zei het jochie, met een brok in zijn keel.

'Als jij, gereinigd van de zonden van jouw eerste vader, herboren wordt, zul jij dan de geboden Gods in acht nemen, zul jij Hem met heel je hart beminnen, zul jij je vijanden als je vrienden behandelen?'

De jongen knikte en vouwde zijn handen. Toen *padre* Da Nóbrega hem het zout aanbood, symbool van wijsheid en bescherming tegen het kwaad, stak hij ijverig zijn tong uit. Toen herhaalde hij de formules die *padre* Inácio hem had geleerd, zwoer hij Jurupari en alle demonen af, en luisterde hij naar de gouverneur, de machtigste van alle Portugezen, die beloofde van hem een christelijke held te maken. Nadat hij gezalfd was kreeg hij een aangestoken kaars in zijn hand geduwd, waarvan de vlam symbool was voor zijn geloof. Pedro glimlachte stralend toen pater Anchieta hem naar zijn kameraadjes terugbracht.

Na deze individuele doop werden de drieëntachtig andere kinderen in één keer gedoopt en ging men over tot de volgende ceremonie.

'Laat IJzeren Arm, ook wel Paulo genoemd, naar voren komen,' beval de gouverneur.

Er klonk geroezemoes en iedereen keek naar de deur. Luidruchtig werd de man begroet die achter in de kerk stond en nu naar voren kwam, waarbij hij knikte als hij een van zijn vrienden zag. IJzeren Arm was een gevierd krijger uit de clan van Dikke Pad.

De jezuïeten beschouwden hem als een opmerkelijk man. In zijn stam had hij zijn ploertendoder verruild voor een tweesnijdende bijl die hij van een dode Portugees had afgenomen en de dodelijke nauwkeurigheid waarmee hij dat wapen hanteerde had hem zijn bijnaam IJzeren Arm bezorgd. Toch was hij zo mak als een schaap, en doodsbang toen de soldaten van Mem de Sá hem naar de *aldeia* hadden gebracht. Hij had geweigerd te eten, en was in afwachting van de dood in zijn hangmat blijven liggen. Ze hielden hem goed in de gaten maar toch was hij op een avond uit zijn hut ontsnapt, en de volgende ochtend toen de paters voor de eerste mis naar de kerk gingen, hadden ze IJzeren Arm slapend voor het altaar aangetroffen.

'Ik heb met jullie God gepraat – de God van de gouverneur', had hij tegenover de zwartjurken die hem wakker maakten verklaard. 'Hij wil mij ook.'

Nu liep hij naar voren, gekleed in een witte jurk, en zei hij tegen Mem de Sá: 'Rechter van mijn volk, ik buig voor u omdat u vrede brengt. Ik ben blij dat ik hier ben.'

'IJzeren Arm, jij bent getuige geweest van de vreugde van de kinderen die ontvangen zijn in het huis van Zijne Goddelijke Majesteit.'

'Zij hebben de grote geest in het hart,' bekende de Tupinambá.

'En IJzeren Arm, wie draagt die in zijn hart?'

'Jezus. Ik gehoorzaam Zijn bevelen.'

'God zij geprezen,' zei de gouverneur. 'Jij bent gereinigd, jouw verleden en jouw zonden zijn weggewassen, vergeven.'

'Dat is alles wat ik graag wil, mijnheer de gouverneur,' verzekerde Paulo.

'Hier, in deze *aldeia*, zal IJzeren Arm mijn baljuw zijn – hij die de wet zal doen eerbiedigen.'

Twee officieren traden naar voren met kleding die Mem de Sá aan de inboorling gaf.

'Hieruit blijkt de waardigheid van de taak die ik je opdraag,' verklaarde de gouverneur, om vervolgens IJzeren Arm te helpen een groen vest aan te trekken.

Daarna legde hij hem een bruine cape om de schouders, en gaf hij hem een hoed met een rand van gele taf. Verder waren er ook nog een linnen hemd en broek, maar de officieren lieten die alleen maar aan de menigte zien. Toen gaf een van hen aan Mem de Sá een bronzen staaf die met wat goedkope sieraden opgesmukt was.

'Dit is het symbool van mijn gezag, waardoor iedereen kan zien dat jij de baljuw van deze *aldeia* bent,' zei Mem de Sá. Hij stak de staaf omhoog zodat ook de mensen op de achterste rij hem konden zien. 'Hij die deze staaf draagt spreekt met de stem van de gouverneur, en jullie moeten hem gehoorzamen.'

'Wij zullen hem gehoorzamen!' riep de menigte.

De gouverneur kuste de staaf, en gaf hem toen aan Paulo.

'God zij met Zijn dienaar,' zei hij.

Hij ging weer bij zijn officieren zitten, en *padre* Inácio gaf het koor een teken om een hymne in te zetten. De gouverneur luisterde verrukt, met zijn ogen dicht. Hij vond niets zo mooi als de engelachtige stemmetjes van jonge bekeerlingen en vaak verruilde hij op zondag de kathedraal van São Salvador voor de kerk van de *aldeia*.

Na het gezang verlieten de inboorlingen de kerk, maar Mem de Sá en zijn gevolg bleven met de jezuïeten achter. Tien Indianen en drie zwarte slaven – twee uit Zaïre, één van de Guinese kust – begonnen het eten klaar te maken. De Afrikanen maakten deel uit van een groep van negen negers die het eigendom waren van de jezuïeten van Bahia. Ten tijde van Tomé de Sousa had *padre* Inácio aan koning João slaven gevraagd, 'om onze tuin te bewerken en onze tafel te voorzien, anders komen wij om van de honger, want de inboorlingen weten niet wat werken is'.

De paters maakten nog steeds onderscheid tussen Indianen en negers, van wie er maandelijks honderden in Pernambuco of in de Baai aankwamen. De Afrikanen hadden de noodzakelijke lichaamsbouw en onderdanigheid om goede slaven te worden; de Tupiniquin, de Tupinambás en de andere Braziliaanse stammen misten beide.

Toch zwoegden duizenden Indianen, al dan niet legaal tot slaaf gemaakt, op de plantages, want een *peça* uit Afrika was altijd nog veel duurder dan een wilde uit het oerwoud. En al begreep de gouverneur dat er slaven nodig waren voor de suikerrietvelden, hij hield zijn kolonisten voor dat de Gewetensraad en de Lissabonse Orde duidelijk de categorieën hadden omschreven die tot slaaf konden worden gemaakt: Indianen die hun kinderen of zichzelf uit noodzaak verkochten, inboorlingen die kannibalisme bedreven, gevangenen die vrijgekocht waren van een stam die hen anders zou afmaken, en natuurlijk eveneens opstandelingen die de wapens tegen de Portugezen opnamen.

De jezuïeten deden al hun best om de wilden discipline, gehoorzaamheid en arbeidzaamheid bij te brengen. Als dat gebeurd was zouden zij hen naar de plantages sturen, maar het zag ernaar uit dat dat nog wel even zou duren.

Tijdens het eten in de kerk had Mem de Sá het met Inácio over de Tupiniquin van Porto Seguro en over het naburige kapiteinschap Ilhéus: 'De moorden die zij begaan hebben bewijzen dat zij weinig eerbied voor ons hebben en amper de Heiland vrezen Die u hun met zoveel liefde hebt voorgehouden.'

'Er zijn duizenden van hen, excellentie. Ik heb bij een reis ten noorden van Porto Seguro, een reis van vier dagen, meer dan zestig *malocas* geteld.'

'De Tupinambás staan aan mijn kant!' riep de gouverneur met ongewoon enthousiasme uit. 'Die heb ik rond de Baai onderworpen, en nu wachten ze op een plaats in deze *aldeia*. Laten we scheep gaan om de Tupiniquin te straffen, dan voegen zij zich ook bij ons. *Padre* Inácio, ik wil graag dat u met ons meegaat. Uw superieur heeft geen bezwaar.'

224

'Dan ga ik mee.'

'Mogen de Tupiniquin de boodschapper Gods zien die zij veracht hebben!' besloot Mem de Sá met krachtige stem.

Twee weken later, half juli 1559, haalden *marinheiros* de ankers binnen van het schip van zijne excellentie Mem de Sá, de *Nossa Senhora dos Remédios*. Zes schepen van de kustvloot, vol proviand voor een lange tocht, het dek beladen met Tupinambá-krijgers in dienst van zijne majesteit Dom Sebastião, waren al achter de horizon verdwenen, richting Porto Seguro en Ilhéus, beide door de wilden belegerd.

Padre Inácio stond tegen de hut geleund waar de gouverneur en zijn commandant, Vasco Rodrigues de Caldas, de jongeman op zijn kop gaven die de schuld was van hun verlate vertrek, Tomás Cavalcanti.

Inácio had zijn neef vlak daarvoor pas gezien, toen de matrozen die eropuit gestuurd waren om hem te zoeken met Tomás en vier anderen waren teruggekomen. Uiterlijk leek hij veel op Nicolau, klein van stuk, groene ogen en een gebruind gezicht. Het kon hem kennelijk niets schelen dat hij de gouverneur had laten wachten en hij was ook helemaal niet bang voor de gevolgen van zijn gedrag. Toen hij over de reling sprong maakte hij grapjes met de zeelui en hij was brutaal op de hut van Mem de Sá afgestapt.

'Ze zeiden me al dat u aan boord zou zijn,' had hij tegen Inácio, die op het achterkasteel stond, geroepen. 'Dat is mooi. Zo weet de gouverneur tenminste dat er een heilige in de familie Cavalcanti is.'

Tomás was in de hut verdwenen voordat de priester had kunnen antwoorden. Bij Mem de Sá en De Caldas zong hij een toontje lager, maar zijn zelfverzekerde blikken en dito houding verraadden dat hij absoluut niet zo onder de indruk was als een jongeman in dergelijke omstandigheden zou moeten zijn.

'*Capitão* Cavalcanti,' zei de gouverneur, hoewel Tomás niet officieel aan het hoofd stond van de dertig mannen uit Pernambuco, 'wij hadden al uren geleden moeten uitvaren.'

'Neemt u mij niet kwalijk, excellentie, maar... het was onvermijdelijk.'

'Hoe dat zo?' vroeg Mem de Sá. 'U kon het niet voorkomen om de gouverneur en de commandant van deze expeditie te laten wachten?'

'Mijn mannen hebben een moeilijke reis achter de rug, excellentie, een lange veldtocht naar het binnenland.'

'Mijn veldtocht moet nog beginnen. En het vertrek ervan is dank zij u verlaat.'

'*Sim*, excellentie, en dat spijt mij. Maar wij zijn te voet van Olinda naar de Baai gekomen.'

Tomás Cavalcanti was langs de kust gekomen omdat hij achter vluchtende slaven aan zat, en was toen naar São Salvador gegaan in de hoop daar een schip te vinden dat hem en zijn mannen naar Olinda kon brengen. Maar De Sá had hen zonder hun mening te vragen tijdelijk bij zijn troepen ingelijfd. 'Dan realiseren zij, en de mensen die hen naar het zuiden hebben gestuurd, zich eens dat zij deel uitmaken van het imperium van zijne majesteit,' had hij tegen De Caldas gezegd.

'Op het ogenblik staat u onder bevel van de gouverneur,' antwoordde Mem de Sá. 'U kunt pas weer naar huis als u mij geholpen hebt de Tupiniquin te onderwerpen.'

'Het is voor mij een eer om te mogen strijden naast een ridder als u,' zei de jongeman terwijl hij tegen De Caldas glimlachte.

Rodrigues de Caldas, een grote, gespierde, nietsontziende man, keek Tomás kwaad aan. Hij was een veteraan uit de oorlog tegen de Tupinambás en de Caetés, en niet in het minst onder de indruk van die zoon van een rijke planter uit Pernambuco met wie de gouverneur zoveel geduld had. De Caldas verwachtte niet veel van deze arrogante *mazombo* – de term waarmee in Brazilië geboren mannen van Portugese ouders werden aangeduid – die niets wist van de tradities en de goede manieren van het oude Portugal.

'Als u deze missie dan zo belangrijk vindt, waarom was u dan niet met de anderen gisteravond al aan boord?' vroeg Mem de Sá.

Tomás antwoordde niet meteen maar draaide zich om naar Inácio, waarop De Caldas uit de hoogte tegen hem zei: 'Wij willen graag horen wat de reden was van uw oponthoud, *senhor* Cavalcanti.'

'O, dat is niet wat u denkt, commandant,' zei de jongeman, om zich vervolgens weer tot de gouverneur te wenden. 'Excellentie, ik ben blij dat het lot mij hierheen heeft gevoerd!'

Mem de Sá begon al minder streng te kijken.

'U hebt mij al beloond, excellentie,' ging Tomás verder, 'voordat ik het zwaard nog voor u getrokken heb.'

Dit keer glimlachte de gouverneur.

'Wie is het?' vroeg hij, tot stomme verbazing van Inácio en De Caldas.

'Theresa Dias!' riep Tomás. 'O, *senhor*, ik heb de hele nacht onder het raam van Dom Almeida gezeten in de hoop haar te zullen zien.'

'En is die hoop in vervulling gegaan?'

'Jazeker, excellentie, tegen zonsopgang, toen een zacht ochtendlicht over haar prachtige gezicht scheen. Neemt u mij niet kwalijk, maar een man is bereid om de grootste risico's te lopen teneinde zoveel schoonheid te kunnen aanschouwen.'

De Caldas plofte zowat. Hij had die idioot in de bordelen laten zoeken, niet voor het huis van een eerbiedwaardig burger als Dom Almeida. De gouverneur zag hoe zijn commandant keek en werd meteen weer streng.

'Maar dat was geen reden om de vloot op te houden. Tomás Cavalcanti, ik wil graag dat u voortaan uw plichtsbesef volgt en niet uw hart!'

Kennelijk wilde Mem de Sá het hierbij laten. Theresa Dias was een goed opgevoed meisje, een van de wezen die op kosten van de koning naar Bahia gestuurd waren. Zij was te vondeling gelegd voor een klooster in Coimbra, en was door de zusters opgevoed. Mem de Sá had haar onder bescherming van Dom Almeida gesteld totdat zij met goedkeuring van de gouverneur ten huwelijk zou worden gevraagd.

'Ik heb uw neef voorgesteld aan een van de "dochters van de koning",' legde de gouverneur Inácio uit. 'Het schijnt dat hij zich voor dat kind interesseert.'

'*Padre*, zij is een roos!' riep de jongeman uit. 'Een prachtige bloem voor de man die haar waardig is!'

Commandant Rodrigues de Caldas gromde geïrriteerd, groette de gouverneur en liep de hut uit.

Twee weken later, op 30 juli 1559, stond *padre* Inácio met de gouverneur, de commandant en een groepje officieren op een heuvel twintig mijl ten zuiden van Ilhéus. Het was vier uur in de ochtend, maar toch was de hemel verlicht, want op de naburige heuvels en in de dalen stond het oerwoud in brand. Een vuurzee van een halve mijl breed, aangewakkerd door een flinke wind, vernietigde de gronden van de eerste Tupiniquin die met de troepen van Mem de Sá slaags waren geraakt. Golven hete lucht stegen op naar de plek waar Inácio stond. Het vuur zette de mannen, die daar de ramp stonden te bekijken die zij hadden veroorzaakt door een paar uur eerder de *malocas* in brand te steken, in een vreemd licht.

Hun schepen hadden de vorige dag het anker uitgegooid voor Ilhéus, waar de planters uit vijf domeinen van het kapiteinschap naartoe waren gevlucht. Sinds de moord op twee kolonisten hadden de Portugese families, bij elkaar nog geen honderd man, zich niet meer buiten de stad gewaagd en zich gevoed met sinaasappels en een handvol maniok. Toen de mannen van Mem de Sá eraan kwamen, met duizend Tupinambás als versterking, waren de Tupiniquin die Ilhéus belegerden hals over kop het oerwoud ingevlucht.

De gouverneur had zijn troepen meteen naar de *malocas* van de

Tupiniquin die acht mijl uit de kust lagen gestuurd, waar volgens de kolonisten de moordenaars van de twee planters zich bevonden. De Portugezen hadden het dorp tegen middernacht aangevallen, vijf *malocas* vernield en mannen, vrouwen en kinderen afgeslacht. Inácio had moeten denken aan de strooptocht van de slavenhandelaars tegen zijn Tupiniquin-dorp, maar probeerde zichzelf wijs te maken dat het dit keer anders was. De Indianen hadden het goddelijk oordeel over zich uitgeroepen omdat zij koppig weigerden hun heidense gewoonten te laten varen. Moge God hen helpen! had hij gebeden. Mogen zij door hun lijden worden gedwongen om het woord Gods aan te nemen en zodoende gered te worden!

Maar de Tupiniquin waren nog niet aan redding toe. Toen de zon opkwam gingen de overlevenden naar hun dorpen, om naar de rokende resten van hun *malocas* en de verkoolde lijken van hun familieleden te kijken.

'Luister naar ons, stem der geesten, op deze dag van rouw,' riep een oudste die samen met zeven krijgers naar het vernielde dorp was teruggekomen. 'Voorouders, kijk naar uw kinderen!'

De oudste liep door de ruïnes, keek zijn mannen aan en zag dat zij evenzeer naar wraak dorstten als hijzelf.

'Moeten wij soms in onze hangmatten blijven liggen wachten op de dood, als oude mannen en zieken?' vroeg hij.

Het antwoord lag voor de hand. De Tupiniquin van alle *malocas* binnen een straal van twee dagmarsen gingen op weg om de Langharigen de zee in te drijven.

Mem de Sá, gewaarschuwd door Tupinambá-verkenners, stond ze op te wachten en een paar honderd kwamen om in hinderlagen die in de buurt van Ilhéus gelegd waren. Ondertussen trok een tweede Tupiniquin-legertje op langs een beboste heuvelrug die bij de kust uitkwam. Dat bestond uit de krijgers van zestien dorpen, twaalfhonderd man, vastbesloten om de huizen van de Langharigen met de grond gelijk te maken.

Het kwam op het strand tot een treffen met de Portugezen en de Tupinambás. De strijd duurde een hele dag. De Tupiniquin werden gedecimeerd door de kanonnen van twee schepen die langs de kust manoeuvreerden, en bovendien werden zij vanuit de heuvels bestookt. Toen zij al in het water stonden verdedigden de Tupiniquin zich nog met hun ploertendoders tegen hen die zich met hun lansen en zwaarden op hen wierpen.

Geen van de twaalfhonderd Indianen overleefde dit. Toen de nacht viel, kwam Mem de Sá het strijdperk inspecteren en moest hij over honderden Tupiniquin-lijken heen stappen, wier bloed zich mengde met het opkomende zeewater.

Door tegen de Portugezen in opstand te komen, hadden de Tupiniquin zijne excellentie de gouverneur een prachtige reden gegeven om hun hele volk uit te roeien.

Vanaf hun ontmoeting op de boot tot de slag tegen de Tupiniquin had Inácio geprobeerd om vriendschap met zijn neef te sluiten en Tomás had welwillend antwoord gegeven op de vragen die de priester hem over het domein van zijn vader stelde. Maar als het over inboorlingen ging, deed Tomás Cavalcanti de jezuïet de haren te berge rijzen, zo haatte en verachtte hij de Indianen.

De slecht opgevoede jongen die Inácio in Santa Tomás had leren kennen was een man van tweeëntwintig geworden, net zo driftig en hardvochtig als zijn vader. De priester maakte daaruit op dat zijn oom net zo'n genadeloze man was gebleven, en hij hoorde ook dat die nog steeds achter de vrouwen van zijn domein aanzat. Misschien wel meer dan ooit, want Helena was dood. 'Vorig jaar, door ziekte geveld,' had Tomás gezegd. 'Als je niet doodgaat aan de inboorlingen, dan wel aan deze grond.' Het was duidelijk dat de jongeman het liever niet over zijn moeder had, en daarom sprak hij alleen maar over het domein.

Santo Tomás was tien keer zo groot geworden als tijdens het eerste bezoek van Inácio, tien jaar terug, er was een grote watermolen gebouwd, gefinancierd door de jood Papagaio, en er werden ieder seizoen twee ladingen suiker naar Lissabon verscheept. Nicolau verpachtte gronden aan arm geworden kolonisten die zijn molen van suikerriet voorzagen. Ook hield hij vee, en liet zijn kudde grazen op het westelijk deel van het domein. Tomás vertelde dat dit succes niet uitzonderlijk was en dat ook andere kolonisten in Nova Lusitania welvarend waren geworden. Olinda was niet meer een armzalig stadje tegen de heuvels maar een even indrukwekkende stad als São Salvador, met zevenhonderd huizen en achttien molens net als die van *senhor* Cavalcanti.

Tomás sprak bijna met verering over Dona Brites, de weduwe van Dom Duarte Coelho, die triest aan zijn einde was gekomen. Toen het duidelijk werd dat João III van plan was om Dom Duarte diens rechten en privileges over alle gronden van het kapiteinschap af te nemen, was de *donatário* naar Lissabon gegaan. Maar de monarch had de oud-strijder koeltjes ontvangen, was totaal vergeten wat hij voor de kolonie gedaan had en Dom Duarte was drie dagen later overleden.

Dona Brites, die Inácio zich nog kon herinneren als een strenge vrome vrouw, was haar man opgevolgd, en hield de vertegenwoordigers van de koning op een afstand zodat de familie van de *donatário* verder over Pernambuco kon blijven regeren.

Tomás had de jezuïet verteld dat de Caetés en de Potiguaras ongetwijfeld op datzelfde moment bezig waren om hier en daar molens aan te vallen en de christenen te terroriseren – op minder dan een mijl buiten Olinda. De kolonisten kwamen zonder de noodzakelijke strijdkrachten om de wilden in toom te houden weer voor nieuwe problemen te staan. Zij hadden niet minder dan vierduizend slaven uit het koninkrijk Kongo en van de Guinese kust gekocht. Alleen het domein van Santa Tomás had er al meer dan honderd. Aanvankelijk waren die kostbare, geïmporteerde *peças* bang geweest voor de kannibalistische Indianen, maar toen de negers hadden gezien hoe gemakkelijk Caetés en Potiguaras doodden, hadden ze hun angst laten varen en waren ze met tientallen gelijk het oerwoud ingevlucht waar zij, al waren zij dan gedoopt, het uitstekend met de heidenen konden vinden. Zo waren er tien slaven van Nicolau met nog andere negers uit de naburige plantages gevlucht en dat was de reden waarom Tomás met dertig inwoners van Pernambuco naar het zuiden was getrokken. Ze hadden de tien vluchtelingen weer kunnen vangen, en die maakten nu deel uit van de troepen van Mem de Sá.

'Als zij in het bos terechtkomen worden onze *peças* de ergste terroristen,' legde Tomás uit. 'God zij dank heeft de gouverneur mij gevraagd met hem mee te gaan, want of het nu een Caeté of een Tupiniquin is, het zijn allemaal beesten.'

Die ochtend verdeelde Rodrigues de Caldas de troepen van de gouverneur in drie colonnes. De eerste zou naar de kust gaan, langs de heuvels die tot de oceaan kwamen; de tweede zou door de dalen achter de heuvelrug naar Porto Seguro gaan; de derde, onder leiding van Tomás Cavalcanti, zou naar het binnenland trekken, in zuidwestelijke richting, zoals Inácio ook had gedaan toen hij een plek zocht om te mediteren.

Het doel van elke colonne was hetzelfde, namelijk Tupiniquin-dorpen zoeken en vernietigen. In de directe omgeving van Ilhéus stond al geen enkele *maloca* meer overeind. Na de aanvankelijke overwinningen van Mem de Sá op de clan waar de moordenaars van de kolonisten toe behoorden en op het Tupiniquin-leger dat op het strand in mootjes was gehakt, volgde een stelselmatige onderneming.

'Toon hun onze christelijke naastenliefde,' had de gouverneur ge-

zegd. 'Laten de Tupiniquin hun hutten in het bos verlaten en zich installeren in *aldeias* die zij in de buurt van onze nederzettingen kunnen
bouwen. Daar zullen zij onder mijn bescherming staan en geestelijk
worden bijgestaan door de Sociëteit van Jezus.'

De clans die dit zonder meer zouden accepteren zouden met hun
hele hebben en houden naar de kust worden gebracht, waarna hun
omheiningen en hun *malocas* vernietigd zouden worden.

'Weigeren zij, dwing ze dan om naar hun nieuwe dorp te gaan, dan
zullen ze daar wel vaststellen dat onze bedoelingen goed zijn,' had
Mem de Sá ook nog gezegd.

Toen de drie colonnes op weg gingen hadden Tomás Cavalcanti en
De Caldas een vertrouwelijk gesprek, dat Inácio verraste, maar hij
zou er gauw genoeg achter komen hoe dit zat. De commandant had
zich om twee redenen welwillender tegenover de jongeman opgesteld. Na de eerste gevechten met de Tupiniquin had hij moeten vaststellen dat de zoon van de planter, die hij aanvankelijk niet mocht,
een woest en onbevreesd krijger was. Weinige van zijn eigen mannen,
die toch heel wat hadden meegemaakt, waren zo snel en roekeloos als
Tomás en kenden zo goed de listen en de hinderlagen van de Indianen. In de tweede plaats had De Caldas ontdekt dat de jongeman niet
had gelogen toen hij vertelde dat hij de wacht had gehouden voor het
huis waar het weesmeisje woonde. Zijn mannen hadden bevestigd dat
Tomás inderdaad op een gelegenheid wachtte om Theresa Dias te
ontmoeten, en dat hij Dom Almeida had gevraagd goed op haar te
passen tot hij terug zou zijn.

Terwijl de andere officieren naar hun troepen liepen, kwamen De
Caldas en Tomás samen naar Inácio toe. Omdat de jezuïet dit deel van
het oerwoud kende, zou hij met de troep van zijn neef meegaan, bestaande uit tachtig soldaten en kolonisten, bijgestaan door vierhonderd Tupinambás.

'Wij gaan de verloren schapen van uw kudde naar huis brengen,
padre,' zei de zoon van de planter enthousiast.

'Het zou mij zeer troosten als mijn Tupiniquin de weg naar God
weer terugvonden.'

'Dat beloof ik u, neef, geen inboorling zal vergeten worden.'

Tomás Cavalcanti hield woord.

Drie weken lang trok zijn colonne door het oerwoud, eerst naar het
westen, toen naar het zuiden, langs de weg die de priester tien jaar
geleden met Guaraci en de beide andere bekeerlingen was gegaan.
Tupinambá-verkenners, die voor de troepen uitliepen, zagen dertig

Tupiniquin-dorpen – honderdveertig *malocas* met daarin bijna tweeduizend mensen.

De Portugezen, gewapend en zwaar bepakt, kwamen maar langzaam vooruit. Behalve dolken, zwaarden, lansen, bijlen en kruisbo-
gen hadden ze ook nog veertig haakbussen meegenomen, met genoeg
buskruit en kogels om het maanden uit te houden, plus twee valkenetten.

In de loop van de eerste dagen van de expeditie voegden twee
Tupiniquin-dorpen zich zonder slag of stoot bij de colonne, omdat
Inácio hun oudsten ervan kon overtuigen dat zij zodoende de straf
zouden ontlopen waarover de krijgers die de gevechten aan de kust
overleefd hadden hadden gesproken. De families uit de *malocas* rolden hun hangmatten op, namen hun veren tooien mee en keken onderdanig toe hoe de soldaten en de Tupinambás hun omheining neerhaalden, hun huizen in brand staken, en de cassave uit hun velden
trokken.

Bij andere dorpen gaven de Tupiniquin er de voorkeur aan te
vluchten omdat de vijand in de meerderheid was. Duizenden zochten
een goed heenkomen in de savannes achter het oerwoud aan de kust.
Toen de mannen van Tomás Cavalcanti die dorpen bereikten konden
ze zich nog slechts uitleven door de verlaten *malocas* neer te halen.

Soms weigerden de Tupiniquin om te vertrekken. Inácio kon beweren wat hij wilde, zij wezen op hun velden waar nog cassave stond, op
hun *malocas* die er nog goed uitzagen, en op de klei van de grote potten die de vrouwen maakten, en die nog niet droog was. Hun clan had
geen enkele Langharige gedood – waarom zouden ze dan weg moeten?

Dan joegen de Portugezen en de Tupinambás hen uit hun hutten,
en voegden zij zich onder dwang bij de andere Tupiniquin uit de colonne. Toen hun verteld werd dat zij zich vergist hadden en dat zij het
vredesaanbod van de nieuwe heersers van het bos hadden moeten
aannemen, begrepen ze er niets van, want terwijl zij op hun vertrek
zaten te wachten zagen zij rook uit hun *malocas* opstijgen en de Tupinambás bij de aanblik daarvan van vreugde dansen.

De laatste clans die zij in de eerste drie weken tegenkwamen boden
heftig verzet aan de colonne. Het nieuws over de wreedheden die de
Portugezen begingen verspreidde zich door het bos, zodat de krijgers
de wapens opnamen en de indringers tegemoet gingen.

Tweeëntwintig dagen na hun vertrek uit Ilhéus werd de colonne
aangevallen door ruim honderd Tupiniquin, reeds door de
Tupinambá-verkenners gesignaleerd toen ze nog een uur lopen van

hen vandaan waren. Terwijl zij hun oorlogskreten slaakten wierpen zij zich met gesloten gelederen op een muur van staal en vuur. Die niet door de soldaten werden gedood, werden door de Tupinambás gegrepen, als ze al op de vlucht waren.

De troep van Tomás Cavalcanti leed geen zware verliezen. Twee Portugezen werden gedood, vier gewond en dertig Tupinambás werden buiten gevecht gesteld. De zoon van de planter beval meteen een offensief tegen de *malocas* van de aanvallers.

In het dorp werden de weinige verdedigers snel genoeg onder de voet gelopen en eens te meer moesten de overwinnaars vaststellen dat er niets te plunderen viel. Dol van woede namen zij de enige mogelijke buit, namelijk de vrouwen, de dochters en de zonen van de krijgers die zij gedood hadden.

Er was bij de Portugezen maar één man die niets van de buit wilde hebben, en dat was hun kapitein, Tomás Cavalcanti. Hij bleef bij de ingang van het dorp staan, liet zijn soldaten begaan maar deed niet mee. Een jonge Tupiniquin-vrouw rende op hem af en smeekte hem haar te sparen. Lachend pakte hij haar bij de haren, en riep de wreedste soldaat die hij op het dorpsplein zag rondlopen, een Duitse huurling. Maar de man hoorde hem niet en Tomás, die genoeg kreeg van het meisje dat aan zijn voeten lag te snikken, deed een stap achteruit, trok zijn zwaard en stak haar dood. Hij veegde het lemmet aan de benen van het lijk af, stak het zwaard in de schede en liep weer naar het kamp van de colonne toe.

Inácio was bij de gevangen Tupiniquin, de zieken, de gewonden en de acht negerslaven die Tomás weer had gevangen, gebleven. De Afrikanen hadden koorts, en de priester probeerde hen te genezen – drie van hen waren christenen uit het koninkrijk Kongo – maar ze waren er te erg aan toe om aandacht aan hem te kunnen schenken.

De volgende ochtend trok de colonne weer verder met zesendertig Tupiniquin erbij, vrouwen, kinderen en oude mannen – alles wat er over was van een gemeenschap van driehonderd Indianen. Twee dagen later kwam een oude inboorling die een van de oudsten van het vernietigde dorp was geweest, Inácio opzoeken en zei: 'Jou kan ik mij herinneren.'

Voor de priester leek hij op alle oude Tupiniquin. Mager, een gerimpeld gezicht, hoekige schouders, levendige gebaren.

'Ik ken jou niet,' zei Inácio na een poosje.

De man wees op het litteken van de jezuïet.

'Jij bent naar onze *malocas* gekomen om Tupiniquin te halen wier dorp door slavenhandelaars was aangevallen. Ik kan me jou nog herinneren,' zei hij nog eens.

'Guaraci, de oude Aruanã? Woonden die in jouw dorp?'
De Tupiniquin schudde zijn hoofd.
'Waar dan?'
Maar het enige dat de oude man wist te herhalen was 'jou kan ik mij herinneren' en Inácio kon hem van alles aanbieden, voedsel, tabak, maar meer viel er niet uit hem te krijgen.

Toen pas realiseerde de jezuïet zich dat de laatste *malocas* die de colonne vernietigd had de *malocas* waren vanwaar hij tien jaar geleden met Guaraci vertrokken was om drie dagen in westelijke richting te lopen en bij de plek te komen waar Aruanã en zijn krijgers hen hadden gevonden.

'Tomás, ik smeek je om die kant uit te gaan,' zei hij tegen zijn neef.

De zoon van Nicolau aarzelde, en zei: 'Drie dagen lopen in westelijke richting, dat is veel gevraagd van mijn mannen. Zij hebben de laatste weken niets anders gedaan dan vechten.'

'Aruanã en de zijnen waren vlak bij God, en hun kinderen waren al bekeerd.'

'Bekeerd, maar weer verloren gegaan?'

'Zoals de schapen van de herder.'

Inácio sprak zo overtuigend dat hij zijn neef ten slotte overhaalde.

'Goed dan, *padre*, wij zullen uw verloren schapen terugvinden.'

Zij vonden de zes Tupinambá-verkenners bij een bron, waar zij kennelijk wat hadden willen drinken. Een van hen lag met zijn hoofd in het water, de anderen daaromheen, hun lichamen vol pijlen.

Tomás Cavalcanti beval: 'Laat de priester komen.'

Toen Inácio bij hem kwam, vroeg hij hem: 'Zeg eens, neef, zou het kunnen zijn dat wij geen schapen zoeken maar wolven?'

De colonne trok verder. Zij bestond momenteel uit vijftienhonderd personen, soldaten en gevangenen, die zich verspreidden om te gaan slapen. Inácio had een paar uur nodig om de acht zwarte slaven te verzorgen, van wie twee de tocht waarschijnlijk niet zouden overleven. Tomás en de mensen uit Pernambuco die hen hadden gevangen hadden absoluut geen medelijden met hen, maar vervloekten ze omdat ze zoveel ellende veroorzaakten.

Nog voor zonsopgang eiste een verrassingsaanval vierendertig doden onder de Tupiniquin-gevangenen, die op enige afstand van de colonne waren geïnstalleerd. Er werd alarm geslagen en Tomás en de rest renden naar het strijdperk, maar de aanvallers waren er alweer vandoor.

De jonge commandant stuurde Tupinambás naar alle windstreken om de herkomst van de aanvallers vast te stellen. Een van de verkennersgroepen kwam voor de middag terug en bracht rapport uit. Op twee uur lopen in westelijke richting stond een omheining waarbinnen de krijgers van meerdere dorpen bij elkaar zaten. Zonder tijd te verliezen voerde Tomás zijn mannen in de aangegeven richting. Inácio, die ervan overtuigd was dat hij Aruanã en de Tupiniquin die de slavenhandelaren destijds niet hadden meegenomen zou vinden, wilde met zijn neef mee, maar deze beloofde hem te zullen laten komen zodra de omheining genomen zou zijn.

De aanvallers kwamen na zonsondergang pas in het kampement terug, in kleine groepjes. Het zag ernaar uit dat zij een vreselijke nederlaag hadden geleden. Vier keer hadden zij de Tupiniquin-omheining aangevallen, maar waren zij op een regen van projectielen gestoten. Tomás Cavalcanti was licht gewond door een pijl die zijn rechterbovenarm had doorboord. Acht Portugezen waren dood of werden vermist, zestien waren gewond. Niemand wist hoeveel Tupinambás gevallen waren, want in plaats van te vluchten voor de pijlenregen, waren zij op de omheining afgestormd en de kaalslag rond het dorp lag vol met hun lijken.

Tomás zat tegen een boom en luisterde naar zijn mannen die stuk voor stuk smeekten om hiermee op te houden en naar de kust terug te gaan.

'Capitão, wij hebben meer tot stand gebracht dan de gouverneur van ons verwachtte,' zei degene die als zijn rechterhand werd beschouwd, een veteraan van de forten aan de Guinese kust. 'Wij hebben het bos uitgekamd, dertig heidense dorpen vernield en genoeg inboorlingen gevangen om de paters jarenlang bezig te houden. Laten we teruggaan, Tomás! Wij hebben onze taak ruimschoots vervuld.'

'Acht christenen zijn door die heidenen gedood en alles wat je weet te zeggen is dat het afgelopen is met ons werk?'

Geen enkele soldaat durfde hierop te antwoorden.

'We moeten moed houden,' ging Tomás verder. 'Zelfs de grootste lafaard onder jullie moet het plan dat ik heb gemaakt om de Tupiniquin uit hun schuilplaats te lokken interessant vinden.'

Inácio was verontwaardigd over het plan dat Tomás ontvouwde. De acht zieke slaven zouden aan elkaar worden vastgebonden en in de buurt van een bron worden neergezet, waar de Tupiniquin water zouden halen. Als die acht offergaven zouden worden ontdekt, zou een groter aantal manschappen worden gestuurd om ze mee te nemen. Tomás was daarvan overtuigd. En zijn mannen zouden dan in hinderlaag liggen.

'Maar jij kunt ze toch niet zomaar opofferen,' protesteerde de jezuïet.

'Ze hebben zichzelf al veroordeeld door bij hun rechtmatige eigenaar weg te lopen, neef. En ze sterven toch voordat wij weer aan de kust zijn. Zo dienen ze tenminste nog ergens voor, na alle ellende die ze veroorzaakt hebben.'

Nog voor zonsopgang zaten de negers op hun plaats. Zoals Tomás had gehoopt, vonden de Tupiniquin hen, en vlak na zonsopgang stortten zestig krijgers zich met zwaaiende ploertendoders op hen. Ze waren net begonnen ze af te slachten toen de haakbussen vanachter de bomen losbrandden, en de troep inboorlingen met kogels doorzeefd werd, evenals de negers die als lokaas hadden gediend. Binnen een kwartier lagen vijfenveertig Tupiniquin op de grond tussen de slaven. De overlevenden probeerden naar de omheining terug te gaan, maar de Portugezen hadden alweer een nieuwe aanval ingezet.

De beide kleine kanonnen waren opgesteld aan de rand van de kaalslag die zich voor de ingang van de omheining uitstrekte. De kogels die zij afschoten waren niet massief, maar volgestopt met buskruit dat door de schok explodeerde, en de Portugezen schreeuwden van plezier toen ze deze projectielen tussen de Tupiniquin terecht zagen komen.

Een paar van de beste krijgers van de clan waren gevallen in de hinderlaag en zij die binnen de omheining waren gebleven bliezen algauw de aftocht toen de kogels ook hun rijen begonnen uit te dunnen. Hun pijlenregen werd minder dicht, de aanvallers konden over open terrein optrekken, en de Tupinambás trokken de takken en de andere obstakels weg, die de toegang tot het dorp versperden.

Tomás Cavalcanti kwam met de mannen van de hinderlaag van de bron en leidde de aanval op de negen *malocas* waarbij hij het bevel schreeuwde niemand te sparen of te laten vluchten.

Padre Inácio zat in het kampement te wachten tot een boodschapper hem kwam vertellen dat de val gewerkt had en dat ze nu de *malocas* aan het aanvallen waren. Met de Tupinambá die hem het nieuws had gebracht rende hij meteen naar de plaats van de hinderlaag.

De priester wist wat hij te zien zou krijgen maar toen hij de verminkte lichamen zag schrok hij toch. Hij liep tussen de Tupiniquinlijken door en viel plotseling schreeuwend op zijn knieën.

'Guaraci! Mijn Guaraci!'

De borst van de Indiaan was doorzeefd met kogels, en één kant van zijn gelaat was door een ploertendoder kapotgeslagen.

'Cristovão,' snikte Inácio bij de krijger met zijn geverfde lichaam die samen met zijn zuster Unauá in de schoot van de Kerk was opgenomen.

Hij bleef lang bij het lichaam bidden en liep toen naar het dorp toe. Toen hij bij de omheining kwam was het gevecht bijna afgelopen. De Portugezen en de Tupinambás waren bezig de vrouwen, kinderen en ontwapende Tupiniquin-krijgers vast te binden, maar er waren ongeveer vier keer zoveel doden als overlevenden.

Inácio liep naar de verst afgelegen *maloca*, waar Tomás en zijn mannen, bijgestaan door een paar Tupinambás, nog verzet aantroffen. Waarheen hij ook keek, de priester zag niets dan wreedheid. Onthoofde krijgers, door een lans aan de grond genageld, mannen met door ploertendoders van Tupinambás ingeslagen schedels.

Tomás groette vrolijk zijn neef, met zijn zwaard in de hand en zijn kleren onder het bloed: 'We mogen de Heer en alle heiligen wel danken voor deze grote overwinning!'

Inácio's gezicht was doodsbleek.

'Zoveel doden,' mompelde hij. 'Natuurlijk, zij hebben verraad gepleegd, maar zoveel mannen over de kling gejaagd...'

'Ik had u gewaarschuwd, *padre*. Dit is niets voor u. U wilde ze met liefde bekeren, en dat is u niet gelukt. Bekijk uw schapen nu maar, gevallen onder de hamer van de oorlog.'

'Deze mensen hebben jouw vader in Santa Cruz ontvangen. Zij stonden op het strand toen hij voet aan wal zette.'

'Dat weet ik,' zei de jongeman weer, maar hij keek strenger. 'Vandaag vermaak ik mij in het dorp van de hoer van mijn vader. Kijk maar niet zo verschrikt, *padre*. U weet ook heel goed dat die trut die hij als concubine had uit deze clan kwam.'

'Maar dat was de zonde van jouw vader.'

'En de bloedige straf is mijn werk. Dit als wraak voor al het leed dat mijn moeder heeft moeten verdragen, die heilige vrouw, Helena, een christenvrouw, belachelijk gemaakt door die prostituée uit het bos en haar bastaardkinderen, mijn zogenaamde halfbroers!'

Op dat ogenblik schoten de haakschutters op een *maloca* waar de laatste Tupiniquin-krijgers nog steeds schoten op iedereen die in de buurt probeerde te komen. De Portugezen herlaadden en wilden net opnieuw vuren toen een kleine gebogen oude man uit de hut kwam zetten.

'Dat is Pium!' riep Inácio. 'Een tovenaar.'

'Ben je teruggekomen, zwartjurk,' schreeuwde de Tupiniquin naar hem, 'met soldaten en Tupinambás, om ons te vernietigen?'

'Nee, Pium. Jullie hebben zelf deze oorlog uitgelokt door de liefde en de vrede van Jezus Christus af te wijzen.'

De *pagé* kneep zijn ogen tot spleetjes en zei: 'Vrede? Daar waar wij jagen vloeit het bloed van onze krijgers. Daar waar wij met onze voorouders feestvieren, zit de *urubu* op het festijn te wachten. In al onze kampen heerst vrede – voor hen die het land van de voorouders kunnen zien.'

'Waar zijn de oudsten?'

'Een van hen wacht daar op je,' antwoordde de tovenaar, terwijl hij naar de *maloca* wees.

'Aruanã?' vroeg de jezuïet hoopvol.

Pium knikte.

'Hij kent je nog. Hij kan zich de dag nog herinneren dat jij in ons dorpje je kruis hebt rondgedragen. "Laat ze zien hoe wij nu lijden," zegt hij. "Dit is veel erger dan wat de zoon van de God van de Langharigen heeft moeten verdragen."'

Even blonk het staal toen Tomás Cavalcanti zich naar voren stortte.

'Godslastering!' schreeuwde hij, en tegelijkertijd stiet hij de oude man zijn zwaard in de zij.

Inácio liep naar de *maloca* toe.

'*Padre!* Blijf staan,' riep een soldaat hem toe.

Tomás trok zijn wapen uit het lijk van Pium, keek op en zag een gestalte in soutane naar de lange hut lopen.

'In Gods naam, kom terug!' schreeuwde hij.

Toen gaf hij zijn haakschutters opdracht op de *maloca* te schieten. Eén van de kogels raakte de priester in zijn schouder en wierp hem op de grond. Tomás rende naar hem toe, en sleepte hem buiten bereik van de pijlen die uit de *maloca* werden afgeschoten. Hij droeg hem over aan zijn mannen en zei: 'Breng hem weg voordat hij nog meer levens in gevaar brengt!'

Toen twee soldaten de jezuïet hadden meegenomen, beval Tomás de Tupinambás om brandende pijlen in de palmbladeren die de *maloca* bedekten te schieten.

'Houd je gereed,' zei hij tegen zijn mannen. 'Ze zullen de hitte niet lang kunnen uithouden.'

De Tupinambá-krijgers stonden te stampen van ongeduld.

'Kom op, Tupiniquin! Wij wachten op jullie!'

De droge bladeren vatten vlam en het vuur, aangewakkerd door de wind, verspreidde zich snel over het dak van de *maloca*. Een paar Indianen renden naar buiten en werden meteen neergeschoten; de anderen kwamen niet achter hen aan.

Plotseling doorbrak Inácio de voorste rij soldaten die naar het vuur stonden te kijken. Hij liep naar de *maloca* en beduidde de Tupiniquin om naar buiten te komen. Een inboorling lukte het om door de vlammen heen te komen, maar de verf op zijn lichaam vatte vlam; hij brandde als een fakkel en zakte vlak voor Inácio in elkaar.

'Het hellevuur verteert de heidenen,' zei Tomás, die naast zijn neef was komen staan.

Zwijgend keek de priester naar het verschrikkelijk verbrande gezicht, dat hij toch herkende. Het lawaai van de brand overstemde nu bijna het geschreeuw van de Tupiniquin die in de val zaten. Inácio stak zijn hand uit naar het lichaam dat ineengekrompen op de grond lag en brak het zwart geblakerde koord om de hals, waaraan een groene steen zat.

'Kijk,' zei hij tegen Tomás terwijl hij hem het sieraad toewierp. 'Dat was zijn enige schat – de enige buit van deze dag.'

Toen liep hij langzaam weg, terwijl Tomás bewonderend de jaden amulet bekeek die van het lijk van Aruanã kwam, oudste van de Tupiniquin.

Drie jaar na de onderwerping van de Tupiniquin-stammen van Porto Seguro en Ilhéus, in 1562, waren de resultaten van de grote oogst zielen – en slaven – van gouverneur Mem de Sá overal te zien. De kolonisten uit Bahia bezaten bij elkaar meer dan tienduizend inboorlingen die tot slaaf waren gemaakt omdat zij zich tegen de militie hadden durven verzetten.

Met uitzondering van Pernambuco, waar de familie van Dom Duarte Coelho nog steeds heerste, waren de *donatários* van de kapiteinschappen geen eigenaars van het hele gebied meer, maar één familie had nog erfrechten op de onafzienbare domeinen waar suikerriet geteeld werd. In 1562 werden tweeduizend ton ruwe suiker naar de Lissabonse kooplui en de Hollandse raffinaderijen gestuurd, want die maakten de suiker in Europa.

Deze produktie was des te opmerkelijker omdat er maar een klein aantal planters voor zorgde. Van Pernambuco in het noordoosten tot aan Santos en São Paulo in het zuiden telde men nog geen drieduizend kolonisten, voor het merendeel Portugezen, al werden ook Spanjaarden, Genuezen en andere vreemdelingen, mits zij katholiek waren, in de kolonie toegelaten. Het merendeel van de plantages en de molens waren rond Bahia en Olinda te vinden. Ten noorden van Pernambuco was het land nog niet veroverd en de granietrotsen in het zuiden, langs de kust, sloten het binnenland verder af.

Mem de Sá hield strikt de hand aan de wetten voor de inboorlingen en zag erop toe dat alleen zij die zich verzet hadden tegen het gezag van de toekomstige koning van Portugal, Sebastião, nu acht jaar oud, tot slaaf werden gemaakt. Duizenden Indianen hadden zich zonder verzet bij de situatie neergelegd en de gouverneur behandelde hen met de grootste omzichtigheid, als blijk van zijn diplomatieke kunnen.

De *aldeia* van Petrus en Paulus, nog steeds onder leiding van *padre* Inácio, herbergde in 1562 ruim tweeduizend inboorlingen, en alleen al in de streek rond Bahia waren elf andere dorpen door de jezuïeten gesticht, waar dertigduizend Indianen woonden. Overreding, gepaard aan geweld, had ten slotte de koppigste heidenen eronder gekregen, en de *aldeia* van Inácio, met haar grote kerk, haar school, haar slaapzalen en haar rijen lemen hutten was ten slotte een overwinning in de grote strijd om zielen waar Inácio zich in zijn jeugd aan verbonden had.

Hij werd geassisteerd door een andere jezuïet, pater Agostinho Correia, twee lekebroeders en een raad van oudsten van wie de bekeerling Paulo – IJzeren Arm, de 'baljuw' van Mem de Sá – de meest toegewijde was.

Negenhonderd Indianen uit de *aldeia* waren gedoopt, wat Inácio deed hopen dat alle zielen van het dorp binnen een jaar of twee gered zouden kunnen worden. Deze opmerkelijke resultaten waren te danken aan de inspanningen van twee jezuïeten en van een groep ijverige bekeerlingen die als onderwijzers waren benoemd.

Toch werd Inácio geteisterd door incidentele fouten van zijn kudde. Drinkgelagen die uitliepen op geruzie en moordpartijen, overspel dat door de vrouwen aangegeven werd terwijl de concubines van hun mannen hen voor die tijd koud lieten, diefstallen, leugens. Hij vond troost bij de kinderen en was altijd dolgelukkig als hij ze in processie door de *aldeia* zag lopen, gekleed in witte jurkjes.

Tegen het einde van 1562 gebeurde er iets dat grote gevolgen zou hebben voor de *aldeia* van Petrus en Paulus. Uit Lissabon vertrok een karveel van honderd ton naar Brazilië.

De *São Felipe* stak in zevenenveertig dagen over, met een lading bestemd voor het kapiteinschap Ilhéus, dat welvarend was geworden sinds Mem de Sá de wilden had onderdrukt. In de eerste week van december voer de karveel langs de kust waar de twaalfhonderd Tupiniquin-krijgers waren omgekomen.

Toen het schip het anker had uitgegooid gingen zijn kapitein en zijn officieren aan land om het ontschepen van de lading voor te bereiden. Ze werden hartelijk door de kolonisten ontvangen, die altijd blij waren als een schip uit Portugal hen bracht wat zij in de kolonie niet hadden.

Maar de *São Felipe* had nog iets anders bij zich, iets dat de *marinheiros* naar de gebieden van Ilhéus brachten, en dat zich snel overal zou uitbreiden: de pest.

Padre Inácio was alleen in de kerk van de *aldeia*. Zijn donkere gestalte was amper te zien in het maanlicht dat zwakjes door het hoge venster achter het altaar scheen. Hij hoorde Paulo niet binnenkomen. De priester zat al een hele poos te bidden, hij wist niet meer hoeveel uur hij daar geknield had gelegen. Hij was alle notie van tijd in de afgelopen weken, waarin hij het lijden van de Indianen had gezien, kwijtgeraakt.

Paulo bleef vlak achter de priester staan. Sinds hij tot 'baljuw' was benoemd, had IJzeren Arm zijn taak waardig vervuld. Hij was een geboren leider. Over het algemeen had Paulo het meest in de melk te brokkelen als het ging om de Indianen in de *aldeia*, al waren er ook andere oudsten door de jezuïeten verkozen.

Hij viel op zijn knieën, maar in plaats van te gaan bidden vroeg hij hardop: '*Padre*, waarom straft de Heer ons?'

Inácio draaide zich niet om, maar zei zacht: 'Paulo, waarom rust je niet wat uit?'

'Ik ben bang. Ik vraag me af of IJzeren Arm morgen, als hij wakker wordt, niet stervend zal zijn.'

Inácio bleef naar het altaar staren.

'Jouw geloof is sterk, Paulo.'

'Maar er zijn al zoveel gelovigen overleden.'

'Maar de zielen van hen die zich werkelijk aan God hebben gegeven blijven levend en zuiver.'

'Zelfs die van de kinderen die net gedoopt zijn?'

'Kijk dan, Paulo, zij zitten aan de voet van de Heer.'

De kinderen waren de eerste slachtoffers geweest van de ziekte die koorts en ijlen bracht, de darmen, de lever en de longen aantastte, en ten slotte een bloedig schuim op de lippen deed verschijnen. De zwaarst zieken stierven binnen twee dagen. Geen enkele remedie bleek te werken, of het nu aderlaten was of aftreksels van lemmetjes of sinaasappels. De ziekte had zich verspreid en had binnen een paar weken tweehonderd slachtoffers geëist. Ten slotte werden er zoveel lijken naar de grote graven achter de velden gedragen dat Inácio de tel was kwijtgeraakt. Na een maand, toen de epidemie scheen af te zwakken, trof een andere, nog vreselijker plaag het dorp.

De kinderen kregen pokken, hun lichamen raakten bedekt met puisten. Die gingen dan na drie dagen open en werden stinkende wonden waar wormen uitkropen. Toen waren de ouders aan de beurt, totdat bijna het hele dorp aangetast was. Er was niet veel te doen voor de slachtoffers, behalve dan het aangetaste vlees schoonmaken, maar dat was voor de meesten van hen alleen maar uitstel van executie.

'Wij kennen deze ziektes niet,' zei Paulo. 'Toen wij in onze *malocas* woonden, leden wij niet zoveel.'

Inácio bleef geknield, maar keek de Indiaan nu aan.

'Het is waar dat de ziekte door de Portugezen is gebracht, maar veel van hen zijn ook aangedaan. Het hangt van God af of een mens al dan niet wordt getroffen.'

De priester woog zorgvuldig zijn woorden want de epidemie wekte bij de inboorlingen diepe twijfels. Waarom waren zoveel mensen gestorven nadat zij de sacramenten hadden ontvangen? vroegen zij zich af. Overal waar het kruis was opgericht, waar veel Indianen bij elkaar zaten, richtte de ziekte verwoestingen aan. Was er soms een samenzwering tussen de paters van Jezus en de andere Portugezen om alle clans uit te roeien?

Paulo was voor Inácio een enorme steun geweest in die verschrikkelijke maanden maar sinds kort liet ook die blijken bang te zijn en stelde hij vragen.

'Voor elke Portugees die dood gaat, gaan er honderd van ons dood, *padre*. Zijn wij dan zo slecht?'

'Wat vraag je toch veel!' zuchtte de jezuïet. 'Is het dan niet veel belangrijker om God te smeken om Zijn genade, om onze zonden te vergeven?'

'Ik zal bidden, vader,' beloofde Paulo.

De volgende ochtend na de mis liet Inácio het dorp in handen van *padre* Agostinho en vertrok naar São Salvador, waar hij moest deelnemen aan een vergadering van *aldeia*-bestuurders.

Zijn oude vriend Manuel da Nóbrega zat nog steeds in het zuiden en werkte met José de Anchieta in São Paulo en Rio de Janeiro. Dat jaar had Mem de Sá de Franse Hugenotenkolonie in de Baai van Guanabara aangevallen, de verdedigers uit hun schuilplaats verjaagd en de overlevenden op het vasteland achtervolgd, waarbij hij een campagne was gestart om hen definitief uit Brazilië te verjagen. In São Paulo hadden Da Nóbrega en Anchieta zich bij dat offensief aangesloten, want de inboorlingen die zich met dat Franse uitschot hadden verbonden veroorzaakten onrust op de gronden tussen de Baai van Guanabara en de vlakten van Piratininga, waardoor zij de Portugese gebiedsuitbreidingen voorbij de *aldeia* van São Paulo verhinderden. Het dorp was vorig jaar al aangevallen door wilden die verbonden waren met de *mameluco*-mesties João Ramalho, die de jezuïeten niet graag orde en beschaving in de streek zag brengen. Maar met hulp van hun bekeerlingen hadden de paters onder leiding van de woeste Anchieta de aanval kunnen afslaan. *Padre* Da Nóbrega had afstand gedaan van zijn functies als provinciaal om zijn handen vrij te hebben voor het zuiden, en Inácio kende zijn plaatsvervanger, Luís de Grá uit Coimbra, maar was niet zo goed met hem bevriend als met Da Nóbrega.

Toen Inácio bij de jezuïetenschool kwam, een mooi gebouw van twee verdiepingen op een heuvel boven de Baai, zagen de welopgevoede paters die zich bezighielden met de opleiding van kinderen van kolonisten en het geestelijk leven in de hoofdstad, een grote magere man, wiens leeftijd moeilijk te schatten was. Hij zag er veel ouder uit dan zijn vierenveertig jaren. Hij had een gekwelde uitdrukking, en zijn gebogen schouders deden een grote vermoeidheid vermoeden. Zijn soutane was versleten, op verschillende plaatsen hersteld en hij liep blootsvoets. Zijn armoedig uiterlijk bracht verschillende jezuïeten van de school ertoe om hem nieuwe kleren en sandalen aan te bieden, die hij graag aannam.

In São Salvador hoorde Inácio dat de epidemie zich in drie maanden tijds had uitgebreid van Porto Seguro en Ilhéus tot de Baai, en dat zij verder was gegaan naar Olinda en naar het binnenland van Pernambuco. De ramp was te meten naar wat er rond Bahia gebeurde. Twee derde van de inboorlingen van de *aldeia* was dood en men vreesde dat eenzelfde aantal slachtoffers nog zou vallen onder de tienduizend overlevenden. De ziekte richtte net zoveel verwoestingen aan onder de slaven, negers of inboorlingen, zodat de planters hun faillissement vreesden.

Maar dat was nog niet alles: toen twee paters het binnenland hadden bezocht zagen zij dat de pest en de pokken ook de stammen hadden bereikt die nog niet met de Portugezen in contact waren geweest. De Indianen leden behalve onder de ziekte ook onder hongersnood en vluchtten naar de Portugese gemeenschappen.

'U moest die arme wezens eens om een kom maniok zien bedelen!' zei een van de jezuïeten. 'Ze komen bij een plantage, smeken de eigenaar om hun kinderen als slaven aan te nemen in ruil voor een enkele maaltijd. Als ze geen kinderen hebben, bieden ze zichzelf aan, hoe zwak ze ook zijn. En als ze geweigerd worden, houden ze niet op, ze halen de boeien van de dode slaven en boeien zichzelf, in de hoop dat ze indruk kunnen maken op de meester.'

Ontroerd door deze nieuwe vorm van slavernij, besloten de paters om steun aan de gouverneur te vragen. Zich zeer bewust van de dreiging die op hun missies rustte keerden Inácio en de andere jezuïeten naar hun *aldeias* terug.

Op een ochtend, zes weken na zijn terugkeer uit São Salvador, leidde Inácio de begrafenis van negen Indianen die 's nachts overleden waren, toen hem een meisje tussen de begrafenisgasten opviel. Na de ceremonie liep zij achter hem aan toen hij naar huis ging en haalde hem in.

'Wat is er, mijn kind?'

Ze keek naar de grond en antwoordde: '*Padre*, ik wil biechten.'

Inácio hoorde aan de toon van haar stem dat het belangrijk was en nam haar mee naar de kerk.

'*Padre*, ik heb niet gezondigd, maar er zijn mannen die onheilspellende woorden uitspreken. Mijn vader is er een van en ik ben bang voor hem, want de toorn des Heren zal hem niet sparen.'

'Wat zeggen zij dan, die mannen?'

''s Avonds... bidden zij, met Paulo. Ze hebben het over de ziekte, vragen om ertegen beschermd te worden, en branden peper en wortels.'

De missionaris vroeg het meisje hier verder over te zwijggen en stuurde haar naar huis.

Toen iedereen in de *aldeia* sliep slopen Inácio, Agostinho en de beide lekebroeders naar het huis van Paulo. Inácio, die voorop liep, droeg een grote stok. Toen ze dicht genoeg genaderd waren om te horen wat er binnen gebeurde, hoorden zij geen heidense gezangen, geen heilige kalebassen zoals zij verwacht hadden maar gemompel van gebed, niet gericht tot een heidense godheid maar tot de Heer zelve.

Inácio beduidde zijn metgezellen te blijven staan en liep naar een raam toe. Kennelijk had het meisje zich vergist en een vurige smeekbede van de bekeerlingen verkeerd geïnterpreteerd, die misschien geloofden dat de rook van peper de infectie verdreef.

'Here Jezus, zoon van God,' zei Paulo, 'luister naar hun geroep in deze dagen van pijn. Jezus, grote vriend, leid hen door deze duisternis.'

'Jezus, Jezus,' herhaalden de anderen.

'Moge de Heilige Geest ons teruggeven wat wij verloren hebben.'

'Waar is Paulo? Waar is IJzeren Arm, naar wie iedereen in de *aldeia* luistert?'

244

Deze vraag intrigeerde de jezuïet, want het was Paulo zelf die haar stelde.

'Zijn lichaam is er, maar zijn geest niet,' antwoordde een Indiaan.

'Paulo rust, Paulo rust,' zei een ander.

Nu keek Inácio door het raam en in het licht van een paar lampen zag hij de bekeerling Paulo staan, gekleed in een lange groene jurk die leek op een soutane, met een rode muts op zijn hoofd. Een vrouw, die Inácio herkende als zijn echtgenoot, stond naast hem en droeg een levensgroot kruis.

'Heilige Geest, Vader, Zoon, Heilige Moeder,' ging IJzeren Arm verder, 'Uw dienaar in de hemelen...'

'Heilige uit de Hemel!' riepen verschillende inboorlingen. 'Heilige reiziger zonder rust!'

'God alleen zal ons volk redden,' ging Paulo verder. 'Zijn zoon is gestorven zodat allen zouden leven. Als de dag aanbreekt, staat ook Hij op, en overspoelt Zijn licht het oerwoud. O Tupinambás, daar waar de velden afsterven, daar waar de laars van onze beulen zijn sporen achterlaat zullen de vruchten van de aarde weer groeien. Waar onze vrouwen hun stokken planten zal er overvloed zijn. De Heer belooft deze vruchten aan de zieken en de doden, die herboren zullen worden. Zij zullen opstaan, overal waar ze door de Portugezen zijn afgeslacht, overal waar ze door de Portugese pest zijn neergemaaid.'

'Zeg ons, Heilige van de Hemel, wat God doet met onze vijanden,' vroeg een Indiaan.

'Als het ogenblik gekomen is zullen zij in beesten worden veranderd,' antwoordde Paulo, 'zij zullen bang zijn voor de Tupinambás, en die zullen hen verjagen.'

'Belooft u dat, Santo Antônio?'

'Dat is mij geopenbaard.'

Inácio hield het niet meer uit en stormde naar binnen, waarbij hij zich met zijn stok een weg baande.

'Godslastering!' riep hij uit. 'Satan!'

'Ik zeg slechts de waarheid, zoals die aan Antônio geopenbaard is, de Heilige uit de Hemel.'

De missionaris hief zijn stok op.

'Nee!' riepen verschillende Tupinambás. 'Nee!'

Maar Inácio, die woest was, bleef met zijn stok zwaaien.

'Satan!' schreeuwde hij. 'Jij stort alle zielen van Santa Cruz met jouw leugens in het verderf! Jouw ondraaglijke stank bevuilt de kust en het oerwoud sinds de Heer jouw uit Zijn hemels koninkrijk heeft verjaagd!'

Drie Indianen wierpen zich op hem en hielden hem in bedwang.
'O, Santo Antônio,' vroeg één van hen, 'wat moeten wij met hem doen?'

Paulo keek naar Inácio en schudde het hoofd.

'Vergeef hem, want hij weet niet wat hij doet,' verklaarde hij met een zwakke glimlach. 'Kom, Moeder Gods,' zei hij tegen zijn vrouw die nog steeds met het kruis naast hem stond, 'laten wij hier weggaan.'

De jezuïeten hadden Paulo al eens op een ochtend liggend voor het altaar gevonden en nu had hij God voor de tweede keer ontmoet. *Padre* Inácio had het vaak gehad over de Heilige Antonius, die de woestijn was ingegaan om het kwaad te ontmoeten. Toen Paulo zovelen van de zijnen zag omkomen, was hij alleen naar het bos gegaan en had hij een visioen gehad dat hem openbaarde dat hij Santo Antônio was, en zijn vrouw de Moeder Gods. Hun missie op aarde bestond eruit de Tupinambás ver van deze *aldeia* te voeren, naar gebieden waar het verleden herboren zou kunnen worden. Daar zouden zij dan de dag afwachten waarop alle Langharigen in beesten veranderd zouden worden.

Padre Agostinho en de twee lekebroeders waren op de deur afgerend toen zij Inácio's kreten hoorden, maar de Indianen hadden de toegang versperd. Ze zagen Paulo in een lange groene jurk uit de hut komen, evenals zijn vrouw en een twaalftal mannen onder wie zij sommigen van hun meest ijverige bekeerlingen herkenden.

In juli 1583 zond de provinciaal van São Salvador Rafael Arroyo, een lekebroeder van de jezuïtenschool, als assistent naar *padre* Inácio Cavalcanti in de *aldeia* van Petrus en Paulus. Hij was een kleine, bruine man, met een lange neus en zwarte, vette haren. Hij was de zoon van een fabrikant van zwaarden uit Toledo, en was pas kortgeleden in Bahia aangekomen. Hij was zelf wapensmid en was, vijfentwintig jaar oud, naar Lissabon gegaan waar hij met andere ambachtslieden uit Italië en Duitsland in de koninklijke wapenkamer had gewerkt.

Frater Rafael was niet zo blij met de opdracht naar de *aldeia* te gaan, want hij was liever doorgegaan de kerk van Ajuda te versieren. De vroegere wapensmid gebruikte zijn talent om bladgoud te maken en hij was heel tevreden alleen aan de versiering van het altaar te kunnen werken. Niettemin gehoorzaamde hij de paters van de school en vertrok meteen naar Petrus en Paulus.

Toen hij aankwam, schrok hij van de wanorde die daar heerste. De witgekalkte muren van de kerk stonden hier en daar op instorten; het grote plein was schoon, maar daaromheen stonden hutten die er even erg aan toe waren als de kerk, en de meeste hadden geen dak meer.

De inboorlingen ontvingen hem vrij hartelijk – vooral de kinderen, die hem tegemoet kwamen rennen – maar ze waren niet zo ijverig als de jezuïet had verwacht van een gemeenschap van bekeerlingen. De kinderen liepen met hem mee toen hij het plein overstak en naar het huis van *padre* Inácio ging.

Toen frater Rafael bij de deur van de hut was kwam de bewoner naar buiten om hem te ontvangen. *Padre* Inácio, leunend op een stok, liep heel langzaam. Zijn zwarte soutane was veel te groot voor zijn magere lichaam en zijn handen trilden een beetje.

'Welkom, welkom in ons dorp,' zei hij terwijl hij zijn grijsbehaarde hoofd boog.

'Ik ben blij dat ik hierheen ben gezonden om God te dienen,' verklaarde Rafael.

'Goed zo, mijn zoon. Er is zoveel te doen, en wij hebben zo weinig tijd. Hoe lang bent u al in Santa Cruz?'

'Zeven maanden, *padre.*'

'Zeven maanden,' herhaalde Inácio verdrietig. 'Manuel da Nóbrega heeft zeven maanden na onze aankomst met gouverneur Tomé de eerste steen van onze kerk in Bahia gelegd.'

Padre Inácio toonde de nieuwkomer de *aldeia*, en had het alsmaar over de tijd van voor de pest toen er in het dorp niet honderdtwintig zielen woonden, zoals nu, maar tweeduizend; toen leek de overwinning van Jezus verzekerd. Met tranen in zijn ogen pakte hij de jongeman plotseling bij de arm en riep: 'Frater Rafael, ik bezweer u, dien onze Heer als een echte soldaat! Zonder de zwakheden waaraan ik mij schuldig heb gemaakt!'

De daaropvolgende dagen had *padre* Inácio het vaak over het verleden. Hij had het over Da Nóbrega, die in 1570 gestorven was, over zijn oom Nicolau, die vierentachtig jaar oud was geworden, over Tomás Cavalcanti, die hij had vergezeld op een veldtocht tegen de Tupiniquin en die hij nu 'slachter' noemde. Hij had zijn neef sinds die tijd niet meer teruggezien maar wist dat hij getrouwd was met de wees Theresa Dias en vader was van een groot gezin, dat nu op het domein van Santo Tomás een welvarend bestaan leidde. Maar de oude man had het vooral over de inboorlingen, voor wie hij zoveel moeite had gedaan, voor wie hij het bos was ingetrokken om de sterk in aantal verminderde bekeerlingen weer aan te vullen. Als oprecht apostel had Inácio nooit gewanhoopt en bleef hij nieuw graan verzamelen voor de molen Gods.

Op een middag, toen Rafael in de smidse van de *aldeia* aan het werk was kwam de jezuïet opgewonden naar hem toe.

'Maak u klaar voor vertrek, frater. Er zijn zielen die om hulp vragen. Op tien dagmarsen van hier zijn *malocas* van een clan die naar ons dorp gebracht wil worden.'

Zij gingen de volgende ochtend met acht bekeerlingen op pad, in noordoostelijke richting. Inácio was vol energie en deed met hulp van zijn stok grote passen, waarbij hij de anderen aanspoorde sneller te lopen, alsof hij bang was dat de gezochte *malocas* voor zijn neus weggekaapt zouden worden.

Toen zij zeven dagen onderweg waren veranderde het bos in een vlakte vol doornstruiken en lage planten. In plaats van de vochtige grond van de jungle troffen ze nu een steengrond met droogliggende beekbeddingen. Dode bosjes, vreemd gevormde cactussen, kromme takken aan bladerloze bomen. Dit was de *caatinga*, het witte bos, de naam die de Indianen aan dit verbrande landschap gaven.

Twee dagen lang liepen zij door deze afgelegen streek van het kapiteinschap Bahia voordat ze in de gaten hadden dat ze verdwaald waren. Ze besloten zich op te splitsen in twee groepen, waarvan er één met *padre* Inácio naar het noorden en de andere met Rafael naar het westen zou gaan. Als ze na twee dagen de *malocas* nog niet gevonden zouden hebben, moesten ze teruggaan naar de plek waar ze uit elkaar waren gegaan, die te herkennen was aan drie granieten heuvels. Als een van de groepen de Indianen zou vinden, zou hij de ander waarschuwen door hem een boodschapper te sturen.

Frater Rafael trof twee dorpen aan maar geen van beide waren wat hij zocht. Hij ging dus terug naar de afgesproken plaats en zag de volgende dag een bekeerling van de groep van Inácio alleen terugkomen. De jongeman was al blij, toen de Tupinambá doodsbang uitriep: 'Kom gauw, hij is ziek!'

Ze braken meteen het kamp op en liepen de hele nacht door, maar bereikten *padre* Inácio pas twee dagen later, even na de middag. Het was verschrikkelijk heet. Hij lag onder een boom op een bed van takken en bladeren, brandend van de koorts. Een van de drie inboorlingen was bij hem gebleven.

'*Padre*, ik ben het... Rafael.'

Inácio lag te rillen, bewoog zijn lippen zonder geluid voort te brengen en probeerde zijn hoofd te draaien. Toen sperde hij zijn vochtige ogen open en glimlachte.

'O, Rafael... een wonder. In deze steenwoestijn heb ik een wonderlijk visioen gehad. De Moeder Gods en haar geliefde Heilige. Ik heb de mooiste beloning gehad die maar denkbaar is, ik heb Santo Antônio en de Heilige Moeder kunnen aanschouwen.'

Met een van vreugde stralend gezicht blies *padre* Inácio Cavalcanti de laatste adem uit.

De twee verdwenen Indianen kwamen toen uit de bosjes en een van hen stotterde: 'We waren bang dat ze iets kwaads met ons wilden doen.'

Frater Rafael fronste zijn wenkbrauwen en vroeg: 'Wie dan?'

De Tupinambá die had gesproken was een bekeerling die vanaf zijn jeugd in de *aldeia* woonde – een van de weinige overlevenden van de pest van 1563. Hij heette Pedro en hij herinnerde zich nog de dag waarop de gouverneur Mem de Sá bij zijn doop was geweest.

'Ze zijn een uur geleden vertrokken,' antwoordde hij. 'Wij hebben ons verstopt want we waren bang dat zij ons wilden vermoorden.'

'Maar wie dan?'

'De duivel kwam uit deze rotsgrond naar boven om onze geliefde pater te kwellen... twintig jaar geleden toen er pest heerste was er een bekeerling in de *aldeia* die Paulo heette. Hij liet zich Santo Antônio noemen en zei dat zijn vrouw de Moeder Gods was.'

Pedro zweeg en begon te huilen.

'Ga door,' zei Rafael.

'Santo Antônio en zijn bende zwerven door de *caatinga*, en hebben ons hier gevonden. Toen hij zag dat de pater op sterven lag zei Paulo: "Ik ben de Heilige Antonius." Toen wees hij op zijn vrouw, en zei hij nog: "En dit is de Moeder Gods."'

Weer zweeg de bekeerling en wierp een medelijdende blik op Inácio.

'En wat is er toen gebeurd?'

'O, frater Rafael! Santo Antônio pakte de handen van de *padre* in de zijne en zei dat God hem naar deze plek had gebracht – om hem tot Zich te roepen. En dat geloofde *padre* Inácio. Paulo heeft met de *padre* gebeden en toen de rest van zijn bende opdracht gegeven om te vertrekken, want God wilde dat hij alleen bleef met *padre* Inácio.'

Weer fronste de jonge frater zijn wenkbrauwen, maar toen zag hij het gezicht van de oude man en mompelde hij: 'Heer, wat ziet hij er gelukkig uit!'

Boek drie

De bandeirantes

X

Augustus 1628 – augustus 1639

'Ismael Pinheiro, jij bent een idioot, en ik ben zo mogelijk een nog groter idioot, ik, Amador Flôres da Silva, omdat ik jou vertrouwd heb. Slaap maar rustig, Amador, zei ik tegen mezelf. De dappere Pinheiro houdt de wacht, hij verjaagt zelfs de demonen uit het bos nog. Wat een stommiteit!'

Pinheiro zat met zijn benen voor zich uit op de grond en veegde alleen maar zijn tranen weg met zijn grote hand.

Het was 17 augustus 1628, en de beide jongemannen zaten midden-in een oerwoud op vijftig mijl ten zuidwesten van São Paulo de Piratininga, in de richting van de Spaanse kolonie Paraguay. Om hen heen zaten tien soldaten van de patrouille uit de achterhoede van het leger waarin de vaders van de beide jongens dienden. Amador en Ismael waren in São Paulo gebleven, maar ervandoor gegaan op zoek naar de troep, en Pinheiro, die wacht moest lopen maar was ingeslapen was door de leider van de patrouille uit zijn slaap gehaald. De man had niet de minste sympathie voor hen. 'Moeten jullie zonodig helden zijn?' had hij gezegd. 'Laat dan maar eens zien hoe moedig jullie zijn als ik jullie bij je vaders breng!'

Amador Flôres da Silva was een kleinzoon van Marcos da Silva, de man die slavenhandelaren naar het dorp van Aruanã en van Unauá, de Tupiniquin, gebracht had. Na de vernietiging van de *malocas* en het ineenstorten van alle hoop van *padre* Inácio, was de jonge inboorlinge, die door Marcos da Silva was meegenomen en verleid, de onderworpen vrouw geworden van de man die haar stam had uitgemoord.

Amador was kort van stuk, en had een groot hoofd met sluike zwarte haren, dons op zijn gezicht, een vlezig mondje, harde, waakzame ogen, en een pokdalig gezicht, te wijten aan de ziekte die hij twee jaar eerder had overleefd toen een epidemie de streek rond São Paulo trof. Hij droeg een kort vest, een hemd, een broek, een groene katoenen sjaal uit Manchester die hij rond zijn hoofd had gebonden, een boog, pijlen en een lang mes.

Hij wees met zijn kin op de soldaten en zei tegen zijn vriend: 'En als dat nu eens Carijós waren geweest?'

Zonder op antwoord te wachten ging hij verder: 'God, wat een festijn had jij ze aangeboden! Ze hadden jouw vogelhersens helemaal opgegeten.'

'Alsjeblieft, Amador,' snikte Ismael. 'Het spijt mij.'

'Je zult nog wel meer spijt krijgen als je je vader ziet,' antwoordde Amador.

Pinheiro waagde het om te glimlachen.

'Ik hoef tenminste niet voor Bernardo da Silva te verschijnen.'

Nu zag Amador er opeens niet zo best meer uit. Zijn vader, Bernardo, was een kortaangebonden man, flink bebaard, een gezicht vol littekens en dezelfde harde, ondoorgrondelijke ogen als zijn zoon.

'Heilige Moeder Gods,' kreunde Amador, 'wat zal hij zeggen als hij me uit het bos ziet komen, vastgebonden als een slaaf? Toen ik hem smeekte om mij mee te nemen, is hij in lachen uitgebarsten. "De oorlog is voor mannen," zei hij voordat hij me naar de koeien stuurde.'

'O, maar jij bent een man, Amador,' verzekerde Ismael vol bewondering. 'Je hebt ons door het oerwoud geleid zonder de weg kwijt te raken.'

De beide jongens, die tien dagen daarvoor uit São Paulo waren gegaan, hadden algauw de weg waarover het leger was getrokken, gevonden en hadden die gevolgd door het gebied ten zuidwesten van de hoogvlakte van Piratininga. Amador had een scherp zintuig voor de jungle, dank zij zijn grootmoeder Unauá.

Natuurlijk ben ik een man, dacht hij, en dat weet mijn vader ook wel. Hij was net veertien maar Bernardo da Silva was gezwicht voor de argumenten van Rosa Flôres, zijn derde vrouw, die erop had gestaan dat haar zoon thuis zou blijven om op de koeien en de varkens te letten.

Amador had het leger van honderdtwintig man, boeren en slaven van zijn vader, uit São Paulo zien vertrekken om zich bij de *bandeira* van kapitein Antônio Raposo Tavares te voegen, want Bernardo da Silva was een van zijn luitenants. Een *bandeira* was een in grootte variërend legertje dat expedities in het binnenland uitvoerde en dat waaraan Bernardo da Silva versterking ging bieden met zijn privémilitie, telde drieduizend man.

Even na het vertrek van haar man had Rosa Flôres haar zoon om zout naar Pinheiro gestuurd. De vader van Ismael, Nuno Fernandes, maakte deel uit van een kleine gemeenschap nieuwe christenen, joden die gedwongen waren het katholieke geloof aan te nemen. Weliswaar was de inquisitie niet naar Brazilië gekomen, maar wel kwamen er af en toe visiteurs om onderzoek te doen naar het geloof van de kolonisten en vanwege de geruchten dat dit gebied een toevluchtsoord zou zijn voor joden en nieuwe christenen die het niet zo nauw namen met het geloof. Het was overdreven om aan te nemen dat er veel pseudo-christenen waren, maar Portugal was altijd toleranter geweest dan Spanje en groepen joden – vooral mannen die thuis waren in de suiker – hadden zich in de kolonie gevestigd. In São Paulo hield Nuno Fernandes Pinheiro zich aan de katholieke voorschriften, maar in het geheim hield hij met anderen bijeenkomsten om zijn oude religie te belijden. Hij was een ervaren koopman en een *armador*, iemand die de *bandeiras* van spullen voorzag. Zoals de meeste strijdbare mannen uit São Paulo, was ook hij naar Tavares gegaan, waarbij hij zijn dikke zoon op zijn satijnen en fluwelen stoffen, zijn specerijen en zijn zout liet letten.

Ismael, die ook veertien was, leek in niets op een dappere soldaat maar hij kon lezen en hij was heel erg onder de indruk geraakt van een boek over de kruistochten, dat hij op het jezuïetencollege had gevonden, waarheen zijn vader hem uit plichtsbesef had gestuurd. Toen Amador zout was komen halen was Ismael begonnen over de daden van de christelijke ridders totdat de jonge Da Silva het niet meer uithield en riep: 'Waarom sluiten wij ons niet aan bij de expeditie van onze vaders! Voor Christus en Dom Sebastião!'

Een Portugese koning aanroepen die drie decennia eerder overleden was, nog voor de geboorte van de beide jongens, was de vanzelfsprekendste zaak van de wereld. De herinnering aan Dom Sebastião, die met het het puikje van de Portugese cavalerie in een veldslag tegen de Moren in 1578 in Alcazar-Quivir gevallen was, bleef voortleven in het hele imperium en zelfs in São Paulo, een van de meest afgelegen voorposten. 'Met koning Sebastiaan stierf de trots van Portugal,' zei de vader van Amador. 'Onze rechten en onze gebieden gingen over in handen van de Spanjaarden, die altijd al op onze veroveringen hebben geloerd.'

Amador was opgegroeid met het idee dat de Portugezen twee belangrijke vijanden hadden, namelijk de wilden uit het oerwoud en de Spaanse heersers over Brazilië, die door zijn vader en door kapitein Raposo Tavares diep gehaat werden. Amador kon goed begrijpen dat je bloeddorstige Indianen kon haten, maar de vijandige houding tegenover *hidalgos* begreep hij minder goed want in São Paulo was een op de vijf inwoners Spaans, en die mensen onderscheidden zich in niets van Portugezen.

Zijn vader had hem uitgelegd dat de Spanjaarden uit de stad naar de hooglanden waren gekomen om aan de autoriteiten aan de kust te ontsnappen, zoals zovele anderen hadden gedaan nog voordat São Paulo gesticht werd. De Spanjaarden aan wie Bernardo da Silva zo'n hekel had waren niet de vluchtelingen of de renegaten, maar de Madrileense intriganten, die zich na de dood van Dom Sebastião en de korte regering van diens opvolger, een zwakke oom, van Portugal meester hadden gemaakt.

Philips II van Spanje, de zoon van keizer Karel V en van Isabella van Portugal, had zich in 1581 de Portugese troon toegeëigend. Zijn zoon, de vrome Philips III had hem opgevolgd en thans was het de beurt aan Philips IV, een goed ridder, een groot jager, een liefhebber van kunsten en letteren, die, als hij niet bezig was met zijn hobby's, zijn land – en dus ook Portugal – in een uitputtende strijd met Engeland, Frankrijk en Holland verwikkelde.

Vier jaar geleden had São Paulo verdedigingswerken gebouwd tegen een eventuele Hollandse invasie. Bernardo da Silva en anderen met hem geloofden niet dat een leger de steile toppen van de bergen van Piratininga, waar de stad bovenop stond, over konden komen, maar ze waren toch wel oplettend geweest, want de Hollanders hadden overal in Brazilië triomfen geoogst en de hoofdstad São Salvador in mei 1624 ingenomen. Maar in april 1625 had Madrid, dat genoeg kreeg van de Hollandse aanvallen op zijn schepen die de schatten uit de Nieuwe Wereld aanvoerden, de grootste vloot gestuurd die ooit de evenaar was overgestoken – tweeënvijftig schepen, twaalfeneenhalfduizend mannen, twaalfhonderd kanonnen – en de ketters uit de Baai verjaagd.

De Hollanders zonnen nog steeds op een middel om Brazilië te pakken te krijgen, met name de driehonderd suikermolens van Pernambuco tot het zuiden. Voordat zij Bahia aanvielen hadden zij daartoe de Westindische Compagnie opgericht, waarvan de negentien directeuren – *de Heeren XIX* – de aandeelhouders bleven verzekeren dat zij nog aardig winst zouden maken op de Portugese plantages uit de streek rond Olinda en São Salvador.

Het hoofd van de patrouille die de jongelieden in het bos had betrapt gaf opdracht om naar de rest van het leger terug te gaan.

'Kom maar mee, kapiteintjes,' zei hij tegen de kinderen om vervolgens in lachen uit te barsten.

Amador en Ismael raapten hun wapens op.

Het leger waar de vaders van Amador en Ismael deel van uitmaakten bestond uit negenenzestig Portugezen en Spanjaarden, en negenhonderd *mamelucos* en Indianen uit onderworpen stammen, van wie sommigen vrije mannen waren, anderen slaven, maar die allemaal blij waren dat hun overwinnaars en meesters hen uitzonden om te vechten in plaats van naar de velden. Dit leger van drieduizend man, dat zich een weg baande door het oerwoud en de moerassen, boven in de bergen, langs diepe dalen ten zuidwesten van São Paulo, trok op onder de banier van Christus en de vaandels van zijn eigen commandanten. Met zijn halfnaakte wilden en zijn in lompen geklede *mamelucos* zag het eruit als een bende stropers, maar het was een goed georganiseerd leger onder aanvoering van ervaren officieren die een strenge discipline handhaafden.

Het drong Paraguay binnen, een provincie van het Spaanse vicekoninkrijk Peru, dat ten westen van de Lijn van Tordesilhas lag, maar nu een koning regeerde over Spanje en Portugal ontmoetten de Portugese soldaten buiten Braziliaans grondgebied relatief weinig weerstand.

Officieel was deze expeditie bedoeld om Carijós uit te moorden, omdat zij als een bedreiging voor de kolonie werden beschouwd. Niettemin was het werkelijke doel inboorlingen te vangen voor de plantages aan de kust, want conflicten en ziekte hadden de stammen in de buurt van Olinda en Bahia behoorlijk uitgedund.

Al lang voor de geboorte van Amador hielden de Paulistas strooptochten in de streek, waarbij zij duizenden Carijós naar São Paulo brachten. Achttien jaar geleden hadden de jezuïeten uit Asunción zich echter gevestigd in deze 'provincie van Guairá', zo genoemd naar een befaamd opperhoofd uit de streek. De jezuïeten, die bij de Guaranis het denkbeeld van een oppergod aantroffen en merkten dat zij zich gemakkelijk tot het christendom lieten bekeren, stichtten twaalf dorpen en spoorden de Indianen aan om daar te gaan wonen. In deze eerste gemeenschappen leefden thans zesduizend inboorlingen en de later gestichte hadden ook een succes dat alles wat de paters in Brazilië met hun *aldeias* voor elkaar hadden gekregen, verre overtrof.

In de loop van de jaren breidden de zwartjurken hun heiligdommen aanzienlijk uit, en de enorme inlandse bevolking werd aantrekkelijk voor de Paulistas, die bovendien wel zin hadden om eens een uitstapje op Spaans grondgebied te gaan maken.

Amador had zijn vader vaak op expeditie zien gaan, soms langer dan een jaar, en bijna altijd een deel van de gevangenen mee naar huis zien nemen. De Da Silvas, die vee en grond bezaten, waren sinds de tijd van Marcos toch in de eerste plaats slavenhandelaren. Amador had zijn grootvader en zijn grootmoeder Unauá niet gekend, omdat zij beiden voor zijn geboorte overleden waren, maar zijn vader sprak vaak over hen.

De jongeman was de jongste van zestien zonen en dochters van Bernardo, die bij Maria en Josefa, twee Portugesen van wie hij weduwnaar was, en bij Rosa Flôres, de moeder van Amador, een Spaanse afkomstig van de gebieden voorbij de Rio Plata, en sinds zestien jaar met Bernardo getrouwd, tweeëntwintig kinderen had verwekt. Zestien daarvan waren in leven gebleven, en verder had hij er nog vier verwekt bij inboorlingen die hij echter had erkend en evenveel rechten had verleend als de nakomelingschap die door de Kerk gezegend was.

De meeste nakomelingen van Bernardo da Silva, van wie de oudste een grootvader van vierenvijftig jaar was, woonden in São Paulo of in de buurt. Amador en zijn vader scheelden eenenzestig jaar maar Bernardo was ondanks zijn leeftijd nog steeds krachtig. Hij hield de kapiteins bij de marsen van de *bandeiras* bij en de officieren accepteerden de oude krijger als een van de hunnen.

Bernardo had van zijn vader Marcos een zekere haat jegens jezuïeten geërfd, die hij aan zijn zoon had overgedragen. Amador had gemerkt dat de Da Silvas niet de enigen waren die de Sociëteit van Jezus niet konden uitstaan. Zelfs de goede pater Anselmo, een priester die bij hen over de vloer kwam, en die hem gebeden en de catechismus bijbracht, beklaagde zich over de zwartjurken. 'Het is niet goed dat zij in Madrid protesteren en mannen die God vrezen beschuldigen van slavernij,' had hij tegen Amador gezegd. 'Wij brengen de wilden naar de markten van São Paulo en naar elders, en daar kunnen zij in dienst treden van christelijke families die hun beschaving bijbrengen.' *Padre* Anselmo, aalmoezenier en biechtvader van de *bandeirantes*, was bij het leger waar de patrouille Amador en Ismael Pinheiro heen bracht.

De troep bracht de nacht door op een open terrein in de buurt van een brede en ondiepe rivier. Het was de plaats waar een Guarani-dorp had gestaan dat bij een vorige expeditie vernield was. Het bos was aan alle kanten bezig om de kaalslag weer in te nemen maar de ruïnes van de veertien maanden eerder geplunderde *malocas* waren nog niet helemaal onder de vegetatie verdwenen.

Nog voordat hij de rivier overstak, zag Amador zijn vader. De officieren van de *bandeira* waren bij elkaar gekomen op een zandbank aan de rand van het water. Een paar van hen keken naar de patrouille toen die uit het bos kwam en Amador zag midden in de groep de gedrongen gestalte van zijn vader staan.

'Hij zou mij als een held hebben ontvangen als jij niet in slaap was gevallen,' mompelde de jongen tegen zijn kameraad. 'Kijk nu eens hoe ik eruitzie, kletsnat, en ik word als een gevangene naar hem toe gebracht!'

'Mijn vader is er ook,' mompelde Ismael.

Nuno Fernandes Pinheiro was ook bij de commandanten van de troep, al was hij geen officier. Meestal ging hij, omdat hij *armador* was, niet met de *bandeira* mee en wachtte hij in São Paulo tot hij zijn aandeel in de winst kreeg. Dat waren de slaven die werden verkocht om de investering te dekken en met wie zijn risico betaald werd. Maar deze keer beloofden de rooftochten zoveel op te brengen dat Pinheiro graag met de *bandeira* was meegegaan.

Het hoofd van de patrouille spoorde de jonge vagebonden aan om over te steken.

'Vooruit, kapiteintjes, het water in!'

De rivier was op deze plek zestig passen breed en leek gemakkelijk doorwaadbaar. Amador liep naar voren, en het water stond hem algauw tot aan zijn knieën. Hoe verder hij liep des te sterker werd de stroom. Ismael, die vlak voor hem liep zette voorzichtig zijn voeten op de zandige grond. Maar plotseling werd de rivier dieper en verloren beide jongens het evenwicht. Ismael slaakte een kreet en verdween in het water, dat rond zijn nek kolkte; Amador trapte met zijn benen om aan de oppervlakte te blijven. Ismael raakte in paniek, greep zijn kameraad en beiden werden door de stroom meegevoerd, maar even plotseling wierp de rivier hen op een zandbank en Amador sprong zo snel mogelijk overeind, waarbij hij zich niets aantrok van het geweeklaag van Ismael. Hij liep een eindje naar de groep officieren toe maar struikelde over een tak en viel in de modder, waarbij zijn broek scheurde.

'Amador Flôres da Silva!' schreeuwde een officier. 'Is dat een manier van groeten? Op je buik, zoals de *peças* in Afrika voor hun koning? Of ben je bang je te melden bij *tenente* Bernardo?'

De jongen bleef liggen, maar tilde zijn hoofd op om naar zijn vader te kijken. Luitenant Bernardo da Silva stond naast kapitein Raposo Tavares, die was gekleed in een leren vest zonder mouwen, dat gevoerd was met een laag katoen, dik genoeg om een pijl tegen te kunnen houden. Hij droeg een grove broek en laarzen die tot over zijn knieën kwamen. Ook droeg hij een Franse hoed met een brede rand, die aan beide zijden omkrulde en waar een veer op stak. Aan zijn ceintuur droeg hij een grote beurs, een kruithoren, een laadstok, een sabel, dolken en een bijltje.

Amador keek of hij *padre* Anselmo ook zag, want hij hoopte dat die een goed woordje voor hem zou doen, maar van de priester was geen spoor te bekennen.

'God geve dat hij de vijand treft voordat hij zichzelf verwondt!' donderde het opeens vlak bij.

'Vergeef mij, vader,' schreeuwde Amador. 'Ik had de koeien en Dona Rosa niet in de steek mogen laten.'

Hij stond op zonder zich om zijn geschaafde knie te bekommeren en hield een bemodderde hand op zijn achterwerk. Angstig en zwijgend wachtte hij op wat zijn vader zou gaan zeggen, of een van die mannen die er nog schrikbarender uitzagen dan hij gedacht had, toen hij in zijn dromen naast hen vocht.

'Waar zijn mijn koeien, Amador Flôres?'

'Ik heb de zonen van de *peças* opgedragen voor ze te zorgen,' antwoordde de jongen snel.

'Kijk eens aan,' zei Bernardo da Silva. 'Hij geeft orders aan slaafjes en negeert de mijne.'

'Vader, ik kon toch niet bij de beesten en de vrouwen blijven terwijl andere jongens ten strijde trokken?'

Op dat ogenblik begon Ismael Pinheiro, die door twee slaven uit de modder was getrokken, tekeer te gaan omdat zijn vader hem een pak slaag gaf.

'Wij wilden erbij zijn als u ging aanvallen,' legde Amador aan Bernardo uit terwijl hij hem vol vrees aankeek. 'Wij wilden met u de Carijós aanvallen...'

'Wat moet ik nu met je, Amador Flôres?'

'Alles wat u maar wilt, Dom Bernardo. Ik dacht alleen maar aan de eer om in het leger van mijn vader te hebben gevochten.'

Amador had al lang uitgevonden dat de patriarch kalmer werd als hij maar dom tegen hem zei. Bernardo, die in tegenstelling tot zijn broers *mameluco* was, had altijd graag deel willen uitmaken van die *homens bons*, de belangrijke mannen uit São Paulo, die voor het merendeel van Portugese afkomst waren.

'Kapitein Raposo Tavares!' riep hij. 'Het ziet ernaar uit dat wij er een man bij hebben.'

'*Sim*, Bernardo, laat hem maar meegaan, maar...'

'Is er iets, kapitein?'

'*Tenente*, uw soldaatje zal niet veel plezier aan de oorlog beleven, als die vraatzuchtige wilden zijn kont zien.'

Amador stond op en zette een hoge borst.

'Dank u, Dom Bernardo. Ik ben bereid mijn vader en zijn kapitein te dienen.'

Bernardo da Silva stak dreigend zijn hand op.

'Donder op voordat ik je tekeer laat gaan als je vriendje!'

Maar hij keek toch geamuseerd toen hij tegen de kapitein bromde: 'Hij moet nodig een man worden, die jongste koter van Bernardo da Silva.'

De winterse nacht was over het kampement gedaald, en het was opeens koud geworden, toen Amador weer naar zijn vader ging. Hij had zich in de rivier gewassen, zijn broek laten verstellen door een van de twaalf zwarte slavinnen die bij het leger waren. Negers waren zeldzaam in São Paulo, want er waren geen grote plantages, maar de Da Silvas bezaten vier *peças* uit Loanda, dat Mpinda was voorbijgestreefd als belangrijkste uitvoerhaven van slaven van het koninkrijk Kongo, dat in verval was, en van de gebieden in 'Ngola die zuidelijker lagen.

De vrouw die de broek van Amador had versteld was meegenomen als dienstmeid van Bernardo en de honderdtwintig *mamelucos* en Indianen die deel uitmaakten van het privé-legertje van Bernardo. Het leger uit São Paulo stond onder aanvoering van Manuel Preto, een veteraan van deze expedities, en was verdeeld in vier compagnieën die elk onder bevel van een kapitein stonden. Bernardo was luitenant van de voorhoede, bestaande uit zijn eigen legertje. Driekwart van de inboorlingen die er deel van uitmaakten waren Tupiniquin uit de streek rond São Paulo, en sommigen waren zijn slaven, anderen kwamen uit *malocas* die op grond stonden waar de Da Silvas rechten op lieten gelden of die daaraan grensden.

Amador liep langs de vuren van het Indianenkamp, op weg naar de rivier, toen hij zijn naam hoorde. Hij bleef staan, hoorde dat hij opnieuw geroepen werd en liep toen naar de varens.

Daar zag hij Ismael Pinheiro, die vol spijt tegen hem zei: 'Mijn vader zegt dat ik *armador* moet worden, dat ik moet leren hoe ik winst kan maken met de oorlog, niet hoe ik moet vechten. Hij heeft drie slaven opdracht gegeven mij terug te brengen. En jij, blijf jij?'

'O ja. Die grote mannen hebben begrepen dat het stom zou zijn om mij op de koeien te laten passen.'

'Nou, succes dan, Amador. Nu hoef je me niet nog eens te zien huilen.'

Amador verliet zijn vriend om naar zijn vader te gaan, die met de kapitein en andere officieren van de *bandeira* bij het vuur zat. De jongeman ging zitten en schepte zich wat te eten op terwijl Raposo Tavares sprak over een nieuwe toegangsweg naar een onbekend deel van het binnenland. Hij zag dat zijn vader een kom vlees en maniok nam en toen overging tot de ceremonie die aan elke maaltijd voorafging.

Bernardo da Silva zette de kom op de grond, haalde langzaam een grote zilveren lepel uit zijn ceintuur, veegde die zorgvuldig af aan zijn hemd en begon toen te eten. De landerijen en de slaven die hij bezat, de vrouwen die hij had getrouwd, waren er voldoende bewijs van dat hij 'een belangrijk man' was, maar in zijn eigen ogen telde deze lepel nog meer, en hij trok nooit ten strijde zonder die mee te nemen. Veel hoogstaande mannen – kapiteins en voor een zo belangrijke expeditie als deze ook rechters en stadsbestuurders – aten met hun vingers en stopten de maniok net als de wilden uit de *malocas* in hun mond. Bernardo verweet hun dat niet, maar als zij erbij waren hanteerde hij zijn lepel met plezier en waardigheid, zoals ook nu, terwijl hij naar de kapitein luisterde.

Antônio Raposo Tavares was dertig. Hij had tien jaar geleden de vlakten van de Alentejo, in het midden van Portugal, verlaten, waar hij zijn jeugd had doorgebracht te midden van de korenvelden en de olijfgaarden. Hij was een grote, bebaarde man, gespierd, vastberaden en zelfverzekerd. Hij was een geboren commandant en dacht voorbestemd te zijn voor grote ontdekkingen in Brazilië, waardoor hij altijd op avontuur uit was. Het denkbeeld dat de Alentejo met zijn oude citadellen nu bij het koninkrijk van Spanje hoorde zat hem dwars, want hij had de pest aan de heren uit Castilië. Dit was niet de eerste keer dat hij naar Paraguay ging, maar hij was nog nooit met zo'n groot leger naar een 'vijandige' provincie getrokken.

Amador hoorde de kapitein en zijn vader praten over de Spanjaarden en meer in het bijzonder over Don Luiz de Céspedes, de nieuwe gouverneur in Asunción, die een paar dagen eerder langs São Paulo was gekomen voordat hij zijn betrekking aanvaard had.

'Als alle hooggeplaatste *hidalgos* eens een vrouw van bij ons zouden kunnen trouwen!' zei Bernardo. 'Don Luiz zit in Asunción maar zijn hart… zijn hart zucht naar de mooie Victoria en haar plantage.'

Hij begon luidkeels te lachen, want de Paulistas vonden het allervermakelijkst dat de onbemiddelde Spanjaard, die grondgebied moest beschermen waarop zij stroopten, verliefd was geworden op de gefortuneerde nicht van de gouverneur van Rio de Janeiro. Don Luiz was met Victoria verloofd en toen vertrokken, en toen hij in São Paulo was had hij gezien dat de Paulistas een *bandeira* aan het vormen waren. Toen hij het waagde te protesteren tegen het plan om zijn kolonie binnen te vallen, hadden de Paulistas gezegd dat hun enige doel het onderwerpen van wilden zou zijn die de rust van Don Luiz zouden kunnen verstoren, en dat terwijl het leven hem nog zoveel te bieden had.

'Don Luiz is een oud-strijder, net als zij die jullie voor je zien,' ging Bernardo verder. 'Maar nu hij verliefd is, en aast op de gronden en het fortuin van Victoria, denkt hij aan niets anders meer.'

'Toch wil hij een paar van de beste slaven die wij op onze expeditie zullen vangen, voor zijn vrouw,' wierp Raposo Tavares tegen.

'Ach, dat stelt niets voor,' antwoordde Da Silva met een brede grijns. 'Een cadeautje voor een gouverneur die de andere kant uitkijkt als wij de provincie van de jezuïeten binnenvallen.'

Amador volgde dit gesprek en keek daarbij van zijn vader naar Raposo Tavares en weer terug. De laatste bezocht regelmatig het domein van de Da Silvas en was er altijd welkom. Toen hij zijn leger opzette, had Bernardo hem meteen aangeboden om zijn eigen privélegertje onder zijn bevel te stellen. 'Die man heeft de *sertão* in zijn hart,' legde Da Silva aan de zijnen uit. 'Hij komt uit de vlakte van de Alentejo maar in onze *sertão* zoekt hij zijn horizon.'

Dit woord dook vaak op in de conversatie van de mannen rond het vuur. Achterland, wilde gebieden, onbekend oerwoud, steenwoestijn met doornbosjes, onafzienbare, woeste gronden – dat alles was de *sertão*, en nog meer. De *sertão* begon niet achter de heuvel of over de rivier, maar in het diepst van de ziel.

Mannen uit São Paulo waren geboren om gehoor te geven aan de roep van de *sertão*. Het amalgaam van Iberiërs en Moren, van Afrikanen en Tupis, bracht een ras voort dat bijzonder goed was toegerust om deze streek te lijf te gaan. Harde, gewelddadige mannen, vrolijk en vindingrijk, roekeloze ontdekkingsreizigers en handige kooplieden, hebzuchtig, in staat om rivieren, woestijnen en bossen te bedwingen. Ze hoopten altijd een berg smaragden, gouden rotsen of de spijkers uit het kruis van Christus te vinden.

Ieder jaar drongen de Da Silvas en andere Paulistas dieper de *sertão* binnen. Ze vonden geen meren vol goud of dalen vol zilver, maar ze bleven erin geloven, en bleven geduldig. Ze kwamen trouwens nooit met lege handen terug, want ze brachten veel Indianen naar São Paulo die uit hun *malocas* gehaald waren.

São Paulo, een sombere vlek op de hoogten boven de Serra do Mar, zeventig jaar eerder gesticht door de jezuïeten. De stadsbestuurders waren zwak en corrupt, en mannen als Bernardo da Silva vertrouwden hen niet helemaal.

De Da Silvas bezaten de meeste grond tot twaalf mijl buiten São Paulo, tussen de golvende heuvels bij de Anhembi, die zij kortweg 'de rivier' noemden, omdat er maar één was en die stroomde niet naar het oosten of het zuiden, naar de Serra do Mar en de zee, maar naar het westen, als een slagader naar het hart van de *sertão*.

Als hij voor een religieus feest naar São Paulo ging, kampeerde de clan van de Da Silvas rond het huis dat Bernardo in de stad bezat, in de buurt van de *câmara*, de plaats waar de stadsbestuurders bijeenkwamen. Maar afgezien van het college der jezuïeten, en de kerken die door de franciscanen en de benedictijnen gebouwd waren, was São Paulo niet meer dan een verzameling lemen hutten in lange straten, die in de zomer stoffig waren en in het regenseizoen een modderpoel. In totaal woonden er drieëntwintighonderd mensen in de stad en de omgeving. Het merendeel daarvan waren *mamelucos* en inboorlingen, en ze voelden zich allemaal opgesloten, doordat de toppen van de Serra do Mar altijd in de mist lagen en ze naar beneden moesten om bij de kust te komen. Ze hadden echter vooral veel te lijden van de eenzaamheid in deze verafgelegen kolonie die onafhankelijke en trotse karakters vormde, waardoor zij zich niet naar de kust maar naar de veelbelovende *sertão* wendden. Al twee generaties lang volgden de Paulistas die roep, of ze nu optrokken langs hun nog niet verkende rivier of, zoals bij deze gelegenheid, om door te dringen tot Paraguayaans grondgebied.

Toen Amador klaar was met eten bleef hij bij het vuur zitten, en luisterde hij nog steeds aandachtig naar het gesprek van de mannen.

'*Tenente*,' zei Raposo Tavares tegen Bernardo, 'u hebt aan veel expedities meegedaan maar dat waren slechts schermutselingen vergeleken met wat deze *bandeira* kan. We hebben genoeg mannen en musketten om meer Carijós te kunnen vangen dan al onze voorgangers bij elkaar.'

Amador hoorde zijn vader instemmend brommen, en zag toen dat hij met de steel van zijn lepel naar het zuiden wees.

'De paters van de Sociëteit van Jezus doen nog steeds ijverig hun best om de inboorlingen te bekeren,' zei de oude man.

'En wat een succes hebben ze!' zei de kapitein. 'Twaalf grote dorpen vol Indianen. Wat een roem als wij de Spanjaarden zo'n rijke schat afpikken – duizenden Carijós!'

Amador wist dat het leger uit São Paulo optrok naar de streek waar die dorpen stonden, maar had er geen flauw idee van hoeveel slaven er bij de zwartjurken te vangen waren.

'Tienduizend Carijós, Bernardo,' ging Raposo Tavares verder. 'Meer dan u er in de loop van uw lange leven bij elkaar hebt gezien.'

Zes weken later, tegen half oktober 1628, kreeg Amador de gelegenheid om zijn vader en kapitein Raposo Tavares te bewijzen dat hij evengoed kon vechten als elke andere soldaat van de *bandeira*. Toen ze ver genoeg waren doorgedrongen in de provincie van de jezuïeten, splitsten de vier compagnieën uit São Paulo zich op om zoveel mogelijk grondgebied te kunnen bestrijken. De twaalf dorpen lagen tussen twee grote rivieren, de Paranapanema in het noorden en de Iguaçu in het zuiden, enkele tientallen mijlen uit elkaar. De Paulistas kozen de vier zuidelijkste dorpen: Jesús María, San Miguel, Concepción en San Antonio. Na één dagmars kwamen Raposo Tavares en zijn zeshonderd mannen al in de buurt van dat laatste dorp, waar de jezuïeten vierduizend Indianen bijeen hadden gebracht.

Ze hielden halt bij een rivier met aan de overkant een kleine vlakte en bouwden een omheining rond hun kamp die leek op die welke ook om Indianendorpen heen stond, een grote cirkel van palen die in de grond werden gezet en onderling met lianen werden vastgebonden. Daarbinnen maakten de Indianen en de *mamelucos malocas* waar veel hangmatten konden worden opgehangen, en kleinere hutten voor de officieren. Raposo Tavares deelde zijn kwartieren met vijf van zijn luitenants, onder wie Bernardo da Silva. Dicht bij de hut van de kapitein stond de kapel van de *bandeira*, waarvoor een kruis van zorgvuldig gevierkante balken werd gezet.

Binnen de omheining stond een tweede omheining, bedoeld voor de gevangenen, en op het ogenblik zaten daar slechts een vijftigtal Carijós in. De meesten van hen waren wilden, maar een stuk of tien zeiden dat zij christenen waren, op weg naar een jezuïtendorp toen de Paulistas hen vingen.

De patrouilles die eropuit werden gestuurd om het dorp San Antonio te verkennen kwamen terug met het bericht dat er inderdaad veel mensen woonden, maar Raposo Tavares wachtte op het ogenblik waarop geen enkele inboorling aan de *bandeira* zou kunnen ontsnappen.

In het kamp had Amador algauw twee nieuwe vriendjes gevonden om Ismael, die naar São Paulo was teruggestuurd, te vervangen. De meeste tijd bracht hij door met twee jongens wier vaders in het legertje van Bernardo da Silva zaten, de *mameluco* Valentim Ramalho en Abeguar, de zoon van een Tupiniquin-slaaf.

De familie van Valentim maakte deel uit van een grote clan van *mamelucos*, familie van João Ramalho, de balling die boven op de hoogvlakte was gaan wonen, lange tijd voordat de jezuïeten Da Nóbrega en Anchieta São Paulo de Piratininga stichtten, en die de dochter van de invloedrijkste Tupiniquin-oudste uit de streek getrouwd had. Valentims vader bezat landerijen naast die van de Da Silvas maar probeerde zijn domein niet uit te breiden en diende zijn buurman Bernardo als kapitein in diens leger.

Valentim was zeventien, had zwarte haren, een platte neus, een gelige tint en het gladde gezicht van het volk van zijn Indiaanse moeder, maar hij was amper een meter lang. Toch was hij beroemd geworden, twee jaar eerder, doordat hij eerst met de weduwe van een Spaanse zigeuner die zich in São Paulo gevestigd had, naar bed was geweest, en toen met haar dochter, en vervolgens, om de belediging nog groter te maken, met twee Tupiniquin-hoeren die de zigeuner aan zijn weduwe had nagelaten en die voor haar de kost verdienden.

Amador kende Valentim Ramalho sinds zijn jeugd, evenals zijn vier broers en zijn twee zusters. Een van hen, Maria, een stevige meid met grote borsten, had Amador schrik aangejaagd door gek op hem te worden. Terwijl haar broer abnormaal klein was, was zijn zuster abnormaal lelijk. Ze keek scheel, met haar donkere ogen, boven een neus met enorme neusgaten; haar dunne lippen stonden in schril contrast met haar dikke wangen en haar grote flaporen, ze had twee schoonheidsvlekjes op haar kin, en daarop zaten plukjes haren.

Een jaar na Valentims prestatie bij de weduwe, was het Maria gelukt om Amador in de bosjes achter hun huis te krijgen. Maria Ramalho was al voldoende door de wol geverfd om met Amador de spot te kunnen drijven, vertelde hem wat jongens met geiten deden, en nog voordat hij de kans kreeg dat te ontkennen had ze hem op de grond gegooid en was ze bezig hem te naaien.

Amador kende de viriele reputatie van Valentim en was er wel trots op dat diens zuster ervoor zorgde dat hij geen knaap meer was. Vervolgens vond Maria vaker de gelegenheid om thuis weg te lopen om met hem te kunnen vrijen. Amador, die van ridders en mooie dames droomde, wist niet wat hij met die verschrikkelijk lelijke meid moest, maar kon haar geen weerstand bieden en gaf zich elke keer gewillig over aan haar zweterige omhelzing en de zachtheid van haar enorme borsten.

Abeguar, het andere vriendje van Amador, was veertien. Hij was de zoon van een Tupiniquin die vijftien jaar geleden uit zijn *maloca* verdreven was en de onbetwiste leider was geworden van de Indianen op het domein van de Da Silvas – zowel slaven als vrije mannen uit het naburige dorp. Iets groter dan Amador, was Abeguar echter mager en lenig, en liep hij als een koning. Op zijn koperkleurige naakte borst droeg hij een klein ivoren crucifix en een veren versiering die zijn vader gemaakt had, met twee leren veters aan zijn nek gehangen.

Op een ochtend verlieten de drie jongens het kamp, nadat zij hadden geholpen om het slavenverblijf op te bouwen en te verstevigen. De vorige avond had een patrouille, die achter een paar Carijós had aangezeten maar met lege handen terugkwam, verteld dat er op twee uur lopen in oostelijke richting een dal vol wild was en Amador ging met toestemming van zijn vader met zijn beide vriendjes op jacht. Ze hadden alle drie een boog, een pijlkoker van boomschors vol pijlen met ijzeren punten en een stuk of wat messen bij zich, en een *facão*, met een zwaar lemmer van achttien duim waarmee ze zich een weg door de struiken konden banen.

Het was niet moeilijk om onder in het dal te komen, en ze stelden algauw vast dat de patrouille niet had gelogen. Ze zagen een hert, echter te ver weg om het te kunnen neerschieten en toen zij aan de voet van een rottende palmboom naar termieten zochten joegen zij een miereneter op. Valentim raakte helemaal opgewonden, trok zijn mes en hield het met beide handen vast. De miereneter kwam overeind en bedreigde de indringer met zijn sikkelvormige klauwen. Maar toen Valentim naar voren liep begonnen de twee andere jongens te schaterlachen, omdat hij zo dreigend op het dier toeliep, waarop de miereneter ervandoor ging.

'Idioten! Jullie hebben hem bang gemaakt!' protesteerde de jongen.

'Zo'n schepsel was jou niet waard,' zei Amador terwijl hij Valentim een kalebas vol *cachaça* gaf, brandewijn van suikerriet. 'Hier, drink maar eens.'

De *mameluco* pakte de kalebas, nam een slok en bromde tevreden, terwijl de tranen in zijn ogen sprongen.

'Nog wat!' zei hij, maar Amador had de kalebas alweer te pakken.

Voor de volwassenen van de *bandeira* waren de vaten met *cachaça* die door slaven gedragen werden, even belangrijk als de vaten met buskruit. Voor de drie dappere jongeren was het ook een manier om iets te voelen van het zo begeerde plezier van de ouderen.

Het trio ging weer op weg, onder aanvoering van Abeguar. Ze hadden nog geen tien stappen gelopen toen de Tupiniquin doodstil bleef staan en de anderen beduidde dat ook te doen. Toen liep hij in zijn eentje naar links en verdween stilletjes in het kreupelhout. Een kwartier later kwam hij van rechts terug, na een omtrekkende beweging te hebben gemaakt rond hetgeen hem interesseerde.

'Zeven Carijós,' zei hij. 'Vijf jongens, als wij, en twee oudere jagers.'

'Ik heb niets gezien in...,' begon Amador.

'Er was ook niks te zien,' zei de Tupiniquin kortaf.

'Maar hoe kan het dan...'

'De miereneter!' zei Valentim, nu hij zich plotseling het geluid herinnerde dat hij had gehoord voordat Abeguar hen had beduid stil te staan.

De Indiaan knikte, en zei: 'Het beest was al bijna dood. Ik heb zijn laatste schreeuw gehoord.'

Valentim glimlachte stralend en stond te dansen, zo blij was hij dat hij het bij het goede eind had gehad. Amador keek hem ernstig aan en vroeg toen: 'Wat zouden onze vaders zeggen als wij die beesten naar hen toe brachten?'

Dit keer begon de jongen te trillen van plezier.

'O ja!' riep hij, terwijl hij met zijn lange mes zwaaide. 'Laten we op Carijós gaan jagen!'

'Ze zijn met z'n zevenen,' zei Abeguar.

'We moeten een plan hebben,' stelde Amador voor.

'Ze zullen wel een poosje bezig zijn om die miereneter met hun stenen werktuigen aan stukken te krijgen,' merkte de Indiaan op.

'Ja, maar ook als we ze bij verrassing overvallen kan het toch nog mislukken,' zei Amador.

Valentim keek eens naar de kalebas die zijn vriend droeg.

'*Cachaça*,' vroeg hij. 'Dan vinden we misschien wat.' Amador pakte de kalebas maar gaf hem niet aan de jongen en knikte alleen maar, alsof hij het met Valentim eens was.

'We doen alsof we vrienden zijn,' legde hij uit, 'we geven ze te drinken en dan wachten we tot we hun wapens kunnen pakken.'

Abeguar vond dat een goed idee, Valentim ook, en dus vroeg hij om *cachaça*.

'Die moeten we bewaren voor de Carijós,' antwoordde Amador.

En zo gingen zij op weg naar hun prooi. De grond werd vochtig, de hoge bomen in het dal maakten plaats voor bosjes waar ze doorheen moesten kruipen. Ze vonden de Carijós rond de miereneter, terwijl zij de grote witte buik van het beest met hun stenen messen zaten open te snijden.

Het drietal naderde voorzichtig. Toen ze in de buurt van de wilden waren, fluisterde Amador tegen Valentim: 'Blijf jij hier maar staan.'

'Wat maakt dat uit?' vroeg de kleine *mameluco*.

'Het is beter dat zij eerst denken dat wij maar met z'n tweeën zijn.'

Amador en Abeguar kwamen uit hun dekking te voorschijn en maakten vriendelijke gebaren tegen de Carijós. De wilden raakten in paniek en grepen hun wapens maar toen zij merkten dat de vreemdelingen Tupi tegen hen spraken, een taal die zij begrepen, werden zij opeens vreselijk nieuwsgierig.

'Vrienden!' herhaalde Amador. 'Wij zijn vrienden uit de heuvels, wij komen in dit dal jagen.'

Valentim kon zich niet langer inhouden en kwam uit zijn schuilplaats. Toen de Carijós hem zagen stieten zij schelle kreten uit, en twee van hen vluchtten naar de bosjes terwijl de anderen als versteend bleven staan.

'Een kleine demon!' riep Amador uit. 'Ze zien je aan voor een bosduivel!'

De dreumes zette een hoge borst, balde zijn vuistjes en zwaaide daarmee naar de wilden.

'*Calma! Calma!*' zei Amador. 'Doe nu precies wat ik je zeg.'

'Valentim is een man,' protesteerde de *mameluco*. 'Geen dwerg!'

'Ja, dat weten de weduwe van de zigeuner en heel São Paulo. Maar luister nu maar naar mij.'

Valentim werd weer rustig.

'Goed,' zei Amador. 'Ga nu maar zitten... ja, daar waar je staat. Abeguar, vertel ze maar dat wij de demon gezegd hebben dat hij hen met rust moet laten.'

De Indiaan vertelde de Carijós dat het wezentje inderdaad een geest uit het woud was, die zij tussen de bomen hadden gevonden, dat hij verdwaald was, dat zij hem hadden geholpen met een magische drank en dat hij hun uit dank zijn diensten had aangeboden.

De dreumes had de truc meteen door en begon enthousiast zijn rol te spelen. Amador nam de kalebas met *cachaça*, nam een slok en bood de wilden te drinken aan. Een van de volwassenen kwam naar voren en Amador gaf hem de kalebas.

'Dit is een drank die zo krachtig is dat hij bosduivels kan temmen,' zei de jongen.

De man proefde de drank, vond hem lekker, en spoorde zijn metgezellen aan om er ook van te nemen. Hij riep naar hen die in de bosjes verborgen zaten dat ze rustig terug konden komen, dat de vreemdelingen vrienden waren en dat ze een fantastische drank tegen de kwade geesten hadden.

De Carijós waren niet gewend aan sterke drank en er zat genoeg *cachaça* in de kalebas om ze allemaal dronken te voeren. Terwijl zij dronken begon Amador de miereneter aan stukken te snijden. Toen hij de kop eraf sneed hoorde hij dat de *malocas* van de Carijós een uur lopen naar het oosten lagen, dat zij al sinds de tijd van hun voorvaderen rustig in dit dal woonden en dat ze het nog nooit verlaten hadden.

Valentim bleef op de grond zitten alsof hij wachtte op orders van zijn zogenaamde meesters. Abeguar ging even weg en kwam terug met lianen – voor het tapirvlees, zoals hij uitlegde.

Amador ging verder met de miereneter aan stukken te snijden, en de Carijós beloofden hem een deel. Twee jonge Indianen stonden vlak bij hem, meer geïnteresseerd in zijn voor hen vreemde mes dan in de alcohol, die zij de volwassenen lieten opdrinken. Vanuit zijn ooghoek zag Amador hoe de krijgers een voor een gingen liggen en hem wazig aanstaarden. Toen gaf hij Abeguar een teken en keek vervolgens naar Valentim.

'Nu!' riep hij.

Een van de jongens sloeg hij neer, en hij wierp zich op de andere. De Carijó probeerde te vluchten, gleed uit in een plas bloed van de miereneter en bleef op de grond liggen, waarbij hij om genade smeekte.

Abeguar had zich op de twee dronken krijgers geworpen en bedreigde hen met een stenen bijl die hij had opgeraapt. Maar Valentim de demon, die lange spottende kreten slaakte, joeg ze zoveel angst aan dat de Tupiniquin geen weerstand ontmoette toen hij ze met de lianen begon vast te binden.

De drie andere jonge Carijós waren doodsbang en riepen: 'Wij zijn jullie gevangenen. Wij zijn vlees voor jullie volk!'

'Nee! Wij eten geen mensenvlees,' zei Amador. 'Wij nemen jullie mee naar mannen die jullie een goed leven zullen geven.'

De drie jongens namen hun gevangenen zo snel naar het kamp mee terug dat zij er nog voor zonsondergang waren. De Carijós gaven verder geen moeilijkheden. Vier van hen droegen grote takken waaraan stukken van de miereneter hingen. De beide krijgers, dronken van de *cachaça*, en de laatste jongen waren geboeid en zaten met lianen aan elkaar vast.

'Dit zal ik nooit meer vergeten,' zei Amador in zichzelf toen hij aan het hoofd van de kleine colonne de omheining binnenkwam. Van alle kanten snelden de mannen toe en dromden rond de Carijós en hun overwinnaars. Amador baande zich een weg door de menigte, liep naar de hut van de officieren en zag dat zijn vader en Raposo Tavares naar buiten kwamen.

Bernardo da Silva keek naar zijn zoon, toen naar de Carijós en er verscheen een brede glimlach op zijn gerimpelde gezicht.

'Een mooie vangst, zoon,' zei hij.

Hij begon te lachen en zei tegen de soldaten: 'Beste vrienden, dit is mijn zoon, Amador Flôres. Ik stuur hem eropuit om vlees te gaan halen in het bos en hij brengt mij zeven levende Carijós terug!'

De menigte begon te juichen ter ere van de patriarch die een dergelijk nakomelingschap had verwekt. Toen beloofde de kapitein, nadat hij het rapport van de drie jongens had aangehoord: 'Dapperen, vanavond zullen jullie die miereneter samen met jullie officieren eten.'

Raposo Tavares beval vervolgens om de gevangenen naar het perk te brengen waar zij bewaakt zouden worden totdat zij onderdanig genoeg zouden zijn om los rond te kunnen lopen. Soldaten kwamen naar voren en namen de Carijós mee.

'Die jonge zijn de beste,' zei Bernardo da Silva tegen zijn zoon. 'Het is net als met vogels, als je ze jong vangt, kun je ze veel makkelijker temmen.'

'Vader, ik dank u dat u mij niet naar huis terug hebt gestuurd.'

'Jij bent een zoon van de *sertão*, Amador Flôres. Dat is jouw huis.'

De jongen zou deze woorden nooit meer vergeten, en ook niet die welke zijn vader later uitsprak, na de maaltijd met de officieren. Ze zaten alleen rond het vuur en Bernardo rookte een opgerold blaadje tabak toen Amador hem vroeg: 'Waarom heeft niemand nog ooit de Paraupava gevonden?'

'Paraupava' betekende 'meer' in het Tupi, maar voor de mannen die al dertig jaar uit São Paulo op zoek gingen naar fabelachtige schatten, was het een meer vol goud, midden tussen heuvels van smaragd. Men zei dat het in de *sertão* moest liggen, ergens boven São Paulo, en ze hadden het na zoveel jaar zoeken al lang moeten vinden want, zo zei men ook, alle grote rivieren van Brazilië kwamen erin uit. Voor Amador en vele anderen was Brazilië een enorm eiland, gescheiden van de Spaanse kolonies door de Rio Plata, de Paraná en de Paraguay in het zuiden en de Rio Orellano in het noorden. De laatste rivier droeg de naam van de Spanjaard die haar als eerste in 1542 had bevaren en de weinige Paulistas die haar hadden gezien verzekerden dat zij breed genoeg was om op een binnenzee te lijken. Volgens de legende had Francisco de Orellano amazones op de oever ervan aangetroffen, vrouwelijke krijgers, en daarom heette de rivier ook wel de Rio das Amazonas.

'Misschien bestaat er helemaal geen Paraupava,' antwoordde Bernardo ten slotte.

Hij noemde de namen van de mannen die hij had gekend, van wie er sommigen dood waren en anderen nog leefden... Domingos Grou, Antônio de Macedo, João Pereira de Sousa, Belchior Carneiro, onder anderen – die jarenlang vergeefs naar het meer hadden gezocht.

'Ze hebben geen goud en geen smaragden gevonden,' besloot hij. 'Niets. Niets dan de eindeloze *sertão*.'

'Maar vader, Silvio Pizarro steekt altijd de draak met ons als hij het heeft over de Potosi en het goud van Peru. Waarom hebben de Spanjaarden al die rijkdommen en wij niks?'

Silvio Pizarro was een van de vier jonge Spanjaarden uit de *bandeira*. Diezelfde dag nog had hij geprobeerd om Amadors prestatie te kleineren door te verklaren: 'Zeven Carijós! Dat is niks. Nog geen zevenhonderd wegen op tegen wat ik, Silvio Pizarro, in deze *sertão* zal vinden: goud, zilver, smaragden – genoeg om het aandeel van de koning van Spanje te kunnen betalen.'

'Zulk soort gezwets kun je van een Spanjaard verwachten,' antwoordde Bernardo lachend. 'De *hidalgos*, toen ze na de dood van Dom Sebastião naar São Paulo kwamen, hebben hun legende van El Dorado meegenomen. "Stomme Portugezen!" zeiden zij, net zoals jouw Silvio Pizarro. "Waarom zoeken jullie El Dorado niet?"'

El Dorado, de vergulde man, heerste, zo geloofde men, over een verborgen vallei in de jungle. Eens per jaar bedekte hij zich met goudstof voordat hij in een meer dook waaraan zijn onderdanen ook offers van goud en zilver brachten.

'Er is wel een beetje goud, en smaragden ook,' ging de oude Da Silva verder. 'Wij hebben het gevonden in de rivieren en de heuvels in de buurt van São Paulo. Maar El Dorado? Geen van hen die naar het noorden zijn getrokken en teruggekomen zijn hebben hem gevonden.'

'Zelfs Marcos de Azeredo niet?'

Amador had over deze man horen spreken, die volgens sommigen een grote ontdekking had gedaan.

'Aha, de smaragdkoning!' zei Bernardo spottend. 'Toen jij geboren werd ging hij naar de *sertão* en bracht hij een paar groene stenen mee terug. Die ouwe Azeredo was alleen maar een imbeciel. "Sla mij tot ridder van de orde van Christus," zei hij tegen de mannen van de gouverneur, "geef mij een mooi pensioentje en dan zal ik jullie vertellen waar ik die stenen gevonden heb." Ze beloofden hem alles wat hij wilde, smeekten hem om hen naar zijn berg smaragden te brengen, maar hij had altijd een excuus om niet te gaan. Dan was zijn vrouw ziek, dan moest hij weer nodig naar zijn land – altijd een excuus, totdat zelfs God moe werd naar hem te luisteren en hem tot zich riep.'

'Dus er zijn geen bergen met smaragden?'

'Nee. Waar komen al die verhalen vandaan? Wie heeft die mannen die zo graag rijk wilden worden verteld van El Dorado?'

Amador kon geen antwoord geven.

'Kom mee,' zei zijn vader terwijl hij opstond. Hij bracht hem naar het slavenperk, en ging verder: 'Dáár zitten de bewakers van het geheim van El Dorado. Die wilden hebben het over steden met gouden muren, en over bergen met smaragden. Zou jij de Carijós willen geloven die jij gevangen hebt genomen?'

'Nee, vader... maar toch hebben ze stenen gevonden. Azeredo...'

'Ja, een paar steentjes in de bedding van een rivier. Niet de moeite waard om je leven te riskeren. Vergeet dit nooit, mijn zoon: die slaven die jij ziet zijn een veel zekerder schat.'

Wat bedoeld was als een simpele verkenning van het dorp San Antonio draaide uit op een ramp.

Tegen het eind van oktober 1628 verliet Bernardo da Silva het kamp met honderdveertig mannen en trok in zuidwestelijke richting. Hij was van plan om om de landerijen van het dorp heen te trekken, langs verschillende geïsoleerde *malocas* die door patrouilles waren gesignaleerd en die te zwak waren om hen aan te vallen.

Amador liep voorop, naast zijn vader, die hem graag toestemming had gegeven met hem mee te gaan. In de loop van de twee weken die waren verstreken sinds hij Carijós gevangen had, had de jongen vastgesteld dat de oude man zich anders tegenover hem gedroeg. Het was of Bernardo da Silva zijn zoon opeens ontdekte.

Twee dagen na het vertrek stootte het legertje, op een mijl van San Antonio, op een grote kaalslag die bebouwd was en waar volop bonen en cassave stonden. De mannen wilden zich net gaan bevoorraden toen honderden Carijós uit het bos te voorschijn kwamen.

Da Silva beval de met musketten bewapende soldaten om zich langs de kaalslag in een rij op te stellen. Hij was zich bewust van het feit dat de vijand in de meerderheid was en dat het onvermijdelijk zou zijn om terug te trekken maar hij wilde niet vluchten voordat hij slag had geleverd.

'Hoornblazer!' schreeuwde hij naar een jonge *mameluco*. 'Houd mij goed in de gaten! Als ik val, blaas je de aftocht.'

Toen wendde hij zich tot zijn zoon en zei: 'Amador Flôres, ben jij een man of niet? Blijf naast mij, Da Silva!' Hij trok zijn zwaard en stortte zich in het gevecht. Het was hopeloos. Minstens twintig Indianen uit het dorp waren gewapend met musketten die zij met een dodelijke precisie wisten te hanteren. Achter de met ploertendoders gewapende aanvallers beschoten boogschutters de Paulistas die in de hinderlaag waren gelopen.

Toen Amador zich in het strijdperk wierp hoorde hij dodelijk ge-wonde mannen kreunen, realiseerde zich dat hij die ochtend ook wel eens zou kunnen vallen en werd doodsbang. Hij keek naar zijn vader, die bevelen liep te schreeuwen, en was opeens niet bang meer. Hij wist dat als hij nu zou vluchten, de oude krijger hem voor zijn lafheid zou doden.

Plotseling stonden vader en zoon midden tussen de Carijós. Ber-nardo hield met beide handen zijn sabel vast en sloeg vloekend om zich heen, waarbij hij overal bloed deed stromen. Maar elke gedode Indiaan werd onmiddellijk vervangen door tien anderen. De Paulis-tas begonnen zich al gauw terug te trekken, zonder dat hun luitenant daar opdracht toe had gegeven, en hun musketiers schoten zo snel zij konden.

De overlevenden van de compagnie waren veertig passen verwij-derd van de musketten die op de Carijós gericht waren, die midden op de kaalslag waren gebleven welke nu vol lag met lijken van Paulistas. De Indianen scholden tegen de *bandeirantes* die zich terugtrokken.

Amador zag zijn vader wankelen en zijn zwaard loslaten, terwijl er tussen hen en de musketiers geen vijanden meer waren.

'Vader!' riep hij en hij rende naar hem toe.

De oude man stak zijn arm uit en leunde op de schouder van zijn zoon.

'Het is niks,' bromde hij.

De jongeman zag op de rechterschouder van Bernardo een rode vlek die snel groter werd, waar een kogel door zijn gevoerde leren vest heen was gedrongen. Twee *mamelucos* renden naderbij om hun *te-nente* te helpen dekking te zoeken achter de musketiers. Toen zij hem zijn vest uittrokken, zag Amador dat de kogel dwars door de schouder was gegaan. De wond werd verzorgd door een oude Tupiniquin, die hem schoonmaakte en er een verband omlegde. Bernardo da Silva had vertrouwen in die man, hij was *pagé* van een clan die op zijn grondgebied woonde.

Terwijl hij verzorgd werd, hoorde de luitenant dat hij veertig *ma-melucos* en Indiaanse soldaten had verloren, hetgeen neerkwam op een derde van zijn leger. De Carijós leken niet van zins opnieuw aan te vallen. Sommigen bleven aan de andere kant van de kaalslag, ande-ren begonnen weg te lopen.

Nog geen uur later zei de *tenente* dat hij klaar was om te vertrekken. Amador hielp hem op te staan, bracht hem de sabel die hij had laten vallen en die de jongeman op het slagveld was gaan zoeken.

'Hoeveel Carijós, Amador Flôres?' vroeg Bernardo.

'Drie, geloof ik.'

'Dat is genoeg voor een jongen die een man wil worden.'

De patriarch glimlachte, keek naar zijn mannen die om hem heen stonden en zei: 'Vandaag zijn wij overwonnen. Laten die Carijó-honden bij hun heilige jezuïeten maar gaan pochen over hun overwinning. Laten ze maar ave's en halleluja's zingen. Maar ze zullen ons snel genoeg terugzien.'

Toen het gedecimeerde detachement in het kamp terugkwam wilden de officieren van de *bandeira* meteen tegen San Antonio optrekken, maar Raposo Tavares maande hen tot kalmte.

'De jezuïeten verwachten represailles, en ze bereiden zich voor om ons te ontvangen,' zei hij. 'Er zijn vierduizend inboorlingen in San Antonio. Als ze allemaal gewapend zijn en gevechtsklaar, moeten wij wachten op versterkingen van andere compagnieën.'

Deze woorden werden met een teleurgesteld gemompel ontvangen en verschillende officieren drongen opnieuw op een aanval aan. Maar Raposo Tavares was niet te vermurwen en stelde voor dat een klein groepje met hem naar het dorp zou gaan, voor een soort officieel bezoek.

'Ik heb die paters iets te vragen,' zei hij. 'Met welk recht sturen zij hun gedoopte wilden uit tegen christelijke soldaten?'

Bernardo da Silva lag op een ossehuid in de hut van de officieren en hoorde de laatste woorden van zijn kapitein, omdat die net voor de deur stond. Toen Tavares binnenkwam vroeg de oude man hem: 'Wat hebben wij van die zwartjurken te vrezen? Wij zijn bij verrassing aangevallen. Als wij daarop voorbereid waren geweest, hadden die wilden ons nooit kunnen verslaan, zelfs met hun musketten niet. Musketten die de koning hun trouwens verbiedt. De gouverneur van Asunción zal zoiets toch niet toelaten, wel?'

Raposo Tavares schudde zijn hoofd.

'Don Luiz zal niets doen wat hen die hem slaven voor de gronden van Dona Victoria hebben beloofd zou kunnen benadelen. De jezuïeten hebben die wapens aan de Indianen gegeven. De goede paters zijn ambitieus. Er gaan toch geruchten dat ze, als ze hier slagen, de zeggenschap zullen krijgen over alle wilden tussen deze kolonie en de Rio das Amazonas? Een uitgestrekte jezuïetenprovincie, die alleen open staat voor hen die hen dienen en die hun gehoorzamen.'

'Welke koning, zelfs al is het Philips van Castilië, zou zoiets toestaan?'

'Spanje is ver weg van Brazilië, en er zijn in Madrid jezuïeten die aardig goed weten hoe ze aan het hof moeten strooplikken. Stel je nu eens voor dat ze Philips beloven dat Rome hem die hun heilige verovering van Brazilië ondersteunt met eer zal overladen? Dan hebben wij een uitgestrekt slavenimperium dat door jezuïeten beheerst wordt, en dan kunnen we die *bandeiras* wel gedag zeggen.'

'Ik wilde dat ik me sterk genoeg voelde om met jullie mee te gaan naar San Antonio!' zuchtte Bernardo.

'O, maar dat wordt een vreedzame missie, die ik meteen zal gebruiken om te kijken hoe sterk ze zijn. God weet dat wij reden genoeg hebben om hen te straffen, maar wij hebben geen haast. Als het moment daar is, krijg ik die wilden nog wel te pakken, die de zwartjurken liever hebben dan echte christenen.'

Bernardo da Silva streek eens door zijn baard, en zei: 'Neem mijn zoon mee, kapitein. Hij heeft naast mijn zijde op dat bloedige slagveld gestreden. Hij moet het kamp van de vijanden van zijn vader en zijn grootvader zien.'

Zo kwam het dat Amador Flôres met Raposo Tavares en de twaalf mannen die vier dagen later naar het dorp San Antonio gingen, meeging. De jongeman kende de *aldeias* al uit de buurt van São Paulo, maar die waren niet te vergelijken met deze uitgestrekte gemeenschap.

São Paulo kende nog niet eens zo'n talrijke bevolking als die welke achter de twintig voet hoge omheining rond het jezuïetendorp woonde. De Carijós woonden in hutten van negentig voet lang, waarin elke familie een aparte afdeling had. Toen hij met de andere Paulistas naar het plein van het dorp liep telde Amador negen rijen *malocas* aan weerszijde van de hoofdstraat, waarop kaarsrechte lanen uitkwamen. Midden op het plein stond de kerk, met een kerkhof ernaast, en een school.

Waar hij ook keek, overal zag Amador Carijós, mannen in hemd en broek, vrouwen in lange jurken. *Padre* Pedro Mola stond voor de ingang van de kerk op de Paulistas te wachten. Het was een kleine man met een doordringende blik, dunne wenkbrauwen, korte haren en een energieke mond. Hij groette Raposo Tavares beleefd, en zei dat hij in twee maanden geen Spanjaard en geen Portugees had gezien.

De kapitein antwoordde rustig dat een groep christenen twee dagen eerder van plan was geweest om hem te bezoeken, maar bepaald onvriendelijk ontvangen was.

'Die mannen zijn door de wilden die u beschermt, *padre* Mola, afgeslacht. Zonder reden afgeslacht.'

De jezuïet kruiste zijn armen over zijn borst, en keek naar een groep Carijós – de notabelen van het dorp, de vroegere opperhoofden van de Guaranis – die in de buurt stond.

'Kapitein, de Indianen herinneren zich nog heel goed wat de *bandeiras* in het verleden hebben gedaan. Zij zijn nu christenen.'

'Christenen?'

'Al onze Guaranis staan onder de bescherming van God.'

'*Christenen?*' zei de *bandeirante* nog eens.

'De Heer heeft ons naar deze landen gebracht, waar een grote menigte wacht om gered te worden.'

'En dat geeft uw Indianen het recht om mijn mannen aan stukken te hakken?'

'Toen uw *bandeira* op weg is gegaan, verkeerde deze streek in grote angst. In het verleden zijn duizenden inboorlingen meegenomen. Dat is de reden waarom uw mannen zijn aangevallen.'

'Wij hebben uw *christenen* nog nooit meegenomen, *padre*. Wij zijn hier in vrede gekomen. Waar zijn de kettingen en de ijzers? Wij willen uw kinderen helemaal geen kwaad doen.'

'En de Guaranis die in het bos leven dan?' vroeg de jezuïet.

'God weet dat ik het als een heilige plicht beschouw om die heidenen te bestrijden. Wij sturen ze naar de plantages waar zij leren beschaafd te leven.'

'Is het niet beter dat zij dat niet in slavernij leren, maar door liefde en begrip?'

'God beveelt ons de heidenen te bestrijden.'

'Dat gelooft u echt? Maar God beveelt niet om wreed te zijn.'

'En ook niet om met musketten gewapende wilden een groep christenen te laten bestrijden.'

'Kapitein, wij hebben slechts twintig musketten om in te zetten tegen uw machtige *bandeira*.'

'U hoeft u niet tegen ons te verdedigen. Wij houden ons alleen bezig met de Indianen uit het oerwoud.'

'*Padre* Rafael heeft mij gezegd dat als er elders geen Indianen meer zouden zijn, die in onze provincie gezocht zouden worden. Hij had gezien wat er in Bahia gebeurd was, waar alle inboorlingen naar de plantages gestuurd zijn.'

'*Padre* Rafael?'

'Mijn vroegere assistent. Hij is twee maanden geleden overleden – God hebbe zijn ziel. Veertig jaar lang heeft hij hier missiewerk gedaan, eerst in Bahia, toen in Rio de Janeiro en ten slotte hier. Toen hij stierf was hij gelukkig dat hij zoveel Guaranis de wet van de Heer zag gehoorzamen.'

'*Padre* Mola, begrijpt u dan niet dat u en ik de wetten van dezelfde koning gehoorzamen?'

'Neemt u mij niet kwalijk, kapitein, maar dat klopt niet. Iedereen weet dat de Paulistas de decreten van zijne koninklijke hoogheid nogal eens overtreden.'

Met veel nadruk zei Raposo Tavares: 'Uit São Paulo de Piratininga vertrekt geen compagnie zonder de toestemming van zijne majesteit om wilde Carijós te gaan vangen als die een gevaar zijn voor de openbare orde, met hun verschrikkelijke riten en praktijken.'

'Dat is niet in de zin van de wet van 1609.'

'Die wet is niet van kracht, *padre*.'

'Zou de koning dan hebben verklaard dat elke inboorling van Brazilië vrij is, als dat niet juist zou zijn?'

'Dat decreet was een vergissing. Het zou de christenen van Brazilië, die slaven nodig hebben om hun grond te bewerken, hebben geruïneerd. Als er niet naar hun protesten geluisterd was, zou de hele kolonie weer verwilderd zijn. In de twee jaren die nodig zijn geweest om die wet weer te laten intrekken hebben de kolonisten in vrees moeten leven om het werk van meerdere generaties teniet te zien doen.'

Padre Mola leek op het punt te staan dit te bestrijden, maar plotseling veranderde hij van onderwerp.

'Wat zoekt u in San Antonio, kapitein?' vroeg hij, en weer kruiste hij zijn armen.

Raposo Tavares keek eens naar zijn mannen, en toen naar het groepje notabelen van het dorp, die zwijgend de discussie volgden.

'*Padre* Mola, ik heb u niet horen ontkennen dat uw Indianen mijn compagnie hebben aangevallen. Vindt u het dan juist dat zoveel goede christenen botweg afgeslacht zijn?'

'Tja, als ze van plan waren onze velden leeg te halen,' zuchtte de jezuïet.

'U bedoelt een beetje maniok nemen?'

'Wat wilt u nu eigenlijk precies, kapitein?'

'Vandaag wil ik genoeg voedsel om mijn escorte te kunnen voeden. Wat ik morgen wil? Ik mag geen oorlog voeren tegen *christenen*, ook al hebben ze mijn mannen gedood.'

Deze woorden stelden *padre* Mola niet op zijn gemak, want hij wist dat de *bandeirantes* zich niet veel zorgen maakten over de wettigheid van hun optreden.

'Wees dan welkom aan mijn tafel,' mompelde hij.

Bij het eten kwamen Raposo Tavares en de jezuïet overeen dat geen enkele Carijó met een vrijbrief van de *padre*, waarin verklaard

278

werd dat hij bij het dorp hoorde, door de soldaten van de *bandeira* gevangen zou worden genomen.

Toen ze weer terug waren in het kampement, beval de kapitein zijn mannen om uit de buurt te blijven van de landerijen van het dorp en de overeenkomst die gesloten was te respecteren.

'Wij zijn aan gene zijde van de Lijn van Tordesilhas, in Spaans gebied,' legde hij zijn officieren uit. 'Wij zijn onderdanen van dezelfde koning maar veel hooggeplaatste personen, zowel in Lissabon als in Madrid, beschouwen ons als struikrovers, als een bedreiging voor de grote Spaanse kolonies in het westen. Zolang wij ons aan de wet houden, zullen de milities in Asunción en in Buenos Aires geen versterking krijgen, al vragen ze daarom. Maar als wij de dorpen, en eventueel de Spaanse steden, aanvallen zonder daartoe geprovoceerd te zijn, stuurt koning Philips vast en zeker een leger tegen ons op pad.'

'Is de aanval op het detachement van *tenente* Da Silva dan geen voldoende provocatie?' vroeg een officier.

'Twintig musketten tegen een compagnie Paulistas? Aan het hof zien ze de jezuïeten als helden. Nee, we moeten afwachten. Totdat het zonneklaar is dat wij rechten hebben op de geliefde Indianen van de jezuïeten van San Antonio!'

Op 19 januari 1629 rapporteerde een Carijó-spion van de *bandeira* feiten die Simão Alvares, een van de officieren van Raposo Tavares, woedend maakten. Bij een vorige expeditie had Alvares een inheems opperhoofd gevangen, genaamd Tatabrana, en meegenomen naar São Paulo. De spion verklaarde dat de Indiaan thans in San Antonio was, nadat hij met nog tien andere slaven van het domein van Alvares ontsnapt was. *Padre* Mola had ze allemaal asiel verleend.

'Eis dat ze teruggegeven worden!' zei Raposo Tavares, die Alvares meteen met een detachement naar het dorp stuurde.

Toen de officier terugkwam, vertelde hij dat *padre* Mola geweigerd had.

'"Ze zijn nu christenen," zei de jezuïet, "ze kunnen nu niet tot slaaf gemaakt worden. Tatabrana zal geen andere meester kennen dan God."'

De groenblauwe ogen van de kapitein straalden van opwinding.

'Dus als ik het goed begrijp, Alvares, heb je het over een plaats waar voortvluchtige slaven onderdak vinden, en waar de wet op het eigendom wordt ontkracht. Dat is een uitstekende provocatie. Officieren, vrienden, maak jullie klaar!'

Een week later, toen de *bandeira* op het punt stond op pad te gaan, lag *tenente* Bernardo da Silva op een ossehuid in een hoekje van een donkere hut. Zijn schouderwond leek aanvankelijk te genezen, maar een tijdje later was hij dodelijk vermoeid teruggekomen van een patrouille en had hij vastgesteld dat de wond infecteerde.

Thans lag hij te kreunen met zijn zoon en Raposo Tavares, die het bevel over de mannen van Da Silva had overgedragen aan Valentim Ramalho, aan zijn bed. *Padre* Anselmo, de aalmoezenier van de Paulistas, die zijn ronde deed langs de kampementen van de andere compagnieën in de buurt van de dorpen San Miguel, Jesús María en Concepción, stond ook bij het bed. Toen zij hoorden dat Raposo Tavares van plan was om San Antonio aan te vallen, hadden de andere kapiteins besloten hetzelfde te doen. Als voortvluchtige slaven in San Antonio werden opgenomen, zouden de andere dorpen hun ook vast asiel verlenen.

Amador hielp Bernardo om tegen een leren koffer aan te gaan zitten. Het licht van de deuropening viel op zijn verwilderde gezicht met droge gescheurde lippen en een wanordelijke baard.

'*Padre* Anselmo, ik heb zo hard gebeden om kracht om ook naar San Antonio op te kunnen trekken!'

'Rust nu maar uit, beste vriend,' zei de priester. 'De Heer kent uw moed en uw toewijding.'

'Maar *padre*, er is nog nooit zo'n expeditie geweest. Het gaat om meer Carijós dan ik bij al mijn veldtochten bij elkaar heb gezien...'

'Wij brengen ze naar het kamp, Bernardo,' verzekerde Raposo Tavares. 'Jouw vermoeide ogen zullen ze in het slavenkwartier zien zitten.'

'Bedankt voor die belofte, kapitein. Maar ik moet hier blijven, gevangen in het halfduister terwijl mijn vrienden en hun zonen zich verzamelen om die bende te lijf te gaan.'

'Uw zoon gaat ook mee,' zei de kapitein. 'En hij zal naast mij lopen.'

De jongen kon zijn oren niet geloven. Ik, Amador Flôres, zei hij tegen zichzelf, ik ga vechten naast de moedigste van alle mannen, Raposo Tavares, de edele veroveraar van de *sertão*!

Hij hoorde nog net de laatste woorden van het antwoord van zijn vader aan de kapitein, en die brachten hem weer terug tot de werkelijkheid.

'... en daarom zal hij bij mij blijven.'

De jongen stond perplex, maar zei niets.

'Zo wil je vader het,' zei Raposo Tavares.

'Ik... ik begrijp het niet,' stamelde Amador.

Padre Anselmo legde een hand op zijn schouder.

'Je moet hem gehoorzamen, mijn zoon.'

'Vergeef mij, *padre*, ik luisterde niet, ik...'

Bernardo da Silva legde het nog eens uit: 'Het aanbod van de kapitein is een grote eer, maar er zijn mannen genoeg om het dorp eronder te krijgen. Jij blijft bij mij.'

'Vader...' mompelde Amador, met tranen in zijn ogen.

Padre Anselmo kneep de jongen eens in zijn schouder.

'Jouw vader heeft je nodig, mijn zoon.'

Amador slikte zijn tranen in, en keek zijn vader smekend aan.

'Ik ben er trots op dat jij de koeien en de vrouwen hebt verlaten,' zei Bernardo. 'Hier, bij mijn vrienden, heb jij je een waardig zoon van *tenente* Da Silva getoond. Jij zult nog meer dan eens de kans krijgen om verder te gaan met jouw verovering.'

Hoewel hij diep teleurgesteld was liet Amador zich door zijn vader overhalen.

'Dank u wel, kapitein,' zei hij, 'maar ik moet bij mijn vader blijven.'

'Ik bid God dat hij mij net zo'n gehoorzame zoon als jij geeft,' antwoordde Raposo Tavares. 'Bernardo, moed houden, deze jongeman zal de naam van de Da Silvas hoog houden.'

Toen de kapitein en de priester de hut uit waren, vroeg Amador of hij naar het vertrek van de troep mocht gaan kijken, en dat mocht. Terneergeslagen liep hij langs de groepen *mamelucos* en Indianen die met musketten en kapmessen, bogen en pijlen bewapend waren, mannen die gebukt gingen onder de last van heel veel kettingen en ijzers, die meegenomen werden voor de vele slaven die de expeditie hoopte te vangen.

Amador stond bij de ingang van de omheining en keek naar de laatste soldaten van de compagnie die vertrokken, toen hij een bekende stem hoorde zeggen: 'De besten blijven op het vee en op de Carijós passen terwijl de anderen roem gaan halen.'

Hij draaide zich om en zag Valentim Ramalho die met zijn handen in zijn zij naar hem opkeek.

'Het stelt niets voor,' zei Bernardo's zoon, 'twintig musketten tegen de honderd die onze mannen hebben.'

'Toch wordt het een veldslag,' antwoordde Valentim, 'waar wij niet bij zullen zijn.'

Amador liep weg maar de dreumes liep hem na en bleef op hun uitsluiting van de troep mopperen. Er kwam een zwarte slaaf van de

Da Silvas naar hen toe rennen en die riep: 'Amador Flôres, uw vader vraagt naar u.'

Zonder te weten wat hem te wachten stond liep de jongeman weer naar de donkere hut waar hij zijn vader tegen een van de palen zag leunen die het dak droegen. Aan zijn gespannen trekken was te zien dat hij enorm veel moeite had moeten doen om op te kunnen staan, en hij hield zijn linkerhand op zijn gewonde rechterschouder.

'Blijf daar niet staan, zoon. Help mij om me klaar te maken,' zei de oude man terwijl hij op de koffer wees.

'Maar vader, u moet rusten.'

'Rusten? Terwijl ik de oorlogstrom hoor? Nee, Amador Flôres. Wij gaan naar San Antonio, waar vierduizend Carijós op ons wachten!'

'O, *tenente*,' riep de jongeman. 'Ik mag dus ook mee?'

'Ja, ja, als je je tenminste haast om mij te helpen.'

Dat liet Amador zich geen twee keer zeggen. Hij ging naar de koffer, haalde er het gevoerde vest uit en hielp zijn vader dat aan te trekken. De oude man kreunde van de pijn toen hij zijn rechterschouder bewoog.

'*Meu Deus!*' riep hij uit. 'Nu mijn ceintuur, mijn beurs, mijn kruithoren, mijn messen en de rest.'

Amador pakte de brede leren ceintuur uit de kist, en zag dat de handen van zijn vader trilden toen hij die vastpakte.

'*Meu Deus!*' zei Bernardo weer. 'Help me.'

De jongeman haalde de riem om het middel van zijn vader en sloot de grote koperen gesp.

'Mijn beurs,' zei de patriarch.

Amador gaf zijn vader het gevraagde, die keek wat erin zat, zeven zilveren *réis*, een klein doosje aluin tegen ziekte, een rozenkrans en reserveschroeven voor zijn musket. De oude man betastte de beurs aan alle kanten.

'Mijn lepel?'

Amador vond het eetgerei bij de koffer en gaf het aan Bernardo, die het uit zijn vingers liet glippen.

'Laat mij maar, vader.'

De jongen nam de lepel op, stak hem tussen de koorden van de beurs – zoals hij zijn vader duizend keer had zien doen – en maakte die vast aan de brede riem.

'Goed zo, goed zo,' zei Bernardo.

Toen zijn zoon hem had geholpen zijn kousen en zijn hoge laarzen aan te trekken, stak Da Silva zijn wapens een voor een tussen zijn ceintuur. Ten slotte zette hij de breedgerande hoed op en zei hij: 'Ga je spullen zoeken, ik wacht hier voor de hut op je.'

Amador rende naar de *maloca* waar zijn hangmat hing, en zocht gauw bij elkaar wat hij nodig had: hakmes, boog, pijlen, en een leren vest dat een van de *mameluco*-soldaten van zijn vader hem gegeven had. Toen hij weer naar buiten liep kwam hij Valentim en Abeguar tegen.

'Waar ga jij heen?' vroeg de dreumes hem.

'Het gaat beter met mijn vader. Hij trekt ten strijde, en ik ga met hem mee.'

'Dan gaan wij ook mee.'

'Hij heeft het niet over jullie gehad.'

'Maar dat vindt de *tenente* vast wel goed,' zei Valentim, zonder dat hij moeite deed uit te leggen waarom. 'Ga je mee?' vroeg hij aan Abeguar.

De Tupiniquin knikte.

'Er blijven er hier genoeg achter om op die paar ellendige Carijós te passen.'

'Nee,' zei Amador, 'jullie moeten de bevelen opvolgen.'

'Maar *tenente* Da Silva kan de bevelen veranderen,' zei Valentim.

Amador zag zijn vader uit de hut komen en liet zijn vrienden in de steek.

'Ik moet nu weg.'

'Wacht op ons! We gaan onze wapens halen.'

Amador ging naar Bernardo toe en net toen zij op weg zouden gaan, kwamen Valentim en Abeguar eraan rennen.

'Wat heeft dat te betekenen?' bromde de luitenant.

'Zij willen ook met ons mee,' legde Amador uit.

'Blijven ze niet op hun post?'

'*Tenente* Da Silva, alstublieft,' smeekten de dreumesen.

Tot grote verrassing van de drie jongens zwichtte de oude man en zei: 'Goed, kom dan maar mee, maar kom niet bij mij zeuren dat jullie vaders jullie de zweep geven!'

Tegen Abeguar, die zijn mond hield, zei hij: 'Nu zullen we eens zien, Tupiniquin, of jij net zo dapper bent als jouw vader. En jij, Da Silva,' zei hij tegen zijn zoon, 'omdat jij al naar dat jezuïetendorp bent geweest, wijs jij ons de weg.'

Nadat zij mondvoorraad hadden ingeslagen, liepen zij de omheining uit. Amador liep voorop, met zijn twee vriendjes achter zich aan. Het groepje had nog geen honderd passen gedaan toen Bernardo een reeks verschrikkelijke vloeken slaakte. De drie jongemannen draaiden zich om en zagen de oude krijger op de grond liggen. Amador rende naar hem toe.

'*Meu Deus*,' kreunde zijn vader.

'Uw wond – bent u erop gevallen?'

Da Silva kwam overeind, en stak zijn hand uit naar Amador, die hem hielp op te staan. Valentim kwam erbij en raapte het musket van de luitenant op.

'Heilige Moeder, ik zie haast niks,' mompelde de oude man.

'Wat is er dan, vader?'

'Ik wilde de kapitein niet tot last zijn, maar de roem van die laatste overwinning te moeten missen... Amador?'

'Ja, vader?'

'We moeten doorgaan.'

'De weg is nog lang.'

'Jij helpt me wel. We moeten doorgaan,' zei Bernardo nog een keer. Maar plotseling slaakte hij een kreet van angst. 'Hemel, ik zie bijna niets meer. Je moet mij leiden, zoon.'

'Wat is er met uw ogen?'

'Het is de laatste weken erger geworden. Alles is nu mistig en misvormd.'

'We gaan naar het kamp terug,' zei Amador kalm.

'Nee! Help mij. Breng mij naar die laatste verovering. Ik zal nog net genoeg kunnen zien om de ruïnes van San Antonio en de menigte slaven die we mee zullen nemen te kunnen bekijken. Wij blijven achter het leger als het het dorp binnendringt. Raposo Tavares mag geen last van een invalide hebben. Tijdens de veldslag zul jij mijn ogen zijn.'

Ze gingen weer op weg, nu met Abeguar voorop, terwijl Amador zijn vader leidde en Valentim het musket van de *tenente* droeg. Twee dagen lang volgden zij de sporen van het leger en toen kwam Abeguar, die het terrein had verkend, zijn metgezellen waarschuwen dat de compagnie haar kamp in het oerwoud had opgeslagen, twee uur lopen verderop. Bernardo beval de Tupiniquin om de *bandeira* in de gaten te blijven houden en hem te komen waarschuwen als zij op het punt zou staan om San Antonio aan te vallen.

De aanval vond twee dagen later plaats, op 30 januari 1629, en vader en zoon Da Silva deden eraan mee.

Toen de *bandeira* haar kamp opbrak ging Abeguar zijn metgezellen waarschuwen. Zij gingen een uur na zonsopgang op weg en Bernardo da Silva spoorde de jongelieden ongeduldig aan.

'Vooruit! Vlugger, Amador!' riep hij, telkens als ze iets langzamer gingen lopen.

Toen ze ten slotte op de top van een heuvel boven San Antonio kwamen, ontdekten de drie jongens dat het gevecht al begonnen was. Bernardo kon de gestalten die naar de ingang van de omheining renden niet onderscheiden, maar hij herkende wel een grijze rookwolk boven een deel van het dorp en hoorde de geluiden van een vuurgevecht in de verte.

Ze renden de heuvel af en drongen met de laatste Paulistas het dorp binnen. Een officier groette *tenente* Da Silva maar in zijn haast om naar het gevecht te gaan verbaasde hij zich niet over de plotselinge komst van Bernardo en zijn drie metgezellen.

Binnen de omheining heerste paniek en chaos.

Drie dagen eerder hadden de inboorlingen van het dorp *padre* Mola gewaarschuwd dat de *bandeira* eraan kwam. De priester besefte dat het geen zin had zijn Indianen, hun twintig musketten en hun primitieve wapens in een reguliere strijd tegen een compagnie Paulistas in te zetten. Toen zijn Guaranis op de kaalslag wonnen, hadden zij slechts een detachement *bandeirantes* tegenover zich, en hadden zij het voordeel van de verrassing. Toch hadden sommige oudsten nog aangedrongen op verzet, al was de vijand ver in de meerderheid.

'Raposo Tavares is een vastbesloten man maar ik kan niet geloven dat hij helemaal op de hand van de duivel is,' had de jezuïet geantwoord. 'Tenslotte is hij zijn overeenkomst nagekomen. Hij heeft geen van hen die een vrijbrief hadden lastig gevallen. Als hij komt, zullen we ervoor zorgen dat de kerk en het plein vol biddende gelovigen zijn. Die bandiet zal zich realiseren dat de Heer hem voor de eeuwigheid zal verdoemen als zijn mannen die kinderen van Jezus kwaad durven doen.'

Maar de dreiging kwam naderbij, de vrees van de priester werd met het uur groter en plotseling besliste hij om zijn volgelingen voor te bereiden op de beproeving die hun te wachten stond en zegende hij hen. Zeven uur lang zag hij alle inwoners van het dorp aan zich voorbij trekken, zegende hij ze, en doopte hij en passant hen die nog niet in de schoot van de moederkerk waren opgenomen. Nog voordat hij klaar was had hij geen stem meer over en kon hij nog amper zijn rechterarm gebruiken.

Op 30 januari, bij zonsopgang, na een slapeloze nacht, trok *padre* Mola zijn priesterkleden aan en droeg hij in een propvolle kerk twee missen op. De Guaranis die in het gebouw en op het plein verzameld waren vielen op de knieën en baden om verlost te worden van het kwaad dat, naar zij wisten, in het oerwoud verscholen was.

Na de dienst stak de jezuïet rustig het plein over, en liep naar de ingang van het dorp, waar hij bleef staan wachten, met zijn armen gekruist. Toen de wachtpost de komst van de *bandeira* meldde, bleef hij staan waar hij stond, zachtjes heen en weer wiegend, met zijn rozenkrans in zijn trillende handen. Hij bleef ook staan toen de eerste Paulistas het dorp binnendrongen. Het merendeel van de inboorlingen stond achter hem, alleen twee van de oudsten en Tatabrana, de voortvluchtige slaaf, ontbraken.

Sinds de *bandeira* in de buurt was, had Tatabrana *padre* Mola gewaarschuwd dat zijn vroegere meester en diens kameraden slechts van plan waren om mannen, vrouwen en kinderen uit San Antonio tot slaaf te maken. Toch had de jezuïet zijn volgelingen gerustgesteld en had hij hun Christus' zegen beloofd.

Maar Tatabrana was al eens door *bandeirantes* gevangen, en toen de Paulistas het dorp binnenstroomden stond hij klaar in een laantje tussen de eerste rijen hutten, met twee oudsten en zeventig Guaranis uit San Antonio, gewapend met musketten.

De jezuïet kon Tatabrana en zijn mannen niet zien van waar hij stond. Hij liep naar de Paulistas die het dorp binnendrongen, net toen Tatabrana's groep het vuur opende.

'Mijn God, nu is alles verloren!' schreeuwde de priester, en hij rende weg. 'Stop! Ophouden!'

Toen ze geschoten hadden, trokken de mannen van Tatabrana zich terug om tijd te hebben voor het herladen. Het eerste salvo had enkele Paulistas gedood, maar de rest van de aanvallers trok op in de richting van Tatabrana's groepje. De meeste Carijós vluchtten weg en lieten de voortvluchtige slaaf en enkele gelovigen alleen tegen een bende Tupiniquin met kapmessen en ploertendoders.

Raposo Tavares liep met de tweede golf aanvallers het dorp binnen en zag *padre* Mola in zijn priesterkleding over de centrale laan lopen.

'Mannen uit São Paulo, u schendt het heiligdom Gods!' riep de jezuïet toen hij de kapitein en zijn officieren zag. 'Houd daarmee op, in Gods naam!'

'Aan de kant, *padre*,' antwoordde Raposo Tavares, die zijn zwaard al getrokken had. 'Wij zullen u niets doen.'

'U zult voor deze misdaad gestraft worden.'

'Aan de kant, jezuïet!'

De aanvoerder van de Paulistas beduidde de *mamelucos* en de Tupiniquin om door te lopen, en de laatsten renden het plein op, waarbij zij hun oorlogskreten slaakten.

Toen Amador en Bernardo da Silva het dorp binnenkwamen hadden de laatste Carijós van de groep van Tatabrana zich verschanst in de hut van *padre* Mola, naast de kerk. Een van hen werd door een kapmes geveld toen hij probeerde om de Paulistas buiten te houden. De aanvallers dromden naar binnen, pakten de laatste verdedigers en sleepten ze met de vrouwen en de kinderen die ook in de hut waren gevlucht, naar buiten. De Paulistas kwamen vrolijk zwaaiend met de hemden en de lakens van de jezuïet te voorschijn. In de tuin voor het huis vermaakten anderen zich door op de kippen van de *padre* te jagen en ze de keel af te snijden.

Maar het opwindendste was natuurlijk de gevangenneming van de Carijós.

Van de vijfhonderd Paulistas die het dorp waren binnengedrongen, hield de helft zich bezig met de Carijós die op het plein verzameld werden, zij die er al waren toen de *bandeira* aankwam en niet gevlucht waren, en zij die uit de kerk gejaagd waren. De andere aanvallers, verdeeld in groepjes, jaagden systematisch de Guaranis uit hun hutten en joegen ze naar de centrale laan.

Bernardo da Silva en zijn jonge metgezellen zaten vlak na hun aankomst in San Antonio bij een groep Paulistas die de hutten in de buurt van de grote laan leeghaalde.

'Amador,' riep de *tenente* boven het hysterische geschreeuw van de Carijós uit, 'vertel me alles wat je ziet.'

'Vader, de wilden doen niets. Onze mannen jagen ze uit hun huizen, stuiten niet op verzet en drijven hen naar het plein.'

'Zijn ze stevig, goed gebouwd?'

'Ze zijn prachtig, vader.'

'Hoeveel zijn er?'

'Op het plein? Honderden.'

'Breng mij daar dan heen.'

Het was moeilijk vooruitkomen langs de centrale laan waar *mamelucos* en Tupiniquin-groepen Carijós voor zich uitdreven, terwijl ze ze beledigden en bespotten. Bernardo voelde en hoorde de menigte om zich heen.

'Wat een overwinning, Amador!' mompelde hij. 'Wat een overwinning!'

De Da Silvas werden in het gedrang gescheiden van Valentim en Abeguar, maar bleven niet op ze wachten.

'Vlugger, Amador,' beval de oude man. 'De kapitein moet zien dat zijn oude *tenente* zijn vreugde komt delen.'

Amador was nog opgewondener dan zijn vader door de buit die de *bandeira* aan het binnenhalen was, hele families Indianen, met jongemannen van zijn leeftijd, armzalig en bang, verbaasde grijsaards, strijdbare mannen die vast en zeker deel hadden genomen aan het gevecht op de kaalslag, en die gebroken waren door de aanblik van een vijandig leger dat ver in de meerderheid was.

Op honderd meter van het plein was er geen doorkomen meer aan. Bernardo schreeuwde dat ze aan de kant moesten gaan, maar niemand luisterde en de Da Silvas moesten via een omweg naar het plein toe.

Na veel moeite waren ze eindelijk bij de kerk, toen de oude man struikelde, in elkaar zakte en vloekte toen hij de grond raakte. Amador knielde bij hem neer.

'Vader, wat is er?'

Hij probeerde hem overeind te helpen maar Bernardo weerde hem zwakjes af. De jongen begreep dat zijn vader ging sterven, legde een hand op zijn schouder en zei: 'Ik ga een priester halen, rust u ondertussen maar uit.'

Hij stond op en riep een groepje *mamelucos* die net voorbijkwamen.

'Willen jullie op *tenente* Da Silva passen?' vroeg hij.

Een paar minuten later vond hij *padre* Mola aan de rand van het plein, met verscheurde kleren en een woeste uitdrukking op zijn gezicht, terwijl hij in een poging hen gerust te stellen van de ene groep Guaranis naar de andere liep.

'Mijn vader ligt op sterven!' riep Amador hem toe. 'U moet direct naar hem toe komen!'

Mola keek hem aan en fronste zijn wenkbrauwen alsof hij een poging deed zich hem te herinneren.

'Vlug, alstublieft.'

Toen ze bij Bernardo da Silva kwamen stond Raposo Tavares, gewaarschuwd door een van de *mamelucos*, al naast hem.

'Trouwe kameraad,' zei de kapitein, 'u had van een welverdiende rust moeten genieten in plaats van aan deze campagne deel te nemen.'

De aanvoerder van de Paulistas ging aan de kant om *padre* Mola door te laten.

'*Mameluco*,' zei de jezuïet tegen de oude man die op de grond lag, 'ik ben de priester van hen die u van God steelt. Verzoen u met de Heer, *mameluco*, want de tijd dringt.'

Het gezicht van de patriarch vertrok van haat, zodat de geestelijke een stap achteruit deed.

'De tijd dringt,' herhaalde *padre* Mola.

Een diepe, beestachtige schreeuw kwam over Bernardo's lippen, en hij deed een wanhopige poging om overeind te komen.

'Nee, vader!' riep Amador.

Met uitpuilende ogen en een van woede trillend hoofd kwam de oude man overeind, en pakte de jurk van de priester vast. Weer kwam die verschrikkelijke schreeuw uit zijn borst, maar plotseling was het stil. Bernardo da Silva viel achterover, en zijn schedel raakte de grond. Hij was dood.

Zijn zoon kwam naderbij en vroeg met trillende stem: 'Heeft hij gebiecht?'

Padre Mola, die bij de *mameluco* geknield lag, was begonnen te bidden. Hij hield op en keek de zoon van de *bandeirante* aan.

'Dat heeft God niet gewild,' mompelde hij.

Vijf dagen later stond Amador vooraan in een grote groep mannen die zich in het kamp van de Paulistas in een halve kring verzameld had. Raposo Tavares en twee officieren leidden een ceremonie waarvan de jongeman voor het eerst getuige was.

Een soldaat opende de leren koffer van de overledene en haalde de inhoud eruit, die hij zorgvuldig op de grond uitstalde, naast de wapens en de kleren die daar lagen.

'Kijk goed, Amador Flôres,' zei de kapitein, 'dan kun jij aan je moeder vertellen dat alles volgens de regels is gegaan.'

Vervolgens begonnen de officieren de persoonlijke bezittingen van Bernardo da Silva te veilen, waarbij de kopers hun handtekening of een kruisje onder een verkoopakte zetten waardoor zij zich verplichtten om een bepaalde som aan de weduwe van de *tenente* uit te keren als zij in São Paulo terug zouden zijn. Als er bij een veldtocht een belangrijke Paulista overleed, was een dergelijke veiling gewoonte, om de belangen van zijn weduwe en zijn erfgenamen veilig te stellen. Er konden namelijk maanden verlopen voordat de *bandeira* in São Paulo terug was, en de goederen van de overledene konden voor thuiskomst verloren gaan of gestolen worden.

Alles werd verkocht, behalve de zilveren lepel, het musket en het vest, want dat hield Amador. Zijn waardevolste bezitting werd ook niet verkocht, namelijk vierenzestig Tupi-slaven van zijn privé-leger, die de slag op de kaalslag hadden overleefd. Raposo Tavares beloofde die persoonlijk terug te brengen naar de weduwe Rosa Flôres, met het deel van de gevangenen dat Da Silva toekwam.

Bernardo was vijf dagen geleden begraven op de heuvel boven San Antonio, na een korte religieuze plechtigheid, geleid door *padre* Mola. De jezuïet had vervolgens het dorp met een paar oude mannen die de Paulistas hem lieten, verlaten. De rest van de Carijós – bijna vierduizend – waren naar het bos gebracht, naar het kampement, en de mannen die bij de veiling aanwezig waren geweest moesten nu weer naar hun kameraden die op de slaven pasten. Voordat zij vertrokken, hadden zij het dorp in brand gestoken zodat het niet zou kunnen dienen voor andere wilde Carijós, en een bedreiging voor de volgende expeditie zou vormen.

Rapporten van de drie andere compagnieën die São Paulo in augustus hadden verlaten maakten melding van overwinningen in San Miguel en in Jesús María, met een totaal van achtentwintighonderd gevangen inboorlingen. In Concepción waren de Paulistas op hevige weerstand gestuit. De priester en zijn Indianen hadden de aanvallers buiten het dorp weten te houden. Ze waren belegerd, maar hadden overleefd door honden, katten, ratten en muizen op te eten totdat er versterkingen waren gekomen van een ander dorp, die de *bandeirantes* verjaagd hadden.

De compagnieën kwamen drie dagen nadat de colonne van Raposo Tavares op weg was gegaan, weer bij elkaar. Twee jezuïeten vergezelden de slaven van de andere dorpen en vroegen toestemming om bij hen te blijven tot in São Paulo. Raposo Tavares voelde daar niet veel voor. 'Zij zullen zich bij aankomst beklagen bij de gouverneur,' waarschuwde hij. 'Ze zullen nog wekenlang allerlei leugens over onze mannen rondstrooien.' Maar de overige kapiteins, die daar helemaal niet bang voor waren, brachten naar voren dat de aanwezigheid van de jezuïeten haar voordeel kon hebben. 'Zij zullen die heidenen verzorgen, zodat ze in betere staat bij de kopers komen.'

Op 7 april 1629 bereikte de *bandeira* de hoogten van Piratininga en São Paulo.

Amador, die met de kapitein voorop liep, droeg het vest van zijn vader en op zijn hoofd een rode sjaal die hij van een officier had gekregen. De trompetten van de compagnie klonken toen de troep naar het plein van de *câmara* liep, waar de weinige stadsbestuurders die geen deel uitmaakten van de *bandeira*, stonden te wachten.

Het plezier van Amador om als overwinnaar terug te komen werd nog groter toen hij zijn vriend Ismael Pinheiro uit de menigte zag opduiken om hem te begroeten.

'Ben jij het wel?' riep de zoon van de *armador* opgewonden uit. 'Wat ben jij veranderd!'

'Meer dan je denkt. Weet je, Ismael, ik hoef nooit meer op de beesten te passen.'

'Met zoveel gevangenen hoef jij je niet meer druk te maken over het domein van jouw arme vader,' zei Ismael.

'Nee. Dat zou hij ook niet gewild hebben. "Jij bent een zoon van de *sertão*," heeft hij tegen mij gezegd. "Jij hebt geen ander huis."'

Tien jaar lang – van de expeditie van 1628 tot die van 1638 – nam Amador da Silva dienst in *bandeiras* die nog acht andere dorpen in de provincie Guiará vernietigden, waarbij ze de jezuïeten en de rest van hun volgelingen dwongen naar het zuiden te vluchten, naar Buenos Aires. De wandaden van de Paulistas bleven niet beperkt tot de dorpen, want ze vielen ook twee steden uit de streek, gevestigd door Spaanse kolonisten, aan en plunderden die.

De jezuïeten stichtten nieuwe missies tussen de Rio Uruguay en de Atlantische Oceaan, zeshonderd mijl van São Paulo. Ook stichtten zij dorpen in de provincie Itatin, een streek ten noorden van Asunción en ten westen van Guiará.

Van 1633 tot 1635 vielen de Paulistas de jezuïetendorpen in Itatin aan, om zich vervolgens weer met het zuiden bezig te houden, waar zij bij hun eerste grote campagne vijfentwintigduizend Indianen vingen. Maar de goede, lankmoedige paters begonnen terug te slaan. In 1637 nam Amador deel aan een expeditie die bij zijn terugkeer naar São Paulo tien dagen lang onder vuur werd genomen door de jezuïeten en hun inboorlingen, die musketten hadden.

Amador gaf zich in die tien jaar, als hij geen deel uitmaakte van een *bandeira*, samen met Ismael Pinheiro over aan lucratieve bezigheden. Ismael, koopman en *armador*, had zijn vader opgevolgd, die in 1634 overleden was.

De beide vrienden hielden zich bezig met smokkel tussen Brazilië en de Spaanse kolonies. Al waren Madrid en Lissabon onder één kroon verenigd, zij bleven gescheiden hun grondgebied besturen, waarbij de Spanjaarden het handelsmonopolie behielden met hun grote vice-koninkrijk Peru, dat van de ene oceaan naar de andere reikte. De goederen die vanuit São Paulo naar de oostelijke provincies Paraguay en Rio de la Plata werden gesmokkeld, kostten drie keer minder dan die welke legaal werden ingevoerd en deze smokkel werd zo belangrijk dat de ruimen van de helft van de tweehonderd schepen die elk jaar naar Brazilië voeren, met smokkelwaar gevuld waren. Maar het was niet alleen deze bres in hun monopolie, die de Spanjaarden woest maakte. De smokkelaars werden betaald met zilver uit de mijnen van Potosi, midden in Peru.

Terwijl de Paulistas het Spaanse goud stalen, hun missies plunderden en prat gingen op de 'bevrijding van Guiará', beleefden de kolonisten overal elders in Brazilië een rampzalige tijd.

In het jaar waarin Amador bij de *bandeira* van Raposo Tavares was gegaan, was een Hollandse *armada* in Pernambuco aangekomen, met troepen op een strand ten noorden van Olinda geland – toen een welvarende stad van achtduizend inwoners – en had de hoofdstad de volgende avond ingenomen. Twee weken later moesten de Portugezen een andere stad genaamd Recife opgeven, bekend vanwege een lange rots voor de kust die een natuurlijke haven vormde.

Na het verlies van die twee kolonies begon de gouverneur van Pernambuco, Mathias de Albuquerque, afstammeling van de eerste *donatário*, Duarte Coelho Pereira, een guerrilla-oorlog die de Hollanders in de buurt van beide steden bezig hield tot er, achttien maanden later, Portugese versterkingen kwamen. Maar eind 1634 joegen de Hollanders in het noorden van Pernambuco een leger Portugese soldaten en Napolitaanse huursoldaten, door Madrid gestuurd en onder aanvoering van Giovanni Vicenzo San Felice, graaf van Bagnuoli, uiteen. In maart 1635 vluchtten Bagnuoli en zijn mannen, opnieuw in het zuiden van het kapiteinschap verslagen, naar Bahia. Drie maanden later gaf ook Mathias de Albuquerque Pernambuco op, na zes jaar strijd.

Weer gingen er versterkingen naar het zuiden van het kapiteinschap, en zij behaalden enkele overwinningen tot de dood van hun commandant, Rojas y Borgia, een vroegere gouverneur van Panama. Zijn opvolger was niemand minder dan Bagnuoli, die de guerrilla-oorlog tegen de Hollanders weer op gang probeerde te brengen.

Op 23 januari 1637 kwam de afgezant van de Westindische Compagnie, Johan Maurits, graaf van Nassau-Siegen, in Recife aan, als gouverneur van de op de Portugezen veroverde steden. Johan Maurits van Nassau-Siegen, drieëndertig jaar oud en vastbesloten om een eind te maken aan het Portugees-Spaanse verzet, leverde slag met Bagnuoli en drong hem naar het zuiden, over de Rio São Francisco, die de gouverneur beschouwde als een natuurlijke grens met de door de Hollanders veroverde gebieden.

In april 1638 drong Johan Maurits van Nassau door tot Bahia, met zesendertighonderd man verdeeld over dertig schepen. Ruim een maand probeerde de Hollander de woeste tegenstand van Bagnuoli te breken. Vergeefs. Nadat zij tweehonderdzevenendertig mannen verloren hadden braken de Nederlanders het beleg op en vertrokken naar het noorden.

Deze nederlaag liet Johan Maurits van Nassau-Siegen koud, en hij zei tegen zijn commandanten, toen zij weer in Recife terug waren: 'Pernambuco en vijf andere kapiteinschappen zijn op de Portugezen veroverd. Mijne heren, dat is meer dan genoeg om Nieuw Holland te stichten.'

Op 29 juni 1638, op de dag van Sint-Pieter en Sint-Paulus, stond een groep van zeven Paulistas voor de *câmara* toen een religieuze processie langs het gebouw trok, een van de weinige gebouwen in de stad met twee verdiepingen. Op de begane grond was de zaal waarin de stadsbestuurders zich verzamelden, en ook de gevangenis, waarvan de bewoners vergeefs door de tralies heen smeekten op deze heiligendag vrijgelaten te worden. De Paulistas trokken zich niets van de gevangenen aan en luisterden naar kapitein Raposo Tavares, die de paters van de Sociëteit van Jezus stond zwart te maken: 'Ze zien er zo nederig en vroom uit, als zij met franciscanen en benedictijnen in een processie lopen! Maar als ze thuis zijn, huilen ze van verontwaardiging. Ze vallen op hun knieën en bidden God, onze Heer, om ons duizend plagen te sturen.'

Amador en Ismael Pinheiro – de laatste rijk gekleed en steeds dikker – stonden midden in een groep waarvan iedereen knikte als teken van instemming met de man die zoveel expedities naar de jezuïetendorpen had geleid. Amador was vierentwintig en was, zoals Bernardo het voorspeld had, een man van de *sertão* geworden. Hij had de zilveren lepel van zijn vader al lang verloren en daarmee ook het verlangen om te worden als de zonen van Portugal. Hij trok zich niets aan van rangen en privileges en beschouwde zich als een *mameluco*, die van de vrijheid van de *sertão* genoot, waar alleen het recht van de sterkste gold.

Hij was in tien jaar tijds weinig veranderd. Nog altijd kort van stuk, was hij getekend door de pokken die hij in zijn jeugd had gehad. Toch hadden de expedities in de *sertão* hem lichamelijk en geestelijk gehard. Als hij tussen de bomen door sloop, met de grote boog die hij nog altijd liever had dan het musket, werd hij een krijger, een jager op mensen en beesten, klaar om te doden.

Toen de processie voorbij was, ging Raposo Tavares verder: 'De jezuïeten vertellen onze gouverneur dat ik een bandiet ben, die zestigduizend Carijós uit hun bescherming heeft gehaald. "De wilden moeten gewapend worden met musketten om Tavares en zijn mannen te kunnen doden," roepen zij in Madrid. Zestigduizend Carijós! Als ik er zoveel gevangen had, zou ik nu nog rijker zijn dan Correia de Sá, met zijn uitgestrekte gebieden en zijn waag!'

Salvador Correia de Sá e Benavides was de gouverneur van Rio de Janeiro, kleinzoon van een neef van de grote Mem de Sá, die driekwart eeuw eerder de uitroeiing van de Tupiniquin en de Tupinambás aan de kust had geleid. Hoewel hij onder de gouverneur-generaal van Brazilië viel, die in Bahia zetelde, had Correia de Sá uitgestrekte volmachten over de kapiteinschappen in het zuiden, met name die van São Vicente, waar São Paulo deel van uitmaakte. Hij had voor twintig jaar het monopolie van het wegen en de opslag van suiker die in zijn kapiteinschap werd geproduceerd, verworven.

'Onze gouverneur weet heel goed dat ik niet rijk ben, en dat ik alleen maar een man ben die van het land van zijn voorouders houdt.'

'Uw liefde voor Portugal maakt vast geen indruk op hem,' merkte Ismael Pinheiro op.

Alle aanwezigen begrepen wat er achter de opmerking van de koopman stak. De moeder van Correia de Sá was een Spaanse, dochter van de gouverneur van Cadiz, waar hij zelf ook geboren was. Zijn vader Martim was vóór hem gouverneur van Rio de Janeiro geweest en in zijn jeugd had Correia de Sá zeven jaar in de Spaanse kolonies ten westen van São Paulo doorgebracht. Hij was met een rijke creoolse erfgename uit het vice-koninkrijk Peru getrouwd en kende de grote Spaanse bezittingen heel goed omdat hij er gewoond had. De Paulistas hadden gehoopt dat hij hen zou steunen maar zijn sympathieën gingen eerder uit naar de jezuïeten en er gingen geruchten dat hij, net als zij, de mannen van São Paulo als uitschot zag.

'De jezuïeten hoeven in Madrid niet om wapens te gaan bedelen,' zei Amador. 'Hun wilden hebben al musketten genoeg.'

Hij dacht aan de *bandeira* van 1637, waarbij de zwartjurken en hun Indianen hun tien dagen op de hielen hadden gezeten.

'De jezuïeten zeggen in Madrid wat Madrid wil horen,' antwoordde Raposo Tavares. 'De gebieden ten zuiden van São Paulo moeten naar Spanje terug. Elke mijl die onze vaders en grootvaders op de wilden hebben gewonnen moet weer eigendom van Castilië worden. Ze vragen niet slechts om een paar musketten meer, maar om genoeg wapens om Carijó-regimenten te formeren, die de bezittingen van zijne Spaanse majesteit moeten verdedigen.'

'Onze gouverneur staat aan de kant van de zwartjurken terwijl de helft van Brazilië, van Maranhão tot Bahia, al Hollands is geworden?' vroeg Amador verontwaardigd.

Nu nam een man die tot nog toe gezwegen had het woord: 'Dom Correia's steun aan de Sociëteit van Jezus is een persoonlijke zaak, *senhores*. Hij is een eerlijk en vroom mens.'

294

Zo sprak José Maria de Novais. Hij had reeds aan veel *bandeiras* meegedaan en had op verschillende momenten met alle leden van de groep samen gevochten. Hij bezat thans duizend stuks vee en de beste tarwevelden uit het district, hield zich nu niet meer bezig met slavenhandel en maakte deel uit van de *câmara* van São Paulo. De andere Paulistas keken afkeurend naar hem, maar onderbraken hem niet.

'Het zou niet juist zijn zijn trouw aan de kolonie en aan Portugal in twijfel te trekken,' ging De Novais verder. 'Hij bidt elke dag dat het noorden van Brazilië uit de handen van de ketters bevrijd mag worden.'

'En terwijl hij bidt, gaan de Hollandse kanonnen des te harder tekeer,' antwoordde Tavares.

'Kapitein, u spreekt wel zo stoutmoedig, maar wat weet u van Hollandse kanonnen?' vroeg De Novais. 'Wat hebben de Paulistas gedaan om Portugal te helpen? Wijs mij een soldaat in São Paulo die met de kolonisten in Pernambuco tegen de indringers heeft gevochten? Waar waren wij in april, toen de Hollanders Bahia bedreigden? We hebben geluk dat anderen grote veldslagen hebben gestreden voor deze grond.'

'En die ze hebben verloren,' zei Raposo Tavares.

'Jazeker,' gaf De Novais toe, 'en het is een vreselijk verlies, maar Correia de Sá is ervan overtuigd dat wij die gronden op de Hollanders terug kunnen veroveren.'

José Maria de Novais was veertig jaar, even oud als Tavares, maar zag er ouder uit dan de kapitein, die in tien jaar tijds even jong was gebleven. Tavares was groot, kaarsrecht, vol energie en zelfvertrouwen; De Novais was niet zo groot, had een licht gebogen rug en grijze haren in zijn baard en op zijn hoofd.

'Zonder hulp van Lissabon en Madrid zullen wij die Hollanders nooit kunnen verjagen,' verzekerde de *bandeirante*.

'Jazeker, maar als die hulp komt, moeten wij aan de strijd meedoen. Wij hebben de andere kapiteinschappen tien jaar lang de rug toegedraaid en ons alleen maar met de Spanjaarden beziggehouden. Moeten wij niet eens van houding veranderen?'

'Spreek jij namens jezelf, José Maria, of namens Dom Correia de Sá?'

'Namens beiden,' antwoordde De Novais, die net uit Rio de Janeiro terug was.

'Heeft hij je gevraagd om deze kwestie te berde te brengen?'

'Inderdaad.'

'En wat verwacht hij dan van ons?'

'Volgend jaar komt er een vloot uit Portugal. Hij wil dat een compagnie Paulistas klaarstaat om naar Pernambuco te vertrekken.'

'Ach ja, wij zijn de dienaren van de koning,' meesmuilde Ismael Pinheiro. 'Maar welke beloning stelt Philips van Castilië ons in het vooruitzicht?'

'Vergiffenis van alles waarvan de jezuïeten jullie beschuldigen.'

Verschillende mannen begonnen te lachen, maar De Novais beduidde dat ze stil moesten zijn.

'Er gaan in Rio de Janeiro geruchten dat de aanvoerders van de *bandeiras* gevangen zullen worden genomen en in ketenen naar Lissabon zullen worden gebracht.'

'Dat klopt,' zei Raposo Tavares. 'De jezuïeten willen zelfs dat wij geëxcommuniceerd worden. Maar omdat jij toch in naam van de gouverneur spreekt, leg mij dan nog eens iets uit, José Maria: hij die zo'n warm hart heeft voor de Sociëteit van Jezus, hoe kan hij een man vergeven die zestigduizend Carijós van de jezuïeten heeft gegapt?'

'Dom Correia denkt dat als jij een compagnie op de been brengt om tegen de Hollanders te vechten, veel anderen je voorbeeld zullen volgen.'

'Een generaal pardon?' vroeg de kapitein, die opeens geïnteresseerd leek.

'En voor allemaal?' voegde Amador da Silva eraan toe.

Raposo Tavares draaide zich naar hem om, en zei: 'Jouw vader en jouw grootvader Marcos kenden de zwartjurken heel goed en zouden je hebben kunnen vertellen hoe die soldaten van God nooit iets vergeten. De gratie van de gouverneur is misschien de redding die wij niet mogen weigeren.'

In ruil voor de clementie van de gouverneur bracht Raposo Tavares een compagnie Paulistas op de been – maar honderdvijftig man, van wie een groot deel net als Amador, alleen maar dienst nam omdat zij hun kapitein trouw wilden blijven. De vloot uit Portugal om de kolonisten te helpen kwam in januari 1639 in de Baai aan. Maar bij de overtocht waren drieduizend mannen gestorven aan ziekte en het duurde maanden voordat het leger weer compleet was.

Op 5 augustus 1639 ontvingen de Paulistas het bevel om naar Santos te gaan, om daar aan boord te gaan van een schip dat hen naar Bahia zou brengen. Een week later, op de dag voor het vertrek uit São Paulo, nodigde Amador zijn vriend Valentim Ramalho en diens vader, evenals de koopman Ismael Pinheiro, uit voor een *festa* ten afscheid, georganiseerd in het huis van de Da Silvas.

In de grote zaal van de boerderij waren behalve Amadors moeder, Rosa Flôres, ook zijn halfbroers Braz en Domingos en hun gezinnen. Braz, de zoon van de eerste echtgenote van Bernardo, was een jaar of zestig; Domingos was twaalf jaar jonger. Beiden woonden zij op het domein, maar zij namen nooit deel aan de *bandeiras* en hielden zich alleen bezig met de grond en de beesten, met hulp van een veertigtal slaven.

De boerderij van de Da Silvas, twaalf mijl ten noordwesten van São Paulo, was een gebouw met adobemuren die twee voet dik waren en achttien voet hoog. Aan de voorzijde bevonden zich twee grote vertrekken met grote ramen en een uitgestrekte veranda. Die waren gereserveerd voor Braz, Domingos en hun echtgenotes.

Vanaf de veranda voerde een grote, zware eikehouten deur naar de zaal waar de Da Silvas en hun genodigden bij elkaar zaten. Grenzend aan deze zaal lagen vier vertrekken, een kamer voor Rosa Flôres, een andere voor de jongens, en een derde voor de meisjes. In de vierde kamer zaten de vrouwen met hun slaven de hele dag te spinnen, te weven en te naaien. Een keuken was er niet, want de slaven maakten de maaltijd klaar achter het huis, op houtvuur of in een kleioven.

Tegen het einde van het afscheidsmaal bleven de mannen aan tafel en gingen de vrouwen in een hoek van het vertrek zitten, rond een hangmat waarin de weduwe van Bernardo ging liggen. Er waren twee inboorlingen bij, concubines van Amador, en ook Maria Ramalho, door Rosa Flôres uitgenodigd.

De jonge vrouw was zevenentwintig en nog altijd niet getrouwd want de weinige pretendenten die haar vader met veel moeite had weten te vinden, werden toch afgeschrikt door haar lelijkheid. Zij bleef nog altijd hartstochtelijk naar Amador verlangen en bad vurig om een wonder dat de jongeman zou tonen hoezeer zij hem liefhad.

Amador, die met de andere mannen aan tafel zat, merkte dat Maria naar hem bleef kijken. Hoewel hij een deel van de gronden en van de slaven van zijn vader geërfd had, waarbij nog de winsten van de *bandeiras* en de smokkel gekomen waren, had hij absoluut geen zin om zich te vestigen, en al helemaal niet met Maria Ramalho. Hij was vader van twee dochters en een zoon die hij bij zijn concubines verwekt had en aan wie hij weinig aanhankelijkheid toonde.

Toch was hij tot liefde in staat en zijn moeder vereerde hij openlijk, waarbij hij het in alles met haar eens was – behalve dan wat betrof haar genegenheid voor Maria. 'Ze houdt van je met heel haar hart,' had ze hem diezelfde ochtend nog gezegd. 'En ze brengt een mooie bruidsschat mee.'

Vasco Ramalho, Maria's vader, die vroeger het bevel had gevoerd over het legertje van Bernardo, was nog steeds buurman van de Da Silvas maar deed niet meer met de *bandeiras* mee. Drie jaar geleden had hij goud in de rivier gevonden, ten noordoosten van São Paulo. Dat had hem rijk gemaakt, maar de ader was snel uitgeput, zoals dat telkens in deze streek het geval was. Hij had nog een jaar elders gezocht, had het toen opgegeven en zich uitsluitend nog met zijn landerijen beziggehouden.

Amador zat te denken aan het feit dat zijn moeder zo graag wilde dat hij met Maria trouwde, toen hij door geroep uit zijn gedachten gehaald werd.

'Vrienden, *cachaça*!'

Valentim Ramalho was op een stoel geklommen en stond met een lege fles te zwaaien.

Amador gaf een slaaf opdracht om meer drank te brengen.

'Wij moeten op de gezondheid van onze held drinken!' ging de dwerg verder.

'Een held?' zei Ismael Pinheiro. 'Amador, wat heb je aan dit idiote avontuur?'

Voordat Amador iets had kunnen zeggen antwoordde Valentim: 'Staat zijn naam dan niet met die van de kapitein op de lijst van mannen die de jezuïeten willen laten arresteren en in ketenen naar Lissabon willen afvoeren?'

'Altijd die jezuïeten!' klaagde Ismael. 'Zij doen alsof ze São Paulo gesticht hebben, maar jouw voorouders, Valentim, waren hier eerder. En er zullen hier nog Ramalhos wonen als die zeurpieten al lang weg zijn.'

'Een heleboel Ramalhos,' zei Amador, wat iedereen in de lach deed schieten, ook Valentim.

Bij de lange mars van de colonne Paulistas, toen zij met gevangenen uit San Antonio terugkwamen, was Valentim prat gegaan op zijn prestaties met twee jonge Carijós, die hij elke avond allebei nam. Terug in São Paulo vroeg hij zijn vader om die twee inboorlingen als buit op te eisen en Vasco Ramalho had deze gunst aan zijn kleine, maar wel vurige zoon had toegestaan. In tien jaar tijds hadden de twee Carijó-vrouwen twaalf kinderen ter wereld gebracht, waarbij nog vier nakomelingen kwamen die Valentim bij meisjes op het domein gemaakt had.

Toen iedereen uitgelachen was vroeg Amador aan Ismael: 'Waarom is dat zo'n gek avontuur?'

'Omdat het er het geschikte moment niet voor is.'

'Maar er ligt een grote vloot in Bahia, en er staan nog meer schepen op het punt uit Rio de Janeiro te vertrekken, met versterkingen.'

'In dienst van wie? Van de koning van Spanje – niet van Portugal.'

'Raposo Tavares denkt dat dat binnenkort zal veranderen.'

'Ja, dat denken er meer. In Lissabon hebben ze het al over een scheiding met Spanje. Maar er wordt alleen over gepraat, en het duurt nu al jaren. Het Portugal van vroeger bestaat niet meer. Ons Indisch imperium ligt in puin, onze vroegere veroveringen in Afrika worden bedreigd door de Hollanders, Brazilië is al kapot...'

'Dank zij de Portugese joden uit Amsterdam,' zei Braz da Silva.

Zoals zovele anderen zag de halfbroer van Amador de joden als de oorzaak van het ongeluk van Portugal. Dat Ismael de zoon van een nieuwe christen was, en bekendstond om zijn sympathieën voor de joden, verhinderde Braz niet zijn mening te verkondigen.

'De joden hebben Pernambuco aan de Hollanders uitgeleverd,' ging hij verder. 'En ze stonden op het punt om de poorten van Salvador voor ze te openen.'

'Altijd de jezuïeten – en altijd de joden,' zuchtte Ismael. 'Maar het waren de joden, met hun goud en hun handel, die na de verovering de handel met het Oosten hebben georganiseerd. En zij hebben ook de molens laten bouwen en de suiker uit Pernambuco verkocht.'

Braz wist niet goed wat hij hierop moest antwoorden.

'In Madrid,' ging de koopman verder, 'zeggen ze bij het Heilig Officie dat São Paulo een schuilplaats van joden is, die er proberen aan de verlossende vlammen te ontkomen.'

'Die zijn er ook,' bromde Braz.

Hij keek naar Valentim en Amador, maar bij hen vond hij ook geen steun.

'Er zijn er een paar,' gaf Ismael toe, die daarna zijn mond hield.

Het speet hem dat hij te veel had gezegd. Weliswaar was er in Brazilië geen inquisitie, maar er waren al een paar keer visiteurs uit Lissabon gestuurd om de kolonisten te controleren op hun geloof. Ismael hadden ze niet lastig gevallen maar hij werd op een andere manier aan zijn joodse komaf herinnerd, met name doordat hij niet deel mocht nemen aan de verkiezingen voor de *câmara*. Al was hij dan getrouwd met de erfgename van een oude katholieke familie uit Santos, toch konden ook zijn kinderen geen officiële functies uitoefenen en ook niet deel uitmaken van de Portugese militaire Ordes van Christus: Aviz en Santiago. Ismael was even van plan geweest om São Paulo te verruilen voor Pernambuco, waar de Nederlanders de joden niet discrimineerden. Maar toen had Vasco Ramalho, wiens expedities hij gefinancierd had, goud gevonden en was Ismael gebleven.

Valentim probeerde om het gesprek op een minder controversieel onderwerp te brengen en begon enthousiast te praten over 'het bed', het derde dat in São Paulo was te zien, omdat een rechter dat over de Serra do Mar had laten komen. Maar het feest was definitief bedorven en de beide halfbroers van Amador stonden van tafel op.

Even later gingen Amador en Ismael naar buiten, en lieten Valentim en zijn vader in de zaal achter. De oude Ramalho, een eenvoudige, zwijgzame man, had niet deelgenomen aan het gesprek en had alleen maar af en toe geknikt. Terwijl hij nog wat dronk met zijn zoon, liepen Amador en Ismael langzaam naar een heuvel voor het huis.

'Vergeet die belachelijke expeditie,' zei de koopman. 'Honderdvijftig man tegen de almachtige Westindische Compagnie! Ga liever in de *sertão* weer goud zoeken.'

'Goud? Waarom goud, terwijl er bergen smaragden liggen te wachten op de man die moedig genoeg is om in het bestaan ervan te geloven?'

'Ik meen het, vriend. Ik heb genoeg bewijs om ervan overtuigd te zijn dat er goud te vinden is.'

'Ja, net als al diegenen die er al honderd jaar naar zoeken. De enige echte schat komt uit de mijnen van de provincie Guiará, en dat zijn de Carijós. Gemakkelijk te vinden en gemakkelijk te verkopen.'

'De tijd van de grote *bandeiras* is voorbij.'

'De jezuïeten gaan tekeer, maar in de nieuwe dorpen zitten meer Indianen dan er ooit zaten in die welke wij hebben aangevallen.'

'Ze liggen ook verder weg, en zijn makkelijker te verdedigen,' antwoordde Ismael. 'Ik ben *armador*, en ik maak steeds minder winst op de Carijós. Ik leen mijn geld liever aan hen die goud zoeken.'

'Ach, dat zijn onverbeterlijke dromers. Ze zullen je nog te gronde richten.'

Ze liepen weer naar het huis en zagen toen dat er op een bank op de veranda een eenzame gestalte naar hen zat te kijken.

'Wanneer houdt ze eens op met achter me aan te lopen, die?' mompelde Amador terwijl hij op Maria wees. 'Ze houdt niet op. Ze is dikke maatjes met mijn moeder, zodat ze iedere keer als Vasco het goed vindt hierheen kan komen.'

'Over een paar dagen ga jij de Serra do Mar af met je kapitein. Dan heb je rust.'

'Denk je?' mompelde Amador terwijl hij naar de roerloze gestalte keek.

XI

Op 17 januari 1640 voer de *Hopewell*, een Engels koopvaardijschip van driehonderd ton, een van de buitenlandse boten die de Portugezen voor de expeditie tegen de Hollanders in Pernambuco hadden gecharterd, en die bij de vloot gevoegd was die twee maanden eerder uit Bahia vertrokken was, op vijftig mijl ten noorden van Recife.

Het was een driemaster die met twaalf man te manoeuvreren was, met lichte bewapening aan boord, acht stuks geschut op het dek, en twee wendbare kanonnen op het achterkasteel. Hij had de laatste jaren koopwaar en emigranten naar de nieuwe kolonies in Noord-Amerika gevaren.

De bemanning van Engelsen, Denen en Portugezen stond onder bevel van kapitein Will Tuttle, zoon van een oude familie van schapenfokkers uit Yorkshire. Hij was bijna vijftig, dik, had last van hoge bloeddruk en verplaatste zich langzaam, met zware stappen. De enige schermutseling waar hij ooit aan deel had genomen was een kort vuurgevecht met een schip van bonthandelaren uit Chesapeake, die zich op een eiland in de Baai hadden gevestigd voordat het territorium van Maryland aan de familie van Lord Baltimore werd gegeven.

Als overtuigd katholiek had Will Tuttle het best leuk gevonden om getuige te zijn van de nederlaag van de Hollanders, die ketters, maar terwijl de *Hopewell* ten noorden van Recife voer begon zijn kapitein te begrijpen dat daar niet veel kans op was. Sinds de twaalfde januari was de *armada* begonnen de Hollandse vloot te bestrijden in een serie weinig overtuigende zeeslagen en de *Hopewell* had nog steeds zijn kanonnen voor niets anders gebruikt dan om ermee te oefenen.

Sinds de ochtend stond Tuttle op de kampanje om aan de stank aan dek te ontsnappen. Het schip had driehonderd soldaten aan boord, twee keer meer dan er normaal gesproken op konden.

Het was nu even na de middag. In de loop van de ochtend hadden twee Hollandse oorlogsschepen het galjoen *São José* aangevallen, met zijn vierenvijftig kanonnen een van de meest geduchte schepen van de *armada*. De *Hopewell* en de andere boten met troepen aan boord hadden opdracht om in volle zee te blijven, ver van de eerste linies. Toen het verre geluid van de kanonschoten ophield en de Hollanders weer wegvoeren, steeg er rook op uit de *São José*, die nog wel dreef maar water maakte en niet meer kon manoeuvreren.

Toen de *armada* Bahia had verlaten hadden ze dergelijke tegenslagen niet verwacht. Dat was in november, met vijfduizend man aan boord, verdeeld over dertig grote galjoenen en zesenvijftig lichtere boten, bewapende koopvaarders zoals de *Hopewell*. Toch was Will Tuttle er toen al niet gerust op geweest, niet vanwege de macht van de *armada*, die indrukwekkend was, maar vanwege de opperbevelhebber, de *conde* Da Torre, Dom Fernão de Mascarenhas. Veertien maanden geleden had de graaf, bij de oversteek van de Atlantische Oceaan, zijn vloot naar de Kaapverdische Eilanden laten varen, waar hij de helft van zijn vijfduizend rekruten meer dood dan levend moest achterlaten. Toen hij eenmaal in Brazilië was moest hij een jaar in Bahia blijven om zijn leger weer op sterkte te brengen.

In de loop van de maanden die hij in Bahia moest doorbrengen had kapitein Tuttle een dagboek bijgehouden waarin hij zijn indrukken van de stad Salvador had vastgelegd, een veel geraffineerdere samenleving dan de kampementen in de Engelse koloniën, waar veel kolonisten in wigwams van boomschors of gaten in de grond woonden.

'Vanuit de plaats waar wij liggen ziet men een lange, mooie straat, met opslagplaatsen en winkels van ambachtslieden. In de stad Salvador zijn vijftienhonderd huizen van steen en pleisterspecie, met pannendaken en witgekalkte muren, langs straten die net als in Lissabon geplaveid zijn. Het paleis van de gouverneur, de kathedraal, de kerken van de franciscanen, de benedictijnen en de paters van de Sociëteit van Jezus zijn mooie gebouwen, met marmeren vloeren en gouden versieringen. Er is een groot hospitaal voor de zieken...'

Toen hij het bevel kreeg naar Rio de Janeiro te gaan had hij zijn dagboek opgeborgen. Hij was vertrokken met vier andere schepen om rekruten en levensmiddelen uit de zuidelijke kapiteinschappen te halen. Daarna was hij tot Santos doorgevaren om de compagnie die kapitein Raposo Tavares in São Paulo op de been had gebracht, aan boord te nemen.

Terug in Bahia, had de *Hopewell* zich weer bij de *armada* gevoegd, en in november waren de zesentachtig schepen dan eindelijk uitgevaren. Maar door tegenwind waren zij ver voorbij Recife terechtgekomen. Toen zij terugvoeren waren zij op 12 januari 1640 op een Hollands eskader gestoten dat uit half zoveel schepen bestond. Sindsdien hadden de onregelmatige gevechten een flinke hoeveelheid buskruit en kogels gekost. De Hollanders hadden een galjoen en tien kleinere schepen tot zinken gebracht. De *armada* had een vijandelijk oorlogsschip vernietigd, en een tweede zwaar beschadigd.

Nadat hij vanaf de kampanje van de *Hopewell* de laatste zeeslag had gadegeslagen, was Tuttle pessimistisch geworden en bedacht hij zich dat de *armada*, als het haar niet zou lukken de verdedigingslinie van de Hollandse schepen te doorbreken, nooit troepen in de buurt van Recife aan land zou kunnen zetten. Hij stond verstrooid aan zijn pijp te trekken toen hij een sloep naar zijn schip zag komen, en hij ging naar het dek om te horen wat de boodschapper van het admiraalsschip te vertellen had. Omdat hij slecht Portugees sprak had hij een *marinheiro* bij zich die vroeger voor de Engelse Oostindische Compagnie had gevaren.

Na een paar woorden met de officier uit de sloep gewisseld te hebben wendde de zeeman zich tot Tuttle.

'De slag is voorbij. De *conde* gaat terug naar Bahia.'

'Maar over welke slag heeft hij...?' riep Tuttle uit, maar hij hield zijn mond toen hij de verslagen uitdrukking op de gezichten van de mannen in de sloep zag. 'Nee, Pedro, vraag hem alleen maar wat de bevelen zijn.'

Hij kreeg direct antwoord. De galjoenen waren in de buurt van een gevaarlijke Kaap, de Cabo de São Roque, en konden alleen nog maar volle zee kiezen om naar de Antillen of naar Spanje te varen, omdat zij niet meer om de Kaap heen konden en ook niet terug konden naar Bahia, want er waren te veel Hollanders onderweg. De *Hopewell*, een vreemd schip, mocht naar Engeland teruggaan, of naar een door zijn kapitein te kiezen bestemming varen.

'Fantastisch!' riep Will Tuttle. 'En wat moet ik nu met die bergbewoners?' Hij wist niet veel van de Paulistas, behalve dan dat ze voor het merendeel mestiezen waren en in de Serra do Mar woonden. 'Moet ik die meenemen over de Atlantische Oceaan?'

Die vraag veroorzaakte een levendige discussie tussen Pedro en de officier van de sloep.

'De troepen zullen aan land gaan,' vertaalde de *marinheiro*. 'Hun commandanten willen door de *sertão* terug naar Salvador.'

Hij zag dat zijn commandant dit niet erg geloofwaardig vond en verklaarde: 'Die *mamelucos* kennen alleen Brazilië. Als ze met ons meegaan, komen ze nooit meer thuis.'

'Maar hoeveel kans hebben ze om thuis te komen als wij ze aan land zetten? Van hier naar Salvador is vierhonderd mijl, en onderweg stikt het van de wilden en de Hollanders.'

'Maakt u geen zorgen om hen, kapitein. Als er mannen zijn die zo'n mars kunnen overleven, dan zijn het die bastaarden uit de *sertão* wel.'

'Moge de Almachtige hen helpen,' mompelde Will Tuttle.

Ismael Pinheiro had wel voorzien dat dit een krankzinnig avontuur zou worden. Zover gaan, in de stinkende ingewanden van een schip, om zo triest te stranden! Wat had hij een hekel aan de zee, aan de horizon die met een monotone regelmaat, om van te kotsen, omhoogkwam en weer daalde, de hele wereld teruggebracht tot een stukje dek, kreunend en krakend, waar ook nog andere soldaten wilden zitten.

Maar het waren niet alleen de omstandigheden aan boord van de *Hopewell* waardoor Amador Flôres da Silva de pest in had gekregen. Het was nu zes weken geleden sinds de *armada* hen op de kust had gezet. De conde Da Torre was met Bagnuoli naar Bahia gegaan. De Italiaan had voor de zoveelste keer de benen genomen voor de Hollanders.

Amador herinnerde zich nog goed wat de bedoeling van de veldtocht was geweest. Snel in de buurt van Recife aan land gaan, zich bij de troepen uit Salvador voegen, het platteland plunderen en dan de Hollanders belegeren. In plaats daarvan waren dertienhonderd verslagen mannen met last van zeeziekte, bij de monding van een rivier achtergelaten. Raposo Tavares had hun beloofd dat ze in dienst van Portugal met roem overladen zouden worden en nu liepen ze al zes weken rond, zonder roem of eer. De kapitein was niet bij de colonne want hij was aan boord van een van de schepen gebleven die naar Bahia teruggingen. Ze waren er slecht aan toe, hadden vreselijk honger, en moesten elke dag door gebieden die bezet waren door de Hollanders en hun inheemse bondgenoten, de Tapuyas, een naam waarmee de Tupis Indianen aanduidden die hun taal niet spraken, en die 'vijand' betekende. De Paulistas waren al een paar keer Hollandse troepen tegengekomen en hadden korte, bloedige slagen geleverd.

De colonne trok langs velden die door de bezetters waren verbrand, en bleven staan bij geplunderde kerken. De Portugese kolonisten die in het kapiteinschap waren blijven wonen vertelden dat de Tapuyas, daartoe door de Hollanders aangezet, de suikermolens hadden ingenomen en hele dorpen hadden uitgeroeid. Ze hadden het over zwarte slaven, door de ketters aangezet tot vluchten, en vervolgens door hen bewapend om hun vroegere meesters te vermoorden.

'Wij zijn geruïneerd! Geruïneerd!' klaagden de planters terwijl zij vertelden dat Olinda, de mooiste stad van het kapiteinschap, met de grond gelijk was gemaakt en dat de stenen van de kerk waren meegenomen om huizen voor de ketters te kunnen bouwen in hun nieuwe stad, Mauritsstad, tegenover Recife.

Dergelijke verslagen deden de commandanten van de colonne besluiten om kleine detachementen erop uit te sturen teneinde de gebieden van de vijand te verwoesten. Aan het begin van de zevende week van de mars bevond Amador zich met een van zijn patrouilles in het district direct achter Recife. De Hollanders hadden hier de meeste domeinen gespaard, want in deze dalen lagen de vruchtbaarste suikerrietvelden van Pernambuco.

De twintig mannen waaruit het groepje bestond, onder aanvoering van een onderofficier uit het Spaanse garnizoen van de Baai, waren voornamelijk Paulistas, want de *mamelucos* bleken het meest geschikt voor deze jungle-guerrilla. Drie dagen nadat het de colonne had verlaten liep het detachement op tien mijl van de kust langs een rivier, toen ze op een zandstrand stuitten. De sergeant beval om halt te houden. Het was middag en de mannen moesten uitrusten voordat zij de volgende dag een streek vol Hollanders zouden binnendringen.

Terwijl zijn kameraden op het strand het kamp opzetten werd Amador naar een heuvel gestuurd vanwaar het grondgebied te zien was waar het detachement doorheen zou moeten. Na een moeilijke klim van een uur stond hij boven op de heuvel, hield zijn hand boven zijn ogen en bekeek het dal. In het noorden, in de buurt van een meertje dat eruitzag als een grijsblauwe vlek, zag hij een domein met veel gebouwen en uitgestrekte suikerrietvelden. In het midden stond een indrukwekkend huis van één verdieping, met veel vensters, wat een groot aantal vertrekken deed vermoeden. Rechts stond een kapel met daaromheen verschillende kleinere gebouwen. Verderop naast de rivier stond de molen, de opslagplaats en een groepje schuren.

Amador vroeg zich af of de familie van wie dit dal was er nog woonde, of dat de Hollanders alles hadden ingepikt. In ieder geval was het waarschijnlijk een van de grootste domeinen in Pernambuco, en hij zou het bestaan ervan aan de sergeant melden. Als er, zoals hij vermoedde, een Hollandse familie zou wonen, zou het detachement het geheel in de as leggen.

Amador liep de heuvel af toen hij schrok van een ontploffing. Hij bleef staan. Op het domein, aan het andere eind van het dal, leek alles rustig. Nu rende hij de heuvel af, gleed uit, viel, stond weer op. Toen hoorde hij aanhoudend vuur uit de bomen boven hem, en vervolgens was het stil. Toen hij beneden kwam, rook hij brand en zag hij een rood licht op het strand.

Toen hij op honderd passen van de rivier was, waren de vlammen duidelijk zichtbaar. Amador had zijn musket in het kamp achtergelaten, legde zijn hand op het gevest van zijn kapmes en slaakte een rauwe kreet toen hij de lijken van de negentien mannen van de patrouille op het strand zag liggen. De Hollanders hadden de sergeant onthoofd, evenals alle Paulistas die onder hun musketvuur gevallen waren.

Amador was ontsteld en niet in staat zich te verroeren, waardoor hij een kano vol Nederlandse soldaten niet over de donkere rivier zag wegvaren. Dat waren de laatste mannen die het strand verlaten hadden, en zij hadden de Spaanse sergeant en de *mamelucos* ook onthoofd.

Er klonken twee schoten, gevolgd door andere. Amadors hoofd sloeg achterover, en er was een verbaasde uitdrukking op zijn gezicht toen de kogel in zijn borst drong. Op nog twee andere plaatsen geraakt, viel hij opzij en stortte op het onthoofde lichaam van zijn sergeant.

Hoe lang had hij in deze kamer in bed gelegen? Een maand? Twee maanden? Het was een grote vierkante kamer, waarvan Amador nu alle hoeken kende. De koffer en de stoel tegenover het bed, de balken en de onderkant van de dakpannen, het oneffen oppervlak van de witte muren, met een zwart crucifix, het hoge venster en de kieren van licht tussen de luiken. Hij kon zich niet herinneren dat hij naar deze kamer gebracht was, en slechts vaag wat hij gezien had voordat hij het bewustzijn verloor. Tussen twee nachtmerries door, waarin de verminkte lichamen van zijn kameraden een rol speelden, bleef hij wakker liggen, terwijl hij verdrietig naar het crucifix keek en zich afvroeg waarom hij gespaard was gebleven.

Hij was zeker zwaar gewond geweest, want hij had een verband om zijn hoofd en zijn borst en zijn linkerbeen deed pijn. Aanvankelijk was hij zich maar vaag bewust van waar hij was, maar hij bleef steeds langer bij bewustzijn, te zwak om te praten, al herkende hij zijn verzorgers. Hij hoorde stappen op de houten vloer van het huis, en geluiden die voorbij het raam kwamen. Gerinkel van belletjes, gekraak van karren, geblaf, stemmen – stemmen die godzijdank Portugees spraken.

Die ochtend, nadat een slaaf hem te eten had gebracht, dommelde hij weer weg maar werd wakker door voetstappen die zijn kamer naderden. De deur ging open en daar stond de heer des huizes.

'Amador Flôres, ze hebben mij verteld dat u binnenkort zult kunnen opstaan.'

306

'Dank zij Gods goedheid, *senhor* Fernão, en de toewijding van uw familie.'

Amador was in het grote huis van het domein dat hij had zien liggen vanaf de heuvel boven het dal; het was Santo Tomás, eigendom van Fernão Teodósio Cavalcanti, een telg van een oude luisterrijke familie uit Pernambuco. Nicolau Cavalcanti, de stichter van dit domein, was met de eerste *donatário*, Duarte Coelho Pereira, in het kapitein-schap aangekomen en had zijn landerijen overgedragen aan zijn zoon Tomás, de grootvader van Fernão.

Omdat de luiken dicht bleven om de gewonde te beschermen tegen 'kwade luchten' was het donker in de kamer, maar Amador kon het gezicht van zijn redder duidelijk zien. Fernão was vijftig maar zag er jonger uit. Hij had een lang, nobel gezicht zonder rimpels, het voorhoofd van een denker en groene melancholieke ogen, een zorgvuldig geknipte baard, en lange bruine haren tot op zijn schouders. Hij was elegant gekleed, als een Hollandse edele: een brede linnen kraag omzoomd met Vlaams kantwerk, een vest met hoge taille, een ruim zittende broek, ter hoogte van de knieën afgezet met bandjes, witte kousen en hertleren laarzen.

Van de zwarte slavin Celestina, die hem te eten bracht, had Amador gehoord dat Cavalcanti de man was van Dona Domitila Guedes, de dochter van een rijke planter. Zij was een dikke, apathische vrouw die een keer in zijn kamer was gekomen om zich ervan te overtuigen dat *padre* Gregório Bonifácio voor hem zat te bidden. De priester, die op het domein woonde, had hem ook bezocht. Hij was een dikke, bejaarde man die van alles over São Paulo gevraagd had en vervolgens in zijn stoel in slaap was gevallen terwijl Amador hem antwoordde.

Celestina had hem ook verteld dat de Cavalcanti's zes kinderen hadden, twee zoons van in de twintig – Felipe en Alvaro – en vier dochters, van wie twee getrouwd waren, en de andere twee – Beatriz en Joana – nog bij hun ouders woonden. Beatriz, twaalf jaar oud, had af en toe even haar hoofd om de hoek van de deur gestoken, maar was ervandoor gegaan als ze zich bespied voelde. Joana had zich niet laten zien maar Celestina had laten doorschemeren dat zij nogal wild was en nogal onafhankelijk van geest.

'*Donzela* Joana!' had de slavin gezegd. 'Dat is me er een. Ik vraag me af of er een man is die haar kan temmen.'

Evenals bij de twee vorige bezoeken van Fernão Cavalcanti kreeg Amador de indruk dat hij een beetje uit de hoogte behandeld werd, maar dat was te verwachten van de kant van een meester van een zo groot domein. De jongeman had Celestina en de priester inlichtingen over zichzelf verstrekt die deze waarschijnlijk niet voor zich hadden gehouden.

'De mannen met wie u optrok hebben thans Pernambuco verlaten, en zijn naar het kapiteinschap Bahia gegaan,' vertelde Fernão.

'God bescherme hen, *senhor*, zodat ze ooit terug zullen kunnen komen om de Hollanders van deze landerijen te jagen.'

'Wie weet.'

'Maar dat moet, *senhor*. God zal het de Portugezen nooit vergeven als zij piraten en zondaren Brazilië laten plunderen.'

'U bent een laatkomer op dit slagveld, Amador Flôres. Er zijn velen die ons vertellen wat wij zouden moeten doen – als ze ons er niet regelrecht van beschuldigen dat wij de voorkeur aan ketters geven! Na de inname van Olinda en Recife hebben wij vijf jaar lang tegen de Hollanders gestreden. Lange, bloedige campagnes, waarbij het hele kapiteinschap op het spel stond.'

'Wij hebben in São Paulo horen praten over schandelijke nederlagen van Bagnuoli.'

'Hebben ze u verteld dat hij een lafaard is, die probeert de Hollandse veroveringen alleen maar in de kaart te spelen?'

'Dat en nog veel meer.'

'Er is nog nooit zoveel kwaad gesproken over een man!'

'Maar hij heeft onze eigen expeditie in de steek gelaten!'

'Is het dan lafheid om te proberen tot een akkoord te komen om een eind te maken aan het blindelings afslachten van gevangenen? Om te weigeren menselijke levens te verspillen in veldtochten waarvan je weet dat je ze niet kunt winnen? Bagnuoli heeft bij mij gegeten. Hij is een groot soldaat, die net zoveel voor Portugal en Pernambuco heeft gedaan als iedere man die hier heeft gevochten.'

'Maar de Hollanders hebben het kapiteinschap bezet.'

Cavalcanti's laarzen kraakten toen hij geërgerd ging verzitten.

'Kon hij dat voorkomen, met die miserabele versterkingen die hem vanuit Spanje en Portugal gezonden werden, terwijl duizend vijandelijke kanonnen de kust blokkeerden en hij niet kon ontschepen?'

Hier kon de Paulista geen antwoord op geven. Terwijl zijn gast doorging het op te nemen voor Bagnuoli, merkte Amador dat hij zich vragen begon te stellen over de houding van de Cavalcanti's tijdens de vijandelijkheden. Vanaf de heuvel boven Santo Tomás had hij niet het minste spoor van vernieling in het dal gezien. En de heer des huizes zat nu voor hem, elegant en welvarend. De jongeman was evenwel niet van plan om dit netelige onderwerp aan te snijden. In dit prachtige verblijf was hij maar een eenvoudig soldaat, aan wie asiel verleend was. En zelfs het bed waarop hij lag – poten van besneden hout, een brokaten baldakijn – herinnerde hem aan zijn ondergeschikte positie.

Fernão Cavalcanti liet het onderwerp plotseling rusten en zei: 'Er zijn Portugezen die voorstander zijn van een eindeloze heilige oorlog in Pernambuco.'

'Dat kan ik begrijpen. Slechts ongelovigen konden mijn patrouille zo barbaars behandelen als de Hollanders hebben gedaan.'

'Er zijn weinig Hollanders zo wreed als Jan Vlok, de kapitein van hen die u hebben aangevallen.'

'U kent die duivel dus?'

'Vlok heeft een slechte naam. Zelfs de gouverneur, graaf Maurits, minacht hem. Wij hebben genoeg van mannen als Vlok, die het leuk vinden om te doen lijden, en die de kolonie ongelukkige jaren hebben bezorgd.'

Cavalcanti zag dat Amador wat wilde zeggen, maar beduidde hem te zwijgen.

'Jan Vlok en zijn compagnie zitten nog steeds achter uw colonne aan,' ging hij verder, 'maar maakt u geen zorgen. Als alles weer in orde is, zal ik ervoor zorgen dat u per schip naar de Baai teruggebracht wordt.'

De planter liep naar de deur, maar de jongeman riep hem terug: '*Senhor* Cavalcanti...'

'Ja?'

'Legt u zich dan helemaal neer bij de Hollandse aanwezigheid in dit dal – in heel Pernambuco?'

'U begrijpt niet helemaal wat u daar zegt, Da Silva,' antwoordde Cavalcanti terwijl hij naar het bed terugliep.

'Ik wilde u niet beledigen. God weet dat ik mijn leven aan u te danken heb.'

'Ik ben op dat strand geweest, Amador Flôres. Ik heb gezien wat de mannen van Jan Vlok gedaan hebben en ik begrijp dat u woedend bent. Maar in dit dal is samenwerken met graaf Maurits het enige middel dat ik ken om dat wat al sinds een eeuw aan de Cavalcanti's toebehoort, te redden. Ik neem het niet op voor Vlok en zijn slachters, maar ik luister naar redelijke mannen. En dat zijn soms Hollanders, zoals graaf Maurits.'

Toen hij dit gezegd had draaide de planter zich om en verliet de kamer.

Mijn God, dacht Amador terneergeslagen, hebben mijn kameraden hun bloed geofferd zodat de *senhores* van Pernambuco samen met de Hollanders hun zakken vullen? Als hij niet zo zwak was geweest, zou hij direct zijn opgestaan en het domein hebben verlaten.

De volgende ochtend liet Amador alle plannen tot vertrek varen. Hij had stappen op de gang gehoord en toen de deur openging verwachtte hij Celestina te zullen zien, maar het was een meisje met een brede glimlach, dat hem vrolijk toeriep: 'Nou, Amador Flôres, bent u beter? In ieder geval voldoende hersteld om mijn vader kwaad te maken?'

'*Senhorita* Joana?'

'Mijn vader vindt het niet leuk als er gedacht wordt dat hij liever het gezag van de Hollanders heeft dan dat van Lissabon,' zei zij terwijl zij een kom eten aanreikte. 'Hier, de oude Celestina is ziek – volgens *padre* Bonifácio wordt zij geplaagd door de demonen uit 'Ngola die in haar geest rondspoken.'

Amador pakte de kom, keek naar het gezicht van Joana en werd getroffen door haar kracht, haar schoonheid, en haar zachtheid. Ze had een ivoorkleurige huid, donkere, zachte en intelligente ogen, en rode, volle lippen. Haar zwarte haren vielen krullend naar beide zijden en waren van achteren opgestoken in een hoge knoet.

Ze was minder elegant gekleed dan haar vader en droeg een zwarte nauwsluitende jurk waardoor te zien was dat zij mager was. Er tintelde een lichtje in haar ogen toen zij zei: 'Zeg eens...'

'Nou?'

'Mijn vader zegt dat de mannen uit São Paulo zigeuners zijn, zwervers – de Moren van de *sertão*, zoals hij ze noemt. Bent u er ook zo een, Amador Flôres?'

'Als de *senhor* dat zegt...'

'Voordat mijn familie in dit dal kwam, was het een wilde streek, zoals het in São Paulo nog moet zijn, is dat zo?'

'Dat klopt. Wild en vol met Carijós. Sinds ik een man ben, ga ik met kapitein Raposo Tavares op expeditie. *Senhorita* Joana, als hij aan het hoofd van onze troepen had gestaan, hadden de Hollanders ons leger niet verdreven.'

'Maar dat gebeurt altijd zo. Sinds mijn jeugd hebben de Hollanders onze soldaten altijd verslagen. Mijn vader heeft in Recife gevochten, en toen in het zuiden – alles vergeefs. Ik zat hier op ze te wachten, met een musket en buskruit. Onze waarde *padre* Bonifácio zat te trillen van angst maar ik was klaar om te vechten als ze Santo Tomás zouden aanvallen.'

'U, *senhorita*, met een musket?'

'Aha, maar u kent Joana Cavalcanti nog niet!' riep het meisje uit.

Zij boog haar hoofd en danste lachend de kamer uit.

'*Senhorita* Joana,' fluisterde Amador luid.

De dochter van een planter was een ongenaakbaar wezen dat opgesloten in een groot huis leefde tot haar vader een man voor haar gevonden had. De *donzela* bracht hele dagen tussen de kussens door, terwijl haar slavinnen haar volstopten met lekkernijen en haar ondeugende verhalen vertelden waardoor zij kon leren wat zij moest weten om de man die haar vader zou uitkiezen te kunnen bevredigen.

Maar Joana Cavalcanti was anders, wat al bleek uit het eenvoudige feit dat zij hem alleen was komen opzoeken. Zij was beslist geen femelaarster maar een dappere meid, die de Hollanders met een musket en buskruit zat op te wachten! Amador moest glimlachen, maar zijn vreugde verdween toen hij begreep dat een *senhorita* Joana niet voor een 'zigeuner' uit de *sertão* bestemd was.

Joana Cavalcanti was nogal rebels. Zij was nu negentien, maar had vanaf haar jeugd blijk gegeven van een onafhankelijk karakter. Toen de andere meisjes nog met poppen speelden, sloop zij stiekem het huis uit, ging naar de stal en toen zij in haar eentje geleerd had om een paard te berijden, ging zij eropuit om de schoonheid van het dal van Santo Tomás te leren kennen, waarvan Nicolau Cavalcanti de eerste keer dat hij het zag ook zo onder de indruk was geweest. Haar zusters werden volgevreten en volgzaam, en hadden maar één ambitie, een goed huwelijk, maar dat was niet het geval bij Joana.

'Zonder liefde trouw ik niet,' had zij tegen Fernão gezegd nadat zij verschillende Portugezen van goede komaf had afgewezen, die haar vader toestemming had gegeven om haar het hof te maken. 'Ik wil niet het speelgoed van een man zijn die alleen maar een luie koningin en een hele rits kinderen wil.'

Fernão was weliswaar geschokt door zulke woorden, maar bewonderde heimelijk zijn dochter. Als hij haar over het domein zag galopperen op een van zijn Arabische paarden, met haar haren in de wind, als hij haar hoorde spreken over onderwerpen die de andere vrouwen niet interesseerden – de oogst, de molen, het moeilijke onderhandelen met de kooplui uit Recife – als zij zich even dapper als een man tegenover de Hollanders opstelde, gaf Cavalcanti blijk van openheid van geest en begreep hij dat de Heer hem een uitzonderlijke dochter had geschonken.

Fernão Cavalcanti was absoluut niet verrast dat Joana vriendschap met de *mameluco* sloot. Toen Amador in staat was op te staan – twee maanden nadat hij naar het domein gebracht was – werd hij bij de

311

Portugese arbeiders van de molen ondergebracht. Zijn wonden genazen, maar hij bleef zwak en de kogel die hem in het linkerbeen had geraakt had ervoor gezorgd dat hij bleef hinken. Cavalcanti zag hem vaak bij de kapel uitrusten, in de schaduw van een boom, soms met *padre* Bonifácio, soms met Joana.

Toen hij kon paardrijden liet het meisje hem het dal zien. Men vertelde *senhor* Cavalcanti dat zijn dochter met de *mameluco* op het strand geknield was waar zijn kameraden lagen en dat zij vaak met hem op jacht ging.

De dochter van een planter in gezelschap van zo'n man! Veel vaders zouden hun rentmeester opdracht hebben gegeven om de schelm te laten geselen maar Fernão wist dat een dergelijke reactie op Joana niet de minste indruk zou maken. Hij was er trouwens van overtuigd dat zij geen slechte bedoelingen met Da Silva had, al begreep hij niet wat zij aan hem vond. Dat ontdekte hij echter al snel.

Op een avond bracht Dona Domitila, wie de vriendschap van haar dochter met die 'wilde' behoorlijk dwarszat, hun relatie openlijk aan tafel te berde.

'Moeder, Amador Flôres is een uitstekend leermeester,' antwoordde Joana. 'Hij kent de plantages. Wat er in het naburige dal gebeurt interesseert ons niet – behalve dan wanneer het ontgonnen wordt om er nog meer suikerriet te planten. Amador heeft het over *bandeiras* die de *sertão* naar alle kanten gaan verkennen. De Paulistas zijn even dapper als de kolonisten die zonder een cent uit Lissabon kwamen. Zoals Nicolau, en zoals Tomás, zoeken zij een land.'

Dona Domitila interesseerde zich niet meer voor de conversatie die zij toch zelf op gang had gebracht, en hield zich nu bezig met Beatriz die op haar nagels zat te bijten. Domitila Cavalcanti nam Joana alleen maar serieus als ze het had over Dona Brites, de weduwe van Dom Duarte Coelho, de eerste *donatário*. Dona Brites was haar man opgevolgd en Joana vond het prachtig dat een vrouw Pernambuco vijf jaar lang had bestuurd.

Na een stilte antwoordde Fernão zijn dochter: 'Zij verkennen de *sertão* maar zij vinden er alleen maar Carijós, die zij van de jezuïeten afpakken, en een handvol goud. Zij gaan er amper op vooruit, en voor de kapiteinschappen en voor Portugal doen zij niets.'

Joana keek naar de tafel maar antwoordde toch: 'Amador Flôres heeft zijn ouderlijk huis verlaten om voor ons te komen vechten, terwijl hij er bijna niets voor kreeg. En zijn vrienden, vlak bij de rivier…'

'Je nagels, toe nou, Beatriz!' riep Dona Domitila uit.

De patrouille van Amador was begin maart 1640 aangevallen. Het was nu juli, en Amador voelde zich voldoende hersteld om het domein te verlaten, maar hij drong er bij Fernão Cavalcanti niet op aan zijn vertrek te regelen.

De reden van deze laksheid was natuurlijk Joana. Here Jezus, wat een geluk dat deze dame iets voor hem voelde! Voor mensen uit Pernambuco waren Paulistas nietsnutten, vogelvrijen, maar *senhorita* Joana begreep wat een hard leven het was in de bergen van Piratininga en tijdens de lange marsen van de *bandeiras*.

Hij droomde van Joana, maar in zijn dromen verscheen ook Maria, en die eiste zijn terugkeer. Verder waren er ook nog de twee inboorlingen bij wie hij kinderen had, en die op hun heidense manier de trouwste maîtresses waren.

Amador werd ook nog door andere vragen gekweld, die hij voor die tijd nooit gesteld had. Marcos da Silva, *tenente* Bernardo en nu hijzelf, wat hadden ze bereikt met die grote hoer van een wildernis? Wat hadden zij tot stand gebracht dat in de schaduw kon staan bij dit prachtige domein, nadat zij een leven lang in de *sertão* hadden doorgebracht?

Zodra hij in staat was geweest om met hulp van een stok te lopen, had hij Santo Tomás bekeken, de molen, de raffinaderij en de landerijen waarop tweehonderd zwarte slaven werkten. Sommige percelen werden niet bebouwd door *peças* maar waren toevertrouwd aan families mestiezen die erg leken op de *mamelucos* van São Paulo. Amador ontdekte dat veel families bij elkaar hoorden en teruggingen op een gemeenschappelijke voorvader, een zekere Affonso Ribeiro, die ten tijde van de eerste meester, Nicolau Cavalcanti, naar Santo Tomás was gekomen.

Er leefde nu een andere Affonso Ribeiro, een dikke opschepper die altijd naar *cachaça* stonk en die met drie vrouwen en een hele reeks kinderen in een stelletje armzalige hutten huisde. Toch ging Ribeiro door voor een welvarend man in de ogen van de zijnen, want hij had acht zwarte slaven om het suikerriet te telen dat hij naar de molen bracht.

Deze Affonso Ribeiro had vriendschap gesloten met de *tenente* Paulista, zoals Amador werd genoemd, en had zelfs te zijner ere een feest gegeven. Ribeiro had laat op de avond, toen hij van dronkenschap niet meer op zijn benen kon staan, zijn genodigden vergast op een redevoering over de oorlog en de 'helden' daarvan (onder wie hijzelf en de *tenente* Paulista) die de Hollanders wilden verdrijven.

Ribeiro vertelde Amador dat hij bij twee eenheden had gediend, de eerste onder leiding van Felipe Camarão, een Potiguara-opperhoofd, de andere onder leiding van Henrique Dias, een vrije zwarte slaaf. Deze leiders, die Portugal trouw waren gebleven, hadden rekruten als Ribeiro aangenomen, maar het merendeel van hun troepen bestond uit Indianen en negers, die niettemin de Hollanders meer kopzorg hadden bezorgd dan de legers van generaal Bagnuoli.

'Ik was erbij toen Henrique Dias zijn hand verloor,' zei Ribeiro. 'Wat een dappere man, in zijn overgebleven hand hield hij zijn zwaard, en hij schreeuwde tegen de Hollanders dat ze hem maar moesten komen halen! En dan Dom Camarão! Hij verdient het *fidalgo* te worden. Hij heeft mij drie Hollanders aan stukken zien hakken, de een na de ander, met mijn kapmes, en vervolgens op de lijken van die varkens zien pissen.'

'Zullen we ze ooit nog kwijtraken?' vroeg Amador.

'We zullen ze allemaal verjagen,' stamelde Ribeiro. 'Zelfs *conde* Maurits, die onze vriend zou willen zijn.'

'Vindt de meester van dit domein de situatie dan niet vervelend?'

'Kun je net denken! Wat schiet hij erbij in?'

'Niets,' moest Amador toegeven.

Vervolgens zocht Ribeiro elke keer als hij naar de molen ging, Amador op en nodigde hem uit, maar de jongeman had altijd wel een smoes om dat af te slaan, zijn wonden of zijn vermoeidheid. Ribeiro had medelijden met hem en zei: 'Ach, *tenente* Paulista, ik hoop dat uw krachten terugkomen! De *senhor* zegt dat wij met de Hollanders moeten samenwerken, maar u, u weet wat er eigenlijk moet gebeuren.'

Toch maakte Amador zich die ochtend, in de schaduw van de kapel, op om een Hollander te ontmoeten, op uitdrukkelijk verzoek van Joana Cavalcanti.

'Maar, *senhorita* Joana, u weet hoe ik hen haat,' had hij geprotesteerd.

'Míjn Hollander is anders. Secundus Proot interesseert zich niet voor de oorlog en voor slachtpartijen. Hij is een artiest, een schilder.'

'Segge…?'

'Secundus Proot. Hij is al eens op het domein geweest en hij heeft schilderijen gemaakt van het huis, van de molen en van de slaven.'

'En wat moet ik met zo'n man?' had Amador gevraagd. 'Er zijn wel meer Hollanders die uw vader komen bezoeken en als ik ze zie moet ik altijd weer denken aan de sergeant en aan mijn kameraden, en dan zeg ik bij mijzelf: "Moge God de Hollanders vervloeken!"'

'Ik weet wat je voelt, Amador, maar je zult wel zien dat Secundus anders is dan die slachters. Hij is zacht en beminnelijk, en hij houdt van de *sertão*.'

Amador had het ten slotte maar toegestaan, want hij kon Joana toch niets weigeren, maar in weerwil van alles wat hij zichzelf wijsmaakte, was het ongetwijfeld ook omdat zijn haat tegen de Hollanders minder werd. Hij geloofde nu Fernão Cavalcanti als die verklaarde dat hij met de Hollanders samenwerkte niet omdat hij ketters wilde steunen maar om Santo Tomás te redden. De maanden die hij op het domein had doorgebracht hadden de jonge Paulista geleerd dat Cavalcanti en zijn familie voor alles Portugees bleven – veel Portugeser in feite dan de Portugezen uit het oude land zelf. Geen van hen kende Lissabon maar toch was dat hún stad, de hoofdstad van hún land, en zij bleven er heimwee naar houden.

Amador zat aan die vreemde gevoelens te denken toen Joana met de schilder het huis uitkwam. Hij stond op, en liep hinkend naar hen toe.

Secundus Proot was een van de vreemdste mannen die de Paulista ooit had gezien. Hij had een ovaal, stralend roze gezicht bekroond door een grote rode neus; zijn strogele haren vielen op zijn schouders. Hij had een opkrullende snor, een gele baard, en helderblauwe ogen onder blonde wenkbrauwen. Hij was een voet groter dan Amador, was zwaar gebouwd en had stevige handen, bezaaid met sproeten.

Amador had een roodfluwelen vest geleend om beter voor de dag te kunnen komen voor de Hollander, maar dat had hij niet hoeven doen want de kleding van de schilder was heel simpel: leren jas, linnen kraag zonder kantwerk, een zwarte broek en oude laarzen. Het enige geraffineerde aan hem was een grote parel die in zijn rechteroorlel stak.

Nadat zij aan elkaar waren voorgesteld gaf de Hollander in het Tupi-Guarani – de *lingua geral* die de jezuïeten hadden ontworpen – uiting aan zijn genoegen dat hij in deze vallei was, ongetwijfeld in de hoop Amador tot een minder vijandige houding over te halen. De Paulista was verrast de Hollander het dialect met zoveel gemak te horen spreken en vroeg hem waar hij het geleerd had.

'Bij de Tobajaras en de andere inboorlingen uit Recife,' antwoordde Proot. 'Ik vond dat ik verplicht was om dat te leren.'

'Waarom dan?'

'Om de Indianen en hun gewoonten beter te leren kennen. We kunnen nog veel leren van die mensen.'

'Secundus interesseert zich overal voor, en hij wil iedereen portretteren,' zei Joana nu. 'Jou ook, Amador.'

'Míj?'

Het meisje begon hartelijk te lachen, en zei: 'Jij zou een prachtig model zijn.'

O, wat zag zij er die dag verleidelijk uit, met haar smaragdgroene jurk die perfect paste bij haar bleke huidkleur en haar zwarte haren. 'Een prachtig model,' bevestigde Proot. 'Een *bandeirante* in de *sertão*, van top tot teen bewapend.'

'*Senhorita* Joana, vertel hem wat een *mameluco* is voordat hij zich belachelijk maakt.'

'Secundus Proot schildert wat hij om zich heen ziet, molens, slaven, het oerwoud. Waarom dan niet de man van de *bandeiras*? Secundus versiert geen kerken.'

'Dat weten wij, *senhorita*, de Hollanders halen de kerken neer.'

'Nee, Amador, hij niet.'

'Ik zou graag uw portret schilderen,' drong Proot aan. 'Hier op het domein, want ik denk niet dat ik ooit toestemming krijg om u in São Paulo op te komen zoeken.'

'O nee, dat nooit!'

De schilder bleef beminnelijk en zei: 'Ze zeggen dat twaalf mannen een heel leger kunnen tegenhouden dat de Serra do Mar beklimt.'

'*Exatamente*! En ik zal een van die twaalf zijn.'

Nu zei Joana: 'Als jullie zo nodig met elkaar willen vechten, wacht dan even tot het portret af is. Ik zou graag willen zien hoe een groot schilder een man uit de *sertão* afbeeldt.'

'Wilt u dat echt, *senhorita*?' vroeg Amador.

'Jazeker. Ik wil dat Secundus een groot portret van jou maakt.'

'Dan vind ik het goed.'

'Ik wist wel dat je het goed zou vinden.'

Amador keek Proot aan en raakte geïrriteerd toen hij zag dat deze naar het meisje glimlachte.

'Is dat alles wat u doet? Schilderen?'

'Ja, dat is mijn werk.'

'Schilderen? Noemt u dat werk?'

'Dat zult u wel begrijpen als ik uw portret maak.'

'Ik begrijpen wat een Hollander doet? Dat kan niet.'

'Secundus is op de hoogte, wat de patrouille aangaat,' zei Joana plotseling.

'Welke Hollander is dat niet?' riep Amador. 'Zeg eens, Segge, hebben ze die slachtpartij in Recife gevierd?'

'De dood maakt mij nooit vrolijk,' antwoordde de kunstenaar rustig.

'Alsjeblieft,' zei Joana nu weer. 'Jullie zijn allebei mijn vrienden.'

Ze maakten een afspraak voor de volgende dag. Amador wachtte tot de opzichter en de arbeiders weg waren om stiekem naar het huis te lopen, met zijn wapens en zijn vest. Joana stond met Proot op de veranda maar tot grote teleurstelling van de jongeman ging zij direct daarna weg.

'Secundus houdt er niet van op de vingers gekeken te worden,' legde zij uit.

Een uur later zat Amador op een bank voor de kamer van Proot, waarvan de deur op de veranda uitkwam. Hij hield een van de musketten van Fernão Cavalcanti in de hand en Joana had hem ook een hoed met een brede rand, versierd met struisvogelveren, geleend. Hij die dit allemaal stiekem wilde doen, poseerde nu waar iedereen bij was! Tegenover hem maakte Proot, zittend op een krukje, een paar schetsen.

'Meestal zitten wij niet,' mompelde Amador.

Proot tekende verder maar vroeg na een poosje: 'Zei u iets?'

'In de *bandeiras* zitten wij niet op banken, wij lopen!'

'Ja, ja, jullie lopen,' zei de schilder verstrooid.

'Het zou stom zijn om mij zittend op een bank af te beelden, als een oude man.'

'Dat zou inderdaad stom zijn.'

Verrekte Hollander! dacht Amador. Ze zijn allemaal te stom om tot tien te tellen! Zwijgend volgde hij de snelle bewegingen van het potlood van de artiest, die zijn werk af en toe onderbrak om hem te bekijken, uiterst geconcentreerd.

'Dit zijn maar schetsen,' zei Proot ten slotte. 'Die gebruik ik om mijn schilderij te maken.'

'O ja?'

De schilder gaf geen verdere uitleg, dus vroeg Amador hem: 'Wat doet u eigenlijk hier?'

'De Cavalcanti's hebben mij uitgenodigd.'

'Nee, ik bedoel in Pernambuco. U bent geen soldaat en ook geen suikerkoopman. Om te schilderen, had u net zo goed in Holland kunnen blijven.'

'De Heer heeft hier een tweede hof van Eden geplant, en om die te beschrijven, te bestuderen, heeft graaf Maurits kunstenaars en geleerden laten komen. En in dit tweede paradijs heb ik misschien ook een tweede kans.'

'Om wat te doen?'

'Om zo te schilderen dat zelfs meester Van Rijn het werk van Secundus Proot zou kunnen herkennen.'

'Méést er?'

'Mijn leermeester, op school.'

'Bent u naar school gegaan om te leren schilderen?'
'Zeven jaar, ja.'
'Zeven jaar?'
'Rembrandt van Rijn vond dat het niet genoeg was.'
'Schildert hij dan ook?'
'Hij is een van de beste Hollandse schilders. Hij is jong, ambitieus, en zijn schilderijen zijn prachtig.'
'En de uwe?'
'Dat zullen zij die na mij komen wel beoordelen,' antwoordde Proot ontwijkend, voordat hij weer verder ging.

Er ging een maand voorbij voordat de artiest klaar was met zijn *Bandeirante*, een titel die Fernão Cavalcanti had gesuggereerd. Tijdens de sessies hadden de schilder en zijn model steeds vriendschappelijker gesprekken, al bleef er een kloof tussen hen. Ten slotte werd de Paulista uitgenodigd om het schilderij in de kamer van Proot te komen bekijken. Het was af.

Het was vier bij drie voet en stelde een energieke Amador voor, die stevig op zijn benen stond. Op de achtergrond waren verschillende Paulistas bezig te schieten of hun musketten te herladen. Rechts lag een wilde op de grond te sterven. Verderop spande een andere Indiaan zijn boog. De scène was midden in het oerwoud gesitueerd en Amador bevond zich tussen twee grote boomstammen, bedekt met lianen.

'O, Segge,' riep hij uit. 'Wat een mooi schilderij hebben wij gemaakt!'

Op een avond in september 1640 waren de planters van de naburige domeinen en een paar Hollanders verzameld in het grote huis van Santo Tomás, waar Fernão Cavalcanti een feest gaf. De heer des huizes was bijzonder trots op zijn orkest, elf jonge slaven die Italiaanse madrigalen en oude Portugese herdersdansjes, die *padre* Gregório Bonifácio hun had geleerd, op luit en viola speelden.

Er was een hooggeplaatste persoon onder de gasten, namelijk de gouverneur van Nieuw Holland, Johan Maurits, graaf van Nassau-Siegen, die die ochtend met een escorte lansknechten en musketiers uit Recife gekomen was. Cavalcanti had hem uitgenodigd op het domein en de graaf was geïnteresseerd in alles wat hij zag. De gouverneur wilde alles weten, en stelde een massa vragen aan Fernão en zijn zonen, Felipe en Alvaro, en niet alleen uit beleefdheid. Sinds de stichting, een eeuw geleden, had Pernambuco nog niet zo'n enthousiaste gouverneur gehad. Nadat hij in januari 1637 in Recife aan land was gegaan, beschreef hij in zijn eerste brief naar Amsterdam Brazilië als 'het mooiste land van de wereld'.

De Heeren XIX hadden er goed aan gedaan hem tot gouverneur te benoemen. Johan Maurits was nog een jongeman toen de Gouden Eeuw voor de Nederlanden begon. De Zeven Verenigde Provincies, waarvan Holland de meest welvarende was, begonnen net aan hun stralende handelscarrière. In dit jaar 1640 hadden de Oost- en Westindische Compagnie grote vorderingen gemaakt en naderden zij hun doel, de vestiging van een groot, wereldwijd handelsimperium. Hun activiteiten strekten zich uit van de Hudson en Pernambuco in de beide Amerika's, tot de kust van Guinea in Afrika, en vandaar tot de grote markten op Java, in Siam, op Formosa en in Japan, waar Iyeyasu, de eerste shogun onder het Tokugawa-regime, de Hollanders in 1605 gemachtigd had handel te drijven.

Graaf Maurits, een calvinist die zijn sporen had verdiend in de oorlogen die nog steeds in Duitsland tussen de protestantse legers en de prinsen van de katholieke liga woedden, was een liberaal en een humanist. Toen het verzet van de Portugezen in Pernambuco gebroken was, leende hij de kolonisten al snel geld om hun molens te herbouwen en slaven te kopen, en beloofde hij niets te zullen ondernemen tegen de gewoonten en de religie van de Portugezen.

De meest sectarische Hollanders beklaagden zich over de concessies die aan de paapsen waren gedaan en veroordeelden ook de welwillendheid van de gouverneur ten opzichte van de joden, maar Maurits van Nassau week niet van zijn standpunt. 'God heeft ons tot wachters over Kanaän aangesteld,' zei hij. 'Is het dan aan ons om de oude twisten uit te vechten tot in het mooiste van al Zijn landen?' Niettemin maakte hij een uitzondering: omdat de jezuïeten in protestants Europa een reputatie van bedreven samenzweerders hadden, gaf hij opdracht om hen uit Pernambuco en de andere Hollandse gebieden van Brazilië te verbannen.

Op een eiland dat omspoeld werd door twee rivieren, tegenover Recife, liet de gouverneur een nieuwe hoofdstad, Mauritsstad, bouwen, een versterkte stad met brede lanen en twee grachten, huizen met puntgevels en vemen die aan zee stonden. Een brug moest Mauritsstad met Recife verbinden.

De graaf, een voormalig soldaat en een uitstekend bestuurder, was ook een verlicht man. Hij haalde zesenveertig geleerden, schrijvers en kunstenaars uit Europa en verklaarde hun plechtig wat hun opdracht was: 'De wereld de wonderen van het paradijs laten zien.' En noch Fernão Cavalcanti noch de andere gematigde Portugezen probeerden te ontkennen dat Maurits van Nassau zodoende blijk had gegeven Brazilië lief te hebben.

De heer van Santo Tomás had tegen de Hollanders gestreden met de regimenten onder Bagnuoli en was beïnvloed door de pragmatische houding van de Italiaan, toen zij verloren. Aangezien het reguliere leger door de Hollanders was verslagen, was het nutteloos om te proberen hen met vrijgevochten bendes vanuit de savanne te bestrijden.

Cavalcanti maakte deel uit van een raad van planters, door graaf Maurits opgezet als overlegorgaan tussen de Portugezen en de Hollanders. Toch bleef hij voorzichtig met de laatsten, en hij hield afstand. Hij was gastvrij voor de gouverneur, wiens adel en kennis hij bewonderde, maar hij maakte zich kwaad als er gezegd werd dat hij verraad had gepleegd. Zijn voornaamste zorg was Santo Tomás te redden. 'Bovendien,' wierp hij zijn tegenstanders voor de voeten, 'jullie beklagen je erover dat jullie door Spanje bezet zijn, maar wat voor verschil maakt het om onder het juk van Madrid of onder dat van Amsterdam te zitten?' Het maakte voor de suikerrietcultuur een enorm verschil, en dat wisten zij ook. De *hidalgos* waren slechte kooplieden, die de suiker absoluut niet aan de man wisten te brengen. Voordat Portugal in conflict kwam met de Nederlanden, omdat het één werd met Spanje, verkochten de Hollanders de suiker uit Pernambuco in heel Europa.

Cavalcanti beschouwde zijn relatie met de Nederlanders als een onaangename noodzaak en hoopte heimelijk op herstel van het Portugese gezag, niet alleen in Pernambuco maar ook in Lissabon. Geruchten uit het moederland meldden een krachtige nationale beweging, met een serieuze pretendent voor de Portugese troon in de persoon van Dom João, graaf van Bragança.

De gouverneur had het over de Lissabonse nationalisten toen hij het domein bezocht: 'Stelt u zich voor, *senhor* Fernão, een onafhankelijk Portugal dat vrede sluit met Holland. Dat betekent de Gouden Eeuw voor Pernambuco, als de *conde* Da Torre met zijn waanzinnige plannen verdwenen zal zijn.'

'Wie weet,' had de planter voorzichtig geantwoord.

Als het de *armada* van de *conde* gelukt was om aan land te gaan, hadden Cavalcanti en de mannen van zijn domein zich bij zijn leger gevoegd. Maar dat was mislukt, en Cavalcanti was blij dat hij zijn bedoelingen niet aan de Hollanders had laten blijken. Anderen, die minder voorzichtig waren geweest, waren gevangengenomen of verbannen.

De dreiging van de *armada* had de verhouding van de gouverneur met de planters geen goed gedaan, zeker niet toen de colonne met Amador de *sertão* ingetrokken was en Hollandse voorposten had aangevallen. Het was overigens verwonderlijk dat de meeste soldaten deze lange mars overleefd hadden. Maurits van Nassau had represaillemaatregelen genomen en troepen naar Bahia gestuurd, die zevenentwintig suikermolens bij verrassing hadden vernietigd. Een lange bloedige oorlog scheen op til te zijn.

Maar de gouverneur had in het geheim Cavalcanti en de planters van de raad, de vicaris-generaal en verschillende katholieke priesters bijeengeroepen.

'Vrienden,' had hij gezegd, 'toen ik vier jaar geleden hier kwam was Pernambuco een puinhoop. Maar de komende oogst belooft de mooiste te worden die de kolonie ooit gehad heeft. Bent u bereid mij te helpen om die veilig te stellen?'

De vicaris-generaal had naar voren gebracht dat dat een vreemde vraag was uit de mond van een man die de vernietiging van zevenentwintig suikermolens in Bahia had bevolen.

'Ik heb geen *armada* gestuurd, zoals de *conde* Da Torre, met opdracht om genadeloos op te treden,' had de gouverneur bij monde van een tolk geantwoord. ' "Alle Hollanders, mannen, vrouwen en kinderen, zullen aan de kannibalen uitgeleverd worden", stond er in een rondschrijven dat ons heeft bereikt.'

Na een stilte had de graaf vervolgens een voorstel gedaan: 'Wij kunnen de oogst en het leven van de onzen redden als wij een wapenstilstand sluiten.'

Weer had de vicaris-generaal de zevenentwintig suikermolens te berde gebracht, een belediging die de mensen van Salvador nooit zouden vergeven.

'Dat begrijp ik,' had de gouverneur gezegd. 'Daarom moeten júllie het initiatief tot deze wapenstilstand ook nemen.'

'Dat is onmogelijk!' hadden verschillende planters uitgeroepen, onder wie Cavalcanti. 'Wij worden al als verraders beschouwd omdat wij onze landerijen niet verlaten hebben.'

'Nee, dat is wel mogelijk. U vraagt aan mij een eind te maken aan de genadeloze strijd en de vernietigingen en ik stuur uw verzoek naar de gouverneur van Bahia, met het voorstel op basis daarvan te onderhandelen.'

Ter ere van het bezoek van graaf Maurits had Fernão een rustdag voorgeschreven voor allen die op het domein werkten, en de slaven, de arbeiders en de boeren hadden voor de hutten van de *peças* hun eigen feest georganiseerd. Voor Amador was dit echter geen gelegenheid feest te vieren. Aan het begin van de avond stond hij met een groep slaven en arbeiders die de meester en zijn genodigden waren komen bewonderen, voor het huis. Zij hielden eerbiedig afstand en zeiden niets om vooral het schouwspel niet te hoeven missen dat zij door de open deuren en ramen van de salon zagen.

De lange tafel, aan het hoofd waarvan de gouverneur zat, was bedekt met een witlinnen kleed en de genodigden hadden servetten van dezelfde stof voor om hun kanten kragen te beschermen. De kaarsen in de gouden en zilveren kandelaars, versierd met vogels of vruchten, deden de lepels en de messen schitteren, en ook een instrument afkomstig uit Italië dat de groep waarin Amador zich bevond sterk intrigeerde, namelijk de vork.

Joana Cavalcanti, stralend in een paarse jurk, zat te praten en te lachen met Secundus Proot. De Paulista moest denken aan de vele keren waarop hij hen de afgelopen drie maanden samen had gezien, sinds hij de schilder had leren kennen, en hij voelde dat hij jaloers was. Toch was hij de grote blonde Hollander gaan waarderen. Proot was alleen knorrig als hij een probleem met schilderen had, maar voor de rest was hij aangenaam in de omgang en Amador was het algauw eens met *senhorita* Cavalcanti, volgens wier zeggen Proot anders was dan de koppensnellende Hollanders.

Proot deed niet uit de hoogte. Bij de Ribeiros bezoop hij zich net als iedereen. Bovendien legde hij voor Brazilië een hartstocht aan de dag die Amador alleen maar kon toejuichen. Op een nacht bij volle maan, toen ze allebei aan de rand van het meer in het dal zaten, rum dronken en tabak rookten, had Segge vrijelijk uiting gegeven aan zijn enthousiasme.

'Waarom zou ik teruggaan naar een grijs, mistig land, als ik het paradijs gevonden heb? Amador, wat ben ik jaloers op jullie!'

Uit alle gesprekken bleek dat de *sertão* en de wilden Segge het meest interesseerden. Toen de Paulista het over de verre Carijós had, begon de schilder te begrijpen hoe groot Brazilië eigenlijk was.

'Wij denken dat wij met Nieuw Holland een imperium in de tropen hebben gevestigd, maar in feite is het alleen maar een smalle kuststrook.'

'En wij zijn er al anderhalve eeuw en hebben het nog maar nauwelijks ontdekt,' had Amador geantwoord. 'Ze noemen ons de krabben, omdat wij aan de rotsen op het strand vastzitten, en wij altijd de blik naar Portugal hebben gericht.'

'Maar jij bent hier geboren. Jij bent een zoon van São Paulo – van Brazilië.'

'Ik ben Portugees!'

'Jij bent net zo Portugees als ik.'

'Daar vergis je je in. Toen wij nog een koning in Lissabon hadden, was zelfs de laagste *mameluco* nog trots zijn onderdaan te zijn. En ooit zullen wij weer bij Portugal, ons vaderland, horen.'

Er waren nu zes maanden verstreken sinds Amador op het domein was gekomen maar noch de Paulista noch de planter had het over vertrekken. Fernão Cavalcanti had genoeg aan zijn hoofd met de wapenstilstand met de Hollanders en Amador had aan *padre* Bonifácio gevraagd om naar zijn familie te schrijven om hun te laten weten dat hij nog leefde.

De jongeman hinkte nog wel, maar zijn wonden waren genezen en hij ging regelmatig de dalen achter het domein in, samen met drie inboorlingen van Santo Tomás, de laatste afstammelingen van de clan waarvan de *malocas* vroeger op de heuvel stonden. Soms ging ook Fernão Cavalcanti met hen mee.

Amador was Segges vriend, ging op jacht met de meester van de plantage en was heimelijk verliefd op zijn dochter, maar bleef een *mameluco*. Op deze feestavond besefte hij hoe belachelijk het was de hoop te koesteren ooit deel te kunnen uitmaken van de wereld van Joana. Hij zou altijd een buitenstaander blijven, bij de arbeiders, de slaven en de honden.

Toen het orkest van Fernão Cavalcanti begon te spelen, ging Amador er hals over kop vandoor en bleef pas staan toen hij een andere muziek hoorde die uit de *senzala* kwam, het slavenkwartier.

'Ja!' riep hij uit. 'Daar hoor jij thuis, *mameluco*!'

Arbeiders en boeren dansten samen met de *peças* op het geluid van trommels die deden denken aan Afrika en aan een ander leven. Amador ging bij Affonso Ribeiro zitten drinken en toen een jonge slavin later op de avond contact met hem zocht aarzelde hij niet. Hij trok haar mee achter een hut en nam haar zo hevig dat zij begon te schreeuwen. Toen zij gevreeën hadden ging zij naast hem zitten en begon een beetje zenuwachtig te giechelen.

'Wat is er?' bromde hij.

'*Mameluco*, mijn moeder zegt...'

'Wat zegt je moeder?'

'Zul je me niet slaan?'

'Nee.'

Ze keek tussen haar blote benen door naar de grond.

'Dat jij gek bent,' zei ze snel, 'dat jij een oogje hebt op de *senhorita*.'

'Wie is jouw moeder?'

'De slavin Celestina.'

'Zij heeft gelijk. Ik ben gek.'

De jonge negerin keek hem aan, maar zei verder niets meer.

De volgende ochtend had Amador rooddoorlopen ogen en een dikke tong, toen hij bij het vertrek van de gouverneur aanwezig was. Toen hij hem te paard voorbij zag komen had hij moeite te beseffen dat deze kleine man die er geraffineerd uitzag, met zijn dunne snor en zijn moesje, gezag uitoefende over half Brazilië. *Nossa Senhora*! Wat jammer dat de graaf niet geprobeerd heeft om de Serra do Mar over te trekken! Hoe warm zouden de Paulistas de ketters hebben ontvangen!

Toen de gouverneur en zijn escorte weg waren, ging Amador weer in de hut liggen die hij met de arbeiders van de suikermolen deelde. Ga nu, zei hij tegen zichzelf, terwijl hij in de hangmat lag. Ga nu als je niet in dit dal gevangen wilt blijven, net als Affonso Ribeiro en de rest. Vergeet die mooie *senhorita*, je bent slechts een *mameluco*. Stel je nou maar tevreden met slavinnen, zoals de dochter van Celestina.

Ook Fernão Cavalcanti was niet vies van inboorlingen en hij had dan ook een maîtresse, een mulattin, die de andere planters spottend Dona Carlotta da Lago noemden, Dona Carlotta van het Meer.

Dochter van een Portugese boer en een slavin, woonde zij in een huis aan de rand van het meer, dat Fernão haar ter beschikking had gesteld en hing zij de grote dame uit met de sieraden en de juwelen die hij haar gaf. Ze had haar eigen slaven en deed de hele dag niets anders dan met haar vriendinnen babbelen. Cavalcanti ging al met haar naar bed sinds ze zeventien was, en al was zij nu vijfendertig en zo rond als een tonnetje, ze verleidde *senhor* Fernão nog steeds.

De drie kinderen die hij bij haar verwekt had woonden bij de ouders van Carlotta, als openlijk erkende bastaards. Sommige planters hechtten zo aan de nakomelingen van hun concubines dat zij ze hun naam gaven en hun een deel van hun gronden en hun fortuin nalieten. Dat was met de bastaards van de Cavalcantis nog nooit gebeurd, want de opeenvolgende heren van het domein hadden hen bij de andere mestiezen laten wonen, zonder dat hun speciale afkomst hun lot verbeterde.

Dona Domitila droeg de ontrouw van haar man op dezelfde manier als de eerste dame van het domein, Helena, de vrouw van Nicolau. Zij bad de Heer haar man te vergeven. Als zij Fernão openlijk zijn slippertjes met zijn mulattin voor de voeten had gegooid, zou hij gereageerd hebben als een man die men een pleziertje waar hij recht op heeft afneemt. Proot daarentegen was daar heel streng in. 'Het is een schande,' zei hij tegen Amador. 'Cavalcanti gaat naar de verdoemenis, hij zal in de hel branden.' Dit was een van de weinige onderwerpen waarbij de schilder de strengheid van zijn calvinisme liet zien.

Amador wiegde heen en weer in zijn hangmat terwijl hij lag te denken aan de God van de ketters, die doof was voor de roep van de berouwvolle zondaar, toen er een bezoeker de hut binnenkwam.

'*Senhor* Da Silva?' riep pater Gregório Bonifácio. 'Slaapt u nog?'

'Nee, ik ben alleen moe.'

De priester liep naar hem toe en schudde hevig aan de hangmat.

'Opstaan! De meester wil u zien. Hij is misschien ook wel moe – van de honden en van luie *mamelucos*.'

'Moet ik weg?' mompelde Amador zonder dat hij erachter kwam of de *padre* het nu meende of niet.

'Denkt u niet dat het zo langzamerhand tijd is?'

'Hoog tijd. Ik lag er zelf al aan te denken.'

'Ik weet niet wat Dom Fernão wil, hij heeft mij alleen gestuurd om u te halen. Vooruit, opstaan!'

Amador sprong uit de hangmat en schikte zijn kleren terwijl hij achter Bonifácio aanliep, die vanwege zijn enorme buik niet zo hard kon lopen. De priester was zesendertig jaar geleden uit Coimbra vertrokken om in te gaan op het aanbod dat hem destijds door Tomás Cavalcanti was gedaan. Sinds die tijd had hij op vrij nonchalante manier zijn priesterschap bij de Cavalcantis en de andere inwoners van het dal vervuld. De mensen van het domein zeiden dat hij niet genoeg had aan de miswijn en buitensporig veel van *cachaça* hield.

Hij bracht de Paulista naar de wanordelijke kamer die hij als pastorie gebruikte, achter de kerk, en vroeg Amador te wachten. Tien minuten later kwam *padre* Bonifácio terug met Fernão Cavalcanti, die aan de priester vroeg om zich terug te trekken. Dat intrigeerde Amador. Waarom wilde de planter met hem alleen zijn, als hij hem alleen maar wilde vragen weg te gaan? Daarom verklaarde de jongeman nog voordat de priester de deur uit was dat ook hij nu het moment wel gekomen achtte om terug te keren naar São Paulo.

'Dat is niet de reden dat ik je heb laten halen,' antwoordde Cavalcanti.

Hij had zich die ochtend zorgvuldig aangekleed om bij het vertrek van graaf Maurits te zijn maar droeg nu slechts zijn hemd en zijn broek. Hij zag er moe uit en keek nors.

'Waarom dan wel?' vroeg Amador.

'Jij bent het niet eens met wat ik doe. Jij denkt dat ik me aan de Hollanders verkoop...'

Fernão deed alsof hij de ontkennende gebaren van Amador niet zag en ging verder: 'Wat moet je, als je geen middelen hebt om te strijden? Dat is in São Paulo heel anders, daar zijn geen Hollanders... maar daar wilde ik het ook niet over hebben, Amador. Ik wil je een dienst vragen, een grote dienst.'

'Welke?'

'De schilder meenemen naar de *sertão*. Proot wil de Indianen in hun dorpen, in hun wilde staat, schilderen.'

'Dat heeft hij me weleens verteld, maar moeten de Hollanders daar zelf niet voor zorgen?'

'Wanneer?' antwoordde Cavalcanti. 'Deze maand nog? Binnen een jaar? Er zijn andere schilders, die beter zijn dan hij, die over dit nieuwe land dromen.'

'Beter dan hij?' vroeg Amador verbaasd, want Segge was voor hem de grootste schilder ter wereld.

'Andere schilders die de graaf heeft laten komen hebben meer talent, Eckhout, Post...'

'Dat kan ik haast niet geloven.'

'Vind je hem dan zo aardig, die Hollander?'

Amador trok zijn schouders op.

'Neem hem mee naar de *sertão*,' ging Fernão verder, 'wellicht steekt hij er iets van op. Je moet een nieuwe musket meenemen, net zoveel buskruit en kogels als je wilt, voorraad, en slaven voor een deel van de tocht. Als je terugkomt krijg je je geld.'

'Maar waarom dit alles, als u de schilderijen van Segge niet op prijs stelt?'

'Een reis van zes maanden, naar de Tapuyas in de *sertão*,' ging Cavalcanti onverstoorbaar verder. 'Als je terugkomt, krijg je een plaats aan boord van het eerste schip dat naar het zuiden vertrekt.'

'U vraagt mij om Segge mee te nemen naar de *sertão* om die menseneters te schilderen?'

'Dat wil hijzelf het liefst. Doe je het?'

'U bent heel goed voor mij geweest, *senhor*. Uw gastvrijheid...'

'Verleen mij nu die dienst, dan zal ik jou erkentelijk zijn. Neem hem mee. Ver van mijn gronden, ver van mijn huis. Buiten mijn gezichtsveld.'

Nu meende Amador het te begrijpen, en hij zei: 'Aha, hij heeft uw woede gewekt.'

Cavalcanti leek even na te denken en antwoordde toen: 'Joana mocht jou graag...'

De Paulista voelde zich niet op zijn gemak vanwege zijn heimelijke gevoelens voor de *senhorita*.

'Ik heb vier dochters,' ging Fernão verder, 'en twee van hen zijn getrouwd met de beste partijen uit het kapiteinschap. Ik heb alleen nog de jonge Beatriz, haar moeders evenbeeld, en Joana, de opstandige.'

Amador vond het niet leuk dat Cavalcanti zo vertrouwelijk met hem sprak, maar hij was tegelijk stomverbaasd. Waarom ging het opeens over Joana, in een gesprek dat Segge betrof?

'Als Joana jouw hulp nodig heeft zou je haar dan helpen?' vroeg de planter.

'Jazeker.'

'Welnu, neem Proot dan mee, ver van het domein. Als hij niet terugkomt, zal mij dat wel zo lief zijn.'

Dit keer begreep Amador het helemaal, en zei hij: 'Hoe durft hij! Met de lieve *senhorita*! Nee, ik zal hem niet meenemen naar de *sertão*, ik zal hem hier meteen de strot afsnijden!'

'Ik wil niet dat hij vermoord wordt.'

'Maar heeft hij dan niet...?'

'Nee, hij heeft niets gedaan. Het is Joana. Ze zegt dat ze van hem houdt en dat ze met hem wil trouwen. Míjn Joana.'

'*Senhorita* Joana... en Segge,' mompelde Amador, ongelovig, terwijl hij niet wist of hij moest huilen of lachen. 'Maar dan hoeft u hem alleen maar weg te jagen!'

'Amador Flôres, jij bent nog jong en jij weet niet wat het is om een dochter te hebben. Als ik hem wegjaag zal Joana me dat nooit vergeven.'

'En hij, Proot, heeft hij het er met u over gehad?'

'Nog niet, en ik wil ook niet wachten tot hij dat doet. Neem hem snel mee, Amador.'

'Is hij klaar voor vertrek?'

'Hij wil niets liever.'

'Is dat niet vreemd voor een man die door de *senhorita* bemind wordt?'

'Misschien wel, maar ik ben er blij om. Neem Proot en zijn potten verf maar mee, dan zal Joana hem snel genoeg vergeten. Voordat je terugkomt, zal ik een goede man voor haar hebben gevonden.'

'Moge God u bijstaan,' zei Amador op onheilspellende toon.

XII

Eind november 1640, na een reis van vier weken, kwamen Amador en Secundus Proot aan bij de *malocas* van Nhandui, een machtig Tapuya-opperhoofd dat door de Hollanders 'koning Jan de Wij' werd genoemd. Zijn dorp lag tweehonderd mijl ten noorden van Recife, vijf dagen lopen vanaf de kust. Toen de Hollanders zich goed in Pernambuco verschanst hadden, vielen zij de kapiteinschappen in het noorden aan en de krijgers van Nhandui hadden hen geholpen om de Portugezen te overwinnen.

Dit bondgenootschap was voor een flink deel het werk van Jakob Rabbe, een Duitse jood die de Hollanders naar Nhandui hadden gestuurd. Hij werd door de Tapuyas 'kapitein Jakob' genoemd en was vijf jaar geleden bij hen gekomen, met trompetten, hellebaarden, bekers en spiegels, maar het was niet vanwege deze prachtige geschenken dat hij door de stam was opgenomen. Kapitein Jakob was getrouwd met een Tapuya en had er blijk van gegeven dat hij net als elke krijger van de clan de Portugezen wilde afslachten. Zijn troepen hadden ooit tweeënzeventig kolonisten in een kapel opgesloten en ze vervolgens allemaal afgemaakt, al smeekten ze om genade, met uitzondering van drie jongens die zich tussen de balken van het dak verborgen hadden.

Jakob Rabbe stond op de open plek om Amador en Segge te ontvangen toen zij zich bij de omheining meldden. Tegen de schilder zei hij vrolijk in het Hollands: 'Ik zie de hele tijd al wilden en Portugezen, heer Proot, maar het is werkelijk maanden geleden dat ik een beschaafd mens heb gezien.'

Direct daarna wendde hij zich in het Tupi tot Amador. Kapitein Jakob was een kleine man met fijne trekken waardoor hij er helemaal niet gewelddadig uitzag.

'U hebt een vrijbrief van graaf Maurits, Portugees. Ik zal tegen mijn Tapuyas zeggen daar rekening mee te houden,' verklaarde hij op duidelijk dreigende toon.

De Paulista moest niets hebben van de kapitein en ook niet van zijn Indianen. De Tapuyas leken veel op de Tupis, ze waren klein, hadden donkere ogen, een huid waarvan de kleur varieerde van geelachtig tot bronskleurig, die zij ook vaak verfden. Niettemin droegen zij hun haren langer, bijna tot op de schouders, met een pony op het voorhoofd.

Segge trok zich niets aan van de minachtende opmerkingen van Amador en begon meteen te tekenen en te schilderen. Toch liet hij zich op een dag beïnvloeden door de commentaren van de Paulista. Proot had een jonge Tapuya voor een waterval afgebeeld, waarbij haar geslachtsdelen werden bedekt door een tak, en haar gestalte en haar trekken duidelijk ontleend waren aan het zware Hollandse schoonheidsideaal.

'Ik zie daar helemaal geen wilde in,' had Amador openlijk verklaard, terwijl hij naar het schilderij keek, dat op een ezel in hun hut stond.

Proot zat de schetsen van een portret van het opperhoofd Nhandui te bestuderen en deed net alsof hij niets hoorde.

'Dat schilderij van de *bandeira*, dat leek tenminste ergens op,' ging de Paulista verder. 'Als je dat ziet begrijp je tenminste wat het is om door het oerwoud op te trekken tegen de Carijós, maar dit...'

De schilder stond op en kwam naast Amador voor de ezel staan.

'Zij heeft niets wilds, Segge.'

'Dat is omdat ze een prinses is!'

'Een prinses?' vroeg Amador. 'Jij neemt ook alles voor zoete koek aan wat die kapitein zegt! Ik neem aan dat hij je verteld heeft dat ze een bruidsmeisje is?'

Proot streek over zijn kin en legde zijn wijsvinger op zijn neus.

'Wat ontbreekt er aan dat schilderij?' mompelde hij.

'Je schildert daar een kannibaal, iemand die mensenvlees eet. Dat moet ook getoond worden.'

Vier weken na hun aankomst stelde Amador op een ochtend vast dat Segge veranderingen had aangebracht in het portret van de jonge Tapuya. Ze stond met haar voet op een rots en hield een afgesneden arm in haar hand. Uit het mandje dat zij op haar rug droeg stak een mensenvoet...

'Bravo!' riep de Portugees. 'Nu is het een echte wilde.'

Een paar dagen nadat het schilderij af was, was een groep jongemannen uit de vrijgezellenhut aan het eind van een initiatieperiode van vijf jaar beland. Zij zouden bij volle maan bij het geluid van heilige fluiten naar een andere hut worden gebracht, met de meisjes die voor hen waren bestemd.

Amador en Segge waren de hele dag getuigen van de laatste fase van de initiatie. Bij zonsopgang liepen de jongens rond het dorp waarbij zij verkondigden dat zij klaar waren voor hun nieuwe status. Toen meldden zij zich bij hun opperhoofd Nhandui en zijn mannen, die hun toestemming gaven om de hut van de vrijgezellen af te breken. Toen dat gebeurd was nodigde Nhandui de ingewijden uit om van het vuur van de oudsten te nemen. De jonge Indianen droegen hun roodgloeiende tak naar een plek die was uitgekozen als verzamelpunt van de 'Groene Palm', de naam die aan hun leeftijdsgroep gegeven werd, en maakten daar vuur.

Rabbe legde uit dat een Tapuya met zijn eigen leeftijdsgroep door het leven ging. Hij kwam er in zijn jeugd in, tussen vijf en twaalf jaar, maakte vervolgens deel uit van de vrijgezellen, tussen twaalf en zeventien jaar, voor wie seksuele relaties met meisjes taboe waren. Na de inwijdingsceremonie gingen de jongens over naar de leeftijdsgroep van huwbare jongemannen. Vervolgens kwam elk individu elke vijf jaar een trapje hoger op de sociale ladder, totdat hij ten slotte tot de rijpe mannen behoorde.

'Fantastisch!' zei Proot. 'Ieder levensseizoen is zodoende vastgelegd, zoals dat ook in de natuur het geval is.'

Kapitein Jakob leefde al vijf jaar bij de Tapuyas maar moest toegeven dat hij hun gewoonten nog lang niet allemaal begreep.

'Zij hebben voorouderlijke clans, familiebanden, erfelijke adellijke titels. De families, de clans, dat is allemaal heel simpel, maar er is nog een andere scheiding, en daarvan ontgaat mij de zin.'

Rabbe zat dit te vertellen toen de belangrijkste ceremonie van die dag zou beginnen, namelijk de knuppelrace.

'Misschien weten ze zelf niet precies hoe het in elkaar steekt,' ging de kapitein verder. 'Het dorp is verdeeld in twee groepen, en elke groep draagt een knuppel een bepaalde afstand voordat zij die overgeeft aan de volgende. Sommigen zeggen dat dit een scheiding is tussen de zwakken en de sterken, anderen zeggen dat het de zon en de maan symboliseert, weer anderen dat het gaat over leven en dood.'

Terwijl de jongemannen kaalgeschoren werden en hun hoofden werden geverfd, zaten Nhandui en de *pagés* hen op te hitsen niet te verliezen. Al dagenlang werd het terrein voor de race klaargemaakt. Het was een grote rechte baan die op twee mijl uit het dorp begon. 's Middags gingen de jongens van de Groene Palm en de jongemannen van de direct daarna volgende groep naar het vertrekpunt. Op een teken van de oudste begonnen de jongelui te rennen. Zodra degene die de knuppel droeg moe werd, gaf hij hem over aan een van zijn kameraden, een moeilijke manoeuvre want het hoorde niet om de knuppel te laten vallen.

De jongens kregen een paar minuten voorsprong voordat de jongemannen op hun beurt met de tweede knuppel vertrokken, maar de wedstrijd bleef niet beperkt tot die twee leeftijdsgroepen. Andere inboorlingen renden soms met de jongens mee, maar zij raakten de knuppels niet aan.

Secundus Proot, die halverwege het parcours met andere Tapuyas stond toe te kijken, moedigde de renners aan. Toen zij voorbijkwamen sprong hij te laat opzij, waardoor hij met de race mee moest doen. De Indianen vonden het prachtig om de grote dikke Hollander samen met de jongens te zien rennen, waarbij hij helemaal buiten adem raakte. Toen hij achterop raakte, kwamen een paar toeschouwers lachend naar hem toe rennen en spoorden hem aan om hen bij te houden. De schilder deed zijn best, en zijn jaspanden fladderden achter hem aan.

De jongemannen kwamen als eersten in het dorp aan en droegen hun knuppel naar de hut van de rijpe mannen. De jongens, die vlak achter hen aanzaten, droegen de hunne naar de hut van de overwinnaars. Toen Segge met een hoogrood gezicht en druipend van het zweet op de open plek verscheen, schreeuwde Amador tegen hem: 'Nou, Hollander, hoe voelt het om een wilde te zijn?'

In de middag bouwde de groep van de Groene Palm een hut van takken en bladeren op de plek waar ze die ochtend een vuur hadden gemaakt. Andere Tapuyas bouwden een nieuwe vrijgezellenhut voor de jongens van de volgende groep, die er vijf jaar in zouden wonen. Dit zou hun verzamelpunt zijn om zich voor te bereiden op de ceremoniën of naar de lessen van de oudsten te luisteren.

Toen het begon te schemeren gingen de jongemannen die de wedstrijd hadden gewonnen van de ene hut naar de andere waarbij zij zongen dat de jongens van de Groene Palm klaar waren om een vrouw te nemen. Deze hutten, veel kleiner dan de *malocas* van de Tupiniquin of de Tupinambás, waren rond en niet erg stevig gebouwd, want de Tapuyas verhuisden regelmatig – al was de stam van Nhandui sinds zij een bondgenootschap met de Hollanders had gesloten meer sedentair geworden.

Na dat lied gingen de krijgers in de bloei van hun leven naar de hut die de ingewijden hadden gebouwd. De dertig meisjes die aan de jonge mannen waren beloofd wachtten met hun moeders voor hun hutten en liepen naar de hut van de jongeren toen de krijgers daarbij waren gaan staan. Nhandui, de *pagés* en de oudsten keken naar de ceremonie, maar namen er niet aan deel.

Een van de moeders gaf de krijgers een klein gebakje van maniok en mocht toen met haar telg de hut binnen. Ze kwamen er een paar minuten later weer uit, waarop zij door anderen gevolgd werden. De Indianenvrouwen hadden kinderen van vier of vijf jaar bij zich, die heel wat lawaai maakten.

'God allemachtig, wat gebeurt er binnen toch?' vroeg Segge.

'Ze worden uitgehuwelijkt,' antwoordde Rabbe kalm.

'Maar sommigen zijn nog maar kinderen!'

'Ze doen ze geen kwaad.'

'Maar al dat geschreeuw dan...?'

'Het is een donkere en vreemde hut.'

'En hoe verloopt de... de bruiloft?'

'De jongens liggen binnen met hun ogen dicht op de grond; de moeders leggen hun dochters achter hen, maar heel eventjes; de jongens mogen niet bewegen en ze ook niet aankijken. En dan gaan de moeders weer weg met hun dochters.'

'Is dat alles?'

'Ja. Als de meisjes oud genoeg zijn, dan gaan de jongens met ze naar bed.'

'Wordt er vanavond dan nog wat gevierd?' vroeg de schilder.

'Nee. Niet voordat het meisje oud genoeg is om kinderen te baren. Dan fuiven ze met de botten van de doden.'

De schilder keek Rabbe stomverbaasd aan.

'Dat is hun godsdienst, heer Proot. Heb ik u dat niet uitgelegd?'

'Nee, maar ik heb die urnen wel in de hutten zien staan.'

'Urnen voor de botten. Het vlees eten ze op.'

'Here Jezus!'

'Als er een baby sterft eten de ouders hem op. Als het een ouder kind is of een volwassene dan hopen alle leden van de familie een stuk van het lichaam te krijgen. De schedel en de botten worden bewaard en tot poeder gewreven, dat bij feestelijke gelegenheden in een heilige schaal wordt gegooid.'

'Amador Flôres heeft gelijk, het zijn barbaren.'

'Voor hen is dat een teken van liefde.'

'Dat gelooft u toch zeker zelf niet,' zei Proot met een uitdrukking vol afschuw. 'Rabbe, u hebt toch niet ook...'

'Ik maak deel uit van de stam, heer Proot.'

'Maar u bent een beschaafd mens. Een dergelijk...'

'Weet u dat de Tapuyas zich niet kunnen voorstellen dat beschaafde mensen hun doden in de grond begraven, waar hun stoffelijke overschotten verrotten?'

'Genoeg, Rabbe, ik wil er niets meer over horen.'

'De Tapuyas maken geen gevangenen, zoals de Tupis. Zij eten hun vijanden niet op, alleen degenen die hun naaste verwanten zijn.'

Later, toen hij terugkwam in de hut die hij met Amador deelde, trof Secundus Proot de Paulista aan in gezelschap van een inboorling.

'Wij hebben bezoek,' zei Amador. 'Ibira.'

Segge groette de Indiaan met een knik. Rabbe had het vaak gehad over Ibira, de Reiziger, een Tupinambá die beroemd was vanwege zijn verhalen over de vogel *tucano-yúa* met de dodelijke bek, de waterslang *boia-asú*, over Rudá, de krijger van de wolken, die de mensen het verlangen naar de huiselijke haard schonk als ze ver weg waren en ervoor zorgde dat ze naar hun stammen teruggingen.

Rudá's macht bleek geen vat te hebben op Ibira, die bij een clan hoorde die van oorsprong in de buurt van Bahia woonde. De Tupinambás waren gevlucht voor de Portugezen, hadden hun dorp in de steek gelaten en waren naar het westen getrokken, tot de gronden van de Tapajós. Ibira behoorde bij de voorhoede van de clan en was bezig langs een rivier te trekken toen hij eerst door de Tapajós gevangen werd genomen, en vervolgens door Portuguese slavenhandelaren uit een kampement dat in 1616 was opgericht langs een zijrivier van de Rio das Amazonas, Belém do Pará.

De kano met de gevangenen aan boord kapseisde op weg naar Belém en Ibira ontkwam. Hij liep naar het zuiden, kwam in Pernambuco en in het Tapuya-dorp van opperhoofd Nhandui. Bij de Tapajós had hij horen praten over Tocoyricoc, de mysterieuze *pagé* die het in zijn grot met Aruanã had gehad over het land waar de zonnetranen vielen, en waar de rivieren uitstroomden in een gouden meer.

In de hut rook het sterk naar palmwijn en naar tabak, wat erop duidde dat Amador en Ibira al een poosje samen zaten. Segge ging op zijn hangmat zitten, tegenover hen, vroeg iets te drinken en zei tegen de Indiaan: 'Ze zeggen dat jij van de Rio das Amazonas komt?'

'Van nog verder weg.'

'En jij bent verhalenverteller, heeft Rabbe gezegd.'

'De beste in dit dorp,' antwoordde Ibira.

Hij zat op een tabaksblad te kauwen en een donker sap droop door het gat in zijn onderlip over zijn kin. De schilder vroeg van alles en nog wat aan de Tupinambá en Amador luisterde verstrooid naar de antwoorden totdat Ibira begon te praten over een stam van vrouwelijke krijgers.

'Als er weinig water in de rivier staat dringen mannen in kano's door tot het grondgebied van die stam. En als zij er diep genoeg in doorgedrongen zijn, verschijnen de vrouwen aan de oever en bevelen hun om aan land te komen.'

'Zijn dat Tapajós?' vroeg Amador.

Na een lange stilte antwoordde Ibira: 'Zij leven in het bos voorbij de Tapajó-dorpen.'

'En jij hebt ze ontmoet?' vroeg de Paulista weer.

'De Tapajós kennen ze.'

'Laat hem uitpraten,' zei Proot.

'De mannen laten zien dat ze vreedzame bedoelingen hebben, en dan laten de vrouwen hun speren en hun ploertendoders vallen en rennen naar de kano's toe. Ieder van hen pakt een hangmat en neemt die mee naar huis. De man van wie die is mag dan haar minnaar zijn.'

Segge had al eens over die vrouwen gehoord, van Spanjaarden die de grote rivier waren afgevaren. In 1542, toen Francisco de Orellana, familie van de Pizarros, de Moeder van de Rivieren had verkend, had hij gehoord over een stam vrouwen met een heldere huidkleur die in het oerwoud leefde. Zij woonden in stenen huizen, opgedragen aan de zon, waar geen mannen in mochten, behalve als de vrouwen zwanger wilden worden. Als ze dat eenmaal waren joegen zij hun minnaars uit hun koninkrijk. Orellana en zijn *conquistadores* herkenden in hen de vrouwelijke krijgers uit de Griekse mythologie en hadden het, toen zij in Spanje terug waren, over de rivier van de Amazones.

Ibira had het vervolgens over de stad van die vrouwen, met haar brede lanen, haar stenen huizen en haar tempels versierd met edelstenen, waar de zon vereerd werd. Desgevraagd antwoordde hij dat de vrouwelijke krijgers om te vechten een jaguarhuid droegen waarbij een van hun borsten bedekt werd, waardoor zij makkelijker met de boog konden schieten. Hun pijlen waren giftig, en hun werpspiezen hadden ijzeren punten die door bronzen harnassen heendrongen. De Indianen die in de buurt van hun territorium woonden waren hun vazallen en betaalden elk jaar een schatting in goud.

Amador onderbrak de Tupinambá om hem te vragen waar het koninkrijk van de Amazones nu precies lag.

'Voorbij de gronden van de Tapajós, in de richting die mijn voorvaderen al hebben ingeslagen,' antwoordde Ibira.

'Het zuiden dus,' vertaalde Amador. 'Maar je weet het niet precies, wel? Nou ja, het is een mooi verhaal...'

'Het is niet alleen mijn verhaal. Er zijn er een heleboel die het vertellen.'

'Ja, de Tupiniquin en de Carijós van São Paulo hebben het ook over bergen van smaragd en een meer van goud.'

'Dat meer bestaat,' verzekerde Ibira.

'Heb jij het gezien dan?'

Daarop antwoordde de Indiaan niet.

'Hoe kun je dan beweren dat het bestaat?'

'De Tapajós en alle volkeren die langs de Moeder van de Rivieren wonen weten dat het bestaat.'

Amador gaf de Tupinambá de kalebas met palmwijn.

'Hier, neem nog een slok, dan herinner je je misschien waar al die wonderen precies liggen,' zei de Paulista met een brede glimlach. Vervolgens wendde hij zich tot Proot, die de droge verf van de steel van een van zijn penselen zat te krabben. 'Geloof jij al die onzin?'

Voordat de schilder kon antwoorden, verklaarde Ibira: 'Er is een meer vlak bij de gebieden van die vrouwelijke krijgers. Daar wonen hun mannelijke kinderen die zij bij hun minnaars hebben gekregen. Eén keer per jaar wordt een van hen, die uitgekozen is om de zoon van de zon te zijn, bedekt met goudstof. Vervolgens gaat hij dan in het meer baden, en alle andere mannen offeren ook goud aan dat meer.'

'*El Dorado*,' mompelde Segge.

'Dat bestaat niet!' zei Amador. 'Niemand die dat gezocht heeft, heeft het kunnen vinden. Neem nog maar een slok, Ibira, je bent echt een prachtige verhalenverteller. Het zijn allemaal leugens, maar het zijn mooie verhalen!'

'Hoe weet jij dat hij liegt?' protesteerde Secundus Proot.

'Dat is toch duidelijk. Vrouwen met een heldere huid, en mannen bedekt met goudstof!'

'Stel je nu eens even voor dat jij een Spanjaard was,' suggereerde Segge terwijl hij met zijn penseel zat te spelen. 'Je gaat met Pizarro aan land en een inboorling heeft het met je over een fabuleus imperium met geplaveide wegen, en schatten van goud en zilver. Zou je hem dan geloven?'

'Mmmm... ja,' antwoordde Amador, een beetje aarzelend.

'Toch zou zijn verhaal nauwelijks duidelijker zijn dan dat wat wij net gehoord hebben...'

'Dan denk ik dat ik het niet zou geloven.'

'En dan zou je je toch vergissen, beste vriend! Pizarro heeft in Cuzco, de hoofdstad van het Inkarijk, de fabelachtige stad gevonden die de inboorlingen beschreven.'

'Dat is waar,' moest Amador toegeven.

'Waarom twijfel je dan aan wat Ibira vertelt?'

'Je bedoelt dat als Pizarro de wilden niet geloofd had, hij dan Cuzco niet ontdekt zou hebben?'

'Precies.'

Amador geeuwde, kroop in zijn hangmat en toen Ibira weg was deed Segge hetzelfde. Voordat hij insliep zei de Paulista met een slaperige stem: 'Als ik *conquistador* geweest was, zou ik het misschien niet geloofd hebben...'

Proot had zijn ogen dicht en stelde zich voor dat hij terug was in Amsterdam, in de salons van de Magnificat, de groep waar de rijkste families deel van uitmaakten. 'Als je nagaat dat Rembrandt van Rijn zijn talent niet eens onderkend heeft!' werd er geroepen. 'Secundus Proot, de grote schilder en reiziger, de ontdekker van de Koningin van de Amazones!'

De *caatinga*, het witte bos, is genadeloos. Als er gebrek is aan water barst de droge grond in de bedding van de rivieren, dan loeit de noordoostenwind tussen de bosjes, de cactussen en de bladerloze, grillig gevormde bomen. Hij kreunt tussen de rotsen, geselt de geërodeerde heuvels, wervelt in de stoffige dalen. Als de wind voorbij is wordt het stil. Niets beweegt meer in de onbeweeglijke, oververhitte lucht.

In het westen ligt het groene oerwoud, vruchtbaar, weelderig, waar de planten opgroeien naar het licht. Het witte bos klampt zich aan de grond vast, de magere vegetatie ontvlucht de zon. Toch, wanneer het regent, vindt er een metamorfose plaats. Hevige waterstromen voeden de uitgedroogde grond; het kreupelhout verandert in een bloeiend woud; als bij toverslag verschijnt een vet kruid op de dunne laag grond. Maar de droogte komt altijd weer terug en de rivieren verdwijnen weer. De bomen blijven als versteend, en de uitgedroogde mantel van vegetatie, grijs en monotoon, verbergt de ware natuur van de *caatinga*, die een woestijn is.

In februari 1641, twaalf dagen nadat zij het dorp van opperhoofd Nhandui verlaten hadden, waren Amador en Segge verdwaald in het witte woud.

Zes dagen geleden had hun Tapuya-escorte hen in de steek gelaten, waarna zij achterbleven met twee Tobajara-gevangenen en met Ibira, die hen ertoe had aangezet om te vertrekken. Sinds de nacht waarin zij het over de Amazones en het gouden meer gehad hadden, waren de twee mannen met groeiend enthousiasme de Tupinambá blijven ondervragen. Toen zij besloten het erop te wagen, waarschuwde Rabbe hen tegen een dergelijke reis: 'Als jullie eenmaal in de *caatinga* zijn, dan zullen jullie er spijt van krijgen naar de verhalen van Ibira geluisterd te hebben, dat voorspel ik jullie. Het heeft er al drie jaar niet meer geregend.'

Verdwaald in het witte woud herinnerden de mannen zich de waarschuwingen van kapitein Jakob.

Toen de Tapuyas weg waren had Amador de groep naar het zuidwesten geleid, omdat hij zich baseerde op wat Ibira hem verteld had. De vrouwelijke krijgers en het meer waren in het bos, tussen de bron van de rivier van de Tapajós en de Rio das Amazonas. De Paulista ging om meerdere reden op die aanwijzingen af. *Bandeiras* waren al naar het noorden getrokken, in de richting van Belém do Pará, maar waren onverrichter zake teruggekeerd. Zoals zovele anderen geloofde de Paulista dat Brazilië een eiland was dat omspoeld werd door de wateren van de Paraguay, de Rio das Amazonas en de zijrivieren daarvan. Hij wist dat geen enkele *bandeirante* zover naar het westen was gekomen als de clan van Ibira. Als de wilden in staat waren een dergelijke reis te ondernemen, kon hij dat ook. En als die vrouwelijke krijgers bestonden, zou hij ze vinden, net zoals Pizarro ook Cuzco had gevonden.

Amador ademde een brandende lucht in en had zijn handen opengehaald aan de doorns van dichte hagen waar zij doorheen trokken. Sinds een paar dagen werd de *caatinga* steeds dichter.

'Zo is het wel genoeg!' riep de Paulista plotseling, en zonder zich naar de anderen, die in ganzepas achter hem aanliepen, om te draaien, liet hij zich op de grond vallen.

Segge kwam naar hem toe en zakte toen in elkaar. Ze zouden later in de middag verder gaan en dan nog een paar uur voor de avondschemering doorlopen. De nacht zou in vergelijking met de hitte van de dag ijskoud zijn, maar na zonsondergang durfden zij niet door de *caatinga* te lopen.

Ze zaten op de grond en luisterden naar de drie Indianen die door de bosjes heen en weer liepen. Ze spraken niet want in de zes dagen die voorbijgegaan waren sinds de Tapuyas hen in de steek hadden gelaten, hadden ze alles gezegd wat er in hun situatie te zeggen viel. Drie dagen lang waren ze gemakkelijk vooruitgekomen doordat zij de bedding van een droge rivier volgden, en toen waren ze in dit gebied met dicht struikgewas beland. Ze dachten dat ze er in een ochtend doorheen zouden zijn, maar ze zaten er nu al drie dagen in zonder het einde te zien en zonder er zelfs zeker van te zijn dat ze niet in het rond liepen.

Omdat ze de bagage moesten dragen die de Tapuyas eerst voor hen droegen, legden ze niet meer dan vier mijl per dag af. Ze hadden nog wel eten maar hun voorraad water was opgeraakt vlak voordat zij het gebied met struikgewas binnendrongen.

Amador en Segge zagen Ibira terugkomen, met zijn armen vol wortels en cactussen die met een kapmes waren omgehakt. Hij liet ze voor hen op de grond vallen en de Hollander pakte met een tevreden gegrom een wortel, schraapte die schoon met zijn mes en begon erop te kauwen om het sap eruit te krijgen.

'Drie dagen al,' bromde hij. 'Dat verrekte struikgewas moet toch ooit eens ophouden!'

'Ja, maar waar?' zei Amador.

'Als we naar het oosten lopen, komen we in Pernambuco en aan de kust,' stelde Proot voor.

De *bandeirante* veegde met de rug van zijn hand het zweet van zijn voorhoofd. Ondanks de hitte droeg hij uit gewoonte het leren vest van zijn vader.

'We geven het nog niet op,' verklaarde hij. 'Geef ons nog twee dagen. Als we er daarna nog niet uit zijn, gaan we naar het oosten.' Hij ging liggen en sloot zijn ogen. 'Maar om naar het oosten te gaan moeten we de hele weg die we al hebben afgelegd weer terug.'

Segge vloekte in het Hollands en strekte zich uit op de gebarsten grond.

De volgende dag kwamen zij op een plek waar het bos minder dicht werd, zodat zij weer moed vatten en sneller gingen lopen. Maar een half uur later sloot het struikgewas zich weer en ging het weer langzamer.

De dag daarna stopten ze niet toen de nacht viel en Amador, die voorop liep, bleef met zijn kapmes een weg banen. Toen de doornbosjes en de cactussen echt ondoordringbaar werden, probeerde hij links en rechts een doorgang te vinden, maar gaf het ten slotte op.

'Dit heeft geen zin,' zei hij terwijl hij zich naar Segge omdraaide. 'Morgenochtend keren we om.'

'God weet dat we het hebben geprobeerd!'

Een voor een kwamen de Tobajaras bij hen. Amador zag Ibira niet en vroeg: 'Waar is hij?'

De beide Indianen zeiden geen woord.

'Ibira! Ibira!' riep hij.

Er kwam geen antwoord.

'Hij liep achteraan,' zei een van de Tobajaras ten slotte.

'Liep hij ver achter?'

De inboorling keek Amador niet-begrijpend aan.

'Wanneer heb je hem voor het laatst gezien?'

'Hij liep achter ons, we konden hem niet zien.'

'Here God!' zuchtte Amador. Hij pakte zijn musket en laadde het. 'Doe jij dat ook maar,' zei hij tegen Proot. 'Met een beetje geluk hoort hij de schoten.'

'En zo niet?'

'Zo niet, dan heb ik weinig hoop voor hem.'

'Maar waarom heeft hij ons niet bijgehouden?'

'Hoe weet ik dat nou?' antwoordde Amador. 'Laad je wapen nu maar.'

Ze schoten en wachtten af. De beide Indianen begonnen het kampement voor de nacht klaar te maken en raapten hout om vuur aan te leggen. De meeste dieren waren uit de uitgedroogde *caatinga* gevlucht maar de vorige avond had Amador een onheilspellend gebrul gehoord in de buurt waar zij halt hadden gehouden. Waarschijnlijk een poema.

Een kwartier laten schoten ze opnieuw, maar Ibira verscheen niet. De hele groep was terneergeslagen door zijn verdwijning en zelfs Amador, die nauwelijks sympathie koesterde voor wilden, wie zij ook waren, bromde: 'Hij had beter in de handen van slavenhandelaars kunnen vallen. Alleen in deze woestijn omkomen...'

'Misschien vinden we hem als we omkeren.'

'Misschien,' zei de Paulista weinig overtuigd.

Die avond kropen de uren voorbij. Noch Amador, noch Segge wilde toegeven dat hun korte expeditie hun hoop om El Dorado en de Amazones te vinden in rook had doen opgaan. Op het ogenblik wilden ze maar één ding, levend uit de *caatinga* komen.

Midden in de nacht lagen zij onrustig te slapen toen er een verschrikking op hen viel die alleen het witte woud kan veroorzaken.

De langdurige droogte had alle levende wezens in een bittere strijd om het bestaan verwikkeld. Niet ver van de plek waar de vier mannen lagen te slapen was een heuvel van graniet met spleten die vol zaten met een kolonie vampiers. Honderden waren er, met puntige oren en een bruinrode vacht, en met snijtanden zo scherp als scheermessen.

Als er water in de *caatinga* was vonden de vampiers makkelijk een prooi, herten, nandoes en andere vogels, knaagdieren – de enorme capybara, de agoeti, de beverrat of de cavia. Maar die waren bijna allemaal gevlucht voor de droogte en de vampiers hadden hun nachtelijke strooptochten steeds verder moeten verleggen.

Die nacht stegen er, net als de nachten daarvoor, zwarte zwermen op uit de heuvel, en vlogen alle richtingen uit. Groepen verkenners maakten zich los van de meute en een ervan, bestaande uit drie vampiers, vond de slapende mannen.

De dieren verkozen de Indianen, want die waren naakt. De eerste vampier die aanviel beet in de grote teen van een Tobajara en zoog er gulzig het bloed uit, waarbij hij met zijn oren klapperde. Toen hij volzat liet hij los en viel hij vlak bij het lichaam van de Indiaan op de grond.

Amador werd langzaam wakker. Proot en hij, die met hun kleren aan sliepen, hadden niet meteen last van de vampiers, en toen de *bandeirante* zijn ogen opendeed, zag hij een van de beesten op de grond liggen, vlak bij zijn gezicht.

'*Vampiro!*' riep hij uit.

Op datzelfde ogenblik ontdekte de rest van de zwerm hen en viel op hen neer.

'*Vampiro! Vampiro!*'

Secundus Proot sprong overeind, en begon met zijn armen te zwaaien en rond te rennen. De beide Tobajaras stonden ook op en omdat zij extra kwetsbaar waren, vluchtten zij de *caatinga* in. De vampiers raakten verstrikt in het lange haar van de Hollander die er vloekend een handvol uittrok om van die lelijke schepsels af te komen.

Amador pakte zijn kruithoren en terwijl hij met zijn vrije hand de vampiers op een afstand hield trok hij er met zijn tanden de kurk af. Hij liet wat kruit in zijn hand stromen, en waarschuwde Segge voordat hij het in het smeulende vuur wierp. De beide mannen sprongen achteruit toen het vuur opeens heftig begon te branden. Er vielen wat vampiers in de vlammen, en de rest trok zich terug in de zwarte nacht. Weer gooide Amador een beetje buskruit op het vuur; hier en daar kwamen kleine donkere gestalten omhoog, om vervolgens te verdwijnen. De Hollander en de Paulista bleven een ogenblik roerloos en zwijgend zitten.

'Ben jij gebeten?' vroeg Amador ten slotte.

Segge wreef over zijn nek en krabde wild over zijn hoofdhuid.

'Ik geloof het niet,' mompelde hij.

Zijn metgezel vond het niet nodig om hem te vertellen wat het gevolg van een vampierbeet was. De *furia*, zoals de Portugezen zeiden. De Tobajaras kwamen terug en vertelden kreunend dat die nachtelijke schepsels kwade geesten waren die door hun vijanden op hen afgezonden waren. Amador legde ze het zwijgen op, maar dat duurde niet lang. Algauw begonnen de Indianen te schreeuwen van de pijn toen Amador, gewapend met het lancet dat Proot hem gegeven had, in hun vlees rond de beten sneed.

De volgende dag schoten zij nog twee keer met hun musketten

voordat zij het kamp opbraken, maar ze vertrokken zonder dat Ibira kwam. De aanval van de vampiers had hun haat tegen de *caatinga* nog doen toenemen en ze hadden er bijna geen spijt meer van dat ze moesten omkeren. Terwijl zij liepen hadden zij het over de opluchting die ze zouden voelen als ze Santo Tomás terug zouden zien.

Toen verscheen Ibira voor hen. Hij riep vrolijk hun namen en leek niet te zeer te hebben geleden van de nacht die hij alleen in de *caatinga* had moeten doorbrengen. Hij had nog geen stap in hun richting gedaan of achter hem doken twintig wilden op, gewapend met bogen en ploertendoders, hun lichamen beschilderd met oorlogskleuren.

'Nu zijn we er geweest!' zei Segge.

Amador trok zijn kapmes en boog zich een beetje voorover, waarbij hij zijn ogen tot spleetjes kneep. Vlak bij hem keken de Tobajaras met een zekere berusting naar de krijgers.

'Dit zijn vrienden!' riep Ibira. 'Tupinambás! Ze komen daarvandaan,' legde hij opgewonden uit terwijl hij naar het westen wees. 'Drie uur lopen vanhier is het eind van de *caatinga*.'

'Weet je dat zeker?' vroeg Amador wantrouwend.

'Ja,' antwoordde Ibira. 'Daar heb ik die mannen gevonden. Of liever gezegd, zij hebben mij gevonden.'

'Waar dan?'

'Niet ver van de plek waar ik jullie ben kwijtgeraakt. Vanochtend zijn we jullie gaan zoeken, en hebben we de schoten gehoord.'

De Indiaan gaf een teken aan twee krijgers, die daarop naar voren liepen.

'Zij zijn zonen van Ipojuca, het opperhoofd van hun clan,' ging hij verder. 'Zij zullen jullie uit de *caatinga* brengen, nog voordat de zon boven in de hemel staat.'

Segge wendde zich tot Amador en vroeg: 'Geloof jij dat?'

'Hij zal de waarheid wel spreken, anders zou hij niet in leven zijn,' antwoorde de *mameluco* terwijl hij zijn kapmes weer wegborg. 'Maar houd je tocht maar klaar om je musket te gebruiken.'

Zo kwamen Amador en zijn metgezel bij de clan van Ipojuca de Tupinambá, en vergezelden zij hem bij zijn tocht.

Zonder dat zij even plotseling ophield als Ibira had laten doorschemeren, werd de *caatinga* minder dicht begroeid en maakte plaats voor een grijze steengrond waar nog wel cactussen en grillige bomen groeiden. Aan het eind van de dag kwamen zij bij een modderpoel, waar zij hun waterzakken konden vullen. Twee weken later kwamen zij in de *cerrado*, de hoge savanne met hier en daar galerijbossen, waar volop wild was. De colonne hield er halt om van de *caatinga* bij te komen.

De clan van Ipojuca was een rest van een stam van de kust die enkele tientallen jaren eerder voor de Portugezen was gevlucht. Ze waren naar een streek vijftig mijl uit de kust getrokken en hadden bij hun successieve migraties de loop van een rivier gevolgd.

Achttien maanden eerder waren er Portugezen in de streek gekomen, die hadden verklaard dat de gouverneur hun het stroomgebied van die rivier had gegeven. Een jaar lang hadden de kolonisten en de Indianen vreedzaam samengeleefd, maar toen hadden een paar krijgers een koe gestolen en hadden de Portugezen bij wijze van represaille hun maniokvelden verbrand. 'De volgende keer verbranden we jullie *malocas*,' hadden de kolonisten dreigend gezegd.

Zes maanden van nieuwe omzwervingen door de *caatinga* hadden Ipojuca en zijn clan naar de plaats gebracht waarheen de krijgers Ibira ook hadden meegenomen. De Tupinambás bouwden stevige hutten in de *cerrado*, en omgaven hun kamp met een barrière van doornbossen. De mannen gingen op jacht, en de vrouwen plantten cassave.

Ipojuca wantrouwde alle *mamelucos*, dus ook Amador, want die waren de pest voor zijn volk, maar hij wist niet wat hij denken moest van die Langharige met een parel in een van zijn oren – 'Strobaard', zoals hij hem noemde. De Tupinambá had wel gehoord van de Hollanders en was blij dat zij de vijanden van de Portugezen waren. Wat hem erg intrigeerde waren de tekeningen van de schilder en hij had hem ongerust zitten bekijken toen deze Ibira's portret maakte. In de dagen die daarop volgden had hij het gezicht van de verhalenverteller nauwlettend in de gaten gehouden, om de schadelijke gevolgen van de magie van Strobaard te zien, maar hij had niets kunnen merken. Niettemin weigerde hij om model te zitten toen de Hollander hem dat vroeg.

'Maar waarom?' zei Segge. 'Je riskeert niets.'

Maar de Indiaan bleef weigeren en waarschuwde de oudsten van de clan: 'Strobaard doet wel vriendelijk maar wat gebeurt er als Jurupari of een andere demon het beeld ziet dat hij gemaakt heeft?'

Geen enkele oudste wilde voor Secundus Proot poseren.

Ze zaten voor een van de Tupinambá-hutten, Amador op de grond, met zijn stijve been uitgestrekt, Segge gebogen over de schets van twee jonge Indiaanse vrouwen die een eindje daarvandaan bezig waren om wortels schoon te schrapen. Het was juni 1641 en er waren vier maanden verstreken sinds de Tupinambás zich in de *cerrado* hadden gevestigd. Segge klaagde over deze lange gedwongen rust, maar

Amador was niet in het minst ongeduldig. 'Het meer van El Dorado is al eeuwenlang verborgen,' zei hij. 'Een paar maanden meer of minder... je kunt de *sertão* beter doortrekken met een clan bevriende krijgers. Het stikt hier van de Tapuyas.'

Amador had nog twee andere redenen om het langzame ritme van de migraties van de Tupinambás te accepteren, en dat waren Yari en Yara, de twee jonge inboorlingen die maniok aan het raspen waren. Zij waren zusters en leken zoveel op elkaar dat ze tweelingen hadden kunnen zijn, maar Yari was zeventien en Yara achttien. Ze hadden allebei lange zwarte haren, stevige borsten, brede heupen, een grote mond en donkere ogen.

Jupi, hun vader, een oudste zonder veel invloed, had ze ten teken van vriendschap aan de Hollander aangeboden – en in de hoop dat zijn eventuele goede relatie met Strobaard zijn stem bij de vergaderingen van de clan meer gewicht zou geven. De schilder was in de wolken toen de twee meisjes bij hem gebracht werden en had ze meteen laten poseren. Maar 's nachts, toen ze bij hem in zijn hut kwamen, had hij ze weggejaagd.

'Wat is er aan de hand met Strobaard?' vroeg Jupi Amador de volgende ochtend.

'Hij vreest de toorn Gods.'

'O, dan is hij net als de zwartjurken die geen vrouwen willen.'

Amador liet deze verklaring voor wat zij was, maar schreef de kuisheid van Segge eerder toe aan herinneringen aan de mooie Joana. De Paulista bleef wat met Jupi kletsen, toen hij bij de omheining van het kampement lawaai hoorde. Er kwam een groep krijgers terug van de jacht.

'Capybara! Capybara!' riep de man die voorop liep.

De jagers hadden drie grote knaagdieren gedood, die ieder meer dan honderd pond wogen. Toen zij de beesten naar de open plek brachten werden zij door de vrouwen met geroep ontvangen, die snel naar de plek liepen waar de capybaras aan stukken werden gesneden. Het feit dat er overvloedig wild was was een van de redenen waarom de clan niet verder migreerde. Ze waren in feite van plan om verder naar het westen te gaan, maar hadden geen haast om een zo wildrijke streek te verlaten.

Twee uur nadat de krijgers waren teruggekomen, slenterden Amador en Segge in de richting van de open plek. Een groep mannen zat het derde beest te villen, en de vrouwen waren bezig om de twee eerste klaar te maken. Ze zaten opgewonden met elkaar te praten, hun handen en armen onder het bloed, en haalden de ingewanden uit de karkassen van de knaagdieren.

'De grootmoeders hebben het voor het zeggen,' grinnikte Segge.
'Kijk dat oude mens, dat neemt een heel stuk vlees mee!'
'Zij hebben de meeste ervaring,' antwoordde Amador.
'Natuurlijk, zij zijn het oudst, zij zijn het gewend.'
'Dat zijn de vrouwen die de mannen klaarmaken die gegeten moeten worden,' legde de *bandeirante* met een vies gezicht uit. 'Iedere stap die ze uit de buurt van ons doen brengt de Tupinambás dichter bij hun barbaarse gewoonten.'

Twee weken later werden de woorden van Amador op een verschrikkelijke manier bevestigd.

De Tupinambás hadden de Tobajaras niet gewaarschuwd tegen Proot toen die in de *cerrado* begonnen was om hun portret te schilderen, langs een rivier in de buurt van het kampement, maar Ipojuca had verschillende keren gevraagd: 'Wie weet hoe dat zal aflopen?'

Toen was een van de Tobajaras ziek geworden. Hij was geïrriteerd, klaagde over een droge keel en bleef in zijn hangmat liggen. Amador en Segge dachten dat het ging over een simpele ruzie met de Tupinambás totdat de schilder op een dag 's morgens de hut binnenkwam en ontdekte dat de Indiaan nog maar amper kon ademhalen. Hij liet Amador komen, die de doodzieke man in zijn hangmat bekeek.

'Zijn grote teen,' zei de Paulista.

Proot merkte dat het litteken van de vampierbeet rood en ontstoken was.

'De *furia*,' mompelde Amador.

De Tobajara overleefde het niet. De hondsdolheid die al maandenlang in hem sluimerde, kreeg de overhand. Vijf dagen later werd de andere Tobajara op zijn beurt getroffen. Ondanks de vele aderlatingen die Proot toepaste, begon ook hij in het wild om zich heen te bijten, met schuim op zijn mond, en een gierende ademhaling. De derde nacht kwam hij wankelend uit de hut, deed een paar passen op de open plek en viel toen dood neer – maar niet vanwege de hondsdolheid. Een pijl, die op bevel van Ipojuca door een Tupinambá was afgeschoten, had zijn hart doorboord.

Amador en Segge begroeven de tweede dode Indiaan naast de eerste, buiten het kamp. Toen zij weer terug waren in hun hut vroeg de schilder: 'Waar is Ibira?'

'Hij zal wel bij de andere wilden zitten.'

'Ze zijn zo rustig.'

'Ze zijn in de war door de dood van die twee Tobajaras.'

Dat laatste was niet helemaal juist. Ipojuca zat in de vergaderplaats van de mannen de heilige kalebassen te schudden en riep met een monotone bezweringsformule de stem van de geesten om vergiffenis aan de voorouders te vragen. Hij had beloofd om zijn volk in veiligheid te brengen maar hij had in werkelijkheid een vreselijk kwaad binnen laten komen.

De krijgers luisterden toe hoe hun *pagé* de raad van de voorouders vroeg om tegen de demon te vechten die de Tobajaras had weggenomen. Toen Ipojuca eindelijk opkeek was elk spoor van spijt van zijn gezicht verdwenen en scheen hij klaar om zijn bevelen te geven.

'Wat ben je te weten gekomen, Ipojuca?' vroegen de oudsten.

'Ik zie de witte koorden,' antwoordde hij, en iedereen begreep wat hij bedoelde.

Het begon al licht te worden toen veertig krijgers naar de hut van de beide blanken slopen. Vrouwen en kinderen bleven binnen, ze waren bedreigd met vreselijke straffen als zij op de open plek zouden komen voordat de mannen met hun taak klaar zouden zijn. Zes krijgers gingen de hut binnen, anderen vatten post bij de ingang of achter de hut, waar de muur van bladeren dun was.

Amador werd wakker toen de Tupinambás binnenkwamen en riep: 'Segge! Segge, ze willen ons doden!'

Hij sprong uit zijn hangmat, duwde de eerste aanvallers weg en probeerde zijn kapmes te pakken te krijgen. De krijgers die achter de hut stonden sprongen door de bladeren naar binnen, stortten zich op Proot, tilden hem op en namen hem mee naar de open plek.

Zeven man waren nodig om Amador te overmeesteren. Toen hij geboeid was legde Ipojuca een wit koord om zijn nek.

'Zie je, Portugees, nu ben jij mijn koe,' zei de Indiaan.

Hij gaf een ruk aan het koord en sleepte zijn gevangene de hut uit.

Ibira was bij het gevangennemen van de beide blanken aanwezig; hij had ze kunnen waarschuwen, maar had niets ondernomen.

'Ik ben een Tupinambá,' zei hij tegen hen die om hem heen stonden. 'Ik sta aan de kant van Ipojuca.'

Op de open plek dansten de vrouwen en de kinderen, die uit hun hutten gekomen waren, rond de gevangenen. Een oude vrouw liep wankelend op Segge af en deed alsof zij in zijn arm wilde bijten.

'Kijk, Strobaard! Zo behandelen wij onze vijanden!'

De Hollander begon in zijn eigen taal een psalm te zingen.

'Luister eens hoe hij huilt!' schreeuwde het oude wijf. 'Hij huilt, Strobaard, de boze tovenaar!'

Ipojuca stond voor de krijgers, die de oude vrouw goedkeurend aanstaarden. Zij wist hoe het moest, zij was in haar jeugd bij veel terechtstellingen geweest, toen de Tupinambás veel gevangenen maakten.

Amador vloekte en probeerde op te staan maar Ipojuca trok aan het witte koord en de *bandeirante* viel weer, terwijl de Indianen in schaterlachen uitbarstten. De oude vrouw pakte Proots hemd en scheurde het aan stukken; op dat teken wierpen de vrouwen zich op de gevangenen en scheurden al hun kleren aan repen. Ze betastten en prikten in het roze lichaam van de Hollander, en gaven commentaar op de verschillen die zij tussen beide mannen ontdekten. Voor de *mameluco* hadden zij een wredere behandeling in petto, want hij werd aan alle kanten geschopt en gestompt.

Ipojuca gaf opdracht om op te houden en de vrouwen lieten hun gevangenen los, die een hele poos op de grond bleven liggen, onder bewaking van een groep krijgers. De middag was voorbij toen de vrouwen terugkwamen om zich met hen bezig te houden. Vier Indianen hielden Amador vast terwijl de vrouwen hem het hoofd kaalschoren, en daarna zijn baard en zijn wenkbrauwen. Proot bood niet de minste weerstand toen zij hetzelfde bij hem deden. Een oude vrouw rukte de parel die hij in zijn oor droeg eruit, stak die in haar mond en slikte die door.

Vervolgens werden zij naar de vergaderplaats van de mannen gebracht, waar Ipojuca en de oudsten voor een groot vuur zaten.

'Nee!' schreeuwde Proot. 'Nee!'

Onder de ogen van de schilder gooiden de Tupinambás zijn schetsen, zijn papier en zijn potloden – alles wat zij in zijn hut hadden gevonden – in de vlammen.

Een paar vrouwen versierden Yware-pemme, de grote ploertendoder, terwijl de anderen naar de *cerrado* gingen om grote takken voor de *boucan* te zoeken waarop het vlees van de gevangenen geroosterd zou worden. De voorbereidingen waren in volle gang toen Ibira de oudsten voorstelde om de executie van de Portugees en van Strobaard uit te stellen.

'Als hun schedels zijn ingeslagen en hun vlees is geroosterd, waar zijn ze dan nog goed voor?' bracht hij naar voren.

'Dan zijn wij verlost van de bezwering die hij over de Tobajaras heeft uitgesproken,' antwoordde Ipojuca waarbij hij op Segge wees. 'En hij,' zei hij nog waarbij hij op Amador wees, 'is onze ergste vijand. Zijn dood zal de voorouders genoegen doen.'

'Dat ben ik met je eens,' zei Ibira.

'Waarom stel je mijn beslissing dan ter discussie?'

346

'Laat ze nog even leven. Zij kunnen ons nog…'

Hij werd onderbroken door het protest van de krijgers. Een van hen liep naar hem toe en vroeg hem: 'Waarom doe jij een goed woordje voor ze? Wil je bij hen zijn als Yware-pemme zal zingen?'

'Nee! Ik ben een Tupinambá,' verklaarde Ibira.

De krijger keek wantrouwend en zei: 'Maar je hebt bij de Tapuyas gewoond, en dat zijn onze vijanden. Ben jij misschien ook onze vijand geworden?'

'Laten we naar hem luisteren,' zei Ipojuca.

'Dat klopt, ik heb bij de Tapuyas gewoond – en ook bij de Hollanders. Van hen heb ik geleerd dat je iets beters kunt doen met je vijand.'

De krijgers begonnen onrustig te worden maar Ipojuca beduidde hun stil te zijn.

'Spreek, verhalenverteller.'

'Ik was nog een jongeman toen wij op die landerijen kwamen. Wij hebben bloedige slagen geleverd met de Tapuyas, waarbij veel Tupinambás werden gedood. Bij de Hollanders heb ik gezien hoe de Portugese gevangenen in leven werden gelaten, omdat zij levend nuttiger waren dan dood.'

'Verklaar je nader.'

'De Hollanders gaven ze aan de Cariris. "Hier is vlees," zeiden zij, "aangeboden door vrienden." Doe dan hetzelfde, mest de gevangenen vet als koeien, en neem ze dan mee; als jullie onderweg door vijanden bedreigd worden, dan bieden jullie hun vlees aan in ruil voor vrede.'

Segge begon de hemel aan te roepen; Amador hield zijn mond terwijl Ipojuca om hen heen liep.

'Koeien,' zei hij een paar keer, duidelijk gecharmeerd door het denkbeeld.

In september 1641 hernamen de Tupinambás hun langzame migratie in westelijke richting totdat het regenseizoen er in januari 1642 een eind aan maakte. Vier maanden later gingen zij weer op weg en een jaar nadat zij het kamp hadden achtergelaten waar Amador en Segge bijna onder de slagen van Yware-pemme gevallen waren, kwamen zij bij de noordelijke rand van een groot moeras midden in het continent. Ze waren op bendes Nambikwara-jagers gestuit en waren aangevallen door de krijgers van een Shavante-dorp, waarvan zij de maniokvelden hadden geplunderd, maar ze hoefden hun gevangenen niet aan te bieden in ruil voor doortocht. Dus gingen ze door met hen vol te stoppen, waarbij zij zich verheugden op het festijn dat zij zouden vieren als hun migratie afgelopen zou zijn.

Niettemin verhaastte aan het begin van de maand mei 1642 een vervelende gebeurtenis bijna het einde van de beide gevangenen. De verteller Ibira werd vermoord.

Toen Ipojuca toestemming had gegeven om Amador en Segge te sparen, werd het prestige van Ibira bij de oudsten groter, wat hem de vijandschap van Jupi op de hals haalde. Op de ochtend na een zuippartij waarbij de beide mannen ruzie hadden gekregen werd de verteller in de buurt van het kamp gevonden, met ingeslagen schedel. Zijn dood werd nooit helemaal duidelijk verklaard, maar Ipojuca verdacht Jupi ervan, zonder dat hij echter bewijzen had. Om geen tweedracht in de clan te laten ontstaan gaf de *pagé* openlijk de schuld aan zwervende Tapuyas, van wie ze trouwens in de buurt sporen hadden gevonden.

De droom van Amador en Proot om El Dorado te vinden was vervlogen op de dag waarop de Tupinambás hen naar de open plek hadden gesleept. Ze hadden het nu zelden meer over hun zoektocht, en als ze het er al over hadden waren ze verbitterd door hun falen. Segge had meer dan Amador aan vluchten gedacht, maar daar was geen kijk op. De Tupinambás hadden hun alles afgepakt – wapens, kleren, voedsel, snuisterijen. De Paulista vond het helemaal niet erg om meestentijds naakt rond te lopen, net als de Indianen, maar de Hollander had nog een restje schaamte en had van een pekarivel een broek gemaakt.

In de loop van de maanden hadden ze een hele serie nieuwe persoonlijke bezittingen verzameld – bogen en pijlen, hangmatten, kalebassen, manden, benen haakjes, gekleurde veren – maar telkens als de schilder het over vluchten had, raadde de *mameluco* hem dat af en zei hij: 'Dan lopen we zó in de armen van andere wilden en die zullen ons geen uitstel verlenen. Iedere dag brengt weer nieuwe hoop, Segge. De Tupinambás van Ipojuca hebben het in hun liederen over een streek zonder Portugezen, maar Ibira de verteller wist dat ze zich vergissen. In zijn jeugd heeft hij de onzen op de Rio das Amazonas gezien, waar zij al op inboorlingen jaagden, twintig jaar geleden. Wie weet loopt de clan naar een plek waar onze mannen klaarstaan om hen op te vangen. Dan ontsnappen wij, beste vriend!'

Slavenhandelaren trokken al langs de Rio das Amazonas sinds de stichting – op 3 december 1616, de naamdag van de Heilige François Xavier – van Nossa Senhora do Belém, en langs de Rio Pará, die zuidelijk van de Rio das Amazonas in zee uitmondde. Toen Belém gesticht werd werden de Fransen, die meerdere pogingen hadden gedaan om zich te vestigen in de streek door als overal elders een bondgenootschap te sluiten met de Tupinambás, definitief uit het noorden van de kolonie verdreven. Maar plaatselijke Tupinambás waren nog drie jaar doorgegaan met oorlog voeren tegen de Portugezen, uit vrees anders tot slavernij te zullen vervallen. In 1619 werden zij verslagen door Bento Maciel Parente, een bloeddorstig man die een verschrikkelijke slachting aanrichtte.

In 1637 beloonde de Kroon zijn wreedheid door hem tot ridder in de Orde van Christus te benoemen, en hem gebieden toe te kennen op de noordelijke oever van de Rio das Amazonas. Het volgend jaar werd hij benoemd tot gouverneur van Pará en van Maranhão, twee gebieden die werden beschouwd als een aparte staat van Brazilië, omdat ze zover van Bahia af lagen.

Het vooruitzicht om kornuiten van die beul te ontmoeten sprak Proot niet zo erg aan, en hij had alle hoop om ooit in die noordelijke gebieden te komen al lang opgegeven.

'De Rio das Amazonas ligt toch boven ons, Amador, en wij lopen verder naar het zuiden. Wat voor hoop hebben wij dan nog?'

'Zolang we maar lopen hebben we een kans,' had de *bandeirante* hem geantwoord. 'De Heer voert deze heidenen misschien in de armen van Zijn dienaars...'

Toen zij in september 1642 bij het moeras kwamen bevonden zij zich op meer dan tweeduizend kilometer van de Atlantische kust, ongeveer vijftien graden onder de evenaar. De Rio das Amazonas stroomde duizend kilometer noordelijker, en São Paulo de Piratininga was ongeveer even ver weg, in zuidoostelijke richting. Dat wisten Amador en Segge natuurlijk niet, maar desondanks geloofde de schilder net zomin als zijn metgezel nog aan de mogelijkheid om verlost te worden door slavenhandelaren of priesters.

Volgens de Tupi-gewoonte werden de gevangenen heel goed behandeld tot zij afgemaakt zouden worden. De beste vruchten, de beste stukken vlees – niets was te goed voor de 'koeien' die Ipojuca wilde vetmesten. De gevangenen hadden ook recht op vrouwen en Amador had Yari als vriendinnetje uitgezocht – terwijl hij regelmatig nog met vier andere Indiaanse vrouwen in de bosjes lag. Hij legde in dat opzicht zoveel energie aan de dag dat de Tupinambás hem 'Grote Pik' hadden genoemd. De *mameluco* had zijn gunsten ook graag aan Yara gegeven, maar het meisje troostte Strobaard liever, die van zijn kant echter geheelonthouder bleef.

Toch verbaasde de schilder op een ochtend zijn vriend door tegen hem te zeggen: 'Ik ben verliefd.'

Amador dacht dat Proot nog steeds aan Joana dacht, maar hij zag het gezicht van de Hollander opklaren toen Yara naar hem toe kwam.

'Op die?' vroeg de *bandeirante*.

'Zij is een lief meisje. Ze is natuurlijk, en ze is aanhankelijk.'

'Bij alle heiligen, Segge Proot, zijn je ogen dan eindelijk opengegaan!'

'Ik voel voor haar de meest zuivere liefde.'

'Here Jezus!' zuchtte Amador. 'Ik zal die Hollanders ook nooit begrijpen.'

'Zij is een voortreffelijke jonge vrouw,' verklaarde Segge als om zich te verdedigen.

'Ze is ook de dochter van voortreffelijke wilden. Denk jij dat zij iets weet van jouw pure christelijke liefde? Wees maar verliefd, Segge – wees maar verliefd op die kleine wilde van je!'

Een paar dagen later vertelde een breed lachende Yara aan Yari dat Strobaard haar had meegenomen naar het hoge gras. Yari verspreidde het goede nieuws onder de vrouwen en de grootmoeders waren er blij om. 'Nu zal Strobaard niet meer verdrietig zijn als hij Yware-pemme ziet,' zeiden zij.

Toen de colonne in september 1642 bij het grote moeras kwam stond het water na de overstromingen van het laatste regenseizoen nog hoog. De Tupinambás hadden hun kamp opgeslagen aan de rand van een modderpoel toen de verkenners kwamen vertellen dat zij in het noorden en in het zuiden dorpen hadden gezien, maar dat de weg recht door het moeras vrij was.

Op 7 september 1642 vertrok de clan over een strook vaste grond die door het moeras voerde. Ze waren drie dagen onderweg, toen het pad verdween en veranderde in een donker, modderig oerwoud, waar het stikte van de muggen. Op de vijfde dag stuitte de lange rij Tupinambás, die over een afstand van ruim vijfhonderd passen achter elkaar liepen, na tien uur lopen op een dal waar een heldere rivier doorheen stroomde. Het bos dat er groeide scheen rijk aan wild te zijn en de oudsten besloten om daar verder het regenseizoen door te brengen als de verkenners de plek veilig zouden bevinden. De laatsten gingen er niet meteen op uit omdat zij uitgeput waren door de oversteek van het moeras en bleven eerst een paar dagen uitrusten.

Amador zat te kankeren op dit oponthoud maar Segge vond het wel leuk want zo kon hij meer tijd aan Yara besteden. Op een ochtend nam hij haar mee naar de rivier die op een halve mijl buiten het kampement lag. Nadat zij zich gebaad hadden vreeën zij met elkaar, waarbij de schilder het even snel afdeed als de vorige keren. Toen ze klaar waren ging het meisje op een rots aan de waterkant zitten, en liet Segge op zijn buik liggen, met zijn vuisten onder zijn kin. De schilder keek hevig verliefd naar het meisje, bewonderde haar mooie borsten en haar prachtige gestalte. Toen ze zag dat hij lag te dromen vroeg zij hem: 'Waar denk je aan?'

'Ik denk aan de stralende zon,' antwoordde hij glimlachend.

'En waar denk jij aan, mijn Eva?' wilde hij vragen, maar hij was bang dit tedere moment te zullen verstoren. Met zijn hoofd op zijn armen viel hij in slaap. Toen hij zijn ogen opendeed was Yara in het water, bijna aan de andere oever, die steil oprees tot ongeveer twintig voet. Hij stond op en liep het water in, naar het meisje dat op een rotsblok zat, en nam haar in zijn armen. Zij probeerde lachend los te komen maar hij hield haar stevig vast, en bedekte haar lippen en haar wangen met kussen.

Plotseling voelde hij hoe zij gespannen werd en zag hij een angstige uitdrukking op haar gezicht.

'Wat is er?' vroeg hij.

Ze antwoordde niet.

Hij volgde haar blikken en ontdekte op de oever een oude man en een meisje die naar hen stonden te grinniken.

De bejaarde inboorling die op de oever stond was groter dan de meeste Tupinambás en droeg een prachtige tooi van veren. Het meisje, een jaar of zes oud, was gekleed in een soort schort van blauwe en grijze veren, die tot haar knieën reikte.

Segge lachte terug naar de oude man, en groette hem in het Tupi-Guarani. De oude man beduidde dat hij het niet begreep maar wenkte hem.

'Laten we vluchten!' schreeuwde Yara terwijl zij Proot aan zijn arm meetrok.

'Ben je bang voor een oude man en een kind? Die doen ons geen kwaad.'

'Alsjeblieft, laten we weggaan!'

'Nee, we gaan naar ze toe,' antwoordde de Hollander vastbesloten.

Hij nam haar bij de arm en trok haar mee naar de oever. Toen ze boven op de helling aangekomen waren vroeg Secundus Proot zich af of hij niet een ernstige fout aan het maken was.

Een groep met bogen en speren gewapende krijgers stond ongeveer tien stappen achter de oude man.

Yara begon te kreunen.

De oude man gaf een bevel aan de krijgers, die daarop in het bos verdwenen.

'Zie je wel, ze zijn heel vriendelijk,' zei Proot.

De jonge Tupinambá bleef echter kreunen en drukte zich tegen hem aan. Hij probeerde haar op haar gemak te stellen door een hand op haar schouder te leggen, maar zij viel voor het kleine meisje op haar knieën, dat echter totaal geen aandacht voor haar had en alleen maar op de grote Hollander lette. De oude man, die ook een en al oog voor Segge was, begon tevreden te kirren.

De man had, onder zijn tooi van veren, een rimpelloos gezicht, en zijn onderlip en zijn oorlellen waren doorboord. Zijn wangen waren gesierd met zwarte tekeningen, op een rode ondergrond van *urucu*-verf. De rest van zijn lichaam was ook met *urucu* geverfd, waarbij hij een asgrijs poeder op zijn schouders en zijn borst gesmeerd had. Rond zijn penis droeg de man een koker van stro. Rond zijn nek, aan een leren riempje, droeg hij een donkergroene steen die op jaspis leek maar waarvan vooral de vorm – een Maltezer kruis – Secundus Proot fascineerde.

De Indiaan vond het leuk dat de Hollander zoveel aandacht had voor het kruis, en wees erop.

'Paresí,' zei hij, en hij wees naar het noordwesten.

Segge dacht dat de oude man zich voorstelde en zei dus: 'Secundus Proot.'

De inboorling probeerde de naam van de blanke te herhalen, maar gaf het op, en wees weer in noordelijke richting, waarbij hij Segge uitnodigde hem te volgen. Deze aarzelde. Als hij nu eens alleen, zonder Amador, tussen wilden terecht zou komen die nog barbaarser waren dan de Tupinambás? Aan de andere kant, als hij bij de clan van Ipojuca bleef, zou hij ten slotte afgemaakt worden, en er was geen enkele aanwijzing dat de vriendschappelijke houding van de oude man niet oprecht zou zijn. Hij had de krijgers weggestuurd en scheen de interesse van Segge voor zijn kruis op prijs te stellen. Zou God hem in Zijn oneindige goedheid naar vriendschappelijke inboorlingen hebben gestuurd?

Proot beduidde de oude man dat hij wel met hem wilde meegaan. Als hij met hulp van God aan de dood zou ontsnappen, zou hij ook wel een middel vinden om Amador te gaan halen. En Yara, die aan zijn knieën bleef liggen kreunen, kon hij niet naar het kamp terugsturen, want zij zou de Tupinambás alarmeren.

De Hollander besefte dat hij naakt was, wees op de tegenoverliggende oever, waar hij zijn kleren had laten liggen, en daarna op zijn lichaam. De Indiaan barstte in schaterlachen uit, klopte op zijn peniskoker, en streelde zachtjes de huid van de schilder, die vervolgens begreep dat hij ongetwijfeld de eerste blanke was die deze man zag.

'Yara,' zei Segge, 'ik ga mijn kleren halen. Blijf jij bij hem. Hij is ons niet vijandig gezind.'

'Hij maakt ons af,' kreunde ze, waarbij ze Proots been vasthield.

Hij maakte zich los, waadde snel door de rivier en kwam met zijn kleren terug. Toen hij aangekleed was volgde hij de oude man en trok Yara met zich mee. Zij gingen naar de krijgers die de oude Indiaan met veel eerbied behandelden.

Ze liepen het dal uit, trokken door twee andere dalen en kwamen midden op de dag in de savannen uit. Tot verrassing van de schilder stuitten zij op een weg, vijf passen breed en open. Een mijl verder zagen zij een groot dorp met daaromheen velden met maïs, cassave, bonen en andere gewassen. Ze moesten over een rudimentaire brug van stammetjes en lianen, die echter goed gebouwd was.

De verbazing van de Hollander steeg ten top toen hij merkte dat de Indianen een sloot van honderd passen hadden gegraven van de rivier naar de velden. Het dorp bestond uit een dertigtal hutten die, afgaande op hun omvang, ieder ongeveer veertig personen konden herbergen.

Toen ze midden in het dorp waren deelde de oude man orders uit en een paar vrouwen brachten uit boomstammem gesneden krukjes. Zij hadden fijnere gelaatstrekken dan de Tupinambás en droegen allemaal een soort schort van veren dat Segge ook al bij het kleine meisje opgevallen was.

De oude Indiaan beduidde Proot te gaan zitten voor een kleine ronde hut, en kwam bij hem. Twee krijgers brachten een man die niet op de andere inboorlingen uit het dorp leek, hij was kleiner, had een rond gezicht en zag er meer uit als een Tupinambá.

'Ik ben Pitua,' zei hij in het Tupi, 'een gevangene van de Paresís.'

Mijn God, dacht Segge ongerust, ze zijn al net als de rest.

Nu volgde een lang gesprek waarbij de Hollander hoorde dat de oude man Kaimari heette, groot opperhoofd was van een Paresí-clan die achttien dorpen omvatte, tussen de rivier en een bergketen in het noorden, een week lopen verderop. Er waren nog drie andere Paresí-clans – twee daarvan waren bondgenoot van Kaimari, en met één had hij constant ruzie.

Tot zijn grote opluchting hoorde Proot ook dat de Paresís geen mensenvlees aten. Pitua, de tolk, kwam uit een kannibalenstam die in een bos ten noorden van de bergen woonde en die een strooptocht op Kaimiri's grondgebied had gehouden. Hij was al vijf jaar gevangen, had een Paresí-vrouw en werkte op de velden.

Nu was het de beurt van het oude opperhoofd om vragen aan de grote blanke man te stellen. Segge raakte onder de indruk van het feit dat hij de antwoorden die hij met tussenkomst van Pitua gaf, begreep. Voor Kaimari waren begrippen als tijd en ruimte maar vaag, want zijn wereld omvatte slechts het grondgebied van de vier Paresí-stammen, maar hij accepteerde het idee dat er veel verderop andere mensen leefden, en was helemaal niet verrast toen de Hollander het had over een oceaan die tussen hun beider landen lag. De Indiaan zei nog dat ook hij grote watervlakten kende en met een stokje tekende hij op de grond verschillende lijnen die samenkwamen in een grote, dikke lijn, de Moeder van de Rivieren.

'Wij noemen die Rio das Amazonas,' zei Proot opgewonden.

'Waarom trek jij in die richting?' vroeg Kaimari.

De Hollander probeerde uit te leggen dat hij El Dorado en de Amazones zocht maar toen hij zag dat het Paresí-opperhoofd dat niet begreep, zei hij gewoon dat hij met een vriend gevangen was genomen door een Tupinambá-clan. Toen Pitua dat vertaalde, zei Segge nog: 'Ze waren van plan ons af te maken en ons op te eten.'

Pitua hield zijn mond en Proot vroeg hem waarom hij zijn laatste opmerking niet vertaalde.

'De Paresís haten menseneters,' antwoordde de gevangene. 'Ik wilde hem er niet aan herinneren dat ik er ook één ben.'

Maar de oude man drong aan op vertaling, en Pitua vertaalde ten slotte wat de Hollander had gezegd. De oudsten die rond Kaimari zaten begonnen druk te praten toen zij hoorden dat er kannibalen in de buurt waren. Er volgde een gesprek dat Pitua voor de Hollander als volgt samenvatte: 'Ze vragen zich af of zij de oorlog moeten verklaren aan de Tupinambás.'

Secundus Proot, die een vredelievend mens was, voelde een ongewone tevredenheid bij het denkbeeld dat de Paresís, flink in de meerderheid, de clan van Ipojuca aan mootjes zouden hakken. Hij was verrast toen de tolk hem vertelde dat Kaimari geen reden zag om met de Tupinambás te gaan vechten als zij met vredelievende bedoelingen hun grondgebied wilden oversteken.

'Kaimari is een wijs man,' zei Segge, 'maar als hij de Tupinambás laat doortrekken, zullen die mijn vriend meenemen en hem opeten.'

Na met de oudsten te hebben overlegd zei het opperhoofd tegen de tolk: 'Ze zullen vanavond besluiten of ze iets voor jouw vriend kunnen doen. Nu vindt Kaimari dat je met hem moet eten. Er is genoeg gepraat.'

Na een maaltijd bestaande uit vlees, maïskoeken en zoete bataten, werd Proot naar een kleine hut gebracht waar hij kon slapen. Het was de plek die voor hooggeplaatste gasten was gereserveerd, merkte Pitua op. Yara moest bij het gezin van de tolk gaan slapen. Segge maakte hier geen bezwaar tegen en viel vrijwel direct in slaap toen hij eenmaal in zijn hangmat lag.

Toen hij wakker werd, stond Kaimari vlak bij hem, met de zwijgende oudsten om hem heen. De oude man beduidde hem op te staan en met hem mee naar buiten te gaan, waar de zon al hoog aan de hemel stond. Pitua stond bij een groepje krijgers, gewapend met bogen en hardhouten pijlen, die een langgerekte kreet uitstieten toen zij hun opperhoofd uit de hut zagen komen.

'Jij gaat je vriend halen,' zei de tolk.

'Dank je, Kaimari!' riep Segge.

'Het opperhoofd wil geen oorlog,' ging de gevangene verder. 'Ga naar de Tupinambás, en vraag hun om jouw vriend. Als ze dat weigeren, dood je ze; als ze het doen mogen ze ongestoord over zijn grondgebied trekken. Daarna komen ze op het gebied van Ixipi, een ander Paresí-opperhoofd dat hen wel zal aanvallen, zoals hij dat zijn buren ook regelmatig doet.'

'Zeg tegen Kaimari dat ik blij ben dat hij, en niet Ixipi, met zijn kleindochter bij de rivier stond.'

Pitua vertaalde dat voor het opperhoofd, die in lachen uitbarstte.

'Wat is er?' vroeg Proot.

'Dat is zijn kleindochter niet,' antwoordde de tolk, die het ook leuk scheen te vinden. 'Dat is zijn nieuwe vrouw, die hij zal trouwen als ze oud genoeg is om met hem naar bed te gaan.'

De Hollander zag in gedachten het meisje met haar grote ogen en haar schort van veren.

'Zeg maar tegen hem dat ik hoop dat hij nog lang plezier mag hebben van die jonge bloem.'

Toen Pitua dat vertaald had, antwoordde Kaimari: 'Ga nu je vriend maar halen. Ik wacht hier tot je terugkomt.'

Alvorens te vertrekken zocht Segge Yara op en vond haar ergens in een hoekje in de hut van Pitua, met haar gezicht in haar handen.

'Yara,' zei hij, 'ik ben het.'

'O! Alsjeblieft... ik wil weg.'

Hij zag haar weer in de rivier, met haar lichaam druipend van het water.

'Mijn kleine Yara,' mompelde hij. 'Jij kunt beter naar je familie teruggaan.'

Amador was ervan overtuigd dat Segge door de wilden gevangen was genomen en was vermoord. Toen de Indianen die eropuit waren gestuurd om Proot en Yara te gaan zoeken, met lege handen terugkwamen, werd de *mameluco* helemaal wanhopig en begon hij urenlang gebeden op te zeggen die *padre* Anselmo hem in zijn jeugd geleerd had. Hij was nu helemaal alleen, te midden van heidenen, met als enig vooruitzicht een vreselijke dood op zijn achtentwintigste jaar.

Vreemd genoeg was Ipojuca bijna even wanhopig als zijn gevangene.

'Jupi beweent de dochter die hij verloren heeft,' zei het opperhoofd tegen de Portugees. 'Voor mij is het allemaal nog erger.'

'Hoe dat zo?'

'Ik heb beloofd dat Yware-pemme Strobaard zou krijgen, en Strobaard is er niet meer.'

'Vuile wilde!' schreeuwde Amador. 'Ik hoop dat je eeuwig in de hel zult branden!'

'Jou raak ik niet kwijt, zoals Strobaard,' antwoordde Ipojuca, met een stralende blik in zijn ogen. 'Ik heb nog nooit een Portugees gegeten...'

Amador liep kwaad weg en verliet het kamp, gelegen op open terrein dat afhelde naar een stroompje met een galerijbos ernaast. De *bandeirante* volgde een poosje het water en kwam toen bij de rivier waar Segge en Yara een bad hadden genomen. Hij liep naar de bomen toe, maar bleef plotseling staan.

Daar stond Secundus Proot, in zijn eentje, aan de rand van het bos.

'*Meu Deus!*' riep Amador uit, om vervolgens naar zijn vriend toe te rennen.

Hij omhelsde hem en drukte hem tegen zich aan.

'Segge! Segge Proot, kameraad,' zei hij, met zijn ogen vol tranen.

'Bevriende wilden...' stamelde de Hollander, toen Amador hem had losgelaten.

'En jij bent teruggekomen? Waarom dan?'

'Om jou te halen, natuurlijk.'

'Jij bent teruggekomen voor míj?'

'Ik ben niet alleen,' zei Segge, en hij wees op de bomen achter hem. 'Er zijn meer dan honderd krijgers bij mij...' Hij keek over de schouder van zijn vriend. 'Maar jij bent ook niet alleen.'

Amador draaide zich om en zag Ipojuca en de helft van zijn mannen met zwaaiende ploertendoders op zich afkomen.

'De koe!' riepen zij. 'De koe is teruggekomen!'

'Gaan we ervandoor?' vroeg Amador.

'Nee,' antwoordde Proot, 'dat heeft geen zin.'

'Zo, ben je daar weer!' riep Ipojuca tegen de Hollander. 'Waar heb je nou gezeten?'

'Mijn dochter!' riep Jupi. 'Wat heb je met haar gedaan?'

Ipojuca sloeg geen acht op hem maar ging verder: 'Strobaard was verloren, maar de voorouders hebben hem teruggebracht. Zij hebben het zo gewild.'

'Met Yara is niets aan de hand,' zei Proot tegen Jupi. 'Je krijgt haar terug.'

'Jij hebt eergevoel, Strobaard,' zei Ipojuca bewonderend. 'Jij bent niet bang om terug te komen om te sneuvelen onder de slagen van Yware-pemme.'

'Zo is het niet helemaal,' zei Segge.

'Hoe bedoel je?'

De Hollander hief zijn rechterarm op en zwaaide ermee.

'Dit is de waarheid!'

Op zijn teken kwamen de Paresís uit het bos. Ipojuca keek snel met hoeveel ze waren, draaide zich om naar zijn kamp en zag tot zijn grote schrik nog een groep vijandige krijgers.

Twee Tupinambás renden zwaaiend met hun ploertendoders op de Paresís af, maar stootten op de muur van Kaimiri's krijgers en stortten doorzeefd met lanssteken ter aarde. De Paresís slaakten een overwinningskreet en daagden de andere Tupinambás uit om hetzelfde lot te komen ondergaan.

'En volgens jou hebben die vriendschappelijke bedoelingen?' vroeg Amador aan Segge.

'Voor ons wel, maar ze hebben de pest aan menseneters.'

Ipojuca, die zonder een spier te vertrekken getuige was geweest van de dood van twee van zijn krijgers, vroeg aan Proot: 'Zijn ze van plan mijn volk af te slachten?'

'Geef ons onze musketten en ons buskruit, laat ons vertrekken en ze zullen jou met rust laten. Maar je moet onmiddellijk het grondgebied van de Paresís verlaten.'

Het Tupinambá-opperhoofd leek stomverbaasd.

'En waarom maken ze ons niet af?'

'Ze willen niet per se een veldslag. En beslis nu maar snel, Tupinambá.'

Ipojuca overlegde kort met zijn krijgers en besloot toen: 'Wij moeten de voorwaarden van Strobaard aannemen. Als wij dit hadden geweten, zou geen van die lafaards die nu niet willen vechten het overleefd hebben.'

Toen de Tupinambá opdracht had gegeven om de musketten te gaan halen, beduidde Proot twee Paresís, die Yara vasthielden, haar vrij te laten. Ze begon meteen naar het kamp te rennen, waarbij de Hollander berustend toekeek.

Ipojuca barstte in schaterlachen uit.

'Wat vind je zo leuk?' vroeg Amador.

'Ik dacht aan Ibira, de verteller. "Bewaar de gevangenen," had hij mij aangeraden, "om ze op een dag aan je vijanden cadeau te kunnen doen." Wat een wijze man! Dat is precies wat er gebeurd is.'

Van september 1642 tot juli 1643, woonden Amador en Segge bij de Paresís die hen volgens de Hollander behandelden 'als goden van de Olympus'. De Indianen waren onder de indruk van de meest eenvoudige dingen die hun gasten hun toonden. Ze waren helemaal in de wolken toen Segge hun leerde afsluiters te maken om de watertoevoer in hun irrigatiekanaal te regelen, toen Amador hun vertelde hoe ze een oven in de grond moesten maken, maar ook toen de Paulista hun een schuifknoop voordeed.

Kaimari en zijn *pagés* bedolven de beide mannen onder de vragen. Het verhaal van Christus vonden zij aannemelijk, maar het idee van een almachtige en onzichtbare God konden zij niet bevatten. Hun eigen god zou geen ogenblik aarzelen om aan de mensen te verschijnen.

Amador en Segge zagen de god van de Paresís bij een jacht in een bos ten noorden van het grondgebied, op het grondgebied van de kannibalistische Tupis.

Op de tweede dag van die tocht rommelde de donder boven het bladerdak van het bos en stak het onweer vurige vingers tussen de bomen door. Twintig minuten lang braken de wolken en overstroomde een gordijn van water de kletsnatte grond. Toen het voorbij was stonden vier Paresí-jagers oog in oog met hun godheid.

Een anaconda van tweeëndertig voet lang had zich rond de onderste takken van een boom gerold, waarbij haar lichaam een reeks levensgrote S'en vormde, donkergroen en zwart gevlekt.

Amador greep zijn musket maar de Indianen zeiden dat hij de rust van de grote geest niet mocht verstoren. Zelfs jagen in zijn directe omgeving was verboden, ze moesten nu meteen weg. Dat lieten Segge en zijn vriend zich geen twee keer zeggen, want de grote platte kop met de dreigende ogen en de geschubde neusgaten beviel hun helemaal niet.

In het dorp bracht het verhaal van de ontmoeting met de anaconda heel wat teweeg want er ging soms een jaar voorbij zonder dat iemand de grote geest zag. Dus werd besloten om deze gebeurtenis te vieren. Tijdens de ceremonie werd de anaconda uitgebeeld door een slang van bamboe die zo lang was dat twee mannen haar moesten dragen. Ze kwam uit de heilige hut en iedere krijger vereerde haar door om haar heen te dansen en haar offergaven aan te bieden. De vrouwen mochten niet aan het feest deelnemen want zij mochten de heilige slang niet eens zien.

Amador en Segge waren bij de ceremonie aanwezig en zagen hoe een jonge Paresí gestraft werd, die per ongeluk de hut van de mannen was binnengekomen toen ze het vlees dat aan de slang geofferd was opaten. Het meisje werd door elke krijger verkracht en vervolgens gewurgd. Kaimari scheen niet in het minst geschokt door deze verschrikkelijke dood en legde met tussenkomst van Pitua uit: 'Ze wist wat haar te wachten stond. Het is gevaarlijk om een vrouw bij de ceremonie te laten.'

'Zo gevaarlijk dat het nodig was haar dood te maken?' vroeg Segge.

'Ja, ze moet sterven.'

'En waarom dan?'

Het antwoord van de oude man verbaasde Amador en zijn vriend.

'Toen de vrouwen krijgers waren, hadden de mannen niets te zeggen.'

'En wie waren die vrouwelijke krijgers dan?' vroeg de *mameluco* opgewonden.

'Toen de wereld begon heerste er een vrouwenras over de aarde. De mannen dienden alleen maar om kinderen te verwekken.'

'En waar zijn die vrouwen nu?'

'Die zijn er nu niet meer,' zei Kaimari. 'Nu zijn er alleen nog maar vrouwen die in de hutten moeten blijven als de mannen samenkomen voor een ceremonie.'

'Maar wat is er dan gebeurd met die vrouwelijke krijgers?' vroeg de Hollander weer.

'Ze zijn overwonnen. Met hulp van de grote anaconda hebben de mannen de geheimen van de vrouwen gestolen en zijn zij krijgers geworden. Daarom mogen de vrouwen niet bij onze ceremonies zijn, want dan zouden wij de macht die onze voorouders voor ons hebben gestolen, weer kwijt kunnen raken.'

Deze woorden wekten bij Amador en Segge weer de belangstelling voor de Amazones. Het leven in het Paresí-dorp was zo aangenaam dat ze er nauwelijks aan dachten om het te verlaten om weer eenzaam door de *sertão* te trekken, maar in juli 1643 verschafte Kaimari hun een excuus dat zij maar al te graag aangrepen. Ze hadden hem vaak gevraagd naar het Maltezer kruis van jaspis dat om zijn nek hing, en naar soortgelijke stenen die de oudsten droegen.

'Waar komen die toch vandaan?'

'*Pagés* en oudsten hebben die altijd gedragen.'

'Maar hoe komen ze er dan aan?'

'Van hun vaders en hun grootvaders.'

Kaimari had verder niets losgelaten, maar in juli zei hij dat hij mannen eropuit zou sturen om jaspis te gaan halen in de buurt van een zijrivier van de Moeder van de Rivieren, waar zij met een Moja-stam ruilhandel dreven.

'Als wij met ze meegaan, zijn we onderweg beschermd,' zei Amador, 'en als ze klaar zijn met hun ruilhandel, brengen ze ons bij de rivier, vandaar kunnen we per kano naar de Rio das Amazonas komen. En daar vinden we dan wel weer missieposten en handelaren...'

'Slavenhandelaren, bedoel je?' zei Segge plotseling.

'Als we maar weer in de beschaving komen.'

Half juli verlieten ze het dorp. Kaimari ging een heel eind met hen mee naar het zuiden, en zorgde ervoor dat zij niet over het grondgebied van Ixipi kwamen, die weer eens op het punt stond hun de oorlog te verklaren. Toen zij buiten de gevarenzone waren bogen zij af naar het westen en nam Kaimari afscheid van hen. Hij keek hen een hele poos aan en zei toen: 'Het was goed.' Toen vertrok hij naar het dorp waarbij hij de beide mannen achterliet met dertig Paresís en de tolk Pitua.

Drie weken lang trokken zij door een moerassige streek, door savannes en oerwoud. Toen bleven de beide mannen met een tiental Paresís achter terwijl de anderen veren, kruiden en geneeskrachtige wortels gingen ruilen tegen jaspis.

Tien dagen later kwamen ze terug met een zak vol van die groene stenen waar zij zoveel prijs op stelden. Amador en Segge bekeken ze en concludeerden dat ze niet veel meer waarde hadden dan die welke de oudsten uit het dorp ook droegen.

'Dit is niet interessant,' zei de *bandeirante*. 'En die vorm van de steen van Kaimari is vast puur toeval.'

De tien krijgers met wie zij waren achtergebleven, maakten twee kano's door boomstammen uit te hollen, en toen de andere Indianen de volgende dag terugkwamen werden de boten te water gelaten. De Paresís gingen met hen mee tot de grote rivier, maar niet verder, want het stikte in die streek van de kannibalen.

In de middag van 23 augustus 1643, twee dagen na hun vertrek, hoorden zij het geruis van een waterval. Amador en Proot werden meteen ongerust, maar Pitua, die de omgeving kende, begon te lachen.

'*Guajara Mirim*,' zei hij. 'De Kleine Waterval.'

De kano's werden door de stroom meegetrokken en voeren twintig passen uit de linkeroever van de rivier waarin overal begroeide rotsen lagen. Amador en Segge zaten in de tweede kano en zagen hoe de eerste naar een groot eiland vlak voor de waterval voer. Schreeuwend om boven het geluid van het vallende water uit te komen legde Pitua hun uit dat ze daar de nacht zouden doorbrengen.

De Hollander en de *mameluco* luisterden niet naar hem, maar stonden uit alle macht te schreeuwen en te zwaaien, want op de oever stonden de eerste blanken die zij sinds tweeënhalf jaar hadden gezien.

Amador beval de Paresís om naar de oever terug te gaan maar zij gingen verder naar het eiland.

'Er zitten kannibalen in dat bos,' legde Pitua uit. 'Ze willen daar niet aan land gaan.'

Segge probeerde hen te overreden, maar de krijgers dachten er niet aan. Amador en zijn vriend brachten hen dus naar het eiland, om vervolgens met Pitua naar de oever te gaan, die hen deed beloven dat ze hem voor de nacht naar het eiland zouden terugbrengen.

De kano was nog niet aan land of Amador sprong in het water en liep naar het groepje blanken toe. Ze waren met acht man, onder wie een jezuïet.

'*Senhores*, wat een wonderbaarlijke ontmoeting!' riep de Paulista in het Portugees.

De man die kennelijk de leider was, klein van stuk, mager en nerveus, met twee enorme, met musketten gewapende kerels naast zich, deed allesbehalve vriendelijk.

'Waar komt u vandaan?' vroeg hij in het Spaans.

Amador werd meteen minder enthousiast.

'Wat zei u, *senhor*?'

Nu kwam de jezuïet naar voren.

'Ik ben Juan Baptista Osorio, en ik spreek Portugees. Waar komt u vandaan?'

De *mameluco* begon te lachen en vertaalde het een en ander voor Segge, die ondertussen naast hem was komen staan.

'Hij vraagt ons waar wij vandaan komen!'

Amador wendde zich weer tot de jezuïet en antwoordde: 'Wij zwerven al tweeënhalf jaar door de *sertão*. Wij komen uit het Hollandse Pernambuco.'

De priester fronste zijn wenkbrauwen en vertaalde voor de Spaanse commandant, die nog steeds even ernstig bleef en een paar woorden in het Castiliaans sprak.

'U bent al tweeënhalf jaar weg?' vertaalde de jezuïet weer.

'Langer,' antwoordde Amador. 'Mijn vriend is een kunstschilder die Tapuyas moest schilderen.'

Terwijl de jezuïet vertaalde, mompelde Segge tegen Amador: 'Zijn we in Peru?'

'Wie weet waar we zijn?'

'Heren, mag ik u voorstellen aan Don Hernando Ramirez de Ribera,' zei Osorio. 'Hij leidt onze expeditie.'

'Zijn we in Peru?' vroeg Amador.

De priester antwoordde niet direct.

'Wij zijn vertrokken uit Pueblo Nuevo de Nuestra Señora de la Paz, enkele weken lopen van deze rivier, een plaats die de inboorlingen Mamoré noemen.'

Wat de jezuïet niet vertelde was dat de commandant en zijn mannen op zoek waren naar goud. Osorio keek Proot doordringend aan en vroeg: 'Is hij een ketter?'

'Dat heb ik u toch gezegd, hij is een Hollandse schilder.'

'En jij, *mameluco*, wie ben jij?'

'Amador Flôres da Silva, uit São Paulo de Piratininga.'

'Paulista,' zuchtte de jezuïet.

Terwijl de priester met de commandant stond te praten fluisterde de *bandeirante* tegen zijn vriend: 'Het verbaast me dat ze zo wantrouwend doen. Dat ze een ketter als jíj niet vertrouwen begrijp ik wel, maar ik ben net als zíj een onderdaan van zijne majesteit Philips IV.'

Juan Baptista Osorio zei nu tegen hen: 'Ik spreek ook de *lingua geral*. Je vergist je, *mameluco*.'

'In welk opzicht?'

'Philips is sinds december 1640 geen koning van Portugal meer. Nu regeert de graaf van Bragança onder de naam João IV Portugal. En onze beide landen zijn in oorlog met elkaar.'

'In oorlog?' herhaalde Amador die het nauwelijks kon geloven.

'De legers van koning Philips streden in Vlaanderen, in Italië en in Catalonië, toen de Portugezen in opstand kwamen. De troepen die trouw bleven aan Spanje hebben verzet geboden.'

'En de Braziliaanse kapiteinschappen?'

'Van Bahia tot Rio de Janeiro is João IV direct als koning erkend.'

362

'En in São Paulo?'
De priester glimlachte.
'De Paulistas wilden hun eigen koning.'
'Dom João IV.'
'Nee, nee. Zij wilden een van de hunnen kronen.'
'Dat kan niet. Zij zijn trouwe onderdanen!' antwoordde de *mameluco*.
'Toch hebben ze een van hen, Amador Bueno, gevraagd om hun koning te worden.'
'*Bueno*?' vroeg de *bandeirante*, die de man kende, verbaasd. Hij was de zoon van een kolonist uit Sevilla, een van de meest invloedrijke slavenhandelaren van de stad, maar om die nu tot koning te maken...
'Bueno kronen?' zei Amador. 'Paulistas zouden toch nooit zo'n stommiteit kunnen begaan!'
'Toch hebben ze dat gedaan,' antwoordde de jezuïet. 'Maar Bueno zelf weigerde de scepter van dat uitschot. Hij wilde niet de verantwoordelijkheid voor een nieuwe schanddaad dragen.'
'Wat voor schanddaad?' vroeg Amador terwijl hij de priester dreigend aankeek.
Juan Baptista beduidde de *mameluco* nog even te wachten en begon weer met Don Hernando te praten.
'Als Spanje en Portugal in oorlog zijn, dan zijn onze twee landen dus bondgenoten,' merkte de Hollander op.
'*Padre*?' vroeg Amador ongeduldig.
Maar de priester vertaalde eerst een vraag van de commandant: 'Om welke reden bevindt u zich in dit gebied... dat Spaans is?'
'De reden? Wij zochten de Paraupava,' antwoordde Amador, waarbij hij de Tupi-Guarani-naam voor het fabelachtige gouden meer gebruikte.
De jezuïet vertaalde en de Spanjaarden begonnen te lachen.
'En hebt u het gevonden?'
De *mameluco* klopte op zijn leren broek.
'Als we het hadden gevonden, zouden we nu niet als bedelaars tegenover u staan. Nee, *padre*, wij hebben slechts Gods genade gevonden, want Hij heeft ons aan de kannibalen laten ontsnappen.'
Nu vroeg Proot voor het eerst iets in de *lingua geral* aan de jezuïet: 'En hoe is het met Pernambuco?'
'Nog steeds onder het juk van de Hollanders. De Portugezen verbraken niet alleen de heilige verbintenis met Castilië, maar hebben ook nog een wapenstilstand van tien jaar met de Hollanders gete-

kend. Dat is de schanddaad waar ik het over had.'

'Ik heb tegen de Hollanders gevochten, met de *armada* van *conde* Da Torra,' antwoordde Amador geïrriteerd. 'Paulistas zijn geen lafaards.'

'Toch hebben zij in de oorlog van Guiará het onderspit gedolven,' verklaarde Osorio rustig. 'De paters uit Paraguay en hun Guaranis, gewapend met musketten en kanonnen, hebben twee jaar geleden de *bandeirantes* verpletterend verslagen bij de Mbororó. Sindsdien voltrekt het werk Gods zich in alle rust.'

Amador kende de Rio Mbororó, een zijrivier van de Rio Uruguay.

'Deze overwinning was een revanche,' ging de jezuïet verder. 'Nadat onze Heilige Vader Urbanus had verboden om Indianen tot slaven te maken, op straffe van excommunicatie, hebben de Paulistas de Sociëteit van Jezus uit het kapiteinschap verjaagd.'

'Alstublieft, *padre*, we zijn hier niet in São Paulo. We zijn zo blij dat wij weer eens christenen zien.'

'Het lijkt inderdaad alsof u veel geleden hebt.'

Juan Baptista Osorio wendde zich toen weer tot de groep Spanjaarden, die een welwillende houding scheen aan te nemen. Ze boden de beide mannen voedsel en wijn aan, stelden vragen over hun lange reis, en waren ondersteboven van hun verhaal over hun gevangenschap bij de Tupinambás.

'De heidenen van de gebieden waarover wij gekomen zijn waren niet veel méér waard,' verklaarde Don Hernando. 'Juan Baptista, die nieuwe onderdanen zoekt voor de dorpen van zijn Sociëteit, vindt ze onderworpen en volgzaam, maar elke dag bid ik dat hij gelijk heeft.'

De vijandige houding van de Spaanse commandant, een ambitieus en hebzuchtig man, die de onderkoning in Lima kende, viel te verklaren uit de zorgen die hij zich maakte over de aanwezigheid van een *mameluco* en een Hollander in de buurt van Spaanse gemeenschappen. Misschien waren het wel spionnen, verkenners van een groter leger. Don Hernando wist dat de Hollanders in staat waren om zoiets vreemds uit te halen. In 1643 was een vloot uit Pernambuco om het continent heen gevaren en in het zuiden van Chili aan land gegaan, waar ze nog niet verdreven waren.

Plotseling kreeg Amador een idee.

'U bent uit het hooggebergte gekomen, wij komen uit Pernambuco en wij treffen elkaar bij deze rivier,' zei hij tegen Don Hernando. 'Dus het eiland Brazilië bestaat niet.'

'Dat klopt. Alleen de kolonies van zijne majesteit Philips.'

Het begon al donker te worden toen zij een geluid van de oever hoorden. Pitua zat ongeduldig met zijn peddel in het water te slaan. 'We moeten hem terugbrengen naar de Paresís,' zei Amador, terwijl hij op de doodsbange Tupi wees.

Tijdens het eten had de Paulista uitgelegd dat zijn vriend en hij van plan waren om de rivier af te zakken tot aan de Rio das Amazonas, maar nu ze wisten dat ze in La Paz konden komen, dachten ze erover om maar naar die stad te gaan. Aan El Dorado dachten ze helemaal niet meer, ze wilden alleen maar naar huis, en via Peru zou dat ook mogelijk zijn.

'Zo, we gaan nog even naar onze wilden,' besloot de *mameluco*. 'Zij hebben al onze bezittingen. Wij komen morgenochtend wel terug.'

Don Hernando en Juan Baptista hadden een kort gesprek, en toen verklaarde de jezuïet: 'In aanmerking genomen dat Portugezen niet welkom zijn op Spaans grondgebied, en ketterse Hollanders nog minder, is het beter dat u niet meegaat naar ons kamp en dat u gewoon verder trekt, naar uw eigen grondgebied. Don Hernando hier is zo goed u te laten vertrekken.'

'Daar danken wij hem dan voor.'

Een paar minuten later peddelden Amador en Segge verwoed in de richting van het eiland. Nog voordat hij buiten schootsafstand van de musketten was riep de Paulista tegen de Spanjaarden die op de oever waren achtergebleven: 'Lang leve João IV! Lang leve onze koning!'

Ze kwamen een uur voor zonsopgang – vierentwintig krijgers van een Tupi-clan uit het bos, onder aanvoering van een opperhoofd met de naam Sabá, bekend om zijn wreedheid. De stuifregen van de waterval hing over het eiland waar Amador, Segge en de Paresís sliepen, en dreef af naar het kamp van de Spanjaarden. In de grijze mist voerde Sabá zijn mannen aan. Toen de Tupis hun bogen spanden lagen de blanken rustig te slapen. Geen van de Spanjaarden kon zijn wapen grijpen voordat hij getroffen werd door een pijl.

Na deze slachtpartij werden de Indianen zenuwachtig. Zij leefden geïsoleerd voorbij de waterval en hadden nog nooit van Langharigen gehoord. Wat voor soort schepsels hadden zij gedood?

De dapperste van hen liep naar de slachtoffers toe en pakte snel een paar trofeeën: een laars van Don Hernando, een tinnen bord. Een andere krijger wilde de degenriem van een dode halen, maar die kreeg een laatste stuiptrekking en begon met zijn hoofd te schudden. Sabá en zijn mannen vluchtten doodsbang weg.

Amador zat naast het lijk van een Spanjaard en probeerde de laarzen die hij hem net had uitgetrokken, terwijl Segge zwijgend en aangedaan door het kamp liep. De Paulista beval de Paresís een grafkuil te graven en begon toen te verzamelen wat hij nog kon gebruiken. Buiten de wapens en de uitrusting, vond hij ook stukken stof, angels, parels en andere rommel.

Toen de kano's waren ingeladen en de Spanjaarden begraven, baden Amador en Segge voor Don Hernando en zijn mannen. Daarna zei de *mameluco*: 'Spanjaarden, Portugezen, Hollanders – voor de *sertão* is het allemaal eender. De sterken overleven, de zwakken sterven.'

Guajara Mirim kwamen zij zonder moeite door, maar dat gold niet voor *Guajara Assú*, de grote waterval. Enorme, door het water gepolijste rotsen staken uit de rivier, en haar bedding daalde een paar honderd passen tien voet. Ze besloten de kano's uit te laden en hun spullen door het oerwoud te dragen, een onderneming die drie dagen vergde. De eerste dag begingen zij de fout aan te nemen dat ze in een halve cirkel om de waterval heen moesten trekken. Maar om van de oever weg te komen moesten zij voet voor voet een pad door het oerwoud hakken, onophoudelijk belaagd door zwermen vliegen en muggen, gestoken door mieren en spinnen die zo groot waren als de hand van een man. Eén Paresí werd door een giftige slang gebeten en stierf. De tweede dag konden zij hun pakken onder aan de waterval neerleggen, om de volgende dag hun kano's te gaan halen.

Ze kapten lange lianen en vlochten de kleinere tot stevig touw. Segge en tien Paresís gingen in de kano's zitten. Amador en de andere Indianen bleven op de oever om de boten te trekken met de lianen die ze eraan hadden vastgemaakt. Na vijf uur zwoegen stonden ze aan de voet van de waterval, konden ze hun kano's weer inpakken en voeren zij naar het midden van de rivier die op die plaats duizend passen breed was. Drie uur lang konden zij peddelen, toen versnelde de stroom en hoorden zij een geruis dat zij zo langzamerhand kenden.

Amador vroeg aan Pitua hoeveel watervallen ze nog zouden tegenkomen, en de Tupi stak zijn beide handen op, met zijn vingers gespreid.

In werkelijkheid waren het er twee keer zoveel en staken zij twíntig watervallen over tussen *Guajara Mirim* en de plaats waar de rivier rustiger ging stromen. Overdag kregen zij te maken met een zo hete zon dat het water dat de kano's deed opspatten, op de rotsen begon te sissen. Als ze niet door de zon gekookt werden, werden ze kletsnat door hevige regenval. 's Nachts was het vochtig en koud, door de mist die van het water opsteeg.

Twee maanden na hun ontmoeting op 23 augustus met de Spanjaarden stonden ze eindelijk aan de voet van de laatste waterval. De rivier was een paar honderd passen breed, het water was blauwgrijs, stroomde snel en verdween in een aantal zijrivieren.

Vijf dagen lang gingen zij in noordoostelijke richting, waarbij zij soms langs savannen kwamen, maar meestal door dicht oerwoud trokken. Amador en Segge probeerden de Paresís over te halen bij hen te blijven, gaven hun cadeautjes uit de rommel van de Spanjaarden, maar de Indianen wilden niet verder gaan. Ook Pitua liet zich niet overhalen.

'Ik wil mijn zonen graag terugzien,' zei hij.

Amador meende dat de weigering van de Tupi niet alleen te maken had met zijn verlangen om het dorp van Kaimari terug te zien, en dus vroeg hij: 'Wat weet jij van de stammen langs de rivier?'

'Muras,' antwoordde Pitua. 'Maar ook Mundurucus, die spreken Tupi, en ze zijn heel gevaarlijk.'

Toch vertrokken Amador en Segge met een kano, met hun wapens en hun uitrusting aan boord. Links en rechts van de rivier was niets dan oerwoud, met mirte, laurier, rozehout en acacia's. Boven het riet hing een roerloos net van lianen en klimplanten en breedbladerige planten groeiden tussen de moskussens op de grond van het oerwoud. Overal waren kleurige vlekken, een boom bedekt met rode bloemen of getooid met zilveren bladeren; zacht paarse orchideeën, een tak schitterend goud. Maar het groen overheerste – van het meest subtiele geelgroen tot smaragdgroen.

Zij zagen vogels met prachtige veren: purperrode ara's, sneeuwwitte zilverreigers, kolibries in alle kleuren van de regenboog, gele en groene papegaaien, fel gekleurde prachtmezen, gele valken, grijszwarte *urubus* – en dat alles floot, krijste, piepte, koerde en riep in de bomen.

Bij het begin van de vijfde dag kwamen ze op een grote watervlakte zonder een eiland waar zij de nacht zouden kunnen doorbrengen. De rechteroever was steil, daar was geen plaats om aan land te gaan, terwijl de linkeroever het oerwoud raakte. Ze voeren een zijrivier op, doken in de stille halfschaduw van het bos en vonden een opening in de groene muur.

Amador voelde zich niet helemaal op zijn gemak want vaak vond hij wat hij exotisch vond, niet pluis. Zijn ervaring uit de *sertão* had hem geleerd dat dit soort eenzame plaatsen dikwijls verraderlijk waren. Toch hadden ze er een rustige nacht en de volgende dag besloten zij om in de omgeving op jacht te gaan. Toen ze op het punt stonden weg te gaan pakte Segge zijn musket maar Amador zei dat hij dat niet doen moest, behalve als ze in levensgevaar waren. De Paulista nam liever zijn boog mee, een stil wapen dat geen Muras en geen Mundurucus zou lokken.

Secundus Proot liep achter zijn vriend het bos in en herkende in hem de *bandeirante* die hij had geschilderd, maar ook een jager, die zich verplaatste met het gemak en het instinct van zijn voorouders. Amador behandelde de inboorlingen als beesten, zei dat hij er trots op was Portugees te zijn, maar in dit oerwoud ontdekte de Hollander dat zijn vriend een schepping van de Nieuwe Wereld was, grof en wild.

Een groep dikbuikige slingerapen ging boven hun hoofden tekeer en dreigde met hun tanden. Zij hadden onderweg allerlei soorten apen gezien, kapucijnapen, die op franciscaner monniken leken, *uakaris*, ook van die monniken, met tonsuur en kale wangen, prachtig gekleurde *sakis* en kleine doodshoofdaapjes, vaak in groten getale langs het water, waar zij er altijd vandoor gingen als de kano langskwam.

Er waren nog een heleboel andere dieren in het bos – tapirs, pekari's, capybara's en jaguars – maar het was toch vooral het rijk van de insekten. Mieren, vliegen en muggen beheersten deze wereld op alle niveaus en herinnerden aan hun aanwezigheid door een constant gesis dat van de grond naar het bladerdak opsteeg.

Amador schoot een grote aap met een bruine vacht die bekend was vanwege het gebrul waarmee hij dagelijks de zonsopgang en -ondergang begroette. De beide mannen brachten hem naar het kamp terug, maakten hem klaar en merkten dat hij taai, flauw vlees had. Ook aten zij het witte hart van een palmboom en vruchten die Amador plukte. Toen dutten ze in en losten elkaar af om het vuur brandend te houden. Tegen middernacht werden ze vreselijk misselijk en moesten overgeven. De volgende dag had Segge nog last van maagkramp en lag hij onder in de kano te kreunen. Amador peddelde langzaam verder en prees de hemel dat de stroom de boot voortstuwde.

In deze conditie kwamen zij bij het kamp van drie Muras-families.

De Indianen waren blij dat zij hun gastvrijheid konden verlenen in ruil voor de ijzeren angels die zij hun gaven. Amador en Segge waren de eerste blanke mannen die in deze streek doordrongen maar de Muras waren minder verrast hen te zien dan de krijgers van Kaimari. Ze hadden inderdaad al wel gehoord over mannen met een blanke huid die langs de Rio das Amazonas trokken, niet om op de *pirarucu* of de *piraíba* te vissen, maar om er net zoveel gevangenen te maken als hun kano's maar konden dragen.

De Muras merkten algauw dat zij van deze twee vreemdelingen niets te vrezen hadden, want een dag na aankomst lagen zij te ijlen van de koorts. Ze gaven hun afkooksels van wortels, thee van kruiden met honing, maar na een kortere of langere tussenpoos kwam de koorts steeds weer terug. Dus verzorgden de Muras hen niet meer en lieten zij hen aan de oever onder een afdak achter. Ze brachten hen wel wat te eten, maar interesseerden zich verder niet meer voor hen. Hun *pagé* schreef het kwaad toe aan een boze riviergeest, en zei dat er geen remedie voor was.

Behalve koorts hadden Amador en Segge last van minuscuul kleine wormpjes die zich in de voetzolen boorden en er alleen maar met de punt van een mes uit te krijgen waren, een behandeling die wonden veroorzaakte die snel ontstaken. Tot hun grote ongeluk werd hun wankele onderkomen ook nog geteisterd door de onweersbuien van het begin van het regenseizoen. Maar het ergste was dat het peil van de rivier merkbaar steeg en dat ze door een eventuele overstroming maandenlang van het dorp afgesneden zouden zijn.

Op de dertigste dag stonden ze allebei op en deden zij al hun best om de kano klaar te maken, die vlak bij hun hut aan wal lag. De Muras keken naar hen, maar hielpen hen niet.

'*Urubus*!' bromde Amador. 'Ze wachten tot wij doodgaan om ons te kunnen bestelen.'

'Wat doet dat ertoe?' mompelde Segge.

Hoe rustig zij ook deden, ze waren algauw uitgeput en de *mameluco* viel bij de boot op zijn knieën.

'Dit is hopeloos,' kreunde hij. 'We krijgen de kano niet eens in het water.'

Die nacht werden zij totaal uitgeput door een hevige aanval van koorts waardoor zij trillend moesten blijven liggen, niet in staat om op te staan.

Laat in de ochtend van de tweeëndertigste dag werd Amador wakker. Sinds zij geprobeerd had te vertrekken, had hij noch Segge een vin verroerd. Proot had zijn ogen al open en lag naar de bladeren van het dak boven hen te staren. Hij draaide langzaam zijn hoofd om, en fronste zijn wenkbrauwen. Amador was ook geïntrigeerd, beduidde zijn vriend om te blijven liggen en klom vervolgens uit zijn hangmat. Hij bleef even roerloos staan toen zijn voeten de grond raakten, toen liep hij wankelend naar de lage opening van de hut. Hij boog zijn hoofd, pakte de bladeren vast en ging naar buiten.

De Muras waren verdwenen.

Er kringelde rook van een vuur dat op de open plek brandde, honderd passen verderop, maar er was geen Indiaan te zien. Amador draaide zich om naar de hut en riep zwakjes tegen Segge: 'Ze hebben ons in de steek gelaten. Ze zijn vertrokken.'

Proot antwoordde met een klacht. De *mameluco* liep naar de kano toe en mompelde: 'Ze hebben vast alles gejat.'

Maar de boot en wat erin lag waren onaangeroerd. Amador keek naar het modderige strand waar de Muras hun eigen kano's hadden liggen – dat was leeg. Segge, die intussen ook was opgestaan, stond voor de hut.

'Allemaal weg... de Muras... de kano's,' zei Amador. 'Maar ze hebben niks gejat.'

Hij liep naar de andere hutten, werd duizelig, maar liep toch door. Een papegaai vloog voor hem uit.

'Amador!' riep Segge.

De *mameluco* wilde zich omdraaien maar zijn benen begaven het en hij begreep dat hij flauw zou vallen. Toch raakte hij de grond niet, want op het moment dat hij begon te vallen zag hij armen bedekt met *urucu*-verf die zich naar hem uitstrekten, en toen verloor hij het bewustzijn.

Toen Amador een paar minuten later weer bijkwam stonden er krijgers om hem heen die Tupi spraken en hun lichamen rood geverfd hadden. Hij noch Segge bood de minste weerstand en ze dachten dat hun laatste uur geslagen had. Ze waren aan de Tupinambás en aan vele andere gevaren ontsnapt, maar hun geluk had zich gekeerd.

Toch vergisten ze zich, want de Mundurucus, aartsvijanden van de Muras, namen hen mee naar hun dorp, dat aan een zijrivier lag, en tijdens de twee dagen die de tocht duurde deden zij helemaal niet vijandig. Integendeel, zij behandelden hen met respect en waren uitermate bezorgd over het feit dat zij zo mager en zo uitgeput waren. De Mundurucus hielden de Muras hiervoor verantwoordelijk en beloofden hen te zullen straffen.

In het dorp knapten de beide mannen op met hulp van de tovenaars die hen een bittere drank lieten drinken, bereid met boombast. Na een paar dagen begonnen ze zich beter te voelen en kregen zij weer eetlust. Ze kwamen op krachten, maar toch niet voldoende om verder te kunnen reizen. Uit het noorden kwam warme, vochtige lucht: het regenseizoen begon. Kleine stroompjes traden buiten hun oevers en overstroomden het bos. Rivieren stegen en voegden hun brullende wateren bij die van de Rio das Amazonas.

Segge en Amador ontdekten dat de Mundurucus een leven leidden dat sterk leek op dat van de Tupinambás en de Paresís. Zij verbouwden cassave en maïs, droegen veren tooien, en waren bang voor bosgeesten. Net als de Paresís hielden de Mundurucus van dansen, kletsen en ceremonies en bezaten zij heilige voorwerpen die de vrouwen niet mochten zien. De voorzorgsmaatregelen die zij ten opzichte van het andere geslacht namen waren echter nog rigoureuzer, want de beide gasten mochten nooit samen met vrouwen slapen. Ze moesten hun hangmatten in de hut van de mannen ophangen, waar alle krijgers sinds hun puberteit woonden. De mannen gingen naar de vrouwen om hun kinderen te zien en te vrijen, maar ze mochten niet langer blijven dan nodig was.

In ruil voor de cadeaus die de beide blanken hun gaven – stof, angels en parels – boden de dankbare Mundurucus hun op een dag ieder een gemummificeerd hoofd aan. Zij verontschuldigden zich dat zij hun niet de hoofden van de Muras konden geven die verantwoordelijk waren voor hun ziekte maar verzekerden hen dat de 'Rietratten' (de naam die de stam zichzelf gaf) de eerloze Muras zouden achtervolgen, die gevlucht waren toen zij eraan kwamen.

Om een kop te mummificeren haalden de Mundurucus zorgvuldig de schedel en de hersenen weg, smeerden de huid in met *urucu*, en naaiden de lippen met plantevezels vast. Dan vulden zij het hoofd met zand en lieten het drogen totdat het zo groot was als een vuist. De krijger die het van het lijk van een vijand had afgesneden kon het vervolgens om zijn hals dragen, als een soort eremedaille.

Het feit dat hun eigen hoofden nog steeds niet de borst van de Mundurucus sierden intrigeerde Amador en Segge zeer, en zij veronderstelden dat de clan hen alleen maar gespaard had omdat zij de Muras zo diep haatten. Van december 1643 tot mei 1644 bleven de beide mannen voortdurend op hun qui-vive, maar de Indianen waren uiterst eerbiedig. Toen de regentijd ten einde liep en zij het over vertrekken hadden, accepteerden de Rietratten hun beslissing zonder discussie en stelden zij hun voor om hen naar de 'rivier aan de bovenkant van de aarde' te brengen.

Amador dacht eerst dat zij het over de Rio das Amazonas hadden, maar de oudsten legden hun uit dat de rivier waar zij op gevaren hadden de 'rivier aan de onderkant van de aarde' was, en dat de 'rivier aan de bovenkant' daartegenover lag. De Paulista en zijn vriend begrepen ten slotte dat de wereld van de Mundurucus begrensd werd door twee

zijtakken van de Rio das Amazonas, waarbij de 'rivier aan de bovenkant' de meest oostelijke was.

'Wat is er zo bijzonder aan die rivier?' vroeg Segge aan de oudsten.

'Daar wonen andere Mundurucus.'

'Is dat ver hiervandaan?'

'Heel, heel ver,' zei een oudste. 'Vlak bij het grondgebied van de
Tapajós.'

'Heb je dat gehoord, Amador? De Tapajós! De Indianen die Ibira
de verteller noemde toen hij het had over de Amazones en El Dorado!'

De drie kano's met Segge, Amador en hun Mundurucu-gidsen aan
boord deden er drieëneenhalve week over om bij het dorp van de
Rietratten in de buurt van de Rio das Amazonas te komen. Ze voeren
vlak langs de oever en meden de stroom midden op de rivier, waar
veel ontwortelde bomen ronddreven. Soms moesten zij, om een obstakel te ontwijken, de rivier oversteken. Het bruine water wierp grote, ondergedoken bomen en draaiende takken tegen de boten. Maar
de Mundurucus stuurden de kano's heel behendig en op 24 juli 1644,
tegen het eind van de middag, bereikten zij hun bestemming.

Een groen eiland deelde de rivier in twee brede armen, door de regen gezwollen. De ontdekkingsreiziger Pedro Teixeira, de eerste man
die de Amazone opvoer, was vijf jaar geleden hier langsgekomen,
had de honderden ontwortelde bomen gezien die over de zijrivier
kwamen aandrijven, en had haar daaraan de naam Rio Madeira, de
Houtrivier, gegeven.

Terwijl zij opgewonden kreten slaakten stuurden de Mundurucus
de kano's naar de rechterarm van de Rio Madeira. Amador en Segge
waren blij dat ze eindelijk bij de Rio das Amazonas waren, maar pas
toen ze die rivier opvoeren begrepen ze hoe groot zij was. De tegenoverliggende oever was een vlek in de verte.

'Mijn God!' riep Segge uit. 'Wat een rivier!'

'Het lijkt meer op een zee,' zei Amador.

Het monotone karakter van de rest van de reis vergrootte de indruk
van uitgestrektheid nog. Dagenlang bleef de oever, een groene
streep, onveranderd. De bomen toonden hun enorme kronkelende
wortels, die door de rivier waren blootgelegd; andere helden al over
naar het water en wachtten op de laatste aanval die ze er ook in zou
werpen.

Zolang er een windje over het watervlak streek, was de hitte te dragen, maar als dat ging liggen, werd de vochtige warmte verstikkend.

Het gebrek aan frisse lucht, het regelmatige ritme van de peddels en het eentonige landschap versterkten de indruk van oneindigheid. Maar wat een verrassingen toen die eentonigheid werd doorbroken!

Zij ontdekten een eiland van minstens veertig mijl omtrek, hoorden dat daar duizenden Indianen woonden, Tupinambaras, afstammelingen van inboorlingen die uit Pernambuco waren gevlucht. Ze zagen de Rio das Amazonas zich opsplitsen in een tiental zijtakken, door half overstroomd gebied stromen en dan weer samensmelten tot een grote rivier.

Toen de kano's langs de oever voeren zagen Amador en Segge veel verschillende soorten vogels. Zwermen flamingo's of reigers en vooral *urubus*, honderden tegelijk op de takken van een enkele boom, roerloos afwachtend. Af en toe maakten de gieren een rondvlucht boven het water, op zoek naar kadavers. Zij waren niet de enige die de mannen op de rivier aan de dood herinnerden. Van de Rio Madeira tot de Rio Tapajós waren er volop bewijzen van het leed dat de stammen aan de oevers was aangedaan, niet alleen door de elementen van deze wilde wereld, maar ook door de Portugezen en de Spanjaarden.

Alle gemene streken die in de loop van de vorige eeuw in het zuiden waren begaan werden in deze gebieden nog eens herhaald. Bloedige gevechten tussen Portugezen en Fransen, Hollanders en Engelsen; mislukkingen van jezuïeten die probeerden om langs de rivier *aldeias* te stichten; bloedbaden onder clans die verzet boden en vooral het systematisch vangen van tienduizenden inboorlingen voor wie de Moeder van de Rivieren zodoende de Acheron werd die hen naar een eeuwige slavernij voerde.

In een groot Tapajó-dorp op de linkeroever van de Rio das Amazonas leek het 'tweede paradijs' van Secundus Proot eerder op de hel.

Na een reis van vijf weken vanaf de Rio Madeira hadden de Mundurucus Amador en zijn vriend naar dit dorp gebracht, even voorbij het punt gelegen waar de Tapajós en de Amazone bij elkaar kwamen, en waar een klein schip voor anker lag. De Indianen wilden niet aan land gaan en lieten de blanken een van de kano's, om vervolgens meteen de Tapajós op te varen in de richting van het grondgebied van andere Mundurucus.

Amador en Segge landden op een modderig strand waar bijna honderd kano's lagen. Ze werden door een kleine bebaarde man ontvangen, de commandant van een troep van honderdtwintig Portugezen en mestiezen, bijgestaan door zeshonderd inboorlingen, voonamelijk Tupinambás. Het hoofd van de expeditie stelde zich voor: 'Ik ben Bento Maciel Parente. En wie zijn jullie?'

'Bento Maciel?' herhaalde Amador verbaasd.

Hij herinnerde zich de naam van die oude soldaat en slavenhandelaar die een reputatie van niets ontziende wreedheid had opgebouwd.

'Zijn zoon,' preciseerde de commandant.

'Amador Flôres da Silva... uit São Paulo.'

Nu was het de beurt aan Bento Maciel om verbaasd te zijn.

'São Paulo de Piratininga?'

'Ja, dat is een lang verhaal...' begon de Paulista.

'Ik heb helaas geen tijd om ernaar te luisteren,' onderbrak de officier hem. 'En jij?' vroeg hij terwijl hij naar Segge keek.

'Secundus Proot,' antwoordde de Hollander bedeesd, want hij dacht aan de misdaden van de bloeddorstige familie Parente in Recife.

'Hollander?'

'Ja, *senhor.*'

'Wat moet je met die vijand?' beet Bento Maciel Amador toe.

'Hij is geen vijand, *capitão*, maar een kameraad uit de *sertão*.'

Snel vatte de *mameluco* enkele episoden van hun lange reis samen. Dit verhaal scheen de officier te verbazen maar plotseling zei hij: 'Wij praten later nog wel. Op het ogenblik levert mijn troep slag.'

Hij liep weer weg in de richting van de *malocas* en de beide mannen volgden hem. In het dorp, waar twee hutten in brand stonden, vormden de rokende vlammen het decor voor wrede taferelen.

De aanvallers grepen de Tapajós, gooiden ze op de grond, en sleepten ze bij hun armen of benen naar een groep Tupinambás, die in vier rijen stond opgesteld. Tien gevangen Tapajós, die heftig weerstand hadden geboden, werden door twee in bronzen harnassen gestoken soldaten letterlijk in stukjes gehakt. Zij sneden neuzen, oren en armen af tot de Indianen, aan zichzelf overgelaten, stierven.

Kleine kinderen die de veroveraars voor de voeten liepen werden gespiest; panische kinderen renden alle richtingen uit maar ontkwamen niet aan de mannen van Bento Maciel Parente. Zes Tupinambás onder leiding van een Portugees pakten een Tapajó-*pagé* en gooiden hem in het vuur.

Ondertussen bouwde een groep Tupinambás onder leiding van mestiezen in de buurt van het strand een omheining van palen waar volgens Bento Maciel het opperhoofd en de oudsten van de clan opgesloten zouden worden tot ze naar Belém zouden vertrekken.

'Waarom nemen jullie de moeite om hen apart te zetten?' vroeg

Amador. 'Laat ze toch bij de anderen.'

'Nee,' antwoordde de commandant, 'ze hebben ons al te veel problemen bezorgd.'

'Zoals?'

'Wij waren hier met vreedzame bedoelingen gekomen, om de heidenen die deze Tapajós gevangen hadden te ruilen tegen stoffen. Maar hun opperhoofd heeft de gevangenen naar een ander dorp gestuurd. Hij weigerde deze ruil, al is ze geheel legaal...'

'Legáál?' brieste Segge. 'Wat is er legaal aan deze slachtpartij?'

'Houd je bek, Hollander!' antwoordde de commandant, met een blik vol haat. 'Onze geliefde vader, Bento Maciel Parente, die de Rio das Amazonas heeft ontdekt en veroverd, is door de jouwen vermoord.'

'Daar weet ik niets van.'

'Nee, en je weet een heleboel meer niet. Drie jaar geleden sloot onze koning Dom João, eindelijk verlost van de Spanjaarden, een tienjarig verdrag met de Hollanders. Hij wilde vrienden, en hij kreeg verraders! In Europa hadden de Hollanders het over vrede; hier sturen zij een troep om Maranhão te bezetten en de gouverneur, mijn vader, gevangen te nemen. Zij hebben hem in een donjon in Pernambuco laten sterven, terwijl hij al vijfenzeventig was!'

Dit was gedeeltelijk waar. In 1641, nog voordat de wapenstilstand geratificeerd was, had graaf Maurits troepen naar Recife gestuurd om São Luís, de hoofdstad van Maranhão, in te nemen. Maar toen de verdedigers van de stad Bento Maciel vroegen om verzet te bieden, had hij de vijand de sleutels van de citadel gegeven zonder een kanonschot te lossen. De oude slachter, nu gevangene, werd bij graaf Maurits gebracht, die hem zo weerzinwekkend vond dat hij hem in een eenzaam fort liet opsluiten, waar hij ten slotte stierf.

Amador kwam tussenbeide en zei: 'Deze oorlog is niet geheel zonder reden, Segge.'

'Deze óórlog? Waarom is het een oorlog?'

'Kom maar mee, Hollander,' beval Bento Maciel.

Proot aarzelde.

'Je wilt toch een uitleg? Nou, kom dan maar mee,' herhaalde de commandant, terwijl hij over de open plek liep.

De beide mannen gingen naast hem lopen. Toen ze op de plek waren gekomen waar de Tapajós hun kano's hadden liggen, bleef Bento Maciel staan en zei hij: 'Ziedaar de uitleg.'

Er lag een groot kruis in de modder.

'Wij hebben hun de bescherming van de Heer aangeboden, en die hebben zij geweigerd. De voorhoede van het Portugese leger had dit kruis naar de Tapajós gebracht en hun aangeraden het op te richten, "zodat de Here Jezus Zijn kinderen zou kunnen zien". Toen zijn de soldaten weer weggegaan om andere inboorlingen dezelfde boodschap te brengen. Bij toeval of met opzet – wie zal het weten? – is het kruis gevallen, en hadden slavenhandelaren de heidenen die het symbool van hun redding zo verwaarloosd hadden, legaal kunnen vangen.'

'Genadige God, is er dan nooit vergiffenis?' mompelde Segge.

Bento Maciel wierp hem een geïrriteerde blik toe. 'Kom mee, Paulista,' zei hij tegen Amador. 'Ik heb mannen te bevelen.'

Tegen de avond was het dorp onderworpen. Vrouwen en kinderen werden in gespaard gebleven *malocas* gezet, met de mannen die verklaarden bereid te zijn om op de plantages te gaan werken. Van tevoren had Bento Maciel hun die zouden gehoorzamen beloofd dat ze goed behandeld zouden worden. Hij had een stuk grof katoen voor ze ontrold en zei dat ze dat konden krijgen als ze een maand in Belém gingen werken. Ook had hij ze boeien laten zien en ze gedreigd te zullen vastklinken bij de minste misstap. Tabaliba, het hoofd van de clan, en negentien oudsten hoorden deze toespraak niet want zij zaten al opgesloten binnen de omheining.

Amador was die middag bij Bento Maciel gebleven, die hem nog meer schokkend nieuws had verteld. De Hollanders hadden graaf Maurits teruggeroepen, en die was afgelopen mei uit Recife weggegaan. Het was nu augustus 1644 en de commandant achtte het mogelijk dat de Portugezen in Pernambuco al in opstand waren gekomen. Met de graaf was ook het merendeel van de troepen van het Hollandse garnizoen vertrokken, omdat de Hollanders de noodzaak er niet van zagen een krachtig leger op de been te houden in een kolonie waar een vredesverdrag hen met de Portugezen bond.

'Wat ze niet begrijpen, is dat dat verdrag niets betekent voor planters die hun fortuin te danken hebben aan de Hollandse Compagnie,' voegde Bento Maciel eraan toe. 'Zij zullen elke opstand ondersteunen die de Hollanders de zee injaagt – en dus ook hun enorme schulden.'

De commandant luisterde vervolgens naar het verhaal van de reis van Amador door de *sertão* en begreep ook dat hij door vriendschapsbanden met Segge was verbonden.

'We zullen hem naar Belém brengen, zoals jij dat wenst,' zei de officier. 'Daar zullen we hem aan boord van een schip zetten dat hem naar

Holland zal brengen, of waarheen hij maar wil. Maar ik waarschuw je, Da Silva, houd hem bij mij uit de buurt! Jij bent te lang in de *sertão* geweest, jij bent vergeten wie de vijand is.'

'*Capitão*, ik ben de kameraden die door de Hollanders onthoofd zijn niet vergeten.'

'Nu, denk er dan ook maar aan dat jouw vriend de schilder een van hen is.'

'Proot en ik hebben te veel samen moeten lijden.'

'Ja, dat begrijp ik, maar je bent nu weer in de beschaving – de Portugese beschaving, waarin velen van ons hebben geleden onder de landgenoten van die ketter.'

Kort na dit gesprek trof Amador Segge bij hun kano. Langs de oever brandden de vuren van de slavenhandelaren en de Tupinambás in een pikdonkere nacht. Proot leunde tegen de voorsteven van de boot, die op het strand was getrokken.

De beide mannen zeiden aanvankelijk geen woord. Sinds hun vertrek van Santo Tomás, in oktober 1640, drie jaar en tien maanden eerder, hadden ze verscheidene keren bijna ruzie gehad, maar dat was altijd goed gekomen als zij weer op weg waren gegaan. Dit keer voelden zij dat er tussen hen een kloof ontstond die even breed was als de rivier die tegen het strand spoelde.

'Welke misdaad hebben zij begaan om zo'n behandeling te verdienen?' begon Proot.

'Ze hebben het kruis ontheiligd. Ze hebben hun gevangenen de vrijheid ontnomen waarover Bento Maciel wilde onderhandelen. Geen enkele wilde wordt zomaar tot slaaf gemaakt. Ze worden allemaal gestraft voor hun kannibalisme, voor hun bizarre bijgeloof, voor de oorlog die zij tegen de Portugezen voeren. Ze zullen nooit veranderen: voordat wij er waren waren het wilden en ze zullen altijd wilden blijven.'

'En hun zielen?'

'Hun zielen?' herhaalde Amador terwijl hij zijn vriend strak aankeek.

'Wat ik vandaag heb gezien, is dat de manier waarop de Portugezen hen op Christus voorbereiden?'

Amador schopte eens hard tegen de kano.

'Jezus kent de Paulistas en de andere Portugezen. Hij weet hoeveel wij hebben geleden op deze heidense grond!' Hij liep naar Segge, greep hem bij de schouder, en duwde hem bijna in de kano. 'En jij, wat weet jij, Hollander, van dit land? En wat wist jouw mooie graaf van Brazilië, dat ze hem hebben teruggestuurd?'

'Is graaf Maurits vertrokken?' vroeg Proost stomverbaasd, terwijl hij zich losmaakte uit de greep van zijn vriend.

'Teruggestuurd naar Amsterdam, daar hoort hij thuis. Hij was gekomen om ons te laten zien hoe je heidenen met liefde, vriendschap... en met schilders kon pacificeren. Nu, dat is een mislukking geworden, en dus hebben ze hem teruggeroepen.'

'Dat kan niet!' riep Segge uit. 'Maurits van Nassau hield van dit land als van het zijne, hij wilde er een welvarende kolonie van maken...'

'Die zijn legers van ons hebben afgepikt.'

'Je zult zien, Amador, dat er Portugese kolonisten zijn die bidden voor de terugkeer van graaf Maurits.'

'Vast en zeker, allemaal verraders. Mannen als zij hebben wij niet nodig in onze kapiteinschappen.'

'Nee, jullie willen alleen maar mannen als Bento Maciel Parente.'

'Zo is het. Parentes en Da Silvas!'

De *mameluco* bulderde van het lachen, draaide zich om en liep soppend door de modder weg.

Wat er de volgende dag gebeurde maakte de breuk tussen hen definitief.

Proot liep langzaam over het strand toen hij lawaai hoorde uit de omheining waar de Tapajó-oudsten en hun opperhoofd waren opgesloten. Hij liep ernaar toe en zag dat de Portugezen er nog meer inboorlingen instopten.

'Nee!' riep hij. 'Zij niet!'

Het waren de acht Mundurucus die hun gidsen waren geweest. Zij waren door een Tupinambá-detachement gevangengenomen, dat langs de rivier trok op zoek naar dorpen waar nog slaven te halen waren.

'Zij hebben ons maandenlang trouw gediend!' riep de Hollander naar een van de bewakers van de omheining. 'Ze hebben ons gered toen wij koorts hadden.'

De man ontblootte zijn verrotte tanden voor Segge, en zei: 'Ik zie alleen maar wilden, net als de rest.'

Proot rende naar de open plek, waar Bento Maciel en zijn notaris, gezeten aan een geïmproviseerde tafel, onder het toeziend oog van Amador de inventaris van de gevangenen opmaakten.

'Onze Mundurucus!' zei de schilder tegen de *mameluco*. 'Ze hebben ze bij de Tapajós opgesloten!'

De Paulista keek eens naar de commandant, die langzaam opstond van het stapeltje stammen waarop hij zat.

'Amador, in Gods naam!' riep Segge. 'Onze Mundurucu-gidsen – die kerels hebben ze gevangengezet!'

'Alle acht, Hollander,' merkte Bento Maciel op.

'Maar zij kunnen niet tot slaven worden gemaakt.'

'En waarom niet?'

'In Gods naam, Amador, *vertel het hem dan!*'

'Het zijn wilden, Segge,' bromde de *bandeirante*. 'Wat doet het ertoe?'

Nu wendde Proot zich tot de commandant.

'Die Mundurucus hebben ons het leven gered. Begrijpt u dat?'

De officier keek Amador aan.

'Zie jij een bezwaar om ze gevangen te nemen, Paulista?'

'Geen enkel, *capitão*,' antwoordde Amador zonder te aarzelen.

'Vervloekt zijn jullie!' schreeuwde Segge. 'Allemáál!'

Bento Maciel sloeg zijn hand aan zijn zwaard.

'Laat hem, *capitão*,' zei Amador. 'Segge, donder op. Ga ervandoor voordat hij je vermoordt!'

Proot aarzelde even, vloekte toen binnensmonds en liep langzaam weer naar de omheining toe. De omheining, gemaakt van takken en struiken, was niet hoger dan zes voet en diende meer om de gevangenen te scheiden van de rest van de inboorlingen dan om hen te verhinderen te vluchten. De man met de verrotte tanden, een uitgesproken Moors type, commandeerde de twintig Tupinambás die op de gevangenen pasten. Segge negeerde de 'Turk' – de bijnaam die hij hem gegeven had – keek over de omheining en zwaaide naar de Mundurucus.

Sommigen van hen keken hem aan, maar toen hij wat zei, keken zij meteen de andere kant uit. Here God! dacht hij. Zij houden mij voor een van die mannen. Ze geloven dat ik verantwoordelijk ben voor hun gevangenschap!

Rond middernacht duwde Secundus Proot zijn kano het water in, en legde hem met een grote steen voor anker. Toen ging hij op weg naar de omheining, gewapend met een kapmes en een dolk van twaalf duim die van Don Hernando Ramirez de Ribera was geweest.

Zoals hij hoopte sliepen de Turk en de Tupinambás rond een vuur. Segge glipte de omheining binnen, maakte eerst de Mundurucus wakker en toen Tabaliba, het hoofd van de Tapajós, en de oudsten. Ze waren allemaal vastgebonden, maar hun boeien zaten niet dicht met kettingen, maar met touwen. De Hollander bevrijdde hen met zijn dolk, en beduidde hun de omheining te verlaten aan de kant van de rivier. Het was niet moeilijk om een bres te hakken in de slecht aan elkaar verbonden takken.

Daarna bracht Proot ze naar de kano's van de Tapajós, die een paar honderd passen verderop op het strand waren getrokken en liep toen snel weer naar zijn eigen boot. Hij peddelde zo stil mogelijk, durfde zich niet om te draaien, voer tussen de andere kano's en het schip van Bento Maciel door, kwam bij de Tapajós en de Mundurucus op het strand waar het kruis gestaan had. Tabaliba en twee andere Indianen stapten in de kano van de Hollander, terwijl de boten van de andere ontsnapten en al naar de linkeroever van de Rio das Amazonas voeren.

'Waar gaan we heen?' vroeg Segge.

'Naar een vriend van mijn volk,' antwoordde Tabaliba. 'Hij woont in een grot, drie dagen lopen van de rivier.'

Toen hij het woord 'grot' hoorde, dacht hij dat de wanhopige Tapajó-leider hen naar een tovenaar bracht.

'Nee, Tabaliba. Geen enkele *pagé* kan tegen de macht van de Portugezen op.'

'Hij is geen *pagé*, hij is een vriend, net als jij.'

'Een Hóllander?'

'Hij zal ons helpen,' was het enige dat Tabaliba zei.

Hij zat achter in de grot, op een natuurlijke verhoging. Een paar kaarsen, waarvan de rook naar het hoge plafond opsteeg, wierpen lange schaduwen op de grond. Een vuur dat op een hoek van de verhoging brandde verwarmde de koude, vochtige lucht. Segge Proot zat in kleermakerszit op een vacht tegenover de vriend van de Tapajós en luisterde aandachtig naar hem.

De grot lag tegen de helling van een berg, drie dagen lopen van de Rio das Amazonas in noordelijke richting, en was de woonplaats geweest van Tocoyricoc, maar de tegenwoordige bewoner verschilde hemelsbreed van de eerbiedwaardige grijsaard die uit het Inkarijk afkomstig was.

De man die tegenover Proot zat was pas vierenveertig, was stevig gebouwd, met een brede borst, vierkante schouders en gespierde ledematen, vlasblonde haren en een dito baard. De lange jaren die hij in de tropen had doorgebracht hadden zijn gezicht diepbruin gekleurd. Onder zijn borstelige wenkbrauwen dansten de meest levendige groene ogen die Segge ooit gezien had.

Hij heette Abel O'Brien en was geen zoon van het land van de Inka's waar de bergen tot in de wolken reiken, maar van het graafschap Clare, in Ierland, en van de laaglanden voorbij de Shannon.

Hoezeer hij ook van Tocoyricoc verschilde, ook Abel O'Brien had het over meren vol goud en maagden van de zon toen hij zijn verhaal

aan de Hollander vertelde: 'Wij hebben genoeg goud, zilver en edelstenen gezien om de GroteMogol tribuut te kunnen betalen. En dan
de vrouwen! Nimfen met een zijdeachtige huid. Dat hebben wij allemaal gezien, mijn neef Bernard en ik, bij onze reis naar die zuidelijke
gebieden, in het jaar onzes Heren 1620. Bernard was pas zeventien,
en ik twintig, maar wij hadden dromen, een koning waardig. En als
wij Roger North, onze kapitein, ondervroegen over die wonderen,
antwoordde hij: "Natuurlijk, jongens, de Amazones bestaan! De
Amazones en El Dorado, en de Spanjaard zou die graag voor zich
alleen willen houden!" Hoe konden wij twijfelen aan een man die drie
jaar eerder met Raleigh door de Guyanas was getrokken om dit fabelachtige koninkrijk te vinden?'

Abel O'Brien had Proot al uitgelegd dat Engelse en Ierse troepen
van 1610 tot 1634 hadden geprobeerd om zich op de linkeroever van
de Amazone te vestigen, dat de expeditie van 1620 onder leiding
stond van kapitein Roger North, een officier die onder Sir Walter Raleigh had gevochten. Vier jaar eerder had Bernard O'Brien, de neef
van Abel, een kolonie langs de rivier gesticht, op een plaats met de
naam Pataui, het Kokosbos. Tien jaar lang hadden de O'Briens en
hun landgenoten, bij elkaar nooit meer dan tweehonderd, met behulp
van duizenden inboorlingen en soms de Hollanders, de Portugezen
bestreden. Volgens het Verdrag van Tordesilhas eiste Spanje het hele
Amazonebekken op, maar de vereniging van beide koninkrijken van
1580 tot 1640, stelde de Portugezen in staat om het stroomgebied van
deze rivier in bezit te nemen.

Toen hij naar het kamp van de O'Briens toe liep was Proot meteen
onder de indruk geraakt. Aan de voet van een steile helling stond een
omheining, een eindje van de ingang van de grot. Binnen die omheining had de Hollander een twaalftal woningen geteld, voor het merendeel inheemse hutten, maar ook drie van pleisterkalk. De komst
van het Tapajó-opperhoofd bracht heel wat beroering onder de tachtig Indianen die in het kamp woonden en van wie een groot deel afkomstig was uit het dorp van Tabaliba, met name een dochter van de
laatste, een van de zeven concubines van Abel O'Brien.

Toen de meester van deze schuilplaats op Segge afkwam, had de
Hollander doodsbang naar Tabaliba gekeken, die al over de plundering van zijn dorp aan het vertellen was. De vrees van Secundus Proot
was ingegeven door de kleding van O'Brien, die een Spaans officiersuniform droeg. Een groene broek met karmozijnrode splitten, een
vest van dezelfde kleur, een blinkend harnas en dito zijstuk, een zijden ceintuur, een koppelriem van bewerkt leer dwars over de borst,

381

van de schouder naar de taille, met een sierzwaard aan zijn linkerzijde. Op zijn hoofd droeg hij een hoed met veren waarvan de rand aan een kant omgekruld was. Zijn laarzen, van hetzelfde soepele leer als de koppelriem, kwamen tot boven zijn knieën.

In zijn verwarring had Segge in het Hollands gegroet en tot zijn grote vreugde had hij in dezelfde taal antwoord gekregen.

'Ik spreek niet vloeiend Hollands,' had O'Brien meteen daarna gezegd. 'Net genoeg om op te kunnen schieten met hen die de Portugezen bestrijden!'

Aangezien de Ier ook het Tupi-Guarani kende, had hij, toen Tabaliba eenmaal klaar was met zijn verhaal, gemakkelijk met Proot kunnen praten. O'Brien had Proot meegenomen langs een kronkelend pad dat naar de grot voerde, die ook weer afgezet was met een omheining. Binnen deze tweede omheining had Segge tot zijn verbazing houten koffers ontdekt, waarin maniok en maïs werden bewaard, een goed voorziene smidse, verschillende watertonnen, die gevuld werden door een bron, vier papegaaien en een rode ara.

Binnen in de grot was de steengrond zorgvuldig aangeveegd en vele wapens – zwaarden, sabels, musketten – sierden de wanden. Toen de bezoeker hem vroeg naar de herkomst van dit arsenaal, antwoordde O'Brien: 'De Portugezen zijn niet de enigen die veroveringen doen.'

Toen de beide mannen op de verhoging zaten kwamen twee van de vrouwen van de Ier naar binnen. Ze waren nog heel jong en giechelden terwijl zij kommen met voedsel brachten, en een hoge zilveren kruik met een drank die zij in kristallen glazen schonken. De vloeistof, licht en fris, had een fruitige smaak.

'Wat is dit?' vroeg Segge. 'Wijn?'

'Je kunt het rustig drinken. Het is ongefermenteerd sap van vruchten uit het bos.'

'Ik dacht dat ik *cachaça* zou krijgen.'

'Absoluut niet! En ik eet ook geen vlees.'

'Waarom niet?'

'Dat heb ik afgeleerd toen ik bij de kannibalen gevangenzat,' antwoorde O'Brien. 'Ik heb geen *cachaça* nodig, en ook geen tabak,' zei hij, terwijl hij zijn arm rond het middel van de dichtstbijzijnde Indiaanse sloeg. 'Ik ben Abel, die in dit tweede paradijs leeft.'

Segge zuchtte.

'Wat zit je dwars?' vroeg de Ier.

Proot vertelde hem een deel van zijn avonturen. Later, toen ze gegeten hadden en de vrouwen hadden weggestuurd, trok O'Brien zijn Spaanse harnas uit, ging gemakkelijk liggen op een jaguarvel en vertelde over zijn eigen zwerftocht op zoek naar El Dorado, met zijn neef Bernard, en over de poging om Engelse kolonies langs de Amazone te vestigen.

'Vier jaar na onze aankomst, ging Bernard eropuit om mannen te vinden die zich in dit paradijs wilden vestigen. Hij was afwezig toen Bento Maciel Parente aanviel...'

Na een ogenblik stilte ging Abel O'Brien verder: 'Wij hebben de vrouwen en de kinderen in veiligheid kunnen brengen, aan boord van de enige boot die in de buurt te vinden was. Honderdvijfentwintig zielen. Maar die hond van een Parente trok de boot aan land en slachtte iedereen die erin was af...'

Weer wachtte hij even en zei toen: 'Vijf van ons ontkwamen en vluchtten naar uw landgenoten, Secundus. De Hollanders hadden een paar forten langs de rivier en drie jaar lang vochten wij samen met hen. Wij waren niet met velen, ook niet als je onze inheemse bondgenoten meetelt, en we hebben heel wat nederlagen geleden. Maar in 1629 kwam Bernard terug met Ierse en Engelse katholieken die voor de achtervolgingen op de vlucht waren. We waren amper begonnen onze kolonie weer op te bouwen toen we opnieuw door de Portugezen werden aangevallen, even bloeddorstig als die van Bento Maciel Parente. Dit keer was het afgelopen. Bernard was een overtuigd katholiek en wilde de ketterse Hollanders niet te hulp roepen, dus gaf hij zich over aan de Portugezen, die hem op het kruis zwoeren dat ze hem geen kwaad zouden doen. Ze namen ons mee naar Belém, waar verschillenden van ons begonnen te twijfelen aan de belofte van de Portugezen en ervandoor gingen.'

'En u was daarbij?'

'Nee, ik ben bij Bernard gebleven, en God heeft mij gestraft omdat ik die bruten had geloofd die onze vrouwen en kinderen hadden afgeslacht. Wij werden uit Belém verbannen, geboeid en naar de kannibalen gebracht. Ik werd gescheiden van Bernard en naar een dorp van menseneters aan de Rio Pará gestuurd. "Jij houdt zo van de wilden," zeiden de Portugezen tegen mij. "Maak ze dan nu maar tot vriend, zodat wij in vrede op ons grondgebied kunnen wonen!"'

O'Brien lachte.

'Ze hoopten natuurlijk dat ik opgegeten zou worden maar ik heb hun raad opgevolgd, en ben bevriend geraakt met die wilden. Ze spaarden mij omdat ik ze aanvoerde tegen hun vijanden. God vergeve me. Ik heb ze heel wat slachtoffers bezorgd.'

'Ik heb gevangengezeten bij de Tupinambás,' zei Segge. 'Ik weet waar een mens toe in staat is.'

Na een jaar bij de kannibalen had O'Brien die verlaten en was de rivier opgevaren tot aan het dorp van Tabaliba. Ook de Tapajós had hij geholpen hun vijanden te bestrijden tot hij genoeg had van veldslagen en zich in deze grot had teruggetrokken, tien jaar geleden. Zijn neef Bernard, die toestemming had gekregen om naar Belém terug te gaan, had Brazilië verlaten nadat hij alle hoop om er een kolonie te stichten had opgegeven.

'En u, hebt u er nooit aan gedacht terug te gaan?' vroeg Segge.

'Soms wel, ja. Maar ik ga niet weg voordat ik klaar ben met mijn taak.'

'Welke taak is dat dan?'

O'Brien stond op en bracht de Hollander naar een paar musketten.

'Die ene is Spaans, die andere Portugees – dat is mijn taak. We zijn niet met velen – alleen ikzelf en een dertigtal krijgers – maar we hebben successen behaald. De Portugezen zouden mij als een piraat beschouwen, Abel O'Brien de Bloeddorstige – tenminste, als het ze zou lukken om ons te identificeren! Wij nemen alle voorzorgsmaatregelen, meester Proot, en wij laten nooit overlevenden achter. En als we er per ongeluk een zouden vergeten zou hij het alleen maar hebben over een aanval van wilden uit het bos, want zo vermommen wij ons.'

De Ier nam zijn gast mee naar buiten.

'Mijn taak hier is afgelopen als ik klaar ben met Bento Maciel Parente, de zoon,' verklaarde hij dreigend.

'Maar hij heeft een schip met kanonnen en honderden mannen!'

'Dat weet ik. Maar wij zullen ook een aardig leger hebben als wij Tabaliba en de oudsten naar elk dorp sturen om alle Indianen die onder de Portugezen hebben geleden tot oorlog aan te zetten. We zullen die hond van een Parente in de rivier verzuipen, en wij zullen hen die hij naar Belém mee wilde nemen bevrijden.'

'Gelooft u echt dat dat mogelijk is?' mompelde Proot, die ook opgewonden begon te worden.

'U bent schilder, zei u dat niet?'

'Dat was ik wel, ja...'

'Vecht dan met mij, vriend, en ik beloof u een glorierijk tafereel dat geen enkele schilder zich kan voorstellen!'

'Het eiland van de doodsvogels' – zo noemden de inboorlingen het eiland van zes mijlen lang dat stroomafwaarts lag van het Tapajó-dorp dat door Parente en zijn mannen was uitgemoord. Het werd omspoeld door de Rio das Amazonas – die op die plek vier mijl breed was – en had zijn naam te danken aan de vele *urubus* die op de takken van de bomen ervan gingen zitten.

Op die dag, het was 7 september 1644, naderde het schip van Bento Maciel, een eenmaster die ondiep in het water lag, dat eiland. De Portugezen hadden het schip in Belém do Pará gebouwd met het oog op expedities over de Amazone. Het was zestig voet lang en had geen hut maar alleen op de achterplecht een onderkomen met een strodak erop, een mast op het voorste gedeelte en een mooie, lange boegspriet. Er konden twee gaffelzeilen worden gehesen, een fok en nog een ander zeil tussen de mast en de boegspriet. De boot was gemakkelijk te besturen en uitgerust met veertien paar riemen voor het geval er geen wind was. Het was ook een geducht schip, bewapend met twaalf kanonnen waarvan vier stuks wendbaar. Het heette *Nossa Senhora do Desterro*, een naam die het deelde met het fort Desterro, de laatste vooruitgeschoven post langs de Amazone, veertig mijl stroomafwaarts.

De *Desterro* had die dag slechts een fok gehesen om in de buurt te blijven van de kleine vloot die hij begeleidde, namelijk tachtig kano's met de slavenhandelaren, hun zeshonderd Tupinambás, evenals de zevenhonderdzesendertig mannen, vrouwen en kinderen, gevangen in het dorp van Tabaliba en de andere dorpen.

Amador zat samen met Bento Maciel en zijn officieren op het dek, drie Portugezen, een Levantijn (de 'Turk' van Segge Proot), en vier halfbloeden, twee mulatten en twee *mamelucos*.

Toen hij aan boord van de *Desterro* ging moest Amador aan de *Hopewell* denken, die hem naar Pernambuco had gebracht, en was hij even bang geweest weer zo'n slechte reis te moeten maken, maar dat was niet nodig. De rustige wateren van de rivier, het lichte briesje en het afdak van stro maakten het leven aan boord van de *Desterro* alleszins draaglijk.

Nadat Amador de vlucht van Proot en de gevangenen uit de omheining had gemerkt, had hij duidelijker dan de anderen laten zien hoe kwaad hij was en zich aangeboden om de voortvluchtigen op te sporen.

'Ik heb die Hollander naar uw kamp gebracht, *capitão*. Laat mij nu ook degene zijn die hem terug zal brengen! Een musket, een kapmes en vooruit! Ik moet hem absoluut weer te pakken krijgen.'

'*Calma*, Paulista, *calma*,' had Bento Maciel geantwoord. 'Wij hebben honderden slaven. Waarom zouden wij ons in het oerwoud wagen voor een paar wilden en een ketter?'

'Maar het is een kwestie van eer, *capitão*.'

'Laat hem nu maar, hij overleeft toch niet in de *sertão*.'

De *Desterro* voer langs het eiland en bleef midden op de rivier. Een licht briesje vulde het zeil en het schip spleet de golfjes met zijn voor-steven. Buiten de officieren die onder het afdak zaten, waren er ook nog twintig matrozen aan boord. Twee van hen stonden op de voor-plecht en keken naar het water om te letten op boomstammen en andere gevaarlijke wrakstukken. Twee anderen stonden naast de man aan het roer op de achterplecht en hielden de tachtig kano's die achter de boot aanvoeren in de gaten – en ook de twee vislijnen die zij over boord hadden gegooid.

Plotseling kwamen het schip en de kleine vloot onder spervuur te liggen, afkomstig van het eiland en de oever. Op de rechteroever sprongen de aanvallers te voorschijn uit een loopgraaf die door takken aan het zicht was onttrokken; aan de linkerkant gingen zij schuil tussen de bosjes aan de hoge oever. Nog voordat het spervuur ophield schoten boogschutters een regen van pijlen op het schip af, die volgden op de hagel van kogels.

Op het moment waarop de aanval werd ontketend hing er opeens een kabel van gevlochten lianen, honderdtwintig voet lang en tien duim dik, voor de *Desterro* boven het water.

De eerste regen van kogels en pijlen doodde zes mannen van Parente en verwondde verscheidene anderen, onder wie de Turk. Een kano verloor vier van de roeiers, kapseisde en stootte tegen een andere boot aan.

'Naar de kanonnen!' schreeuwde Bento Maciel.

Hij wierp zich plat op het dek en kroop naar het dichtstbijzijnde geschut, een van de acht stukken van negen pond. Twee matrozen maakten het luik al open waaronder het buskruit en de kogels lagen. Tonnen met buskruit en wapens werden naar de voorplecht geschoven, waar het dek wat lager lag en waar de mannen kruipend dekking vonden.

Twee van de wendbare kanonnen werden midden op het schip geschoven, aan bakboord en aan stuurboord, de beide andere naar de achterplecht, maar er waren amper genoeg mannen om de vier stukken te bedienen want bijna een kwart van de bemanning was al buiten gevecht gesteld.

De roerganger slaakte een kreet van pijn toen hij een pijl in zijn linkerarm kreeg, maar liet het roer niet los. Op beide oevers kwamen er nu honderden krijgers te voorschijn, die de slavenhandelaren uit-daagden en die onder vuur werden genomen door vier musketten en tweehonderd bogen. In de kano's begonnen de Tupinambás te her-stellen maar de tegenaanval was aanvankelijk zwakjes en rommelig. De ontwapende gevangenen die in het gevecht terechtkwamen kropen onder in de kano's of sprongen in het water maar vrijwel niemand dacht eraan de bewakers aan te vallen.

De mannen van de *Desterro* lieten vervolgens zien dat de verschrikkelijke reputatie van de Portugese oorlogsschepen terecht was. Het Portugese imperium viel overal onder de aanvallen van Hollanders en Engelsen, maar waar de Portugezen nog tot het gevecht werden gedwongen toonden zij zich echte nazaten van de *conquistadores*.

Binnen vijf minuten werden de geschutpoorten geopend en waren de stukken geladen en schietklaar. Met donderend geweld schoten zij het eerste salvo op de oever af. Nu waren de wendbare kanonnen ook klaar. Een musketkogel verbrijzelde de schedel van een *mameluco* die bij een van de stukken op de achterplecht stond. De man stierf meteen, maar de Turk – met een bebloede sjaal rond zijn nek – verving hem en stuurde een lading schroot op het eiland af.

De *Desterro* veranderde snel in een oorlogsschip, maar terwijl zij aan de tegenaanval begon zag de bemanning in wat voor val ze terechtgekomen was. Stroomafwaarts werd de doorgang versperd door de kabel van lianen, en aan de noordelijke punt van het eiland verschenen tientallen kano's die op het schip afkwamen.

Deze kleine vloot vormde echter niet het grootste gevaar want in het zuiden kwamen honderdvijftig andere kano's rond het eiland aanvaren. De *Desterro* kon niet meer voor- of achteruit.

Abel O'Brien stond voorop een van de schepen die de aanval leidden, in zijn Spaanse officiersuniform de roeiers aan te moedigen: 'Sneller, Tapajós! Sneller, mijn dapperen!'

Segge bevond zich in een andere kano en jubelde ook. Vandaag, dacht hij, ben jij geen kunstschilder maar een strijder die de toorn Gods doet neerdalen over hen die haar verdienen.

Hij had uit de goed gevulde voorraad van de Ier een leren vest en een blauwe broek genomen. Hij droeg twee pistolen, een mes en een kleine bijl aan zijn oranje ceintuur. Aan zijn voeten zat een van de krijgers van O'Brien klaar om zijn beide musketten te herladen. De Hollander had ook nog een verroeste helm opgezet die hem er een beetje belachelijk deed uitzien. Toen hij die in de grot had gepast, had O'Brien de gek met hem gestoken maar Proot had daarop geantwoord: 'Dit is altijd nog beter dan een musketkogel in mijn hersens.'

De afstand tussen de aanvallende kano's en het schip werd snel kleiner. Overeenkomstig het plan van O'Brien voer de helft van de vloot naar rechts om de strijd aan te binden met de Tupinambás uit de voorste kano's, die nu op de *Desterro* afvoeren.

De Portugezen manoeuvreerden met de riemen om het schip zo te draaien dat het zo min mogelijk van het spervuur van beide oevers te lijden had. Zij hoopten ook dat de boot, door half om te draaien, tussen de vijandelijke kano's door zou kunnen varen. Maar Bento Maciel en zijn officieren wisten dat zij waarschijnlijk midden op het water slag zouden moeten leveren. Om hun kansen te vergroten hadden ze de kano's waarin de meeste soldaten zaten, mannen die aan schepen gewend waren, naar zich toe laten komen en het was hun gelukt om een twintigtal mannen aan boord te halen. Dank zij deze versterkingen konden nu vier stukken geschut en drie van de wendbare kanonnen gebruikt worden.

'De Hollander!' riep Amador toen hij de lange gestalte van zijn vroegere vriend herkende.

De reling van de *Desterro* was laag en bood weinig bescherming tegen de vijandelijke projectielen, maar de Paulista was zo woest dat hij, samen met Bento Maciel, van de plaats waar hij stond wegsprong en naar de achtersteven rende. Hij trok zich niets aan van de pijlen die om hem heen floten en duwde bijna de Turk omver, die een van de wendbare kanonnen aan het laden was.

'De Hollander, hij is voor mij!'

Amador hielp de Turk en een andere slavenhandelaar om het kanon te draaien en vuurde op de kano's van de aanvallers – zonder succes, want zij waren nog buiten schootsafstand.

Het schip was nu gedraaid en kon zijn kanonnen richten op de kano's die uit noordelijke richting kwamen. Deze voeren in zo'n dichte formatie – tegen de bevelen van O'Brien in – dat de eerste explosieve kogels er vijf vernietigden. De Portugezen slaakten een overwinningskreet want deze klap zou de vijand een tijdje tegenhouden.

Aan de zuidkant was de afstand tussen de *Desterro* en de aanvallers nog maar vijfhonderd passen. De bakboordkanonnen van de boot donderden, maar de eerste kogels vielen tussen de kano's in het water, omdat zij op flinke afstand van elkaar voeren, zoals Abel O'Brien dat ook had gezegd. De schepen konden hun aanval voortzetten terwijl de mannen van Bento Maciel aan het herladen waren.

Bij het tweede salvo werden twee kano's geraakt. Direct na de explosies was het gekreun van stervende mannen te horen, en de panische kreten van overlevenden die in het water gegooid werden, dat al rood kleurde van het bloed.

De afstand tussen het schip en de vloot van O'Brien was niet meer dan driehonderdvijftig passen toen de Ier tegen de Hollander riep: 'Secundus! Secundus! Nu zijn wij aan de beurt!'

Segge gaf de mannen in zijn kano bevelen, en deze grepen de granaten die O'Brien in zijn grot in elkaar had gezet. Proot draaide zich om en zag Amador achter op het schip staan. Hij had hem amper herkend toen het wendbare kanon schoot, en met zijn schroot verschillende Tapajós uit de naburige kano velde. Segge slaakte een kreet. Rustig richtte hij zijn beide pistolen op zijn oude vriend en schoot. De Paulista werd niet geraakt en zwaaide met zijn vuist naar hem.

In de voorste kano stonden O'Brien en twee van zijn Indianen klaar om hun granaten weg te slingeren. Het geschut van de *Desterro* bulderde weer, en de boot waarin Tabaliba zat vloog aan stukken. O'Brien stond op het punt zijn eerste granaat te lanceren, en de lont brandde al, toen een Portugees die bij de boegspriet op zijn buik lag met zijn musket op hem schoot. De Ier werd aan de schouder geraakt, verloor zijn evenwicht en viel in het water. Hij liet de granaat los, en die viel weer in de kano. Er volgde een reeks explosies waardoor in een paar seconden de boot en de bemanning ervan verdwenen.

Proot, die dit tafereel had gezien, beval zijn mannen: 'Vlugger! Naar voren!'

Toen hij op vijftig passen van het schip was zag Segge dat Amador en de Turk het wendbare kanon draaiden. Plotseling kapseisde de kano. In de haast hadden de roeiers een onder water liggende boomstam over het hoofd gezien. Maar doordat de boot omsloeg, waardoor de Hollander in het water viel, werd hij gered van het schroot dat Amador en de Turk afschoten.

Nu vuurden de stukken van negen pond.

De kano van Proot was afgedreven en lag nu precies in de vuurlijn van het derde bakboordkanon. Er klonk een gerommel, er volgde een lichtflits en een vreselijke explosie toen de granaten in de boot ontploften.

Secundus Proot, de schilder die van een tweede paradijs droomde, was onmiddellijk dood.

'Idioot! Idioot! Ketter!' schreeuwde Amador tegen zijn stoffelijk overschot dat over het water van de Amazone wegdreef.

Vervolgens begon de *Desterro* systematisch de vijand te bombarderen. Toen er een doorgang over water ontstond richtte Bento Maciel zijn aandacht op de oevers en stuurde een troep naar het eiland, met de opdracht niets of niemand te ontzien.

Boven het eiland van de doodsvogels begonnen de *urubus* die bij het eerste schot opgevlogen waren, in kringen rond te vliegen. In het water naderden de piranhas.

Duizenden vissen kwamen aangezwommen, aangelokt door het bloed, zetten hun driehoekige tanden in de kadavers en in het vlees van de overlevenden, die heftig met armen en benen zwaaiden om aan deze laatste vijand te ontkomen. Urenlang vraten de piranhas zich vol en de majesteitelijke Rio das Amazonas werd een rivier van bloed.

Twee dagen na de slag, laat in de middag, lag de *Desterro* een mijl stroomafwaarts van het eiland voor anker. De slavenhandelaars hadden twintig Portugezen en halfbloeden verloren, honderdvijfenzeventig Tupinambás en tweehonderd slaven. Ze hadden geen flauw idee van de verliezen die zij de vijand hadden toegebracht, maar dachten dat zij hen voor het grootste deel hadden uitgeroeid, waarbij de piranhas voor de rest hadden gezorgd.

Toch was één man als door een wonder ontsnapt aan de vleesetende vissen en half verdronken op de oever teruggevonden. Hij lag nu geknield op het strand, tegenover de *Desterro*.

'Jouw vader was een hellehond en jij bent geen haar beter,' zei de overlevende.

Bento Maciel Parente nam de belediging kalm op.

'Is dat alles wat je te zeggen hebt?'

'Moge jouw ziel vervloekt zijn!'

Bento Maciel gaf een teken aan de Turk, die vlak bij de gevangene stond.

'Genade! Genade, Heer!' begon de geknielde man te bidden.

De Turk zwaaide met zijn bijl en hakte het hoofd van Abel O'Brien af.

Die avond, na de executie, zaten Amador en de commandant op de achterplecht van de *Desterro* met elkaar te praten.

'Neem jij in Belém een boot naar Santos?' vroeg Bento Maciel.

'Nee. Mijn familie woont in São Paulo, en daar ga ik ook heen. Maar ik ga eerst naar Pernambuco.'

'Waarom?'

'Daar ligt nog een zak zilver op mij te wachten. Als beloning voor een dienst die ik een planter heb bewezen.'

XIII

September 1644 – november 1692

In Belém do Pará, waar Amador aan het eind van de maand september 1644 met Bento Maciel Parente aankwam, deed het verhaal van de lange zwerftocht van de Paulista door de *sertão* veel stof opwaaien bij de plaatselijke planters, die hem overhaalden om een poosje in de stad te blijven.

'U zocht El Dorado, Amador Flôres, maar u hebt een andere schat gevonden, grote wilde stammen voor de plantages van Belém!'

De Paulista had helemaal geen zin om de gebieden waar hij en Segge Proot doorheen waren getrokken weer terug te zien, maar hij liet zich wel door twee planters overhalen om een expeditie naar de Rio Xingú te leiden, een zijtak van de Amazone, op minder dan honderdtwintig mijl van Belém. De onderneming was geen succes, want de helft van de vijftig Tupinambás die hij meenam kwam om door ziekte of door geweld; de overlevenden kwamen met zevenentachtig gevangenen naar Belém terug, een bagatel vergeleken met de duizenden slaven die de stad bezat.

Amador had het commando over deze expeditie op zich genomen omdat hij nieuws uit Pernambuco had gekregen. Sinds het vertrek van graaf Maurits, in mei 1644, was een groep Portugese kolonisten in opstand. Maurits van Nassau had zeven jaar lang met tact en tolerantie geregeerd maar veel Portugezen waren verontwaardigd toen hij de hoofdstad van Maranhão innam en vooral toen zijn landgenoten, net tussen de ondertekening van het verdrag en de ratificatie ervan, Luanda in Afrika innamen. De planters van Bahia en Rio de Janeiro hadden zwaar te lijden onder het verlies van Luanda, want daarmee kwam een bron van Afrikaanse slaven droog te liggen.

In 1643 joegen de Portugezen van São Luís do Maranhão het Hollandse garnizoen van de stad over de kling. De inwoners van Pernambuco hadden dat toegejuicht, met name zij die duizenden guldens schuld bij de Hollandse Compagnie hadden. Ondanks alle pogingen van Maurits van Nassau om religieuze twisten te sussen, verdroegen de meeste Portugezen de aanwezigheid van ketters en joden slecht. Vele afstammelingen van Mozes beseften dat terdege en waren tegelijk met de graaf scheepgegaan; anderen waren van plan naar de Hollandse bezittingen in het Caribisch gebied te gaan, of zelfs naar de kolonie Nieuw Amsterdam, in Noord-Amerika.

In mei 1645 besloot Amador eindelijk om Belém te verlaten. Vanwege de opstand in Pernambuco was hij van plan om rechtstreeks naar Santos te gaan, maar het vooruitzicht van een zak zilver die op het domein Santo Tomás op hem stond te wachten, was te aantrekkelijk. En als hij het weer met de Hollanders aan de stok zou krijgen, des te beter! Hij was al twee keer het slachtoffer geworden van de verraderlijkheid van die ketters, Proot, nog niet zolang geleden, en een paar jaar daarvoor toen ze zijn negentien kameraden onthoofd hadden.

Amador ging scheep aan boord van een kleine koopvaarder die hem afzette in een verlaten Baai van Paraíba, het kapiteinschap ten noorden van Pernambuco. Vandaar ging hij te voet over land naar Santo Tomás. Toen hij begin juni eindelijk de heuvel van het domein van Fernão Cavalcanti beklom was het viereneenhalf jaar geleden dat hij met Secundus Proot uit dit dal weggetrokken was. Er was weinig veranderd, behalve dan dat er een nieuwe rij onderkomens gebouwd was bij die welke hij had gedeeld met de Portugese arbeiders. De jongeman had een somber voorgevoel sinds hij voet zette op het grondgebied van de Cavalcantis – hoe dichter hij naderde, des te groter het werd. Toen hij de helling opklom liet hij zijn blikken over het huis, de kapel en de opslagplaats gaan.

Er was niemand te zien.

Hij hoorde iets in de buurt van de slavenhutten en bleef plotseling staan, maar liep weer door toen hij zag dat het een hond was. Hij klom naar boven tot aan de kapel, zag dat die op slot was, en dat de luiken bij *padre* Gregório Bonifácio ook dicht waren.

'Vreemdeling!'

Amador bleef stokstijf staan.

'Je musket… laat vallen!'

Hij gehoorzaamde.

'Het pistool! Je andere wapens!'

Het bevel kwam uit de kapel.

Hij gooide zijn pistool naast zijn musket en toen hij zijn kapmes uit zijn ceintuur haalde zag hij dat de deuren van de kerk op een kier stonden en dat de loop van een geweer eruit stak. Hij meende de stem te herkennen en riep: '*Senhorita? Senhorita* Joana?'

De loop bleef op hem gericht.

'Amador, Amador Flôres da Silva,' ging hij verder, met het kapmes nog in zijn hand.

Hij draaide zich om naar het grote huis, zag twee andere musketten uit de ramen op de eerste verdieping, en lette toen weer op de kapel, want een van de deuren ging open.

'*Senhorita* Joana!' riep hij terwijl hij een stap in de richting van de kerk deed.

'Blijf staan!'

Joana Cavalcanti droeg een zwarte katoenen jurk en mannenlaarzen, had een pistool in haar ceintuur en richtte dreigend haar musket op hem.

'Ik ben vijf jaar geleden met Segge Proot naar de *sertão* gegaan...'

Ze bleef tien passen voor hem staan en fronste haar wenkbrauwen.

'Ben ik zo veranderd?' vroeg hij.

'De *mameluco* uit São Paulo...,' mompelde zij, als tegen zichzelf. 'Heilige Moeder Gods, u bent het.'

'Ja, *senhorita*. Ik kom net terug uit...'

Omdat hij niet in één woord kon samenvatten wat hij allemaal beleefd had, zei hij alleen maar: 'Ik ben terug.'

Ze keek hem strak aan.

'Waar is uw vader?'

'Die is voor een poosje weg,' antwoordde de jonge vrouw ontwijkend.

'En uw broers?'

'Felipe is met vader mee, Alvaro is door de Hollanders vermoord. In een hinderlaag, met zeven anderen.'

De Paulista betuigde zijn spijt hierover en vertelde haar dat de ketter dood was. Joana keek naar de grond, zei niets, en Amador vertelde dat Proot had samengewerkt met een piraat die een hopeloze aanval op een groep christenen had gedaan.

Die avond zat hij aan de lange tafel in het grote huis, en herinnerde hij zich de dag waarop hij dat van buiten had staan bekijken, met alle honden en slaven van Fernão Cavalcanti. Joana zat tegenover hem, naast een aangeschoten *padre* Gregório Bonifácio. Dona Domitila en haar dochter Beatriz zaten ook aan tafel. De laatste was in verwachting van de echtgenoot die de *senhor* voor haar gevonden had. De echtgenotes van Alvaro en Felipe en twee tantes zaten eveneens aan.

Aan Amadors rechterhand zat de enige andere man, Jorge Cavalcanti, de oudste broer van Fernão. Lourenço, de zoon van Tomás, had drie zonen, Jorge, Fernão en Francisco, en evenzovele dochters.

Francisco was nog voor Amadors tijd aan roodvonk overleden, en Jorge was in 1640 in Europa. Hij was achtenvijftig, drie jaar ouder dan Fernão, had hetzelfde aristocratische gezicht en dezelfde groene ogen als zijn broer. Toch leek hij veel ouder en hij was vreselijk arrogant. Hij was nu tweemaal weduwnaar en voor de derde keer getrouwd, met Joana Cavalcanti.

Amador was stomverbaasd toen de *senhorita* hem aan haar man voorstelde. Jorge, gekleed op de potsierlijke manier van een Spaans edelman, behangen met lintjes en kantwerk, had de Paulista uit de hoogte bekeken toen Joana de *mameluco* voorstelde als een van haar kennissen.

Amador was niet zozeer geschokt door de bloedband tussen oom en nicht – een dergelijk huwelijk vond wel vaker plaats omdat er een chronisch tekort aan goede echtgenotes in Brazilië was – maar het was meer het idee dat Joana, vurig en mooi, getrouwd was met die oude fat, aan wiens kleding te zien was hoe hij over politiek dacht. Jorge Cavalcanti erkende de aanspraken op de troon van De Bragança, maar was toch meer voor Madrid, waar hij tien jaar lang raadsman aan het hof van Philips IV was geweest.

Tijdens het eten, nogal karig vergeleken met het laatste banket waarbij Amador aangezeten had, begon de jongeman zijn odyssee te vertellen, maar hij brak zijn verhaal algauw af omdat de disgenoten ongelovig begonnen te kijken, en luisterde verder naar Jorge en naar *padre* Bonifácio, die het hadden over wat er in Pernambuco gebeurde. Het was duidelijk dat de Cavalcantis zich er eerst van verzekerden dat hij geen agent van de Hollanders was voordat ze hem wilden vertellen wat er met Fernão was gebeurd. De meester van Santo Tomás had op goede voet gestaan met Maurits van Nassau tot de dag waarop de graaf Brazilië had verlaten.

Een maand na vertrek van de gouverneur, in mei 1644, was kapitein Jan Vlok, verantwoordelijk voor de dood van negentien kameraden van Amador, vijf jaar geleden, benoemd tot baljuw van het district waarin het domein van de Cavalcantis lag. Sinds die tijd terroriseerde Vlok met zijn bende de Portugezen, eiste steekpenningen om de suiker naar Recife door te laten gaan, zette de slaven aan tot vluchten, ving ze weer en verkocht ze in een ander deel van de kolonie, legde beslag op het vee en de voorraden van de planters die hun schulden niet konden betalen. De klachten die Fernão en anderen bij de Hoge Raad in Recife indienden haalden niets uit, want Jan Vlok werd daar gesteund door mannen met wie hij de buit deelde. Zes maanden voordat Amador terugkwam had Fernão Cavalcanti contact opgenomen met andere ontevreden planters.

Velen van hen die in de Raad van Planters van Maurits van Nassau hadden gezeten, zwoeren nu samen om wat de graaf in Pernambuco had opgebouwd teniet te doen. Hun taak leek schier onmogelijk. Hoewel het Hollandse garnizoen tot een derde van zijn sterkte was teruggebracht hadden veel planters geen zin om weer te gaan vechten nadat ze al zoveel jaren vergeefs verzet hadden geboden. De Portugezen hadden weliswaar São Luís do Maranhão heroverd, maar dat was puur geluk, want de Hollanders waren daar niet met velen en ze werden belegerd door alle kolonisten uit Maranhão, wat weken reizen van Recife was. Zelfs als alle mensen uit Pernambuco in opstand zouden komen, wat zouden zij dan kunnen doen zonder wapens? Na de mislukte expeditie van de *conde* Da Torre, vijf jaar eerder, hadden de Hollanders alle wapens in beslag genomen, behalve enkele musketten die ze voor zelfverdediging mochten houden. En in naam van wie konden zij in opstand komen? Geheime boodschappers uit Lissabon hadden nog eens gewezen op het verlangen van de koning om in vrede te leven met de Hollanders. De vijand van João IV was Spanje, niet de Nederlanden, en als de planters in Pernambuco in opstand wilden komen, moesten zij dat maar alleen doen.

João Fernandes Vieira, zoon van een halfbloed prostituée en een Portugees, was een warm voorstander van opstand. Hij had vijftien jaar eerder, ten tijde van de eerste guerrilla, tegen de Nederlanders gevochten. Hij had zijn wapens neergelegd toen Maurits van Nassau kwam en was een van de bestuurders van Mauritsstad geworden, thans een welvarend eigenaar van vijf suikermolens, jager op voortvluchtige slaven en kapitein van een Hollandse militie. Maar hij was zijn weldoeners meer dan driehonderdduizend gulden schuldig, wat hem tot een van de grootste schuldenaars uit de kolonie maakte. Toen de graaf weg was had Vieira besloten om zich van deze last te ontdoen door te gaan vechten voor de herovering van het kapiteinschap – hetgeen uiteindelijk zijn voornaamste doel was.

Eind 1644 ontving Antônio Telles da Silva, de nieuwe gouverneur-generaal in Bahia, Vieira's boodschappers en antwoordde hun officieel dat een opstand in Pernambuco ondenkbaar was. Iedere kolonist die daaraan zou deelnemen zou vervolgd worden en de autoriteiten van Bahia zouden elke voortvluchtige planter uit Nieuw Holland naar Pernambuco terugsturen als hij vluchtte om van zijn schulden tegenover de Nederlanders af te komen.

Maar in een geheime boodschap schreef Antônio Telles aan Vieira: 'Ik heb de Hollanders een bericht gestuurd waarin staat dat Henrique Dias, de zwarte duivel, voortvluchtig is, en richting Pernambuco door de *sertão* trekt; ik heb erbij geschreven dat ik het regiment van Dom Felipe Camarão achter hem aan heb gestuurd.'

Dias en Camarão – de laatste kort geleden in de ridderstand verheven – hadden bij de eerste guerrilla het bevel gevoerd over de zwarte en inlandse vrijwilligers. De list van de gouverneur-generaal, die hen in feite uitstuurde om mannen als Vieira en Fernão Cavalcanti te helpen, gaf de samenzweerders moed, evenals de andere beloften van Antônio Telles. Deze stelde namelijk ook voor om veertig officieren en ervaren soldaten te sturen om de kolonisten te trainen, om vervolgens anderen te sturen, over zee, als de opstand eenmaal een feit was.

Vieira en de andere samenzweerders, aangemoedigd door deze steun, bepaalden de datum van de opstand op 24 juni 1645, maar de eerste wapenzending uit Bahia liep in een hinderlaag na het oversteken van de Rio São Francisco, en Alvaro Cavalcanti, de zoon van Fernão, was daarbij omgekomen.

Op 30 mei, vier dagen voor Amadors terugkeer, volgde er weer een ramp. Een zegsman uit Recife waarschuwde Vieira en de Cavalcanti's dat de Hoge Raad op de hoogte was van de samenzwering door een brief van drie planters die zich achter het pseudoniem 'de Waarheid' verborgen.

Toen hij dat allemaal aan Amador had verteld, zei Jorge Cavalcanti: 'Hoe het ook zij, de zaak is hopeloos. Onze vrienden denken dat Holland verzwakt is maar ik heb in Europa gezien welke macht dat land heeft. Zelfs Spanje heeft hun ketters er niet onder kunnen krijgen, en hun admiraals heersen over alle zeeën. Leg mij dan maar eens uit hoe Portugal mannen en munitie kan sturen om een opstand in de kolonie te ondersteunen!'

De Paulista keek Joana aan en vroeg haar voor de tweede keer: 'Waar is uw vader?'

'Op de vlucht!' antwoordde Jorge hoofdschuddend. 'Een planter en zijn zoons die gedwongen zijn zich in het oerwoud te verbergen, met de slaven! Toch heb ik mijn broer gesmeekt om het juiste ogenblik af te wachten.'

Amador begon te lachen.

'Vindt u dat amusant?' vroeg Jorge geïrriteerd.

'Zestig jaar, *senhor* – Portugal heeft zestig jaar onder het Spaanse juk gezucht. Wilt u uw kolonisten voorstellen om nog eens zo lang te wachten?'

'Hebt u het domein dan niet gezien?' zei *padre* Bonifácio. 'Alles wat de Cavalcantis tot stand hebben gebracht dreigt ineen te storten sinds de *peças* verdwenen zijn.'

'Waarheen, *padre?*'

De priester antwoordde niet meer want hij dommelde weer weg in zijn roes.

'Sommige slaven zijn gevlucht,' zei Joana. 'Er zijn er dertig bij mijn vader gebleven, en de anderen zijn meegenomen.'

'Door wie?'

'Door Jan Vlok. Hij heeft er tachtig in beslag genomen bij wijze van rente over de schuld die mijn vader in Holland heeft vanwege de bouw van een nieuwe molen langs de rivier. Een rente van drie procent per maand.'

'En dan te bedenken dat wij dachten dat de Spanjaarden gierigaards waren!' zuchtte Amador, maar die opmerking viel niet goed bij zijn gastheer. 'Wat denkt *senhor* Fernão te doen?'

'Wat kán hij doen?' riep Jorge uit. 'De Hollanders hebben duizend gulden voor hem uitgeloofd, en nog meer voor Vieira. Misschien zullen ze naar Bahia vluchten.'

'Néé!'

Jorge Cavalcanti keek verontrust naar Joana.

'Mijn vader heeft beloofd niet te zullen vertrekken zonder ons.'

'Hij zal misschien geen keus hebben,' antwoordde Jorge.

Amador vroeg zich af waarom de *senhorita* aan zo'n afschuwelijke man was uitgehuwelijkt.

'Fernão Cavalcanti zal Santo Tomás nooit in de steek laten,' bevestigde de jonge vrouw. 'Hij zal niet vluchten.'

Niet lang na het eten werd Amador naar zijn kamer gebracht, maar hij kon de slaap niet vatten. Hij ijsberde door het kleine vertrek en besloot toen om een wandeling te gaan maken. Hij liep de gang op, kwam weer in de grote eetzaal en zag daar Joana aan tafel zitten, terwijl zij het portret bekeek dat Secundus Proot van hem gemaakt had.

'Hij schilderde al lang niet meer,' zei hij. 'De *sertão* heeft zijn talent gebroken.'

'Amador?' vroeg de vrouw en draaide zich om. 'Alsjeblieft, vertel me alles.'

'Nú?'

'Ja. Kom hier bij me zitten.'

Amador aarzelde. Hij keek naar Joana. Zij had haar handen op haar knieën en haar hoofd gebogen. Toen begon hij langzaam aan een lang verhaal, waarbij hij vanaf het vertrek van het domein tot de dood van Segge bijna niets wegliet.

'O, Secundus, Secundus,' mompelde de jonge vrouw. 'Hij kon het niet begrijpen.'

'Nee, *senhorita*. Hij had nooit naar de *sertão* moeten gaan, dat is niets voor schilders.'

'Maar dat was wat mijn vader wilde, is het niet?'

'Hoe bedoelt u?'

'Je begrijpt heel goed wat ik bedoel. Mijn vader had je opgedragen om hem bij mij uit de buurt te halen, dat weet ik van *padre* Gregório.'

'Hoe dat zo...?'

'Hij heeft jullie gesprek in de kapel gehoord, want daar was hij.'

'Ik moest hem alleen maar bij de Tapuyas van Jakob Rabbe brengen, dat zweer ik u. Hij of liever gezegd wij, hebben besloten om verder te gaan.'

'Ik hield veel van hem. Drie jaar geleden had ik hem al opgegeven, ik dacht dat hij dood was.'

'*Senhor* Jorge...' begon de *mameluco*.

Hij hield zijn mond weer, en wist eigenlijk niet wat hij zeggen wilde. Joana scheen hem niet gehoord te hebben.

'Het was jouw schuld niet,' besloot zij. 'Jij hebt mijn vader alleen maar gehoorzaamd.' Ze stond op en streek haar haren naar achteren. 'En wat ga je nu doen?'

'Ik, *senhorita*?' stamelde Amador.

'Je kwam toch je beloning halen?'

Hij stond nu ook op en mompelde beschaamd: 'Heeft Bonifácio u dat ook verteld?'

'Hij was dronken.'

'Het spijt me.'

'Maar niet zoveel als het mijn vader speet toen ik mij aan dat stomme varken van een Jorge gaf,' flapte Joana eruit, terwijl zij op Amador toeliep. 'Hij haat hem, maar hoe had ik kunnen weigeren? Jorge kwam uit Madrid om zijn deel van het domein op te eisen – Jorge, wiens naam niet meer in dit huis uitgesproken werd sinds hij in dienst van de koning van Spanje was getreden!'

Met een rustige stem ging zij verder: 'Mijn vader heeft missen laten lezen voor de rust van jouw ziel, Amador Flôres. Maar voor mijn Secundus, die hij ver weg heeft gestuurd, bidt hij nog dagelijks.'

'Is dat uw leger?'

'Ja, *tenente* Paulista. Dat zijn João Fernandes Vieira, onze "vrije gouverneur", *senhor* Fernão en al hun partizanen.'

'Dan heeft Jorge Cavalcanti gelijk, dan is de zaak hopeloos,' besloot Amador.

Affonso Ribeiro, de schreeuwerige boer die bij diens eerste verblijf bevriend was geweest met Amador, schudde zijn hoofd.

'O nee, *tenente* Paulista, dit keer winnen wij van de Hollanders.'

Het was een lange en moeilijke dagmars geweest in westelijke richting om van het domein bij de plek te komen waar de samenzweerders zich verborgen. Zij waren gedwongen geweest te vluchten toen het complot uitlekte naar de Hoge Raad in Recife. Ribeiro was naar het domein teruggegaan om een bericht van Fernão te brengen waarin stond dat de vrouwen er moesten blijven totdat hij ze veilig naar Bahia zou kunnen brengen, en Amador was met hem mee teruggegaan.

Het rebellenkamp lag op de top van een heuvel met weinig bomen, op de hoogvlakte van Borborema. Hier en daar tussen de bomen waren stukken zeildoek gespannen, en dat waren de onderkomens voor de mannen van de vrije gouverneur, maar de meesten hadden helemaal geen dak boven hun hoofd. Het leger bestond uit twintig Portugezen, veertig *mamelucos* en mulatten en ongeveer honderd slaven die kennelijk tevreden waren niet hun dagelijkse werk te hoeven doen. Een derde van die manschappen was bewapend met verroeste musketten, uit de schuilplaats van het domein van Vieira; de anderen hadden alleen maar primitieve bogen en ploertendoders.

Amador had ongemerkt willen naderen maar Afonso Ribeiro was door de bosjes gerend terwijl hij schreeuwde: '*Senhor* Fernão! Een wonder! De Paulista Da Silva is teruggekomen!'

Cavalcanti moest tegen de zon inkijken, kneep dus zijn ogen toe en vroeg: 'Amador da Silva?'

'Jazeker. Hij is uit de dood opgestaan.'

De *mameluco* groette Cavalcanti, die het gerimpelde gezicht van Amador even stomverbaasd bekeek als Joana dat had gedaan. De planter was magerder geworden, en zijn haren waren grijs.

'God in de Hemel,' mompelde hij. 'Wij dachten dat u al lang dood was. Hoe is dat mogelijk?'

'Dank zij de genade van onze Heiland.'

Cavalcanti keek naar de grond toen hij vroeg: 'En de Hollander?'

'Dood. Omgekomen op de Rio das Amazonas.'

'Vertel de *senhor* over die veldslag tegen de ketters en de wilden,' zei Ribeiro, aan wie de Paulista de strijd bij het eiland van de doodsvogels had verhaald.

Maar Amador hield zijn mond.

'In ieder geval, u hebt het overleefd!' zei de planter ongelovig. 'En u bent teruggekomen! U moet me alles vertellen.'

Er zat een man onder een stuk zeildoek die hen de hele tijd had zitten aankijken en nu naar hen toe kwam lopen. Hij zag er sterk uit en droeg een katoenen broek en een leren vest, net als Fernão Cavalcanti. Zijn dunne naar boven gekrulde snor en zijn puntbaard waren zorgvuldig geknipt.

'João Fernandes Vieira, onze *governador*,' stelde Cavalcanti voor, om daarna te vertellen wie Amador was.

Vieira luisterde zwijgend en vroeg toen: 'En wat komt u in ons kamp doen, Amador Flôres?'

'*Senhor* Fernão heeft u verteld hoe de ketters mijn kameraden vijf jaar geleden hebben afgeslacht. Laat mij met u vechten. Ik ben al zo lang weg uit São Paulo dat een paar maanden meer of minder er niet toe doen.'

'Een paar maanden? Met wat wij aan troepen hebben zullen we de Hollanders er niet in een paar maanden onder krijgen.'

'Heel Pernambuco zal in opstand komen.'

'Ik bid God dat dat mag gebeuren. Als wij geen hulp krijgen sta ik niet aan het hoofd van een leger, maar van een bende. Hoe het ook zij, welkom, Paulista.'

Vieira liep nu naar een groep Portugezen toe, een deel van het contingent van veertig soldaten en officieren dat uit Bahia was gestuurd om de rebellen te helpen. Affonso Ribeiro bracht rapport uit over wat er op het domein gebeurde, en liet Amador en Fernão toen alleen.

'Hoe is Proot aan zijn einde gekomen?' vroeg Cavalcanti.

'Bij een slag waarbij hij de zijde van de wilden had gekozen.'

'Wat doet het ertoe? Het is allemaal mijn schuld... maar ik kon toch niet goed vinden dat mijn dochter met een ketter zou trouwen?'

'U had geen keus.'

'Maar waarom, ja, waarom, heb ik Joana's liefde verspeeld? Waarom heeft de Heer Jorge naar Santo Tomás teruggestuurd?'

Amador kon de trieste blik van de planter niet langer verdragen en keek van hem weg.

'Dat zijn vragen waarop ik ook geen antwoord heb,' mompelde hij.

Op 13 juni 1645 beval João Fernandes Vieira zijn mannen het kamp op te breken. Het merendeel van zijn tachtig opstandelingen infiltreerde de dalen achter Recife om de guerrilla tegen de Hollanders op poten te zetten, maar Fernão Cavalcanti, Amador, Affonso Ribeiro en zeven anderen vertrokken met een geheime missie naar het zuiden van het kapiteinschap.

'Ik zou het graag zelf doen,' had Vieira gezegd, 'maar ik moet mijn mannen organiseren zodat zij klaar zijn als Dias en Camarão komen.'

De driehonderd soldaten van Henrique Dias en de troep van Dom

Felipe Camarão die officieel achter Dias aanzat, waren nu al drie weken op weg in de *sertão* ten noorden van Bahia. Deze versterkingen zouden veertien dagen later moeten aankomen, en dat zou het teken zijn om in opstand te komen.

Amador was erbij toen Vieira en Cavalcanti het over de missie naar het zuiden hadden.

'Zij hebben hun sporen verdiend in de strijd tegen de Hollanders,' zei de *governador*. 'Beloof ze de vrijheid, doe al het mogelijke om hen aan te zetten om met ons de Hollanders te bestrijden.'

Vieira had het over boslandcreolen die zich verborgen op een plek die de Portugezen Palmares noemden, honderdveertig mijl ten zuidwesten van Recife, in het voorgebergte van de Serra do Barriga. De eerste gevluchte negers waren daar vijftien jaar eerder neergestreken en de Hollanders hadden verschillende malen vergeefs geprobeerd om hun versterking te vernietigen. Twee van Vieira's slaven, die kennissen in Palmares hadden, gingen met Cavalcanti mee om de eerste contacten met de boslandcreolen te leggen.

'Contacten?' vroeg de Paulista verbaasd. 'Is het niet genoeg om ze een geladen musket voor te houden?'

'Niemand komt zonder toestemming op het grondgebied van Ganga Zumba,' antwoordde Vieira. 'Die naam betekent "Heer van de Duivel". Ik heb twee jaar geleden aan het hoofd gestaan van een Hollandse patrouille naar Palmares. Met een leger zouden we misschien een kans hebben...'

De *governador* wendde zich tot Cavalcanti en zei: 'Overtuig Ganga Zumba ervan dat hij zich met ons moet verenigen en wij drijven de Hollanders niet in een paar maanden, maar in een paar weken de zee in.'

Tien dagen later stond Nhungaza, een grote majesteitelijke neger met een witte katoenen jurk op een zonnige ochtend aan het eind van juni op het dorpsplein in zijn dorp. Hij was er die dag als bezoeker, want hij woonde thans in de hoofdstad van het koninkrijk, waar hij aan het hoofd stond van de koninklijke troepen.

Nhungaza werd zowel gevreesd als bewonderd. Als vertegenwoordiger van de koning had hij het recht om een ieder te straffen die hem niet zinde, en de vorige dag nog had hij de executie bevolen van twee dorpsbewoners die het decreet hadden geschonden dat hun verbood het koninkrijk te verlaten.

Die ochtend had zijn aanwezigheid een vrolijker karakter, want hij was krijgers komen uitzoeken voor de koninklijke troepen. De kandidaten zouden twee aan twee aan hem worden voorgesteld en hun vaardigheid laten blijken door een schijngevecht met elkaar te houden.

Op een teken van een van de twee eerste krijgers begon een groep muzikanten *berimbau* te spelen, een snaarinstrument dat leek op een boog op een halve kalebas. Gewapend met stokken sprongen de mededingers op elkaar af en begonnen ze een soort ballet, bestaande uit aanvallende en afwerende bewegingen. Naarmate de 'strijd' vorderde, werd het ritme van de muziek sneller en werden de toeschouwers steeds opgewondener. Bijna alle tweehonderdtachtig inwoners van het dorp waren op de been, het hoofd en de oudsten, gekleed in katoenen jurken als die van Nhungaza, de overige mannen, met een lendendoek van stof of boomschors, en vrouwen die lange jurken droegen. Allen droegen snoeren met amuletten, koperen armbanden, parels of schelpen.

Het was een van de veertien dorpen van het koninkrijk en lag aan de noordoostelijke grens, een dag lopen van de hoofdstad, Shoko – Aap – geheten, als eerbetoon aan de Shoko-familie, die de dynastie vormde. Het dorp van Nhungaza vertoonde veel overeenkomsten met de hoofdstad. Iedere familie woonde in een hut met een rond dak gemaakt van dunne takken en bedekt met lang gras. Er was een hut voor de meisjes, wier bezigheden strikt door de ouders werden gecontroleerd en die speciale taken hadden, zoals water dragen, hout voor het vuur sprokkelen en vruchten in het bos plukken. De huwbare jongens woonden ook niet bij hun familie, maar in de hut van de vrijgezellen.

In een deel van het dorp stonden de hutten van de pottenbakkers, de wevers en de houtbewerkers bij elkaar. De twee smeden, wier kleiovens in de buurt van een stenen gebouw stonden waar de mannen samenkwamen, werden zeer geëerbiedigd. De smidse en de vergaderzaal waren verboden terrein voor vrijwel alle vrouwen, alleen zij die geen kinderen meer konden krijgen mochten bij het maken van ijzer aanwezig zijn, en zij moesten toestemming van het opperhoofd hebben om naar de vergadering van de mannen te gaan.

Het dorp telde twee tovenaars, een man, die de toekomst voorspelde, en een vrouw, die de kruiden kende.

Nhungaza was al drie dagen in het dorp en zijn eerste gesprek met het opperhoofd was levendig geweest. De vertegenwoordiger van de koning had zijn gastheer opgedragen met hem mee te gaan naar de rand van het dorp waar hij met zijn ijzeren staf van commandant van de koninklijke troepen op de omheining had gewezen.

'Bescherm jij zo jouw volk?' had Nhungaza geschreeuwd.

Het opperhoofd had stomverbaasd naar een gapend gat in de omheining staan kijken.

'Ik moet je misschien eens meenemen naar Shoko en je in de velden aan het werk zetten, met de slaven,' ging Nhungaza verder terwijl hij met zijn staf op de borst van de oude man tikte.

'Nee, alsjeblieft! Deze bres zal gerepareerd worden.'

'Vadertje,' ging de commandant vervolgens met rustige stem verder, 'ik ben een zoon uit dit dorp, en ik wil niet dat jij in ongenade valt. Maar wij zijn hier niet op het land van onze voorouders, en hebben hier ook niet hun bescherming...'

Toen hij het woord 'voorouders' hoorde, werd het opperhoofd weer een beetje zekerder van zichzelf.

'Wij hebben een geschenk voor Nganga Dzimba we Bahwe,' zei hij.

Nganga Dzimba we Bahwe, de Grote Priester van het Stenen Paleis, was een van de titels van de heerser van het koninkrijk.

'Kom, zoon, ik zal het je laten zien.'

Het opperhoofd bracht zijn bezoeker naar de hut waar de muziekinstrumenten uit het dorp opgeborgen waren: *berimbaus*, kalebassen, fluitjes en heilige trommels.

'Dit is ons geschenk,' zei het opperhoofd en deed een stap terug om de reactie van Nhungaza te zien.

De commandant zag een grote zwarte vogel, met een helder gele vlek aan de keel, in een houten kooi. Maar wat hem van alle andere vogels onderscheidde was zijn enorme, gele en kromme snavel, negen duim lang en bij de kop drie duim breed. Nhungaza bekeek hem aandachtig en vroeg toen: 'Wie heeft die gevangen?'

Het opperhoofd noemde de naam van twee jagers.

'Nganga Dzimba we Bahwe zal tevreden zijn,' zei Nhungaza verder.

'En ons dorp zal beschermd zijn?'

'Alleen als jij die omheining maakt,' antwoordde Nhungaza.

Het opperhoofd was toch niet helemaal gerust door deze opmerking van de commandant van de koninklijke garde, die met hem in de heilige hut stond, niet in Afrika, zoals men licht had kunnen denken, maar honderdveertig mijl ten zuidwesten van Recife.

Toen Nganga Dzimba we Bahwe negentien was had een franciscaner monnik hem gedoopt en hem de naam João gegeven. Direct na de ceremonie, in de haven van Luanda, aan de westkust van Afrika, was de rechterborst van de jonge neger gebrandmerkt met een klein kroontje. Dat was het bewijs dat hij in de schoot van de moederkerk was opgenomen en dat de belasting aan de koninklijke schatkist voor de export van deze *peça* naar Brazilië betaald was. Op de gronden van zijn volk, de Karangas, een stam uit Zuidoost-Afrika, had João Nayamunyaka geheten, zoon van de hogepriester.

Na een oversteek van vijfendertig dagen was João op de slavenmarkt in Olinda terechtgekomen, waar hij een tweede naam had ontvangen, in het register van transacties vastgelegd: '10 mei 1620, João Angola, door Heitor dos Santos verkocht aan José Borges de Menezes, van het domein Formosa, voor de somma van vijfenvijftig *milréis.*'

Tien jaar lang had João Angola zijn meester gediend, maar toen de Hollanders Pernambuco in 1630 innamen, was hij met veertig slaven van het domein van Menezes naar de *sertão* gevlucht. In 1645 werd Ganga Zumba – de Portugese verbastering van Nganga Dzimba – beroemd omdat alle pogingen, van Hollandse of Portugese zijde, om hem in de Serra do Barriga te pakken te krijgen, mislukt waren.

Nhungaza – Santiago Preto was zijn slavennaam – was een jeugdvriend van Nayamunyaka. Hij was bij hem en zijn moeder toen zij alle drie aan de oevers van de Zambesi, tien dagmarsen van de oostelijke kust van Afrika af, gevangen waren. Ook hij was verkocht aan de meester van het domein Formosa, en Nhungaza was een lotgenoot van Nayamunyaka toen hij hem naar de *sertão* gevolgd was.

Niet alleen was Ganga Zumba vijftien jaar lang aan de blanken ontsnapt, maar hij had bovendien zowat veertienduizend voortvluchtige slaven in zijn schuilplaats opgenomen. Zijn hoofdstad Shoko telde zesduizend inwoners, en daar lagen de hutten langs drie grote lanen. Drie uur lopen buiten Shoko lag een andere stad van vijfduizend inwoners, 'Ngola Jango, klein Angola. De verblijfplaats van de koning, zijn familie en zijn raadslieden lag halverwege de twee steden, in het voorgebergte van de Serro do Barriga, en heette het Stenen Paleis. In 1619, het jaar waarin Nhungaza en Nayamunyaka gevangen werden, waren er een paar honderd slaven uit Mozambique en Sofala naar Brazilië gestuurd, maar de meerderheid van de tweehonderdvijftigduizend *peças* die naar de kapiteinschappen waren gestuurd kwam uit Kongo, Angola en de Guinese kust. Deze achtergrond van de beide mannen hielp hen om boven de twisten te staan tussen 'Ngolas, Kongos, Jagas en andere Bantoe-slaven.

Nhungaza ging vaak naar de koninklijke residentie en als Nayamunyaka hem meenam naar de hoge stenen wal rond de koninklijke hutten toonde hij hem de grof gehouwen stenen uit de heuvels,

404

en dan knikte de vroegere Santiago Preto veelbegrijpend. Hij wist dat Nayamunyaka muren en torens wilde bouwen zoals die in Groot Zimbabwe, maar na tien jaar proberen waren ze nog niet verder dan het begin van de fundering. Toch werd de plek Dzimba we Bahwe genoemd, het Stenen Paleis.

Binnen de omheining had Nayamunyaka meer succes gehad, en een koninklijk hof opgezet dat leek op wat beide mannen bij de Karangas hadden gekend. De koninklijke hutten lagen op verhogingen, hadden een vloer van aangestampte leem, muren van pleisterkalk, en rieten daken. In vier ervan woonde Nayamunyaka met zijn drie echtgenotes, in een vijfde, vijftig pas van de andere verwijderd, woonde de Grote Moeder – de moeder van de koning.

Direct achter de koninklijke omheining lag die van de hoge functionarissen van het koninkrijk, de commandant van de garde, de bewaker van de relikwieën, de koninklijke waarzegger, de ceremoniemeester en de koninklijke trommelslager.

In de heuvels achter de koninklijke omheining waren rotsen opgestapeld die een soort heiligdom vormden waar Nayamunyaka de riten van de Nganga opdroeg, zoals hij zijn vader had zien doen op de heuvel boven Groot Zimbabwe. De eerste keer dat Nayamunyaka naar deze plek was gekomen had hij een groep toekans in de bomen zien zitten. Hun buitengewoon grote snavels hadden hem herinnerd aan de heilige *calaos* uit Groot Zimbabwe en hun aanwezigheid gaf hem hoop. Hij had verordend dat een ieder die een toekan kwaad zou doen terechtgesteld zou worden.

De beide krijgers die nu in het dorp van Nhungaza om elkaar heen draaiden waren die welke de vogel voor Nganga gevangen hadden. Na ze een hele poos te hebben geobserveerd hief de commandant van de koninklijke troepen zijn staf op en liet hem toen weer zakken. De *berimbaus* zwegen, de beide mannen stopten hun schijngevecht en wendden zich hijgend tot Nhungaza, waarbij hun zwarte huid glom van het zweet.

Hij liep naar een van hen toe, en raakte hen met zijn staf op de schouder. De jongeman glimlachte – hij was uitgekozen voor de koninklijke garde, en zijn tegenstander boog al het hoofd toen Nhungaza naar hem toe liep en ook hem op de schouder tikte. Het dorp begroette het slagen van beide kandidaten met vreugdekreten, want dat gebeurde niet vaak.

De opwinding duurde maar kort want twee krijgers kwamen het dorp binnenstormen en renden naar het dorpsplein.

'Portugezen!' riepen ze. 'Met z'n drieën! Een uur lopen van het dorp!'

De menigte raakte in paniek. Nhungaza stak zijn staf op.

'Stilte!' beval hij. 'Hoeveel mannen escorteren hen?'

'Zeven,' antwoordde een van de krijgers.

'Meer niet?'

De man schudde zijn hoofd en Nhungaza richtte zich nu weer tot de menigte: 'Die blanken hebben toestemming om door onze gebieden te trekken om Nganga Dzimba we Bahwe te gaan bezoeken.'

'Waarvoor dan?' vroeg het opperhoofd.

'Om onze hulp te vragen.'

Het oude opperhoofd sloeg zich van vreugde op de dijen.

'Portugezen die ons om hulp vragen! Dit is een gedenkwaardige dag.'

Terwijl hij Amador en Fernão Cavalcanti door Shoko leidde kon Nhungaza het niet nalaten de beide mannen te bekijken om te zien hoe zij op de hoofdstad zouden reageren. De planter rolde van de ene verbazing in de andere terwijl zij een eindeloze laan afliepen en vroeg zich een paar keer bezorgd af of de schuilplaats van de boslandcreolen niet minstens even gevaarlijk was voor Pernambuco als de Hollandse bezetting.

'Ik zou de *governador* nooit geloofd hebben,' zei Amador, die hele-maal ondersteboven was. 'Ik dacht honderd, misschien tweehonderd *peças*. Ik had nooit verwacht een stad van duizenden inwoners te zul-len zien. *Senhor* Fernão, hoe hebben ze zoiets kunnen toelaten?'

'De Nederlanders hadden het te druk om de Portugese domeinen te vernietigen, en hebben dit gevaar niet gezien. Ze hebben de negers aangezet om van de plantages te vluchten en hun de vrijheid beloofd als zij de wapens tegen ons zouden opnemen. De meeste voortvluchti-ge slaven zijn naar de heuvels gegaan waar Ganga Zumba het voor het zeggen heeft. Planters hebben legertjes gestuurd om de vluchtelingen terug te halen en de Hollanders, toen ze eindelijk het gevaar beseften, hebben troepen gestuurd, maar op deze landerijen is nog nooit een *peça* gevangen.'

Amador merkte dat veel mestiezen en Indianen naar de stad van de boslandcreolen waren gekomen. Volgens Nhungaza was er op een mijl afstand een andere stad, bewoond door 'Ngolas en geleid door een van hen, die een dochter van Ganga Zumba had getrouwd.

Halverwege de lange laan kwam het drietal op een plein waar markt was. Kooplui boden vruchten en kruiden aan, maïskoeken en maniok, snoepgoed, en vis uit een meer in de buurt van de hoofdstad. Verderop lag de koopwaar op matten uitgestald: parels, schelpen, manden, potten, gesmede werktuigen. Vijf gehurkte mannen trokken de aandacht van Fernão Cavalcanti.

'Waarom zitten die vast?' vroeg hij aan zijn gids.

'Zij zullen verkocht worden,' antwoordde Nhungaza in goed Portugees.

'Verkócht! Zijn ze dan niet van hun plantage gevlucht?'

'Ze zijn gevangen door onze troepen. Het zijn slaven.'

'Slaven die gevlucht zijn,' hield de planter vol.

'Ik zeg u dat ze door mijn krijgers gevangen zijn genomen.'

'Waar dan?'

Nhungaza deed alsof hij die vraag niet gehoord had.

'Nganga Dzimba we Bahwe heeft gedecreteerd dat de gevangenen die wij maken op de velden van de koning zullen werken.'

Cavalcanti keek nogal ongelovig.

'De meeste gevangenen die wij maken blijven graag bij ons,' legde Nhungaza uit. 'Ze hebben het hier beter dan op de plantages.'

'*Peças* die slavenhandel bedrijven, dat is absurd.'

'Wij hadden in Afrika ook slaven. Nganga maakt onderscheid tussen gevangenen en hen die vrijwillig van de plantages vluchten. Alle vluchtelingen worden vrije mannen als ze hier komen. Hun is maar één ding verboden. Hij die onderdaan van Nganga wordt kan niet naar de Portugezen terug, en deserteurs worden gedood.'

'Maar als die *peças* proberen te vluchten, worden ze dan ook gedood?' vroeg Amador terwijl hij op de vijf slaven wees.

'Waarom zouden wij een man straffen die de vrijheid wenst die wij zelf hebben moeten veroveren?'

Nhungaza nam de boodschappers mee achter een rieten muur waar verscheidene hutten stonden en zei hun: 'U blijft hier totdat Nganga u ontvangt.'

'En wanneer zal dat zijn?' bromde Cavalcanti.

'Als hij een besluit heeft genomen.'

'Wij hebben haast.'

'Net zoveel haast als de blanken die voor u hier waren, drie weken geleden.'

'En wie waren dat dan?'

'Hollanders, genaamd Blaer en Vlok. Zij willen de hulp van mijn troepen.'

'En hebt u die aangeboden?'

'Zou u in dat geval hier zitten?'

Cavalcanti werd rood van woede, maar zei niets.

De vierde dag na de aankomst van beide mannen stuurde Nhungaza een boodschapper met het verzoek zich voor te bereiden op de audiëntie met Nganga Dzimba we Bahwe.

'Mij voorbereiden?' schreeuwde de planter. 'Voor een slaaf?' Maar hij moest denken aan het belang dat Vieira hechtte aan een bondgenootschap met Ganga Zumba, en trok een kostbaar vest, een schone broek en zijden kousen aan, gooide een lange grijze cape over zijn rechterarm en zette een hoed met een veer op. Toen Nhungaza met zes krijgers kwam om de bezoekers naar het koninklijke verblijf te brengen, stonden Amador en Affonso Ribeiro met een musket in de hand te wachten.

'U kunt uw wapens niet meenemen,' verklaarde de neger.

Cavalcanti protesteerde.

'Bezoekers verschijnen ongewapend voor Nganga,' herhaalde Nhungaza.

De planter wendde zich tot Amador, en zei: 'De *governador* heeft ons opgedragen om de hulp van die... van die koning te vragen. Wij hebben geen keus.'

Ze gingen met Nhungaza mee en kwamen bij een eerste omheining.

'Ik zal u de soldaten van ons koninkrijk laten zien,' zei de commandant van de koninklijke garde.

Achter de palen stonden drie rijen hutten met ronde daken die leken op die uit Shoko, met in het midden een plein. Vijftig hutten per rij, zes krijgers per hut. Bijna duizend mannen. Toen Nhungaza eraan kwam knielden verschillende soldaten, sommigen gingen languit op de grond liggen en anderen bogen hun hoofd.

'Wij leren ze eerst om te gehoorzamen,' legde de neger uit. 'Nganga, het koninklijk huis en mij.'

'En als zij niet gehoorzamen?'

'Dat betekent de dood.'

'En dit hebben zij liever dan onze domeinen?'

'Hier leven zij zoals op de grond van hun voorouders. Er zijn er niet veel die niet gehoorzamen.'

Nhungaza liet hen even alleen om met zijn krijgers te praten, en Amador profiteerde hiervan om tegen Cavalcanti te fluisteren: 'Waar loopt dit op uit als er vluchtelingen blijven komen?'

'Het zijn *peças*. Wij dwingen hen nog wel tot rede.'

Nhungaza kwam terug en zei: 'Ik wilde u mijn troepen laten zien. U weet nu dat als Nganga Dzimba we Bahwe spreekt hij het ook over iets heeft.'

Fernão Cavalcanti zat op een ongemakkelijke mat voor Amador en Affonso Ribeiro. Links van de drie mannen stonden verschillende hoogwaardigheidsbekleders van het hof, onder wie de waarzegger, de rechter en de commandant van de garde; rechts stond de trommelslager, achter drie heilige instrumenten. Verderop stond een groep opperhoofden uit verre dorpen, wier lagere rang bleek uit hun lendendoeken en hun minder waardevolle sieraden. De hovelingen daarentegen droegen felgekleurde jurken en ook vesten en hoeden met veren. Nog verderop, voor de hoge aarden wal rond de koninklijke omheining, stonden de schildwachten, die de veren tooien van de Indianen hadden overgenomen. Zij waren gewapend met musketten en bijlen, droegen dierevellen als lendendoeken en bontkragen rond hun armen en hun enkels.

Nhungaza lag op zijn knieën voor de bezoekers die hij naar Nganga had gebracht, tegenover de hut waar de koning uit moest komen. De drie mannen hadden gemopperd toen de commandant hun had uitgelegd dat zij in aanwezigheid van Nganga niet mochten opstaan en niet mochten praten, behalve als hun dat gevraagd werd. Zij hoefden niet te buigen maar de minste belediging of het minste verkeerde woord tegenover de hogepriester en heer van het koninkrijk zou hun onmiddellijke verwijdering betekenen.

De koninklijke hut lag op een verhoging van steen en klei, veertig passen van de bezoekers verwijderd. Zij was groter dan de woningen in Shoko, ongeveer honderd passen in omtrek. Drie naburige hutten, kleiner, herbergden de vrouwen van Nganga; een vierde, een beetje apart, was voor zijn moeder.

De bezoekers zaten nog niet of de Grote Moeder verscheen in een zeer fel gekleurde jurk. Iedereen boog terwijl zij naar een lage stoel voor de hut van haar zoon liep. Ze werd begeleid door twee maagden, van wie de ene haar koelte toewaaide met een bananeblad en de andere haar tegen de zon beschermde met een parasol.

Toen kwam Nganga Dzimba we Bahwe uit zijn hut.

Weer bogen zijn onderdanen, stonden vervolgens op en wreven hun handpalmen tegen elkaar als teken van eerbied. De trommelslager begon langzaam op zijn instrumenten te slaan terwijl de koning over de jaguarvellen liep die tussen zijn hut en zijn troon lagen, twintig passen van Cavalcanti en de anderen.

Nganga was klein, vrij mager, had een smal gezicht en droeg een eenvoudige katoenen jurk zoals die van Nhungaza, een kroon van gele en zwarte toekanveren, en de symbolen van zijn koninklijke waardigheid, een koperen ketting van een duim breed en een lange stok.

Hij bleef staan en glimlachte tegen de groep bezoekende opper-hoofden. Iedereen glimlachte terug. Hij liep weer verder en ging op zijn troon zitten. De trommelslager hield op, de hovelingen wreven niet langer in hun handen en gingen zitten.

Toen stond Nhungaza op om te vertellen over de Portugezen en het doel van hun missie. Nganga wist dat al lang en de toespraak van de commandant was in feite bedoeld voor het hof. Toen Nhungaza klaar was sprak de koning een paar woorden in het Karanga.

'Nganga wil u graag horen,' vertaalde het hoofd van de garde. 'U kunt hem in het Portugees aanspreken.'

Fernão Cavalcanti stond op, deed zijn mond open, maar wist niet wat hij moest zeggen.

De koning glimlachte.

'Het is moeilijk, nietwaar, voor een heer van een groot domein, om als smekeling tegenover João Angola te staan?' vroeg de monarch spottend.

Cavalcanti fronste zijn wenkbrauwen.

'Zo noemde mijn meester mij,' ging Nganga verder. 'João Angola, de slaaf... ik ben Nayamunyaka! Van het koninklijk huis van Mwene Mutapa, de Grote Plunderaar, die de Portugezen Monomotapa noemden. In de hoofdstad Dzimba we Bahwe was ik Nayamunyaka, zoon van de hogepriester, neef van de Grote Plunderaar!'

Bij die woorden begonnen de onderdanen van Nganga weer heftig hun handpalmen tegen elkaar te wrijven; de bezoekende opperhoof-den raakten de grond weer met hun voorhoofd. De koning stak zijn staf op om een eind te maken aan dit eerbetoon.

'*Senhor* Cavalcanti, vertelt u eens over uw missie.'

'Bent u de neef van de grote Monomotapa uit Afrika? Een lid van het koninklijk huis?' vroeg Cavalcanti.

'Dat was ik voordat ik van het land van mijn voorouders werd weg-gerukt,' antwoordde Nganga. Hij wees met zijn staf op de rechter. 'Die man komt uit het koninkrijk van de ManiKongo, hij is de ach-terkleinzoon van een prins die de Portugezen de eretitel "graaf van Nsundi" hadden gegeven. En die daar,' hij wees op een andere hoog-waardigheidsbekleder, 'was een opperhoofd van de 'Ngolas... maar wat doet ons verleden ertoe voor hen die *peças* kopen op de manier waarop ook ossen gekocht worden!'

'Wij kopen het werk van de *peças*, niet hun lichaam en ook niet hun ziel,' verdedigde Cavalcanti zich.

Nayamunyaka boog zich voorover.

'*Peças* aan wie u nu hulp komt vragen.'

'Wij strijden voor de vrijheid van Pernambuco,' verzekerde de planter. 'Men zegt dat u Blaer en Vlok hebt teruggestuurd. God zij geprezen dat hij u verlicht heeft, Ganga Zumba! Ik heb uw regimenten gezien. Laat ze aan onze zijde strijden en wij zullen een glorieuze overwinning behalen.'

'En als de oorlog voorbij is, en de Hollanders overwonnen, wie helpt ons dan als de planters hun *peças* terugeisen?'

'Onze *governador* belooft de vrijheid aan allen die voor ons zullen vechten.'

'En wie zorgt ondertussen voor de velden?'

'O, er zullen nog wel meer *peças* komen.'

'Van hun gronden weggerukt en naar Brazilië gebracht?'

'Ik heb gezien dat jullie ook slaven hebben,' argumenteerde Cavalcanti.

'Wij behandelen hen als familieleden. Wij geselen ze niet, en wij slaan ze niet in de boeien. Wij wurgen ze niet met ijzeren halsbanden.'

De meester van Santo Tomás erkende dat er excessen hadden plaatsgevonden.

'Als jullie met ons vechten zullen jullie helden zijn,' zei hij nog. 'Als de Hollanders eenmaal overwonnen zijn, zullen wij onze koning Dom João vragen om jullie de gebieden waarop jullie leven in eigendom te geven.'

'Nganga hoeft niet toegewezen te krijgen wat hij al bezit!' antwoordde Nayamunyaka. 'U kunt nog uren zo doorgaan, *senhor* Cavalcanti, en wij zullen naar u luisteren, maar mijn besluit staat al vast.'

'En dat is?'

'Wij zullen niet voor de Hollanders vechten...'

'Nee?' zei de planter, en hij keek de kleine koning hoopvol aan.

'En wij zullen ook niet voor de Portugezen vechten.'

'Maar dat moet! Jullie moeten ons helpen!'

'Wij zijn geen *peças* die de bevelen van de meester moeten opvolgen.'

'Ganga Zumba, uw weigering zou allen die hier zijn verdoemen!' dreigde Cavalcanti.

Nhungaza schoot op de planter af maar Nayamunyaka beduidde hem rustig te blijven.

'Gaat u weg, voordat u de woede van mijn volk wekt,' zei Nganga tegen de Portugees.

'God is mijn getuige dat u hier spijt van zult krijgen!'

De koning schudde zijn hoofd, en zei: 'Zeven jaar, *senhor*...'

'Hoezo, zeven jaar?'

'Dat is de levensverwachting van een *peça* die in Pernambuco aankomt. Na zeven jaar sterft een slaaf van uitputting of van ziekte – volgens sommigen van verdriet. Wij, wij hebben vijftien jaar in deze heuvels gewoond... twee keer de levensduur van een *peça*. Het zou waanzin zijn om terug te keren naar gronden waarop wij anders al lang dood waren geweest.'

Nganga Dzimba we Bahwe stond op, rechtte zijn rug en liep naar de hut van de Grote Moeder.

'Vooruit, wegwezen!' beval Nhungaza.

Amador en Ribeiro kwamen achter Cavalcanti aan toen hij naar de opening in de aarden wal liep.

'Toch hebben wij reden om God te danken,' zei de planter.

'Hoe dat zo?' vroeg de *mameluco*.

'Blaer en Vlok is het ook niet gelukt hun hulp los te krijgen.'

Het was 1645 en de maand juli liep ten einde. Zeven weken waren verlopen sinds João Fernandes Vieira uit zijn schuilplaats in het bos te voorschijn was gekomen. De rebellen hadden een paar Hollanders gedood en drie joden in de dalen achter Recife afgetuigd, maar niets duidde op een op handen zijnde overwinning. Daar kwam nog bij dat Jakob Rabbe en zijn Tapuyas, volgens geruchten uit het noorden, tientallen christenen hadden afgeslacht.

Vieira had zijn kamp twaalf mijl ten westen van Recife opgeslagen, op een berg vol doornbosjes, *tabocas*, die daarom Monte das Tabocas heette. De *governador*, teleurgesteld door het mislukken van Cavalcanti's missie bij Ganga Zumba, verborg zijn pessimisme tegenover de planter niet: 'Die bende *peças* is door de duivel bezeten. Die kunnen wij pas bevrijden als Christus weer over Pernambuco heerst.'

Vieira's vijandige houding ten opzichte van de Hollanders was grotendeels te danken aan zijn religieuze ijver. Toen hij dan ook hoorde dat er een ketter in de bosjes rondzwierf, in de buurt van de Monte das Tabocas, stuurde hij Amador er direct met zes man opuit om die te vangen.

De Paulista en zijn mannen hadden absoluut geen moeite om Manuel de Moraes, een verlopen jezuïet die tien jaar eerder naar Holland was gevlucht en protestant was geworden, te pakken te krijgen. Hij was sinds die tijd al twee keer getrouwd, had zijn tweede vrouw en zijn kinderen in de steek gelaten en was naar Pernambuco teruggekomen om pernambukhout te exploiteren.

Eenmaal terug in het kamp bracht Amador Manuel de Moraes voor de *governador*, waar de verlopen priester op de knieën viel en uitriep:

'*Mea culpa!* Ik heb mij schuldig gemaakt aan losbandigheid. Ik wil alle straffen ondergaan om vergiffenis te krijgen!'

'Manuel de Moraes, je bent hier bij christenen,' antwoordde Vieira. 'Jouw berouw raakt ons diep.'

'*Governador*, ik ken de ketters. Geef mij een kans om alles goed te maken, gebruik mij voor iets waar u een groot zondaar als mij voor kunt gebruiken.'

'Bid de Heer om vergiffenis. En vraag Hem ook ons de overwinning te schenken, op deze heuvel, waar ik de eerste slag van deze oorlog zal leveren!'

De Moraes sloeg zich op de borst en vouwde vervolgens zijn handen om onder de medelijdende blikken van Vieira hartstochtelijk te gaan bidden.

'Vrienden, deze berouwvolle zondaar die naar ons kamp is gebracht, is een goed voorteken voor de strijd die ons wacht.'

Amador liep zwijgend weg. Hij had geen woord van de biecht van de jezuïet die houthakker was geworden geloofd.

De Monte das Tabocas, tweehonderd voet hoog, was een strategische plek. Ten westen en ten zuiden van de heuvel stroomde de rivier de Tapicura; langs de oostflank liep een oud pad, gebruikt door houthakkers. *Tabocas* groeiden overal op de heuvels en in het omringende landschap. De Tapicura werd omzoomd door een galerijbos waarachter een stuk open terrein lag, achthonderd pas breed, tot aan de eerste *tabocas*, die aan de voet van de heuvel een natuurlijke hindernis vormden. De rebellen voorzagen dat de Hollanders vanaf de rivier zouden aanvallen. De opstandelingen, die geen kanonnen hadden en slechts een beperkte hoeveelheid buskruit voor hun musketten, konden de oversteek van de Tapicura door de vijand slechts vertragen. Zij waren van plan het zo lang mogelijk vol te houden, dan terug te trekken en de Hollanders naar de *tabocas* te lokken, om ze daar in een hinderlaag te laten lopen.

De troepen van Henrique Dias en Felipe Camarão waren nog niet bij het rebellenkamp aangekomen. Zij zaten vast in de *caatinga*, waar droogte heerste. Boodschappers hadden verteld dat een derde van de mannen van Dias en Camarão dood was, en dat de overlevenden niet binnen een week in Pernambuco konden zijn. Vieira had slechts een handvol planters kunnen overhalen met hen mee te doen, want de meesten wachtten op de afloop van het eerste treffen tussen het armzalige legertje van de opstandelingen en de Hollanders. Toch had de *governador* op de heuvel duizend soldaten verzameld die alle lagen van de bevolking uit het kapiteinschap vertegenwoordigden: Portugezen, Indianen, *mamelucos*, mulatten en slaven, waarbij de laatsten ver in de meerderheid waren.

De Hollandse troepen, die op de rebellen voor hadden dat zij gewapend en meer ervaren waren, lagen rond Recife geconcentreerd, onder bevel van kolonel Hendrik Haus. Op 2 augustus 1645 ontdekte een colonne van vierhonderd Nederlandse soldaten en huurlingen, versterkt door driehonderd Indianen en slaven, en onder bevel van kolonel Haus – bijgestaan door twee bloeddorstige officieren, Blaer en Vlok – Vieira's kamp op de Monte das Tabocas.

Op 3 augustus hadden zij hun stellingen ingenomen in het galerijbos langs de Tapicura en in de eerste *tabocas*. De verslagen van hun verkenners waren verontrustend, want alle Hollanders en de meeste inboorlingen bleken musketten te hebben, en wagens van de Hollanders voerden een uitgebreide munitiereserve aan. De opstandelingen van hun kant hadden slechts tweehonderd vuurwapens, met minder dan tien kogels per man.

Bij zonsopgang begonnen de soldaten van Haus vanaf de andere oever te schieten en hielden het spervuur vier minuten vol, totdat de ochtendlucht blauw zag van de rook. De rebellen, tussen de bomen verborgen, begonnen zich terug te trekken; de Hollanders begonnen met vaandels voorop de rivier over te steken, begeleid door trommelaars en trompetters.

Amador, Cavalcanti en honderdtwintig mannen zaten verscholen tussen de *tabocas*, aan hun rechter- en linkerzijde geflankeerd door twee andere groepen rebellen. Zij hadden de musketten horen knallen en gezien hoe hun kameraden zich terugtrokken over de open ruimte tussen de bomen en de bosjes. De Paulista zat vlak bij Afonso Ribeiro, wiens buik op en neer ging als hij ademhaalde.

'Waren Dias en Camarão maar hier!' zuchtte Ribeiro. 'Dan zou het bloed van die ketters de rivier rood kleuren.'

Amador keek hem eens aan en vond dat hij er verward uitzag. Er mocht dan niet genoeg buskruit zijn, kennelijk was er wel genoeg *cachaça*. De *mameluco* keek eens naar Fernão en Felipe Cavalcanti, die vlak bij hem zaten. Nadat ze bij Ganga Zumba waren geweest, was de meester van Santo Tomás naar het domein teruggegaan om zijn familie instructies te geven. De Hoge Raad van Recife had gedecreteerd dat vrouwen en kinderen van Portugezen die van opstandig gedrag werden verdacht hun huizen moesten verlaten. Sommige families hadden zich in het oerwoud verstopt, waar zij vreselijke ontberingen leden, maar Fernão had de zijnen opgedragen om het decreet naast zich neer te leggen, en de Hollanders hadden geen poging gedaan om het toe te doen passen.

De opstandelingen gaven voetje voor voetje de rivier prijs. De anderen, die in de *tabocas* in een hinderlaag lagen, durfden niet te bewegen uit angst hun positie prijs te geven en keken machteloos toe hoe hun kameraden vielen onder de schoten van een Hollands bataljon dat tussen de bomen vandaan kwam. Toen de vijandelijke officieren de opstandelingen zagen terugtrekken, stuurden ze troepen achter hen aan om hen in de bosjes te achtervolgen.

'Vuur!' beval Fernão Cavalcanti.

Veertig musketten knalden langs een doorgang van tachtig passen die tussen de *tabocas* was vrijgemaakt; twintig Hollanders vielen dood of gewond neer.

'Portugal! Voor Dom João! Voor Onze Lieve Vrouwe van de Overwinning!' schreeuwde Cavalcanti.

Zijn kreet werd door de helft van zijn mannen overgenomen, die uit hun schuilplaats te voorschijn sprongen en zich op de Hollanders wierpen. Ribeiro gooide zijn musket weg en trok zijn kapmes uit de schede.

'Niets is beter dan een lemmer om het bloed van ketters te doen vloeien!' schreeuwde hij, terwijl hij aanviel.

Het geluid van een trompet klonk en een tweede Hollands bataljon kwam tussen de bomen te voorschijn, als versterking. Amador en de andere rebellen richtten hun musketten op de vijanden die zich thans blootgaven.

'Vlok!' riep een Portugees terwijl hij op een officier uit de voorhoede wees. 'De duivel in eigen persoon!'

Amador, die net geschoten had, keek stomverbaasd naar de bloeddorstige kapitein. Hij was groot, blond, rood aangelopen, en leek als twee druppels water op Secundus Proot. De Paulista begon zijn wapen te herladen maar kreeg de kans niet op Vlok te schieten want de opstandelingen in de bosjes vroegen om hulp.

'*Senhor! Senhor!*'

Afonso Ribeiro waarschuwde Cavalcanti dat een Hollander hem van achteren aanviel. De planter draaide zich om, en kon met zijn zwaard het wapen van zijn aanvaller afweren. Een andere Hollander stortte zich op hem en riep: 'Fernão Cavalcanti! Duizend gulden op het hoofd van die rebel!'

Ribeiro hield zijn kapmes met twee handen vast en baande zich een weg naar Cavalcanti. Toen het zwaard van een Hollander zijn leren vest openhaalde, schreeuwde hij: 'Drie zonen! Jullie hebben drie zonen van mij gedood, vuile ketters!'

En hij sloeg met zijn mes naar zijn tegenstander. 'Portugal! O, Port...'

Het woord bestierf hem op de lippen toen de sabel van een andere vijand zijn keel doorsneed. Maar door tussenkomst van Ribeiro bleef de meester van Santo Tomás gespaard, die nu bijgestaan werd door zijn zoon Felipe en andere mannen. Het merendeel van de opstandelingen die in de eerste bosjes in hinderlaag lagen gaf zijn positie al op en probeerde zich aan de voet van de heuvel zelf te installeren. De Cavalcantis en Amador, en de mannen die hun laatste kogels hadden afgeschoten op de Hollanders die over het open terrein trokken, gingen ook hiernaartoe, zij het een kwartier later. Een slaaf bracht hun de rest van het buskruit, drie schoten per man, meer niet.

Vieira en de chef van zijn generale staf, Antônio Dias Cardoso, die stiekem uit Bahia was gekomen om het rebellenleger te trainen, hadden het eerste treffen vanaf de top van de heuvel gadegeslagen. Nadat zij de Portugezen uit hun hinderlaag in de *tabocas* hadden gedreven, waren de Hollanders teruggedrongen naar het open terrein, waar ze thans hulp kregen van versterkingen. De *governador* gaf de opstandelingen opdracht om weer naar de eerste bosjes te gaan.

Manuel de Moraes, gekleed in een geleende soutane, ging mee met de officier die de tegenaanval onder aan de heuvel moest leiden. De vroegere jezuïet mengde zich in het heetst van de strijd, niet alleen om de rebellen aan te zetten tot vechten, maar om met zijn bijl op de ketters in te hakken, met alle energie die hij anders gebruikte voor het pernambukhout.

De tegenaanval mislukte en de Portugezen moesten zich weer terugtrekken in de *tabocas* aan de voet van de heuvel. Zij boden er nog kort verzet, voordat zij gedwongen werden om de heuvel op te klimmen naar de derde en laatste barrière van bosjes, net onder het hoofdkwartier van Vieira.

Het was één uur in de middag – zes uren waren verlopen sinds de Hollanders over de rivier waren getrokken. Omdat beide kampen uitgeput raakten, werd het gevecht minder fel. De hinderlaag had de Hollanders negentig doden en twee keer zoveel gewonden gekost; nog eens veertig soldaten lagen op het open terrein bij de bomen. Van hun kant telden de opstandelingen honderd doden of buiten gevecht gestelden – hetgeen neerkwam op een tiende van hun strijdmacht. In de tent van de *governador* realiseerden Cardoso, Cavalcanti en de andere opstandelingenleiders zich dat hun situatie wanhopig was. Ze hadden nog maar zes vaten buskruit. Dus waren ze niet weinig verbaasd toen Vieira optimistisch verklaarde: 'Heren, wij moeten aanvallen.'

'Aanvallen?' herhaalde Cardoso, stomverbaasd. 'Wij zijn aan de voet van de heuvel al twee keer teruggeslagen.'

'Fernão,' zei de *governador* tegen Cavalcanti, 'ik heb vijftig *peças*, die mij trouw zijn gebleven sinds ik de wapenen heb opgenomen. Ik geef de vrijheid aan elke slaaf die de vijand aan wil vallen. Fernão, u hebt dertig mannen van Santo Tomás. Kunt u hun hetzelfde beloven?'

'Waar zal dat goed voor zijn? *Peças* gewapend met knuppels en messen tegen de best getrainde troepen ter wereld?'

Toch werd besloten om de slaven tegen de Hollanders in te zetten, en de eigenaars van tweeëntwintig andere *peças* wilden hun ook wel de vrijheid beloven. Vieira ging de tent uit, liep naar de slaven toe en zei tegen hen: 'Kinderen, willen jullie vechten voor Pernambuco en voor Jezus?'

'Ja, wij zullen vechten,' antwoordde een enorme 'Ngola met ontblote borst.

'Als jullie dat doen, zullen jullie vrij zijn, dat beloof ik jullie.'

De negers namen het aanbod onverschillig aan.

'Begrijpen jullie wel wat wij jullie voorstellen?' vroeg Cavalcanti, die bij Vieira was komen staan.

'Wij begrijpen het, en wij zullen vechten,' verzekerde de 'Ngola.

'Hoe heet jij?' vroeg de *governador*.

'Moise Pequeno.'

'Voer dan deze mannen aan, Moise. Verjaag de Hollanders uit de *tabocas* en je zult vrij zijn.'

De slaven waren gewapend met ploertendoders en speren, hakken en zeisen, maar terwijl zij zich klaarmaakten voor de aanval kregen ze ook kapmessen, dolken en een paar zwaarden. De Moraes liep door de rijen van de *peças* en sprak hun moed in, waarbij hij hun een grote zondaar ten voorbeeld stelde, die de Heer gespaard had in de strijd tegen de ketters. De *governador* gaf hun een zijden vaandel en een oude trom, die aan een Hottentot werd toevertrouwd.

Om drie uur begonnen de slaven de heuvel af te dalen, met weinig enthousiasme door de Portugezen aangemoedigd.

'Spelen,' beval Moise Pequeno de Hottentot.

Aan de voet van de heuvel begonnen de Hollandse soldaten zonder dekking op te trekken, waarbij ze de slaven uitdaagden.

'Dood aan de ketters!' schreeuwde Moise. 'Dood aan de vijanden van onze meesters!'

De kreet werd door tweehonderd slaven overgenomen die achter de eerste verdedigingslinie van de rebellen opdoken. Toen slaakte de 'Ngola een strijdkreet, sprong uit de *tabocas* te voorschijn en stortte zich op de vijand.

Het eerste salvo van de Hollandse musketiers velde twintig negers, maar de andere *peças* vertraagden hun aanval niet en wierpen zich op de rijen Nederlanders, met hun ploertendoders en hun kapmessen. De aanval kwam zo plotseling dat de vooruitgeschoven posten van de vijand werden weggevaagd, en de overlevenden gedwongen om zich in de *tabocas* terug te trekken. De slaven verdeelden zich in drie groepen en stortten zich op de bosjes waar al twee bloedige slagen hadden plaatsgevonden.

Het onverwachte succes van de *peças* stelde de rest van de rebellen in staat op te trekken, en binnen een uur hadden zij het verloren terrein weer heroverd. Maar hun tegenaanval werd tot staan gebracht toen de Hollanders zich aan de voet van de heuvel weer konden samentrekken. Die begonnen toen aan een vierde, slecht voorbereide aanval, leden zware verliezen en moesten zich terugtrekken tot aan de bomen waar ze bij zonsopgang vandaan waren gekomen.

De hemel betrok en een onweer barstte los, het voorspel tot een regenachtige nacht voor de mannen die op de heuvel lagen. De laatste reserves buskruit werden aan de schildwachten uitgedeeld. Verkenners gingen eropuit om de vijandelijke posities te verkennen en rapporteerden dat de Hollanders in beide richtingen de rivier overtrokken.

Nog voor zonsopgang slopen Amador en Felipe Cavalcanti, met een andere groep verkenners uitgestuurd, tussen de *tabocas* naar het westen, tot een plek waar zij de Tapicura konden oversteken zonder door de Hollandse schildwachten te worden gezien. Vervolgens trokken zij langs de rivier in de richting van het vijandelijke kamp, en het eerste dat zij zagen was een groep mannen rond een kar die in de modder vastzat. Nu kropen zij naar de bomen waarheen de vijand zich de vorige dag had teruggetrokken. Het duurde een half uur voordat ze zeker waren dat ze zich niet vergist hadden. Het bos was leeg, het Hollandse leger was gevlucht!

Ze renden meteen naar het open terrein en schreeuwden: 'Victorie! Victorie! De Hollanders zijn op de vlucht geslagen!'

Het nieuws werd snel naar de *governador* gebracht, die meteen met Fernão Cavalcanti en Cardoso de heuvel afkwam. Dicht bij de eerste doornbosjes bleef Vieira staan, bij het lijk van een van zijn mannen.

'Jij bent vrij, Moise Pequeno,' mompelde hij. 'Vrij bij Jezus, Die ons deze overwinning gegeven heeft!'

Hij wendde zich tot de trommelaar en vier van de negenendertig overige slaven die nog in leven waren. De Hottentot was kletsnat en zat onder de modder, zag er doodmoe uit en werd ongerust toen Vieira op hem afliep. Maar de Portugees omhelsde hem, deed toen een stap terug, waarbij hij een hand op de schouder van de grote Hottentot liet rusten, en verklaarde: 'Voortaan ben jij vrij man!'

Nadat zij de helft van hun zevenhonderd soldaten en inheemse hulptroepen hadden verloren, hadden de Hollanders zich in de richting van Recife teruggetrokken. De versterkingen die zij uit Recife en Mauritsstad kregen waren weinig talrijk, want beide steden rekenden op een aanval van de rebellen. In de nieuwe hoofdstad waren de kanonnen van de forten die door Maurits van Nassau waren gebouwd opgesteld om een aanval van de kant van de zee af te weren. Om ze in staat te stellen ook landinwaarts te schieten had de Hoge Raad de afbraak van veel huizen en andere gebouwen bevolen, en het omhakken van twee grote, oude palmbomen. Binnen een week verminkten de verdedigers van de stad de prachtige hoofdstad van Nieuw Holland danig.

Jan Vlok wilde revanche en tien dagen na de slag bij de Monte das Tabocas ging hij nog tekeer op het domein waar kolonel Haus zijn hoofdkwartier had opgeslagen. Samen met Johan Blaer, die dezelfde reputatie van wreedheid had als hij, beklaagde hij zich over het stilzitten dat hun commandant hun oplegde, want diens voornaamste zorg was het voorkomen van een beleg van Recife. Verkenners hadden gerapporteerd dat er over zee een troep uit Bahia was gekomen, die in het zuiden van de kolonie aan land was gegaan. De gouverneur-generaal van Brazilië, Antônio Telles da Silva, verklaarde openlijk zich aan de wapenstilstand te houden en deed zelfs alsof zijn regimenten de Hollanders moesten helpen om de rebellie de kop in te drukken. Maar volgens de spionnen van Haus was André Vidal de Negreiros, de commandant van de troepen uit de Baai, hartelijk ontvangen door João Fernandes Vieira. Na een moeilijke mars door de *caatinga* hadden de mannen van Henrique Dias en Dom Filipe Camarão zich ook bij de opstandelingen gevoegd. Haus was bang dat de Nederlandse landmacht het niet op zou kunnen nemen tegen die vijandelijke troepen. Alleen op zee behielden de Hollanders hun suprematie, dank zij een kustvloot die zij er al opuit hadden gestuurd om schepen die troepen uit Bahia aanvoerden tot zinken te brengen.

Op 14 augustus stelde kapitein Jan Vlok een missie voor, die Blaer en hij hadden bedacht: 'Kolonel, geef mij twintig man en ik zal Vieira een gevoelige slag toebrengen. Laat Blaer met net zo'n detachement langs de plantages gaan en we richten twee keer zoveel schade aan.'

Haus had aan het hoofd gestaan van de garde van graaf Maurits en verachtte deze wrede mannen net als de aristocraat, maar omdat hij geen andere ervaren officieren had, had hij de benoeming van Vlok moeten aanvaarden.

'Wat is uw plan, kapitein?'

'De Hoge Raad heeft de vrouwen opdracht gegeven om de domeinen te verlaten, maar de meesten van hen blijven van hun huizen een schuilplaats voor rebellen maken.'

De kolonel keek Vlok streng aan.

'Wij zijn geen wilden. Ik voer geen oorlog tegen vrouwen en kinderen.'

'Als wij ze kwaad zouden doen zouden ze niets meer waard zijn,' zei Vlok. 'Laat mij ze heelhuids naar Recife voeren. De vijand zal niet zo gauw een stad aanvallen waar zijn vrouwen en kinderen gegijzeld worden.'

'Goed dan,' zei de kolonel. '*Zonder hun een haar te krenken.*'

De beide kapiteins verlieten de volgende ochtend het kamp; Blaer ging naar het noorden, Vlok naar het westen, in een kano over de Capibaribe, waarvan een zijarm naar het domein Santo Tomás voerde. Toen het Nederlandse detachement zich bij het huis van de Cavalcanti's meldde, werd het buiten ontvangen door Jorge en *padre* Gregório Bonifácio.

'Mijn broer is niet hier,' verklaarde Jorge Cavalcanti, die onder verscheidene lagen katoen en zijde stond te transpireren.

'Hem zoeken wij ook niet,' antwoordde Vlok.

Verschillende soldaten liepen voorbij de Portugees en de priester en gingen het huis binnen.

'U vindt hier alleen vrouwen en kinderen,' verzekerde Bonifácio.

'Die moeten wij ook hebben – op bevel van de Hoge Raad.'

'De vrouwen?' zei Jorge, terwijl hij rechtop ging staan. 'Nee, Vlok, nee! Zij hebben niets met deze opstand te maken.'

'Het zijn vrouwen en dochters van criminelen. Ja, *senhor*, uw broer zal aan het uiteinde van een Hollands touw komen te hangen.'

'Mijn vrouw is onschuldig,' begon Jorge weer.

Vlok bekeek de Portugees eens van zijn kanten kraag tot zijn glimmende laarzen.

'Wat een geluk dat uw charmante niet bij uw terugkomst op u zat te wachten!'

'Ik waarschuw u, Vlok,' zei Jorge terwijl hij zijn hand aan het zilveren gevest van zijn zwaard sloeg, 'spreek niet op die toon tegen mij, want anders…'

'Ja, wat anders?' herhaalde de Hollander glimlachend.

Jorge kon niet voorkomen dat hij helemaal begon te trillen.

'Vuile ket… ketter!'

Vlok werd rood, vloekte, greep de Portugees bij zijn vest en duwde hem achteruit. Jorge Cavalcanti viel in de modder. De Nederlander begon te lachen, zette zijn handen in zijn heupen, en toen kwamen Dona Domitila en Joana het huis uit. De jonge vrouw liet haar moeder meteen in steek en liep op beide mannen af.

'Ja, haasten jullie je maar!' schreeuwde Vlok. 'Die Spaanse edelman van je heeft je hard nodig.'

Een sergeant kwam de kapitein vertellen dat het huis en de bijgebouwen doorzocht waren en dat zij er zes slaven hadden gevonden.

'Steken we de brand erin?' vroeg de onderofficier terwijl hij op het huis wees.

'Nee, dat bewaren wij voor de toekomstige eigenaar,' antwoordde Vlok met een glimlach die erop wees dat hij zich als de nieuwe meester van Santo Tomás beschouwde. 'Maar de kapel mogen jullie plunderen en in de as leggen!'

De plundering begon. Toen *padre* Bonifácio een soldaat zijn kapmes zag opheffen voor het beeld van de Heilige Thomas, de beschermheer van het domein, rende hij druk gebarend naar hem toe.

'Nee!' protesteerde hij.

Een inheemse hulpsoldaat sloeg hem met een knuppel neer.

Toen hij weer bijkwam was de priester alleen. Hij sleepte zich naar het beschadigde beeld, drukte het tegen zijn borst en begon te snikken.

Gregório Bonifácio hield nog steeds het beeld vast toen hij zestien uur later, in de ochtend van 16 augustus 1645, te paard het kamp van João Fernandes Vieira bereikte, waar hij zo uitgeput was dat ze hem uit het zadel moesten helpen.

De *governador* en de kolonel van Bahia, André Vidal de Negreiros, waren niet van plan om het kamp van Haus direct aan te vallen maar het nieuws dat de priester bracht verspreidde zich onder de opstandelingen, die om wraak op de ketters begonnen te schreeuwen. Vieira liet Cavalcanti het bevel over de voorhoede van het rebellenleger, dat thans uit achttienhonderd mannen bestond, die in een mars van twaalf uur in de buurt van het Hollandse kamp konden komen.

Amador ging met de Cavalcanti's en hun zestig mannen mee, die drie uur voor het gros van het leger uitgingen. Net na het vallen van de nacht zagen zij een vuur op een plantage langs de Capibaribe, hielden een halve mijl buiten de gebouwen halt en stuurden verkenners eropuit. Veertig minuten later kwamen de mannen terug met de schildwacht van een vijandig detachement dat het domein aan het plunderen was. De gevangene, een Franse huursoldaat, werd voor Fernão Cavalcanti gebracht, die hem ondervroeg over de patrouille en het gros van de troepen die aan de andere kant van de rivier lagen. De man antwoordde dat zijn detachement uit dertig man bestond, dat Haus in zijn hoofdkwartier over tweehonderdzeventig Hollandse soldaten beschikte en over meer dan tweehonderd inheemse. Zijn strijdmacht was verdeeld over twee regimenten, waarvan het één de volgende dag naar Recife moest vertrekken, met de gegijzelde vrouwen, en het ander in het dal zou blijven, onder aanvoering van Vlok en Blaer, om de Portugese domeinen te plunderen. De Fransman had het ook over voorbereidingen voor een beleg van Recife en Mauritzstad, en zwoer toen dat hij alles gezegd had wat hij wist.

'Ik geloof je,' antwoordde Cavalcanti. De hugenoot leek opgelucht, dus wendde de planter zich tot een korporaal, een mulat, en zei: 'Dood hem.'

'*Capitão*! Om Gods wil, heb medelijden!'

Cavalcanti liep weg. De Fransman wilde achter hem aanlopen maar de Portugese soldaten grepen hem. Voordat hij geëxecuteerd werd werden zijn beide armen eraf gesneden en zeiden zij tegen hem: 'Dat hebben jullie bij het beeld van *senhor* Fernão ook gedaan.'

Rond middernacht voegde het gros van de Hollandse troepen zich bij het detachement op het domein. De *governador*, die van deze beweging op de hoogte werd gebracht, beval zijn mannen om tot de dageraad uit te rusten maar veranderde om drie uur in de ochtend van mening.

'Hoe kunnen wij wachten terwijl er Portugese vrouwen in handen van de ketters zijn?' vroeg hij Cavalcanti. 'Wij zullen geen rust kennen voordat de laatste Hollander hiervandaan verjaagd is!'

De rebellen trokken op tot onder schootsafstand van de musketten in de gebouwen waar Haus en zijn mannen de nacht doorbrachten. Het Potiguara-opperhoofd Dom Felipe Camarão blies op een zilveren fluitje, en leidde een honderdtal mannen naar de eerste grote laan van het domein. De Indianen stortten zich op de vijanden, dreven hen uiteen, maar de Hollanders vluchtten de gebouwen in en openden een spervuur op de rebellen.

Haus en zijn officieren bevonden zich in het hoofdgebouw van de oude plantage, eigendom van de weduwe Dona Ana Paes. Via twee smalle trappen, één voor en één achter in het huis, bereikte men de eerste verdieping van het gebouw, dat op palen stond. Deze hoge ligging maakte het huis makkelijk te verdedigen en de Hollanders die zich erin hadden teruggetrokken hadden een strategie bedacht die de taak van de aanvallers verzwaarde.

'Heilige Moeder Gods!' riep Amador.

Hij zag Dona Domitila, Joana en een twintigtal andere vrouwen voor de open ramen verschijnen, terwijl hij op vijftig passen voor het huis op een rots zat.

De rebellen lieten hun musketten zakken.

'Lafaards!' riep de Paulista tegen de gestalten die hij in het duister zag rondlopen, achter de vrouwen. 'Vlok, hoor je me? Ik zal je doden!'

'Genoeg gekletst! Kogels, buskruit! Laten we de andere gebouwen aanvallen!'

Deze aansporing kwam van Manuel de Moraes die die ochtend al de mannen had opgehitst door met het verminkte beeld van de Heilige Thomas door hun rijen te lopen. Veel van hen die het aanraakten zworen dat er helder water uit de houten stompjes liep en dat zij een vochtige koelte op hun voorhoofd voelden toen zij een kruisteken sloegen.

Terwijl de opstandelingen schoten met de Nederlanders begonnen te wisselen, die in de molen en de bijgebouwen verschanst zaten, verliet Amador zijn uitkijkpost en ging hij naar de tent van de *governador*, waar hij Vieira in gezelschap van de beide Cavalcantis aantrof.

'Ik bid dat ze gespaard zullen blijven, maar ik staak het gevecht onder geen beding,' zei Fernão.

'Ik houd van mijn moeder, mijn vrouw en mijn zusters, maar mijn vader heeft gelijk,' zei Felipe. 'De overwinning op de ketters is het belangrijkste!'

'Vrienden, wij kunnen het leven van die dappere vrouwen niet in gevaar brengen,' antwoordde João Fernandes Vieira. 'We moeten het gevecht staken. Als ze de vrouwen vrijlaten, kunnen de Hollanders naar Recife gaan, ik geef ze mijn woord.'

'En als ze zich daar verschansen totdat er versterking over zee komt?' antwoordde Fernão. 'Nooit, commandant!'

'Wij kunnen niet aanvallen,' hield Vieira vol.

'Er ligt een hele stapel hout daar,' ging Cavalcanti verder terwijl hij zijn arm uitstak. 'Stuur er mannen opuit om stammen rond de palen van het huis te leggen, en ze aan te steken.'

'De vrouwen, Fernão!'

'Ik heb al een zoon verloren. Als u die opdracht niet geeft, doe ik het.'

Amador liep nu naar voren.

'Geef mij tien mannen om het hout te dragen,' zei hij tegen de *governador*, om zich vervolgens tot de planter te wenden. 'Vijf jaar geleden, *senhor*, heeft uw familie mij het leven gered. Als God het wil kom ik terug met Joana, de dona en al de anderen.'

Cavalcanti pakte de *mameluco* bij de schouders en knikte ernstig.

Amador en de tien mannen die hij had uitgezocht (vier *mamelucos*, drie inboorlingen uit het regiment van Camarão en drie slaven) kwamen zonder probleem bij de stapel hout. De Paulista besloot dat zij allemaal samen het open terrein dat hen van het huis scheidde zouden oversteken, vijftig passen breed, om de Hollanders maar één gelegenheid te geven om te schieten. Die hadden al gemerkt dat er iets gaande was achter de stapel hout en toen Amador en zijn mannen te voorschijn kwamen, wankelend onder stapels stammen, openden zij een spervuur.

'Rennen! Rennen!' schreeuwde de Paulista.

Hij kwam met zes man onder het huis aan, onder wie een *mameluco* die in de buik geraakt was. Terwijl zij de stammen rond de palen legden hoorden zij de Hollanders boven hen heen en weer lopen. Twee inboorlingen spleten een paar stammen met een bijl om er kleinhout van te maken. Amador sloeg vonken uit een vuursteen maar hij kreeg het vuur niet aan de gang. Een Indiaan kwam op het idee om krullen te snijden uit het droge hout van de balken boven hen, en al snel schoten de vlammen uit de stammen.

Fernão Cavalcanti en João Fernandes Vieira, die het huis waren genaderd, zagen de rook uit de vloer van de veranda op de eerste verdieping komen. De gijzelaars bleven bij het raam staan.

Een groep Hollanders en inboorlingen kwam uit een bijgebouw en probeerde bij het huis te komen. Ze werden onder vuur genomen en moesten zich terugtrekken. Er verstreek een kwartier. Af en toe knalde er een musket, maar de meeste mannen schoten niet meer en keken naar het vuur. Verscheidene rebellen keken vragend naar de *governador*.

'Wat is uw bevel?' vroeg een van hen. 'Aanvallen?'

Vieira wendde zich tot Cavalcanti, en zei: 'Fernão, ze zullen daar niet stil blijven zitten...'

'Ik ook niet!' antwoordde de planter, terwijl hij zonder dekking naar voren liep.

'Kom terug!' schreeuwde Vieira.

Maar Cavalcanti liep al vastberaden op het huis af, zonder te kijken naar de bijgebouwen waar, dat wist hij, Hollanders hun musketten op hem richtten. Met opgeheven hoofd bleef hij naar het raam kijken waar Dona Domitila en Beatriz waren.

Twintig passen van de veranda bleef hij staan en schreeuwde hij: 'Hendrik Haus! Dit is Fernão Cavalcanti...'

Er kwam geen antwoord.

'Als er ook maar één haar gekrenkt wordt, van één enkele vrouw of één enkel kind,' ging de planter verder, 'dan voorspel ik dat jullie er bij zonsopgang allemaal zijn geweest. Wij zullen niemand sparen.'

Na een paar minuten stilte ging een deur open en kwam Haus de veranda op, met zijn zware pistool met ivoren kolf aan de loop in de hand, om aan te geven dat hij zich overgaf.

De opstandelingen begonnen te roepen: 'Victorie! Portugal!'

Amador liep zonder dekking naar voren toen een van de inboorlingen uit zijn escorte hem toeriep: 'Hollanders!'

De *mameluco* draaide zich om en zag door de rook heen een Hollandse officier op de trap achter het huis staan.

'Vlok! Jan Vlok! Wij kennen elkaar, ketter!'

'Nee,' antwoordde de grote blonde man terwijl hij met het lange lemmer van zijn zwaard stond te zwaaien.

'Vijf jaar geleden... negentien mannen onthoofd, en mij halfdood achtergelaten.'

'Ja, dat herinner ik mij. Kom dan maar eens hier, dan maak ik het twintigtal rond!'

De Paulista was niet zo handig als de Hollander en zijn kapmes was een zielig wapen vergeleken met het lange zwaard van Vlok, maar hij was zo woest dat hij een paar minuten lang de Hollander in de verdediging drong. Plotseling begon Vlok een serie heftige uitvallen die de *mameluco* tot aan het vuur terugdreven.

'We zullen je braden, paapse hond!'

Het kapmes fonkelde, en viel zo hard op het zwaard dat Vlok het bijna liet vallen. De kapitein was verrast en liep achteruit.

'Kom dan, Vlok, kom dan.'

Nu verloor de Hollander zijn koelbloedigheid en begon weer een reeks wilde uitvallen, die de Paulista kon pareren. Amador sloeg andermaal hard met zijn wapen en dit keer lukte het hem om zijn tegenstander te ontwapenen.

'Genade!' riep Vlok. 'Genade.'

De *mameluco* stak zijn mes tussen de ribben van de Hollander, die langzaam in elkaar zakte en nog steeds om genade vroeg. Toen hij op de grond lag, zette Amador een voet op zijn borst en dreef het mes in Vloks keel.

Drie uur later stond de Paulista op de veranda van Dona Ana, in de prikkelende lucht van half verbrande planken. De brand was geblust; tweehonderdveertig Hollandse gevangenen zaten voor het huis, goed bewaakt. Achter zich hoorde Amador de stemmen van de opstandelingenleiders en de Hollandse officieren, die over de overgave aan het onderhandelen waren.

Ondanks de bezwaren van Vieira en Cavalcanti zouden Blaer en de andere Hollanders worden gespaard. Kolonel De Negreiros vroeg de opstandelingen om humaan te blijven en de gevangenen heelhuids naar Salvador te brengen. Hendrik Haus eiste dezelfde behandeling voor de inboorlingen die hem hadden gediend, maar op dat punt was De Negreiros het eens met de mensen uit Pernambuco. De tweehonderd wilden hadden zich schuldig gemaakt aan verraad omdat zij als onderdanen van João IV een bondgenootschap hadden gesloten met vijanden van de koning.

De mannen van Camarão stortten zich op de inheemse gevangenen met een wreedheid die pas afnam toen tweehonderd verraders waren afgemaakt en onthoofd. De Potiguaras kwamen de bloedende hoofden tonen aan de officieren die op de veranda stonden en slaakten kreten van vreugde toen de *governador* hen met zijn grote hoed met veren groette.

Toen Vieira en zijn officieren in het huis terugkwamen, leunde Amador tegen de muur en sloot zijn ogen, waarbij hij bedacht dat zijn missie in deze oorlog, als hij er al een had gehad, beëindigd was met de dood van Vlok. Hij deed zijn ogen weer open, keek naar de Hollandse gevangenen, die doodsbang waren, en waarschijnlijk dachten dat zij hetzelfde lot zouden ondergaan als de Indianen. Toch zouden zij naar het zuiden worden gebracht, en de Paulista had al besloten zich te melden als vrijwilliger om hen naar Bahia te escorteren. Vandaar zou hij naar São Paulo kunnen gaan.

De *mameluco* zag Jorge Cavalcanti met verwarde haren en smerige kleding uit de voordeur komen. Hij stak de veranda over zonder naar de Paulista te kijken, en liep hautain de trappen af, waarna hij bleef staan om naar de Hollandse gevangenen te kijken. Toen ging hij naar de plek waar de lijken van de inheemsen lagen, die voor het merendeel onthoofd waren. Hij schudde zijn hoofd en liep toen tussen de verminkte lijken door.

'*Senhor!*' riep Amador.

Een van de Indianen, die het bloedbad overleefd had, stond op en diende Jorge Cavalcanti met zijn laatste krachten drie steken met een dolk toe. Amador riep Fernão Cavalcanti en rende naar Jorge toe, die nog niet dood was. Hij deed zijn ogen open, zag hoe een van de Potiguaras van Camarão zijn aanvaller pakte en onthoofdde. Jorge slaakte een vreselijke kreet, hikte en stierf.

De Paulista keek om of te zien of Fernão eraan kwam. Joana verscheen bij een venster, gekleed in de zwarte jurk die zij ook had gedragen op de dag dat Amador op het domein terugkwam. Heer, dacht hij, zo'n jonge weduwe... Hij zag haar vijf jaar geleden samen met Proot, stralend van schoonheid en jeugd, en werd even heel triest, wat meteen weer overging.

De colonne gevangenen arriveerde begin oktober in Bahia, na een mars van veertig dagen zonder ander incident dan de moord op Johan Blaer, door naar wraak dorstende Portugezen. Amador scheepte zich in voor Santos en op 22 november 1645 – zes jaar na zijn vertrek met Raposo Tavares – beklom hij de helling naar São Paulo de Piratininga.

Het was al nacht toen de *mameluco* bij Ismael Pinheiro aankwam. Tranen van vreugde stroomden over de pokdalige wangen van de koopman toen hij zijn jeugdvriend terugzag.

'Ismael,' zei Amador terwijl hij hem omhelsde. 'Mijn reis is ten einde. Hoe vaak heb ik er niet aan gedacht dat jij me gewaarschuwd had tegen dit "dwaze avontuur"!'

'Jouw reis komt nooit ten einde. Als je eenmaal uitgerust bent, zul je weer luisteren naar de roep van de *sertão*, dat weet ik zeker.'

De volgende dag vond Amador zijn familie terug. Zijn halfbroers Braz en Domingos, luier en onverschilliger dan ooit, hadden gedacht dat hij dood was, maar Rosa Flôres had de moed nooit opgegeven.

'Als ik erg verdrietig was, had ik één steun,' zei de oude vrouw. 'Maria. Maria Ramalho. Zij bleef ervan overtuigd dat je terug zou komen.'

'En zij heeft zes jaar gewacht? Zes jaar... voor niets? O moeder, ik ben doodmoe, ik trek met mijn been als een oude man maar ik zou haar nog niet trouwen ook al had ze zestig jaar op mij gewacht!'

'Ga *senhorita* Maria opzoeken,' beval de weduwe een Carijó-slaaf.

Rosa Flôres was niet de eerste die het met Amador over Maria had. De vorige dag had Ismael de *mameluco* verteld dat Valentim Ramalho aan syfilis overleden was, dat zijn vader Vasco, verstrikt in een familieruzie, ergens in een greppel dood was teruggevonden, met opengesneden keel. De drie andere zonen hadden Maria de zorg over beide weduwen en de zeventien kinderen van Valentim gelaten, om vervolgens de erfenis zo snel mogelijk erdoor te jagen. 'Maria is nu rijk,' had Ismael gezegd. En omdat zijn vriend daar niet erg van onder de indruk scheen had hij nog gezegd: 'Lelijk en dik als haar vader, maar ze heeft heel veel geld. Vijf jaar geleden vroeg zij mij om de voortreffelijke kweeperenconfituur te verkopen die zij maakt, en wij sturen die thans naar Rio de Janeiro, naar Bahia en zelfs naar Lissabon.'

Maria Ramalho kwam op een grijze ruin naar de Da Silvas. Zij was nu tweeëndertig en even lelijk als in de herinnering van Amador, met haar schele blik, haar enorme neusgaten en haar zware lijf dat het paard met moeite kon dragen. De slaven hielpen haar om uit het zadel te komen en zij bleef voor Amador staan, gekleed in een bruine jurk die leek op een gat met drie gaten, voor haar hoofd en haar armen. Haar dikke gezicht werd vertrokken door een stralende glimlach, toen zij zei: 'Amador Flôres, de Heer heeft jou naar mij teruggebracht!'

Op een dag in mei 1672 – zevenentwintig jaar later – was Amador alleen in een schuur van zijn vriend Pinheiro, om een lading huiden te bekijken. De *mameluco* haalde een brief uit zijn zak waar hij een paar woorden van had kunnen ontcijferen maar die Ismael al een paar keer aan hem had voorgelezen. Het was een boodschap van de *infante* Dom Pedro, prins-regent van Portugal, aan zijn 'wijze, discrete onderdaan, Amador Flôres da Silva, *homem bom* uit São Paulo, *capitão* van de militie, overwinnaar van de *sertão*'.

Achtenvijftig jaar oud, was Amador in voortreffelijke lichamelijke conditie, hoewel hij met zijn been trok en hij twee vingers van zijn linkerhand verloren had toen een musket in zijn hand ontplofte. Zijn haren en zijn warrige baard waren zilvergrijs; zijn donkere ogen straalden als vurige kool onder dikke wenkbrauwen.

Homem bom, een belangrijk man, had de regent geschreven, en dat was waar, want Amador was thans een vooraanstaand burger uit São Paulo, hoewel hij eerder gekleed ging als een vagebond dan als een hoveling. Een paar leden van de lage adel uit Portugal en verschillende hoge functionarissen in de stad deden hun uiterste best om zich te onderscheiden van het 'plebs', maar de Paulistas beoordeelden een man niet naar zijn laarzen of zijn broek. Wat voor een *homem bom* oneervol was, was gedwongen te zijn om zelf zijn velden te bewerken.

Goddank had Amador deze schande nooit gekend. Sinds zijn terugkeer uit Pernambuco was hij nog negen keer eropuit gegaan met *bandeiras*, die de *sertão* nu definitief hadden gepacificeerd door alle Indianen uit te roeien. De laatste drie expedities, gefinancierd door Ismael Pinheiro, hadden ook tot doel gehad smaragden en zilver te vinden. Goud ook, al had de koopman alle hoop laten varen op een rijke ader te zullen stuiten.

Vier maanden geleden had Ismael zijn vriend gesuggereerd zijn diensten aan Lissabon aan te bieden en een brief aan de regent opgesteld. In het antwoord, dat die ochtend was aangekomen, schreef Dom Pedro: 'De ontdekking van smaragden, gedaan door Marcos de Azeredo, en lagen met zilver in de omgeving, zou een zegen zijn voor het koninkrijk en alle onderdanen.'

Marcos de Azeredo was die zoeker naar smaragden over wie Bernardo da Silva zo spottend met zijn zoon had gesproken. Volgens de patriarch had Azeredo zich vergist door in fabeltjes van inboorlingen te geloven, maar verschillende avonturiers die zijn spoor hadden nagetrokken waren met een handvol edelstenen in São Paulo teruggekomen.

'Wat zij laten zien heeft geen enkel belang,' herhaalde Ismael vaak. 'Wat van belang is, is wat zij voor de Kroon verborgen houden.'

Pinheiro waagde het als bekeerde jood niet om fraude te plegen en had de vertegenwoordigers van de koning altijd het vijfde deel van de rijkdom die de *bandeiras* binnenhaalden afgestaan. Zwaarlijvig en langzaam als hij was, hield hij niet van reizen, maar in zijn gedachten volgde hij vaak de expedities want hij zag er de voortzetting in van de daden van de grote Portugese zeelieden. Die mannen hadden schatten gevonden in de paleizen van de sultans, en de koopman was er zeker van dat de *bandeirantes* die de *sertão* afschuimden ooit hetzelfde succes zouden smaken.

'De Carijós waren de schat van onze vaders, maar die ader is opgedroogd,' zei hij. 'Wij móeten smaragden en zilver vinden, anders is het afgelopen met São Paulo. Heel Brazilië zal failliet gaan!'

'Maar wij hebben ons ontdaan van onze grootste vijanden, van Spanje en van Holland,' protesteerde Amador. 'Hoe kun je het dan over faillissement hebben?'

'Om wat onze victorie ons gekost heeft. Ik ben een koopman, geen veroveraar, en ik kan je zeggen dat we bergen zilver nodig hebben om de schulden van Portugal te kunnen betalen!'

Het pessimisme van Pinheiro was niet ongegrond. De oorlogen tegen de Hollanders en de Spanjaarden hadden de schatkist tot op de bodem geleegd. In Pernambuco hadden de rebellen, met hun inheemse hulptroepen, in april 1648 vijfduizend Nederlanders verslagen in de buurt van Recife. Het volgende jaar hadden de opstandelingen een tweede overwinning behaald op dezelfde heuvels, maar ze moesten nog vijf jaar wachten voordat commandant Francisco Barreto en de opstandelingenleiders João Vieira en Fernão Cavalcanti Recife konden binnentrekken, in januari 1654.

Amador had een groot feest gegeven om de val van Nieuw Holland te vieren, maar weinig Paulistas hadden zijn enthousiasme gedeeld. In 1648 had een vloot uit Rio de Janeiro de haven van Luanda op de Hollanders heroverd; de slavenhandel op Brazilië was weer hersteld en de Braziliaanse planters hadden alle interesse in de Carijós verloren, die als arbeiders weinig produktief waren. Dat was het einde van de lucratieve slavenhandel die de Paulistas bedreven.

In Lissabon hadden de Portugezen de overwinning in Pernambuco met gemengde gevoelens ontvangen want ze waren bang voor Hollandse represailles in hun eigen land en in hun Aziatische bezittingen. Om Amsterdam gunstig te stemmen hadden zij vier miljoen *cruzados* betaald als compensatie voor het verlies van Nieuw Holland en hadden zij de Nederlanders in alle Portugese kolonies handelsrechten verleend.

'Hoe kunnen wij onze schulden betalen?' vroeg Ismael. 'Met papegaaien, met apen, met verfhout? De Oude Wereld had al genoeg van die schatten vóór de tijd van onze grootouders. Met katoen? Dat wordt elders veel beter geteeld. Met suiker dan? Maar de Engelsen, de Fransen en de Hollanders verbouwen allemaal suikerriet op de Antillen. Vandaag de dag zijn de heren van de Braziliaanse domeinen niet meer de grote heren van de suiker.'

Amador hoorde een geluid achter zich, draaide zich om en zag Trajano, zijn zoon. De oude *bandeirante* zwaaide met de brief en vroeg: 'Heeft Ismael het je verteld?'

'Een brief uit Lissabon?'

'Die Amador Flôres da Silva opdraagt om smaragden en zilver te gaan zoeken. Kijk! De regent zelf heeft aan jouw vader om hulp gevraagd!'

Trajano da Silva, de zoon van Amador en van een Tupiniquin, was acht toen zijn vader naar Pernambuco vertrokken was. Toen hij terugkwam had de *mameluco* een jongeman aangetroffen die veel op hem leek. Kort van stuk, stevig gebouwd, met donkere, geheimzinnige ogen en een klein maar vlezig mondje. Maar Trajano leek niet alleen uiterlijk op zijn vader want vanaf zijn prilste jeugd bleek hij geneigd tot avonturen en veroveringen.

Trajano was in 1648 pas zeventien, toen hij met een *bandeira* naar het noorden trok, een expeditie waar Amador niet aan mee wilde doen, al had de commandant, kapitein Antônio Raposo Tavares, daarop aangedrongen. De laatste had naar voren gebracht dat het dit keer niet ging om het vangen van Indianen maar om de mogelijkheden na te gaan het Spaanse vice-koninkrijk Peru binnen te vallen, en al had Amador geen zin in die lange reis, hij had niet geprobeerd zijn zoon ervan af te houden. 'Ga maar naar de *sertão*, Trajano. Ga maar met de kapitein mee, dat deed ik ook toen ik zo oud was als jij.'

'Dat is een belangrijke missie die de regent u opdraagt,' zei de jongeman. 'Met Gods hulp zullen wij smaragden vinden en u zult zelf naar Lissabon gaan om die aan de *infante* Pedro aan te bieden!'

'Wat de beloning ook zal zijn, we zullen hem samen delen!' antwoordde Amador.

Hij hield van Trajano. Hij had veel kinderen maar niet één leek op die jongeman, die al heel wat jaren successen en mislukkingen met hem deelde. Ismael Pinheiro, die klaar was met de inspectie van zijn huiden, kwam bij hen staan en Amador praatte nog een poosje enthousiast door over de koninklijke brief. Toen het enthousiasme van de *mameluco* wat was weggeëbd, vroeg zijn vriend hem: 'En wanneer vertrek je?'

'Ik zou vandaag nog willen gaan, maar we moeten die expeditie goed voorbereiden. Ik kom niet terug zonder de smaragden van de *infante*.'

'Maar jij krijgt ook een deel,' herinnerde Ismael hem. 'Eén van de vijf stenen is voor Dom Pedro, de rest is voor die ze vindt. En je zult er wel wat nodig hebben om de duizenden *cruzados* die voor zo'n *bandeira* nodig zijn terug te betalen.'

'Alles wat ik bezit – álles, Ismael, voor deze tocht.'

De koopman begreep zijn vriend. Een Portugese prins die een *mameluco* een eervolle opdracht gaf, dat was de beste aflossing van de inheemse erfenis van zo'n man.

Trajano begon te lachen en beide mannen keken hem aan.

'Wat zal de dona zeggen?' vroeg de jongeman.

'Ga Maria maar zoeken, Amador,' zei Pinheiro, 'en beloof haar maar een smaragd die een koningin als zij waardig is!'

Amador stond met zijn hoed in de hand op de drempel van de vroegere kamer van Braz, die Rosa Flôres had omgetoverd in een kapel. Braz en Domingos waren dood – evenals Rosa Flôres, drie jaar na de terugkeer van haar zoon. In deze kapel had zij de vreugde mogen smaken om aanwezig te zijn bij het huwelijk van Maria Ramalho en Amador, in januari 1647.

Maria, geknield voor het altaar, zat met haar rug naar haar man toe. Zij was nu negenenvijftig en haar wijde zwarte jurk, die in grote plooien rond haar heen viel, kon amper haar zware lijf verbergen dat in de loop van de jaren alsmaar zwaarder was geworden. Here Jezus, wat een krachtige persoonlijkheid was zij! Wat een vasthoudendheid, wat een geduld! Jarenlang had Amador haar afgewezen en had hij geweigerd te luisteren naar de aanbevelingen van Rosa Flôres. Om het geluk van zijn moeder niet te bederven was hij beleefd gebleven met die lelijke meid, die nog lelijker werd als hij haar vergeleek met Joana Cavalcanti. Maar op de dag waarop Maria op haar grijze ruin naar het domein was gekomen, had ze hem voor de eerste keer laten zien hoe verschrikkelijk veel zij van hem hield.

Hij had haar met Dona Rosa in de voorkamer zien praten, en een kwartier later was zij vertrokken, waarop Rosa Flôres Amador naar de veranda aan de achterkant van het huis had gestuurd. Daar was Maria, alleen.

'Wat wil je?' had hij haar kortaf gevraagd.

'O, Amador,' had zij vol aandoening gemompeld.

Maar ze was meteen weer gaan glimlachen, om vervolgens een jongen te roepen die onder aan de trap stond.

'Dat is jouw zoon,' had ze gezegd. 'Die jij bij die Tupiniquin hebt gemaakt...'

Trajano's moeder was aan roodvonk gestorven, twee maanden na het vertrek van Amador, toen hij deel ging uitmaken van de *armada* van de *conde* Da Torre. Maria had van Dona Rosa toestemming gevraagd en gekregen om voor het kind te zorgen. Zij had dat met zoveel liefde gedaan dat Trajano ten slotte evenveel van haar was gaan houden als een zoon van zijn eigen moeder kan houden.

Zo was het ook Trajano geweest die zijn vader de ogen had geopend voor Maria's immense goedheid. Na de dood van Valentim had zij ook gezorgd voor zijn weduwen en zijn bastaarden, die zij op het domein van de Ramalhos had gehouden. De kweeperenconfituur had haar in staat gesteld om vijftien kinderen groot te brengen en zelfs, zoals Ismael nog eens had onderstreept, ongeveer duizend Portugese kronen opzij te leggen.

Na hun huwelijk had Amador de Carijó-concubines aangehouden maar Maria tot meesteres van het huis gemaakt, die moest zorgen voor zijn nakomelingschap. Zij had hem zeven kinderen geschonken, van wie er vier in leven waren gebleven, drie meisjes en een jongen,

Olímpio, de eerstgeborene, die nu vierentwintig was. Daar kwamen Trajano en zeven andere erkende bastaards nog bij, plus de koters van Valentim.

Maria beschikte over slaven om haar te helpen bij de huishouding, en haar huis was een van de mooiste huizen van Piratininga, maar toch leefde zij heel eenvoudig, zonder het comfort van een dona in Pernambuco. Daarentegen genoot zij een grotere vrijheid dan welke echtgenote van een planter ook. Als Amador op expeditie was, bestuurde zij het domein waaraan de gronden van de Ramalhos waren toegevoegd, nadat de vele zonen van Vasco schadeloos waren gesteld. Maria zorgde voor alles, zelfs voor het zaaien en de oogst. Het domein bedroop zichzelf, behalve op het punt van zout en buskruit. Tarwe, maïs, maniok, tapioca, suiker, wonderolie of katoenzaad – in alle behoeftes van de gemeenschap was voorzien. Het domein bezat een primitieve suikermolen, met een ketel voor de *rapadura*, de bruine suiker die de Da Silvas zelf consumeerden, maniokpersen en ovens. Maria zorgde ervoor dat alles goed liep, zij liet de vrouwen in een groot en luchtig vertrek spinnen en weven, lette op de Carijós die voor de kweeperen zorgden en leidde de fabricage van de confituur.

Toen zij klaar was met bidden stond zij langzaam op en ging naar de slaapkamer. Amador ging achter haar aan en vond haar zittend op bed.

'Maria! Maria!' riep hij.

Zij schrok en keek hem aan met het enige oog waarmee zij nog kon zien.

'De regent heeft geantwoord!' ging de *mameluco* verder, zwaaiend met de brief. 'Hij vraagt mij om de smaragden van Marcos de Azeredo te gaan zoeken. Ik zal kapitein van een *bandeira*, *governador* worden... of nog meer, als ik slaag!'

Hij ontvouwde de brief en gaf die aan haar.

'Hier staat het geschreven, in koninklijk Portugees!'

De meeste Paulistas spraken de *lingua geral*, de taal van het binnenland, en konden niet lezen of schrijven. Maria bekeek de brief, maar kon er geen woord van ontcijferen.

'Kijk dan!' ging Amador verder terwijl hij naar de onderkant van het blad wees, waar de handtekening van Dom Pedro stond.

Met een bijna eerbiedige uitdrukking op haar gezicht raakte Maria met haar vinger de koninklijke paraaf aan.

'Amador, wat ben ik trots op jou!'

'De *infante* weet tenminste wie trouwe onderdanen zijn. Hij weet dat ik niet kan rusten voordat ik het geheim van Azeredo ontraadseld heb, en de hellingen van de Sabarabuçu heb gezien.'

Men geloofde dat Marcos de Azeredo smaragden had gevonden in een bergachtige streek, waar de Sabarabuçu lag, tachtig mijl ten noordoosten van São Paulo.

'God zij geprezen, hij heeft jou gekozen.'

Amador wist dat de kroon een dergelijke eer verleende aan iedere Paulista die op expeditie wilde gaan, maar dat vertelde hij haar niet. Anderen voor hem hadden gefaald omdat zij het allemaal te snel hadden willen doen en geen methode gebruikt hadden, zei hij, of omdat ze waren opgehouden te zoeken om toch liever slaven te gaan vangen. Hij zou mannen op verkenning uitsturen, en de kampementen eerst laten onderzoeken.

De *mameluco* ging weer naar de veranda, waar Trajano bij hem kwam. Ze zaten op een houten bank en bespraken de voorbereidingen voor de *bandeira* tot de Carijó- en de Tupi-slaven zich voor het huis verzamelden voor het avondgebed. Amador sprak ook recht vanaf de veranda en regelde de meningsverschillen tussen zijn vijfentachtig Indiaanse slaven en zijn drie 'Ngola *peças*.

Sinds de tijd van Bernardo was het huis twee keer zo groot geworden maar de muren waren altijd witgekalkt en het dak was nog steeds pagodevormig. Een vertrek dat grensde aan de kapel werd ingenomen door Trajano en zijn derde vrouw. Trajano had elf kinderen, negen van zijn twee vorige echtgenotes, die aan ziektes overleden waren. Achter de voorste veranda lag de *sala*, een groot vertrek waar bezoekers ontvangen werden. Die stond in verbinding met de kleinere *sala intima*, waar de vrouwen zich ophielden als zij niet in de daarnaast liggende werkkamer zaten. In totaal telde het huis twaalf kamers, met aparte slaapkamers voor de jongens en de meisjes, kamers waar het gereedschap stond en waar de voorraden werden opgeslagen.

De gronden van het domein waren vruchtbaar maar er werden, behalve kweeperen, alleen gewassen geteeld die bedoeld waren om de familie en de slaven te voeden. De Da Silvas fokten ook een beetje vee, dat ze in São Paulo verkochten, maar de *bandeira* was hun voornaamste activiteit, en telkens als Amador op expeditie ging, nam hij vijfenzeventig van zijn vijfentachtig slaven mee.

Een van de eerste Indianen die bij de veranda verschenen groette Amador en Trajano met het gebruikelijke 'uw zegen, meester', waarop de *mameluco* antwoordde: 'Moge Jezus Christus je voor altijd zegenen!' Toen beduidde Amador de Tupi om bij hem te komen.

'We gaan weer eens weg, oude,' zei hij tegen hem. 'Ik leid een *bandeira* naar de bergen.'

'De Heer is groot!' riep Abeguar uit. 'Jezus heeft mijn gebeden verhoord, meester.'

De Tupiniquin, een jeugdvriend van Amador en Valentim, was thans zestig maar nog steeds even krachtig als een veel jongere man en bij de lange marsen door de *sertão* was hij onvermoeibaar.

Toen de slaven verzameld waren en het avondgebed hadden opgezegd, verklaarde Amador: 'De prins van Portugal heeft mij opgedragen een *bandeira* te leiden om smaragden en de berg Sabarabuçu te vinden.'

De Indianen begonnen enthousiast te roepen. Toen zij uit elkaar gingen verscheen een ruiter op het pad dat naar het huis leidde. Amador glimlachte tegen Trajano.

'De slaven waren blij met het nieuws,' zei hij, 'maar wat zal hij ervan denken?'

De man die op een muilezel kwam aanrijden was Olímpio Ramalho da Silva, een grote man met een onaantrekkelijk gezicht, een gebroken neus, en doordringende ogen onder borstelige wenkbrauwen. Hij was langzaam en koppig, waardoor hij de bijnaam *macho* gekregen had, 'muildier'. Hij hield zich trouwens alleen maar met die dieren bezig en had er een honderdtal, waarmee hij koopwaar van Santos naar São Paulo transporteerde. Maria was blij een zoon te hebben die muilezeldrijver was, maar Amador vond het niet leuk dat zijn zoon zijn tijd doorbracht met stomme beesten terwijl hij in de *bandeiras* van zijn vader had kunnen zitten. Olímpio was niet één keer meegeweest met een expeditie naar de *sertão*.

De *mameluco* was dus verbaasd toen zijn zoon snel uit het zadel sprong, naar hem toe rende en riep: '*Senhor!* Ik heb... Ik heb Ismael in São Paulo gesproken. Hij zegt dat u een brief van de regent hebt gekregen. Mag ik die zien?'

'Je kunt hem zelf lezen,' antwoordde Amador terwijl hij de brief aan Olímpio gaf.

'Een *bandeira*! Om smaragden, zilver en goud te vinden!' riep de kolos uit, nog voordat hij een blik op de brief had geworpen.

'Het staat er allemaal in.'

Olímpio was het enige familielid dat Portugees kon lezen en schrijven, en hij kende zelfs een beetje Latijn. Dat had hij te danken aan Maria, die hem naar het jezuïetencollege had gestuurd. De goede paters waren in 1653 weer naar São Paulo gekomen, dertien jaar nadat zij er verbannen waren. Er vonden nu geen strooptochten meer plaats tegen Indianendorpen en de zwartjurken hadden geen reden meer om te protesteren, maar de meeste Paulistas vergaven hun hun vroegere bemoeizucht niet.

Toen Amador hoorde dat Olímpio naar het college was gestuurd, had hij Maria met de zweep het huis uitgejaagd. Ze was naar Ismael gevlucht, die het negatieve oordeel van de jezuïeten over de *bandeiras* niet deelde, maar altijd had volgehouden dat zij uitstekende pedagogen waren. En toen de Sociëteit van Jezus uit São Paulo verbannen was, had hij zijn drie zonen, Mathias, Marco en João, naar het college in Santos gestuurd. Het was Ismael gelukt om zijn oude vriend voldoende te kalmeren om Olímpio een paar zinnen in het Portugees en in het Latijn te laten opzeggen, en Amador had ten slotte toegegeven dat die kennis een goede zaak was voor de Da Silvas.

Toen hij de brief uitgelezen had keek Olímpio zijn vader aan en vroeg hij: 'Kan ik met jullie mee?'

'Waarom? Ik dacht dat jij liever bij je muildieren bleef.'

'*Senhor* Ismael zegt dat als er iemand is die die schatten kan vinden, dat Amador Flôres da Silva is.'

'En geloof jij dat?'

'O ja, vader.'

'Welnu, breng ons dan je muilezels,' zei Amador, breed glimlachend. 'Met Gods hulp zullen wij genoeg zilver en smaragden vinden om ervoor te zorgen dat jij je leven niet met die stomme beesten hoeft te slijten.'

De *bandeira* liep in ganzepas langs een rotsachtige helling die naar een pas voerde in de Mantiqueiras, de vulkanische bergen boven de Serra do Mar. Hun blauwe toppen rezen op tot een hoogte van meer dan achtduizend voet. De Mantiqueiras begonnen vlak bij São Paulo, strekten zich in oostelijke richting uit langs de Rio Paraíba, over ongeveer tachtig mijl, en bogen dan af naar het noorden. Daarachter lag de hoogvlakte van Brazilië.

De colonne telde vijftig Paulistas, Portugezen, geboren in het moederland of in Brazilië; *mamelucos* en mulatten, drie Spanjaarden en drie Genuezen. Er namen tweehonderdtwintig inboorlingen aan deel, voor het merendeel Carijós en Tupis, evenals zeven zwarte slaven. De *bandeira* was vijf weken eerder uit São Paulo vertrokken en was door het dal van de Paraíba gegaan tot aan het dorp Taubaté. Daar had zij tien dagen gewacht op de terugkomst van verkenners die uitgestuurd waren om een kampement op de hoogvlakte voor te bereiden, was toen weer vertrokken en had negen dagen gelopen voordat zij de Paraíba overstak om in het voorgebergte van de Mantiqueiras terecht te komen.

Amador, die met de eerste groep vertrokken was, had de pas bereikt en bekeek de helling vanaf een uitstekende rots, waarlangs de rij mannen en beesten van de expeditie trok. Ondanks zijn dikke, gevulde vest, rilde hij in de ijskoude windvlagen. Voor hem lag een rij bergen doorsneden met ravijnen, diepe beboste dalen, en waterstromen die van de rotsen van graniet en kwarts naar beneden vielen. Het was 11 juli 1674, een maand voor de zestigste verjaardag van Amador. Het had twee jaar geduurd om de tienduizend *cruzados* bij elkaar te krijgen om de *bandeira* te financieren, de helft geput uit de persoonlijke reserves van de *mameluco*, de rest opgenomen als lening, waaronder drieduizend *cruzados* die door Ismael Pinheiro waren voorgeschoten. Het koninklijke patronaat had de gouverneur-generaal in Bahia ertoe gebracht om een bedrag van duizend *cruzados* toe te zeggen. Niettemin had hij er slechts honderdvijftig gestuurd, maar Amador klaagde niet want de gouverneur had hem de titel van kapitein gegeven en de beloften van de regent nog eens herhaald.

Het voorgaande jaar had de *bandeirante* een eerste colonne eropuit gestuurd, even groot als die welke hij nu aanvoerde, om een kampement en een bevoorradingsbasis in de bergen op te zetten. Die troep stond onder leiding van *capitão* Paulo Cordeiro de Matos, een Paulista die nog met Amador had deelgenomen aan strooptochten tegen inheemse dorpen in de *sertão*.

Een onafzienbare wereld, die *sertão*, dacht Amador. Die blauwgrijze hoogvlakten, vochtig, boven de uitgedroogde hel van de *caatinga*, vruchtbare dalen van Pernambuco, de verre weidegebieden in het noorden, de rivieren die eindeloze wouden doorstroomden. Terwijl hij zijn blik liet zwerven over een golvende zee van heuvels voelde hij zijn hart kloppen bij de gedachte dat dit hooggelegen rijk minstens één bergtop blinkend van zilver, een ravijn of een meer waar een smaragdgroen vuur brandde, verborg.

Abeguar, kapitein van de Carijós en de Tupis, kwam naar boven en groette Amador. De Indiaan was in juli vrij man geworden, ter gelegenheid van het Sint-Jansfeest.

Ver achter de slaven sloot Olímpio Ramalho de rij, met veertig muildieren. Amador had zijn vooroordelen tegen de beesten van zijn zoon gedeeltelijk laten varen toen hij zag dat zij met zekere pas de hellingen beklommen, terwijl zij zwaar beladen waren, maar die grote dikzak van een Olímpio bleef hem teleurstellen.

'Toen ik vierentwintig was had ik Guajara al veroverd met Raposo Tavares,' had de *bandeirante* een paar dagen eerder tegen zijn zoon gezegd. 'Ik joeg geen muildieren voor mij uit, maar tienduizenden Carijós. Ik was blij jou in mijn *bandeira* te hebben, maar nu maak ik me ongerust, want jij moet nog veel leren over de *sertão*.'

'Zeker, kapitein,' had Olímpio goed gehumeurd geantwoord, 'maar heb ik dan Dom Amador Flôres niet als leraar, de toekomstige gouverneur van Sabarabuçu?'

Lachend ging Amador naar Trajano, die de slaven net had opgedragen om het kamp op te slaan.

In de volgende twaalf dagen daalde de *bandeira* in noordoostelijke richting de Mantiqueiras af en kwam zodoende midden op de hoogvlakte uit. Voorbij de Mantiqueiras liep, van het noorden naar het zuiden, een bergrug met de Espinhaço erin, de Graaf, een keten die twaalf tot zestig mijl breed was. De hoogvlakte werd ingesloten door de benedenloop van de São Francisco, die naar Pernambuco stroomde en dan afboog naar de oceaan, in oostelijke richting en door de Paraná, de Paraguay en de Plata in het zuiden en in het oosten door de Rio Doce, die van de hoogvlakte naar de Atlantische Oceaan stroomde.

In de loop van de vorige eeuw waren de *bandeiras* tot de westelijke helling van de Espinhaço, tot bij de São Francisco gekomen, waardoor zij het binnenland van de kapiteinschappen Bahia en Pernambuco ontsloten hadden. De dalen van de Rio Doce en de rivieren die ten zuiden van Porto Seguro in de Atlantische Oceaan uitkwamen boden een doorgang naar de hoogvlakten van Marcos de Azeredo. Die was gestorven zonder te vertellen waar hij zijn ruwe stenen gevonden had, en vijftig jaar lang had zijn ontdekking prospectors aangezet om smaragden in de bergen te gaan zoeken.

Avonturiers hadden het idee gekregen om Paraupava, het legendarische goudmeer, tussen de bergketens te gaan zoeken. Weinig Paulistas geloofden daar nog in, hoewel sommige feiten sinds de tijd van *tenente* Bernardo erop hadden gewezen dat niet alle verhalen van de heidenen verzonnen waren. Mannen waren uit de *sertão* teruggekomen met snoeren vol afgesneden oren, trofeeën die zij meenamen om het aantal gedode wilden te bewijzen, maar ook vanwege de klompjes goud die in de oorlellen staken. De bron van dat goud was nog niet gelokaliseerd want de stammen van de verminkte krijgers waren gevlucht toen de Paulistas eraan kwamen.

Op 29 juli 1674 bereikte de colonne van Amador het kamp dat opgezet was door Paulo Cordeiro de Matos in Sumiduoro, aan de voet van een piek ten zuiden van de Espinhaço. In de loop van het jaar dat de *capitão* er had doorgebracht met zesentwintig Paulistas en honderdzestig Indianen was het kamp een definitieve basis geworden. Achter een tien voet hoge omheining, vlak bij de Rio das Velhas, een zijrivier van de São Francisco, had Cordeiro de Matos twee rijen hutten en drie *malocas* laten bouwen. Het oerwoud was in brand gestoken en ontgonnen om er cassave en maïs te telen.

Cordeiro de Matos, een mulat van de Kaapverdische Eilanden, had vierentwintig jaar in São Paulo gewoond. Hij was tweeënveertig, energiek, nogal warmbloedig, en behandelde ongehoorzame slaven ongewoon wreed. Hij was zelf zoon van een zwarte slavin, en droomde net zoveel van glorie als zijn commandant.

Amador liet zijn mannen slechts twee dagen uitrusten en droeg hun toen op zich voor te bereiden op de eerste mars naar de naburige bergen. Hij deelde de *bandeira* op in drie compagnieën, onder aanvoering van Cordeiro de Matos, Trajano en hemzelf. Alle drie zouden zij een andere kant uitgaan, de eerste twee zouden de westelijke helling van de Espinhaço verkennen, de groep van Amador zou naar het oosten en naar het dal van de Rio Doce gaan.

De avond voor hun vertrek bespraken de drie aanvoerders hun plannen, toen Olímpio naar hen toe kwam. Hij was blootsvoets, met een deken over zijn schouders, het kamp uitgegaan op zoek naar zeven verdwaalde muildieren en wist dus niet bij welke compagnie hij was ingedeeld.

'Vader, u hebt niet gezegd met wie ik moet vertrekken.'

Amador wendde zich tot Trajano en mompelde: 'Hij vraagt mij met wie hij meegaat.'

Trajano glimlachte.

'Zoon,' ging de *mameluco* verder, 'jij zal van meer nut zijn als jij in het kamp blijft.'

'Maar ik wil jullie helpen om smaragden te vinden!' protesteerde Olímpio.

'Dat doe je als je mijn bevelen gehoorzaamt. Ik benoem je tot hoofd van het kamp. Zorg ervoor dat alles klaar is als de helden terugkomen met smaragden voor de prins!'

Nog lang daarna herinnerde Olímpio Ramalho zich die nacht in juli 1674, en het ongebreidelde optimisme van de leiders van de *bandeira*. Ze hadden afscheid van elkaar genomen, die zwervende ridders van de *serra*, en hadden beloofd elkaar bij de poorten van het paradijs terug te vinden.

Wie waren die drie mannen die Olímpio in het kamp ontving, toen er vier jaar verstreken waren? Waar waren de reuzen die hun hoop hadden gevestigd op de toppen van de bergen?

Kapitein Amador Flôres da Silva ging van hut naar hut om zijn mannen aan te sporen weer een andere heuvel te gaan exploreren, weer een ander dal waar weer nieuwe mogelijkheden zouden zijn. Hij had wallen onder zijn ogen, die diep in de kassen lagen, zijn baard en zijn haren waren verward, zijn vest was bevlekt en zijn broek was aan flarden.

Even armzalig als een bedelaar uit São Paulo, was Trajano slecht gehumeurd en sprak hij bijna met niemand meer. Cordeiro de Matos, de derde visionair, stond op het punt openlijk te gaan rebelleren. Hij meed de beide andere commandanten, en zocht het gezelschap van andere Paulistas die net als hij liever naar São Paulo teruggingen.

In de loop van de afgelopen vier jaren had Amador zijn compagnie zeven keer de bergen in laten trekken, waarbij hij soms zes maanden aaneen wegbleef. Er waren mannen gedood door wilden, gestorven aan ziekte of aan uitputting, of waren er in het bos vandoor gegaan. De *bandeira* was voor een derde geslonken. Vier jaren vol mislukkingen, want elke keer verklaarde Procópio Almeida, de juwelier van de *bandeira*, de monsters van de groene stenen die zij mee terugnamen voor waardeloos.

Cordeiro de Matos was ontmoedigd en drong er bij Amador opaan niet helemaal met lege handen naar São Paulo terug te gaan, maar de *mameluco* weigerde om de zoektochten om te zetten in strooptochten tegen de wilden, al had hij alles wat hij bezat verloren en zijn schuld aan Ismael Pinheiro verdubbeld.

Op 6 augustus 1678 stelde Amador een andere poging voor en de aanhangers van Cordeiro schenen ervandoor te willen gaan. Tegen de middag verzamelden de mannen zich op de open plek. Eenenveertig van de zesenzeventig Paulistas die de *bandeira* telden waren nog in leven, en negenentwintig steunden Cordeiro de Matos. Van de driehonderdtachtig inboorlingen waren er tweeënnegentig dood of gevlucht.

Amador zat op een bank voor de hut die hij met zijn zonen deelde. Cordeiro de Matos liet zijn mannen staan en liep naar hem toe.

'Zij weigeren te vertrekken,' kondigde de mulat aan.

'Niet liegen,' antwoordde de *mameluco*. 'Jij wilt niet vertrekken.'

'Laten we de waarheid onder ogen zien, wij hebben gefaald. We hebben duizend heuvels, duizend dalen, elke spleet in de bergen onderzocht. Kijk mij aan – kijk mij aan, Amador Flôres. Hebben we nog niet genoeg geleden? Hebben wij niet minstens het recht op een kleine beloning voor al onze moeite?'

'Een beloning?' riep Amador, terwijl hij opstond. 'Jij laat de boel in de steek en jij vraagt een beloning?' Hij liep naar de mannen die op de open plek verzameld stonden. 'Een beloning voor die bende laf-aards?'

Trajano en Olímpio trokken hun kapmessen en gingen bij hun vader staan. Cordeiro de Matos liep naar Procópio Almeida en zei tegen hem: 'Vertel jij hem dan nog eens dat al die stenen die in jouw hut liggen geen enkele waarde hebben!'

De juwelier schudde zwijgend zijn hoofd. Hij was eenenveertig en afkomstig uit een vooraanstaande Lissabonse familie, maar omdat hij niet tevreden was met het maken van prachtige juwelen, was hij de gouden en zilveren munten van het koninkrijk gaan afvijlen, waardoor hij naar de kapiteinschappen in Brazilië verbannen was. Toen hij in Santos aan land was gegaan was Procópio naar São Paulo vertrokken waar volgens de geruchten goud te bewerken viel. Tijdens de gevaarlijke klim naar de Serra do Mar was hij door bandieten overvallen die hem halfdood op de weg hadden laten liggen. Olímpio, die er met zijn muilezels langskwam, had hem naar Ismael Pinheiro gebracht. Zijn linkerbeen moest vanwege gangreen net onder de knie worden geamputeerd, maar al was hij van nature niet sterk, toch had Almeida het overleefd.

Amador hief een arm op en riep uit: 'God daarboven is getuige dat de helft van mijn troepen deserteert!'

Cordeiro de Matos gaf een teken aan zijn mannen, die naar de opening in de omheining liepen.

'Ga maar!' schreeuwde de *mameluco*. 'Vertel maar aan jullie zonen hoe dapper jullie geweest zijn in de *serra*! Maar de Heer zal mij niet in de steek laten! Hij zal mij de rijkdommen tonen die Hij geschapen heeft!'

De Matos en zijn aanhangers verlieten snel het kamp. Tegen het einde van de middag zocht Trajano Amador op om met hem de route te bespreken van de enige groep die nog met een tot de helft gereduceerde *bandeira* gevormd kon worden, maar hij vond zijn vader niet meer in het kamp. Hij ging naar de *malocas* van de slaven, waar hij hoorde dat de kapitein met Abeguar op jacht was gegaan. De nacht viel. Na drie uur wachten besloten Trajano en Olímpio naar hem op zoek te gaan.

Ze namen zes slaven mee en gingen naar een dal twee mijl ten westen van het kamp, waar de Paulista vaak op pekari's joeg. Toen zij een Tupi-dorp naderden waarmee zij op goede voet stonden, hoorden zij het geluid van kalebassen en van gezang dat opsteeg in de nacht. Trajano raadde zijn broer voorzichtig te zijn, maar de Indianen, die helemaal in hun ceremonie opgingen, schonken geen aandacht aan de beide bezoekers.

Honderd passen van de open plek bleef Trajano roerloos staan. Midden in een kring Tupis met geverfde lichamen, die met hun hielen op de grond stampten, sprong Amador Flôres rond, zijn bovenlijf bedekt met *urucu*-verf, en voegde zijn stem bij die van de wilden. Vlak bij hem zoog de *pagé* de rook van een rolletje tabak op en tussen twee trekken door schudde hij met zijn kalebas om de goede geesten aan te roepen.

'Vader!' riep Olímpio, met een uitdrukking van afschuw op zijn lange gezicht. 'Vader! Ga hier weg.'

Hij wilde naar Amador rennen, maar Trajano hield hem tegen door zijn arm te pakken.

'In Gods naam, en voor de redding van uw ziel,' ging de muilezeldrijver verder, 'kom gauw mee!'

Amador keek zijn zoon woedend, bijna waanzinnig aan.

'Houd je bek, Olímpio! Je zult de demonen wakker maken die op dit plein rondzwerven.'

Olímpio werd bang en liep langzaam terug. Trajano volgde hem. Het gezang verstierf, de *pagé* gaf een teken aan Amador en aan de krijgers om te gaan zitten. Hem had de Paulista, wanhopig geworden, hulp gevraagd toen hij met Abeguar door het dorp was gekomen.

'Zeg eens, tovenaar, welk kwaad houdt mij van mijn schat af?' had de *mameluco* aan de Indiaan gevraagd. 'Zien jouw goden wat mij verborgen is? O *pagé*, openbaar de oude krijger die jij als broeder ontvangt het geheim van de groene stenen.'

De Tupi ging ook op de open plek zitten en raakte met zijn vinger de steen aan die door zijn doorboorde onderlip stak.

'Volgens jou hebben de stenen die wij vlak bij ons dorp vinden weinig macht,' zei hij. 'Onze voorouders dachten daar net zo over en hadden het over groene stenen die de krijgers beschermden tegen hun grootste vijanden.'

'Dat zijn smaragden, *pagé*!' riep Amador. 'Het vuur van de aarde!'

'Onze voorouders kennen dat.'

Amador stond op en keek naar de inboorlingen die in een halve cirkel om hem heen zaten.

'Laat allen die het verhaal van de magische stenen kennen spreken!'

Olímpio bleef in de schaduw staan, maar zijn halfbroer liep naar voren.

'Trajano, luister goed,' beval Amador.

'Geen van deze mannen heeft groene stenen gezien,' zei de tovenaar.

'Maar jij, *pagé*!'

'Het verhaal wil dat zij te vinden zijn in een meer in deze bergen.'

'Waar dan, *pagé*! Waar?'

'Dat weet ik niet.'

'Wat weet je dan wel?'

'Die stenen leven, en bewegen in het water, zwemmen van de ene oever naar de andere. Ze zijn even moeilijk te pakken als een slang-vis.'

'Stenen die zwemmen!' proestte Trajano.

'Houd je mond!' riep zijn vader. 'Een meer met magische groene stenen. Smaragden, Trajano. *Smaragden*!'

'God behoede ons,' mompelde Trajano terwijl hij medelijdend naar zijn vader keek.

Olímpio vergezelde Amador op de eerste tocht van de tot de helft te-ruggebrachte *bandeira*, maar nam algauw zijn taak als leider van het kamp weer op, want dan kon hij tenminste achter de omheining rond-lopen in plaats van doodmoe te worden in de bergen. Trajano ging met zijn vader mee, maar op een avond toen hij met Olímpio en zeven andere Paulistas alleen was – er waren weer vijf mensen weggelopen vlak voor de tweede expeditie, in december 1678 – maakte hij Ama-dor belachelijk door te zeggen: 'Vooruit! Vooruit! We moeten het meer met de smaragden vinden, voor Sint-Joris! Voor de jonge Dom Sebastião! Haast jullie! Heel Portugal wacht!'

Olímpio herinnerde hem eraan dat een zoon trouw moest blijven aan zijn vader.

'Echt waar?' vroeg Trajano. 'Terwijl dappere mannen van deze *bandeira* ervandoor gaan als ze die bedelaar zien die door de bergen zwerft!'

Procópio Almeida bleef echter vertrouwen houden in de kapitein en liet zich niet ontmoedigen door de stapel waardeloze stenen die in zijn hut lag. 'Ik voel het in mijn botten,' zei hij tegen Olímpio terwijl hij met zijn vuist op zijn houten been klopte, dat hijzelf besneden had, en versierd met twee bewerkte stroken zilver. 'Hier is rijkdom! Jouw vader beklimt de hoogste toppen, maar de schat ligt lager. En het is geen zilver, en ook geen smaragd, maar goud!'

Als de mannen op zoek gingen naar smaragden, zocht Procópio Al-meida goud in de rivieren in de buurt van het kamp. Olímpio ging vaak met hem mee en de juwelier leerde hem om een goudwassers-zeef te gebruiken, waarmee het zand en het grint uit de bedding van een stroom gezift werden.

Op een dag in juni 1679, terwijl Amador voor de derde keer sinds het vertrek van Cordeiro de Matos op pad was, zat Olímpio in de schaduw van een jacaranda in het kamp te dutten toen er slaven kwamen aanrennen die schreeuwden dat Almeida wilde dat hij kwam. Olímpio, die bang was dat de ongelukkige Procópio wat was overkomen, ging snel naar hem toe.

Maar de juwelier was gezond en wel. Hij stond midden in een rivier, met zijn houten been in de modder, en boog zich voorover naar zijn zeef. Toen hij zijn vriend zag aankomen, kwam hij overeind en riep hij: 'Goud! Goud!'

In de loop van de vier volgende weken haalden de mannen tweeënvijftig *oitavos* goud uit de rivier, en toen was er niets meer te vinden. Toen Amador eind augustus terugkwam toonden Olímpio en Procópio hem opgewonden hun buit, maar de Paulista trok zijn neus op voor dat kleine hoopje goudstof. 'Smaragden,' zei hij nog eens. *'Esmeraldas.'*

In de nacht van 11 september 1679 veranderde een hevig onweer het kamp in een modderpoel. Twee weken eerder waren de zeven Paulistas die de *bandeira* nog telde weer eens met lege handen van een derde expeditie teruggekomen. Ze waren die avond samengekomen in een hut waarin de maniokpers stond, en luisterden naar Trajano da Silva.

'Dus jullie doen mee?' besloot hij.

'Sim,' antwoordden ze eenstemmig.

'God is getuige dat ik heel lang mijn vader gesteund heb! Als ik hem eraan herinner dat wij de onzen in geen zes jaar gezien hebben, dat we dus terug moeten, weigert hij: "Nee, nee, ik ga niet arm en verslagen terug. Ik wil mijn smaragden!"'

'Als wij naar São Paulo gaan, gaat hij met ons mee,' zei een Paulista.

'Nee, hij geeft het nooit op.'

'Gaat hij dan alleen door, met Olímpio en Almeida? Twee mankepoten en een muilezeldrijver in de bergen?'

'Jullie moeten niet met hem spotten,' antwoordde Trajano. 'Vanavond niet.'

'Wat moeten wij dan doen?'

Trajano begon te spreken, maar werd onderbroken door een zware donderslag.

'Er is maar één middel,' herhaalde hij. 'Met woorden kunnen wij hem niet overtuigen. Ik...' – zijn stem begon te trillen – 'ik zal hem doden.'

Na een korte stilte stelde een van de Paulistas voor om de executie op zich te nemen, maar Trajano schudde zijn hoofd.

'Het is een daad van medelijden. Laat mijn hand het zijn die haar volvoert.'

Een uur later liep Trajano naar het onderkomen dat hij met zijn vader en zijn halfbroer deelde. Grote regendruppels vielen in de modder om hem heen. Tien passen van de hut verwijderd, trok hij een lang mes uit de schede en liep toen snel naar de ingang.

'Pak hem!' beval Amador.

Vier Carijós ontwapenden Trajano, die stomverbaasd was.

'Dacht jij nou werkelijk dat de Heer mij in de steek zou laten?' bromde zijn vader, met Olímpio naast zich, die een pistool in de hand had. 'De oude Abeguar heeft jullie gesprek afgeluisterd, en hij kwam mij vertellen: "Meester, jouw zoon beraamt je dood!"'

Amador lachte hysterisch.

'Mijn zoon! Mijn Tupiniquin-bastaard! Neem hem mee, Carijós, en sla hem in de boeien. Laat hem de nacht doorbrengen terwijl de toorn van God in zijn oren dreunt.'

De zeven Paulistas die met Trajano hadden samengezworen, en die liever het onweer wilden trotseren dan de woede van hun kapitein, vluchtten de bergen in. De zoon van Amador bracht de nacht alleen door in de regen, met boeien en kettingen om zijn enkels.

De commandant van de *bandeira* stond voor zonsopgang op, zocht in zijn leren koffer zijn minst versleten kleren en trok zijn laatste paar uitgedroogde, stoffige laarzen aan. Toen ging hij op de bank voor zijn hut zitten, ernstig en waardig. Hij bleef een ogenblik nadenken, en liep toen naar de *malocas* van de slaven. Toen hij de open plek overstak kwam hij voorbij Trajano. Die stond op en volgde hem met zijn blikken, maar Amador bleef niet staan en Trajano riep hem ook niet.

Olímpio en de juwelier, die naar het tafereel keken, zagen vanuit de hut van Almeida Amador met Abeguar praten. Direct daarna gaf de oude inboorling opdrachten aan de slaven en de *mameluco* kwam naar Olímpio en Procópio toe.

'Jij bent gisteravond van alles getuige geweest,' zei Amador tegen zijn zoon.

'Ja, en het heeft mij veel verdriet gedaan.'

'Die bastaard die ik erkend had wilde me doden. Als Abeguar er niet was geweest was ik nu dood geweest.'

'Goddank bent u gespaard gebleven.'

Amador draaide zich om naar de plek waar Abeguar en een groep slaven Trajano losmaakten; Olímpio volgde zijn vader met zijn blikken en zei: 'Verleent u hem genade?'

De slaven hadden Trajano's boeien losgemaakt en hielpen hem op te staan.

'Genade? Iedereen vraagt mij om genade. Ik heb geen genade!'

'Vader, u staat niet boven God en Zijn wetten.'

Amador stak zijn arm uit, legde zijn hand op Olímpio's schouder, een teken van aanhankelijkheid dat hij niet vaak gaf.

'Jij hebt gelijk, ik sta niet boven God. Maar hier, in de *sertão*, ben ik de wet.'

Hij liep naar Trajano toe, nu weer door de slaven geboeid, die moeite had te blijven staan. Hij zat onder de modder, had zijn vuisten gebald en trilde over zijn hele lijf.

De andere Indianen van het kamp stonden om de gevangene heen. Abeguar en zijn assistenten stonden klaar om hen ervan te weerhouden in te grijpen, maar de slaven deden niets.

'Zijn moeder was een Tupiniquin, die ik mijn zaad gegeven heb,' zei Amador. 'Toen zij stierf, nam ik hem op, voedde hem op met liefde en tederheid, en bracht hem naar de tafel van onze Heer.'

Verschillende inboorlingen slaakten kreten ter ere van Christus.

'En ik heb hem mijn naam gegeven,' ging Amador verder. 'Waar iedereen bij was heb ik hem *mijn zoon* genoemd.'

Trajano luisterde met gebogen hoofd. Olímpio en Procópio keken elkaar ongerust aan.

'Jij draagt de naam van de Da Silvas, die jij bevlekt zou hebben met jouw bloedig verraad!' zei de *mameluco* tegen de gevangene.

Trajano mompelde een paar onverstaanbare woorden.

'Verdedigt hij zich?' vroeg Amador aan Olímpio. 'Vindt hij verontschuldigingen voor zijn misdaad?'

'Laat hem spreken, vader.'

'Ik heb mij vergist,' mompelde Trajano.

'Jij hebt jezelf veroordeeld voor je vader,' verklaarde Amador. 'En voor God.'

'Genadige God!' riep Trajano, en deed een stap in de richting van zijn vader.

Hij struikelde en viel. Een slaaf wilde hem helpen opstaan maar Amador hield hem met een gebaar tegen.

'Durf jij Gods vergiffenis vragen?'

'De uwe, vader!' kreunde Trajano. 'Heb medelijden!'

De oude *bandeirante* wendde zich tot Abeguar, en zei: 'Jij kent de bevelen.'

De vrije slaaf knikte en gaf zijn assistenten een teken.

'Vader...' begon Olímpio, terwijl hij op Amador afliep.

'Achteruit!'

'Vader, spaar hem.'

'Hang hem op!' schreeuwde de *mameluco* tegen Abeguar en de slaven.

'Nee!' schreeuwde Trajano.

Amador stelde zich op dertig passen van de jacaranda op, waarheen de Indianen de gevangene brachten. Olímpio en Procópio Almeida, die van afschuw geen woord uit konden brengen, gingen bij hun kapitein staan. Carijós en Tupis gingen zwijgend rond de boom staan waaraan de vijand van hun meester gehangen zou worden.

Trajano barstte in snikken uit en vroeg weer om genade. De slaven legden hem het touw om de nek en tilden hem op een paard. Twee zwepen knalden tegen de flanken van het dier, dat naar voren sprong. Het touw spande zich.

'Jezus,' mompelde Olímpio, en liep weg.

'Hier blijven!' beval zijn vader hem.

'In Gods naam, wat wilt u nu nog meer?'

'Dit!' antwoordde Amador, met een schittering in zijn ogen. 'Dit!'

Hij liep naar de slaven toe en beduidde Olímpio en Procópio Almeida mee te gaan.

'Ik ben hier gekomen om smaragden te zoeken,' zei hij. 'Alle leden van de *bandeira* zijn ervandoor gegaan, behalve mijn slaven, mijn Tupis. God heeft mij gespaard,' voegde hij eraan toe terwijl hij naar het lichaam keek dat aan het uiteinde van het touw bungelde, 'Hij heeft mij gered zodat ik mijn zoektocht voort kan zetten. Ik zal slagen! Luister allemaal goed! Ik ben ontsnapt aan het mes van een moordenaar, maar als ik sterf in de *sertão*, beveel ik jullie om door te zoeken. Jullie brengen mijn stoffelijk overschot niet naar São Paulo voordat jullie smaragden gevonden hebben. Jullie zullen mijn taak voortzetten, en anders zullen jullie vervloekt zijn!'

Het meer lag twintig dagen lopen ten noordoosten van het kamp van Sumiduoro. Het was een halve mijl lang en duizend passen breed, en vulde een dal op achthonderd voet hoogte. In het noorden waren de heuvels hier en daar bebost, maar om het meer zelf groeide weinig vegetatie. Twee rivieren kwamen in het zuidoosten het dal binnen, en stroomden vrijwel rimpelloos in het slapende water van het meer. De warme en vochtige lucht was vol kwade dampen die koorts brachten. De noordelijke oever was moerassig, die van het zuiden rees op naar geërodeerde grond, waar hier en daar het graniet de kop opstak.

Op een grijze, koude ochtend in mei 1681 slaakte Amador een kreet van vreugde en begon over de rotsige grond te dansen, waarbij hij een paar keer zijn evenwicht verloor, viel en de grond als een gek kuste, terwijl zijn witte haren in de wind fladderden.

Hij had aan de oever van het meer smaragden gevonden.

Olímpio stond vlak bij Procópio Almeida, die met zijn houten been voor hem op een rots zat, en de beide mannen zagen Amador wankelend op hen afkomen.

'Procópio!' schreeuwde hij. 'Zeg me dat ik niet droom! We hebben het meer gevonden!'

De juwelier keek op en kneep zijn ogen samen.

'*Esmeraldas*,' mompelde hij terwijl hij naar de stenen keek die zijn kapitein hem toonde. Hij nam een grote groen geaderde steen en bekeek hem van dichtbij. '*Esmeraldas!*'

'Kijk naar je oude vader, Olímpio Ramalho! Hij zal *fidalgo*, *governador* worden!'

Olímpio sprong plotseling op Amador af, omhelsde hem en begon ook te schreeuwen: '*Esmeraldas! Esmeraldas!*'

Ze begonnen lachend en keihard schreeuwend voor Procópio heen en weer te dansen: '*Viva, viva! Vitória!*'

Toen ze elkaar eindelijk loslieten, wees Olímpio op een van de rotsige aardlagen die zichtbaar waren.

'Een echte mijn, vader! Even rijk als die van Potosi!'

'Ja! De mijn van Amador Flôres da Silva... en van Olímpio Ramalho! En ook van jou, Procópio, mijn trouwe vriend.'

Trajano was in september 1679 terechtgesteld, twintig maanden eerder. Twee dagen na de lynchpartij had de *bandeira* het kamp verlaten en sinds die tijd kende zij geen rust meer, omdat de obsessie van haar kapitein dagelijks groter werd. Hij legde zich nauwelijks te rusten en 's nachts lag hij te ijlen over de machten die hem van zijn smaragden probeerden af te houden. Soms werd hij rillend wakker uit nachtmerries waarin hij vocht met de geest van Marcos de Azeredo. Als Procópio of Olímpio ook maar even hun twijfel lieten blijken werd hij woedend en dreigde hij de beide mannen met dezelfde straf als die zijn bastaard had ondergaan.

Amador had niet de minste spijt van het doodvonnis dat hij over zijn zoon had uitgesproken en als hij over hem sprak, was dat altijd met minachting. Daarentegen had hij openlijk gehuild toen Abeguar de vorige winter gestorven was.

Overal waar zij halthielden gebruikte Almeida zijn tijd om naar goud te zoeken, en hij vond sporen, maar geen belangrijke ader. Hij was moe en terneergeslagen, maar durfde niet in zijn eentje terug te gaan. Olímpio had net als de juwelier alle hoop opgegeven smaragden te zullen vinden en de dood van zijn halfbroer had hem definitief bang voor zijn vader gemaakt. Toch bleef hij niet alleen uit vrees bij Amador, want Olímpio had plichtsbesef en vond dat hij zo lang mogelijk in de buurt van zijn vader moest blijven.

Ze waren rondgetrokken, eerst naar het westen, toen naar het noorden en ten slotte naar het zuidoosten, voordat zij bij het dal waren gekomen. Vervolgens hadden ze het meer gevolgd tot aan de rotsachtige zuidkust, waar de aardlagen vol met groene stenen zaten.

Twee weken lang hakten zij monsters uit de rots en Procópio had de tien mooiste stenen uitgezocht en vrijgemaakt van moedergesteente.

'Die zal ik persoonlijk naar de *infante* brengen,' zei Amador. 'Ik zal de prins vragen om deze eerste juwelen van de Terra do Brasil te gebruiken voor de kroon die hij ooit zal dragen.'

Toen zij genoeg monsters hadden, beval Amador dertig van zijn zesenzeventig slaven die hij nog over had om bij het meer te blijven tot hij terug zou komen. En op 2 juni 1681 begon de *mameluco*, gezeten op een van de muildieren van zijn zoon, aan de terugreis. Hij had zijn verscheurde vest vervangen door een hertevel, een broek aangetrokken die gemaakt was van een grijze deken en sandalen aangedaan die de Indianen hadden gemaakt. Olímpio en Procópio zagen er amper beter uit en Amador moest lachen toen hij naar ze keek.

'Kom mee, boeven! We gaan naar São Paulo!' riep hij terwijl hij een poging deed zijn kromme rug te rechten. 'Wees blij! Eenmaal thuis zullen jullie prinsen zijn, en ik koning – koning van de smaragden!'

Op 22 juni 1681 staken zij een geaccidenteerde hoogvlakte over, op weg naar de Mantiqueiras.

Olímpio was al een paar dagen bezorgd om zijn vader. Het leek alsof de jaren die hij in de bergen had doorgebracht zich plotseling deden gelden bij de oude *bandeirante*, die steeds minder enthousiast werd. Hij klaagde dat hij moe was, en spoorde zijn metgezellen aan zich te haasten. Soms zakte hij voorover, liet zijn hoofd op zijn borst hangen en had moeite om op zijn muildier te blijven zitten. Olímpio bleef bij hem in de buurt en moedigde hem aan door te praten over de triomfantelijke ontvangst die hen wachtte, maar Amador antwoordde steeds minder vaak, en al vroeg hij zijn zoon om sneller te rijden, meer dan enkele uren per dag kon hij niet meer reizen.

Op 27 juni 1681 vroeg de *mameluco* vlak na het middaguur om halt te houden bij een rivier, op drie dagmarsen van de Mantiqueiras verwijderd. Toen ze hem hielpen af te stijgen zakte hij meteen weg in een koortsige slaap. In de avond werd hij weer wakker, en voelde zich kennelijk beter, want hij vroeg om eten. Olímpio en Procópio, die naast hem zaten, waren opgelucht dat hij weer een beetje op krachten kwam.

'Hoe vaak hebben de demonen van de *sertão* niet geprobeerd om mij te pakken te krijgen!' zei hij. 'Hier, in deze heuvels, in het noorden, met Proot... overal waar ik ging zaten ze op mij te loeren. Maar nu is het te laat! Te laat! Ik ben geslaagd!'

Amador vroeg de beide mannen om nog wat stammen op het vuur te gooien en bij het licht van de vlammen opende hij de beurs waarin de smaragden zaten, liet enkele stenen door zijn handpalm rollen, nam de kleinste en bekeek die vol bewondering. Toen keek hij Procópio Almeida aan en zei met een uitdrukking van minachting: 'Dit steentje is meer waard dan die hele zak stof die jij bij je hebt, Procópio.'

'Er zit goud in deze bergen, kapitein,' antwoordde de juwelier.

'*Sim, sim*, El Dorado, het goud van de imbecielen!'

'Ik heb een heleboel sporen gezien.'

'Die nergens heen leiden. Waarom droom jij nog steeds van goud terwijl jouw ogen de ware schat hebben gezien?'

'Ja, kapitein,' zei Almeida, en liep weg om te gaan slapen.

Het was behoorlijk koud. Midden in de nacht stond Olímpio op om het vuur op te porren en zijn vader toe te dekken. Bij zonsopgang werd hij wakker, en besloot eerst voor de muilezels te gaan zorgen en Amador nog wat te laten slapen. Olímpio was bij zijn dieren toen Procópio naar hem toe kwam.

'Je vader...'

De muilezeldrijver draaide zich om om naar de roerloze gestalte te kijken, en begreep het meteen.

'Zo dicht bij het einddoel...' mompelde hij.

'Hij heeft zijn overwinning gehad,' antwoordde de juwelier kalm.

Amador Flôres de Silva was op zesenzestigjarige leeftijd in een diepe, vredige slaap, met een beurs vol smaragden aan zijn ceintuur, en dromend van glorie gestorven. In de *sertão*.

'Wat doe je in 's hemelsnaam?' vroeg Olímpio drie uur later, toen zij het kamp opbraken.

De juwelier was bezig om een zak van een muilezel te halen waarin de stenen zaten die zij bij het meer hadden verzameld. Amadors lichaam was op een van de dieren gebonden want Olímpio wilde dat hij door de benedictijnen begraven zou worden.

'Ik heb de slaven bevolen dat allemaal weg te gooien,' antwoordde Almeida geïrriteerd. Hij hield even op aan de riemen te trekken en deed een stap terug. 'Begrijp je het dan niet?'

'Wat moet ik begrijpen?'

'Die groene stenen zijn waardeloze toermalijnen.'

'Maar jij hebt gezegd dat het smaragden waren.'

'Hoe had ik anders een eind aan die waanzin kunnen maken?'

Olímpio was eerst woedend, maar begreep ten slotte dat zijn vriend gelijk had. Toch vergisten zij zich allebei toen zij dachten dat de laatste *bandeira* van Amador Flôres daar ophield. Ismael Pinheiro was getuige van het werkelijke slot van deze fabelachtige zoektocht – elf jaar later.

Ismael was achtenzeventig, liet zijn zonen en kleinzonen zijn zaken behartigen, en bracht de meeste tijd door op een bank in de buurt van zijn magazijn, waar hij met zijn vrienden en met willekeurige voorbijgangers zat te kletsen. Zo zat hij er ook op een ochtend in november 1692 toen er een door muilezels getrokken kar aankwam.

Olímpio Ramalho, die naast de dieren liep, groette de oude man en liep naar hem toe. Ismael glimlachte van genoegen want Olímpio was niet alleen de zoon van Amador, hij was ook zijn schoonzoon geworden omdat hij zijn dochter Marianna tien jaar eerder had getrouwd. De oude koopman keek naar de kar, en zag dat er weer een lading kweeperenconfituur inzat.

Wat een fantastische vrouw, die Maria! dacht Ismael. Amador was gestorven en had vreselijke schulden nagelaten, die zij probeerde af te betalen door confituur te verkopen.

'Kom eens mee,' zei Olímpio tegen de oude man, nam hem bij zijn arm en trok hem mee naar de kar. 'Wat een dag!'

Tot zijn stomme verbazing zag Ismael in de kar de zeer omvangrijke Maria boven op een stapel huiden zitten. Zij was nu bijna tachtig, gerimpeld, tandeloos, bijna blind, en doodmoe van de reis vanaf het domein van de Da Silvas. Zij boog zich voorover naar Pinheiro en zei: 'Heeft mijn zoon het je verteld?'

'Wat dan, Dona Maria? Jouw confituur? Een mooie oogst, maar daarvoor had je toch niet hier hoeven komen.'

De oude vrouw begon vrolijk te lachen.

'Zeg het hem dan, Olímpio. Zeg het hem dan!'

'Laten we eerst naar binnen gaan,' antwoordde de muilezeldrijver, lachend om het ongeduld van zijn moeder.

Het kostte de slaven een kwartier om Maria uit de kar te krijgen en haar in de beste stoel van Pinheiro neer te zetten.

'Ik ben gekomen...' begon zij, terwijl zij haar driedubbele kin deed schudden. Zij pauzeerde even en probeerde tot rust te komen. 'Ik ben gekomen om alle schuld van Amador Flôres af te betalen!'

Ismael stond paf. Wat in de kar zat was hooguit een paar honderd *cruzados* waard, niet genoeg om de schuld van de *bandeirante* af te lossen.

Olímpio kwam binnen met een flinke ton.

'Laat hem het maar zien, zoon!' riep Maria.

Hij nam het deksel eraf, stak zijn hand in de ton en haalde die eruit, gevuld met goudklompjes.

'Goud!' zei hij. 'Procópio en ik hebben een goudrivier gevonden.'

De beide mannen waren een jaar na de dood van Amador weer naar de bergen gegaan en hadden er weer goud gevonden, genoeg om weer andere expedities te financieren. Maar het had ze elf jaar gekost voordat zij, twee dagen lopen van het oude kamp, een rivier vonden waar zij in een dag werk met de zeef duizend *oitavos* goud produceerden. Procópio Almeida was er nu om hun ontdekking te beschermen, want andere Paulistas waren er inmiddels ook van overtuigd dat er veel goud in de bergen te vinden was.

Ismael leunde op de arm van Olímpio en boog zich voorover om de schat te zien die in de ton zat.

'Dit is de *quinto* voor Lissabon,' verklaarde Dona Maria. 'Is de rest voldoende, Ismael?'

'Goede God, natuurlijk!' antwoordde de koopman.

'Er is daar nog meer,' zei Olímpio. 'Meer dan je ooit had durven dromen.'

'Dat was ook zijn droom,' ging Maria met een brede glimlach verder. 'De droom van jouw vader, Olímpio. Wat doet het ertoe dat hij smaragden zocht? Hij wees jullie de weg.'

Ismael liep langzaam op haar af en pakte haar handen.

'Ja, Dona Maria. Amador Flôres da Silva heeft de weg gewezen.'

Boek Vier

Republikeinen en zondaars

XIV

Oktober 1755 – maart 1756

Marcelino Augusto Arzão da Fonseca was een libertijn met een engelengezicht en de ogen van een heilige. Blauw waren die, en ze straalden van onschuld. Ze hadden hem al uit veel delicate situaties gered, als hij het aan de stok had met de leiding van de universiteit in Coimbra, en ze hadden het laatste verzet van vele jonge boerinnetjes gebroken tussen de populieren aan de oever van de Mondego. Ondanks zijn neiging om achter vrouwen aan te lopen en zijn hartstochtelijke liefde voor hanengevechten, had Marcelino zijn diploma gehaald, dank zij zijn levendige intelligentie en zijn uitstekende geheugen.

Op deze prachtige dag in oktober 1755 was het leven vol beloften voor Marcelino, die drieëntwintig jaar oud was, en ook voor zijn beide vrienden die hij op het landgoed van zijn vader, in Sintra, zeven mijl ten noordwesten van Lissabon, had uitgenodigd. Deze jongelui hadden ook hun diploma in Coimbra gehaald, waar zij vrienden van Marcelino waren geworden. Zij waren afkomstig uit Brazilië en zouden binnenkort weer naar de kolonie gaan.

Marcelino Augusto was de oudste zoon van Dom Antônio Pinto da Fonseca, die de koning in Indië en Bahia gediend had, waar hij adjudant van de gouverneur-generaal was geweest.

In 1729 kwam Dom Antônio naar Portugal terug en begon hij fortuin te maken in de handel. Zijn doen en laten schaadde zijn reputatie bij de *fidalgos*, die jaloers waren en de kooplieden met wie hij zich associeerde verdachten van joodse sympathieën, ernstig genoeg om de aandacht van de Grootinquisiteur te trekken. Hoewel hij weinig aan het hof kwam bleef Dom Antônio aan de koning gehecht, en had hij die al twee keer in het geheim geld geleend. Hij kwam er openlijk voor uit dat hij de hovelingen, gemaniëreerde parasieten, minachtte, en fanatieke priesters kon hij al helemaal niet uitstaan.

Marcelino was onder de invloed geraakt van de ideeën van zijn vader, die, al gingen zij niet zover als de filosofie van de Verlichting die overal elders in Europa tegen het midden van de achttiende eeuw verbreid werd, toch duidelijk 'modern' waren. Zo kwam het dat Marcelino Augusto, de erfgenaam van een rijke, adellijke Portugese familie, daartoe aangezet door zijn vader, vriendschapsbanden aanknoopte met twee jongelieden op wie veel hooggeboren Portugezen neerkeken.

Luís Fialho Soares, met zijn vijfentwintig jaar de oudste van het trio, kwam uit de kapiteinschappen in het zuiden van Brazilië. Zijn vooruitstekende jukbeenderen, zijn enigszins koperkleurige huid en zijn amandelvormige ogen verraadden zijn Tupi-afkomst. Hijzelf vertelde dat hij een inheemse prinses onder zijn voorouders telde – iets wat zoveel Brazilianen beweerden dat je bijna zou geloven dat er geen gewone vrouwen bij de heidenen in Santa Cruz voorkwamen. De Soares hadden deelgenomen aan de *bandeiras* totdat hun grootvader Baltasar, een Paulista, in het noorden van de Mantiqueiras goud had gevonden, tijdens de stormloop die volgde op de eerste ontdekkingen. Floriano, Luís' vader, was thans een welvarend man die mijnen en een boerderij bezat. Hij had zijn zoon naar het jezuïetencollege in Rio de Janeiro gestuurd, en vervolgens naar Coimbra, om daar rechten te studeren, al liep de jongeman veeleer warm voor de dichtkunst.

De andere vriend van Marcelino was ook in Brazilië geboren, maar verschilde verder hemelsbreed van Luís. Paulo Benevides Cavalcanti was het eerste lid van zijn familie dat voor een studie in de rechten naar Coimbra werd gestuurd, waar ook hij zijn diploma haalde in de Sala dos Capelos. Afstammeling van Dom Fernão, een held uit de bevrijdingsoorlog tegen de Hollanders, was Paulo de zoon van Bartolomeu Rodrigues Cavalcanti, de achterkleinzoon van Fernão. Dona Eglantina Castelo, de eerste vrouw van Bartolomeu, had hem vijf dochters geschonken toen zij in 1727 stierf. Zijn tweede vrouw, Catarina Benevides, dochter van een planter uit het district Cabo, ten zuiden van Recife, was de moeder van Paulo en van twee andere zonen, Graciliano en Geraldo.

Paulo, de oudste, was drieëntwintig, had fijn getekende wenkbrauwen, grote wimpers en een rechte neus. Hij was, als alle Cavalcantis, klein van stuk en zag er vitaal en zelfbewust uit. Net als zijn vrienden volgde hij de Franse mode, en droeg hij een gepoederde pruik, een zalmkleurig, geborduurd zijden vest, een bruine broek en schoenen met gespen. Een fluwelen jas met goudkleurige brandebourgs completeerde het geheel maar Paulo droeg deze die dag over de arm want het wandelingetje dat Marcelino had voorgesteld was uitgelopen op een klimpartij achter het landhuis.

Voordat hij in Portugal kwam, was Paulo nooit verder dan Pernambuco geweest. Net als zijn voorouders had hij veel eerbied voor het moederland en hij verbaasde zich erover dat de recente gebouwen uit de hoofdstad even prachtig waren als die welke waren gebouwd toen de rijkdommen uit Indië naar Lissabon vloeiden. Deze continuïteit deed vermoeden dat het Portugese genie even inventief en volhardend bleef als ten tijde van de *conquistas*.

Luís Soares, geboren in de *sertão*, was groot geworden tussen mensen voor wie Portugal een magisch woord was. Toch kreeg zijn bewondering voor de glorie van het oude land, na drie jaar in Coimbra, een kritische noot: 'Al die monniken, en die priesters waar het koninkrijk vol van is... in Brazilië zijn er twee zwartjurken op vierduizend heidenen; hier zijn er twintig pastoors voor evenveel christenen.' Omdat de inquisitie overal zijn spionnen had, bracht Luís zijn commentaren alleen bij vrienden te berde, die net als hij dachten, maar in het openbaar had hij nog andere opmerkingen: 'Waarom moeten de officieren van de koning lakei of koetsier worden om niet van honger om te komen? Waarom staan al die soldaten in de straten te bedelen? Here God, wat is er van het trotse Portugal terechtgekomen?'

Die vragen, en nog andere, hielden Luís Soares bezig. Wat hij moeilijk aanvaardbaar vond, bij het zien van al die armoe, was dat het koninkrijk grotere rijkdommen dan ooit uit zijn koloniën haalde. Het gigantische paleis en tevens klooster van Mafra, de pompeuze bouwsels uit de tijd van João V, de prachtig versierde kerken, hoe exorbitant zij ook waren, al die uitgaven waren nog maar een fractie van de geweldige schat aan goud en edelstenen die vanuit de kapiteinschappen van Brazilië naar Portugal werd gestuurd.

Olímpio Ramalho da Silva en Procópio Almeida waren niet de enige Paulistas die rond 1690 goud hadden gevonden. Andere prospectors hadden het edele metaal voorbij de Mantiqueiras gevonden, in een streek die Minas Gerais werd genoemd. In 1709 woonde er in Vila Rica de Ouro Preto, de 'rijke stad van het zwarte goud', en in de mijnwerkerskampen in de buurt een bevolking van vijftigduizend mensen, blanken, mestiezen en slaven. In 1718 hadden andere Paulistas goud gevonden in Cuiabá, driehonderd mijl ten noordwesten van São Paulo en Minas Gerais. De mijnen van Cuiabá waren zo rijk dat de eerste katten die naar het kamp werden gebracht, dat stikte van de ratten, voor een pond goud werden verkocht!

Maar het was niet alleen goud dat de koninklijke schatkist vulde. Ten noorden van het meer waar Amador zijn 'smaragden' had gevonden, hadden prospectors in het water troebele kristallen aangetroffen die zij voor waardeloos aanzagen en die zij gebruikten om triktrak mee te spelen totdat edelsmeden uit Lissabon hadden verklaard dat dat diamanten waren. De vertegenwoordigers van de Kroon verklaarden de omgeving van het meer tot verboden gebied, vijftig mijl in de omtrek, om de illegale exploitatie van de afzettingen van Dom João te voorkomen. Iedere mijnwerker die betrapt werd op het winnen van diamanten zonder de toestemming van de koning kon gevangen worden gezet of naar Angola worden verbannen. Voor een slaaf bestond de straf uit vierhonderd zweepslagen, vaak toegediend na het gedwongen innemen van malguetapeper om de stenen die de *peça* had kunnen doorslikken eruit te drijven.

Luís stond met zijn rug naar zijn vrienden vanaf de top van de heuvel naar het klooster van Mafra te kijken.

'Wat een pracht!' riep hij. 'Als de Paulista-goudzoekers dit zagen zouden zij denken dat zij El Dorado gevonden hadden.'

'Iedere steen ervan is betaald met goud en diamanten uit Brazilië,' merkte Marcelino da Fonseca op.

'Precies. En zo wordt het sprookje dan werkelijkheid,' zei Luís terwijl hij zich omdraaide. 'De mannen van de *bandeiras* zijn de *sertão* ingegaan, dromend van fabelachtige steden met schitterende tempels. Ze konden niet weten dat zij het waren die de bouw van even prachtige gebouwen als waar zij van droomden mogelijk maakten.'

'Ach, dromen...' bromde Paulo Cavalcanti.

'Ik droom!' antwoordde Marcelino.

'Jij droomt van Francisca Caetano!' zei Luís. 'Jij en honderd anderen kunnen niet slapen vanwege de mooie Francisca.'

Marcelino had de jongedame bij zijn tante ontmoet, getrouwd met een Napolitaans koopman die de bouw van een nieuwe opera in Lissabon had gefinancierd, waar Francisca recentelijk haar debuut had gemaakt, met veel succes.

'Ik ken nog anderen wier dromen slecht afgelopen zijn,' zei Paulo.

'Wie dan?'

'De planters die hun domeinen opgeven om naar de mijnen te gaan.'

Die trokken met hun *peças* de *sertão* in. De toevoer van slaven naar Minas Gerais stond onder toezicht van de Kroon maar duizenden werden clandestien via het binnenland aangevoerd. Achtervolgd door cavaleristen vingen de planters, na maanden zoeken, veelal slechts goud dat afkomstig was van de verkoop van hun slaven.

De Cavalcantis waren niet verleid door het vooruitzicht snel rijk te worden in de mijnen en hadden Santo Tomás niet verlaten, ondanks de toenemende moeilijkheden in de suikerindustrie in Pernambuco, die te lijden had onder de concurrentie van de Engelse en de Franse plantages op de Antillen. Zij hadden daarentegen hun domein nog vergroot door er een handelstak bij te trekken en hadden, honderd mijl ten westen van Recife en ten noorden van de Rio São Francisco, in de *sertão*, terrein verworven waarop zij thans meer dan vijfduizend stuks vee fokten.

'Het was een grote vergissing om hun slaven te verkopen,' zei Luís Soares als antwoord tegen Paulo. 'Een concessie voor een mijn is niets waard, als je geen *peças* hebt om die te exploiteren.'

'Een plantage net zomin.'

Sommigen kwamen van de mijnen terug en leidden een armzalig bestaan op hun terrein. Anderen bedelden in de straten van Recife en vervloekten de dag waarop zij op het idee waren gekomen om te vertrekken naar een schuilplaats van colporteurs en *marinheiros* die hen bedrogen en beroofden.

'De drek van Europa!' zei Luís Soares. 'Het was een duistere dag voor ons toen dat uitschot zijn hebberige blikken op de bergen van Brazilië richtte.'

Paulo en Luís hadden beiden dezelfde minachting voor de kooplieden die in Portugal geboren waren, die zij 'colporteurs' noemden, en ook voor de *emboabas*, de 'veren benen', een bijnaam die de Paulistas gaven aan vreemdelingen uit de mijnstreek. Volgens Luís verwees dat Tupi-woord naar de vrees van die indringers om hun broek uit te trekken of blootsvoets door het oerwoud te lopen.

Als hij het over *emboabas* had, gaf Luís blijk van een wrok die hij nog van zijn voorouders geërfd had: 'De "veren benen" komen als uitschot naar de mijnen, zonder het minste respect voor de Paulistas die de *sertão* veroverd hebben. "Wilden!" schreeuwden zij naar mannen als mijn grootvader, Baltasar Soares.'

In 1708 hadden de Paulistas de wapens opgenomen tegen de *emboabas*, toen de kampen van de mijnwerkers, onder leiding van een Paulista-superintendent, tot anarchie waren vervallen.

'Drie jaar lang streed grootvader Baltasar tegen die vervloekte "veren benen",' vertelde Luís. 'Hadden de onzen onderling maar geen ruzie gemaakt! "Veel te veel generaals! Veel te veel grote *chefes*!" klaagde mijn grootvader.'

Ten slotte kwamen de soldaten van de koning uit Rio de Janeiro om de orde te herstellen want de ongeregeldheden waren ook voor zijne majesteit ongunstig, omdat zijn aandeel in het edele metaal minder werd.'

459

Paulo Cavalcanti was natuurlijk op de hoogte van de ongeregeldheden die veertig jaar eerder in de mijnstreek hadden plaatsgevonden, maar zijn minachting voor vreemdelingen was van recentere datum want ook in Pernambuco waren er, van 1709 tot 1711, conflicten geweest tussen Brazilianen en mensen die in Portugal geboren waren. Al was Olinda er nooit bovenop gekomen, na de vernielingen tijdens de Hollandse bezetting in de vorige eeuw, toch hadden de planters die stad als hoofdstad van het kapiteinschap aangehouden en bleven zij zeggenschap uitoefenen over de stedelijke *câmara*, die een algehele politieke macht over Recife had, een handelscentrum met twaalfduizend inwoners. De handelaren drongen aan op hun eigen gemeenteraad; en in 1709 verleende een koninklijk decreet Recife de status van onafhankelijke stad en gaf opdracht tot het oprichten van een schandpaal, het symbool van stedelijke en koninklijke macht.

'De colporteurs kwamen met vodden aan hun lijf uit Portugal en pretendeerden zowaar recht te hebben op de privileges van de adellijke families uit Pernambuco,' legde Paulo uit. 'En toen Bartolomeu Cavalcanti en anderen de schandpaal in Recife neerhaalden, begonnen de kooplui "verraad!" te roepen en grepen zij de wapens. De gouverneur steunde hen en werd gedwongen naar Bahia te vluchten. De oorlog duurde een jaar, totdat Lissabon in oktober 1711 een nieuwe bewindsman stuurde. Mijn vader en andere rebellen kregen vergiffenis van de koning, maar Dom João eiste dat de schandpaal weer opgericht zou worden.'

In Portugal leed de erfgenaam van Santo Tomás onder de vooroordelen die de Portugezen hadden ten opzichte van de *mazombos*, zoals zij minachtend de blanken die in Brazilië geboren waren noemden.

'Waar vindt de koning trouwere onderdanen dan onder de eigenaren van de grote plantages in Pernambuco?' protesteerde Paulo boos. 'Had mijn vader soms ook geen recht op eerbetoon? God weet hoe trouw hij zijne majesteit gediend heeft!'

Een andere bron van teleurstelling voor de jonge *mazombo* was de verstikkende atmosfeer in Coimbra. Op Santo Tomás was de opvoeding van de kinderen toevertrouwd aan een huisonderwijzer, *padre* Eugênio Viana.

'Een fantastische man!' zei Paulo. 'Hij had weliswaar een voorraad stokken en een grote leren riem die hij in water weekte om hem harder te doen aankomen. Maar hij geloofde niet dat alle jongens bezeten waren van de duivel. Als hij zag dat wij slecht gehumeurd of lui waren, deed hij de deuren van onze klas wijd open, nam ons mee naar buiten en zei hij: "Kom jongens, we kunnen in de natuur net zoveel leren als onder de stoffige balken!"'"

Na het verlichte onderwijs van Eugénio Viana vond Paulo Coimbra maar sinister en hij had de universiteitsstad de bijnaam van 'het graf van de gedachte' gegeven. Terwijl het intellectuele zuurdesem van de Verlichting op andere universiteiten in Europa zijn werk deed, discussieerden de jezuïeten in Coimbra nog steeds over het geslacht van de engelen.

Vanaf de heuvel boven Sintra bekeek Marcelino de vlakte en zei hij tegen zijn vrienden: 'Zelfs nog vóór Vasco da Gama verlieten mannen Portugal in de hoop op een beter leven. Jullie voorouders, Luís, Paulo, zijn misschien wel vertrokken van de gronden die aan onze voeten liggen.'

Paulo knikte, zonder dat hij wist dat zijn voorvader Nicolau ooit uit een huis was vertrokken dat minder dan drie mijl van Sintra verwijderd was.

'Dat klopt,' zei hij. 'Generaties lang hebben de Cavalcantis Portugal gediend tegen de wilden, de Normandische zeerovers en de Spanjaarden. De mannen van Santo Tomás hebben hun steentje bijgedragen om de Hollanders uit Brazilië te verjagen. Waarom moeten wij ons erfgoed aan nieuwkomers afstaan?'

Luís Fialho Soares was het daarmee eens.

'In São Paulo hebben wij de *emboabas* met open armen ontvangen,' zei hij. 'Wij hebben hun onderdak, eten en bescherming tegen de wilden gegeven. Vervolgens zijn duizenden van hen naar de mijnen getrokken om de beste concessies te pakken en ons onze rijkdommen af te nemen.'

'Hoe hebben jullie de wilden kunnen onteigenen?' merkte Marcelino op.

'O, geloof maar niet die verhalen van "edele wilden" die de Fransen en anderen vertellen,' antwoordde Luís zijn vriend. 'Jean-Jacques Rousseau heeft nog nooit een echte wilde gezien!'

De vijandschap van Luís Soares ten opzichte van de inboorlingen stond haaks op de publieke opinie in Portugal. In 1748 had Dom João de slavernij voor de Braziliaanse Indianen afgeschaft. Dit besluit betrof absoluut niet de miljoen zwarte *peças* en mulatten, wier lot hetzelfde bleef.

'"Onteigend", zeg jij,' ging Luís verder. 'Maar overal waar de wilden weggejaagd zijn, kun je hopen dat Brazilië ooit een beschaafd, christelijk land wordt.'

'Ik heb mijn vader wel andere dingen horen vertellen,' antwoordde de jonge Da Fonseca terwijl de drie vrienden langs een rotspunt liepen waarvandaan ze de Taag konden zien. 'En vergis je niet in mannen zoals hij. Zij nemen het voor de inboorlingen op omdat de rede vandaag de dag eist dat zij niet als *peças* worden gebruikt.'

'En wie neemt het op voor de eerste kolonisten?' antwoordde Luís Soares. 'Wie heeft het over de verschrikkingen die zij hebben meegemaakt voordat de plantages en de steden niet meer aangevallen werden? Wie heeft het over de duizenden mannen die hun leven in de *sertão* gelaten hebben?'

'Jij, dichter. Jij!' antwoordde Marcelino terwijl hij Luís op de schouders sloeg. 'Eerst klaag jij erover dat jij in een land van wilden geboren bent. Er was geen edeler en mooier land dan Portugal, en geen ondankbaarder en wredere grond dan die van Brazilië. En nu horen wij jou de loftrompet steken over de Nieuwe Wereld, zijn dalen, zijn rivieren, zijn bossen, die mooier zijn dan alles wat hier te zien valt. Het komt erop neer dat Paulo en jij hier een ontdekking hebben gedaan. Ja, mijn vrienden, toen jullie de Taag opvoeren hebben jullie Brazilië echt ontdekt!'

De salon met de zware gordijnen in het landhuis van Da Fonseca zag er streng uit. De tapijten, hier en daar versleten, roken muf. Twee enorme mahoniehouten tafels met besneden poten stonden in de kamer, en grote spiegels weerkaatsten de voorwerpen die herinnerden aan het verleden van de Da Fonsecas, twee grote Chinese porseleinen vazen, een teakhouten kast, ingelegd met ivoor uit Goa, een Perzische schenkkan, een ijzeren beeldje uit West-Afrika dat een Portugese soldaat uit de zestiende eeuw voorstelde.

Toch was Dom Antônio geen man die melancholiek aan het verleden zat terug te denken. Hij was klein van stuk en heel levendig, ondanks het feit dat hij tweeënzestig was, had een intelligente uitdrukking op zijn gezicht en een blik die vaak heel wantrouwend was. Hij hield niet van deze droevige, stoffige kamer, maar veranderde er ook niets aan, minder uit eerbied voor zijn voorouders dan uit weerzin om er een paar duizend *cruzados* aan te besteden.

Dom Antônio zat op een sofa, met zijn zoon Marcelino naast hem. Paulo zat op een ebbehouten stoel, even roerloos alsof hij voor een schilder poseerde, zozeer was hij onder de indruk van de man die bij de Da Fonsecas op bezoek was.

De man zat aan een van de mahoniehouten tafels, waarop hij een paar kaarten van Brazilië had ontrold. Aan de lengte van zijn benen, die hij voor zich uitstrekte, was te zien dat hij groot was. Hij was vijfenvijftig, zag er goed uit en was robuust. Zijn doordringende, intelligente kraaloogjes waren even opvallend als het kuiltje in zijn kin, dat een mooie mond benadrukte, en ook de witte pruik die over zijn schouders viel was opvallend.

Hij heette Sebastião José de Carvalho e Melo, en niemand in Portugal was in oktober 1755 even machtig als hij, behalve de koning. Dat was opmerkelijk, want hij was de zoon van een cavalerie-officier. Maar zijn volharding in de strijd om de macht was na vele moeizame jaren in 1739 beloond doordat hij als ambassadeur in Londen werd benoemd. Zes jaar later stuurde João V hem naar Wenen om te bemiddelen in een conflict tussen het Oostenrijkse keizerrijk en de paus.

Hij was weduwnaar van zijn eerste vrouw, dona Teresa de Noronha, en troostte zich met Leonor Ernestina von Daun, een gezelschapsdame van de oude keizerin Christina. Leonor was de dochter van graaf Leopold Josef von Daun, een Oostenrijkse oorlogsheld, en deze verbintenis verzekerde de zoon van de cavalerie-officier van een plaats tussen de edelen in Lissabon, waar hij in 1749 terugkwam, op zijn vijftigste, om de kroon te zetten op zijn successen van de afgelopen tien jaar.

Zijn openlijke kritiek op de priesters die Zijne Zeer Katholieke Majesteit stroop om de mond smeerden en zich bemoeiden met de staatszaken, zijn vijandige houding tegenover bepaalde *fidalgos* die hij beschuldigde van corruptie, zijn steun aan de kooplieden bezorgden hem vijanden die vastbesloten waren een eind te maken aan zijn ambitieuze carrière.

Carvalho e Melo, die een conflict met deze mannen voorzag, had zich verbonden met een groep die prins José, de erfgenaam van João V, ondersteunde. Op 31 juli 1750, toen de oude koning stief, benoemde José I een hooggeachte, maar vrijwel blinde oude man tot eerste minister, die zelden zijn huis verliet en pas na middernacht gasten ontving. Het ministerie van Marine en Koloniën ging naar een andere beschermeling die ziekelijk was; dat van Buitenlandse Zaken en Oorlog werd opgedragen aan Sebastião José Carvalho e Melo, die, gezien de staat van gezondheid van zijn beide collega's, hoofd van het kabinet werd.

Eenmaal op de troon gezeten gaf José I de voorkeur aan de jacht en de Italiaanse opera boven de lasten van de regering, en de macht van Carvalho e Melo reikte dus veel verder dan het kabinet, hoewel hij nog wel te maken had met de intriges van *fidalgos* en priesters die een parvenu als hij minachtten. Maar op deze dag in oktober 1755, waarop hij een bezoek bracht aan zijn vriend Dom Antônio, was Carvalho e Melo, beter bekend onder zijn titel van markies van Pombal, bezig om de eerste moderne dictator in Europa te worden.

De drie jongelui, die na hun wandeling naar de salon geroepen werden, vonden de manier van doen van Pombal zo uitnodigend dat zij gedeeltelijk hun aanvankelijke bezorgdheid toen zij hem zagen lieten varen. Toen de minister hen vroeg wat zij buiten hadden gedaan, antwoordde Marcelino da Fonseca: 'Excellentie, ik wilde mijn vrienden het uitzicht laten zien op de Taag en de forten, het paleis van Mafra, de tegenwoordige en de vroegere glorie van hun vaderland.'

'Glorie, jazeker,' zei de markies. 'Maar wat hebben wij verder gewonnen? De Engelsen hebben geen vloot naar Brazilië gestuurd, hebben geen slag geleverd, en toch komt het grootste deel van de rijkdommen van de kolonie – goud en diamanten – niet aan Lissabon ten goede, maar aan Londen!'

De Portugese wijnen gingen weliswaar naar Engeland, waar de edelen erg veel last hadden van jicht, maar de ladingen met okshoofden en pijpen die uit Oporto werden verzonden vertegenwoordigden slechts een vijfde van de import van Engelse stoffen. Om de Engelse koopwaar te betalen stuurden de Portugezen de helft van de produktie aan goud en diamanten uit Minas Gerais en andere mijnstreken naar Londen.

'Het goud en de edelstenen uit Brazilië financieren Engelse ondernemingen – de stoffen die wij van hen kopen, hun kanalen en hun wegen,' ging Pombal verder. 'Onze schatkist stelt de Engelsen in staat om een imperium op te bouwen en Londen om Amsterdam naar de kroon te steken als het om handel gaat. Zonder de rijkdommen van Brazilië en Maranhão om onze schulden te betalen, zou Portugal binnen een half jaar failliet zijn. De paleizen van Lissabon, de vemen vol koopwaar, de vele schepen aan de monding van de Taag zijn slechts illusies. Het goud, de diamanten, de suiker, de katoen, de specerijen, alles wat onze schatkist vult komt uit Amerika en wij geven dat vrolijk door aan de Engelsen!'

De minister keek zijn gastheer aan en ging toen verder: 'Wij hebben Portugese ondernemingen nodig, en onze eigen handelsondernemingen in Brazilië, niet een meute agenten die vóór alles denken aan de winst van de Engelse kooplieden die zij bedienen.'

Samen met Dom Antônio en anderen had Pombal recentelijk een maatschappij opgericht die het monopolie had in Maranhão en Grão Pará. De staatsman bekeek de kaarten, en wees met zijn vinger op Brazilië.

'Een goede handelspolitiek zou de rijkdommen en de produkten van onze kolonie beschermen, maar dat is nog niet genoeg om Brazilië te redden... Ménsen! Wij hebben mensen nodig om dat uitgebreide gebied te bevolken. Ons kleine Portugal telt twee miljoen inwoners en sommigen denken dat Brazilië twintig keer zoveel mensen kan voeden, of meer nog. Misschien wel zestig miljoen, net als in China.'

Paulo, die nog meer onder de indruk was van de minister dan zijn vrienden, had tot dan toe zijn mond gehouden, maar geschrokken van de cijfers die Pombal noemde, raapte hij zijn moed bij elkaar en vroeg hij: 'Neemt u mij niet kwalijk, excellentie, maar waar vinden wij zoveel mensen?'

'We zouden kunnen beginnen met de tienduizenden inboorlingen die de jezuïeten onder hun macht hebben te bevrijden. De Indianen moeten onder die nodeloze zeggenschap uit. Laat ze Portugese namen aannemen! Laat ze de wilde taal vergeten en Portugees leren! Laat ze gelijk worden aan de kolonisten!'

Luís Soares fronste zijn wenkbrauwen. Iedereen wist dat de minister van koning José aanstuurde op een belangrijk conflict met de Sociëteit van Jezus. Pombal, die de uitdrukking op Luis' gezicht zag, vroeg hem: 'Bent u het daar niet mee eens?'

'Jawel, excellentie. De priesters hebben hun inheemse leerlingen als kinderen grootgebracht en ze allerlei leugens over de kolonisten verteld.'

'Vieira liegt anders niet,' zei de minister, waarbij hij doelde op de jezuïet die langs de Rio das Amazonas zoveel moeite had gedaan. 'Zestig jaar geleden had hij het over twee miljoen afgeslachte Indianen. Hoeveel zijn er sinds die tijd gedood? Nee, Vieira loog niet toen hij het had over de slachters van de Amazone. Maar wat zou hij vandaag de dag zeggen als hij de *aldeias* zag waar honderden inboorlingen als lijfeigenen op de plantages werken om de jezuïeten rijker te maken?'

In de loop van de jaren die hij in Londen had doorgebracht had Pombal veel beschuldigingen aan het adres van de jezuïeten gehoord, die ervan werden verdacht tegen de Kroon en het parlement te hebben samengespannen. Terug in Lissabon, had hij vastgesteld dat zij als biechtvaders aan het hof grote macht hadden – een macht waarvan vooral Gabriel Malagrida, een Italiaanse jezuïet die dertig jaar in Brazilië was geweest, waar hij de reputatie van wonderdoener had gekregen, grof misbruik maakte.

In 1749, toen João V ernstig ziek was geworden, was Malagrida naar Lissabon gegaan met een beeld van de heilige maagd dat hij op al zijn missietochten meesleepte en waaraan magische kracht werd toegekend. Maandenlang zat hij aan het ziekbed van de koning en was bij hem in zijn laatste dagen, waardoor hij de machtigste jezuïet aan het hof werd en de vertrouweling van de adellijke vijanden van Pombal. Maar noch Malagrida noch die *fidalgos* hadden enige invloed op de gebeurtenissen in Brazilië, die de markies gebruikte om koning José te overtuigen dat de zwartjurken een bedreiging voor de Kroon vormden.

In 1750 hadden Portugal en Spanje het Verdrag van Madrid getekend, waarbij het Verdrag van Tordesilhas van 1494 eindelijk als achterhaald werd erkend en waarbij aan twee commissies werd opgedragen om in het noorden en in het zuiden reële grenzen vast te stellen.

De strooptochten van de *bandeirantes* in de provincie Guiará en naar het zuiden langs de Atlantische kust, hadden geleid tot de vestiging van twee nieuwe Braziliaanse kapiteinschappen, Santa Catarina en Rio Grande de São Pedro. Deze expansie was geheel overeenkomstig het plan van de Portugezen om hun zeggenschap uit te breiden tot de Rio da la Plata waar zij in 1680 een versterkte enclave hadden gegrondvest, de Colónia do Sacramento, tegenover Buenos Aires. Volgens het Verdrag van Madrid zou de Colónia aan Spanje worden afgestaan in ruil voor gebieden die bij het meest noordelijke kapiteinschap, Rio Grande de São Pedro, zouden worden gevoegd.

Op die vruchtbare gebieden ten oosten van de Rio Uruguay lagen zeven jezuïetendorpen waarin dertigduizend Guaranis woonden. Dezen hoorden dat zij hun hutten moesten verlaten, hun spullen moesten meenemen en naar Spaans grondgebied moesten gaan. De goede paters vroegen vergeefs deze beslissing ongedaan te maken en probeerden vervolgens, omdat zij bang waren voor de consequenties van een conflict tussen Portugezen en Spanjaarden, hun bekeerlingen te overtuigen dit verdrag te aanvaarden. Maar de Guaranis weigerden te vertrekken en verzetten zich tegen de komst van leden van de Spaans-Portugese commissie die de nieuwe grens moest vaststellen. In 1754 stuurden Spanjaarden en Portugezen ieder van hun kant expedities eropuit, die mislukten.

'De jezuïeten gooien duizenden Guaranis in de strijd,' legde Pombal in de salon van de Da Fonsecas uit, waarbij hij een grof overtrokken rapport citeerde. 'Op ditzelfde ogenblik zijn er weer Spaanse en Portugese troepen op weg om deze priesterlijke utopie de kop in te drukken.'

Vervolgens had de minister het over een andere streek waar de jezuïeten zich ook weer verzetten tegen de commissie, de Rio das Amazonas en de zijrivieren, waarlangs de Sociëteit van Jezus negentien *aldeias* had gesticht. Hij toonde een bijzondere belangstelling voor deze streek want zijn broer, Francisco Xavier de Mendonça Furtado, was gouverneur van Maranhão en Grão Pará. Trots, licht geïrriteerd, en even ambitieus als zijn broer, was Mendonça in 1751 in Belém do Pará aangekomen, met onder andere als opdracht om de grenscommissie naar het noorden te brengen. Hij had de jezuïeten ervan beschuldigd zijn werk te dwarsbomen doordat zij hem weigerden hem inboorlingen te geven voor zijn kano's en voldoende mondvoorraad voor zijn cartografen.

De kritiek van Mendonça op de zwartjurken ging veel verder dan de moeilijkheden die de commissie ondervond. Terwijl hij de wreedheid van de kolonisten ten opzichte van de Indianen aan de kaak stelde, luisterde hij belangstellend naar de planters als die de jezuïeten ervan beschuldigden de inboorlingen te gebruiken en geheime mijnen in de *sertão* te exploiteren, de mannen uit de *aldeias* eropuit te sturen om planten in het oerwoud te gaan halen, om zich ondertussen te amuseren met hun vrouwen en dochters.

De jezuïeten wezen deze aantijgingen van de hand en onderstreepten dat het hun verboden was om voor zichzelf meer dan een *cruzado* in te houden, en dat alle winst alleen de *aldeias* ten goede kwam. De beschuldigingen van bandeloosheid wezen zij helemaal minachtend van de hand, maar toch lukte het hun niet om het wantrouwen van Mendonça weg te nemen, of de jaloezie van de kolonisten, van wie weinigen domeinen bezaten die te vergelijken waren met die van de jezuïeten. Op het eiland Marajó bijvoorbeeld, bij de monding van de Rio das Amazonas, beheerden de zwartjurken zeven *fazendas* met dertigduizend stuks vee, en bebouwden zij uitgestrekte plantages met suikerriet en katoen. Bovendien bracht de 'kruiderij uit het bos' – cacao, kruidnagelen, specerijen – jaarlijks duizenden *cruzados* op.

'De kolonisten komen om van de honger dank zij die rijke priesters,' had Mendonça aan zijn broer geschreven. 'De inboorlingen weten van niets, en hebben geen enkele hoop op de toekomst.'

Pombal was van plan om de jezuïeten de eerste klap toe te brengen in Maranhão en Grão Pará. In juni 1755 vaardigde hij een wet uit die de goede paters het tijdelijk gezag over de noordelijke *aldeias* ontnam. De zwartjurken konden hun evangelisatiewerk onder de inboorlingen voortzetten, maar het bestuur van de dorpen zou in handen van leken komen.

Pombal besprak deze wet niet met de Da Fonsecas en hun gasten, want de tekst ervan was geheim en zou niet gepubliceerd worden voordat Mendonça klaar zou zijn om maatregelen tegen de zwartjurken te nemen. Toch sprak de minister een uur lang over het gevaar dat de jezuïeten voor Paraguay en voor Maranhão betekenden. Zijn jonge gehoor sprak hem niet tegen. Marcelino liet zijn vader antwoorden, Luís had zijn twijfels aangaande de gelijkstelling van de inheemsen, maar was het verder helemaal met de staatsman eens. En Paulo Cavalcanti...

Paulo vond de woorden van zijne excellentie maar dubieus. Vijf mijl ten zuiden van Santo Tomás was er een *aldeia*, Nossa Senhora do Rosário, vijfendertig jaar geleden gesticht op een verlaten plantage die aan de Sociëteit toegewezen was. De laatste keer dat Paulo er was geweest woonden er slechts driehonderd inboorlingen, mestiezen, mulatten en negers. Alles wat de jongeman zich kon herinneren over Rosário was in tegenspraak met Pombals beweringen over de rijkdom van de jezuïeten.

'Excellentie, ik ken een *aldeia* in de buurt van ons domein...' waagde hij te zeggen.

'Ja, en?'

'Er wonen driehonderd bekeerlingen, onder wie nogal wat *caboclos...*'

Pombal stak zijn hand op om Paulo te onderbreken.

'*Caboclos,*' herhaalde de minister. 'De kruising tussen inboorlingen en Portugezen. Die term is beledigend, jonge vriend.'

'Dat realiseer ik mij,' stamelde Paulo.

'Ik hoop dat de kolonisten snel zullen ophouden dergelijke woorden te gebruiken. Het is veel gemakkelijker om de inboorlingen als gelijken te behandelen. Maar gaat u verder.'

Enigszins van zijn stuk gebracht, vervolgde Paulo Cavalcanti: 'In die *aldeia* wijst niets erop dat de jezuïeten rijk zijn.'

'Dat is dan een uitzondering. De grote *aldeias* produceren in één seizoen meer dan de meeste kolonisten in hun hele leven. U bent nog jong, Paulo. Neem de tijd maar om eens goed te kijken...'

Al sprak hij tegen de erfgenaam van Santo Tomás, de minister keek Luís en Marcelino aan, ongetwijfeld omdat hij zijn raad ook voor hen bedoelde.

'Jullie zullen ten slotte wel begrijpen dat de jezuïeten die naar Brazilië zijn gekomen om de heidenen te bekeren op een dwaalspoor zijn gebracht. Zij proberen om een jezuïtenparadijs op aarde te vestigen.'

'De Sociëteit van Jezus is een geduchte macht,' zei Paulo rustig. 'Geen enkel andere orde heeft zoveel macht, in Lissabon niet en in Rome niet. Wie zou haar durven berechten?'

Pombal deed alsof hij die vraag niet gehoord had en begon over de goudproduktie uit Minas Gerais te praten, waarbij hij Luís Soares aankeek. Maar zijn doordringende ogen bleven even op Paulo rusten en de jongeman uit Pernambuco begreep dat de minister zelf de Sociëteit van Jezus zou veroordelen.

Na twee dagen bij de Da Fonsecas te zijn gebleven gingen Paulo en Luís weer naar Lissabon, waar zij twee weken later aan boord zouden gaan van een koopvaarder, de *Estrela do Mar*, die in de tweede week van november 1755 naar Brazilië zou gaan. Zij huurden kamers bij Dona Clara de Castro, afkomstig uit Bahia en weduwe van een officier die in Brazilië gediend had. De twee jongelieden en de nicht van Dona Clara waren de enige kostgangers in het grote huis van vier verdiepingen, dat in het centrum van de stad lag. Manuela, de nicht, was zestien en had een baby; niemand had het ooit over haar man en de twee Brazilianen waren zo tactvol om dat onderwerp ook niet aan te snijden.

Een week lang bezochten zij Lissabon en omgeving, waarbij zij steeds ongeduldiger werden om naar huis te gaan.

Pombal had benadrukt dat vreemdelingen profiteerden van de Portugese rijkdommen en dat de luxe van de hoofdstad slechts een illusie was – maar wat een mooie illusie! De paleizen van de koning en de machtige koninklijke familie troonden aan de waterkant, links van de Terreiro do Paço. Rechts van dat plein lag een indrukwekkende kade met daarachter het douanekantoor. José I, die veel van muziek hield, had een operagebouw vol marmer en goud laten oprichten. Niet minder indrukwekkend waren de vlees- en vishallen, die doorgingen voor de mooiste van heel Europa. Vanuit de bovenstad zag het centrum, tussen het Rossioplein en de Terreiro do Paço, eruit als een volgebouwd dal, aan de oost- en westzijde omgeven door heuvels, aan de noordzijde door een lange bergrug. Lissabon leek nog steeds middeleeuws, met zijn smalle en volle straten, zijn negentig kloosters en zijn veertig kerken.

Veel *fidalgos* bezaten in de hoofdstad herenhuizen van roze en wit marmer. Een ander teken van welvaart waren de winkels met juwelen en zijden stoffen, in de rua dos Mercadores of de rua de Confeitaria.

De drukte in de stad en de haven wekte een indruk van optimisme, en weinig inwoners leken de vrees van Pombal te delen. De tienduizenden Afrikanen in de hoofdstad, afstammelingen van slaven die ten tijde van de *conquistas* waren meegenomen, waren zich er terdege van bewust dat de slavernij op het punt stond afgeschaft te worden.

De kooplieden waren heel tevreden over Pombal, die hun had toegestaan om in het openbaar een zwaard te dragen, een privilege dat tot dan toe voor edelen gereserveerd was geweest. De *fidalgos* die niet actief oppositie voerden tegen de minister hadden de schouders opgehaald bij een dergelijke belediging en waren teruggekeerd naar hun kaarttafels waarbij ze tegen zichzelf zeiden dat zij tenslotte in de beste van alle mogelijke werelden leefden, afgezien van de acties van Pombal dan.

De dikke mist die boven de Taag hing begon op te trekken toen de zon op 1 november 1755 opkwam. Het was Allerheiligen en toen de klokken luidden voor de eerste mis, verhoogde een wolkeloze lucht de feestvreugde bij de kerkgangers. Luís Soares was vroeg opgestaan om naar de basiliek van Santa Maria te gaan, die vlak achter het Castelo do São Jorge lag. Paulo was van plan om later naar de mis te gaan, naar een kerkje in de buurt van het Rossioplein.

De erfgenaam van Santo Tomás werd even voor halftien wakker, ging op de rand van zijn bed zitten, reciteerde een kort gebed en kleedde zich toen aan. Opeens liep hij naar het venster, trok de jaloezieën op en liet het licht de kamer binnenstromen. Hij keek de straat in tot de volgende hoek en vroeg zich af wat zijn aandacht getrokken had. Hij had namelijk vagelijk de indruk een haan te hebben horen kraaien, maar dat was zo laat weinig waarschijnlijk. Een paar huizen verderop rookte een oude man, van wie Paulo wist dat hij doof was, zijn pijp in de deuropening. Een familie die naar de kerk ging groette hem en liep door. Twee dienstmeisjes met kruiken kletsten terwijl zij naar de fontein van het Rossioplein gingen.

De jongeman uit Pernambuco keek naar de huizen aan de overkant, die drie of vier verdiepingen hadden, en soms versierd waren met blauw-witte *azuelos*, maar voor het merendeel zwart waren van het roet. Sommige hadden balkonnetjes voor de vensters, waarvan de luiken nog gesloten waren.

Om kwart voor tien, op het moment dat Paulo Cavalcanti zich weer om wilde draaien, begon het huis te schudden. Hij greep het raamkozijn vast; in de straat bleven de familie en de dienstmeisjes stokstijf staan, en de oude dove man greep zijn deurkruk vast. Toen klonk er uit de verte een geluid als van onweer. Geïntrigeerd keek Paulo naar boven, naar de blauwe lucht. Het trillen hield weer op.

'Ojee, ojee!' riep een vrouw. 'Ojee, Maria!'

De dienstmeisjes renden naar de familie toe, waarbij hun houten sandalen over de straatstenen klepperden. Een van hen lachte zenuwachtig. De oude man, die met zijn rug naar de straat toe stond, had moeite zijn deur open te maken.

Duizenden stofdeeltjes dansten voor de ogen van Paulo, die weer naar de lucht keek omdat hij dacht dat hij rook zou zien. Er was vast een explosie in het arsenaal geweest, in de benedenstad, of in de kruitfabriek van het Castelo do São Jorge.

Tien seconden later begonnen de huizen aan de overkant te hellen, en de houten vloer begon zo hevig te trillen dat Paulo bijna zijn evenwicht verloor. Schoorstenen stortten in, pannen vielen van daken, en het serviesgoed in het huis van Dona Clara brak. *Terremoto!* was wat bij de jongeman opkwam: een aardbeving!

Hij bleef roerloos staan, gefascineerd door de huizen aan de overkant van de straat die op hun funderingen heen en weer begonnen te zwaaien, door muren die braken terwijl zij naar beneden ombogen. Hij was verstijfd van schrik en wachtte op zijn dood.

Plotseling braken drie façades, en stortten in, waarbij de familie en de dienstmeisjes bedolven werden. De dove oude man, die nog steeds met zijn deur bezig was, werd op zijn beurt bedolven. Door het gapende gat dat net ontstaan was zag Paulo de stad bij golven omhoog komen en weer neerdalen, als op een wilde zee. De huizen die op de heuvel stonden gleden naar beneden. Torens wankelden in een stoffige atmosfeer. Het lawaai van de aardbeving, het gekraak van balken, het geluid van een regen dakpannen, het voegde zich allemaal samen tot een oorverdovend gerommel.

Paulo vloekte toen een van de jaloezieën op zijn vingers viel, maar hij liet het raamkozijn niet los. Een van de muren van zijn kamer scheurde, sommige planken van de vloer kwamen omhoog naar het plafond, de meubels gleden door de kamer. Het huis zakte naar opzij en de jongeman, die achteroverviel, stootte zijn hoofd.

Hij bleef roerloos liggen onder een regen van brokstukken. 'Heilige Tomás, help mij,' snikte hij. Er opende zich een gapend gat naast hem en hij klampte zich vast aan wat er nog van de vloer over was. Na een paar minuten hield het trillen op. Boven het gekraak uit hoorde Paulo een jammerklacht.

'Clara! Manuela!' riep hij.

De deur van zijn kamer, tegenover de ingestorte muur, hing uit haar scharnieren. Hij kroop die kant uit en betastte de houten vloer voordat hij eroverheen ging.

Een tweede reeks schokken deed het huis weer schudden.

Paulo bleef voortgaan, bereikte de drempel van zijn kamer, kroop naar de trap waarvan de eerste treden nog intact waren, maar gevaar-

lijk overhelden. Hij stond op en begon naar beneden te gaan terwijl
nieuwe schokken het huis deden schudden. Plotseling zakte de trap in
en de jongeman viel twintig voet naar beneden op een hoop puin en
planken, waar hij even verdoofd en zwijgend bleef liggen.

Drie minuten later hield de beving op en werd het lawaai minder.
Paulo stond op en bewoog stuk voor stuk zijn ledematen. Zijn schouder deed pijn, en zijn arm was verwond. Het geweeklaag klonk nu
dichterbij en hij realiseerde zich dat dat voortdurend aanwezig was
geweest sinds hij het voor de eerste keer gehoord had. Hij ging staan,
baande zich een weg de gang in en liep naar de voordeur.

Het was tien uur in de ochtend. In een kwartier tijds was een derde
van Lissabon in een ruïne veranderd.

De jongeman vond Manuela en haar baby in het trappehuis.

'Het einde van de wereld!' kreunde de jonge vrouw. 'Het einde van
de wereld. Het einde van...'

'In Gods naam, houd uw mond!'

Paulo riep Dona Clara, maar kreeg geen antwoord. Balken kraakten en braken. Stukken muur bleven vallen.

'Pak uw kind! Naar buiten! Naar buiten! Het huis gaat instorten.'

Hij liep naar de voordeur, maar kreeg die maar half open, ging een
plank zoeken die hij als hefboom gebruikte om een opening te forceren waardoorheen Manuela en hij naar buiten konden.

Buiten was het bijna donker, maar ondanks dat waren de ruïnes
duidelijk te zien. In deze kunstmatige nacht, waarin gestalten tussen
het puin begonnen te bewegen, klonk overal geweeklaag.

'Naar de rivier!' zei Paulo. 'Op de kades zijn wij in veiligheid.'

Manuela antwoordde niet, maar bleef Jezus, Maria, Jozef en alle
heiligen die zij zich kon herinneren aanroepen. Toch was zij een stevige meid en hield zij Paulo gemakkelijk bij, terwijl zij haar kind tegen
zich aandrukte.

Onder aan de heuvel stuitten zij op een hoop puin die de smalle
straat versperde. Paulo zei de jonge vrouw te wachten, en klom op het
puin om een doorgang te zoeken. Toen hij bovenop stond hoorde hij
gekraak.

'Manuela!'

De tweede verdieping van een huis viel met veel lawaai op de moeder en haar kind.

'Manuela,' mompelde Paulo.

Hij realiseerde zich amper dat de duisternis nu plaats maakte voor
een soort gelige mist. Hij begon in de richting van de rivier te rennen,
dacht aan zijn vriend Luís, overwoog om naar hem toe te gaan in de

basiliek, maar zijn drang tot overleven was sterker en hij vervolgde zijn weg naar de kades.

Voor de vernietigde kerk begonnen de overlevenden het puin te ruimen waaronder hun familieleden en vrienden bedolven waren. Een priester die helemaal onder het stof zat, huilde stilletjes naast hen. Verderop sprong en danste een bende gewapende nietsnutten door de straat, zwaaiend met hun buit. Eenzame mannen en vrouwen zochten in de puinhopen en riepen de namen van hen die ze zochten.

Plotseling klonk er een nieuwe kreet uit de monden van de overlevenden die uit het centrum kwamen: 'Brand!'

De kaarsen die voor de heiligenbeelden waren aangestoken hadden in de vernietigde kerken brand veroorzaakt en de vlammen, aangewakkerd door een noordoostelijke wind, verspreidden zich snel.

Even voor elf uur kwam Paulo op de Terreiro do Paço, waar gewonden en stervenden op straat lagen. Sommige overlevenden liepen wankelend, verdwaasd en halfnaakt rond, en brabbelden onsamenhangende woorden. Vier *carpideiras*, professionele klaagvrouwen, drongen door de menigte en stootten hun geweeklaag uit. Twee onberispelijk geklede edelen, met hun pruiken en hun linten intact, liepen voor slaven uit die een koffer droegen, waarin zonder twijfel waardevolle voorwerpen zaten.

Paulo was voor meer dan de helft over het plein toen hij door de menigte tegen een koets gedrukt werd. Hij keek erin, en zag drie mannen tegen elkaar gedrukt zitten.

Vanaf de kade klonk een kreet van paniek. Paulo draaide zich om en zag dat een muur van water over de Terreiro do Paço stroomde.

De aardbeving had een vreselijke vloedgolf veroorzaakt die zich in de monding van de Taag stortte, en nu de rivier optrok. Schepen die van de ankerkettingen gerukt waren braken aan stukken op de kades en de losplaatsen. Boten met overlevenden die de Taag aan het oversteken waren werden door draaikolken meegezogen. De rivier trad buiten haar oevers en overstroomde de laaggelegen wijken van Lissabon.

Paulo klampte zich aan de koets vast, die even later versplinterd werd door een balk van een aanlegsteiger. De jongeman kwam in het kolkende water terecht maar slaagde erin de disselboom van het rijtuig te pakken te krijgen, en klampte zich daaraan vast.

Er volgde een verschrikkelijke explosie toen het douanekantoor, al beschadigd door de eerste schokken, door de geweldige vloedgolf geraakt werd. Het koninklijk paleis en de andere gebouwen aan de zeekant verdwenen in het water.

Toen stroomde de vloedgolf weer terug. Weer klampte Paulo zich vast aan de deur van de koets, keek naar binnen en schrok. De drie inzittenden waren klem geraakt onder de balk en verdronken.

'Heilige Moeder Gods!'

Deze angstkreet ontviel de jongeman toen hij een tweede golf zag aankomen. Hij stikte bijna toen het water zich boven hem sloot, maar deze tweede golf was niet zo krachtig als de eerste en algauw stond Paulo hoestend en spugend weer op zijn benen. Wat hij nu zag was zo mogelijk nog erger. De Cais de Pedra, een prachtige marmeren kade, die door de eerste schokken al ondermijnd was, en waarop honderden overlevenden een toevlucht hadden gezocht, was door de golf weggeslagen.

Paulo liep bij de rivier weg en voegde zich bij de menigte die naar het Rossioplein stroomde. Hij was minder dan duizend passen van de Terreiro do Paço, maar hij had een uur nodig om deze afstand af te leggen. Honderden mensen gingen naar het plein, terwijl de brand van oost naar west trok.

Op het plein probeerden priesters en soldaten die niet uit het centrum waren weggevlucht de menigte te kalmeren. De jongeman sloot zich aan bij een groep die naar een jezuïet stond te luisteren, en die reeds een uitleg voor de ramp had.

'God heeft de aarde doen trillen en de wateren opgezweept, omdat Hij ons wil straffen.' De priester hief zijn armen op en wees naar de vlammen die opstegen uit het grote Carmo-klooster, dat tegen een heuvel lag. 'De tempels die te Zijner ere zijn gebouwd worden niet gespaard, zo ernstig zijn de zonden van onze stad.'

De zwartjurk liet zijn arm weer zakken en ging verder: 'Waarom heeft God onze hoofdstad getroffen? Om de Spanjaarden te straffen heeft Hij in Lima, in het verre Peru, reeds Zijn toorn getoond. Zijn de zonden van de Portugezen dan zo erg dat Lissabon zelf vernietigd moest worden?'

De priester zinspeelde op de aardbeving die in 1746 Lima had verwoest.

'Almachtige God, spaar ons! Geef ons de tijd om berouw te tonen!' besloot hij.

Mannen knielden op de straatstenen, snikten en smeekten om de genade Gods. Paulo liep weg en ging naar de bovenkant van het plein. Hij zag rook opstijgen van de heuvel waar de basiliek stond, dacht aan Luís en vroeg zich af wat die thans meemaakte, als hij niet dood was.

Een oude man huilde toen hij vertelde dat het gebouw van de Overzeese Raad, waar hij veertig jaar gewerkt had, in puin lag, dat de archieven, het geheugen van drie eeuwen veroveringen en handel, vernietigd waren. Hij liep achter Paulo aan, die het plein overstak. Toen de jongeman voor een hoop ingestorte muren en gebroken pilaren bleef staan, eens het paleis van de inquisitie, deed de oude man dat ook.

'Is dat het werk van God?' vroeg Paulo.

'Waarom vraag je dat?' vroeg de ander stomverbaasd.

'Vernietigt God het huis van de meest fanatieke verdedigers van het geloof?'

In zestig jaar tijds had de oude man een flink aantal joden, ketters en heksen op het Rossioplein zien verbranden, maar hij had nooit getwijfeld aan de rechtvaardigheid van de straf die de vijanden van het ware geloof ondergingen. Hij schudde zijn hoofd en zei ernstig: 'Misschien moeten wij ons afvragen of de Grootinquisiteur niet te lankmoedig is geweest. Als wij duizend joden en duizend ketters meer hadden verbrand, zouden de heiligen ons dan vandaag in de steek hebben gelaten?'

Op hetzelfde ogenblik dat de archivaris de lankmoedigheid van de inquisitie veroordeelde, hield een groep overlevenden, verzameld op een ander plein in de buurt van het Rossioplein, zich bezig met meer praktische vragen. De markies van Pombal, die gespaard was gebleven, had net een kort gesprek met koning José gehad, die ook ongedeerd was. De edelen en de stadsbestuurders die met Pombal waren meegegaan roerden de toorn Gods amper aan, want zij hadden andere zorgen. De Munt, die nog overeind stond maar door het garnizoen verlaten was, moest weer onder bewaking worden gesteld. De gevangenen die uit de beschadigde kerkers waren ontsnapt begonnen te plunderen en te moorden. De bemanningen van de schepen die door de springvloed gespaard waren gingen aan land om hun deel van de buit op te eisen. Er waren tienduizenden gewonden, God wist hoeveel doden, en men was al bang voor de pest.

De markies van Alorna, die deel uitmaakte van het escorte van Pombal, stelde voor om te beginnen voor elk probleem de meest eenvoudige oplossing te kiezen.

'Jazeker, markies,' zei de minister. 'We moeten de doden begraven... voor de overlevenden zorgen... de haven sluiten.'

Een *fidalgo* stelde voor om de hoofdstad te verlaten, en naar Coimbra of Oporto te gaan, maar toen stond Pombal op, en keek hij naar de wijk waar de brand volop woedde.

'Toen Londen afbrandde, hebben de Engelsen de stad toen in de steek gelaten?' vroeg hij.

'Nee, excellentie.'

'Welnu, dan zal ik Lissabon ook weer opbouwen.'

Dom Antônio en Marcelino Augusto, die in Oporto waren toen de aardbeving plaatsvond, kwamen twee dagen later naar Lissabon. Het huis van de Da Fonsecas, in de rua Século, ten westen van het Rossioplein, stond nog overeind en toen Paulo daar aanklopte, werd hem onderdak geboden. De jongeman hoopte er Luís Soares te vinden, maar die had nog geen teken van leven gegeven. Paulo had al een paar keer zijn vriend tussen de met as bedekte ruïnes gezocht, waar vijftienduizend doden en vijftigduizend gewonden lagen. De *Estrela do Mar* was gezonken en Paulo moest noodgedwongen in Lissabon blijven, vanwaar voorlopig geen schip naar Pernambuco zou vertrekken.

Drie weken na de ramp stond Paulo Cavalcanti voor een veem dat Dom Antônio bezat, in een wijk boven de Terreiro do Paço. Het gebouw was zwaar beschadigd, maar niet verbrand en een flink deel van de aanwezige koopwaar kon gered worden. Paulo had zich aangeboden om het transport van die koopwaar uit het veem naar een houten schuur die op het plein van het paleis was opgetrokken, in de gaten te houden. Dat plein stond al vol met provisorische onderkomens en winkels, met hutten die door handelaren en herbergiers waren opgetrokken. Tegen de middag liet de Braziliaan zich vervangen en ging hij naar een schuur in de buurt van de kades. Toen de eigenaar ervan Paulo zag komen, rende hij naar hem toe.

'*Senhor* Paulo! Goededag! Moge God u beschermen.'

De jongeman had een pakje onder zijn arm en glimlachte toen hij teruggroette.

'O, *senhor*, vandaag is de ragoût van mijn Oligarinha werkelijk zalig! Vis, tomaten, een heerlijke schotel, *senhor* Cavalcanti.'

De man keek even naar het pakketje maar vroeg verder niets. Paulo liep verder naar de schuur, in de buurt waarvan een vrouw zich over een dampende kookpot boog. Ze deed een stap achteruit en groette de jongeman.

'Hier, Oligarinha Pintado,' zei Paulo terwijl hij haar het pakje gaf.

Nestor Pintado, haar man, zei ongeduldig: 'Toe dan, maak dan open!'

Toen zij de verpakking kapotscheurde, raadde hij haar voorzichtig te zijn, waarop zij haar vinger nat maakte, die in het pakje stak, hem eruit haalde en in haar mond stopte, met de uitdrukking van een blij kind op haar gezicht.

'Nestor Pintado,' grinnikte Paulo, 'jij zou eens een dag op Sonto Tomás moeten doorbrengen!'

Nestor was gek op suiker en Paulo had met toestemming van Dom Antônio een heel pak meegebracht als vergoeding voor de maaltijden die hij in de schuur kreeg. Uitstekende maaltijden, want vóór de eerste november hadden *senhor* Pintado en zijn echtgenote een drukbezochte herberg in de rua Sapateiros. Het enige dat hun nu nog restte waren twee ijzeren kookpotten en een paar tinnen borden, plus een onwankelbaar geloof in de toekomst.

Terwijl Paulo zat te smullen van de ragoût en Nestor van de suiker, liepen twee mannen op de schuur af. De herbergier mompelde, terwijl hij met zijn kleverige vingers op hen wees: 'Die hebben geluk gehad! Hun boot was gezonken, maar toen de eerste golf terugstroomde nam die de wateren van de rivier mee, waardoor de bedding droog kwam. En die twee kerels, de kapitein van het schip en een matroos, zaten op de bodem van de Taag, die was drooggevallen. Toen heeft de tweede golf ze opgetild en ze weer op de oever gezet.'

'Welke boot was dat?'

'Een Braziliaanse koopvaarder – de *Estrela do Mar*.'

'Here God! Die moest ik met Luís nemen!' riep Paulo uit, die vervolgens de twee nieuwelingen aandachtiger bekeek. 'Dat klopt, ik heb met die linkse man gepraat, dat is *capitão* Alvaro Lacerda, toen ik aan boord ging om de reis te regelen.'

'Dank de Heer dan maar dat u niet aan boord bent gegaan op de dag van de aardbeving,' zei Nestor Pintado. 'Vandaag de dag werken de *capitão* en de overlevenden van zijn bemanning op de beschadigde kades. Ze moeten toch eten, nietwaar?'

'Ik had ze hier nog nooit gezien.'

'Ze zijn gisteren voor het eerst hier geweest.'

De herbergier ging de zeelieden ontvangen en riep zijn vrouw toe hun twee kommen ragoût te serveren.

'Ik ben Paulo Cavalcanti,' zei de Braziliaan toen hij op de beide mannen afliep. 'Kunt u zich mij nog herinneren? Mijn vriend en ik moesten op uw schip aan boord gaan.'

'*Sim, senhor*, dat herinner ik mij nog. Ik heb uw vriend gezien, hij zocht u.'

'Luís? Luís Soares?'

'Ja, die. Hij was bang dat u dood was.'

'Hij leeft dus nog! Wanneer hebt u hem gezien?'

'Twee dagen na de ramp, of misschien drie. Ik heb hem ontmoet in de buurt van de ruïnes van het douanekantoor. Hij ging naar de rua Século.'

'Naar een vriend,' zei Paulo, in gedachten verzonken. 'Waarom is hij daar niet aangekomen?'

De zeeman die bij Lacerda was zei: 'Hij is misschien onderweg door bandieten aangevallen, of meegenomen door de wacht.'

'Waarom zouden ze hem dan gearresteerd hebben?'

'De gevangenissen zitten propvol,' antwoordde de matroos.

Nu hij wist dat zijn vriend de aardbeving overleefd had, begon Paulo hem te zoeken, maar hij vond hem niet. Na een week herinnerde hij zich wat de *marinheiro* gezegd had en vroeg hij zich af of Luís niet door een of ander ongelukkig misverstand in de gevangenis was beland. Met hulp van Dom Antônio kreeg hij een vrijgeleide en bezocht hij twee geïmproviseerde gevangenissen die in plaats van de vernielde inrichtingen waren gekomen, en ook de vijf forten van de monding van de Taag tot Belém.

De honderden mensen die sinds de eerste november gearresteerd waren stierven van de honger, en zelfs de ratten die tussen hun voeten heen en weer liepen weigerden het vieze voedsel dat hun toegeworpen werd. Met hun lichamen onder het ongedierte vloekten en gromden zij, en beweerden onschuldig te zijn, telkens als zij de jonge Braziliaan zagen, omdat zij dachten dat hij een gezagdrager was. Er waren er waarschijnlijk maar weinigen onschuldig. Toen de aardbeving de stad had platgelegd was uit de diepten een heel leger moordenaars en dieven omhooggekomen.

Op 8 december 1755 werd Paulo Cavalcanti met een boot naar de toren van Belém gevaren, die op de rotsen achter de oever van de Restelo staat. De boot die hem naar het fort bracht legde aan aan een kleine kade in de buurt van de toren. Paulo ging aan land en liep een ophaalbrug over. Een schildwacht bekeek zijn vrijgeleide en bracht hem naar een officier die een prachtig uniform droeg.

'*Governador…*' begon Cavalcanti nadat hij zich voorgesteld had.

De man schudde zijn hoofd.

'De commandant is in Lissabon, ik ben luitenant Mathias Carneiro,' zei hij. Hij las snel het vrijgeleide en ging toen verder: 'Waarom zoekt u die Luís Soares? Heeft hij iets van u gestolen?'

'Zit hij hier?'

'Ik weet er niets van.'

De officier klaagde erover dat de toren, die normaal gesproken gereserveerd werd voor hooggeplaatste criminelen, nu volzat met boeven van laag allooi.

'Denkt u dat ik me bezighoud met dat uitschot!' besloot hij.

'Maar u houdt toch wel een register bij?'

'De *governador* heeft een lijst. Het is niet mijn taak om de namen van een bende nietsnutten te kennen.'

'We zouden misschien...'

'Waarom interesseert u zich voor die man?' vroeg Carneiro kortaf.

'Luís Soares is mijn vriend. Wij zouden samen naar Brazilië gaan.'

De luitenant riep een wacht, die wegging, een paar minuten later terugkwam en zei: '*Tenente*, er zit er inderdaad één die Soares heet.'

'Here God!' riep Paulo uit. 'Luís Fialho Soares?'

'Breng hem maar hier,' zei Carneiro tegen de wacht.

Het was inderdaad Luís. Omdat hij zo mager was, staken zijn jukbeenderen nog meer naar voren, zijn huid was vuilgeel en zijn haren zaten in de war. Hij was blootsvoets en zijn enkels droegen de sporen van voetboeien.

'Luís!'

'Paulo?' vroeg hij terwijl hij wankelend naar voren kwam. 'Hoe is dat mogelijk?'

'Dat doet er nu niet toe. Vertel eens wat er gebeurd is.'

De luitenant wilde wat zeggen, maar Paulo was hem voor: 'Laat hem spreken! Luís... hoe komt het dat je gearresteerd bent?'

De gevangene lachte vreugdeloos.

'Ik word beschuldigd van diefstal en plundering, terwijl ik zelf beroofd ben! Ze hebben lachend mijn schoenen uitgetrokken, die ongelukkigen. Ik had geen schoenen nodig als ik aan het eind van een touw zou bungelen!'

'Maar hoe...?'

'Ik heb tot twee dagen na de aardbeving gezocht. Ik ben naar de kades gegaan.'

'De kapitein van de *Estrela*...'

'Ja, die heb ik gezien. Toen ben ik de Carmo-heuvel opgelopen in de richting van de rua Século. Het was bijna nacht, maar het was licht vanwege de brand. En toen stuitte ik op de *conde* De Junqueira.'

'Een vreemde naam.'

'Wacht even, vriend. Laat me mijn verhaal afmaken. Het was een man met grijze haren, duidelijk een *fidalgo*. Hij had zijn broer bij zich, een franciscaner monnik die met een stok liep omdat hij gewond was door vallende stenen, zijn tweede vrouw, Dona Maria Madelena, en zijn moeder, wier naam ik nooit geweten heb. Toen ik ze ontmoette, trokken zij een bemodderde kar.

"U bent een sterke jongeman," riep de graaf mij toe. "Wilt u niet zo vriendelijk zijn ons te helpen?" Toen legde hij zijn hand op mijn schouder en zei: "Zoon, ik ben de *conde* De Junqueira, en dit is mijn moeder, mijn vrouw en mijn broer, die de Heer dient. Wij hebben alles verloren, op deze schamele bezittingen na." Hij vroeg mij om hen te helpen de kar naar de rivier te trekken, waar zij met een boot naar de andere oever zouden gaan. "Naar mijn landgoed achter Barreiro," zei hij.

Ik antwoordde hem dat het niet mogelijk was om de kar aan de oever van de Taag te krijgen, maar toen zei hij: "U vergist zich, zoon. Frater Egídio, die u hier ziet, heeft een doorgang door het puin gevonden, wilt u ons nu helpen?"

Toen begonnen de beide vrouwen weer de kar te duwen. Wat kon ik doen, ik moest hen wel helpen. "God zal u belonen," verzekerde de monnik.'

Luís Soares krabde heftig in zijn verwarde haren, en ging toen door: 'Het kostte twee uur om via de route van frater Egídio bij de rivier te komen. Een andere monnik, die Zacarias heette, stond op de oever, voor een sloep. "Help ons nog even om de vracht uit te laden, zoon, dan vraag ik je daarna niets meer," zei de graaf, terwijl zijn vrouw en zijn moeder in de boot stapten.

En plotseling deden de graaf en de beide monniken hetzelfde, zonder te waarschuwen, en lieten mij alleen op de oever achter. Ik was stomverbaasd, draaide mij om en zag dat er soldaten van zijne majesteit aankwamen. Ik dacht dat ik niets te vrezen had, en bleef waar ik stond. Twee soldaten pakten me vast, een andere trok het doek dat over de kar lag weg. Natuurlijk zat hij vol buit. "Dat is allemaal van de *conde* De Junqueira," zei ik, en vervolgens werd ik door een geweerkolf bewusteloos geslagen.'

'En de *conde*?' vroeg Paulo. 'Hebben de soldaten die nog achtervolgd?'

'Dat weet ik niet. Ze hebben mij meegenomen en me opgesloten in het ruim van een gestrand schip, met honderden andere gevangenen. Daar hebben ze me in elkaar geslagen en bestolen. Toen de romp van het schip begon te scheuren hebben ze ons ergens anders heen gebracht – sommigen naar de donjon van Junqueira, anderen hiernaartoe.'

'Je hebt nog geluk gehad,' merkte Carneiro op. 'Een paar dagen later zouden ze jou direct naar de galeien hebben gestuurd.'

'Maar hij is onschuldig!' protesteerde Paulo woedend.

'Natuurlijk!' zei de officier met een sarcastisch lachje. 'Wie verzint er geen mooie verhaaltjes als hij het schavot voor ogen heeft?'

'Heb geduld, Luís, ik zal de hulp vragen van Dom Antônio,' beloofde Paulo.

Luís Soares werd vier dagen later vrijgelaten. Dom Antônio waarschuwde Pombal, die een onmiddellijk onderzoek gelastte. Maar de vrijlating van de jonge Braziliaan was behalve aan de interventie van de minister ook te danken aan de ontdekking, in de donjon van Junqueira, van een zekere Orlando Freitas, alias de 'graaf'.

XV

In januari 1756 vertrok er vanuit Lissabon een oorlogsschip naar Bra-zilië, met een officieel rapport over de aardbeving, maar pas in mei, toen Paulo in Recife aan land ging en een boodschapper naar het do-mein stuurde, hoorden de Cavalcantis dat hij die overleefd had.

De opluchting van Bartolomeu Cavalcanti was minstens even groot als zijn trots een zoon te kunnen ontvangen die een diploma had ge-haald aan de universiteit van Coimbra, en hij gaf een groot feest dat vijf dagen duurde. Er waren zoveel genodigden – familieleden, vrien-den, buren – dat zij in tenten moesten worden gehuisvest, in de buurt van het Casa Grande.

Het grote gebouw, vijf jaar eerder voltooid, stond op de heuvel waar zes generaties Cavalcantis hadden gewoond sinds Nicolau en Helena hun eenzame fort hadden gebouwd, met vensters smal als schietgaten. Het huis van Fernão, de overgrootvader van Bartolo-meu, was niet afgebroken. Het dak en de veranda waren verwijderd, en de buitenmuren ervan vormden nu het centrale gedeelte van het Casa Grande. In de linkervleugel, toegevoegd aan het oude gebouw, bevonden zich de kapel en de sacristie. Rechts was een vleugel aange-bouwd met kamers en salons, terwijl de achterzijde gereserveerd was voor de keukens, de wasruimte en de opslag. Het U-vormige gebouw met een verdieping was omgeven door een hoge muur en werd gesierd door een tuin.

Het verblijf van de Cavalcantis telde nu dertig vertrekken. Op de begane grond lagen de ontvangkamer en de gastenkamers. Op de eer-ste verdieping, waar men via een gebeeldhouwde trap kwam, waren drie salons, een eetkamer met een tafel van rozehout met plaats voor vijfentwintig gasten, en zeven kamers. Vanuit een kleine bibliotheek kwam je in de galerij van de kapel en het verblijf van de priester.

De witgekalkte façade met uit Europa geïmporteerde schuiframen, de donkerrode dakpannen en het grote kruis boven de patio voor de kapel, gaven het gebouw het uiterlijk van een klooster. Over de volle lengte van het huis en de kapel bevond zich een brede veranda. Verder naar beneden stroomde de rivier, met daarnaast de raffinaderij, de distilleerderij en de *senzala*, het slavenkwartier.

Het Casa Grande viel, behalve door zijn indrukwekkende afmetingen, op door de harmonieuze manier waardoor het in het landschap paste. Het huis leek vredig en veilig te midden van hoge palmen en tuinen beplant met mooie, welriekende struiken. Deze kalmte werd opgevrolijkt door veel kleur en geluid: ara's, toekans en papegaaien in kooien bevolkten niet alleen de veranda maar ook de gangen en de salons. De grootste waaghalzen van een groepje kleine aapjes draafden voor de ingang heen en weer, en kwamen soms de hal binnen, waaruit ze door de slaven met bezems verdreven werden.

De elf bedienden van het huis en hun families woonden vlak bij het Casa Grande, en van sommigen waren de voorouders ook al in dienst van de Cavalcantis geweest. De relatie tussen die slaven en de *sinhá* en de *sinhazinhas* – zoals zij *senhora* Cavalcanti en haar dochters noemden – was heel subtiel en heel intiem en soms getekend door vertrouwelijkheden die geen man ooit hoorde.

Senhor Bartolomeu leidde het domein met ferme maar welwillende hand. Hij was achtenzestig, had donkere ogen, een kleine mond en dito neus, en een dunne, bijna witte baard. Vaak had hij zijn mond half open, alsof hij op het punt stond iets te gaan zeggen. Bartolomeu Cavalcanti had strijd gevoerd met de 'colporteurs' uit Recife, maar de rest van de tijd had hij een vredig leven in Santo Tomás gehad. Niets was een duidelijker bewijs van de rust in de omgeving als het gezicht van die patriarch, comfortabel op zijn veranda geïnstalleerd, in hemdsmouwen, soms zelfs ongeschoeid, die rustig in zijn schommelstoel wiegde en tevreden naar zijn raffinaderij keek.

Zijn vijf dochters waren in afzondering grootgebracht want hij was ervan overtuigd dat er moeilijkheden zouden komen als hij zijn echtgenote of een van zijn dochters aan de wereld zou tonen. De drie oudsten hadden goede echtgenoten getrouwd, maar de *senhor*, niet in staat om goede schoonzoons voor de twee anderen te vinden, had hun bruidsschatten toegekend waardoor zij in Salvador in het klooster konden.

Van zijn drie zonen was Geraldo, die negentien was, de jongste – een aardige, maar luie jongeman, die zich nergens voor interesseerde. Graciliano, eenentwintig jaar oud, was de sterkste van de drie broers, en dat liet hij vaak bij twisten blijken. Hij was ongeduldig, driftig, en had ooit Paulo bijna in elkaar geslagen voor een zoete bataat die volgens hem niet goed verdeeld was. Toch pestte en treiterde Graciliano Geraldo het meest.

De meester van Santo Tomás had een klein fortuin uitgegeven voor het feest dat ter ere van Paulo gegeven werd. Uit de grote keukens vol Afrikaanse geuren kwamen gekruide schotels – *feijoada, vatapá, caruru* – en veel zoetigheden die de slaven onder het toeziend oog van Dona Catarina hadden klaargemaakt.

Een orkest zorgde voor de muziek en het regiment van de districtsmilitie kwam langs, dat Bartolomeu al tweeëntwintig jaar aanvoerde. Twee avonden achter elkaar verlichtte vuurwerk het domein. De honderdveertig slaven die op de velden of bij de suikermolen werkten werden volgestopt met voedsel en wijn. De laatste dag, na de mis, riep de *senhor* hen voor het huis samen en verleende hij twee oude mannen de vrijheid, een gebaar dat hij met tranen in de ogen en trillende stem volbracht, zo dankbaar was hij God dat Die zijn zoon gespaard had.

Wat ziet hij er nog krachtig uit, dacht Paulo Cavalcanti toen hij naar *padre* Eugênio Viana keek, over de ovale tafel van de bibliotheek, toen de laatste gasten vertrokken waren. Het gezicht van de priester werd maar half verlicht door de kaarsen, maar de wilskrachtige trekken van zijn kaak en zijn staalblauwe ogen trokken toch de aandacht. Viana was drieëndertig, had brede schouders en een gespierd lichaam, en was even zelfverzekerd als zijn vroegere leerling.

In de loop van de laatste weken had Paulo eindeloos vragen beantwoord over de aardbeving en de ontmoeting met de markies van Pombal, maar met *padre* Eugênio, zijn vriend en biechtvader, kon de jongeman vrijuit praten en die avond in de bibliotheek gaf hij uiting aan zijn onrust betreffende de vooroordelen van de minister tegen de Sociëteit van Jezus: 'Zijne excellentie is ervan overtuigd dat de jezuïeten niets minder willen dan Brazilië en Maranhão veroveren. Ik heb hem verteld over Rosário, maar hij antwoordde dat die *aldeia* een uitzondering was, en dat het regel was dat de Sociëteit grote plantages bezat.'

'De verovering van wat?' zei Viana. 'Van de onsterfelijkheid? Van het vrij worden van de inboorlingen? Van de onwetendheid? Weet hij dat de paters duizenden jonge mensen in hun colleges opgeleid hebben?'

'Hij beschuldigt hen ervan er niet voor gezorgd te hebben dat de inheemsen Portugees spreken.'

'Grote God! Sinds wanneer weet hij iets van het onderwijs aan heidenen?'

'Zijne excellentie zegt dat zij bevrijd moeten worden en als gelijken van de kolonisten moeten worden behandeld.'

'Bevrijd van wat? Van het heiligdom dat de jezuïeten hun bieden?

Hij weet er niets van. De minister zal ooit nog eens beseffen wat voor een tragische fout hij daar maakt.'

'De oorlog gaat ondertussen nog steeds door in het zuiden,' merkte Paulo op, waarbij hij doelde op de Spaans-Portugese veldtocht om de Guaranis uit de zeven missies ten oosten van de Rio Uruaguay te verdrijven. 'Pombal gaat uit van een overwinning.'

'De Braziliaanse jezuïeten hebben niets te maken met de Guarani-opstand.'

'Volgens de minister is de Sociëteit van Jezus altijd een bedreiging, of het nu in Paraguay, in Pernambuco of in Portugal is.'

'Voor wie dan? Voor de andere ordes die jaloers zijn op het succes? Of voor de ambitie van Pombal?'

Paulo veranderde liever van onderwerp en vertelde wat zijn vriend Luís Soares was overkomen, die door plunderaars was misbruikt. Toen hij klaar was vroeg Viana hem: 'Waren jullie bevriend op de universiteit?'

'Ja en nee. Hij was anders, een Paulista, een van de laatste afstammelingen van de *mamelucos* die in Coimbra toegelaten werden. En ik een *mazombo*! Het zit me behoorlijk dwars als ik mij realiseer dat de Portugezen, ons eigen volk, dat zoveel aan Brazilië te danken heeft, zo weinig achting hebben voor goede mannen als mijn vader. Als ik ons nieuwe huis zie, de molen, de gronden, dan vraag ik mij af hoe de Portugese heren, die in oude kastelen leven, op piepkleine domeinen, zich beter kunnen voelen dan wij, alleen maar omdat zij in Portugal geboren zijn!'

'Voordat jij naar Coimbra vertrok sprak je wel anders.'

'Maar het is waar, *padre*. Nu ik eenmaal terug ben voel ik het pas goed. De Cavalcantis zijn een edele familie uit Pernambuco, zij verdienen respect.'

'Wat zei jouw Paulista-vriend daarvan?'

'Luís is een dichter. Het grote verleden inspireert hem, maar als hij aan het heden denkt, ziet hij alleen Brazilië. Zijn verzen zijn vol van hartstocht voor de grote dalen, de grote ruimten.'

'We hebben een van zijn voorouders in huis,' zei de priester.

Hij schoof zijn stoel achteruit, pakte een kaars van tafel en liep op een van de muren af.

'Die jonge nietsnut wiens naam wij niet kennen!' ging hij lachend verder.

De *bandeirante* van Secundus Proot hing aan de muur, in zijn volle vulgaire glorie. Amador, beladen met wapens, bestreed nog steeds de wilden in het oerwoud. Viana keek zo intens naar het schilderij dat

Paulo hem ten slotte vroeg: 'Wat fascineert u zo daaraan, *padre?*'
De priester, uit zijn dromen gehaald, ging weer zitten.

'Ik dacht aan wat jouw vriendschap met Luís symboliseert: jij, de zoon van een planter, en hij het kind van de *sertão.*'

'Zijn familie is rijk. De Soares bezitten goudmijnen, een *fazenda*, en hebben eigendommen in Vila Rica.'

'Het belangrijkste is dat jullie elkaar hebben leren kennen en waarderen in Coimbra. Brazilië is zo groot dat de meeste mensen in hun kapiteinschap leven en sterven zonder te weten wat er elders gebeurt. Dit onderlinge begrip dat in Portugal ontstaat mag niet verloren gaan.'

'Weest u maar niet bang, *padre*. Luís en ik hebben in Coimbra samen heel wat meegemaakt.'

Paulo hield veel van Eugênio Viana en vroeg zich soms af waarom een man als hij een betrekking als huisonderwijzer had gezocht, want hij met zijn talent had vast en zeker hogerop kunnen komen in de hiërarchie van de Kerk. Toen hij hem dat vroeg, antwoordde de priester lachend dat hij genoeg te doen had met zijn leerlingen op Santo Tomás. Dat was trouwens waar, want er woonden in totaal achthonderd mannen, vrouwen en kinderen op de gronden van het domein.

'Wij zijn allemaal onderdanen van zijne majesteit,' ging Viana verder. 'Toch worden wij onderling verdeeld, van Maranhão en Grão Pará in het noorden tot de Rio Grande in het zuiden, door jaloezie, hebzucht en twisten. Paulistas tegen *emboabas*, planters tegen "colporteurs", kolonisten tegen de jezuïeten, blanken tegen wilden. De markies van Pombal beweert dat hier een grote Portugese natie zal ontstaan, maar als dat waarheid moet worden, moeten wij ons verenigen en elkaar begrijpen.'

Over de nek van zijn paard gebogen, met de leidsels in één hand en een prikkel met een ijzeren punt in de andere, draafde de *vaqueiro* door de *caatinga*. De hoeven van zijn rijdier dreunden over de steengrond en wierpen wolken stof op waar de grond uitgedroogd, bros en roze was. Hij reed om een groep cactussen heen en ging plat op de rug van zijn paard liggen om onder de kronkelige tak van een boom door te komen.

Een magere jonge os met korte horens vluchtte voor de *vaqueiro* uit. De man schreeuwde zijn keel schor, en drong de bosjes in zonder te letten op de doorns die hem openhaalden. Plotseling vloekte hij, want de punt van zijn *guiada* was in een boomstam blijven steken en de prikkel werd ruw uit zijn hand gerukt, maar hij galoppeerde door, zonder een ogenblik de zwarte gestalte van het dier uit het oog te verliezen. Plotseling sloeg het rechtsaf en vluchtte door een opening tussen de bosjes.

De *vaqueiro* gaf zijn paard de sporen. In volle galop, gebogen over het zadel, met zijn hele lichaamsgewicht in één stijgbeugel, pakte hij met zijn ene hand de manen van zijn rijdier vast, en met de andere de staart van de jonge os. Een flinke draai, een ruk en het dier viel op de zij. In het stof dat nog om hem heen dwarrelde steeg de man van zijn paard en pakte hij de kluisters die aan het zadel hingen. Voordat de jonge os de kans kreeg op te staan had de *vaqueiro* zijn achterpoten al vastgebonden.

Twintig minuten later lag het jonge dier, weer vrijgelaten, te herkauwen toen Paulo Cavalcanti en *padre* Eugênio, die vanaf een heuvel de achtervolging hadden bekeken, naar de groep koeiendrijvers toe liepen.

'*Viva* Ribeiro Adorno!' riep Paulo. 'Mijn vader heeft gelijk, hij is de duivel van de *sertão*.'

'Ach, dat beest was nog niks,' antwoordde de *vaqueiro*. 'Met Manuel de Zwarte of de kleine Agostinho zou u nog eens wat anders hebben gezien, *senhor* Paulo.'

Estevão Ribeiro Adorno was mager en had een koperkleurig, door de zon verbrand, tanig gezicht. Hij was negenenveertig, en was een koppige, achterdochtige, maar geduldige man. Hij had zijn hele leven in de *caatinga* doorgebracht, die hij alleen verliet om zijn beesten naar Recife en naar Salvador te brengen. Hij was gekleed op het 'witte woud', helemaal in leer met veters in plaats van knopen, en hij droeg een hoed met een brede rand.

Ribeiro Adorno was eerste koeiendrijver bij de veeboerderij van de Cavalcantis, de Fazenda da Jurema, zo genoemd naar een bosje bomen die op acacia's leken en die in de grootste weide groeiden. De *fazenda* was honderddertig vierkante mijl groot en werd in het noorden begrensd door de Riacho Jurema, een zijriviertje van de Rio Pajéu, die op haar beurt weer uitkwam in de Rio São Francisco, vijfenzestig mijl zuidelijker. De Fazenda da Jurema lag tweehonderdvijftig mijl ten westen van Recife, een tiendaagse reis door drie typische noordoostelijke streken.

Langs de kust lag de zestig mijl brede *zona da mata*, een vochtige vlakte tussen het hoogland van Borborema en de Atlantische Oceaan. Daarachter kwam een overgangsgebied, de *agreste*, een steengrond met even vruchtbare delen als de kuststreek en andere die al *caatinga* waren, de typische vegetatie van het derde en grootste gebied, de *ser-*

tão. Op de rode en diepe grond van de *zona da mata* lagen de suikerrietplantages; de *agreste* werd bewerkt door kleine boeren en katoen-
telers; de *sertão*, die de helft van het noordoosten besloeg, was vooral
een veeteeltstreek, met ongeveer één miljoen stuks vee verspreid in
de wildernis. Estevão Ribeiro Adorno was afkomstig van de grote
clan van Afonso Ribeiro, aan wie Nicolau Cavalcanti tegen zijn zin
asiel had verleend op Santo Tomás. De moeder van de *vaqueiro* was
een dochter van een Ribeiro die met zijn familie aan het eind van de
vorige eeuw naar de Fazenda da Jurema was gegaan. Zijn vader, Con-
stantino Adorno, was een *mameluco* uit São Paulo. De Paulistas waren de *sertão* van de noordoostelijke kapiteinschappen binnengetrokken sinds zij de bron van de Rio São Francisco hadden ontdekt. Ribeiro Adorno was zelf getrouwd met een *mameluca*, Idalina, die uitgesproken Tupi-trekken had.

De verovering door Portugese kolonisten van het noordoostelijke
binnenland ging op dezelfde manier als die van de *sertão* achter São
Paulo. De eersten die zich ten westen van Olinda en Salvador waagden waren zilver- en smaragdzoekers die stroomopwaarts langs de rivieren trokken die in de Atlantische Oceaan uitkwamen. Zij waren
door anderen gevolgd, die niet meer op zoek waren naar schatten,
maar slechts naar uitgestrekte gebieden. *Os poderosos do sertão* (de
machtigen van de *sertão*) waren thans heer en meester over het binnenland. De familie Garcia d'Avila bijvoorbeeld, had haar domein
sinds het midden van de zestiende eeuw constant vergroot, sinds de
tijd dat de stamvader zich even ten noorden van Salvador gevestigd
had. Tegen 1750 bezat zij meer dan vierhonderd mijl grond langs de
Rio São Francisco. Het was een waar veeteeltimperium, maar er waren ook veel *Fazendas* zoals die van de Cavalcantis.

Omdat zij vaak afwezig waren lieten de Cavalcantis de leiding van
de boerderij over aan Ribeiro Adorno, die als betaling een kwart van
de telkenjare geboren kalveren ontving. Twintig jaar geleden had de
vaqueiro een poging gedaan om zijn eigen kudde op te zetten in het
kapiteinschap Ceará, ten noordwesten van de Fazenda da Jurema,
maar de droogte had zijn kudde sterk uitgedund en tot overmaat van
ramp had hij ook nog eens ruzie gekregen met de *poderosos* uit de
streek. Zo was hij naar Pernambuco teruggegaan, en hadden de Cavalcantis hem aangenomen als hoofd van de koeiendrijvers.

Afgezien van de drie jaar in Ceará, was Ribeiro Adorno sinds zijn
twaalfde in dienst van de Cavalcantis. Telkens als hij zijn beesten naar
Recife bracht kwam hij langs Santo Tomás, maar in die vierendertig
jaar was *senhor* Bartolomeu Rodrigues niet meer dan drie keer op de

Fazenda da Jurema geweest. Paulo kwam er nu voor het eerst, omdat hij de bezittingen van de familie wel eens wilde zien. Dat was eind juli 1756, en de jonge man was al veertien dagen met *padre* Eugênio op de *fazenda*. De jaarlijkse telling van de kudde moest plaatsvinden, thans bestaande uit vijfenvijftighonderd stuks.

De koeiendrijvers lagen in de hitte van het begin van de middag te rusten toen de jonge os de *caatinga* in was gerend. Nu gingen zij verder in de richting van de Riacho Jurema, met Jacinto, een van de vier zonen van Ribeiro Adorno, voorop. Jacinto was een klein knokig mannetje dat op zijn zadel vastgegroeid leek, met gebogen schouders, en met zijn voeten altijd naar voren, een en al luiheid, in tegenstelling tot zijn vader.

Toen ze even voor het vallen van de nacht bij de rivier kwamen, riep Jacinto Adorno de andere *vaqueiros* om te helpen bij de oversteek. Een van hen kwam naar hem toe rijden, steeg af en haalde een pakje van zijn zadel. Zonder iets te zeggen maakte de man de koeiehuid los en pakte wat erin zat, namelijk een gebleekte schedel van een jonge os. Jacinto hielp hem om die op zijn hoofd te zetten en sloeg toen de huid om zijn schouders.

Met een monotone, slepende stem begon de man een paar beesten bij hun naam te roepen waarbij hij zijn hoofd schudde alsof hij een primitieve rite opvoerde. Hij daalde naar het water af, liep erin en begon langzaam te zwemmen. De leidende beesten, opgejaagd door de andere *vaqueiros*, gingen op hun beurt de Riacho Jurema in, achter de man met de schedel aan. Twintig minuten later stond de kudde op de andere oever.

De veekraal en het hoofdkwartier lagen een halve mijl van het punt waar de Riacho Jurema in de Rio Pajéu uitmondde, die langs de *fazenda* stroomde. Vandaar strekten de landerijen zich uit in noord- en zuidoostelijke richting, een terrein dat grotendeels begroeid was met bosjes van de *caatinga*.

Het kamp zelf bestond uit een reeks lage stoffige hutten met verweerde adobemuren, met een enkele deur en kleine vensters. De geur van leer hing overal. In elk huis bestonden de vloerbedekking, de slaapplaats, de zakken voor graan en water, de etuis voor de messen, de zwepen, de riemen, het tuig uit leer. De *vaqueiro* leefde vanaf zijn geboorte, wanneer hij door zijn moeder op een koeiehuid werd gelegd, tot aan zijn dood, als hij weer in een koeiehuid werd gewikkeld, in een wereld van leer.

Die avond, toen de kudde over de Riacho Jurema was, weergalmde het kamp van gezang en gelach, terwijl de koeiendrijvers en hun families de zoon van de *patrão* begroetten, die de volgende ochtend weer naar Santo Tomás zou gaan. Er was een stukje grond bij de hutten aangeveegd, en daarop waren boomstammen bij wijze van zetels gelegd. Het voedsel was hetzelfde als wat zij de laatste weken elke dag hadden gegeten, maniok en bonen, rund- en geitevlees.

De vrouwen uit de familie die dit festijn organiseerden stonden met de vrouwen van de andere koeiendrijvers bij het vuur. Januária, de oudste dochter van Ribeiro, hielp haar moeder niet maar bleef bij het vuur zitten staren. Af en toe prikte zij met een lang mes in het vlees, sneed er kleine stukjes af die zij vervolgens in haar mond stak om daarna haar lippen met een slip van haar rok af te vegen. Ze was vijftien, klein als haar ouders, had bruine haren en een mooi rond gezichtje. Maar ze was altijd vies, had geen mooi lichaam en was lui. Ze was ook nogal driftig, en door dat alles noemden haar beide zusters haar 'de piranha'.

Het feest was even na zonsondergang begonnen. *Senhor* Bartolomeu Rodrigues had de *vaqueiros* een tonnetje *cachaça* cadeau gedaan, en dat ging er best in. Ribeiro Adorno, van nature zwijgzaam, had zijn talenten op de dansvloer getoond, begeleid door de gitaren van zijn zoon Jacinto en een mulat die Houten Kop werd genoemd.

Een uur later waren Paulo en Eugênio Viana een eindje gaan wandelen. De omheining werd 's nachts afgesloten met zware palen en doornstruiken, als voorzorg tegen jaguars en andere wilde beesten, maar ook tegen wilden, van wie nog steeds bendes door het 'witte woud' zwierven. Viana keek in de duisternis buiten de omheining en riep plotseling: 'Wat een steenwoestijn!'

Paulo hoorde wanhoop in zijn stem en was verrast.

'Maar de rivieren en de putten zitten vol water,' zei hij. 'De hele woestijn bloeit, Ribeiro Adorno en de zijnen zijn er best blij om.'

'Maar wat zit erachter? Denk eens aan hun zielen, aan hun harten.'

De jongeman wist niet wat hij daarop moest antwoorden.

'Maar ze zijn hier vrijwillig heen gekomen,' waagde hij te zeggen.

'Echt waar? Denk jij dat zij zomaar het vruchtbare dal van Santo Tomás verlaten hebben om naar dit ruige land te gaan?'

Paulo zweeg.

'En jij, Paulo, zou jij je leven in Santo Tomás verruilen voor hun armzalige bestaan?'

'Nee.'

'Maar er is een voortdurende trek van mannen die uit onze dalen verdreven worden, naar het binnenland.'

'"Verjaagd" is wat sterk uitgedrukt, *padre*.'

'Hoe moet ik het dan noemen? Wij zijn begonnen om de Tupini-quin, de Tupinambás, de Caetés, alle grote stammen van de kust te verjagen, of liever gezegd uit te roeien. Nu jagen wij de zwakken, de bezitlozen ook nog uit Kanaän.'

'De *caatinga* is ongenadig, *padre*, maar Ribeiro Adorno en zijn ka-meraden zijn gehard en beklagen zich niet. Ik geloof niet dat ze zich verbannen voelen. Wat ik zie is veeleer een soort mystieke relatie met de grond. De beschaving zal trouwens binnenkort deze *sertão* ook be-reiken. Waar een pad is voor het vee, zal morgen een weg zijn, en overmorgen een dorp, dat wil zeggen kerken en scholen.'

'Dat vraag ik mij af,' mompelde Viana, en liep weg. 'Als de bescha-ving ten slotte hier komt, vindt zij wellicht een ontembaar volk in de *caatinga*, dat voor altijd vastzit in de strijd tegen de natuur, en even ver van ons afstaat als de eerste Tupiniquin die de Portugezen tegen-kwamen.'

'Een geleerde imbeciel,' zei Graciliano Cavalcanti over Eugênio Via-na, al deed hij dat nooit waar *senhor* Bartolomeu of Paulo bij was. 'De *padre* ruikt de wierook van de filosofen en de Franse vrijdenkers. Hij vraagt mijn vader niet om aalmoezen, maar om boeken. "Lees die maar, en leer er maar van," zegt hij. Maar wat heeft hij er zelf van geleerd? Om te luisteren naar het gemopper van dat uitschot? Om als een papegaai te praten over de rechten van ondergeschikten, die van nature lui zijn?'

Onder vrienden vertelde Graciliano soms ook nog dat de priester geen ijveriger leerling had dan Paulo. Graciliano had dezelfde bruine haren en blauwgroene ogen als zijn broer, maar hij had een smaller gezicht. Hij was de helft van de tijd in Recife, waar hij omging met een groepje arrogante jongeren, merendeels zonen van planters.

Als hij niet met zijn vrienden aan het kaarten was zat Graciliano in het bordeel van *senhora* Bárbara Ferreira, in een modieuze straat in São Antônio, een wijk aan de overkant van de brug die graaf Maurits had laten bouwen. Hij ging er vooral heen voor Magdalene, een pros-tituée die altijd een kaars op haar nachtkastje brandde, maar die de Morin genoemd werd, omdat zij van Levantijnse afkomst was. De Morin ademde heftig door haar neusgaten als zij zich overgaf aan een driftige copulatie, een eigenaardigheid die de jongeman opwond.

Graciliano en zijn vrienden zwierven door de straten van Recife zo-als de werkloze edelen 's nachts door Lissabon zwierven, voorafge-gaan door een slaafje dat een olielamp droeg, om hun de weg te wijzen en de burgers die in het donker liepen schrik aan te jagen. Graciliano had 's nachts eens een man gedood, een dronken smid die de spot met hem gedreven had. Deze gebeurtenis had het prestige van de jonge nietsnut bij zijn vrienden vergroot, die op zijn sabel de woorden 'Gerechtigheid leeft!' hadden laten graveren.

In november 1756, drie maanden na terugkeer van Paulo en Viana, vluchtten twee slaven van Santo Tomás. Onias, een van de twee negers die Bartolomeu Cavalcanti ter ere van Paulo had vrijgelaten, had openlijk verklaard dat de vrijheid geen cadeau voor een oude man van zevenenzestig zonder gezin of familie was.

Bartolomeu, diep geraakt door deze ondankbaarheid, had op zijn beurt openlijk verklaard, zoals de wet hem toestond, dat Onias zijn vrijheid weer kwijt en weer *peça* geworden was. Op 14 november, na het avondgebed, was de oude vrijgelaten slaaf samen met een jonge neger, Daniel genaamd, het dal uitgevlucht.

Graciliano bood zich meteen aan als vrijwilliger om hen te achtervolgen. Paulo merkte op dat dit beter door een van de opzichters gedaan kon worden, maar zijn broer stond erop het zelf te doen met als argument dat een van de vluchtelingen zijn vader had beledigd door ervandoor te gaan.

De jongeman ging de volgende ochtend met Cipriano Ramos, een van de opzichters, drie slaven en vier grote zwarte honden die getraind waren op het achtervolgen van *peças*, op weg. De honden vonden aanvankelijk geen enkel spoor want ze kwamen uit bij boeren die de vluchtelingen niet hadden gezien. Graciliano ging verder naar het volgende dal, dat ook grotendeels van zijn vader was. Daar verklaarde een pachtboer dat hij de twee negers 's ochtends over een veld had zien lopen. Een uur later naderden de achtervolgers een rotsgebergte, de voortzetting van de bergrug ten zuiden van Santo Tomás.

De honden roken de vluchtelingen bij de ingang van een ravijn. Ze begonnen opgewonden te blaffen en de bosjes onder in het ravijn te doorzoeken. Dat lag vol met grote rotsblokken en de achtervolgers moesten van hun paarden stijgen om de honden te kunnen volgen. Cipriano was net op een groot rotsblok geklommen, toen hij naar boven wees en riep: 'Daar, *senhor* Graciliano! Op de rotsen!'

'Hoe zijn ze daarboven gekomen?'

'Het zijn verdomme net geiten!'

De twee negers stonden op een smalle punt, honderdvijftig voet boven de bodem van het ravijn. Ze trokken zich niets aan van de opzichter die riep dat ze naar beneden moesten komen, en klommen verder.

Al begon het nacht te worden, toch beval Graciliano Cipriano en de beide slaven om achter de vluchtelingen aan te gaan. De honden blaften en jankten van ongeduld, en probeerden voortdurend tegen de wand op te klimmen. Toen ze de opzichter naar boven zagen gaan sprongen zij achter hem aan, maar ze hoorden algauw dat ze weer geroepen werden.

Cipriano slaakte een reeks vloeken toen er een regen van stenen over hem heen kwam. Graciliano, die zich in dekking bevond, zag dat de jonge Daniel zijn evenwicht verloren had en aan de wortels van een boompje hing dat tegen de rotswand groeide. Onias knielde en stak een hand naar zijn metgezel uit. De wortels braken en met een kreet die tegen de wand weergalmde, stortte Daniel naar de dood.

'Naar beneden!' riep Graciliano naar Cipriano en de anderen, om niet het leven van zijn opzichter en zijn twee goed gezonde *peças* in gevaar te brengen.

De honden stonden met glimmende ogen boven het verminkte lijk van de slaaf te grommen. Een van hen likte zijn bebloede borst af. Graciliano joeg ze weg met zijn zweep. Toen de anderen bij hem kwamen gaf hij opdracht om Daniel te begraven en vervolgens met hem mee te gaan naar het huis van een suikerrietplanter in het dal. Morgen zouden zij verder gaan met de jacht. Als het Onias zou lukken om over de bergen heen te komen zou hij in het volgende dal uitkomen en dan in zuidwestelijke richting moeten lopen.

Drie dagen lang hield de oude neger zijn achtervolgers bezig, die hem ten slotte terugvonden in de *aldeia* Nossa Senhora do Rosário, waar hij zijn toevlucht had gezocht. Maar de beide jezuïeten die aan het hoofd van de missie stonden wilden Graciliano de man die zij die ochtend in een veld cassave hadden gevonden, zo uitgeput en ziek dat hij het waarschijnlijk niet zou overleven, niet overdragen.

Padre Salvador de Meireles en zijn assistent, Leandro Taques, stonden met Graciliano Cavalcanti op het pleintje van de armoedige *aldeia* waarover Paulo het in oktober met de markies van Pombal had gehad. Een hoog houten kruis stond voor de kerk, midden tussen twee rijen armzalige huizen. Vanaf het plein voerden kronkelige laantjes naar een suikermolen die door een os werd aangedreven, naar de werkplaatsen en naar de hutten, waarvan het grootste deel op een terp achter de kerk stond. De missie herbergde vierhonderd inwoners, voor het merendeel inboorlingen die Tupi en Tapuya spraken. Verder waren er mestiezenfamilies en vrijgelaten slaven, in totaal een stuk of zestig, die naar de *aldeia* waren gekomen om er een ambacht uit te oefenen of de grond te bewerken.

'Ik ben tot nog toe beleefd gebleven, *padre*,' zei Graciliano. 'Onias is van mijn vader. Geef hem terug!'

'Wees nu redelijk, Graciliano,' antwoordde *padre* Salvador. 'Hij wordt hier goed verzorgd, en als hij met Gods wil overleeft, zullen wij hem terugbrengen naar Santo Tomás.'

Graciliano schudde heftig van nee, en dus ging de jezuïet door: 'In Gods naam, zoals hij nu is zou hij de reis niet overleven. *Senhor* Bartolomeu zal er nauwelijks prijs op stellen als u een dode slaaf terugbrengt.'

'Als die oude bok doodgaat voordat we bij het domein zijn is het jammer voor hem! U hebt het recht niet hem hier te houden... maar ja, de machtige Sociëteit van Jezus zal het recht van de anderen wel weer aan haar laars lappen!'

'*Senhor* Bartolomeu is altijd onze vriend geweest, hij weet dat wij niets doen wat zijn belangen schaadt.'

'Natuurlijk! Maar als hij wat vaker in Recife zou komen, zou hij de goede paters beter kennen. Met elk schip dat uit het zuiden komt komt er nieuws van de opstand van de jezuïtische milities tegen de Portugese en Spaanse legers.'

'U moet niet praten over dingen die u niet begrijpt,' zei Leandro Taques, die tot dan toe gezwegen had.

'Bent u hier nieuw, *padre*?'

'Ja.'

Taques was een grote, magere man van achtenzestig, met een pokdalig gezicht. Hij had een tic, en knipperde met zijn rechteroog.

'Ik heb *senhor* Bartolomeu ontmoet,' ging hij verder. 'Ik heb eerbied voor hem, maar voor zover ik weet hoef ik mij de brutaliteit van zijn zoon niet te laten welgevallen. Zolang ik hier ben raakt u die oude Onias niet aan.'

'Als u die zwarte jurk niet zou dragen...' dreigde Graciliano.

'Alstublieft!' riep *padre* Salvador. 'Ik geef u mijn woord. Als Onias in leven blijft, zal ik hem zelf naar Santo Tomás brengen, zodra hij in staat is te reizen.'

'Het is een fout om de Cavalcantis tot vijand te maken,' beet de jongeman Taques toe.

'Zegt u maar tegen uw vader wat wij u net verteld hebben,' antwoordde *padre* Leandro kalm. 'Hij zal het accepteren.'

Padre Salvador, wanhopig op zoek naar een middel om het conflict tussen beide mannen tot bedaren te brengen, dacht dat hij de oplossing gevonden had. Negen maanden eerder, in februari 1756, had er een beslissende slag plaatsgevonden in Paraguay. Achttienhonderd Guaranis uit zeven jezuïetenmissies, voor het merendeel bereden en voorzien van kanonnen, hadden evenveel Portugezen en Spanjaarden, die beschikten over artillerie en een detachement grenadiers, bestreden. De Guarani-commandant was aan het begin van de slag gesneuveld, en zijn troepen, die zich in diepe ravijnen hadden teruggetrokken, waren door de vijandelijke musketiers uitgeroeid. Aan het eind van de maand mei waren de zeven jezuïetenmissies ingenomen.

Padre Salvador deed net alsof hij hier niets van wist en vroeg aan Graciliano of hij nog nieuws uit Paraguay had. Tot grote opluchting van de priester begon de jongeman te vertellen wat hij wist, en al bleef hij Taques dreigend aankijken, de spanning tussen de beide mannen werd wat minder.

Salvador de Meireles had een gelige tint en zag er altijd bezorgd uit. De veertien jaren die hij in Rosário woonde, had hij zijn best gedaan om de ellende van zijn gemeenschap te verlichten, maar het ene jaar was de oogst slecht, en het andere jaar werden de inboorlingen ziek. Er was altijd wel iets wat de hoop van de goede pater in rook deed opgaan.

Leandro Taques was twintig jaar ouder dan Salvador. Voordat hij een jaar eerder naar Rosário gekomen was had hij vijfendertig jaar bij de Tapajós aan de Rio das Amazonas gewoond. Nadat hij zich de woede van de broer van Pombal, gouverneur Mendonça Furtado, op de hals had gehaald, had hij Grão Pará verlaten. Hij had geweigerd de gouverneur mannen ter beschikking te stellen voor de grenscommissie. 'De gouverneur beschuldigt mij van het verbergen van Tapajós in het oerwoud,' had Leandro aan Salvador verteld, 'maar wat moesten die denken van de komst van achtentwintig kano's? Slavenhandelaren! Ze zijn en bloc naar het oerwoud gevlucht.'

Mendonça Furtado had een protest ingediend bij de vice-principaal van de jezuïeten in Belém do Pará en deze had het maar beter gevonden om Taques weg te sturen en hem te vervangen door een andere pater. Maar in januari 1756 was de missie bij de Tapajós een van de eerste waarbij de tijdelijke macht werd overgedragen aan een leek, die de opdracht had om de bekeerde inboorlingen te veranderen in loyale, arbeidzame Portugese burgers.

Toen Graciliano Cavalcanti uitgesproken was zuchtte *padre* Salvador verdrietig: 'Sinds de ondertekening van het Verdrag van Madrid hebben de paters alles gedaan om de Guaranis ervan te overtuigen dat zij vreedzaam hun dorpen moesten verlaten.'

'Wie gelooft dat tegenwoordig nog, terwijl wij overal verraden worden?' zei Leandro Taques.

'Wilt u soms beweren dat tienduizenden Guaranis, onderdanige bekeerlingen van uw Sociëteit, in opstand zijn gekomen zonder daartoe te zijn aangezet?' vroeg Graciliano.

'Hun werd gezegd hun gezin, hun kerk, hun plantage in de steek te laten,' antwoordde *padre* Leandro. 'Is dat niet genoeg reden om in opstand te komen?'

'Toch zijn die wilden voor alles nomaden,' argumenteerde Graciliano. 'Waarom zouden mannen die gewend zijn om constant te trekken dit keer geweigerd hebben weg te gaan?'

'De Guaranis waren al een eeuw sedentair,' merkte Taques op. 'Hen uit hun dorpen verjagen was even onrechtvaardig als... als de Cavalcantis vragen om van Santo Tomás weg te gaan.'

'Dat nooit!' grinnikte Graciliano. 'Maar nu voor het laatst, geef mij wat van mijn vader is.'

Padre Salvador leek op het punt te staan toe te geven maar Taques antwoordde vastberaden: 'Verdwijn. En wel onmiddellijk. Zeg tegen *senhor* Bartolomeu dat wij alles doen om zijn slaaf te redden.'

'Daagt u mij uit?' mompelde de zoon van de planter.

'Ik daag de onmenselijkheid uit.'

Graciliano draaide zich om en liep met grote stappen naar de slaaf die zijn rijdier vasthield. Toen hij in het zadel zat wees hij met zijn vinger op de jezuïet en dreigde: 'U krijg ik nog wel!'

'Daar twijfel ik niet aan,' antwoordde *padre* Leandro.

De jongeman reed op een groep inboorlingen af, die er haastig vandoor gingen. Een van de negers die in Rosário woonde bleef echter staan.

'Hoerenzoon!' riep de blanke, en hij hief zijn zweep op.

Maar de Afrikaan dook handig opzij en Graciliano galoppeerde weg, waarbij hij alle inwoners van Nossa Senhora do Rosário vervloekte.

De man die Graciliano Cavalcanti had durven uitdagen heette Pedro Preto. Hij was veertig, had een smal gezicht en een mager lichaam, en liep kaarsrecht. Vanaf zijn vijftiende tot zijn achtentwintigste was hij slaaf geweest in het huis van Artemas Cabral de Albuquerque in Recife. Deze bezat twee *peças* die hij als zonen behandelde. Ze sliepen in zijn huis, en aten hetzelfde als hij. Toen hij stierf, maakte hij ze bij testament vrij en liet hij al zijn bezittingen na aan de jezuïeten. Een goede pater die het huis was komen bekijken stelde de twee vrijgelaten slaven voor om op het *colégio* te komen werken. Nadat hij voor timmerman had geleerd werd Pedro Preto naar Rosário gestuurd, waar hij thans met zijn vrouw en zijn vier kinderen woonde.

Pedro was een achterkleinzoon van Santiago Preto, die de troepen van Nganga Dzimba we Bahwe, aan het hoofd waarvan hij stond, Nhungaza noemden. Pedro had van zijn vader de geschiedenis van het fort van boslandcreolen gehoord, dat het vijfenzestig jaar in de Serra do Barriga had uitgehouden. Achttien keer waren troepen uit Recife opgetrokken tegen Palmares, zoals de Portugezen het slavenkamp noemden, maar pas in 1694 waren zij doorgedrongen tot de hoofdstad Shoko, en de tweelingstad 'Ngola Jango.

'De Portugezen stuurden een slachter,' had de vader van Pedro Preto aan zijn zonen verteld. 'Domingos Jorge de Oude, met Paulistas en honderden Carijós, tweehonderd musketten en zes kanonnen. Toch duurde het nog tweeëntwintig dagen voordat zij onze verdedigingswerken genomen hadden. Als de grote Nganga nog had geleefd, met Nhungaza, jouw overgrootvader, naast hem, zouden wij niet overwonnen zijn. Maar wij zijn verslagen omdat onze leiders zwak en verdeeld waren.'

Domingos Jorge de Oude had langer dan een jaar over de veldtocht gedaan, had de negers die verzet boden gedood, en de anderen gevangengenomen om er weer slaven van te maken, waarbij hij elk spoor van het Afrikaanse koninkrijk in Amerika uitgewist had. Pedro's vader, die gevangen was genomen, was meegenomen naar Recife, waar zijn zoon in 1716 geboren was. Toen de Portugezen Shoko hadden ingenomen en elke weerstand nutteloos was geworden, waren honderdvijftig soldaten van de koninklijke garde naar het stenen paleis gegaan, waar de resten van Ganga Zumba begraven lagen, en hadden zich een voor een van de hoge muur naar beneden gestort.

Vier weken na de confrontatie tussen Graciliano en de jezuïeten kwamen *padre* Salvador en Pedro Preto naar Santo Tomás, met Onias, die weer hersteld was.

Toen hij terugkwam uit Rosário, had Graciliano geëist dat de districtsmilitie, onder aanvoering van zijn vader, de voortvluchtige zou gaan zoeken. Maar Bartolomeu Cavalcanti, die de drift van zijn zoon wel kende, had liever *padre* Viana naar de *aldeia* gestuurd. De priester was teruggekomen met een gedetailleerd rapport van wat er gebeurd was en omdat zijn vader daar vreselijk kwaad om was geworden, was Graciliano van Santo Tomás weggegaan en had zich geïnstalleerd in het huis van de Cavalcantis in Olinda, waar ook zijn derde broer Geraldo woonde. Twee dagen voordat *padre* Salvador terugkwam was Graciliano naar Santo Tomás teruggekomen om zijn vader vergiffenis te vragen. Een vergiffenis die hij kreeg, met het verbod om ooit nog in Rosário te komen.

Graciliano zat bij Bartolomeu en Paulo toen Salvador de Meireles zich in het Casa Grande liet aandienen. De jonge werkloze begroette de jezuïet koeltjes maar zonder openlijke blijken van vijandschap. *Senhor* Bartolomeu bedankte de priester dat hij hem Onias had teruggebracht en zei toen tegen de oude voortvluchtige: 'Ik zal je niet laten geselen of laten brandmerken, maar je moet twee weken geboeid blijven. Als je je straf gehad hebt, zul jij moeten werken als een jonge slaaf om hem te vervangen die door jouw schuld gestorven is.'

'Dat begrijp ik, meester,' mompelde Onias terwijl hij naar de laarzen van de planter keek.

Toen hij veertien dagen later vrijgelaten werd moest Onias de kar besturen die door vier ossen werd getrokken en heen en weer reed tussen de velden en de molen. Het was december, de vierde maand van de oogst, en tien dagen lang voerde Onias zijn ossen van zonsopgang tot zonsondergang over het veel bereden pad. De tiende dag was hij niet aanwezig bij het avondgebed.

Bartolomeu vond dat de houding van de oude man een onvergeeflijke provocatie was en droeg Graciliano op om Onias een tweede keer te achtervolgen en hem te vangen voordat hij weer zou vluchten naar Rosário of naar een ander heiligdom. Maar voordat Graciliano op weg ging vond men Onias en de vermiste kar terug in een veld.

De oude neger, wanhopig geworden, had zijn beesten losgemaakt en toen getracht een einde aan zijn leven te maken zoals de 'Ngolas uit Afrika dat ook deden. Hij was op zijn knieën gezakt en had grote happen rode grond doorgeslikt. Een jong slavenpaar dat een stil plekje zocht om te vrijen had hem gevonden, buiten bewustzijn maar nog wel in leven.

Graciliano, die opdracht had gegeven Onias te zoeken, liet hem een stevig braakmiddel innemen dat volgens een Tupi-recept was klaargemaakt. Vervolgens werd de oude man naar de *senzala* gebracht, waar hij binnen een paar dagen weer opknapte. Toen werd hij naar de smidse gebracht, waar ze hem een ijzeren masker opzetten met gaten voor zijn ogen en zijn neus, maar niet voor zijn mond, om hem te verhinderen grond te eten. Graciliano zette hem toen weer bij de molen aan het werk en zei: 'Als je zult hebben laten zien dat je geen zelfmoord meer wilt plegen, zullen we dat masker weer afnemen.'

In de eerste week van januari 1756 ontving Bartolomeu een bericht van Joaquim Costa Santos, een van de drie onafhankelijke suikerriet-planters uit het naburige dal.

'Hij belooft ons dertig *tarefas*,' zei de meester van Santo Tomás tegen zijn zoon Paulo. 'Ga jij zijn velden eens bekijken, om te zien of zijn suikerriet er inderdaad zo goed bij staat.' Een *tarefa* was de hoeveelheid suikerriet die de molen in één dag kon verwerken.

Bartolomeu Cavalcanti was als het ware de suzerein van Joaquim Costa Santos, die zijn vazal was. Hij bezat tachtig morgen grond, gekocht van de Cavalcantis, vierentwintig slaven, veertig ossen, acht karren en een huis van zeven kamers. Al was Costa Santos theoretisch niet verplicht zijn oogst naar Santo Tomás te sturen, de molen van Bartolomeu was de enige in de beide dalen en vijftig procent van de suiker die Costa Santos produceerde was voor de Cavalcantis.

Sinds de tijd van Nicolau, de grondlegger van het domein, beschouwden de meesters van Santo Tomás de *lavradores de cana* als ondergeschikten die hun niet alleen een zekere hoeveelheid rietsuiker schuldig waren, maar ook andere diensten moesten bewijzen.

Vroeger leefden er in beide dalen negen onafhankelijke planters die een tussenpositie innamen tussen de meester van de molen en zijn boeren. De opkomst van de Antilliaanse plantages had hun gelederen uitgedund en de ontdekking van goud had de genadeslag gegeven.

Totdat mannen als Olímpio Ramalho da Silva de schatten van Minas Gerais ontdekten, was Brazilië langzaam maar zeker bevolkt, rond de hoofdstad, Salvador, en steden als Recife en Rio de Janeiro. De *bandeirantes* van São Paulo, de *vaqueiros* en de missionarissen waren de *sertão* ingetrokken, maar de meeste kolonisten waren aan de kust gebleven.

In 1693, toen er in Minas Gerais goud gevonden werd, kregen veel kolonisten de goudkoorts, en vestigden zich her en der in de Serra do Mar en in de *sertão*. Op Santo Tomás verkochten zes van de negen onafhankelijke planters hun grond. Drie van hen gingen goud zoeken, de andere drie gingen failliet omdat de suikerprijzen steeds lager en de slaven steeds duurder werden. Die gebieden werden door de Cavalcantis teruggekocht, die zodoende hun gebied weer eens uitbreidden.

Joaquim Costa Santos leverde de Cavalcantis suikerriet zoals zijn vader en zijn grootvader dat voor hem hadden gedaan. Hij was een kleine, energieke man, met zwarte glanzende haren, een mager gezicht en een lange neus. Hij was getrouwd met Isabel Teixeira, ook een plantersdochter, die hem drie zonen en twee dochters geschonken had.

Hij had niet verwacht dat een Cavalcanti persoonlijk de oogst zou komen inspecteren en toen Paulo zich bij hem liet aandienen was Joaquim afwezig, en zijn drie zonen ook. Zijn vrouw en een van zijn dochters, Ana, waren ziek omdat zij onrijp fruit gegeten hadden en slechts de oudste, Luciana, die niet van wilde vijgen hield, kon Paulo ontvangen.

'Mijn vader komt morgen terug,' zei zij. 'Wilt u bij ons overnachten, *senhor*?'

De middag liep al ten einde, want de jongeman had vier uur moeten rijden om bij de Costa Santos te komen. Hij keek eens naar het jonge meisje dat met haar handen over elkaar voor hem stond. Zij droeg een lichtblauwe jurk met een gerimpelde kraag, kleine witte schoentjes en had linten in haar haren.

'Ja,' antwoordde Paulo.

Luciana Costa Santos was vijftien en nog niet helemaal volgroeid. Ze had een lief gezichtje met roze wangen en een fijn getekend mondje. Ze had bruine ogen en een rustig karakter. Paulo kende de kinderen van Costa Santos niet maar wist dat *padre* Viana voor hun opvoeding zorgde, met toestemming van *senhor* Bartolomeu.

Isabel Costa Santos riep Luciana vanuit haar slaapkamer. Luciana verontschuldigde zich en ging naar haar moeder toe. Een paar minuten later kwam zij terug en zei tegen de bezoeker: 'Ik heb het eten klaar. Hebt u trek, *senhor*?'

Paulo knikte. 'Dan ga ik daarna wel naar de velden van uw vader kijken.'

Omdat de beide dienstmeisjes ook ziek waren diende Luciana het eten op. Paulo probeerde een gesprek aan te knopen, maar zij gaf slechts korte antwoorden en bleef terzijde staan, weer met haar handen gevouwen. Na een paar minuten verontschuldigde zij zich en vluchtte de keuken in. Toen hij klaar was met eten en opstond verscheen het meisje weer. Hij complimenteerde haar met het eten en vroeg: '*Padre* Eugênio komt hier elke week, als ik me niet vergis?'

'*Sim, senhor*. Hij is een heel goede onderwijzer!'

'Vinden uw broers dat ook?'

'Ja, en ik ook. De buren vonden het raar dat mijn vader mij ook de lessen van de *padre* liet volgen. Volgens hen hoeft een meisje niet meer te weten dan wat zij van haar moeder kan leren.'

Luciana's blikken kruisten die van Paulo. Ze schaamde zich en keek meteen de andere kant uit.

'Ik geloof niet dat *padre* Eugênio zijn tijd met jullie verdoet,' verzekerde de jongeman.

Luciana bloosde, trok zich weer terug in de keuken en stamelde: 'Dank u, *senhor*.'

Paulo zocht de opzichter van Costa Santos op, ging met hem naar de velden en stelde vast dat de *lavrador* niet overdreven had. Zijn oogst zou wel eens meer kunnen bedragen dan de dertig *tarefas* waarop hij hem geschat had. En elke *tarefa* die in de molen van de Cavalcantis werd vermalen betekende veertig karren suikerriet.

Terwijl hij naar de opzichter luisterde, een spraakzame man afkomstig van de Azoren, dacht Paulo aan Luciana. Hij dacht aan haar verlegenheid, aan haar onhandigheid, aan haar frisheid, en aan haar aantrekkelijke mond. Sinds zijn zoon uit Portugal terug was had Bartolomeu al een paar keer voorgesteld om een meisje te gaan zoeken in een familie van *limpa sanque*, zuiver bloed. Paulo's moeder, Catarina Benevides, had zelfs de dochters van verschillende planters met name genoemd, en ook twee nichtjes uit het huis van haar broer. Dus was Paulo twee maanden geleden naar de plantage van zijn oom gegaan, maar had diens kroost lelijk en vervelend gevonden.

Toen hij terugkwam in het huis van Costa Santos, stond *senhora* Isabel, bleek en zwak maar vastbesloten haar rol van gastvrouw te vervullen, hem op de drempel op te wachten. Ze ontving hem in de grote kamer, samen met Luciana, en al ging het gesprek over koetjes en kalfjes, Paulo vond het plezierig, alleen al om de aanwezigheid van het zachte en bescheiden meisje.

De volgende ochtend kwamen de drie zonen op hun paarden aangalopperen. De oudste, twaalf jaar, daagde zijn broers luidruchtig uit. Hun vader, die achter hen aan kwam draven, gaf zijn rijdier de sporen toen hij Paulo Cavalcanti voor zijn huis zag staan, onder een pernambukboom. Hij stond nog niet op de grond of Costa Santos begon zich te verontschuldigen, maar de jongeman stelde hem gerust door te zeggen: 'Uw vrouw en uw Luciana hebben mij heel goed ontvangen. Een fantastische dochter, werkelijk!'

Bij het horen van de laatste woorden trok Costa Santos zijn wenkbrauwen op, vroeg de bezoeker hem te verontschuldigen en ging naar binnen om te vragen hoe het met zijn echtgenote was. Ze was weer helemaal opgeknapt want de duidelijke belangstelling die de zoon van *senhor* Bartolomeu voor haar dochter had, had alle door groene vijgen veroorzaakte ellende uit haar gedreven. Ze vertelde haar man snel wat zij gezien had en voegde er nog aan toe dat zij voor het naar bed gaan voor het altaar was geknield en de Heilige Jozef had gevraagd om de vlam van *senhor* Paulo aan te wakkeren.

Costa Santos omhelsde zijn vrouw, en rende naar de kamers van zijn dochters. De kleine Ana, elf jaar, had nog steeds last van pijn in haar buik. Ze zou nooit meer vijgen eten, zwoer zij. Haar vader kuste en troostte haar, om vervolgens naar Luciana te gaan.

'*Senhor* Paulo wil je misschien persoonlijk bedanken. Houd je ter beschikking, dochterlief.'

Ana begon te grinniken, waardoor haar grote zuster moest blozen.

'Houd je ter beschikking,' herhaalde Costa Santos.

's Middags dienden Isabel en Luciana het eten op en de *lavrador* kon zijn tevredenheid amper verbergen toen hij zag dat Paulo voortdurend naar zijn dochter keek. Toen de zaken eenmaal geregeld waren en Paulo op het punt stond te vertrekken vroeg hij zijn gastheer toestemming om Luciana te bezoeken.

'Maar natuurlijk, *senhor* Paulo, mijn huis staat voor u open.'

Costa Santos ging zelf het paard van zijn bezoeker halen om te laten zien hoezeer hij hem achtte. En om hem in staat te stellen om nog eventjes met Luciana alleen te zijn.

'Ik heb aan uw vader gevraagd of ik u af en toe mocht komen bezoeken,' zei Paulo.

Het jonge meisje keek hem heel eventjes aan en glimlachte verlegen.

'Ik kom gauw terug, Luciana.'

'Ja, *senhor* Paulo.'

'Heel gauw, mijn lieve Luciana.'

Zeven maanden later, vroeg in de morgen van 11 augustus 1757, werd er op de deur van de Costa Santos geklopt. *Senhora* Isabel, die met familieleden en vrienden in de voorkamer zat, deed niet open.

'Wie daar?' vroeg zij opgewonden.

'Wij komen in vrede.'

'En wat is de reden van uw bezoek?'

Buiten begonnen een paar stemmen tegelijkertijd te spreken.

'Stilte!' riep een man. 'In naam van de Vader en de Heilige Geest, wij komen Luciana Costa Santos halen.'

In de grote kamer klonken gealarmeerde kreten, klachten en gekreun.

'Zij is de verloofde van ons petekind, Paulo Benevides Cavalcanti!'

'Maar dan bent u aan het verkeerde adres,' antwoordde Isabel. 'Ga dat meisje maar ergens anders zoeken.'

'*Não, senhora!*' zei een andere mannenstem. 'Ik kan me niet vergissen. Hoe vaak ben ik al niet door deze deur gegaan?'

Isabel gaf een teken aan haar zwager, die open ging doen.

'De *senhora* geeft u toestemming binnen te komen. Doorzoekt u alle vertrekken maar, het meisje zult u niet vinden.'

Paulo Cavalcanti stapte naar binnen. Hij was gekleed in een prachtig geborduurd vest, een donkere broek en een korte zwarte cape, en droeg drie gebakjes in zijn hand. Hij verontschuldigde zich bij de meesteres van het huis voor het feit dat hij stoorde maar zei er direct achteraan: 'Luciana Costa Santos is mij beloofd, *senhora*. Zij gaat vandaag over tot de heilige huwelijkse staat. Neemt u mij niet kwalijk, maar ik ga niet weg voordat ik haar gevonden heb. Wil iemand hier mij verhinderen haar te zoeken?'

'*Não, senhor, não!*'

De volwassenen bleven in de voorkamer, en Ana en haar broers volgden Paulo bij zijn zoektocht. Telkens als hij een kamer binnenging wachtten zij op de drempel, en slaakten kreten van teleurstelling als hij alleen terugkwam.

'Luciana is daar niet!' riep Ana.

En haar broers herhaalden dat in koor, helemaal in de ban van dit verstoppertje spelen.

Ten slotte kwam Paulo in een achterkamertje, deed de deur open, en vond Joaquim Costa Santos naast zijn dochter, waarbij hij deed alsof hij haar wilde beschermen. De beide peetouders van Luciana zaten op het bed en slaakten verschrikte kreetjes toen zij de jongeman zagen, waarbij een van hen een kruis sloeg.

Paulo liep naar binnen, en gaf ieder van hen een van de gebakjes. De derde gaf hij aan *senhor* Costa Santos, en toen nam hij het jonge meisje bij de hand. Luciana droeg een jurk van zwarte taf en een mantilla van kantwerk, door een van haar peetouders gemaakt, en wendde zich nu tot haar vader.

'*Senhor pai*, ik moet dit huis verlaten.'

'Ga, mijn kind,' antwoordde Costa Santos. 'Jij hebt mijn zegen.'

De beide peetouders stonden op, hun petekind omhelsde hen en volgde toen Paulo naar de voorkamer, waar *senhora* Isabel zat te wachten.

'Ik vraag uw toestemming om uw dochter mee te nemen,' zei de jongeman.

'Beloof mij goed voor haar te zullen zijn, Paulo Cavalcanti.'

'Dat beloof ik plechtig.'

'Neem uw vrouw dan mee, *senhor* Paulo. Ga in vrede en moge God deze verbintenis zegenen.'

De broers en de peetouders van Paulo brachten het jonge paar naar een open wagen, die met bloemen en linten versierd was, en die vanbinnen bestrooid was met geurende kaneelbladeren. Achter de wagen stond de trouwstoet, met in de eerste koets de bruidsschat van de bruid. Familieleden en vrienden van Costa Santos namen snel plaats in de andere wagens en op het teken van een van de peetouders van de bruidegom zette de stoet zich in beweging, vergezeld door een groep muzikanten.

De processie kwam aan het begin van de middag in Santo Tomás aan. Langs de weg naar het Casa Grande bejubelden de boeren van de Cavalcantis en hun families evenals de arbeiders van de suikermolens, de slaven en de genodigden het jonge paar, waarvan de wagen onder met bloemen versierde bogen doorreed.

Toen zij voor het huis aankwamen kwam Bartolomeu van de veranda af om hen vrolijk te ontvangen. Evenals Costa Santos gaf de planter zijn zegen aan deze verbintenis. Hij had gehoopt zijn zoon met een meisje van hogere geboorte te kunnen laten trouwen, beter dan de erfgename van een *lavrador de cana*, maar de Costa Santos waren respectabel en hadden *limpa sanque*.

Paulo en Luciana werden in de kapel van het Casa Grande in de echt verbonden, om drie uur 's middags, ten overstaan van *padre* Eugênio. Onder de mantilla die haar haren en haar schouders bedekte straalde de bruid met haar roze wangen en haar mooie ogen. Paulo lette goed op de priester maar keek af en toe stiekem opzij om zijn toekomstige vrouw te bekijken. Achter hen was de kapel gevuld met familieleden en vrienden.

'Paulo Benevides Cavalcanti, wilt u als echtgenote nemen Luciana Teixeira Costa Santos, hier aanwezig, volgens de rites van onze Heilige Moeder de Kerk?'

'Dat wil ik,' zei Paulo vastberaden.

De bruid antwoordde met een even vastberaden stem.

Toen de jonge echtelieden de kapel uitkwamen werden zij juichend begroet door de menigte die buiten wachtte. Er werden musketten afgeschoten, pijlen vlogen de lucht in en de slaaf Onias, een half jaar geleden op verzoek van *padre* Eugênio van zijn masker bevrijd, begon de klokken te luiden.

Terwijl de kapel leegstroomde bleef Catarina Benevides bij een nis staan met daarin het beeld zonder armen van de Heilige Thomas, vereerd door de Cavalcantis, en bad voor de jonggehuwden.

In januari 1758, vijf maanden na de bruiloft van Paulo, verloor Graciliano in de ogen van zijn vader zijn eer.

Het begon allemaal op 23 januari, toen Estevão Ribeiro Adorno op Santo Tomás kwam. De koeiendrijver, met driehonderd stuks vee op weg naar Recife, had vier mijl ten noorden van het domein zijn kudde in de steek gelaten om zich bij de *patrão* te kunnen melden. Hij werd met nog een andere *vaqueiro* op de veranda van het Casa Grande door Bartolomeu, Paulo en Graciliano Cavalcanti ontvangen, terwijl een derde ruiter, die op afstand bleef, de paarden bewaakte.

Terwijl Paulo en zijn vader met Ribeiro Adorno zaten te praten keek Graciliano naar de ruiter die op zijn paard was blijven zitten en merkte dat het een vrouw was. De *vaqueiro*, die zag waar de jongeman naar keek, onderbrak het gesprek en zei: 'Mijn dochter Januária, *senhor*. Ik heb geen enkele moeite om een kudde van driehonderd koeien te leiden maar zij... ze lacht mij uit als ik met mijn zweep dreig, en als ik lieve woordjes tegen haar zeg is ze doof. Mijn beide andere dochters gehoorzamen, maar zij niet. Ze had gevraagd of ze mee mocht, maar ik had het geweigerd. En op drie dagmarsen afstand van de *fazenda* merkten wij dat zij ons achterna kwam. Omdat ik niemand had om haar terug te brengen naar het kamp...'

Januária, nu zeventien, was magerder geworden. Haar uitstekende jukbeenderen deden haar op een Tapuya lijken, evenals haar zachte zwarte haren onder de leren hoed die zij achteloos op het hoofd had.

'Waarom ben je achter ze aangegaan, meisje?' riep Graciliano naar haar.

Ze zei niets.

'Geef de *senhor* eens antwoord!' beval haar vader.

Januária speelde met de leidsels, maar deed haar mond niet open.

'Ik zal het u wel vertellen,' zei Ribeiro Adorno. 'Ze wilde de zee zien!'

Graciliano barstte in schaterlachen uit, en het ongehoorzame meisje ook, iets waaraan Bartolomeu Cavalcanti zich lichtelijk ergerde. Ribeiro maakte zich zorgen over de schaamteloosheid van zijn dochter maar de *patrão* leidde zijn aandacht van Januária af en vroeg naar de *fazenda*. Ribeiro Adorno antwoordde zo goed mogelijk op veel vragen; dat nam tijd in beslag en toen de nieuwsgierigheid van de meester bevredigd was was het te laat om naar de kudde terug te gaan. Bartolomeu deelde instructies uit om de bezoeker onder te brengen in de hut van een Portugese arbeider die naar Recife was.

Toen zij gegeten hadden lieten Ribeiro Adorno en zijn metgezel Januária in een hangmat liggen om met een groep arbeiders van de molen te gaan kletsen en drinken. Een uur later kwam Graciliano naar de hut om met het meisje te vrijen, een gunst die zij maar al te graag aan de zoon van de *patrão* verleende. Zij was al met vele mannen naar bed geweest sinds zij ontmaagd was door haar broer Jacinto, toen zij negen was.

'Ik zal je naar de zee brengen, Januária,' beloofde Graciliano nadat hij met haar gevreeën had.

En hoewel hem dat niet al te zeer interesseerde vroeg hij het meisje toch wat haar vader ervan zou vinden. Ze snoof minachtend. Ze had al een jaar in de hut van een oude *vaqueiro* gewoond, die Fructuoso heette.

'Toen hij mij vroeg, heeft mijn vader niet geweigerd,' legde zij uit. 'Hij nam het musket, het buskruit en de ring die de ander hem aanbood en bracht mij naar zijn hut. Waarom zou hij er dan iets op tegen hebben als *senhor* Graciliano mij de zee laat zien?'

De volgende dag, bij zonsopgang, glipte Januária de hut uit zonder Ribeiro Adorno wakker te maken, die nog in zijn hangmat lag te snurken omdat hij de vorige avond dronken van de *cachaça* was gaan slapen. Het meisje verwachtte niet echt Graciliano Cavalcanti bij de paarden te zullen vinden, maar hij was er wel degelijk, stond zich in de koude ochtendlucht in de handen te wrijven en glimlachte toen zij er aan kwam.

Zij pakten hun paarden bij de leidsels en liepen geruisloos tot de weg die door het dal voerde. Januária giechelde toen de jongeman haar in het zadel hielp, want dat was zij helemaal niet gewend. Zij glimlachte breeduit toen zij de veter van haar hoed onder haar kin vastmaakte.

'Op naar zee!' riep Graciliano, om vervolgens zijn rijdier de sporen te geven.

Zij lieten de dieren twee keer uitrusten en de tweede keer, rond het middaguur, vree hij weer met haar. Dit meisje beviel hem wel. *Senhor* Bartolomeu zou waarschijnlijk woedend zijn over dit uitstapje naar zee met de dochter van een koeiendrijver, maar Graciliano dacht dat het hem wel zou lukken zijn vader ten slotte te vermurwen. Hoewel Bartolomeu zijn zoons op het hart drukte zich niet met heidenen af te geven, of met mestiezen of negerinnen, wist hij heel goed dat dat soort verboden feitelijk denkbeeldig waren. Hij zei er ook altijd bij: 'Probeer het zo discreet mogelijk te doen.'

Ribeiro Adorno zou de zoon van de *patrão* niet met een mes in zijn hand achternakomen voor een dochter die hij zelf eigenlijk al verkocht had. Graciliano ging dus naar Olinda zonder aan iets anders te denken dan aan het plezier dat hij met deze halve wilde zou hebben, die uit de *caatinga* kwam en de zee wilde zien.

Toen zij de oceaan zag slaakte Januária opgewonden kreetjes en gaf haar paard de sporen. Later staken zij de Beberibe over en Graciliano bracht haar naar de top van een van de heuvels van Olinda.

Rechtop in de stijgbeugels sperde het meisje haar ogen wijd open. Ze boog zich voorover, draaide haar hoofd langzaam van links naar rechts, keek even naar Graciliano, die tegen haar glimlachte, en toen weer gauw naar de oceaan die zich voor haar voeten uitstrekte. 'Santa Maria!' riep ze met een verrukte uitdrukking op haar gezicht. 'O, *senhor* Graciliano, wat is dit mooi!'

Bartolomeu Cavalcanti liet de nagel van zijn linkerpink groeien, zoals de aristocraten uit Pernambuco dat deden om te laten zien dat zij geen grond hoefden bewerken. Als hij kwaad was krabde de meester van Santo Tomás met die lange nagel in zijn witte baard, waarbij hij geïrriteerd met zijn tong klakte. Dit keer was het het uitstapje van zijn zoon met de dochter van Ribeiro Adorno dat zijn woede gewekt had.

Zodra hun afwezigheid ontdekt werd riep de planter de *vaqueiro*.

'Mijn zoon is er met jouw dochter vandoor,' zei Bartolomeu kortaf. 'Slaven hebben hen bij zonsopgang zien vertrekken.'

'*Senhor*, daar wist ik niets van, ik heb de nacht doorgebracht bij de arbeiders van de molen.'

Zo zelfverzekerd als hij in de *caatinga* was, zo slecht op zijn gemak voelde Ribeiro zich op Santo Tomás. Op de *fazenda* zou hij zijn zonen gevraagd hebben hun best geslepen dolken te pakken omdat er een keel doorgesneden moest worden. Weliswaar ging het niet om een verloren maagdelijkheid, maar de eer van de *vaqueiro* stond op het spel.

Oog in oog met zijn *patrão* wist Ribeiro Adorno niet wat hij moest doen. Te oordelen naar de ernstige uitdrukking op zijn gezicht leek *senhor* Bartolomeu te denken dat het gezichtsverlies voor hem zo mogelijk nog groter was.

'Het spijt mij, *senhor*,' mompelde de koeiendrijver. 'Ik had dat meisje moeten terugsturen.'

Bartolomeu Cavalcanti vroeg aan Ribeiro op het domein te blijven, om Januária op te vangen als zij terug zou komen. Toen zond hij de andere koeiendrijver uit om voor de kudde te zorgen en droeg twee betrouwbare mannen op om het paar terug te vinden, met de boodschap: 'Zeg aan mijn zoon dat hem alles direct vergeven zal worden als hij de dochter van de *vaqueiro* terugbrengt.'

De beide mannen kwamen drie dagen later terug met Geraldo, de jongste zoon, die in het huis van de Cavalcantis in Olinda woonde.

'Ik dacht dat dat meisje een dienstmeisje was maar Graciliano nam haar mee de kamer in,' vertelde de jongeman tegen zijn vader. 'Toen ik de toegang tot ons huis aan die *cabocla* wilde ontzeggen, lapte hij dat aan zijn laars. Vader, ik heb mijn best gedaan om hem duidelijk te maken dat hij u beledigde, maar hij wilde niet luisteren.'

De planter besloot opnieuw een poging te doen om de zaak met overleg te regelen.

'Gaat u hem eens opzoeken, *padre* Eugênio. Graciliano is koppig maar naar u zal hij willen luisteren. Hij overlaadt mijn huis met schande, en zijn moeder met verdriet, door de zonde die hij met dat meisje begaat.'

Het enige dat de priester in Olinda hoorde, was een botte weigering van Graciliano.

'Mijn broer Paulo en zijn vrouw Luciana vervullen mijn vader met trots. De erfgenaam van Santo Tomás en zijn prinses! Ze zeuren mijn kop gek met de eer die Paulo de naam van de Cavalcantis bezorgt! Ik ben geen kind meer, *padre*. Misschien zal ik later mijn vader nog vergiffenis vragen maar op het ogenblik sta ik dat meisje niet af.'

Toen vroeg Viana of hij Januária mocht zien. Een slaaf uit het huis in Olinda had voor haar een jurk moeten kopen. Het was een lichtgroene, met rode boordsels, en zat zo strak dat de stevige boezem van het meisje goed uitkwam. Ze had ook schoenen gekregen, maar die droeg ze niet, want die knelden te veel aan haar brede voeten. Januária kwam eraan met één hand voor haar mond, terwijl zij met de andere met de zoom van haar jurk speelde.

'Ribeiro Adorno zit op Santo Tomás te wachten,' zei de priester. 'Zonder zijn dochter gaat hij niet terug naar de *fazenda*.'

Zij liet de hand die zij voor haar mond hield zakken en schudde haar hoofd.

'Jouw plaats is daar,' ging Viana verder, 'in de *sertão…*'

'*Senhor* Graciliano heeft mij gezegd dat ik hier moest blijven,' zei zij. 'Ik ga dus niet terug.'

Toen *padre* Eugênio op het domein terugkwam luisterde Bartolomeu rustig naar zijn rapport en bedankte hij hem een poging gedaan te hebben zijn zoon tot rede te brengen. Maar nog geen uur later ging de planter met Ribeiro Adorno en zes mannen uit Santo Tomás op weg naar Olinda. De meester reed voorop, kaarsrecht met zijn schouders naar achteren en een onbewogen uitdrukking op zijn gezicht. Paulo en Geraldo hadden gevraagd mee te mogen maar dat had hij geweigerd. 'Ik wil jullie daar niet hebben,' had hij botweg geantwoord. 'Ik moet mijn plicht als vader vervullen, hoe triest dat ook is.'

Toen Bartolomeu de salon van zijn huis in Olinda binnenkwam, zaten Graciliano en Januária met hun rug naar de deur op de sofa, en hoorden zij hem niet binnenkomen.

'Graciliano!'

De jonge Cavalcanti sprong op. Zijn vader wees met zijn kin op Januária.

'Ga de kamer uit, meisje.'

Ze keek zenuwachtig naar Graciliano.

'Ga maar naar de keuken,' zei hij.

Hij hielp haar opstaan, nam haar bij de arm en duwde haar naar de gang.

'In Gods naam, Graciliano Cavalcanti, wat heb je toch?'

'Het was niet mijn bedoeling u te beledigen,' stamelde de zoon van de planter.

'Mij beledigen? Op Santo Tomás lachen zij mij achter mijn rug uit. "De zoon van de meester is ervandoor met de *cabocla* van de *vaqueiro*!" En hier, in mijn eigen huis, met die slet uit de *sertão*!'

'Ik begrijp het niet, *senhor*...'

'Wat begrijp je niet?'

'Er gaan er zoveel naar bed met slaven...'

'Om mulatten, *mamelucos* en *caboclos* achter te laten om de erfenis op te strijken die ons edele Portugese bloed bij elkaar heeft geraapt!'

'*Senhor pai*, de halfbloeden hebben bijgedragen aan de verovering, dat hield *padre* Viana ons heel vaak voor. Bent u de *peças* en de *caboclos* vergeten die met Fernão Cavalcanti gestreden hebben?'

'Moge God zich ontfermen over de ziel van onze held!' riep Bartolomeu. 'Dom Fernão zou in tranen uitbarsten als hij je met dat meisje zag. Zij moet naar Ribeiro Adorno terug. En wel meteen!'

Graciliano schudde langzaam zijn hoofd. Toen hij iets wilde zeggen, draaide zijn vader zich om naar de deur en riep hij: 'Ribeiro! Je dochter wacht op je!'

De *vaqueiro* trad binnen.

'Laat ons de ring zien die de oude Fructuoso je gegeven heeft!' beet Graciliano hem minachtend toe.

'*Senhor*?' vroeg de koeiendrijver stomverbaasd.

'In ruil voor Januária,' voegde de jongeman er op kille toon aan toe. Ribeiro bloosde.

'Fructuoso was een respectabel man,' mompelde hij.

'En ben ik dat dan niet?'

'Wij zijn hier niet op de *fazenda*, *senhor*.'

'Ribeiro Adorno, ga je dochter halen,' beval Bartolomeu terwijl hij op de gang wees.

Toen de *vaqueiro* voor Graciliano langsliep, beet die hem toe: 'Vraag haar maar of ze terug wil naar de *sertão* of dat zij bij haar minnaar wil blijven.'

'Heilige Moeder Gods!' kreunde Bartolomeu. 'Heer, vergeef deze brutaliteit!'

Graciliano barstte in lachen uit. Zijn vader, trillend van woede, liep naar de deur toe en gaf met een brok in zijn keel een bevel, waarop vier mannen van Santo Tomás het vertrek binnenstormden.

'*Senhor pai*,' mompelde Graciliano ongelovig. 'Wat...?'

Voordat de jonge Cavalcanti iets kon doen sleepten de vier mannen hem naar buiten, naar de binnenplaats, en sloegen hem in elkaar tot hij bewusteloos bleef liggen. Toen legden ze hem op een kar en brachten hem terug naar het domein. Twee weken lang hield Graciliano in het Casa Grande het bed, waarbij hij *padre* Eugênio, Paulo en de anderen die medelijden met hem hadden, botweg afwees. Aan het eind van de derde week ging hij er met twee paarden en een muilezel vandoor, naar de Fazenda da Jurema waarheen Ribeiro Adorno en zijn dochter waren teruggegaan.

De eerste reactie van *senhor* Bartolomeu was om in de kapel te gaan bidden. Eerst was hij van plan om een troep te sturen om zijn zoon weer terug te halen, maar toen hij voor het beeld van de Heilige Thomas knielde, veranderde hij van mening. 'Geen bloedvergieten,' beloofde hij de heilige. 'Moge de verbanning van mijn zoon naar die wilde streek zijn straf zijn, tot de dag waarop hij die hoer van de *sertão* in de ogen kijkt en zijn vreselijke fout zal erkennen.'

Graciliano kwam niet terug naar Santo Tomás. Toen Jacinto in mei 1759, zestien maanden later, naar het domein ging, sprak hij met enthousiasme over de rijkunst van de zoon van de *patrão*, hoe goed hij het vee kon drijven en kon jagen. Graciliano had de nachtelijke uitstapjes in de straten van Recife vervangen door gevaarlijker expedities. Gewapend met een *guiada* ging hij in de *caatinga* op jaguars jagen.

Ribeiro Adorno had zijn zoons opgedragen niets over Januária te vertellen, maar een andere koeiendrijver vertelde Bartolomeu dat Graciliano en de *cabocla* in oktober 1758 een zoon hadden gekregen. De verbintenis van Paulo met Luciana had ook zijn vruchten afgeworpen want twee maanden voor de bastaard van Graciliano, was er een dochtertje geboren.

De meester van Santo Tomás liet de leiding van de plantage steeds meer aan Paulo over, die zeer ter zake kundig was. Als de planter evenwel zijn zoon en Eugênio Viana hoorde discussiëren over de rechten en de plichten van alle mensen, vond hij dat Paulo zich te veel bezighield met deze vruchteloze kwesties. Maar hij verzweeg zijn afkeer ervan want hij wist zeker dat zijn zoon voor Santo Tomás een sterke en rechtvaardige meester zou zijn, als het moment daar was.

Voordat het eerste halfjaar van 1759 verstreken was hoorde Bartolomeu Cavalcanti Paulo en Viana heftig discussiëren over een onderwerp dat hun na aan het hart lag en dat hijzelf een beetje verwarrend vond. Het probleem van de jezuïeten. Bartolomeu was al lang bevriend met de goede paters, niet alleen met de zwartjurken van de *aldeia do Rosário* maar ook met de meesters van de *colégios* in Recife en Olinda. Toch werden de jezuïeten steeds meer aangeklaagd sinds de opstand van de Guaranis en *senhor* Cavalcanti vroeg zich af of er geen waarheid school achter de bewering van sommigen dat de heilige brigade in opstand was gekomen tegen God.

In Lissabon had de markies van Pombal, de eerste minister, José I zover gekregen dat hij de jezuïeten van het hof verdreven had. Pombal had Dom José overtuigd dat de zwartjurken verantwoordelijk waren voor de opstand van de Guaranis en had de monarch bedolven onder rapporten van zijn broer, Mendonça Furtado, die de schandelijke uitbuiting had beschreven van de inheemse onderdanen van zijne majesteit in Maranhão en Grão Pará.

In april 1758 hadden de ambassadeurs van de markies bij het Vaticaan Benedictus XIV zover gekregen dat hij de aartsbisschop van Lissabon opdracht had gegeven klaarheid te scheppen in het doen en laten van de jezuïeten. De prelaat, Francisco Saldanha, was een vriend van Pombal, en in nog geen twee weken verbood hij de Portugezen handel te drijven met de zwartjurken. Twee maanden later ontnam hij hun het recht te prediken en de biecht af te nemen van Lissabonse burgers.

Op de avond van 3 september 1758 werd de koets die Dom José en een hoveling, Pedro Teixeira, naar het paleis van Belém bracht, door gemaskerde mannen overvallen. Er vielen schoten, de koning werd in zijn schouder geraakt, maar Teixeira bleef ongedeerd. Pombal raadde de monarch aan deze aanslag verborgen te houden, zodat hij, volgens zijn zeggen, de tijd zou hebben om de samenzweerders op een dwaalspoor te brengen.

En inderdaad, drie maanden later werden de schuldigen in de Junqueira en in andere donjons opgesloten. Onder hen bevonden zich leden van twee vooraanstaande families: de markiezin van Távora, een favoriete aan het hof van João V, en de hertog van Aveiro, grootmaarschalk van het koninklijk huis, beiden in staat van beschuldiging gesteld op grond van brieven die zij aan familieleden hadden geschreven en waarin zij toespelingen maakten op de aanslag op de koning.

Maar niets stelde Pombal zo tevreden als de gevangenneming van Gabriel Malagrida en twaalf andere jezuïeten. In een brief die hij aan de familie Távora geschreven had, kondigde de goede pater donkere dagen aan voor José I als hij niet zou ophouden de Sociëteit van Jezus te vervolgen.

'*Saúva! Saúva! Saúva!*' riep *padre* Leandro Taques in Nossa Senhora do Rosário, op een dag in september 1759.

Zijn zwarte jurk kwam omhoog als hij zijn voet optilde en die weer op de grond liet neerkomen. Onder de ogen van Paulo Cavalcanti begon hij tussen de cassaveplanten heen en weer te lopen, met zijn hoofd naar de grond gericht.

'*Saúva! O rei do Pernambuco!*' schreeuwde de jezuïet uit alle macht, terwijl hij woedend het veld plattrapte. '*Saúva! O rei do Brasil!*'

Saúva, de luis die de bladeren opat. De koning van Brazilië! Hele massa's van deze insekten vraten de cassaveplanten op maar dat was niet hetgeen *padre* Leandro's woede wekte. De maniok was namelijk alleen maar geplant om schaduw te bieden aan vier rijen kleine koffiestruiken die de priester enkele maanden eerder had geplant, in een eerste poging om deze cultuur in Pernambuco op gang te brengen.

In Belém do Pará was de koffie geïntroduceerd vanuit de Franse kolonie Cayenne, waarvan de gouverneur niettemin de formele order had uitgevaardigd geen enkel zaadje de kolonie uit te laten gaan, grenzend aan de noordelijke gebieden Maranhão en Grão Pará. In 1727 was een Portugees officier, Francisco Palheta, naar Cayenne gestuurd om overleg te voeren over de grenzen, en het verhaal wilde dat hij *madame* Claude d'Orvilliers, de vrouw van de gouverneur, zo charmeerde dat zij bij zijn vertrek een handvol koffiezaden in zijn zak liet glijden.

Terug in Belém do Pará teelde Palheta in zeven jaar tijds meer dan duizend koffiestruiken en vroeg hij in Lissabon toestemming om slaven aan te schaffen teneinde deze onderneming tot een goed einde te kunnen brengen. Toen Leandro Taques zaden uit Pará had laten komen, werden er al jaarlijks enkele tonnen koffie naar Portugal verscheept.

De jezuïet staakte ten slotte zijn aanval op de luizen en liep naar Paulo toe.

'Mijn arme struikjes!' klaagde hij. 'Helemaal opgevreten! Tot de laatste plant! Over een jaar zouden ze gebloeid hebben, over drie jaar zouden ze de eerste vruchten hebben gedragen. Geplukt, in de zon gedroogd, geschild en gesorteerd. Koffie! Maar nu, waar blijft mijn hoop?'

'Misschien lopen ze weer uit.'

'Misschien,' zuchtte *padre* Leandro, en een spiertje in zijn pokdalige gezicht trok zenuwachtig. 'Misschien ben ik al lang weg uit Rosário als de eerste in bloei komen.'

Paulo Cavalcanti fronste zijn wenkbrauwen.

'Ik verwacht elke dag een ruiter te zien komen die Salvador de Meireles en mij beveelt Rosário op te geven.'

Even later gingen de beide mannen naar *padre* Salvador in de grote zaal van het huis van de paters. Paulo kwam praten over de behandeling van de huiden van de Fazenda da Jurema in de leerlooierij van de *aldeia*, maar het gesprek ging voornamelijk over de moeilijkheden van de Sociëteit van Jezus.

Padre Leandro verwachtte terecht het bevel te zullen ontvangen Rosário te verlaten. In september 1759 was de jezuïtische provincie Maranhão en Grão Pará, waar Taques twintig jaar lang bij de Tapajós had gewerkt, opgeheven. De dikke rapporten van Mendonça Furtado hadden geleid tot de verbanning van de jezuïeten uit de *aldeias* van de Rio das Amazonas en de zijrivieren, tot de confiscatie van hun boerderijen op het eiland Marajó, bij de monding van de grote rivier.

De decreten die de zwartjurken de tijdelijke macht over hun bekeerlingen aan de Rio das Amazonas afnamen en het bestuur van deze missies in lekenhanden legden, waren in mei 1758 ook van kracht geworden in Brazilië. Maar Rosário en veel andere *aldeias* werden nog wel door jezuïeten geleid omdat de gouverneurs van de kapiteinschappen amper mannen konden vinden die integer genoeg waren om de zo door Pombal nagestreefde integratie van inboorlingen te verwezenlijken.

'Het zou verkeerd zijn als wij ontkennen in de *aldeias* een tijdelijke macht te hebben uitgeoefend die onze rol van priesters verre te buiten ging,' erkende *padre* Leandro. 'Maar waarom was dat nodig? Om de inboorlingen te redden! God weet dat veel van hen zouden zijn afgemaakt of tot slaven gemaakt als wij ze niet in *aldeias* hadden geïsoleerd en hadden beschermd!'

De priester wreef over zijn alsmaar trekkende gezicht en ging toen verder: 'Onze tegenstanders hebben van alle kanten kritiek op ons. Wij houden de inboorlingen wild. Wij leren hun de Tupi-Guarani *lingua geral* zodat zij het Portugees niet leren. Wij sluiten ze op in *aldeias* om ze van de beschaving af te houden. We worden er zelfs van beschuldigd hen niet genoeg te kleden, ze veel te naakt rond te laten lopen. Maar wat kunnen we anders doen, de koning verbiedt het weven van stoffen, behalve dan lendendoeken voor de slaven?'

Paulo knikte. De wetten waren heel streng op dit laatste punt, en de vertegenwoordigers van de koning jaagden op illegale produkten die de Portugese export naar de kolonie en de door zijne majesteit toegekende monopolies konden schaden.

'Er is vroeger ook weleens onenigheid geweest,' merkte Paulo op, 'maar dat is altijd opgelost.'

Salvador de Meireles knikte en zei: 'Uit São Paulo en Santos hebben ze de jezuïeten verbannen. En jouw eigen provincie, Leandro, is tot tweemaal toe al bijna verdwenen. Maar toch zijn de opruiers tot bedaren gebracht, toen God dat wilde.'

'Mijn Tapajós stonden aan de oever van de Rio das Amazonas en huilden toen ik vertrok,' herinnerde Taques zich. '"Houd moed, kinderen, houd moed. *Padre* Leandro komt terug," beloofde ik hun. Maar ik zal er nooit terugkeren. Nooit. Mijn God, wat ben ik bang dat datzelfde met Rosário zal gebeuren!'

Het pessimisme van Leandro Taques was geheel gerechtvaardigd.

Op hetzelfde ogenblik dat hij dit zei bracht een schip uit Lissabon instructies aan de onderkoning en de gouverneurs van de kapiteinschappen van Brazilië. Op 3 september 1759, een jaar na de aanslag, publiceerde Zijne Zeer Katholieke Majesteit José I een koninklijk edict tegen de Sociëteit van Jezus:

'Deze geestelijken zijn corrupt, betreurenswaardig nalatig in hun heilige taak tot onderwijzen, niet in staat tot enige hervorming, en dientengevolge dienen zij te worden verbannen uit alle bezittingen van zijne majesteit, omdat zij notoire rebellen zijn, verraders, tegenstanders van zijne koninklijke hoogheid en diens koninkrijk, evenals van de vrede en het algeheel welzijn van zijn onderdanen.'

Staande naast de kerk keek *padre* Leandro onbeweeglijk toe hoe Salvador de Meireles leiding gaf aan een groep inboorlingen die de goederen van de paters op een kar laadde. Af en toe keek *padre* Salvador een beetje bevreesd zijn kant uit, maar Taques reageerde daar niet op.

Het was 23 december 1759. Een week eerder was een boodschapper van de superieur in Recife beide priesters het bevel komen brengen Rosário te verlaten, overeenkomstig het koninklijk edict. Ze mochten de mis niet meer opdragen, de kinderen van de *aldeias* of van de *colégios* niet meer onderwijzen, en de zeshonderdnegenentwintig jezuïeten uit Portugees Amerika moesten in hun colleges blijven en wachten tot er schepen waren om hen eerst naar Lissabon te brengen en hen vervolgens te verbannen naar de pauselijke staten. De Indianen, die op deze decemberochtend op het plein verzameld waren, zeiden geen woord. De hele gemeenschap was bang en wanhopig. Pedro Preto was een van de notabelen van de *aldeia* die vooraan stond. Hij was onlangs benoemd tot lid van de raad van oudsten, hij was de eerste neger die een bestuurlijke taak in de *aldeia* te vervullen had gekregen.

Ze waren allemaal vreselijk ongerust. Sommige inboorlingen wilden terug naar het dorp in de *sertão* waar zij vandaan waren gekomen, maar herinnerden amper waar het zich bevond. Anderen wilden graag in vrede in Rosário blijven wonen, want daar waren zij geboren en ze waren er nooit vandaan geweest. Weer anderen, vooral de halfbloeden, waren ervan overtuigd dat de *governador* van Recife hun een goede bestuurder zou zenden.

De zevenentwintig zwarte inwoners waren allesbehalve optimistisch. Pedro Preto en de hoofden van nog twee zwarte families uit Rosário waren vrije mannen, maar ze zouden nooit vrij genoeg zijn om aan hun vroegere staat te kunnen ontkomen. Werken is goed voor honden en negers, zeiden de Portugezen, en bij de negers rekenden zij ook de vrijgelaten slaven. In Rosário leed Pedro Preto met zijn familie een rustig leven en hij was trots dat hij de hutten mocht inspecteren, een taak die de jezuïeten hem hadden opgedragen omdat hij zijn eigen huis zo goed verzorgde. Nu was hij bang dat dat alles met het vertrek van de zwartjurken zou veranderen.

Toen hun schamele bezittingen in de kar waren geladen liepen de beide paters langzaam voor de rij oudsten langs en namen zij van ieder van hen afscheid.

'Moge Jezus met je zijn... Moge Jezus met je zijn,' herhaalde *padre* Salvador alsmaar. Voor Pedro Preto bleef hij staan. 'God zegene je, Pedro. Toon de anderen hoe zij hun huizen moeten repareren, dat zal de nieuwe directeur op prijs stellen.'

'Ik zal het ze laten zien, *padre*.'

'Stevige huizen, Pedro,' ging de jezuïet verder. 'Huizen die...'

Padre Salvador kon niet op het juiste woord komen.

'Dat zal gebeuren,' verzekerde de vrijgelaten slaaf.

Toen was het de beurt aan Leandro Taques om afscheid te nemen van Pedro Preto.

'God zij met je, Pedro. En met jouw familie.'

'Dank u, *padre*. Jezus moge u vergezellen,' zei de neger terwijl hij de oude priester met genegenheid aankeek.

Leandro Taques boog zijn hoofd, liep door naar de volgende oude, maar draaide zich toen plotseling om naar Pedro.

'Jezus moge u vergezellen!' herhaalde de neger.

De muilezels waren ingespannen en de beide mannen zouden de jezuïeten naar Recife brengen.

'Laten we gaan, Leandro,' mompelde Salvador.

Taques bleef stokstijf staan.

'Vooruit, we kunnen ze niet laten wachten.'

Padre Leandro pakte zijn vriend bij de arm.

'Gaat u maar vast vooruit, ik kom wel na.'

'Wat bedoel je, Leandro?'

'Jezus zal mij vergezellen,' antwoordde de oude man glimlachend. 'Dat heeft Pedro mij gezegd, ja, deze lange weg naar de ballingschap zal ik te voet afleggen!'

Taques had de hele week al een verschrikkelijk gevoel van onmacht gehad. Voor de tweede keer in vijf jaar werd hij gedwongen om zijn gemeenschap op te geven. Nu moest hij weer toegeven, moest hij weer zonder protesteren een eeuwige ballingschap aanvaarden. Nee, deze keer zou hij iets ondernemen.

'Jezus zal mij vergezellen.' Een reis van twintig mijl, en dat voor een oude man. Maar Here Jezus, wat een mars zou dat worden! Voor u, Heer, de nederige penitentie van een onwaardige dienaar!

'Alstublieft, Salvador, laat mij de weg te voet afleggen.'

Padre Salvador wist hoe koppig zijn oude vriend was maar hij wees hem toch op zijn hoge leeftijd en zijn lichaam dat behoorlijk te lijden had gehad van die lange jaren missiewerk. Het was echter niet mogelijk om *padre* Leandro tot andere gedachten te brengen.

'Ik zal dit oude lijf met vreugde over de heuvels en door de dalen van Pernambuco slepen, Salvador. Zeg onze superieur dat ik mij over... een dag of zeven bij de deur van het *colégio* zal melden. God weet hoeveel tijd Hij Zijn dienaar wil geven om deze met stenen bezaaide weg af te leggen.'

Leandro Taques liep elf dagen en wat voor hem slechts een boetedoening was veranderde in een soort kleine triomf. Honderden mensen namen deel aan de mars van de oude priester. Zij zagen zijn zwarte gestalte tussen de heuvels ten zuidwesten van het domein van Santo Tomás doorkomen. Zij volgden hem met de ogen toen hij in de plensregen tussen twee velden suikerriet doorliep.

Vrouwen en dochters van rietkappers bekeken hem vanaf de drempel van hun huis of vanuit hun raam en sloegen een kruis; kinderen liepen een eindje plechtig met hem mee; in de velden hielden de slaven op met het werk en vroegen de Heer de reiziger te zegenen. De oude man legde niet meer dan zeven mijl per dag af, want hij was gauw buiten adem. Hij droeg een paar oude laarzen die zijn voeten openhaalden. Voordat hij bij Santo Tomás kwam, halverwege Recife, had hij zo'n pijn dat hij het uitschreeuwde. Toch stond hij niet stil en liep hij nog duizend passen verder, denkend aan het lijden van Christus, en daar kracht uit puttend.

Bartolomeu Cavalcanti was op de hoogte van de mars van *padre* Leandro, op 23 december uit Rosário vertrokken. Op de 28ste vertrokken de planter, zijn zoon Paulo en Eugênio Viana te paard, met een extra rijdier, de oude man tegemoet.

'*Senhor* Bartolomeu,' zei *padre* Leandro toen hij hen begroet had, 'in de brief van mijn superieur heb ik gelezen dat u de doodstraf kunt krijgen als u met een jezuïet spreekt.'

'De dag dat dat waarheid zal zijn, zullen wij amper meer waard zijn dan de wilden vroeger, die de lippen van hun vijanden als armbanden droegen.'

Toen de planter Taques voorstelde om te paard naar het Casa Grande te gaan, weigerde de goede pater.

'Dank u, maar ik moet deze mars afmaken.'

'God is getuige geweest van uw lijden. Tien mijl vanaf Rosário, dat is wel genoeg!'

Padre Leandro wees ook de uitnodiging af om een paar dagen bij de Cavalcantis te blijven. Zijn superieur verwachtte hem en hij was al te laat. Maar hij wilde wel de maaltijd met hen delen.

Padre Leandro was veel te moe om de trappen op te komen die naar de eetzaal voerden, en Paulo moest hem dragen. Een paar minuten later kwam Eugênio Viana met een bak water en handdoeken. Hij waste voorzichtig de voeten van de oude man, en smeerde zalf op de open wonden. Drie uur later vertrok *padre* Leandro, door drie mannen vergezeld tot de nacht viel. Paulo en zijn vader keerden toen terug naar het Casa Grande, maar Viana bleef bij Taques, bracht de nacht bij hem door en liep de volgende dag met hem mee tot het eind van het dal van Santo Tomás.

Padre Eugênio zou graag tot Recife met Taques meegegaan zijn, maar hij had eerbied voor de wens van de jezuïet om alleen te lopen. De goede pater deed er vijf dagen over om de rest van het traject af te leggen en in de namiddag van 2 januari strompelde hij São Antônio binnen, het district waar graaf Maurits zijn hoofdstad destijds gevestigd had. Zijn voeten bloedden in zijn oude laarzen en hij moest elke honderd passen blijven staan, met een van pijn vertrokken gezicht. Hij was nu niet meer alleen, maar werd vergezeld door een menigte die hem aanmoedigde. Mannen even oud als hij gaven hem een arm, anderen, jonger, smeekten hem te mogen dragen, moeders brachten hun kinderen naar de heilige man om zijn versleten en vieze zwarte jurk aan te raken, mensen vielen op hun knieën als hij voorbijkwam en baden tot de engelen om deze deugdzame man aan te zien.

Padre Leandro, helemaal daas van al deze drukte, bedankte voor elke hulp, maar weigerde, en strompelde door in de richting van het *colégio* en de kerk. Toen hij ten slotte aankwam voor het prachtige gebouw sloeg hij een kruis en sprak een dankgebed uit. Toen de jezuïet ten slotte naar het *colégio* liep dat naast de kerk stond, verscheen er een koets op het plein, die door de menigte heen drong.

Dom Francisco Xavier Aranha, bisschop van Olinda, steeg eruit en liep naar Leandro Taques toe. Als visiteur en reformator van de jezuïeten in Pernambuco, met als opdracht na te gaan wat zij bezaten en wat zij deden, had de prelaat geen enkel bewijs gevonden voor de beschuldigingen tegen de Sociëteit. Hij had zijn onderzoek uitgevoerd voordat het koninklijk decreet de jezuïeten uit Brazilië verbande en begon te denken dat de goede paters onschuldig waren, maar kon niets voor hen doen, behalve hun zijn vriendschap aanbieden.

De bisschop groette *padre* Leandro, sloeg een arm om zijn schouders en zei: 'Kom, Leandro Taques, ik zal u helpen tot aan de deur.'

De jezuïeten die uit Pernambuco verjaagd werden, in totaal drieënvijftig, werden aan boord van een kleine koopvaarder naar Lissabon gestuurd. Zij werden als boeven in het ruim opgesloten, leden honger en dorst, en vijf van hen stierven voordat de boot in juni 1760 de Taag opvoer.

Padre Leandro Taques, wiens naam boven aan een lijst van zwartjurken stond die de vertegenwoordigers van zijne majesteit bijzonder geërgerd hadden, werd in een kerker van de Junqueira gegooid, waar hij op 10 januari 1761 vreedzaam stierf, in zijn slaap.

De ceremonie die plaatsvond in Nossa Senhora do Rosário, op 11 april 1760, duurde nog geen uur maar was heel belangrijk en alle inwoners van de *aldeia* stonden op het plein, met uitzondering van twee Tapuya-families en vijf halfbloeden die waren weggetrokken, de oudsten vooraan, net als op de dag dat de zwartjurken vertrokken.

Bartolomeu Cavalcanti was aanwezig in zijn hoedanigheid van kolonel van de districtsmilitie, vergezeld door zijn zoon Paulo en dertig man, gekleed in de blauwe uniformen die de planter hun zelf verstrekt had.

De man voor wie de ceremonie was georganiseerd, en die naast Cavalcanti stond, heette Elias Sousa Vanderley. Hij was de nieuwe directeur van het dorp. Hij had stralende blauwe ogen, wat hem duidelijk onderscheidde van zijn metgezellen. Hij was dan ook een afstammeling van de Hollander Jasper van der Ley, een edele die gediend had onder Maurits van Nassau. Van der Ley, getrouwd met een Portugese vrouw, had de Hollanders verraden en samen met de inwoners van Pernambuco gestreden. Toen de Hollanders verjaagd waren had Jasper zich in het zuiden van het kapiteinschap gevestigd, waar zijn afstammelingen planters en welvarende veefokkers waren geworden.

Vanderley, vijfendertig jaar oud, was een stevige man. Hij was twee maanden geleden naar Rosário gekomen, na zijn vrouw en kinderen in Recife te hebben achtergelaten, waar hij een lage post als ambtenaar in het paleis van de gouverneur bekleedde.

'Ik ben gekomen om een eind te maken aan de armzalige omstandigheden waaronder u bij de zwartjurken hebt geleefd,' had hij de oudsten verteld toen hij in de *aldeia* kwam, zwaaiend met een document. 'Deze instructies van dienaren van de koning te Lissabon zullen mijn leidraad zijn bij het werk.'

De instructies voor de directeurs waren zeer gedetailleerd. Er moesten gescheiden klassen voor jongens en meisjes komen, alle kinderen moesten Portugees leren lezen en schrijven. De directeur mocht het woord *peça* of neger nooit gebruiken, en hij moest ze waarschuwen tegen het gebruik van alcohol. Hij moest blanken aanmoedigen om in het dorp te komen wonen en er de grond te bewerken, om de Indianen het goede voorbeeld te kunnen geven.

Een van de eerste taken van Vanderley bestond eruit alle namen van mannen ouder dan dertien te registreren in twee registers, waarvan er één naar de gouverneur in Recife gestuurd zou worden, en het ander aan een magistraat die jurisdictie over het dorp had. 'De zwartjurken beschouwden jullie als kinderen,' had de directeur aan de honderdveertig oudere en jongere mannen wier namen in de registers voorkwamen, uitgelegd. 'U bent nu ingeschreven als mannen.' Alle dagen moest de helft van deze mannen de velden van Rosário bewerken, de andere helft moest zich verhuren op de plantages van de kolonisten. 'De ijverigsten, die de door de jezuïeten gestimuleerde luiheid zullen afwerpen, zullen als eersten privileges en baantjes van de gouverneur krijgen,' had Vanderley nog gezegd. Hij had niet gesproken over zijn eigen salaris als directeur, een zesde van alles wat de dorpelingen zouden verbouwen of verzamelen.

Kort na de aankomst van Vanderley kreeg Pedro Preto al ruzie met hem.

'Ik ben Pedro Preto,' had hij tegen de nieuwe directeur gezegd. 'Mijn opdracht is de huizen te inspecteren.'

Vanderley was in lachen uitgebarsten, totdat zijn gezicht er helemaal rood van was.

'Inspecteur? Van die varkenskotten?'

'We hebben nog geen tijd gehad ze goed te repareren.'

'De zwartjurken hebben hier veertig jaar gezeten! Was dat geen tijd genoeg?'

'De goede paters stelden zeer op prijs wat ik met mijn eigen huis had gedaan.'

'Ja, ik ook. Morgen moet je maar eens bij mij komen,' had Vanderley gezegd, die zich in het oude huis van de jezuïeten had gevestigd.

'En waarom dan, *senhor*?'

Weer was de directeur rood geworden, maar dit keer had hij niet gelachen.

'Ik houd niet van die toon, Pedro Preto. Jij bent een *peça* die door de christelijke liefdadigheid vrij is geworden. Wees nu nederig en erkentelijk. Laat zien dat je het verdient om een vrij onderdaan van zijne majesteit te worden.'

Elias Vanderley had aan Pedro de zorg opgedragen om het huis van de goede paters te verbouwen. Hij had het niet over een salaris gehad maar wel laten doorschemeren dat de timmerman, als hij tevreden zou zijn, zijn baan als inspecteur zou behouden.

Pedro Preto en zes hulpjes hadden een maand gewerkt, een planken vloer gelegd, een nieuw rieten dak gemaakt, en een open veranda. Tijdens de werkzaamheden had de vrijgelaten slaaf gemerkt dat de directeur nogal vaak naar een schuur liep waar hij twee tonnetjes *cachaça* bewaarde. Drank was niet de enige zwakte van Vanderley, die ook nogal genegenheid toonde voor een jonge negerin die hij bij zich in liet trekken toen zijn huis klaar was.

Op de dag van de ceremonie stonden Pedro en twintig inboorlingen midden op het plein, voor de kerk en het grote kruis. Zij waren met touwen en stutten in de weer om een houten zuil van zestien voet hoog op te richten, die op aanwijzingen van de directeur door de timmerman was gemaakt.

Deze mahoniehouten zuil van achttien duim doorsnee, met daarbovenop een klein kruis, was versierd met het wapen van de koning van Portugal. Twee voet van de top staken er twee ijzeren staven door, haaks op elkaar, met aan het eind een haak. De voet van de zuil werd in een gat gezet, honderd passen van het grote kruis af, een afstand die de directeur zelf had afgemeten.

De inboorlingen die vroegen waar die zuil voor moest dienen, kregen van Vanderley te horen, waarbij hij dan op het grote kruis wees: 'Dat is het heilige symbool van het lijden en de liefde van Christus voor Zijn kinderen.' De Indianen knikten en sloegen een kruis. 'Deze zuil vertegenwoordigt het gezag van de koning van Portugal. Zijne majesteit bemint zijn onderdanen en wil dat dit symbool in elk dorp wordt opgericht, als herinnering aan zijn aanhankelijkheid en zijn gezag. Ze waarschuwt ook tegen de vreselijke woede van de koning voor hen die de wet overtreden.' De ijzeren haken dienden om ter dood veroordeelde boeven op te hangen. Onder aan de zuil werden wetsovertreders vastgebonden, die gegeseld moesten worden.

Elias Vanderley ging na of alles klaar was, en hief toen zijn hand op om de militie een teken te geven. Twee mannen liepen naar voren, bliezen op hun trompetten, waarop twee anderen op hun trommels begonnen te slaan.

De directeur wendde zich tot Pedro Preto, die zijn hulpjes opdracht gaf om de touwen aan te trekken. Toen de mahoniehouten zuil rechtop stond riep Vanderley rood van opwinding tegen de Cavalcantis: 'Kijk, *senhores*, hoe gemakkelijk het is om een stad te grondvesten! Wees welkom in de *vila do Rosário!*'

Paulo Cavalcanti keek uit een raam van het Casa Grande dat uitzag over de tuin, naar zijn kinderen die rond de voeten van hun moeder speelden, en voelde hoezeer hij van Luciana hield. Op deze dag in juli 1766 was hij perfect gelukkig, niet alleen omdat hij van zijn vrouw hield maar ook omdat hij zo gelukkig was een zoon te hebben, Carlos Maria. Lúcia, de oudste, was acht, Francisca vier. Twee jongens waren gestorven, een bij zijn geboorte, de ander toen hij een jaar was, aan een longziekte. Maar Carlos Maria was een en al gezondheid, en zes maanden oud.

Om elf uur kwamen twee slaven de meisjes halen om ze gereed te maken voor het middageten. Paulo en Luciana gingen naar hun kamer, waarbij ze zo stil mogelijk deden om Carlos Maria niet wakker te maken. Toen ze binnenkwamen stond een slavin, die bij de wieg op de grond lag, op. Dat was Rachel, een Yoruba van een jaar of zestig die ook Paulo verzorgd had toen hij nog een kind was. Ze mompelde tegen de meester: 'De Heer zij geprezen.'

'Voor eeuwig,' antwoordde hij.

Carlos Maria Santos Cavalcanti sliep in zijn wiegje met kantwerk, zijn hoofd op een kussentje dat met regilieuze motieven geborduurd was. Paulo boog zich met tedere trots over zijn zoon, raakte het kleine katoenen zakje dat aan de rand van de wieg hing aan en rook toen aan zijn vingers.

'Slaap, mijn kleintje,' zei hij zachtjes. 'God en Zijn heiligen waken over jou... en *ama* Rachel, met haar kruiden en haar wensen, beschermt je ook.'

Rachel had de zoon van *senhor* Paulo nog een ander cadeautje gegeven, namelijk een snoer van blauwe kralen, dat aan het zakje met kruiden en wortelen zat. Er waren ook nog dingen die Paulo en Luciana niet gezien hadden. As van de botten van een gecastreerde bok en drie witte schelpjes achter een bidstoel.

Padre Eugênio had zo zijn twijfels over Rachels amuletten. Hij zag daar geen onschuldig bijgeloof in, maar heidense praktijken. Paulo had meteen de *ama* verdedigd. 'Natuurlijk, zij gelooft aan magische kruiden maar zij heeft mij ook mijn eerste gebeden geleerd, doordat ze ze constant in het Latijn opzegde. Zij wil niets dan goeds voor Carlos Maria, die arme oude vrouw.'

Rachel was veel meer dan een 'arme oude vrouw', dat wist Paulo, al wist hij niet waarom die negerin zo'n prestige genoot onder de honderdzestig slaven van de *senzala*.

De *peças* van Santo Tomás waren voornamelijk Bantoes, afkomstig uit de streek rond Luanda en Benguela. Maar nadat er goud gevonden was had men in groten getale Westafrikaanse slaven laten komen die in de mijnen konden werken en metaal konden smelten. Verschillende van deze Yorubas, Haoessas, Foelas, Mandingas en anderen waren in Recife ontscheept, ook de grootmoeder van Rachel, die de vader van Bartolomeu Cavalcanti voor het Casa Grande had gekocht. Destijds waren er vier Yoruba-slaven op het domein, nu dertig, minder dan één vijfde van alle *peças*. Maar al was haar groep in de minderheid, Rachel werd door de hele *senzala* vereerd, want zij was de hogepriesteres van de Yorubas, de *yalorixá*.

De Yorubas, tot het katholicisme bekeerd, hadden hun goden, hun *orixás*, niet opgegeven, maar hadden hen ten slotte doen versmelten met de heiligen die de Portugezen vereerden.

Rachel was verre van indrukwekkend als zij aan de voet van de wieg van Carlos Maria lag te slapen. Ze had kleine, dieppliggende oogjes, en een mager, knokig lichaam. Maar als zij een ceremonie leidde werd de magere slavin de Grote Moeder der Heiligen, die aan het hoofd stond van de meisjes door wie de Yoruba-goden op aarde neerdaalden.

Deze elf vrouwen en meisjes, opgeleid door de *yalorixá*, dansten op het ritme van de heilige trommen, terwijl andere slaven in de propvolle zaal van de *senzala* zaten toe te kijken, de mannen links van de trommels, de vrouwen rechts.

De meisjes dansten met de handen op de rug, waarbij zij hun schouders en hun borsten heftig bewogen. Ze draaiden totdat zij de een na de ander heftig begonnen te stuiptrekken, een teken dat de *orixás* bezit hadden genomen van hun lichamen.

Behalve dat zij hogepriesteres was, bezat Rachel ook nog kennis van kruiden en wortels die haar de reputatie van *curandeira* gaf, een genezeres die remedies kon voorschrijven voor vele ziekten, die amuletten kon maken. Toch had zij een rivaal, een 'Ngola-vrouw die niets van de *orixás* af wist maar die de botten kon 'lezen' en die afkooksels en amuletten kon maken die leken op die van Rachel – met dit verschil dat de voorspellingen en de recepten van de 'Ngola die van een *feiticeira* waren, een adept van zwarte magie. Rachel keek neer op die vrouw en stond haar nooit toe zich te bemoeien met de ceremoniën die voor de *orixás* georganiseerd werden, want een 'Ngola hoorde bij de wereld van buiten, daar waar, achter de *senzala*, de gepolijste stenen fetisj van de duivel Exú verborgen lag.

In de *vila do Rosário* klonken op de vrijdag van de laatste week van juli 1766 de trommels op het plein, om de inboorlingen op te roepen te komen kijken naar de straf van een dief.

Directeur Elias Souza Vanderley stond dertig passen van de pilaar, met zijn handen in zijn zij. In zes jaar tijds was hij zwaarlijvig geworden, met een rond, paars aangelopen gezicht. Twee mannen hielpen hem, Sampião, een magistraat, en Pessoa, een priester. Vanderley had de Cavalcantis, Bartolomeu of Paulo, een betrekking als rechter aangeboden maar dezen hadden dat geweigerd omdat zij zagen dat de directeur een zuiplap was, waarop Vanderley was teruggevallen op Sampião, een middelmatige advocaat uit Recife. Op dezelfde manier had hij de komst van Pessoa bewerkstelligd, een verschrikkelijk corrupte figuur die maar aan één ding dacht, en dat was de 'barbaren', zoals hij de inboorlingen noemde, uitbuiten.

De miserabele hutten van Rosário stonden nog steeds langs de lanen naar het plein en op de heuvel achter de kerk. Maar het plein zelf was bebouwd met huizen voor het dertigtal Portugezen dat zich in de vroegere *aldeia* had gevestigd en die totaal geen rekening hielden met de koninklijke instructies waarin stond dat zij de Indianen het goede voorbeeld moesten geven. Zij hadden kleine stukjes grond gekregen om groente te telen en brachten daarop inderdaad uren door, maar dan meer om de inboorlingen die erop werkten te bewaken.

Rechts van de kerk stond nu een stenen gebouw waarin de stedelijke *câmara* en de gevangenis waren. Vanderleys pogingen om een *câmara* te doen optrekken had hem veel achting in Lissabon bezorgd want weinig *aldeias* bezaten er een. Niettemin was de voornaamste reden waarom de directeur zo graag een *câmara* wilde niet de deelname van de inboorlingen aan de koloniale samenleving, alswel meer greep krijgen op de *vila*. De oudsten mochten als waarnemers bij de vergaderingen komen, maar slechts twee van hen hadden een functie, vaandeldrager en wachter. De raadzaal bleef meestal leeg en Vanderley bestuurde Rosário vanaf zijn veranda, waar hij lekker in de schaduw kon zitten.

Toen de menigte op het plein stil werd stak de directeur zijn rechterhand op, en gaf hij met zijn hoofd een teken aan de grote mulat met ontbloot bovenlijf die de straf moest toedienen, waarna hij zijn arm snel liet zakken. De trommelaars gaven het ritme aan, en de mulat hief zijn stok op.

Pedro Preto ontving de eerste van de honderd slagen waartoe hij veroordeeld was omdat hij wat pernambukhout gestolen had.

Zijn handen zaten vastgebonden aan een lang touw dat over een van de ijzeren staven van de zuil was gegooid. Hij werd zodoende gedwongen om met gestrekte armen op zijn tenen te gaan staan. Met zijn rechterwang tegen het hout keek hij naar het grote kruis dat voor de kerk stond.

'Jezus, Jezus… waar is Pedro Preto, de vrije man? Hier ben ik een *peça*! Bij *senhor* Artemas was ik vrij! Bij de goede paters was ik vrij! Jezus, waarom hebt u de zwartjurken laten gaan? Ik was Pedro Preto, de inspecteur van de… Jezus?'

Om de pijn van de slagen die hij inmiddels kreeg te vergeten, dacht de neger terug aan de zes voorbije jaren. Aan Vanderley, die zich tot de raad der oudsten richtte, om hen eraan te herinneren dat zij geen mensen waren toen de Portugezen in Brazilië kwamen, maar beesten die elkaar opaten. Aan Vanderley, die een Tapuya-jongetje van dertien een kar induwde. 'Werk maar! Werken! Werken!' Afgelopen was het met de welwillende woorden, er volgden niets dan bevelen. 'Werken!' De tragen en de luien die het zwaarste werk te doen kregen, de weerbarstigen die naar de zuil werden gebracht. 'Werken!'

Mannen die zes maanden en langer de gronden van de kolonisten moesten bewerken – waarbij sommigen goede meesters troffen, anderen moesten zwoegen als *peças* en leven als varkens.

Een paar Indianen waren met hun vrouwen en kinderen vertrokken, maar de meesten waren in Rosário gebleven omdat zij de *sertão* niet kenden en omdat zij dachten aan wat de goede paters hun geleerd hadden: 'Wees gehoorzaam, verdraag je lijden.'

De vijfentwintigste slag daalde neer op de bebloede rug van Pedro. Vanderley had hem uit de raad der oudsten gezet: 'Zij zijn echte zonen van deze aarde, door de Portugezen erkend als gelijken. Jouw aanwezigheid in de raad zit hun dwars... en zwerf niet zo rond hun huizen; jij bent hun inspecteur niet.'

Pedro had zijn best gedaan om de directeur te ontlopen en hem zijn haat niet te tonen, maar toen de dochters van de vrije neger met een boog om de veranda van de directeur heen liepen, kreeg deze in de gaten dat zij dat deden op bevel van hun vader.

Weer hief de mulat zijn stok op. Hij heette Kleine Jorge. Zijn grootmoeder was een *peça*, zijn grootvader een molenmeester. Hij minachtte de negers, of ze nu slaaf waren of vrij, en schiep er genoegen in ze te straffen. Hij deed dat in naam van Christus, hij sloeg de zwarte demon, hij reinigde zichzelf door de donkere kant van zijn eigen wezen te slaan.

Pedro Preto kon aan niets samenhangends meer denken. Toch flitste er een beeld door zijn geest, toen de stok voor de zevenendertigste keer zijn vel openhaalde. Bomen. Pernambukbomen. Een kar vol rondhout.

Een Tapuya had op drie dagmarsen van Rosário een bosje pernambuk gevonden dat van niemand was. Pedro Preto werd eropuit gestuurd om de bomen om te hakken, en stuurde vijf karrevrachten rondhout naar Rosário. Hij stond op de terugkeer van de kar te wachten toen er een colporteur aankwam, die de ronde had gedaan bij de *vaqueiros* van de *sertão*, en wiens kar leeg was. 'Vul hem, Pedro!' zei de man, die aanbood hem met zilverstukken te betalen. Het hout was niet van Vanderley maar toen een Indiaan hem vertelde dat Pedro er een deel van verkocht had, liet hij de neger in de gevangenis gooien.

Drie dagen later zat Vanderley in een stoel op zijn veranda te luieren. Hij keek naar de inboorlingen die van de velden terugkwamen, met zijn handen op zijn buik en zijn ogen half gesloten. Kleine Jorge, die op twintig passen van de directeur op de grond zat, leunde tegen een pilaar van de veranda. Hij stond aan het hoofd van de mulatten en de *mamelucos* die het werk van de inboorlingen leidden en 's avonds ging hij daar graag zitten om de anderen aan zijn gezag te herinneren.

Vanderley woonde alleen en zag zijn vrouw en zijn kinderen, die in Recife gebleven waren, slechts een keer of drie per jaar. Om aan de protesten van zijn echtgenote een eind te maken had hij het standpunt ingenomen dat hij niet wilde dat zijn kinderen tussen de wilden opgroeiden, maar in feite kwam de afwezigheid van *senhora* Vanderley de directeur goed uit. Hij had een ongelooflijk aantal zwarte of Indiaanse maîtresses, en minstens zes kinderen.

Terwijl Vanderley op de veranda zat te schemeren zag hij de dochters van Pedro Preto de laan oplopen waar het huis van de timmerman was. Jovita, vijftien jaar oud, en Vera, dertien jaar, allebei net als hun vader lang en mager. Ze droegen kruiken en liepen in de richting van de kerk, om het pad op te gaan dat naar de rivier in de buurt van Rosário voerde.

'Kleine Jorge...'

'*Sim, senhor*?' zei de mulat terwijl hij opstond.

'Vind jij ze ook niet schaamteloos, die dochters van de dief? Pedro Preto is in het openbaar gestraft en zij lopen als pauwen over het plein.'

De mulat begreep wel dat de belangstelling van de directeur voor de dochters van de timmerman een andere oorzaak had.

'Zal ik ze bij de *senhor* brengen zodat hij ze uit kan leggen hoe schaamteloos hun vader zich heeft gedragen?' vroeg hij met een schittering in zijn ogen.

De meisjes kwamen bij de kerk en verdwenen.

'Ja,' antwoordde Vanderley, 'ja.' De halfbloed begon weg te lopen, maar de directeur riep hem terug. 'Niet hier, Kleine Jorge. Wacht tot ze bij de koffiestruiken zijn. Ga maar, ik kom wel achter je aan.'

Hij stond op, ging de veranda af en liep langzaam in de richting van de struiken, die *padre* Leandro nog had geplant. De directeur interesseerde zich niet voor een cultuur die pas na drie of zelfs vijf jaar wat opbracht, maar de planten die door een oudste en zijn zonen verzorgd werden, waren nu zes voet hoog en hingen vol vruchten.

Kleine Jorge stond aan de rand van het pad toen de dochters van Pedro van de rivier terugkwamen, met hun aardewerken kruiken op het hoofd. Vera schrok toen zij de mulat zag, haar kruik viel en brak aan haar voeten. Jovita zette de hare op de grond en begon Kleine Jorge uit te schelden, om vervolgens haar zuster te troosten, die in huilen was uitgebarsten.

De reus pakte ze allebei vast; Vera riep om hulp, Jovita verdedigde zich. Vanderley kwam eraan rennen en zijn plotselinge verschijning bracht de oudste zo in paniek dat zij geen weerstand meer bood. De beide mannen sleepten de zusjes tussen de koffiestruiken en terwijl de mulat Vera onder handen nam, verkrachtte de directeur Jovita. Toen dat gebeurd was, stond hij op en zei hij: 'Ga nu maar, kleintje. Zeg maar tegen de timmerman dat je een nieuwe minnaar hebt!'

Pedro Preto hoorde iemand zachtjes huilen, dus stond hij op. Zijn rug lag helemaal open, maar een oude Tapuya kende de remedies van de *pagés*, en die had zijn wonden schoongemaakt en verzorgd. Twee dagen lang had Pedro liggen ijlen. Hij was net weer bij bewustzijn, doodmoe, en ten prooi aan voortdurende pijn.

Het lukte hem zich aan te kleden, hij deed een paar passen op zijn wankele benen en opende de deur die naar de grote kamer voerde. Bij het licht van een olielamp zag hij zijn vrouw bij een hangmat zitten met Vera erin, die lag te snikken, met haar hoofd op de schouder van haar moeder. Jovita zat op de grond, met een gescheurde en bebloede jurk aan. De oudste zoon van Pedro, een jongen van twaalf, stond in een hoekje, met zijn rug tegen de muur. Zijn jongste broer lag bij hem op een deken te slapen. Tobias en zijn zoon João, twee mannen die in de timmermanswerkplaats met Pedro samenwerkten, zaten aan tafel. De vader stond op toen Pedro Preto het vertrek binnenkwam; de zoon, aan wie Jovita beloofd was, bleef op zijn stoel zitten.

Pedro Preto begreep meteen wat er aan de hand was.

'Van... der... ley?' stamelde hij.

'Vader!' riep Jovita. 'Oh, vader...'

Pedro's vrouw keek hem angstig aan.

'Van... der... ley?'

Tobias liep met uitgestrekte armen op zijn vriend af. Pedro Preto schudde zijn hoofd, en met uitpuilende ogen liep hij naar zijn oudste dochter.

'Het is Vander...'

Hij schreeuwde als een waanzinnige toen hij voorover tuimelde en de tafel raakte. Zijn vrienden brachten hem terug naar zijn bed. Toen hij weer wakker werd, midden in de nacht, zag hij Tobias naast hem zitten, die een dun rolletje tabak rookte. De negers vermengden het heilige kruid van de Indianen met bladeren en bloemen van een plant die de slaven hadden meegenomen uit Afrika, de *maconha*, een hennepsoort. Pedro draaide zich om en Tobias bracht het rolletje bladeren bij de lippen van zijn vriend, zodat hij de rook kon inademen.

'Wat hebben de meisjes verteld?'

'Morgen, Pedro. Rust nu maar.'

'Nee, nu, Tobias.'

De man vertelde wat de beide meisjes overkomen was. Bij het licht van het gloeiende puntje tabak bleef Pedro's gezicht zo strak, dat zijn vriend dat verontrustender vond dan zijn eerste reactie. Algauw hoefde Pedro Preto niet meer te roken en sluimerde hij in.

Toen hij weer wakker werd, herinnerde hij zich wat hij in zijn slaap gezien had. 'Kom mee, Pedro,' had hij zijn vader horen zeggen, daar, in dezelfde kamer. En Pedro Preto was met zijn vader meegegaan naar het kamp van Nganga Dzimba we Bahwe, waar zijn grootvader, Santiago Preto – Nhungaza – commandant was geweest van de koninklijke troepen. In de Serra do Barriga, op de top van de heilige berg van de Ganga Zumba, had hij honderdvijftig jonge krijgers naar het stenen paleis zien lopen en een voor een, met hun gezicht naar Afrika gewend, naar beneden zien springen om niet als honden maar als mannen te sterven.

Pedro keek naar Tobias, die op de grond lag te slapen. Hij dacht aan João, diens zoon, en aan Jovita. Verteerd door haat voor Vanderley stond hij op, en liep stilletjes het huis uit. Het was drie uur in de ochtend, en het was koud. De timmerman ging naar zijn werkplaats, rolde een blaadje tabak met *maconha*, stak het met een trillende hand aan en nam toen een paar diepe trekken. Weer kalm geworden, begon hij een bijl te slijpen.

Hij stond op, met een gezicht dat bij elke inspanning van pijn vertrok, ging de werkplaats uit en liep naar het plein. Hij bleef even naar de *pelourinho* staan kijken, liep voorbij het kruis, en toen voorbij de kerk. Hij dacht aan de afscheidswoorden die hij tegen *padre* Leandro had gezegd en hoopte dat die nu ook op hem van toepassing zouden zijn: Jezus zou aan zijn zijde lopen.

Hij stak het verlaten plein over, liep naar de veranda die hij had gebouwd en die de directeur zo prettig vond.

Vanderley sliep op zijn rug, zijn enorme borst rees en daalde met een gesnurk dat de kamer deed trillen.

Pedro Preto stond onbeweeglijk op de drempel, met zijn bijl in zijn handen. Hij trilde over heel zijn lichaam. Toen dat voorbij was, liep Pedro naar het bed, en pakte zijn bijl goed vast, maar in plaats van op de slapende man in te slaan klopte hij met het uiteinde van de steel op zijn ribben.

De directeur deed meteen zijn ogen open.

'Het is Pedro Preto, *senhor*,' zei de vrijgelaten slaaf rustig.

Vanderley leek stomverbaasd.

'De vader van Jovita,' ging Pedro verder, terwijl hij weer met de steel in zijn zij porde. 'De vader van de kleine Vera.'

De blanke kon met veel moeite een paar rochelende woorden vormen: 'Jezus... *salva*...'

Pedro zei niets. De directeur probeerde zijn zware lichaam omhoog te krijgen, doodsbang als hij was.

Het ijzer van de bijl drong in zijn dikke nek, en het bloed gutste eruit. Hij maakte een eind aan het gerochel door nog twee keer toe te slaan, maar de neger had nog niet genoeg en hief weer zijn bijl op.

'Pedro!'

Hij draaide zich om.

'Ik ben het, Tobias,' zei de man die in de deuropening stond.

'Hij is dood!' riep Pedro Preto. 'Ik heb hem naar de hel gestuurd!'

'Daar is hij in goed gezelschap,' merkte Tobias op.

'Ja, hij hoeft er niet alleen heen,' zei João, die naar voren kwam en de geslachtsdelen van Kleine Jorge in zijn rechterhand hield.

De drie mannen pakten in het huis van de directeur musketten, buskruit en kogels, en een zak zilverstukken. Toen stegen zij te paard en verlieten zij Rosário zonder afscheid te nemen van hun familie en zonder veel hoop die ooit nog terug te zien.

Op een halve mijl buiten de *vila*, riep Pedro Preto tegen zijn vriend: 'Tobias!'

'Heb je veel pijn?'

'De Portugezen zullen ons achtervolgen. Zij zullen overal de drie zwarte honden gaan zoeken.'

'*Sim*, Pedro. Er zullen soldaten komen.'

'Maar ze zullen geen honden vinden, maar mannen. Mannen! Net als die aan de zijde van de grote heer Ganga Zumba stonden!'

Drie weken lang zochten de patrouilles van de militie, na de moord op Elias Souza Vanderley en Kleine Jorge, naar de voortvluchtigen, maar ook in de *sertão* vonden zij geen spoor van hen. In de vierde week namen vijf slaven van een *lavrador* van de andere kant van het dal, dat van de Cavalcantis was, de benen. De volgende nacht werd het huis van een planter aangevallen, werden er drie Portugezen afgemaakt, werden de velden en de gebouwen in brand gestoken, en verdwenen er nog vijf slaven.

De gouverneur van Recife beloofde een detachement troepen, maar dat werd niet direct gestuurd. De militie ging door met patrouilles en twee weken lang gebeurde er niets... maar vonden zij ook geen spoor van de vluchtelingen. Half september werd er weer een planta-ge aangevallen, vier mijl ten noorden van de dalen van de Cavalcan-tis. Twee kolonisten, een mulat en vier slaven die aan de zijde van hun meester hadden gevochten werden vermoord.

Vanaf de eerste aanval vermoedde men al dat er een verband was tussen de moorden in Rosário en de andere gebeurtenissen. Dit werd bevestigd door een slaaf die gedwongen was zich bij de plunderaars te voegen, en die hun vervolgens ontsnapt was. De man vertelde de sol-daten die hem ondervroegen dat Pedro Preto de bendeleider was.

Op Santo Tomás waren ze begin september begonnen het suiker-riet te kappen en Paulo Cavalcanti besloot dat de werkzaamheden ge-woon zouden doorgaan, om zijn honderdvierenzestig slaven niet on-gerust te maken. Maar hij drukte zijn elf opzichters wel op het hart goed op te passen – een instructie die zij ijverig opvolgden nadat een mulat op een plantage die door de bandieten was aangevallen, levend in een ketel kokende stroop was geworpen.

Begin oktober 1766 maakte Paulo zich op om voor de derde keer in negen weken Santo Tomás te verlaten met een patrouille van de mili-tie. De tweeëntwintig mannen stonden verzameld voor het Casa Grande, sommigen zaten al te paard, anderen inspecteerden hun uit-rusting nog eens en toen kwam Paulo met zijn vader de veranda op. *Senhor* Bartolomeu was, al was hij achtenzeventig, nog steeds kolonel van de militie en had erop gestaan bij dit vertrek aanwezig te zijn.

Achter de kapel stonden drie rijen tenten van de zestig reguliere soldaten die de gouverneur gestuurd had en die ten noorden van San-to Tomás aan het patrouilleren waren, vier dagen lang. Een slaaf bracht Paulo's paard, en deze wilde opstappen toen er iemand uit de *senzala* naar hem kwam toe rennen. Een ruiter trok zijn kapmes, maar Paulo riep: '*Não!*'

Het was Rachel, zijn voedster.

'*Senhor* Paulo!' riep zij hijgend, 'ga niet weg met die mannen!'

'Maar ik ben hun aanvoerder,' antwoordde de planter lachend.

'O, *senhor*...'

'Wat is er? Heb jij weleens van Pedro Preto gehoord?'

'Ik zal op zijn graf spugen,' riep de oude Yoruba minachtend.

'Heb je iets gehoord?' vroeg Paulo.

'Niet weggaan, *senhor*. Alstublieft, luister naar *ama* Rachel.'

'Waarom zou ik?'

'De heiligen voorspellen groot gevaar.'

'Jawel, maar met hun en Gods hulp, zullen wij een eind maken aan die moordpartijen,' antwoordde Paulo, terwijl hij op zijn paard stapte. 'Moge de Here je zegenen, Rachel. Let goed op Carlos Maria, mijn zoon.'

'Verlaat het domein toch niet,' kreunde de oude vrouw.

Maar hij gaf zijn paard de sporen en vertrok met de troep. Rachel, moeder der heiligen, bleef klagend alleen achter. De goden hadden haar middenin de nacht bezocht, zij had veel pijn gezien, en ook het oog van Exú, de duivel, stralend in het donker.

De militie ging naar Rosário, waar een sergeant met zes soldaten de *vila* leidde, in afwachting van de benoeming van een nieuwe directeur. Toen ging zij naar het zuidoosten, en de vierde dag vertelde de eigenaar van een kleine plantage opgewonden dat er twee ossen gestolen waren. Hij zei er nog bij dat hij zijn twintig slaven had ondervraagd en er zeker van was dat zij niet schuldig waren.

Paulo verdeelde de patrouille in vier groepen, en nam zelf de leiding van een ervan. Zij namen de plantage als basis en kamden zo de omgeving uit. Op de ochtend van de derde dag vond een van de groepen de overblijfselen van de ossen, langs een rivier twee mijl ten zuiden van de plantage.

Tegen het eind van de middag werd Paulo gewaarschuwd. Twee groepen waren nog niet terug maar hij beval de mannen die bij hem waren direct te vertrekken – de anderen zouden nakomen zodra zij terug waren. Bij het vallen van de nacht kwam Paulo's groep bij de rivier, doorzocht de bomen en de bosjes, en besloot toen de dageraad af te wachten. Twee uur later voegde de rest van de militie zich bij hen.

De nabijheid van beboste heuvels was een goede aanwijzing, want in dit soort terrein vestigden de voortvluchtige slaven hun *quilombos*, hun schuilplaatsen. De bende van Pedro Preto was tot nog toe in de weer geweest, maar zou vast wel een keer uitrusten op een plek die als veilig beschouwd werd, en de soldaten waren ervan overtuigd dat Pedro Preto in de heuvels zat.

Bij zonsopgang merkten zij tot hun opluchting dat de hellingen niet al te steil waren. Maar toch waren zij vanwege de bomen en het dichte kreupelhout verplicht te voet naar boven te gaan en twee mannen beneden achter te laten, die op de paarden moesten passen. Om zoveel mogelijk terrein te bestrijken, werden zij weer in drie groepen opgedeeld, en tegen het midden van de ochtend was de patrouille tussen de heuvels. Paulo's groep, die vanuit het centrum optrok, liep door een moeras toen een boodschapper van de linkergroep kwam aanrennen en schreeuwde: '*Capitão*, kom snel!'

'Pedro Preto?'

'Een kamp, *capitão*. In het bos.'

Paulo stuurde een man uit om de rechtergroep te gaan halen en haastte zich naar de linkergroep, waar hij een teleurstellend rapport kreeg: 'Zigeuners, *capitão*! Een stuk of veertig. Tupis, *caboclos*, een blanke. Een paar negers, maar geen bende *peças*.'

Er leefden inderdaad zigeuners in het kapiteinschap. Sommigen waren welvarend geworden door de slavenhandel, maar veel van hen waren paardenkopers, en dikwijls paardendieven.

Toen de derde groep kwam, beval Paulo zijn mannen het kamp te omsingelen. Toen dat gebeurd was liep de planter er met drie andere mannen naartoe, ieder met een geladen pistool in de hand. Een inboorling sloeg alarm. De vrouwen renden naar de hutten en namen hun kinderen mee naar binnen.

'Blijf staan!' beval Paulo. 'We zullen jullie geen kwaad doen!'

Er kwam een Portugees op hem afrennen, die riep: 'Laat uw wapens zakken, *senhor*! Wij willen niet vechten.'

Hij was een jaar of dertig, had donkere, doordringende ogen en was ongewapend.

'Wij zoeken voortvluchtige *peças*,' verklaarde Paulo, zonder echter zijn pistool te laten zakken.

'Hier niet, *capitão*.'

'Zigeuners?'

'Ook niet,' antwoordde de Portugees. 'Dit zijn vrije mensen, geen vluchtelingen. Wij leven in vrede, wij storen niemand.'

'Zwervers, vluchtelingen,' bromde een soldaat.

'Wij zitten achter een bende *peças* onder leiding van een vrijgelaten slaaf aan,' ging Paulo verder. 'Die heeft in de buurt van de rivier gekampeerd, en moet hierlangs gekomen zijn.'

'*Não, capitão*.'

'Doorzoek de hutten,' beval de planter.

'Ik zweer u dat u hier geen *peças* vindt, *capitão*!'

'Alles doorzoeken!'

De Portugees riep de Indianen en de *caboclos* toe dat zij geen verzet moesten bieden, en wendde zich toen weer tot Paulo.

'Ik smeek u, maak ze niet bang, *capitão*.'

'Hoeveel inboorlingen wonen hier?'

'Zestig. Met de kinderen meegerekend meer.'

'Nog meer blanken?'

De man schudde van nee.

'Waar komen deze mensen vandaan?'

'Overal vandaan. Dit is een veilige plek.'

'Om je te verbergen?'

'Wij hebben niets misdaan, *capitão*. God is getuige dat wij niemand in deze heuvels lastig vallen.'

Paulo hield op de Portugees te ondervragen en liep naar een groepje hutten toe. Direct daarachter zag hij een lange hut met een kruis erboven.

'Onze kerk,' zei de Portugees, die achter hem liep. 'Ik zeg u nogmaals, wij zijn geen misdadigers.'

De soldaten kwamen een voor een hun leider vertellen dat zij niets in de hutten die zij hadden doorzocht gevonden hadden. Vrouwen en kinderen, dat wel, en verschrikkelijke armoede, maar geen vluchtelingen.

'Laar mij uw huis eens zien,' eiste Paulo.

'Dat hebben uw mannen al doorzocht,' zei de Portugees terwijl hij naar een hut naast de kerk wees.

Paulo stak zijn pistolen weg, ging de hut binnen, zag er een hangmat, een tafel en twee stoelen, een hutkoffer, en twee heiligenbeelden op een plankje.

'Ik heet Paulo Benevides Cavalcanti. En u... *padre*?'

De Portugees schudde zijn hoofd.

'U zoekt geen *peças*, wel?' mompelde hij.

'Hoe lang woont u hier al?'

'Een jaar of vijf. Ik heet Antunes Machado.'

'Ik zoek een zwarte moordenaar en zijn medeplichtigen, *padre*. Geen jezuïeten.'

'Maar u neemt mij vast wel mee. Een mooie vangst, voor de gouverneur!'

'Dat ben ik beslist niet van plan.'

'God zij geprezen!'

De priester kwam uit een *aldeia* op dertig mijl ten zuiden van de heuvels en maakte deel uit van een handvol weerbarstige jezuïeten die zich met hun bekeerlingen in de *sertão* verborgen hielden. Hij verzekerde dat hij geen voortvluchtigen had gezien. Ervan overtuigd dat de jezuïet de waarheid sprak, verzamelde Paulo zijn mannen en vertrok in de richting van de rivier. Tegen één uur kwam de patrouille op de heuvel boven de rivier. De verkenners waren al halverwege de helling toen ze bleven staan en de anderen beduidden dat ook te doen. Paulo kwam naar voren.

'De paarden, *capitão*!' riep een van de verkenners. 'Waar zijn onze paarden?'

De soldaten gingen naar beneden tot aan de rand van de bomen en tien minuten lang bleven zij in dekking, waarbij zij het bivak bekeken. Er was geen spoor meer van de paarden en ook niet van de twee mannen die op ze moesten letten.

Paulo beval drie soldaten de rivier over te steken en de anderen om zich schietklaar te houden. Het trio moest een doorwaadbare plaats vinden, stak over, en kwam ten slotte rechts van het kamp weer tevoorschijn. Na een paar minuten kwam een van de mannen langzaam overeind.

Zij die hen vanaf de andere oever bekeken zagen dat hij plotseling bewoog en zijn hoofd vastpakte. De beide anderen deden net als hij, en beduidden de rest van de patrouille om ook over de rivier te komen. Paulo waadde door het ondiepe water en vroeg de eerste van de drie verkenners wat er aan de hand was. De man antwoordde niet, maar wees opgewonden op de bomen. De planter kwam naast hem staan, liep naar de bomen toe en bleef toen plotseling stokstijf staan, waarbij hij mompelde: 'Heilige Moeder Gods...'

De soldaten die in het kamp gebleven waren hingen tussen twee bomen, met hun armen en benen gespreid, vastgebonden aan de stammen. Hun lichamen waren van boven tot onder opengesneden, en hun darmen hingen eruit.

'Maak ze los!' schreeuwde Paulo. 'In Gods naam, maak ze los!'

De soldaten hadden nu geen rijdieren en geen mondvoorraad meer, maar er was geen twijfel meer mogelijk. Pedro Preto had hun kameraden vermoord. Paulo besloot dat de patrouille te voet naar Rosário zou gaan, dertien mijl lopen, terwijl hij naar de plantage zou gaan die hun tot uitvalsbasis had gediend. Vervolgens zou hij ruiters naar Santo Tomás sturen om de reguliere troepen te waarschuwen en de militie weer rijdieren te laten geven.

Paulo koos als begeleiders twee halfbloeden, onder wie een spoorzoeker en de zoon van een planter, een jongen van vijftien die voor het eerst aan de militie deelnam. Paulo had zijn vader beloofd speciaal op hem te zullen letten. Een uur nadat zij de lijken gevonden hadden lieten zij de rivier achter zich en liepen heel voorzichtig tussen de bomen door tot zij bij een stuk kwamen waar alleen struikgewas stond. Vóór vijf uur zagen zij het domein, omgeven door vier grote suikerrietvelden. Het huis van de planter stond aan het eind van een holle weg die tussen twee velden door voerde. Toen Paulo en zijn metgezellen zich erop begaven, zagen zij slaven bezig suikerriet te kappen.

Een van de negers wuifde, en de anderen groetten *senhor capitão*. Uit een kleioven rechts van het huis steeg een wolkje rook omhoog.

'Is *senhor* Mariano daar?' vroeg Paulo aan een slaaf, terwijl hij ondertussen doorliep.

'*Sim, senhor capitão!*'

Tussen het huis en de laatste rij suikerriet was een open plek van honderd passen breed, en daar liep Paulo overheen terwijl hij riep: '*Senhor* Mariano?'

Hij deed twintig stappen en riep toen weer: '*Senhor?*'

'*Capitão,*' zei een van de mestiezen aarzelend, 'er... o God! Heer!'

Plotseling zwaaide de deur open, en daar stond Pedro Preto, groot en mager, met verscheurde kleren, een blauwe sjaal rond zijn hoofd, en een musket in zijn handen.

'Stop, Portugees!'

Paulo's pistolen waren geladen. Hij wilde ze grijpen maar bedacht zich toen hij van alle kanten negers zag opduiken, die wapens op het groepje richtten.

Een van de halfbloeden bracht zijn hand naar zijn kapmes, twee musketten schoten en hij viel dodelijk gewond neer. De andere mesties, die vlak bij Paulo stond, stond iets onbegrijpelijks te mompelen. Een vreselijke stank steeg uit zijn broek op.

Toen hoorde Paulo een hartverscheurende kreet, draaide zich om, en zag de negers uit de velden – die geen slaven van *senhor* Mariano waren, maar bendeleden van Pedro – de jongeman pakken, die had geprobeerd te vluchten.

'In Gods naam! Heb medelijden met die arme jongen!' schreeuwde Paulo naar Pedro Preto.

De vrije slaaf liep op de planter af zonder naar de jongen te kijken, die bleef schreeuwen en schoppen. Een van de negers kreeg er genoeg van en gaf de jongeman een houw met zijn kapmes, zodat zijn hoofd achteroverviel en het bloed uit de gapende wond stroomde.

'Bloedhonden!' schreeuwde Paulo.

'*Sim, senhor,*' zei Pedro. 'En wij eten Portugese honden! Gooi uw wapens neer!'

'Loop naar de duivel!'

Er kwamen een paar negers rond Paulo staan.

'Gooi uw wapens neer, *senhor* Cavalcanti,' herhaalde het bendehoofd.

Hij kende de kapitein van de militie, want hij had hem in Rosário en Santo Tomás gezien toen hij Onias met *padre* Leandro terugbracht. De planter deed wat hem gezegd werd.

'Je zult opgehangen worden, Pedro Preto.'

'Ik ben klaar om te sterven,' antwoordde Pedro glimlachend. 'Ik was er al op voorbereid toen ik Vanderley vermoordde.'

De halfbloed die naast Paulo stond kreunde niet meer. Lamgeslagen van angst, met zijn mond wijd open, keek hij de vrijgelaten slaaf strak aan.

'Waar zijn *senhor* Mariano en zijn familie?' vroeg Paulo.

Pedro antwoordde niet, een paar negers begonnen te lachen en zwaaiden met hun kapmessen.

'Waar wachten we op?' bromde een van hen.

Pedro Preto keek naar zijn mannen, en zijn magere gezicht kreeg een hardere uitdrukking.

'Doodt hem!' beval hij.

'Heer...' mompelde Paulo, terwijl de negers op hem afliepen.

'Wacht!' riep Pedro, en de mannen bleven staan. 'Hij is een Cavalcanti, een heer. Hij moet als een hond sterven!'

Op dat moment probeerde de mesties te vluchten, maar hij werd meteen overmeesterd en op de grond gegooid. Een stuk of zeven kapmessen en knotsen gingen omhoog, en kwamen op hem neer. Pedro gaf zijn negers een bevel, zodat zij in een kring rond de planter gingen staan, hem zijn kleren van zijn lijf rukten, en hem een touw om zijn nek gooiden. Zij dwongen hem te knielen, en lieten hem naar het huis kruipen, waar zij hem de lijken van *senhor* Mariano en zijn familie toonden. Ze schopten hem, beledigden hem, en noemden hem *peça* en hond.

'We zullen deze hond nog een staart geven!' riep een van de negers, terwijl hij een stuk suikerriet nam dat aan het eind aangescherpt was.

Paulo begon te brullen toen het riet zijn anus binnendrong.

De helft van de slaven van Mariano had zich aangesloten bij Pedro Preto. Van de tien anderen waren er vier dood, en zes waren de velden ingevlucht. Een van hen die Pedro's zijde had gekozen probeerde tussen Paulo en zijn beulen te komen, want hij vond dat dit te ver ging. Hij werd meteen aan stukken gehakt. Pedro Preto, die aan de kant stond, keek naar dit alles en liep naar voren met de sabel die hij van Paulo had afgepakt. Deze mompelde een gebed voor de Heilige Thomas, en keek verward naar Pedro.

De vrije slaaf slaakte een triomfkreet en stootte het lemmet in de borst van de planter.

Toen hij Paulo Cavalcanti en zijn metgezellen gedood had besloot Pedro Preto van tactiek te veranderen. Tot dan toe had hij zijn achtervolgers ontlopen door zich voortdurend te verplaatsen, waarbij hij zich overdag verborg en 's nachts door de dalen trok. Nu werd het tijd om te vertrekken naar het beboste voorgebergte van de Serra do Barriga, ongeveer honderd mijl ten zuiden van Santo Tomás.

Pedro en zijn vijftig mannen kwamen daar op 9 oktober aan, drie dagen na de dood van Paulo, en zij ontdekten de ruïnes van het bosnegerfort. Pedro Preto liet de anderen het kamp opslaan en klom alleen naar de top van de heuvel, waar vroeger het stenen paleis stond.

'Ik ben Pedro Preto!' schreeuwde hij tegen de ruïne. 'Gestuurd door mijn vader! Ik ben naar het paleis van Ganga Zumba gekomen!'

Elf dagen nadat Paulo's lijk was teruggebracht naar Santo Tomás, werd *padre* Eugênio midden in de nacht uit een onrustige slaap wakker. Hij ging uit bed, kleedde zich aan, ging de kamer uit en bleef in de gang staan luisteren naar het geweeklaag dat opsteeg van de begane grond. De planken van de galerij boven het koor kraakten toen hij naar beneden ging. Weer bleef hij staan en over de balustrade gebogen wierp hij een blik in de kapel, waar een paar kaarsen brandden.

Bartolomeu Cavalcanti lag geknield bij de doodkist van zijn zoon, die op schragen stond alvorens te worden begraven onder de tegels van de kapel, bij de andere Cavalcantis: Fernão, Felipe, Aires, Bartolomeus, vader van Rodrigues, en anderen.

'Heer, verhoor de klachten van deze man en verzacht zijn lijden,' mompelde de priester.

Sinds de tiende oktober, de dag waarop Paulo's stoffelijk overschot in de kapel gezet was, waren familieleden en vrienden hem onophoudelijk de laatste eer komen bewijzen. Joaquim en Isabel Costa Santos waren in het Casa Grande gebleven om Luciana en haar kinderen te troosten; Geraldo, die nu getrouwd was, was met zijn vrouw uit Recife gekomen. Alleen Graciliano was niet op komen dagen.

Het was nu acht jaar geleden dat hij van Santo Tomás weg was gegaan, naar de *sertão*, en al die tijd had Bartolomeu geweigerd zijn zoon te vergeven. 'Hij moet zijn trots inslikken en zich voor mij komen vernederen,' herhaalde de planter tegenover *padre* Viana. Bartolomeu bleef temeer doof voor de pogingen van de priester om hen te verzoenen, aangezien zijn zoon vijf bastaarden had verwekt. Toch weigerde hij Graciliano van de Fazenda da Jurema te verdrijven. 'Ik heb de Heer beloofd dat er geen bloed vergoten zal worden tussen vader en zoon. En ik houd mijn woord.'

In de loop van de afgelopen drie jaren had Viana de jonge Cavalcanti meerdere keren gezien, als deze vee naar de kust dreef, en Graciliano was even onwrikbaar gebleken als zijn vader. 'Ik ben afgerost als een *peça. Senhor pai*, en niet ik, moet vrede sluiten. Laat hem maar komen, en laat hem maar zeggen dat het hem spijt. Ik zal luisteren, maar ondertussen blijf ik waar ik ben.'

Toch had de priester gemerkt dat de jongeman van karakter veranderd was. Hij was rustiger, nadenkender, en hield zich nu bezig met de toekomst van de *fazenda*. Tijdens hun eerste ontmoeting, twee jaar na zijn vlucht, had hij tegen *padre* Eugênio gezegd: 'Ik kan hier iets van maken.'

'Maar blijf je dan altijd in deze wilde streken?'

'Voor mij is er niets te beleven op Santo Tomás. Ik ben de erfgenaam niet.'

Met Paulo's steun, en de stilzwijgende toestemming van Bartolomeu, had Graciliano de *fazenda* uitgebreid, en het aantal beesten was gestegen tot achtduizend. Viana had gehoopt dat dat succes Bartolomeu vergevensgezind zou stemmen, maar de planter bleef bij zijn standpunt: 'Hij moet naar mij komen.'

Toen de priester de meester van Santo Tomás bij de kist van Paulo weg zal lopen, moest hij aan Graciliano denken. Bartolomeu ging naar het altaar, drukte zijn wang tegen het marmer en barstte in snikken uit.

Viana kwam de trap af. Toen hij hem zag slikte de *senhor* zijn tranen in en kwam hij langzaam overeind. Nauwelijks hoorbaar mompelde hij: '*Padre*, ga alstublieft naar de *sertão*. Ga Graciliano halen.'

'God zij geprezen!' riep Viana, en hij meende het.

'Ik wil mijn zoon hier hebben. Ik zal hem vergiffenis vragen.'

'Hij is al op weg,' zei de priester.

Bartolomeu begreep niet wat Viana bedoelde en herhaalde: 'Ga nu. Ga hem zelf halen.'

'Vergeeft u mij, maar ik heb niet gewacht op uw verzoek. De dag dat het lichaam van Paulo hier is gekomen, heb ik mannen naar de *fazenda* gestuurd.'

Tweeëndertig ruiters galoppeerden de heuvel op naar het Casa Grande. Ze hadden vijf dagen gereden, met ernstige, dreigende gezichten, en hadden alleen gestopt om hun dieren wat rust te gunnen. Ze waren gekleed in het leer van de *vaqueiro*, hier en daar versierd, door een vuurrood vest, door paarse broeken, door een driekante steek met een struisvogelveer, of een groene tulband. Twee derde van hen waren van de Fazenda da Jurema, de rest was afkomstig van de omliggende boerderijen. Gewapend met musketten, pistolen, sabels en kapmessen, scherp als scheermessen, hadden zij zich als vrijwilligers gemeld om de duivel uit de oostelijke dalen te verdrijven.

Graciliano, die voorop galoppeerde, hield zijn paard op het laatste ogenblik in, op minder dan een voet van de lange veranda. Estevão Adorno, thans negenenvijftig, kwam naar hem toe en wachtte op zijn bevelen.

De jonge Cavalcanti was magerder geworden, waardoor hij groter leek. Hij had een leren broek aan, hoge laarzen, een rood zijden vest en een lange leren jas. Aan zijn ceintuur droeg hij twee dolken, een pistool en de sabel waarmee hij twaalf jaar geleden, toen hij negentien was, in Recife een man had gedood. Thans gaf hij meer de voorkeur aan de negen voet lange prikkel, voorzien van een stalen punt, die hij met zijn uitrusting op de rug van zijn reserverijdier had bevestigd.

Eugênio Viana kwam over de veranda aanlopen op het moment dat Graciliano afsteeg.

'Goddank dat je gekomen bent!'

'Toen ik het hoorde, hoorde ik ook Paulo in de *caatinga* schreeuwen om het bloed van zijn moordenaar. Weten jullie waar die duivel heen is?'

'Driehonderd mannen zoeken hem, maar ze vinden geen spoor.'

'Hoe kan dat nu?' vroeg Graciliano terwijl hij zijn jas afklopte.

'Ze denken dat hij met zijn bende de *sertão* in is gevlucht.'

'We vinden hem wel.'

'Je vader wilde dat je kwam...'

'Ik ga hem meteen opzoeken.'

Bartolomeu was in zijn kamer, gekleed in een kamerjas en gezeten op een oude sofa. Toen zijn zoon de kamer binnenkwam schreeuwde de planter, alsof hij het tegen iemand anders had: 'Daar is mijn zoon! God in de hemel, mijn zoon!'

'*Senhor pai*, ik ben meteen gekomen...' zei Graciliano, ontroerd door het feit dat zijn vader zo hulpeloos was.

'Onze Paulo is dood. God heeft mij gebroken door een zoon van mij af te nemen. En ik, uit ijdelheid, had er zelf al een zoekgemaakt. Vergeef mij Graciliano, vergeef mij.'

'O vader, ik heb dit huis verlaten, ik ben de schuldige.'

Tranen stroomden over de holle wangen van de oude man. Hij leunde op de sofa en kwam overeind. Zijn zoon hielp hem en nam hem in zijn armen.

'*Senhor pai*, waarom hebben wij zo lang gewacht?'

De planter drukte Graciliano tegen zich aan.

'*Meu filho! Meu filho*! Nu is het afgelopen. Je bent eindelijk terug!' Graciliano deed een stap achteruit, en legde zijn handen op de schouders van zijn vader.

'Luister dan nu naar hem, naar die zoon, *senhor pai*. Ik zweer op wat mij het heiligst is dat ik Paulo zal wreken. Ik zal niet rusten voordat zijn moordenaars naar de hel zijn gestuurd!'

'Paulo is in de kapel,' zei Bartolomeu, 'ga hem die belofte maar brengen.'

Kapitein Francisco Andrade da Cruz had het commando over de troepen die Pedro Preto zochten. Na Paulo's dood had de gouverneur tweehonderd extra mannen gestuurd, waaronder het regiment Henrique Dias, een eenheid van zwarte soldaten die de naam droeg van de oorlogsheld die de Hollanders bevochten had. Andrade da Cruz had zijn hoofdkwartier in Rosário gevestigd en woonde in het huis van wijlen de directeur.

De kapitein was een kleine man die op die ochtend van 27 oktober een witte broek droeg, een blauwe jas met gouden galons, een rode ceintuur en smetteloos witte kousen. Hij stond op de veranda van Vanderley met Graciliano Cavalcanti te praten, en liet duidelijk blijken dat hij niet tevreden was.

Drie *vaqueiros* die die ochtend bij de rivier water waren gaan halen hadden een jonge neger rond de *vila* zien zwerven. Omdat zij dat verdacht vonden hadden ze hem gevangengenomen en Graciliano laten komen, die met een Portugese kolonist uit Rosário naar de rivier was gegaan. De laatste had João, de zoon van Tobias, herkend, die deel uitmaakte van de bende van Pedro Preto. Een soldaat, die ook water kwam halen bij de rivier, had de *vaqueiros* de jonge neger zien martelen en de kapitein gewaarschuwd. Andrade da Cruz had een paar man op onderzoek uitgestuurd, maar toen zij kwamen waren Graciliano en de *vaqueiros* vertrokken, en hadden João met een gebroken nek laten liggen. De kapitein had de jonge Cavalcanti geroepen en hem gevraagd te vertellen wat hij te weten was gekomen van de neger. Dat had Graciliano geweigerd.

'U vergeet, *senhor*, dat ik aan het hoofd van deze troepen sta en dat ik schriftelijke orders van de gouverneur heb,' zei Andrade da Cruz humeurig.

'En ik ben de broer van Paulo Cavalcanti. Ik heb ook geschreven orders – geschreven met het bloed van mijn broer.'

Een grote vlieg plaagde de officier, die haar langzaam, bijna waardig, wegjoeg.

'In de *sertão* kunt u uw eigen wetten maken. Hier zijn het rechters en koninklijke administrateurs die regeren.'

Weer sloeg de kapitein in de lucht, toen ging hij de veranda af en liep met stijve benen naar Ribeiro Adorno en twee andere koeiendrijvers, die hem behoorlijk zaten te knijpen. Een groep soldaten was getuige van de confrontatie, evenals een paar Portugese kolonisten, mulatten en inboorlingen. De rest van de *vaqueiros* en de tien man van Santo Tomás die bij Graciliano waren stonden op vijftig pas van de soldaten.

'Ik begrijp dat u graag wraak wilt nemen,' riep Andrade naar Graciliano, 'maar wij vechten allemaal voor hetzelfde doel, Pedro Preto vangen. Laten we dan ook de inlichtingen delen!'

'Hij heeft niets gezegd,' zei Ribeiro Adorno. 'Leugens, onzin. Niets belangrijks.'

'Je liegt!' antwoordde de kapitein. Hij schoof met de punt van zijn laars het lijk van João, dat voor de *vaqueiro* op de grond lag, aan de kant. 'Zeg me wat je gehoord hebt.'

Het lichaam van de jonge neger zat vol kleine wonden die de koeiendrijvers met de punten van hun messen hadden veroorzaakt.

'Wie weet, Cavalcanti, zullen een paar dagen in de gevangenis met mijn andere genodigde, je tong losmaken,' zei Andrade nog.

De andere 'genodigde' was de jezuïet Antunes Machado, die door patrouillerende soldaten uit zijn schuilplaats gehaald was. Machado zat in Rosário in de gevangenis in afwachting van transport naar Recife, om uit de kolonie verbannen te worden.

'*Sim, capitão,*' antwoordde Graciliano terwijl hij opvallend duidelijk naar zijn *vaqueiros* en de mannen van Santo Tomás keek. 'Moet ik meteen de gevangenis in?'

Andrade da Cruz draaide zijn hoofd ook die kant uit, en begon somberder te kijken.

'Ik zou uw mannen voor deze moord kunnen laten arresteren, weet u dat?' gromde hij.

'Mijn broer zou misschien nog leven als uw soldaten toen net zo ijverig waren geweest.'

'Mijn troepen zijn dag en nacht op weg.'

'En hebben in vier maanden tijds nog geen spoor van de vluchtelingen gevonden. Nu, aan ons zal het niet liggen. Als de soldaten de bende vinden voordat ik haar vind, moge God hun dan de overwinning geven – de overwinning, en een stevig eind touw!'

'Vertrek dan maar! Maar denk maar niet dat jullie het beter kunnen dan wij, met jullie *caboclos*!'

'Dat zullen we weleens zien, kapitein,' antwoordde Graciliano lachend.

Nog geen uur later verliet hij met zijn mannen Rosário. Een *vaqueiro* die naast hem reed vroeg hem: 'Waarom heb je de waarheid niet verteld? Dan waren er nu honderd meer op weg geweest...'

'Hij is van mij! Van mij! Ik heb met mijn hand op het koude voorhoofd van mijn broer gezworen Pedro Preto te zullen doden! In Palmares! Want daar zullen wij die duivels vinden!'

Pedro Preto had een ernstige fout gemaakt. Hij had zijn toevlucht gezocht in de verre Serra do Barriga, op de plaats die de Portugezen Palmares noemden, en droomde ervan de citadel van Ganga Zumba weer op te bouwen. 'De Portugezen zoeken vijftig voortvluchtigen, niet één enkele man,' had hij tegen João gezegd. 'Ga naar Rosário, en breng ons vrouwen en kinderen terug.'

De jonge neger was bezweken onder de martelingen toen hij gevangen was en had verteld dat Pedro Preto zich in de Serra do Barriga verborgen hield.

Op 1 november 1766 bereikten de tweeënveertig ruiters de heuvels. Ze hadden de vorige nacht op een plantage doorgebracht waarvan de eigenaar hun twee slaven als gidsen had meegegeven, afstammelingen van de voortvluchtigen die in Palmares zaten. Graciliano en Jacinto Adorno lieten hun kameraden zich klaarmaken voor het gevecht, en gingen met de twee slaven het terrein verkennen. Deze brachten hen naar de plek waar de vroegere hoofdstad van de Ganga Zumba had gelegen, Shoko, en toonde een van de hoofdstraten, thans verdwenen onder de struiken.

Aan de rand van Shoko ontdekten zij een cassaveveld dat half afgeoogst was. Graciliano en een van de slaven gingen verder op verkenning, en kwamen tot op honderdvijftig pas van de vroegere koninklijke omheining. Verborgen achter de struiken zagen zij hoe een groep negers met rotsblokken en zand een bres in een aarden wal van zes voet hoog dichtte. Door een beetje naar rechts te gaan ontdekte Graciliano een andere bres, en kreeg hij gedeeltelijk zicht op het binnenste van de omheining, maar hij zag weinig drukte rond de eenvoudige onderkomens die de vluchtelingen hadden gebouwd. Hij beduidde zijn gids dat hij rond de aarden wal wilde sluipen. Dit kostte drie kwartier, want aan de noordkant was het bos minder dicht – de negers hadden er een veekraal voor hun paarden gebouwd – en zij moesten afstand houden om niet te worden ontdekt.

'Ik heb geen schildwacht gezien,' zei Graciliano tegen Jacinto toen hij weer bij hem was. 'Omdat de Ganga Zumba dit fort jarenlang heeft weten te handhaven denken zij dat zij er net zo lang in veiligheid zullen zijn.'

Vervolgens overtuigde Graciliano zich ervan dat zij, door de vroegere hoofdader die door Shoko liep te nemen, en over te steken over het cassaveveld als zij vanuit het noorden, waar minder bomen waren, zouden aanvallen, te paard zouden kunnen chargeren.

'Vannacht vallen we aan, Jacinto,' besloot hij.

De zoon van Bartolomeu vergiste zich wat betrof de schildwachten. De verkenners waren door twee mannen gezien, die hun aanwezigheid aan Pedro Preto hadden gerapporteerd.

'We moeten weg!' zei Tobias. 'En wel snel!'

Pedro Preto was het hier niet mee eens en zei: 'Als honden vluchten? Nee, wij zullen het huis van onze heer, Ganga Zumba, verdedigen!'

Op 2 november, om één uur 's ochtends, onder een bewolkte hemel met een klein beetje maanlicht, ging Graciliano met negenendertig man op weg. Twee *vaqueiros* bleven in het kamp, de een omdat hij een doorn in zijn oog had, de ander omdat hij verzwakt was door dysenterie. De ruiters reden een voor een Shoko binnen, langzaam, en toen zij in het cassaveveld waren aangekomen spoorden zij hun rijdieren aan tot galop. In de verte lag de donkere en dreigende massa van de aarden wal.

Jacinto en de beide andere *vaqueiros* kregen opdracht om de paarden van de negers uiteen te jagen, en toen de aanval begon sloegen zij af naar rechts. Maar Jacinto kwam terug en galoppeerde naar Graciliano toe.

'De paarden...'

Langs de aarden wal lichtte een halve cirkel van vuur op toen de mannen van Pedro Preto hun musketten afschoten. Een van de voorste paarden zakte in elkaar, de beide ruiters die daarachteraan kwamen vielen toen hun paarden over het dode dier struikelden. Vijf andere *vaqueiros* werden geraakt door een regen van kogels, drie waren op slag dood. Het tweede salvo maakte minder slachtoffers dan het eerste en de tweeëndertig overlevende aanvallers rolden als donder over het vluchtelingenkamp.

Sommige ruiters drongen door de bres heen, anderen joegen hun dieren de aarden wal op, zwaaiend met hun wapens en net als Graciliano schreeuwend: 'Dood aan de duivel!'

Aan de binnenkant helde de wal steil naar beneden en verschillende paarden stortten neer, maar de meeste ruiters bleven in het zadel. Sommige negers kwamen om onder de paardehoeven, andere trokken zich terug naar de rotsen en de hutten.

Graciliano, met zijn nek opengehaald door een schampschot, kwam door een bres te voorschijn en stormde op de rotsen af, waar hij een neger aan zijn prikkel reeg. De overige vluchtelingen gaven hun positie op en vielen onder de slagen van Cavalcantis' metgezellen. Toen zij aan het andere eind van de omheining gekomen waren, draaiden de *vaqueiros* zich om, hieven hun kapmessen op en stuurden hun dieren op de hutten af.

De strijd duurde nog geen tien minuten. Toen enkele negers hun wapens neerwierpen en om genade smeekten, deden de anderen dat ook al snel en zakte de verdediging in elkaar, aan alle kanten klonken kreten, gekreun van mannen die in grote plassen bloed op de grond lagen.

'Pedro Preto!' schreeuwde Graciliano, die was afgestegen en met grote stappen rondliep. 'Waar is die duivel?' vroeg hij aan de dichtst-bijzijnde neger, waarbij hij hem een mep gaf met de steel van zijn prikkel.

De man zwoer dat zijn baas er niet was. Terwijl Graciliano doorging de vrijgelaten slaaf te zoeken, staken de *vaqueiros* de hutten in brand.

'Die daar!' beval Paulo's broer plotseling, terwijl hij op een neger wees die begon te kreunen van angst. 'Breng die eens hier!'

Hij dwong hem naar de dode en gewonde negers te kijken, eerst binnen de omheining, toen, bij fakkellicht, aan de andere kant van de aarden wal. Telkens schudde de man het hoofd want noch Pedro Preto noch Tobias was bij de negenentwintig negers die buiten gevecht waren gesteld.

'Waar zijn ze heen?' gromde Graciliano. 'Waar?'

Zonder te aarzelen antwoordde de neger: 'De heuvel.'

'Welke heuvel?'

'Het stenen paleis.'

De Portugees pakte de neger bij zijn arm en draaide die plotseling om.

'Waar, *peça*?'

'Genade, meester! Ik zal het u wijzen!'

Graciliano ging meteen met Jacinto en een andere koeiendrijver op weg. De maan was achter de wolken verdwenen en ze hadden twee uur nodig om in het donker bij de heuvel te komen. De slaaf die bij ze was smeekte hem daar achter te laten.

'Pedro heeft verboden om...'

'Omhoog, *peça!*' beval Graciliano. Hij stak de man met de punt van zijn prikkel. 'Omhoog!'

Ze hadden drie kwartier nodig om het pad te vinden en een kwartier later vonden ze de nauwe doorgang die naar de omheining voerde. De neger liep voorop, voor de *vaqueiro* uit, gevolgd door Jacinto en Graciliano. Plotseling klonken er twee schoten, kogels raakten de *vaqueiro* in zijn gezicht en Jacinto aan zijn schouder. Ribeiro's zoon zakte in elkaar. De neger, die gespaard was gebleven, maakte van de gelegenheid gebruik om ervandoor te gaan.

Graciliano klom verder, met een pistool in een hand, en zijn prikkel in de andere. Plotseling brak de maan tussen de wolken door, en verlichtte een gestalte die een rotsblok opklom. Graciliano schoot en raakte de man, maar die viel niet. De Portugees gooide zijn pistool weg, rende naar voren en stak de punt van zijn prikkel in de rug van de vluchteling.

Tobias slaakte een reeks rauwe kreten voordat hij voorgoed zweeg.

Graciliano liep verder in de richting van de omheining. Pedro Preto stond aan de voet van de muur, op een plek waar die ingestort en niet hoger dan drie voet was. Hij stond te wankelen met ontbloot bovenlijf en zijn rechterschouder onder het bloed.

'Duivel!' riep Graciliano.

Pedro draaide langzaam zijn hoofd om. Hij was ongewapend.

De blanke deed een stap naar voren, bleef staan en bekeek hem voorzichtig, alsof hij op een jaguar in de *caatinga* joeg.

'Duivel!' herhaalde hij. 'Ik ben een Cavalcanti! De broer van een van hen die jij hebt afgeslacht!'

Pedro Preto stond verwilderd naar de muur te kijken.

'Ganga Zumba?' riep hij zachtjes. 'Vader?'

De spotlach van Graciliano klonk door de omheining.

'Ik ben alleen!' riep de neger rillend.

'Ja, Pedro Preto! Alleen met Graciliano Cavalcanti!'

De vroegere timmerman liep bij de muur weg, en slaakte een kreet van diepe wanhoop. Hij was naar het stenen paleis geklommen om te doen als de krijgers van Ganga Zumba, maar kon er niet toe komen naar beneden te springen.

'Wat is er, Pedro Preto? Zie je de duivel?' riep Graciliano, terwijl hij weer een stap in zijn richting deed.

Het magere lichaam van Pedro begon heftig te trillen.

'Jezus?' riep hij.

Graciliano werd kwaad omdat hij hem de Heer hoorde aanroepen, en stortte zich met zijn prikkel op hem. Hij gaf hem eerst een steek in de zij, toen een in de buik.

'Jezus hoort je niet!'

Pedro Preto zakte in elkaar en bij zijn laatste ademtocht mompelde hij een tweede keer: 'Jezus?'

Lang bleef Graciliano roerloos staan, geleund tegen de muur, toen zei hij tegen Pedro's lijk: 'Ga naar je voorouders, duivel! Maar ze zullen niet het genoegen hebben je hoofd te zien!'

Hij trok zijn dolk. Toen hij zich over het roerloze lichaam boog, hoorde hij een geluid achter zich. Hij vloekte en draaide zich om. Het was alleen maar een toekan, door het lawaai gestoord, die van het nest vloog.

'*Senhor pai!*' riep Graciliano. 'Is daar iemand? Help mijn vader eens naar buiten te komen!'

Hij zat op zijn paard, voor het Casa Grande. Elf van zijn mannen, gestorven in Palmares, waren in een naburig dorp begraven. De anderen stonden om hem heen.

Vijf minuten later hielpen slaven Bartolomeu Cavalcanti op de veranda te komen.

Graciliano steeg van zijn paard maar in plaats van zijn vader te begroeten nam hij een leren zak die aan zijn zadel hing en maakte hij het touw ervan los. Hij klom de veranda op, en gooide de zak leeg aan de voeten van Bartolomeu.

'De duivel in eigen persoon, *senhor pai*! Onze Paulo is gewroken!'

De meester van Santo Tomás keek omlaag naar het hoofd van Pedro Preto.

'De gerechtigheid van Christus zij eeuwig geprezen,' zei hij enkele malen achter elkaar. Toen wendde hij zich tot Graciliano, en zei: 'Kom toch binnen, zoon.'

De jonge Cavalcanti nam zijn vader bij de arm, en liep het Casa Grande in, maar op de drempel bleef hij staan.

'*Senhor pai…*'

'Wat is er, Graciliano?'

'Ik blijf hier een week. Dan ga ik weer naar de *fazenda*. Als jullie me hier nodig hebben, kom ik terug.'

Met merkwaardig vastberaden stem antwoordde Bartolomeu: 'Ik wist wel dat je dat zou zeggen.' Hij pauzeerde zich en legde zijn hand op de schouder van zijn zoon. 'Ga er maar heen, Graciliano Cavalcanti, en ga met mijn zegen.'

546

XVI

Benedito Bueno da Silva had eenzelfde reputatie van moed als zijn voorvader Amador Flôres da Silva, de grote *bandeirante*. Ook had hij de koppigheid van zijn grootvader Olímpio Ramalho, een van de eersten die in Minas Gerais goud hadden gevonden.

In 1708 was Olímpio Ramalho da Silva in een conflict verwikkeld geraakt tussen Paulistas en avonturiers die vanuit Portugal en de kuststeden van Brazilië naar Minas Gerais kwamen. Het lukte hem niet zijn eigendommen te beschermen tegen een gewelddadige bende *emboabas*, en tegen eind 1708 verliet hij de mijnen van Vila Rica de Ouro Preto om terug te gaan naar zijn familie op de landerijen van de Da Silvas achter São Paulo.

De jaren in Minas hadden van Olímpio geen rijk man gemaakt. Niet alleen had hij Amadors schulden terugbetaald aan Ismael Pinheiro – wiens afstammelingen kooplui in São Paulo en in Santos, aan de kust, waren – maar ook had hij voorzien in het onderhoud van de grote clan van Ramalho da Silva, wiens domein hij regelmatig bezocht tot 1700, het jaar waarin Maria Ramalho op de gezegende leeftijd van zevenentachtig jaar overleed.

In 1710 werden twee van de drie zonen van Olímpio, die als prospectors naar het noorden waren gegaan, door wilden in Mato Grosso gedood. Dit verlies, gevoegd bij de herinnering aan het verschrikkelijke lijden dat Amador en Trajano hadden gekend bij hun zoektocht naar rijkdom, deed Olímpio besluiten om ervan af te zien snel rijk te willen worden. Met zijn laatste zoon Antônio – de vader van Benedito Bueno – hernam hij zijn vak als muilezeldrijver, dat hij lang verwaarloosd had. Toen hij in 1718 in vrede stierf, liet hij Antônio een welvarend bedrijf na, dat gespecialiseerd was in transport tussen São Paulo en Minas Gerais. Antônio stierf op zijn beurt in 1753, waarbij hij Benedito Bueno de familietraditie liet voortzetten.

In 1788 was Benedito tweeënzestig en nog in de kracht van zijn leven. Een edele Tartaar, volgens sommigen, en deze beschrijving paste precies bij de man die de schrik van de jezuïeten was geweest, evenals van de Spanjaarden en de wilden in de gebieden ten zuiden van São Paulo, waar zo heftig om gevochten was. Zijn militaire prestaties verbleekten echter bij de gedurfde konvooien die hij organiseerde naar de goudmijnen in Cuiabá, in Mato Grosso.

Deze konvooien leken aardig op het pionierswerk van mannen als Amador Flôres en Antônio Raposo Tavares. Cuiabá lag achthonderd mijl ten noordwesten, maar het ondoordringbare oerwoud van de Mato Grosso en de dreiging van de wilde stammen in de streek verplichtten elk konvooi een omweg van vijfendertighonderd mijl te maken om bij het kamp van de mijnwerkers te komen, en terwijl de *bandeirantes* uit de zeventiende eeuw vooral te voet of te paard gingen, namen de konvooien richting Cuiabá de rivieren. Om die redenen, en omdat hun ritme seizoengebonden was, werden zij ook wel 'moessons' genoemd.

Vanuit Porto Feliz, een aanlegplaats tachtig mijl ten noord-noordwesten van São Paulo, zakten de moessons de Tietê af – de Anhembi van Amador Flôres – over zeshonderd mijl, een reis van zesentwintig dagen die hen naar de Rio Paraná bracht. Dan sloegen de kano's af naar het zuiden, en voeren honderdtwintig mijl tot de Rio Pardo. Het kostte twee maanden om over de Pardo driehonderd mijl stroomopwaarts te varen, tot het brongebied, en vandaar kwamen de konvooien in het stroomgebied van de Rio Paraguay, in de moerassen van de Pantanal. Na nog twee maanden op de Paraguay en de zijrivieren daarvan, kwamen de moessons ten slotte in Cuiabá.

De prauwen van deze vloten waren veertig voet lang en vier voet breed. Op de voorplecht zat de loods, de boogschutter en zes roeiers. Negen voet achter hen, midden in de kano, lag de vracht – elke van deze lange boten droeg vier tot zes ton. Op de achterplecht konden tot zestien passagiers plaats nemen. De moessons die uit Porto Feliz vertrokken, of uit andere plaatsen, telden soms tot driehonderd prauwen, waarin drieduizend mensen konden, maar al waren deze *armadas* groot, daardoor waren zij niet gevrijwaard van aanvallen van Paiaguás of Guaicurus, en ook niet van schipbreuken, ziekte en honger. Sommige konvooien werden tot de laatste man uitgeroeid.

Sinds 1739, het jaar waarin hij op dertienjarige leeftijd voor het eerst naar Cuiabá was geweest, had Benedito Bueno dertig reizen met de moessons uitgevoerd. Hij bezat zestien prauwen die bemand werden door Indianen, die in naam vrij waren, maar in feite slaven. In de woelige wateren van de Tietê en de Pardo had Benedito mannen en goederen verloren, maar deze ongelukken waren zeldzaam want de loodsen en de boogschutters van de Paulista konden uit hun hoofd de lijst opzeggen van alle rampen die gebeurd waren op de negen grote rivieren die naar Cuiabá voerden.

Benedito had de rivier in zijn bloed en bij elke reis kwam de hartstocht weer boven die hij geërfd had van zijn voorouders, *bandeirantes* en Tupis. Het was dus geen verrassing toen hij op een ochtend in juli 1758 zijn familie vertelde dat hij zou vertrekken naar de gebieden die zijn vader hem had nagelaten. Agostinho en Vicente, twee van zijn broers, net als zijn grootvader Olímpio muilezeldrijvers, zouden in het oude huis op dertig mijl buiten São Paulo blijven, terwijl Benedito Bueno, zijn vrouw en zijn zonen naar Itatinga zouden gaan, de plaats van de witte stenen.

Itatinga lag honderdvijfentwintig mijl ten noordnoordwesten van São Paulo, waar de Rio Tietê scherp naar het oosten afbuigt en dan naar het noordwesten stroomt. Op de linkeroever van die bocht stonden de witte stenen, een verzameling rotsen die door erosie was aangetast. Binnen de grote U die de rivier maakte was het terrein glooiend en grotendeels bebost, maar er waren ook vlakten met gras, die ideaal waren voor veeteelt.

De eigendomsbewijzen die Benedito had gekregen van de kapitein-generaal van São Paulo beschreven oorspronkelijk een domein langs de linkeroever van de Tietê, een mijl lang, en even breed naar de landzijde toe, maar de landerijen die zijn zonen vervolgens hadden verworven hadden dit gebied verviervoudigd, zodat thans bijna de hele bocht van hen was.

Achter de witte stenen en de landingsplaats rees een helling omhoog tot een tafelberg, negentig voet boven de rivier, en op die plaats zestig passen breed. Benedito had daar een huis gebouwd dat leek op hetgeen hij had achtergelaten. Het was vierkant, met adobemuren, een pannendak en twaalf kamers. Maar het was slecht gebouwd en slecht onderhouden, en de varkens, de kippen en de honden die er vrijelijk in en uit liepen verhoogden de armoedige aanblik ervan.

Dit soort buitenplaats, dat sterk deed denken aan de tijd dat de eerste Da Silvas in de buurt van São Paulo woonden, was kenmerkend voor de prioriteiten die de pioniers stelden. Net als zijn voorouders wilde Benedito Bueno in de *sertão* wonen, buiten bereik van autoriteiten, want daar kon hij absolute macht uitoefenen over de zesenvijftig zielen van Itatinga en de mannen van zijn prauwen. Al bijna twintig jaar genoot hij van deze onafhankelijkheid, maar de constante aanwas van kolonisten had op twaalf mijl ten zuidwesten van Itatinga een dorp doen ontstaan. Tiberica, dat zijn naam dankte aan een

Carijó-opperhoofd wiens *malocas* op die plek hadden gestaan, kreeg in 1766 stadsrechten, en ongeveer twaalf jaar later werd het district een parochie waarvan de jurisdictie zich uitstrekte tot de landerijen van de Da Silvas.

Benedito's oudste zoon, Silvestre Pires da Silva, vond dit een gelukkige ontwikkeling, hij begreep dat het tijdperk van de *bandeirantes* ten einde zou komen met de dood van zijn vader, de grote admiraal van de moessons, en dus was Silvestre begonnen om Itatinga te ontwikkelen, en had hij er zeventig morgen suikerriet geplant, een cultuur die thans in het hele kapiteinschap São Paulo werd bedreven, al was de schaal waarop dat gebeurde niet te vergelijken met de grote plantages van Pernambuco. Benedito's zoon had in São Paulo enige opleiding genoten en was lid van de gemeenteraad van Tiberica. Hij hoopte kolonel van de plaatselijke militie te worden, en vertegenwoordiger van de kapitein-generaal van São Paulo voor het district.

Zesendertig jaar oud, had Silvestre al een buikje. Hij was al vijftien jaar getrouwd met Idalina Tavares, een afstammelinge van Raposo Tavares, die hem veertien kinderen geschonken had, van wie er negen in leven waren gebleven. Silvestre was erg trots op zijn omvangrijke gezin en niet erg geneigd om het in de steek te laten of de gebieden van de Da Silvas op te geven.

Op een ochtend in april 1788 was hij met twee andere mannen getuige van het lijden van zijn vader.

'Help mij, Moeder van alle heiligen!' kreunde Benedito, met gebalde vuisten, en zijn voorhoofd nat van het zweet. 'Jezus, geef mij kracht!'

Hij had kiespijn.

Silvestre had medelijden met zijn vader en probeerde hem moed in te spreken door het met hem te hebben over de gevaren die hij bij zijn moessons te boven was gekomen. Benedito luisterde even naar zijn zoon, en glimlachte flauwtjes. De beide andere mannen die getuige waren van zijn pijn waren André Vaz da Silva, een verre verwant, en zijn vriend Joaquim José da Silva Xavier, *alferes*, dat wil zeggen onderluitenant, bij de zesde compagnie dragonders van Minas Gerais.

André was de achterkleinzoon van Trajano da Silva, door Amador Flôres geëxecuteerd vanwege verraad tijdens het zoeken naar de berg met smaragden. Toen Trajano naar de *sertão* ging, in 1674, was een van zijn Carijó-concubines in verwachting. Trajano leefde niet lang genoeg om het kind nog te kunnen zien. Het heette Venâncio en werd opgevoed door de onvermoeibare Maria Ramalho.

Voor de familie van André Vaz da Silva was het zwerven al lang opgehouden. Toen Olímpio met zijn vrouw en zijn zonen uit Minas was vertrokken, waren verschillende leden van de familie in de streek gebleven, met name de grootvader van André, Venâncio da Silva. De conflicten tussen Paulistas en *emboabas* waren bijgelegd, en een tijdje lang was Venâncio goudzoeker geweest. Maar in 1715 had hij een winkel geopend in Vila Rica de Ouro Preto, waar dertigduizend mijnwerkers met hun slaven woonden. Zijn zoon Raimundo, die in het jaar dat Venâncio de winkel begon geboren was, was nu drieënzeventig en weduwnaar.

André Vaz da Silva, achtentwintig jaar oud, was de zoon van Raimundo en werkte in het familiebedrijf. Hij was groot en sterk, had dik zwart haar, een breed voorhoofd, en dunne ascetische lippen. Zijn puntbaardje benadrukte zijn enigszins vooruitstekende kin.

Zijn vriend Silva Xavier was even groot en breed geschouderd als hij. Hij was eenenveertig, had doordringende blauwe ogen en een arendsneus. Zijn snor en zijn zwarte baard zaten vol grijze haren; zijn lange handen met fijne vingers duidden op een grote gevoeligheid. Voor Benedito Bueno was het niet zo leuk om Silva Xavier te zien, want de dragonder had vele talenten, onder andere een dat hem de bijnaam Tiradentes bezorgd had, de Kiezentrekker.

Dat Silva Xavier en André de vorige avond waren aangekomen, was puur toeval. De vader en de grootvader van André waren via de broers van Benedito in contact gebleven met de andere Da Silvas, omdat de broers een familiegoed van André gebruikten in de buurt van Vila Rica, om hun muilezels op krachten te laten komen. Terug uit São Paulo, waar hij zaken te doen had, was André via Itatinga gegaan.

Onderluitenant Silva Xavier was op lang verlof en was eerst van plan geweest om naar Rio de Janeiro te gaan, sinds 1763 de hoofdstad van Brazilië. Maar toen zijn vriend André het had over een reis naar São Paulo, besloot Silva Xavier met hem mee te gaan. De onderluitenant had verschillende vrienden bij de officieren van het kapiteinschap en wilde de hoofdstad van de Paulistas weleens bezoeken, omdat hij er al jaren niet meer was geweest.

Silva Xavier nam zijn tandartskoffertje – dat hij overal met zich meedroeg – en vroeg aan Benedito om zijn mond open te doen.

'Moed houden,' zei André. 'Joaquim heeft mij ook geholpen, het doet bijna geen pijn.'

'Here God,' kreunde de oude man.

Silva Xavier zocht de zieke kies en trok haar eruit.

'Daar!' riep hij. 'Afgelopen.'

Benedito boog zich voorover om in een zilveren schaal te spugen, die zijn zoon hem voorhield.

'*Senhor*,' fluisterde hij, 'uw bijnaam is terecht.'

Twee dagen later zaten de vier mannen weer bij elkaar in de grote voorkamer, eenvoudig gemeubileerd met een paar stoelen, een jacaranda tafel, een kast en een bank. Joaquim José da Silva Xavier was degene die het meest aan het woord was.

'Wat een eer, *senhor* Benedito, om bij de familie van Amador Flôres te zijn, de grote veroveraar van de *sertão*, en om de afstammelingen van Olímpio Ramalho te ontmoeten, die de poorten van Minas Gerais geopend heeft! Toch voel ik in het diepst van mijn hart ook een groot verdriet als ik bedenk dat onze helden vanuit het hemelse paleis waar hun zielen vertoeven Minas zien, en dus ook de arme zonen van Amerika die niet meer genieten van de rechten waarvoor zij gevochten hebben.'

André Vaz da Silva had zijn vriend vaak zulk soort gevoelens horen verwoorden, en hij stond er sympathiek tegenover. Silvestre, die aan tafel zat, met een kaartspel voor zich, leek het er niet helemaal me eens te zijn, maar hield zijn mond.

'Jaar na jaar hebben wij die schatten naar Lissabon gestuurd,' ging Tiradentes verder. 'Zestig vloten per jaar, vanuit Rio de Janeiro, met hun ruimen vol goud uit Minas. Vervolgens vraagt de koning minimaal honderd *arrobas* in plaats van de *quinto*, het vijfde koninklijk deel, en al tien jaar lang komen de Mineiros aan die eis tegemoet!'

Mineiro, een man uit Minas Gerais, was de trotse regionale naam die thans gedragen werd door de afstammelingen van de Paulistas, zoals André, en die van de *emboabas*.

'De Mineiros weten al vijfentwintig jaar dat de goudproduktie daalt,' ging de onderluitenant verder. 'U hebt dat zelf in de mijnen van Cuiabá ook vastgesteld, *senhor* Benedito. Maar in Lissabon zeggen ze dat wij leugenaars, nietsnutten en smokkelaars zijn!'

Silvestre barstte in lachen uit en keek op van zijn kaartspel.

'Toen nou, Joaquim, wees nu eerlijk,' zei hij. 'Hoeveel Mineiros zijn rijk geworden van dat goud dat er volgens hen niet is? Hoeveel smokkelaars brengen in het geheim goud naar de Spanjaarden in Asunción? Jij bent officier van de dragonders, jij moet toch weten hoeveel mannen de patrouilles op weg naar Rio de Janeiro aanhouden.'

'Ik ontken niet dat er gesmokkeld wordt,' antwoordde Silva Xavier, 'maar de goudproduktie daalt evenzogoed, en de waterwerken die nodig zijn om het goud te winnen worden steeds kostbaarder. Lissabon sluit de ogen voor de feiten. "Betaal jullie schulden, Mineiros," zeggen zij, "of wij zullen de *derrama* gebruiken om de laatste *cruzado* voor de schatkist te pakken te krijgen.'"

Toen in 1750 de minimale bijdrage van honderd *arrobas* was vastgesteld, hadden de *câmaras* uit Minas de opdracht gekregen om het goud in te zamelen en waren zij gewaarschuwd dat er een *derrama* – een belasting op iedere slaaf en vrije man – zou worden geheven als dat minimum niet bereikt zou worden.

'De autoriteiten aarzelen om de *derrama* toe te passen omdat ze weten dat de Mineiro al aardig wat belasting betaalt,' zei Tiradentes. 'En wat krijgen wij daarvoor terug? Elke drie jaar wordt er een gouverneur naar de kapiteinschappen gestuurd, met als opdracht voor het welzijn van het volk te zorgen. Er zijn eerlijke, maar er zijn ook andere, zoals zijne excellentie Luiz da Cunha Meneses...'

André vroeg zich al af wanneer zijn vriend de naam van de gouverneur zou uitspreken, die in 1783 in Minas Gerais benoemd was. Deze autoritaire, praalzieke man werd door de meeste Mineiros geminacht maar in de ogen van de onderluitenant was deze haat van persoonlijke aard, en had hij te maken met zijn afkomst.

Silva Xavier was de zoon van Mineiros van de eerste generatie, en was in 1746 geboren op een *fazenda* in de buurt van São João d'El Rei, honderd mijl ten zuidwesten van Vila Rica. Op zijn elfde werd hij wees en naar zijn peetvader, tandarts in São João, gestuurd, waar hij de eerste beginselen van het vak van 'kiezentrekker' leerde. Hij probeerde zonder succes verschillende ambachten – muilezeldrijver, colporteur, prospector – voordat hij in 1775 dienst nam in een regiment dragonders. Hij onderscheidde zich als commandant van een patrouille die de weg naar Rio de Janeiro bewaakte, maar ondanks zijn uitstekende staat van dienst, werd hij tot vier keer toe gepasseerd bij promoties. En toen Cunha Meneses in Minas kwam verloor Silva Xavier zijn commandopost, die naar een van de vriendjes van de gouverneur ging.

'Cunha Meneses ziet neer op elke man die in Amerika geboren is, rijk of arm,' ging de onderluitenant verder. 'Goddank zeggen ze dat hij vervangen zal worden door de burggraaf de Barbacena. Maar wat hebben wij gedaan om te protesteren tegen de misstappen van Meneses? Wij hebben gekreund als slaven, volkomen overgeleverd aan de genade van de despoot!'

'Andere leden uit de familie Cunha Meneses hebben in São Paulo en elders goede diensten bewezen,' merkte Silvestre op.

'Maar wij, wij kregen Luiz, die met een hele troep hoeren achter zich aan door de straten van Vila Rica slenterde, vol aandacht voor elk woord van die sletten, maar volkomen doof voor elke kredietaanvraag van de mijnbouwers. "Wat? Moderne machines? Een smelterij, zodat het niet meer nodig is om van het andere eind van de wereld gereedschap te laten komen dat tegen buitensporig hoge prijzen verkocht wordt? Nieuwe suikerrietmolens? Absoluut niet! Geen ijzer, geen suiker! Niets wat het handwerk in de mijnen kan verlichten!" zeiden de autoriteiten in Lissabon zogenaamd.'

Tiradentes schudde langzaam zijn hoofd en zei nog: 'Ik vraag jullie, hoe lang zullen wij het nog accepteren om door Lissabon als uitschot behandeld te worden?'

De nieuwe heersers in Portugal waren er heilig van overtuigd hun uitgestrekte kolonie in een staat van loyale onderdanigheid te kunnen houden. Op 24 februari 1777 was Dom José overleden. Pombal, die zijn koninklijke beschermheer zag verdwijnen, bood Maria I, de nieuwe koningin, zijn ontslag aan, en trok zich terug op zijn landgoederen. Hij was in 1782 gestorven, na in een koninklijk decreet uitgemaakt te zijn voor 'crimineel die een voorbeeldige straf verdient'. Niettemin ontsnapte hij daaraan omdat hij drieëntachtig was, en een slechte gezondheid had.

Koningin Maria I was de hoop van de edelen en de prelaten die door Pombal aan de kant waren gezet. Haar troonsbestijging viel ook goed bij de Engelse regering en de kooplui in Londen, die niet erg te spreken waren over de stimulans die Pombal aan de Portugese industrie en aan de handelsmaatschappijen in Brazilië had gegeven. Twee jaar na de kroning van Maria I werden deze laatste opgeheven. Het eindeloze conflict tussen Spanje en Portugal over de gebieden op de westelijke oever van de Rio Uruguay was ook niet best voor de Engelse handel. Na de val van Pombal lieten de Portugezen hun claims op de enclave van de Rio de la Plata, de Colônia do Sacramento, varen, en tekenden zij in oktober 1777 het Verdrag van Ildefonso. Zij accepteerden een grens die aardig overeenkwam met die welke vastgelegd was in het Verdrag van Madrid, afgezien van de gebieden van de zeven Guarani-missies.

Silvestre Pires da Silva, die geërgerd naar de officier had geluisterd, besloot nu eindelijk iets te zeggen: 'De problemen waar jij het over hebt betreffen niet een enkele gouverneur of een enkel kapiteinschap!'

'Minas Gerais is geen eenvoudig kapiteinschap, het is de ziel van ons Amerika! Wij zijn nog rijk met goud en diamanten, met ijzer, met vruchtbare gronden en met mannen. Meer mannen dan in welk ander kapiteinschap ook!'

'Eén enkel kapiteinschap,' herhaalde Silvestre. 'De raadslieden van hare majesteit moeten heel Brazilië regeren. Op zo'n groot grondgebied worden er natuurlijk fouten gemaakt.'

'Worden er dan ook automatisch stommiteiten begaan?'

Silvestre draaide zich om naar zijn vader, maar Benedito Bueno had zijn ogen gesloten.

'Voordat er goud en diamanten ontdekt werden bestuurde Portugal dit land twee eeuwen,' antwoordde Silvestre. 'Was het dan een stommiteit om een wild en verafgelegen grondgebied te verdedigen, dat de metropool maar weinig opbracht?'

'Maar wie verdedigde Brazilië tegen de Spanjaarden, de Fransen en de Hollanders? Tegen de Engelse piraten? De patriotten uit Pernambuco en Bahia! De Paulistas! Blanken, negers, mestiezen, allemaal geboren in de kapiteinschappen, streden en stierven om dit grondgebied te verdedigen. Een kleine opbrengst, terwijl alle bossen met pernambukhout gekapt zijn? Suiker en specerijen? Om het maar niet te hebben over de uitgestrekte gebieden die de *bandeirantes* voor de Kroon veroverd hebben!'

Benedito Bueno deed nu zijn ogen open.

'*Senhor*,' zei hij, 'het doet er weinig toe wie wat veroverd heeft en waar. Wij zijn allemaal Portugezen.'

'Sommigen van ons zijn meer Portugees dan anderen,' antwoordde Silva Xavier. Silvestre deed net alsof hij dit niet vatte en vroeg aan André: 'En jij, ben jij het eens met de onderluitenant?'

Hij was het eens met zijn vriend, maar dat had hij nog nooit openlijk laten blijken. Omdat hij dus aarzelde te antwoorden, drong Silvestre aan: 'Vind jij ook dat Portugal niets voor de kapiteinschappen heeft gedaan?'

'Portugal heeft tien keer en meer teruggekregen voor wat het in Brazilië heeft geïnvesteerd,' zei André. 'Denk dan na, Silvestre: toen het niet lukte met Indië, wat zou er toen zonder de kapiteinschappen van Portugal terecht zijn gekomen, God verhoede, maar Spanje zou het ingenomen hebben.'

'Precies!' riep Tiradentes, terwijl hij opstond. 'Ik wilde je iets voorlezen, Silvestre. Mijn Frans is niet best maar... kijk, dit heb ik vertaald.'

'Wat is dat voor boek?' wilde Benedito weten.

Silva Xavier gaf hem het werk.

'De grondwet en de wetten van de Verenigde Staten van Noord-Amerika.'

De oude man bekeek het boek geïnteresseerd, al was hij analfabeet.

'Zijn hun wetten in het Frans geschreven?' vroeg hij stomverbaasd. 'Nee, *senhor*, alleen dit boek, dat in Philadelphia gepubliceerd is. Het is de vertaling van de Verklaring van de Rechten van de Mens, uit Virginia. Luister, Silvestre,' zei de Kiezentrekker tegen Benedito's zoon, 'en zeg dan eens of je het daar niet mee eens bent.'

Silva Xavier begon te lezen met een stem die al snel geëmotioneerd raakte: 'Alle mensen zijn van nature vrij en gelijk...'

Toen hij de verklaring die in Williamsburg in Virginia in juni 1776 was geproclameerd, gelezen had, riep Silvestre uit: 'Maar dat is een oproep tot revolutie! Wij zijn gehoorzaamheid verschuldigd aan hare majesteit. Als je er anders over denkt, dan denk je aan afscheiding, aan chaos.'

'Heb ik het woord "revolutie" genoemd?' antwoordde Tiradentes. 'Deze waarheden zijn de stem van de rede tegen de chaos. Ze zijn geproclameerd door mensen die hun natuurlijke recht opeisen om tirannie van zich af te werpen. Natuurlijk kun je een zieke kies beter genezen dan haar eruit trekken. Maar soms zit de tandwolf te diep, en is er geen keus. Dan moet ze eruit!'

De weg naar Rio de Janeiro liep over de bergketen van de Mantiqueiras, en werd bewaakt door dragonders, omdat hij verboden was voor een ieder die geen vrijgeleide van de Kroon had. Ten noorden van de bergen, drieduizend voet hoog, strekte zich een verzameling diepe dalen uit, hoogvlaktes door ravijnen doorsneden, en heuvels. Sommige kale en met gaten bezaaide hellingen duidden op de aanwezigheid van goudzoekers, maar de meeste waren nog bedekt met oerbos. Vila Rica de Ouro Preto lag tweehonderdvijftig mijl uit de kust, onder aan de zuidelijke helling van een bergketen.

Noch de dragonders, noch de bergen weerhielden de smokkelaars ervan om goud en diamanten uit Minas Gerais te halen of er met muilezels koopwaar uit Europa en de Oost heen te brengen. Priesters, advocaten, mijnwerkers, winkeliers, koninklijke functionarissen, kapiteins van Portugese schepen – allen deden mee aan de fraude. Af en toe rolden de agenten van de Kroon een bende smokkelaars op, vernietigden zij clandestiene smelterijen, maar toch konden zij niet voorkomen dat er veel goud verdween. Lissabon wilde de streek isoleren, en schiep daardoor alleen maar voorwaarden voor de opbloei van de smokkel.

Om deze ontplooiing te begrijpen was het voldoende om een man te bekijken die op deze ochtend in juli 1788 door de straten van Vila Rica liep, op weg naar zijn werk. Hij was de bastaard van een Portugese architect en een zwarte slavin, was bij zijn geboorte vrij geworden en was thans vijftig jaar oud. Hij liep langzaam over de stenen, met een zwarte slaaf die zijn instrumenten droeg. Zijn lichaam, klein en dik, was gehuld in een zwarte cape, en zijn hoofd was bedekt met een grote hoed.

Tien jaar geleden waren de zenuwen in de armen en de benen van de mulat gevoelloos geraakt; zijn nagels waren hard geworden, hij had vingers en tenen verloren, en zijn ledematen eindigden in stompjes. De lepra tastte thans zijn gezicht aan, de gele huid werd dikker en stierf af. Zijn tandvlees werd zacht en veel van zijn tanden waren al uitgevallen.

De mulat en zijn slaaf liepen langs de gevangenis, gingen een hellende straat naar beneden, klommen toen weer omhoog naar een pleintje waar de kerk van de Heilige Franciscus van Assisi stond, een gebouw dat in flagrante tegenstelling stond tot de hoekige, strakke constructies in Portugal. De mooi gevormde voorgevel was gevat in ionische zuilen; rechts en links daarvan stonden sierlijke cilindrische klokketorens, die nergens in de religieuze christelijke architectuur te vinden waren. Boven stevige houten deuren hingen barokke afbeeldingen en figuren, onder andere van de Heilige Franciscus, uitgehouwen in een zachte groene steensoort.

De beide mannen bleven even voor de kerk staan praten en toen begon de slaaf met planken, touwen en ladders een kleine stellage te maken. Toen hij klaar was, hielp hij de mulat op de wankele steiger te klimmen, en bond hij een houten hamer en een beitel aan de stompjes van zijn armen.

Aleijadinho, de 'kleine verminkte' zoals zijn bijnaam luidde, heette in werkelijkheid Antônio Francisco Lisboa en had deze prachtige kerk van de Heilige Franciscus gebouwd, evenals andere kerken in Vila Rica en in Minas. Die ochtend legde hij de laatste hand aan een cherubijn boven de deur. Hoewel zijn lepra erger werd, dacht hij bij zijn werk aan twee andere grote projecten. Twaalf profeten van acht voet hoog, in steen uitgehouwen, en een uitbeelding van Christus' lijden met meer dan zestig personages, in hout gesneden. 'Als God het wil!' zei hij hardop, terwijl hij de gereedschappen die aan zijn stompjes vastzaten bewoog.

Antônio Francisco was niet de enige die talent had in Vila Rica en in de voornaamste steden van Minas. Andere architecten, schilders en beeldhouwers gingen niet meer alleen uit van de modellen van de Oude Wereld maar haalden hun inspiratie ook uit de omgeving, waardoor zij meesterwerken van kunst en religieuze architectuur voortbrachten, en de kampementen van de mijnwerkers veranderden in pittoreske steden. Vila Rica bijvoorbeeld, was een drukke hoofdstad, met geplaveide straten, een imposant gouverneurspaleis, prachtige kerken, huizen van één verdieping met mooie witte façades, met smeedijzeren balkons en rode pannendaken. Er stonden sierlijke fonteinen, er waren tuinen en terrassen, en in de rua São José stonden de prinselijke residenties van de belastingpachters en de mijneigenaars.

De goudproduktie daalde dan misschien, maar de tachtigduizend inwoners van de stad hadden daar niet veel last van, en bleven genieten van het leven dat hun autonome en ondernemende maatschappij hun bood. De musici uit de streek, evenals de schilders en de architecten, componeerden spontane, compromisloze werken, en er waren in de stad meer symfonieorkesten dan in heel Portugal.

Ook andere mannen wijdden zich aan de vlucht van de cultuur in Minas Gerais, vooral Luís Fialho Soares, nu achtenvijftig jaar oud. Een vooraanstaand jurist en literator, had Luís twee zonen, die hij naar de universiteit in Coimbra had gestuurd, door Pombal radicaal gemoderniseerd. Martinho, eenendertig jaar oud, gaf les aan het seminarie van Mariana, waar de zonen van de mijnbouwers een even goede opleiding kregen als in welke andere stad van Brazilië of Portugal ook; Fernandes, achtentwintig jaar oud, studeerde medicijnen in Frankrijk.

Luís Soares deelde met zijn zonen vaak zijn herinneringen aan Coimbra, en aan de aardbeving in Lissabon. Hij wist dat zijn vriend, die hem uit de kerkers van de toren in Belém gehaald had, al jaren dood was. Twee keer sinds zijn terugkeer naar Minas had Luís naar Paulo Cavalcanti geschreven, zonder hoop op antwoord. In 1767 had een belastingambtenaar die van Recife naar Vila Rica was overgeplaatst hem verteld over de moord op Paulo.

De advocaat las zijn kinderen ook gedichten en ballades voor die hij op de universiteit geschreven en gezongen had. Zijn vriend Cláudio Manuel da Costa, ook jurist en even oud als hij, was de auteur van *Vila Rica*, een episch gedicht dat ging over de verovering van Minas Gerais. Beiden waren vol bewondering voor Tomás Antônio Gonzaga, wiens verzen de mooiste waren ooit in het Portugees geschreven. Gonzaga had ook een geslepen pen en bedreef politieke satire. Zijn intieme vrienden wisten dat hij geschreven had onder het pseudoniem Cartas Chilenas, en dat hij een hevige aanval op zijne excellentie Cunha Meneses had gedaan. Vila Rica telde nog twee arcadische dichters, Manuel Inácio da Silva Alvarenga, en Inácio José Alvarenga Peixote.

In Vila Rica en andere steden in Minas bezaten dichters en schrijvers grote privé-bibliotheken, waarin de werken van de Franse schrijvers van de Verlichting te vinden waren. Ook vond men er werken over de revolutie in Noord-Amerika, en de namen van Thomas Jefferson, Thomas Paine en Benjamin Franklin, allemaal bekend bij de elite uit de mijnstreek. De leden van deze elite kwamen vaak samen bij Cláudio Manuel da Costa om te debatteren over het *Contrat Social* van Jean-Jacques Rousseau of de *Histoire philosophique et politique des établissements et du commerce des Européens dans les deux Indes*, van de abt Raynal.

Op deze vergadering kwam een hele scala van invloedrijke Mineiros samen, en de dichters zelf waren belangrijke mannen in de gemeenschap. Da Costa, ridder in de Orde van Christus, was lid geweest van de regering van het kapiteinschap; Gonzaga had een rechtersfunctie bekleed in Vila Rica, voordat hij bij het hooggerechtshof in Bahia benoemd was; Alvarenga Peixote, reservekolonel van de cavalerie, was een welvarende *fazendeiro* die uitgestrekte landgoederen en mijnen in het zuiden van het kapiteinschap bezat.

Van hen die de dichter bezochten waren twee mannen met name de grootste schuldenaars van de Kroon. João Rodrigo de Macedo, die de douanerechten en de tienden moest heffen, was de schatkist niet minder dan zevenhonderdvijftigduizend *milréis* schuldig, hetgeen overeenkwam met achtenveertighonderd pond goud. Joaquim Silvério dos Reis, een belastingpachter die erom bekendstond dat hij zich niets aantrok van de vertegenwoordigers van de koningin, had een achterstallige schuld van veertienhonderd pond goud.

Er kwamen ook verschillende priesters op de bijeenkomsten, zoals Luís Vieira da Silva, een geestdriftig prediker die openlijk de rebellen van Noord-Amerika bewonderde, Carlos Correia de Toledo e Melo, een rijke vicaris uit São José d'El Rei, die de revolutionaire meningen van Vieira da Silva deelde, en José de Oliveira Rolim, een geestelijke die zich overgaf aan de legale en de illegale handel van diamanten en slaven, evenals aan woeker.

Vaak ging Luís Soares, als hij terugkwam van de Da Costas, door donkere straten die al volhingen met mist van de bergen. Verdiept in zijn gedachten, voelde hij de nachtelijke koude niet. Waarom in 's hemelsnaam leefden die Mineiros gewoon door in onderworpenheid aan de Portugese kroon? Waarom moesten de rijkdommen van Minas, veroverd door hun vaders en hun grootvaders, worden geplunderd door gouverneurs als Cunha Meneses en hun lakeien? De dichters hadden het over een wind van vrijheid die over de toppen van de Minas blies, over de triomfantelijke mars van patriotten onder de vlag van een nieuwe republiek, over het licht van de rede, en de komst van gerechtigheid. Maar volgens Luís had deze wanhopige groep een geïnspireerd leider nodig om hun dromen gestalte te geven, om de ontevredenheid aan te wakkeren en een opstand te ontketenen tegen de regering van hare majesteit in Minas Gerais.

Eind 1788 diende een dergelijke man zich aan. Velen van hen die bij Da Costa bijeenkwamen kenden hem persoonlijk want ze hadden vaak van zijn diensten gebruik gemaakt, als hun wangen brandden. Dat was Joaquim José da Silva Xavier, de Kiezentrekker.

Tegen eind september 1788, zes maanden na hun reis naar São Paulo, reden André Vaz da Silva en Joaquim José da Silva Xavier naar de *fazenda* van de familie van André, zeven mijl ten noordoosten van Vila Rica. Het landgoed lag aan de weg naar Cachoeira do Campo, een plaats zes mijl verderop, waar de gouverneur een buitenverblijf had, naast een kazerne van de dragonders. De Kiezentrekker was een paar weken eerder weer naar zijn compagnie gegaan, maar was nog niet volledig in dienst en vergezelde André om een zakelijke overeenkomst af te sluiten die hijzelf geïnitieerd had.

De beide vrienden hadden José Álvares Maciel bij zich, een jongeman aan wie de onderluitenant paarden wilde verkopen die door de neven van André, muilezeldrijvers, uit São Paulo waren gehaald. Nadat hij de dieren had bekeken, koos Maciel een grijze merrie en drie zwart-witte *asturiones*. Silva Xavier, een paardenman, was onder de indruk van de *asturiones* maar had hem gewaarschuwd: 'Zacht als meisjes. Gehoorzaam. Maar als ze een slecht humeur hebben... pas dan maar op!'

Dionésio, de enige broer van André, twintig jaar ouder, woonde op de *fazenda* maar was er die dag niet. Toen de koop gesloten was nodigde zijn vrouw de drie mannen te eten, en na het eten verlieten zij het huis waar de warmte ondraaglijk was, om buiten te gaan zitten, in de schaduw van een rij *jaboticabas* die vol geel-witte bloemen zaten.

José Alvares Maciel, zevenentwintig jaar oud – een jaar jonger dan André – was de tweede zoon van kapitein Álvares Maciel, koopman en huizenbezitter uit Vila Rica. Nadat hij een doctoraat in de rechten had behaald had José een jaar door Frankrijk en Engeland gezworven, voordat hij, een maand eerder, naar Brazilië was teruggekomen.

Silva Xavier kende de familie Maciel – geen familie van de slachter van de Pará – via zijn commandant, luitenant-kolonel Francisco Paula Freire de Andrade, getrouwd met een zuster van Álvares Maciel.

'Je hoort veel als je naar de gesprekken luistert in de cafés en de clubs in Londen,' zei José Álvares Maciel, 'maar als je echt wilt begrijpen wat voor veranderingen er plaatsvinden in Engeland, moet je naar het noorden gaan, naar Birmingham, naar Nottingham, Manchester, Liverpool. Ik ben in al die steden geweest...'

Hij zweeg even en vroeg toen aan André: 'Zeg eens, als er een Engels schip de baai van Rio binnenvaart, wat denken de mensen die dat zien dan?'

'Zij denken: Godzijdank! Alle geschutpoorten zitten dicht!'

'Het symbool van de Britse macht: een onoverwinnelijke vloot. Maar ik heb nog een andere macht gezien, indrukwekkender dan de schepen van George III.'

'De Engelse industrie zeker?'

'*Exatamente*! De industrie en de uitvindingen! IJzergieterijen, manufacturen van alle soorten! Duizenden mensen verlaten de boerderijen om naar de industriecentra te gaan. En overal waar ik geweest ben, zeiden ze dat dit nog maar het begin was. Elke maand stijgt de produktie van steenkool, ijzer en staal; elke maand wordt er een nieuwe fabriek gebouwd. Binnenkort zal de stoomkracht de mankracht verdrijven en op die dag zal geen enkele natie ter wereld nog kunnen wedijveren met Engeland.'

'Ach ja,' zuchtte Tiradentes, 'onze jonge vriend José heeft de wonderen van de wereld gezien. Hij is vol enthousiasme voor de vooruitgang van de industrie naar Rio de Janeiro teruggekomen, en bij ons wacht hem een ander wonder.'

'Welk dan?' vroeg André.

'De agenten van de onderkoning haalden dertien weefgetouwen uit elkaar die zij ontdekt hadden. "U wordt schadeloos gesteld als u naar Lissabon gaat, waarheen deze illegale machines zullen worden gestuurd en verkocht," verklaarden zij tegenover de eigenaars. Dat is een wonder van Portugese vooruitgang! De katoen uit Pernambuco en uit Maranhão, evengoed als die uit Indië, moet elders geweven worden.'

Álvares Maciel had een gesprek gehad met de eigenaren van die getouwen.

'Niet een van hen zal naar Lissabon gaan om schadeloos te worden gesteld voor wat van hen afgepakt is. Toch heeft deze affaire een positieve kant. Drie maanden geleden had niemand iets tegen Lissabon. Nu zijn ze woedend en zouden ze graag de onderkoning en zijn agenten naar Portugal sturen, met dezelfde boot als de weefgetouwen.'

Aan de universiteit van Coimbra waren de studenten van de generatie van Álvares Maciel de eersten die volop profiteerden van tien jaar eerder dank zij de markies van Pombal doorgevoerde hervormingen. In een klimaat van vrijheid van denken, had het idee dat de kapiteinschappen het voorbeeld zouden kunnen volgen van de Engelse kolonies in Noord-Amerika jongemannen als Álvares Maciel ertoe gebracht het einde van de Portugese heerschappij over Brazilië te gaan wensen. In Engeland had hij alle boeken en brochures gekocht die hij kon vinden over de Amerikaanse revolutie en openlijk met veel Engelsen gepraat over de mogelijkheid van een vrij Brazilië.

'Ze waren verrast, die Engelsen,' besloot hij.

'Verrast dat wij aan onafhankelijkheid denken?' vroeg André.

'Nee, dat wij zo lang gewacht hebben met onze vrijheidsstrijd te beginnen.'

'Ze hebben gelijk,' zei Silva Xavier, terwijl hij de jongeman bij de arm pakte. 'De strijd begint laat maar het resultaat zal hetzelfde zijn. Vrijheid voor ons mooie land en al zijn zonen!'

Silva Xavier sprak des te vuriger omdat hij onlangs een persoonlijke nederlaag had geleden. Afgezien van tandheelkunde, interesseerde hij zich ook voor civiele bouwkunde en bij zijn bezoeken aan Rio de Janeiro had hij gemerkt dat de drinkwatervoorziening onvoldoende was voor een stad van vijftigduizend inwoners. Hij had dus een kanaliseringsproject uitgedacht dat heel interessant was voor de watermolens van de hoofdstad.

'Hoe vaak heb ik de onderkoning en zijn pennelikkers niet gesmeekt om mijn plan te steunen!' riep hij woedend uit. 'Niets! "Ga toch kiezen trekken, en vergeet je waterwerken," antwoordden ze mij. En ik weet zeker dat ze binnenkort een ingenieur uit Portugal halen om míjn kanaal te bouwen!'

Silva Xavier probeerde al jarenlang zijn sociale positie te verbeteren en deze nieuwe tegenslag had hem verbitterd.

'De Portugezen denken dat zij op alle gebieden beter zijn dan wij,' ging hij verder. 'Ondanks mijn staat van dienst, ben en blijf ik onderluitenant. Als ik in Portugal geboren was, of in een invloedrijke familie... de dertien mannen wier weefgetouwen ze in beslag hebben genomen zijn niet de enigen die ongeduldig en kwaad zijn. Vele anderen wachten slechts op een teken uit Vila Rica. Verbreek de boeien die van het kapiteinschap de rijkste gevangene van Portugal maken, en heel Brazilië kan bevrijd worden.'

'Als er hier ook maar één schot gelost wordt, krijgen we heel Portugal over ons heen,' merkte André op. 'De edelen en de kooplui uit Lissabon zullen hemel en aarde bewegen om de opstand de kop in te drukken. Als zij Minas Gerais kwijtraken, zijn ze alles kwijt.'

'Alles, dat klopt,' beaamde Tiradentes. 'Maar voordat zij hun schepen kunnen sturen, is Minas van ons.'

Álvares Maciel was het hiermee eens, en zei: 'Ze hebben een jaar nodig om een vloot voor te bereiden. In die tijd kan de opstand tot Rio de Janeiro uitgebreid zijn. En als de Portugese vloot de baai van Guanabara binnenvaart worden de kanonnen van alle forten door onze partizanen op hen gericht.'

De jonge jurist merkte dat André dit niet erg geloofde en ging verder: 'Ja, ja, het is gewaagd zoiets te beweren. Maar als de Noordamerikaanse patriotten geen moed hadden gehad, zouden ze nu nog de bevelen van de lievelingetjes van George III moeten uitvoeren.'

'Denk erom, het waren belastingen die de directe oorzaak van de opstand waren,' voegde de onderluitenant hieraan toe. 'Datzelfde zal in Minas gebeuren als ze de *derrama* opleggen.'

De drie mannen hadden het vervolgens over wat er gebeurd was sinds de burggraaf van de Barbacena, Dom Luís Antônio Furtado de Mendonça, de functie van gouverneur van Minas Gerais had gekregen. De ambitieuze *fidalgo*, vierendertig jaar oud, was vastbesloten de stapels instructies die hij in Lissabon gekregen had naar de letter toe te passen. Een week na zijn aankomst in Vila Rica had hij de ambtenaren die niet de verschuldigde sommen voor de schatkist inden, ernstig terechtgewezen. Hij had hun de wet van 1750 voorgelezen, die hoofdgeld voorschreef, en iedereen dacht nu dat hij in februari 1789 de *derrama* op zou leggen.

De burggraaf deelde de mening van de Lissabonse regenten volgens welke de vermindering van de goudproduktie grotendeels te wijten was aan smokkel en verduistering. Hij wilde de mijnbouwers wel helpen door de importheffingen op materiaal te reduceren, maar eiste dat zij onmiddellijk zouden ophouden met frauderen en de schatkist het totale quotum van honderd *arrobas* per jaar zouden leveren. 'Wanneer het kapiteinschap zijn huidige verplichtingen tegenover de Kroon nakomt, zal ik zoeken naar een middel om de gelden te innen die verschuldigd zijn in het kader van de koninklijke *quinto*, door de belastingpachters wier slechte inkomsten de schatkist miljoenen *milréis* hebben gekost,' had hij beloofd.

De vader van Álvares Maciel was *thesourier* geweest, waardoor hij verantwoordelijk was voor de gelden die aan de schatkist verschuldigd waren. Omdat hij als belastingpachter enorme schulden had werd de familie van Álvares Maciel bedreigd met inbeslagname van haar goederen.

'En dan zijn wij failliet,' besloot de jongeman.

'Dat zal niet gebeuren,' verzekerde Tiradentes. 'Laat de burggraaf Rodrigo de Macedo en andere grote schuldenaars van de Kroon maar bedreigen. Laat hem de *derrama* maar opleggen. Elke Mineiro, rijk of arm, zal maar één middel zien om zich van deze last te ontdoen, namelijk onafhankelijkheid.'

André zei niet veel toen er gesproken werd over de mogelijkheden om een onafhankelijkheidsbeweging te steunen. Hij luisterde alleen naar Silva Xavier, die al sinds de tijd van de muilezelkonvooien een vriend van de familie was. André was vijftien toen Tiradentes bij de dragonders ging, en wilde hem als jongeman nadoen, verleid door het trotse uiterlijk van de onderluitenant. Maar *senhor* Raimundo da Silva had zijn zoon voor drie jaar naar een seminarie in Mariana gestuurd, en hem toen aan het werk gezet in de winkel op de begane grond van hun huis in de rua das Flôres, in Vila Rica.

Drie jaar eerder was André voorgesteld aan Constança Oliveira Coutinho, dochter van een aannemer die de onderluitenant geprobeerd had te interesseren voor zijn kanaliseringsplannen in Rio de Janeiro. Tiradentes had meer succes als huwelijksbemiddelaar omdat André en Constança sinds twee jaar getrouwd waren en hun eerste kind verwachtten, waarbij Silva Xavier als peetvader zou optreden.

André vond zijn vriend soms impulsief en was bang dat zijn fervente pleidooien voor onafhankelijkheid hem in moeilijkheden zouden brengen. Hij maakte gebruik van een pauze in het gesprek om hem de les te lezen: 'Jij praat veel te openlijk, Joaquim. Wat denk je dat de burggraaf de Barbacena zal doen als zijn spionnen hem vertellen dat jij de vrijheid in de straten loopt te verkondigen?'

'Ik praat openlijk over vrijheid en dat zal ik ook blijven doen. Maar deze woordenstrijd is niet voldoende. Er is in Portugal niemand te vinden die wil zeggen: "Alsjeblieft, Mineiro, hier is je vrijheid, ik geef je haar." En waarom zou ik bang zijn voor de verklikkers van de burggraaf, terwijl ik bereid ben om veel meer dan alleen maar woorden in de strijd te werpen? Mijn hart, mijn ziel, mijn leven voor de vrijheid!'

Drie weken later, op 11 oktober, was André in de winkel in de rua das Flôres toen Silva Xavier binnenkwam met een jongeman die André in geen jaren had gezien, Fernandes da Rocha Soares, de zoon van Luís Fialho Soares. Toen deze laatste een advocatenkantoor in Vila Rica opende, was Raimundo da Silva een van zijn eerste klanten geweest en André raadpleegde nog steeds de advocaat sinds hij de verantwoordelijkheid over het familiebedrijf had. André en Fernandes kenden elkaar uit hun jeugd omdat ze allebei op het seminarie in Mariana hadden gezeten.

Fernandes had vooruitstekende jukbeenderen, amandelvormige ogen, een enigszins koperkleurige huid, en steile, zwarte haren. Nadat hij in Montpellier zijn doctoraal medicijnen had behaald, was hij, tien dagen geleden, naar Minas Gerais teruggekomen. Tiradentes liet de beide jongelieden elkaar eerst begroeten en zei toen: 'Fernandes, vertel eens aan André over jouw studiegenoten in Montpellier.'

Fernandes Soares noemde het voorbeeld van José de Maia, zoon van een steenhouwer uit Rio de Janeiro.

'Hij was zeer geporteerd voor onze bevrijding. Eerst in Coimbra, en toen in Montpellier, verklaarde hij dat het de roeping van onze generatie was om de kapiteinschappen te bevrijden, om te breken met het verleden...'

Met emotionele stem zei Fernandes: 'Hij moest scheep gaan naar Brazilië toen hij koorts kreeg, en hij is dromend van onafhankelijkheid gestorven.'

'Maar zijn droom is niet met hem gestorven,' zei Silva Xavier. 'Minas zal vrij zijn, en de andere kapiteinschappen zullen stuk voor stuk volgen. Vertel maar eens aan André wat de missie van José de Maia was.'

Fernandes Soares liep door de winkel en ging tegen de toonbank achterin staan. Het was midden op de dag maar toch was het donker in het vertrek, omdat er alleen licht door de deur binnenkwam.

'Wij waren niet de enigen die de hoop van De Maia deelden. Hij stond in contact met mannen in Rio de Janeiro.'

'Waarschijnlijk dezelfden die ik ook ken,' zei Tiradentes. 'Kooplui, officieren van de militie.'

'Twee jaar geleden, in Frankrijk,' ging Fernandes verder, 'is De Maia begonnen daadwerkelijke steun voor onze strijd te zoeken. Hij stond in het geheim in contact met mannen die in Noord-Amerika hadden gevochten.'

'Thomas Jefferson!' riep Silva Xavier uit, die niet langer kon wachten. 'De Maia heeft gesproken met Jefferson persoonlijk, die de onafhankelijkheidsverklaring heeft opgesteld!'

'Ik was erbij,' zei Fernandes.

'Heb jij Jefferson ontmoet?' vroeg André verrast.

De jongeman knikte.

'De Maia heeft hem eerst in Parijs geschreven, waar Jefferson Benjamin Franklin was opgevolgd als ambassadeur in Frankrijk. Om zijn identiteit niet te verraden ondertekende hij met "Vendek", de naam van een slaaf uit een boek dat hij toen aan het lezen was. In die brief schreef hij alleen dat hij een vreemdeling was in Frankrijk, dat hij het

met de ambassadeur wilde hebben over een zeer belangrijk probleem, en hem vroeg hoe hij in het geheim met hem kon corresponde-
ren. Jefferson gaf in zijn antwoord een adres door dat De Maia kon
gebruiken. In zijn volgende brief, waarvan ik het klad heb gezien, vertelde De Maia dat hij uit Brazilië kwam, waar het volk de onderworpenheid aan Portugal niet langer kon verdragen en op het punt stond
in opstand te komen. Maar, voegde hij eraan toe, hij kon niets doen
zonder de steun van de Verenigde Staten. En dat niet alleen omdat de
Brazilianen het voorbeeld van de Amerikanen wilden volgen: "Omdat wij hetzelfde continent bewonen, zijn wij van nature verbonden
door een gemeenschappelijk patriottisme!" verklaarde De Maia.'
  'En wat antwoordde Jefferson daarop?' vroeg André.
  'De correspondentie duurde een paar maanden en de ambassadeur
gaf voorzichtige, diplomatieke antwoorden, zoals te verwachten viel
van een man in zijn positie. Maar ten slotte ontmoetten we hem in een
herberg in de buurt van het Romeinse amfitheater in Nîmes. Ik kan
me herinneren dat hij woedend was dat er een deel van werd afgebroken om een weg te plaveien...'
  'Maar zijn antwoord?' vroeg Silva Xavier ongeduldig.
  'De man was verbazend goed op de hoogte van de levensomstandigheden in Brazilië, maar had niet in de gaten hoe omvangrijk het
probleem was. De Maia deed zijn best om hem duidelijk te maken wat
er aan de hand was en vertelde toen wat wij nodig hadden, kanonnen,
munitie, schepen, die wij zouden kunnen betalen met goud en diamanten uit Minas.'
  'En welke hulp stelde Jefferson voor?'
  'Het was een geheime bijeenkomst,' antwoordde Fernandes een
beetje geërgerd. 'De Maia was daar om onze ideeën uiteen te zetten,
niet om een verdrag te tekenen.'
  'De opstand zou binnenkort weleens kunnen uitbreken. Dus, heeft
Jefferson nu zijn hulp aangeboden, ja of nee?'
  'Hij sprak niet uit naam van zijn regering maar hij heeft verklaard –
en dat zweer ik – dat als onze revolutie begon, honderden van zijn
landgenoten naar onze kusten zouden komen, sommigen uit eigenbelang, anderen uit edeler motieven. Hij heeft ons eraan herinnerd dat
veel van hun officieren ervaring hebben in de strijd tegen een onder-
drukker.'
  'André,' zei Tiradentes nu, 'zou Jefferson ons zijn generaals hebben aangeboden als hij niet in een vrij en onafhankelijk Brazilië geloofd had?'
  'Ik twijfel er niet aan of hij heeft sympathie voor onze zaak,' ant-

woordde de winkelier, 'maar de Verenigde Staten zijn een jonge natie, die net haar eigen strijd achter de rug heeft. Waarom zou zij zich laten meeslepen in onze strijd tegen Portugal?'

'Jefferson heeft niet beloofd dat er een legioen uit Philadelphia binnen een maand of twee naar de Mantiqueiras zou gaan,' erkende Silva Xavier. 'Niettemin, als Minas Gerais openlijk verklaart onafhankelijk te zijn, en onze patriotten hun eerste overwinningen behalen, kunnen wij denk ik op de hulp rekenen van niet alleen de Verenigde Staten maar ook van Frankrijk en Engeland. Jij hebt gehoord wat José Álvares Maciel ons zei, André. De Engelsen zijn verbaasd dat wij nog niet begonnen zijn.'

'Ik ken je al jaren, Joaquim, en ik twijfel niet aan je oprechtheid, maar al dat geklets – deze "oorlog met woorden", zoals je het zelf soms noemt... echt waar, ik zie niet in hoe onze dromen werkelijkheid zouden kunnen worden.'

'Beloof mij één ding,' vroeg de onderluitenant, terwijl hij zijn hand op de schouder van zijn vriend legde.

'En dat is?'

'Hou op te twijfelen als ik het niet over dromen maar over beslissingen heb. Over de beslissing om je bij ons te voegen.'

'Je hebt mijn woord,' verklaarde André plechtig. Toen glimlachte hij en ging hij verder: 'Maar je bent me een dromer, *alferes* Quichotte!'

Tiradentes glimlachte ook maar werd meteen weer serieus toen hij zei: 'Ja, ik weet dat ze mij Don Quichotte noemen. Maar mijn droom van een onafhankelijke republiek zal werkelijkheid worden!'

Onderluitenant Joaquim José da Silva Xavier bewees dat zijn ideeën inderdaad verder gingen dan vage dromen. Binnen drie maanden bracht zijn oorlog met woorden Minas Gerais aan de rand van een opstand tegen Portugal.

In zijn dubbele functie, als officier van de dragonders en als tandarts, had Silva Xavier veel relaties opgebouwd, vooral met schrijvers, magistraten en advocaten, belastingpachters en *fazendeiros*, die, doordat zij Cunha Meneses haatten, de hele Portugese overheid minachtten. Tiradentes zocht die mannen op en vertelde hun wat de remedie was voor hun lijden, namelijk de revolutie. En rond Kerstmis 1788 werden de plannen voor een opstand uitgewerkt.

Er werd een bijeenkomst belegd bij de commandant van Tiradentes, luitenant-kolonel Francisco Paula Freire de Andrade, door Silva Xavier gelijmd door hem voor te houden dat de Voorzienigheid hem een kans gaf om bij de bevrijding van zijn volk een rol te spelen die leek op die van George Washington. Andrade was hier wel gevoelig voor, te meer omdat de nieuwe gouverneur geen hoge pet op had van de dragonders van Minas. De burggraaf was voorstander van een algehele reorganisatie van de cavalerie, die hij – niet zonder reden – ervan beschuldigde smokkelaars te helpen.

Ook aanwezig bij de bijeenkomst waren de jonge jurist José Álvares Maciel, de dichter Alvarenga Peixote, *padre* José de Oliveira Rolim en Carlos Correia de Toledo e Melo, vicaris, mijneigenaar en *fazendeiro*.

Toen deze mannen bijeen kwamen in het huis van luitenant-kolonel Andrade in Vila Rica, was iedereen ervan overtuigd dat de gouverneur in februari 1789 de *derrama* op zou leggen om de tweeëndertighonderd pond goud die aan de opbrengst van de *quinto* ontbraken, te compenseren. Iedereen was al ontevreden door de geruchten over deze belasting en de dag waarop de *derrama* zou worden afgekondigd leek de zes samenzweerders ideaal om de opstand te ontketenen.

Alferes Silva Xavier zou de leiding nemen van een groep die de opdracht kreeg om een demonstratie tegen de *derrama* in de straten van Vila Rica te organiseren. Luitenant-kolonel Andrade en de dragonders van de kazernes uit de stad zouden niet optreden tegen de demonstranten en ook niet tegen de opstandelingen die uit de heuvels zouden komen om de stad binnen te dringen. Terwijl de opstand zich zou uitbreiden, zouden Tiradentes en zorgvuldig uitgezochte medewerkers naar de residentie van de gouverneur gaan, in Cachoeira do Campo, om de burggraaf en zijn garde te arresteren. Als Silva Xavier dan terug zou zijn in Vila Rica, met de bevestiging dat de gouverneur gevangenzat, zou luitenant-kolonel Andrade zich op het plein van de stad tot de demonstranten richten. Hij zou hun vragen wat hun eisen waren, en Tiradentes zou zelf het antwoord aangeven door te roepen: '*Viva a Liberdade!*' Daarna zou Andrade een onafhankelijkheidsverklaring voorlezen, gevolgd door het uitroepen van de republiek Minas Gerais. Na het welslagen van deze eerste acties zouden boodschappers onmiddellijk orders uitdelen aan rebellen die klaar zouden staan om de pas over de Mantiqueiras te bezetten, evenals andere strategisch punten langs de weg naar São Paulo.

Iedere deelnemer aan de bijeenkomst had zijn eigen verantwoordelijkheden. Silva Xavier moest verder gaan met propaganda voeren. Luitenant-kolonel Andrade moest zorgen voor de steun van de dragonders. Alvarenga Peixote, kolonel van de militie uit het district van zijn *fazenda*, had als missie om zijn mannen voor te bereiden de weg naar de pas te bezetten. Padre Oliveira Rolim zou, door zijn relaties in het district van de diamantmijnen, in die sector tot afscheiding aanzetten en tweehonderd mannen leveren, met musketten en munitie. Padre Carlos Correia zou de steun van de Paulistas proberen te krijgen. Ten slotte zou Álvares Maciel beslag leggen op ijzererts en salpeter om wapens en buskruit te fabriceren.

De samenzwering ontwikkelde zich snel.

In de tweede week van januari kwamen de rechter Tomás Antônio Gonzaga, de jurist en dichter Cláudio Manuel da Costa, de schuldenaars van de Kroon Silvério dos Reis en Rodrigo de Macedo, evenals de advocaat Luís Fialho Soares en zijn zoon Fernandes weer in het geheim bij elkaar. Ze dachten allemaal dat de onafhankelijkheidsoorlog minstens drie jaar zou duren, in welke tijd Gonzaga zou optreden als staatshoofd. De nieuwe republiek zou een grondwet, een parlement en regionale assemblées kennen. São João d'El Rei zou de hoofdstad zijn. De *quinto* en andere koninklijke belastingen zouden afgeschaft worden, het vrije handelsverkeer zou ingesteld worden, en er zouden industrieën worden gecreëerd.

Er vond een druk debat plaats over de slaven, die de helft van de bevolking van het kapiteinschap uitmaakten. Silva Xavier dacht dat zij vrijgelaten moesten worden. Anderen brachten naar voren dat dat funest zou zijn voor de economie. Ten slotte bereikte men een compromis, alle slaven geboren in Minas Gerais zouden vrijgelaten worden.

De revolutie in Minas zou los staan van eventuele acties in Rio de Janeiro en São Paulo, maar men verwachtte dat gelijkgestemde mannen al snel het voorbeeld van de Mineiros zouden volgen. Er werd dus gedacht over een federatie van drie staten. Toch bleef het directe doel van de samenzweerders de bevrijding van Minas Gerais, met zijn goud en diamanten. Portugal, beroofd van de voornaamste buit die het uit Amerika haalde, zou grote moeite hebben om te verhinderen dat de opstand zich over heel Brazilië zou uitbreiden.

Silva Xavier en Cláudio Manuel da Costa hadden nog wat onenigheid, vooral over het embleem van de nieuwe republiek.

'Laten we de vlag nemen, de wapens van Portugal laten vervallen maar wel het symbool van ons geloof bewaren,' zei Tiradentes. De vijf schilden met de wapens van Portugal vertegenwoordigden de vijf wonden van Christus. 'Laten wij de driehoek van de heilige drieëenheid op onze banier zetten.'

'Wij strijden voor de vrijheid, dus laten we dan een vlag nemen die haar aan de wereld toont,' stelde Da Costa voor.

'De drieëenheid zou ook een symbool zijn voor een terugkeer naar de vrome bedoelingen die Cabral had toen hij ons land Terra de Santa Cruz noemde.'

'Ik heb ergens nog de tekening van een vlag die gebruikt is door een militie van opstandelingen uit Noord-Amerika. Daar staat een persoon op die boeien verbreekt, met het devies *Libertas Aeque Spiritu*, vrijheid door moed. Laten we dat overnemen.'

Alvarenga Peixote was een andere mening toegedaan, en zei: 'Het is onze revolutie. Wij moeten zelf een devies voor onze vlag vinden.'

'Wat zou je zeggen van *Aut Libertas aut Nihil*, vrijheid of niets?' stelde Da Costa voor.

Maar niemand voelde hiervoor, en de discussie ging nog enige tijd door. Ten slotte wendde Alvarenga Peixote zich tot Silva Xavier en zei: '*Alferes*, u hebt het gehad over de Terra de Santa Cruz, het paradijs ontdekt door Cabral, waar Tupiniquin, Tupinambás en andere wilden leefden. Dat is een origineel symbool. Een Tupiniquin die de boeien verbreekt die zijn Portugese overwinnaars hem hebben opgelegd!'

Da Costa was het hiermee eens.

'En het devies?'

'Voor onze Tupiniquin, die triomfantelijk opstaat na eeuwen van slavernij en tirannie? Een citaat uit Vergilius,' zei Alvarenga Peixote. '*Libertas, quae sera tamen!*'

'De vrijheid, al is het laat,' vertaalde Silva Xavier. 'De vrijheid die de vergeten Tupiniquin eert die vanaf het strand de grote vloot van Cabral ziet aankomen. De vrijheid van mannen die in Minas Gerais in opstand komen. Ja! Voor elke Mineiro die aan onze oproep gehoor geeft: *libertas, quae sera tamen!*'

Toen Silva Xavier hem de uitgewerkte plannen voor een opstand voorlegde, hield André zijn belofte en voegde hij zich bij de samenzwering. In de derde week van januari 1789 gingen André, Fernandes Soares en twee slaven in het geheim naar Registro Velho, een douanepost in het zuiden van de Mantiqueiras, om een lading buskruit in ontvangst te nemen afkomstig uit Rio de Janeiro, en verborgen in tonnen azijn. Op 20 januari verlieten zij Registro Velho met een kar, door twintig muilezels getrokken, en gingen in de richting João Gomes, een post die zesendertig mijl verderop lag, aan de voet van de bergen. Vervolgens slingerde de weg naar boven, tot op vierduizend voet boven de zeespiegel, en daarna weer naar beneden, tot de rand van de hoogvlakte, waar hij afsloeg naar het noordwesten, naar Igreja

Nova, Nieuwe Kerk. Als het mooi weer was kon een beladen kar die reis in nog geen drie dagen afleggen maar toen André en zijn vrienden het voorgebergte naderden begon het te regenen. De bui duurde een uur en veranderde de weg in een modderpoel.

De derde dag waren zij boven op de pas, toen de hemel weer betrok. De muilezels schrokken van de donder, en ze moesten naar een schuilplaats getrokken worden, waar zij bleven staan. Maar de hevige wind en de regen deden hen besluiten om direct naar de hoogvlakte af te dalen, waar zij een betere schuilplaats konden vinden. Dat was fout. Ze hadden een halve mijl afgelegd toen het zware voertuig van de weg afraakte en in een greppel vast kwam te zitten. Met behulp van stenen en takken, die zij als hefbomen gebruikten, probeerden zij twee uur lang vergeefs de wielen weer vrij te krijgen.

Tegen het eind van de middag, en in de stromende regen, begonnen zij de kar uit te laden. Toen zij twee uur later klaar waren, regende het niet meer en rustten zij uit bij een vuur, toen zij paarden hoorden aankomen. De bocht waarin zij vastzaten was de eerste van een serie van zeven op de weg die steeg en daalde.

'Dragonders of bandieten?' zei Fernandes Soares.

Het wemelde in de streek inderdaad van de boeven. In Registro Velho hadden ze hen gewaarschuwd voor een bende halfbloeden en negers, onder leiding van een vroegere *vaqueiro*, Dançarino de Corda, de Koorddanser, geheten, omdat hij de gewoonte had zijn slachtoffers met een lasso te vangen, ze vervolgens te beroven en ze dan aan het einde van zijn touw te laten dansen terwijl hij ze naar het dichtstbijzijnde ravijn trok, om ze erin te gooien.

André en Fernandes hadden pistolen en dolken meegenomen maar hadden hun wapens afgelegd om de kar te kunnen lossen. André stond als eerste op en liep naar de kar om zijn pistool te pakken, maar voordat hij daar was, stonden er zes ruiters om hem heen.

'*Olá!* Wat krijgen we nu?' vroeg de voorste met een dreigende glimlach.

De mannen richtten donderbussen op hen, en de anderen hadden hun kapmessen te voorschijn gehaald.

'Kijkt u zelf maar,' antwoordde de koopman.

De ruiter, die de aanvoerder leek, bekeek de kar.

'Zit vast in de modder, niet?'

'Wie bent u?' vroeg Fernandes met onzekere stem.

'En wie ben jij?' antwoordde de ruiter.

'Ik ben doctor Fernandes Soares, uit Vila Rica.'

'*Doutor*?' lachte de man terwijl hij Fernandes van top tot teen bekeek, van zijn gescheurde hemd tot zijn bemodderde laarzen.

Zijn metgezellen begonnen ook te lachen, behalve de laatste die over zijn paard hing en zich niet lekker scheen te voelen.

'En jij, ben jij ook *doutor?*' zei de leider tegen André.

'Nee, ik ben koopman. Deze lading is van mij.'

De ruiter keek naar de tonnen en de kisten, en naar de twee slaven die bij het vuur zaten.

'Dat moeten we dan eens bekijken,' mompelde hij, terwijl hij afsteeg.

Hij was een kleine bruut met kromme benen en een hangsnor.

'Ik ben de Koorddanser,' zei hij met een gemene glimlach.

André haalde eens diep adem, en Fernandes keek naar zijn laarzen.

'Jij!' riep de bandiet. 'Als jij geen modderbad neemt, ben jij dan echt doctor?'

'Jawel,' antwoordde de jongeman timide.

De Koorddanser wendde zich tot de andere ruiters, en wees op de man die over zijn zadel hing.

'Breng hem hier,' beval hij.

'Wat heeft hij?' vroeg Fernandes.

'Hij is slaags geraakt met een *tropeiro* over een maniokgebakje. De klootzak heeft hem een musketkogel in zijn zij geschoten.'

'Ik zal hem onderzoeken,' stelde Fernandes voor.

'Je moet meer doen dan dat,' zei de Koorddanser terwijl hij met de handgreep van zijn zweep op de borst van de doctor klopte. 'Genees hem maar!'

'Hier? Ik kan u niets beloven.'

'Genees hem! Genees mijn broeder "Tick", en ik spaar je leven, dat van jou en van de anderen.'

De beide slaven keken naar het tafereel met iets dat leek op nieuwsgierigheid. Zij hadden horen vertellen dat de boef slaven van hun meesters afpakte en ze in de *sertão* losliet, zodat zij zich bij de *quilombos* konden voegen. André vroeg hun om lantaarns aan te steken, en om een deken voor de gewonde op de grond te leggen. De zogenaamde Tick, die veel bloed verloren had, raakte bewusteloos toen hij werd neergelegd. Fernandes scheurde het hemd van de bandiet open, en bromde dat alleen een wonder hem nog zou kunnen redden. Deze opmerking bracht André minder aan het schrikken dan het gezicht van de Koorddanser, die de tonnen van de kar ging inspecteren. Maar op het moment waarop de beide bandieten de kisten met hun dolken wilden gaan openbreken hoorde hij andere ruiters aankomen.

'Dragonders!' zei Dançarino de Corda. Hij schreeuwde een paar bevelen naar zijn mannen, en wendde zich toen tot Fernandes. 'Jij, *senhor doutor*, als jij hun Tick geeft, kom je niet levend de bergen uit.'

Zonder verder nog iets te zeggen, volgde hij de boeven die hun rijdieren naar de bomen brachten.

'Dek hem af,' zei Fernandes tegen André.

'Dat dient nergens toe, want ze zien hem toch wel.'

'Ik zal ze vertellen dat hij pokken heeft.'

André nam een lantaarn, en liep naar het midden van de weg. Een paar minuten later stonden er acht dragonders om hem heen. Hun officier stelde zich voor, hij was luitenant Jorge Ferraz, en zei dat zij de bende van de Koorddanser aan het achtervolgen waren, die een *tropeiro* in Igreja Nova had vermoord.

'Wij zitten al uren vast in de modder,' verklaarde André, 'en we hebben niemand voorbij zien komen.'

De *alferes* schrok van een geluid tussen de bomen.

'Onze muilezels,' legde André uit. 'Ach luitenant, als de Koorddanser hier voorbij zou zijn gekomen! Here God! Ik, mijn vriend en de muilezeldrijver die daar ligt... wij zouden drie lijken in de modder zijn!'

'Wat heeft die man?'

'Koorts, *alferes*. Pokken.'

De officier leek niet erg onder de indruk en vroeg André zijn vrijgeleide. Terwijl deze dat ging halen, steeg de luitenant af en liep naar Fernandes toe, die bij de gewonde zat.

'Hij is al twee dagen ziek,' zei de doctor. 'Hij sterft als wij geen hulp krijgen,' zei hij terwijl hij op de vastzittende kar wees.

De dragonder keek naar de wielen die in de modder zaten. Omdat hij weer geluid in het bos hoorde, keek hij op.

'Abolío!' riep Fernandes naar een van de slaven. 'De muilezels!'

De neger keek aarzelend naar het bos.

'De muilezels!' herhaalde Fernandes.

André, die met zijn vrijgeleide terugkwam, gaf de slaaf een schop en riep geïrriteerd: 'Ga dan, idioot! Zorg dat die beesten rustig worden.'

Toen gaf hij het document aan de officier, die er heel even naar keek.

'U weet zeker dat u geen andere ruiter voorbij hebt zien komen?'

'Niet één.'

'Dan zijn ze waarschijnlijk door het dal van de rivier gegaan,' zei de *alferes*. Hij had het over de Rio das Mortes, die ten noorden van de bergen stroomde. 'Goed, mijn mannen zullen u helpen om de kar vrij te maken.'

'Nee, luitenant,' zei André. 'U kunt beter verder gaan met uw achtervolging.'

'Voordat wij beneden zijn is de Koorddanser er al vandoor,' zei Ferraz, om vervolgens zijn mannen opdracht te geven af te stijgen en de kar uit de modder te trekken.

Hij vroeg André de lantaarn die hij bij zich had, en liep naar de vracht toe.

'Wat zit er in die kisten?'

'Engelse koopwaar. Kleren...'

'En wat nog meer?' zei de dragonder, terwijl hij de lantaarn op een ton met 'azijn' zette.

'Here God!'

'Is er iets, *senhor*... Vaz da Silva?'

'Nee, nee. Ik dacht alleen aan het geluk dat wij gehad hebben dat de Koorddanser hier niet langs is gekomen.'

'Wat zit er in die tonnen?'

'Azijn,' antwoordde André, wiens hart heftig begon te kloppen.

'En daar?' zei de luitenant, terwijl hij op de kist wees die de bandieten bijna open hadden gemaakt.

'Ik zal het u laten zien,' zei André gauw.

Hij nam de lantaarn, zette die naast de kist, trok zijn mes en lichtte voorzichtig het deksel op. Ondertussen waren de dragonders begonnen de kar vrij te trekken.

'Ziet u, *alferes*, dit zijn hoeden,' zei André terwijl hij op de drie dozen wees die in de kist zaten.

'Hoeden?'

'Ja, maar hele chique!'

Hij deed een van de dozen open, en haalde er een hoofddeksel van beverbont uit.

'Dit is voor een echt elegante man!' zei hij nog. 'Hier, probeert u maar.'

De luitenant glimlachte breeduit, nam zijn steek af en zette de hoed van beverbont op, waardoor hij er belachelijk uitzag.

'*Maravilhoso*!' riep André uit. 'Een echte gentleman! Houdt u hem maar, *alferes*. Als dank voor uw hulp.'

Een van de dragonders riep dat de wielen van de kar bewogen.

'Hij is voor u,' drong André aan.

'Doe hem maar weer in de doos,' zei Ferraz bij wijze van dank.

Maar hij begon zich weer voor de tonnen te interesseren, en dus vroeg André: 'Bent u getrouwd? Ik heb ook wel een cadeau voor uw echtgenote. Kantwerk! Linten!'

'Laat eens zien.'

André haalde uit een tweede kist een rol kant, linten en drie mutsjes, en legde die eveneens in de hoededoos.

'Met mijn complimenten, *alferes*. God weet dat u slecht betaald wordt voor uw moeite.'

'De soldij is armoedig,' bevestigde de officier.

Hij wilde zich net gaan beklagen over zijn lot toen zijn mannen begonnen te roepen, omdat de kar uit de greppel was. André bedankte hen uitgebreid, en nam de lantaarn weer.

'Laten wij u niet langer ophouden, *alferes*. De weg is nog lang tot de kazerne.'

Hij bracht Ferraz naar zijn paard, en hielp hem de doos aan zijn zadel te binden. De officier klom op zijn rijdier, besloot ten slotte nog om een vaag dankwoord te mompelen, en reed vervolgens weg met zijn dragonders.

'Jezus, Maria en Jozef!' mompelde Fernandes.

André keek naar de bomen. Er kraakten takken, maar dat was de slaaf Abilío.

'En de bandieten?'

'Ze waren er niet meer, meester.'

De struikrovers lieten zich niet meer zien. André en Fernandes hielpen de slaven om de kar weer in te laden en nog geen anderhalf uur later waren de muilezels weer ingespannen en klaar om te vertrekken. Fernandes had Ticks wond verbonden, maar die was niet weer bij bewustzijn gekomen.

'Hij ligt te sterven,' zei de dokter kortaf. 'Ik kan hier niets voor hem doen. We moeten hem meenemen naar een *fazenda*, beneden, maar dat zal waarschijnlijk te laat zijn.'

André en de slaven liepen met de lantaarns voor de kar uit om de weg te verlichten, en de lange afdaling begon weer. Vier uur later kwamen zij bij een kruising waar de Rio das Mortes en een andere rivier samenkwamen. De Koorddanser en zijn mannen stonden hen er te paard op te wachten, met de wapens in de hand. Fernandes keek angstig naar de onbeweeglijke gestalte van Tick, die op de kar lag. Al sinds een uur had de gewonde geen teken van leven meer gegeven. Toen de bendeleider zijn paard op hem afstuurde, mompelde Fernandes: 'Ik heb niets kunnen doen... we wilden hem naar een *fazenda* brengen.'

Dançarino de Corda liep naar de kar toe, en tilde de deken op.

'Tick?' zei hij. Hij knikte en liet de deken weer vallen. 'Begraaf hem maar,' zei hij tegen de dokter.

'Zomaar, hier?'

'Wat moeten we anders met hem?'

'Maar hij is uw broer...'

'Het zijn allemaal broers van mij, *senhor doutor*,' antwoordde de boef. Hij tastte in zijn beurs en hield Fernandes een paar muntstukken voor. 'Hier, zoek maar een priester die bidt voor de zielerust van Aniceto de Tick.'

Omdat Fernandes het geld niet aannam, gooide de Koorddanser het op de deken.

'Dat is voor uw beiden,' zei hij tegen André, die bij hen was komen staan.

'Wij willen niet betaald worden,' protesteerde Fernandes.

'Dan is het voor de priester. Laat hij de hemel maar bedanken voor het geluk dat jullie hebben gehad.'

'Geluk...?'

De bandiet stootte een rauwe lach uit en sloeg met zijn zweep tegen de zijkant van de kar.

'Die dragonders liepen te slapen, anders zouden ze wel gevonden hebben wat jullie verbergen.'

'Ik ben koopman...' begon André.

'En ik ben geen imbeciel. Als jullie niets te verbergen hadden, zouden jullie als varkens tekeergegaan zijn voor die *alferes*.'

'Neem maar wat u wilt,' mompelde André, die zich bij voorbaat erbij neergelegd had.

'Ik wil niets,' antwoordde de Koorddanser. 'Alleen een gebed voor de ziel van Tick.'

Toen gaf de boef zijn rijdier de sporen en reed hij weg met zijn bende.

'Here Jezus!' zuchtte André, terwijl hij Fernandes' arm pakte. 'Wie zou er hierna nog aan twijfelen dat de engelen onze zaak een goed hart toedragen?'

De rest van de reis verliep zonder incidenten. André en Fernandes kwamen op 31 januari bij Vila Rica en het buskruit werd verborgen op de *fazenda* van de Da Silvas, aan de weg naar de hoofdstad van Minas. Silva Xavier was in de wolken. Twee weken voordat de *derrama* zou worden opgelegd, waren de samenzweerders vol vertrouwen.

Tiradentes zag in de houding van de vertegenwoordiger van koningin Maria, de burggraaf de Barbacena, nog een bemoedigend teken.

'Wat een geluk hebben wij dat zijne excellentie zo graag op het platteland zit, in Cachoeira do Campo!' zei Silva Xavier tegen André en Fernandes. 'De vier mijlen die hem scheiden van Vila Rica zouden er net zo goed vierhonderd kunnen zijn, zo veraf en nutteloos schijnen hem de geruchten die hij hoort. Hij zal wel beter opletten als onze eigen boodschappers naar Cachoeira komen om hem het nieuws te brengen!'

De dichters en de andere burgers van Vila Rica die de opstand voorbereidden bezochten de gouverneur dikwijls, lazen hem voor uit hun werken en vertelden hem hoe zij dachten dat de onderdanen van zijne majesteit het best geregeerd konden worden. Rechter Gonzaga bijvoorbeeld, dacht net als zijne excellentie dat de Mineiros onverbeterlijke belastingontduikers waren die alleen door een pak slaag tot rede konden worden gebracht. 'U moet niet met woorden dreigen, excellentie, u moet de *derrama* gebruiken. U moet niet alleen de achterstallige schuld van een jaar eisen, u moet de betaling van de hele schuld eisen. U moet de laatste *arroba* goud die zij onze soeverein schuldig zijn innen. Belast die Mineiros, excellentie! Belast ze tot ze om genade smeken!'

Luís Fialho Soares was een van hen die met de burggraaf in zijn tuinen in Cachoeira wandelden en die hem ertoe aanzetten om despotische actie te ondernemen, zodat de Mineiros in opstand zouden komen. Zijn zoon Fernandes had hem ervan overtuigd dat hij deel moest nemen aan de onafhankelijkheidsstrijd door hem duidelijk te maken dat er een goede kans van slagen voor de revolutie was. Luís was graag samen met zijn jongste zoon terwijl hij met de oudste, Martinho, die Latijn onderwees aan het seminarie in Mariana, altijd een moeilijke relatie had. Martinho dacht alleen maar aan het volstoppen van jonge hoofden met Latijnse grammatica, waardoor hij zijn leerlingen terroriseerde.

Drie dagen na de terugkeer van André en Fernandes dineerde de leraar bij Luís. De vier mannen zaten in de salon toen Martinho onderluitenant Silva Xavier bekritiseerde, wiens naam in het gesprek was opgedoken.

'Ik twijfel er niet aan dat hij gecharmeerd is door het idee van vrijheid – ik heb zijn vurige betogen gehoord – maar er zijn krachten die die nietsnut niet begrijpt.'

'Een nietsnut, broer?' zei Fernandes. 'Als zijn woorden die van een nietsnut zijn, dan betekent dat dat er veel imbecielen hebben deelgenomen aan de revolutie in Noord-Amerika.'

Martinho trok zijn schouders op.

'Jouw *alferes* gelooft dat de burgers van Vila Rica de straat op zullen gaan. Maar wie zal zich echt bij hem voegen?'

Fernandes keek naar André en Luís.

'Hier in dit vertrek zitten drie mannen die dat zouden doen.'

'Natuurlijk, jullie en andere dromers, die het over opstand hebben. Maar als Tiradentes tot opstand aanzet, wie neemt hem dan serieus? Het volk? De mulatten? De *caboclos*? De vrijgelaten slaven? Misschien vergis ik me, misschien heeft hij contacten gelegd waar ik niets van weet, maar volgens mij bereikt zijn boodschap nooit de gelederen van een revolutionair leger.'

'Het is voldoende als een handvol mannen het initiatief neemt,' argumenteerde André. 'De rest volgt vanzelf. Iedereen vindt de *derrama* verschrikkelijk.'

'Natuurlijk, iedereen heeft een hekel aan belasting, maar hoeveel benepen mannen zijn er bij wie de angst voor represailles groter is dan elk ander gevoel?' vroeg de leraar, terwijl hij zich tot zijn vader wendde. '*Senhor pai*, burgers als u, rechter Gonzaga en dr. Da Costa, zijn hun zaak zeer toegedaan. Maar is dat bijvoorbeeld ook het geval met Silvério dos Reis? Probeert hij niet alleen maar onder zijn enorme schulden aan de schatkist uit te komen?'

Martinho wist dat zijn vader niets van de belastingpachter moest hebben, met wie hij een paar jaar eerder een diepgaand meningsverschil had gehad.

'En hij is vast niet de enige die zich uit egoïstische motieven onder jullie banier schaart,' voegde de classicus daaraan toe. 'Zou Silvério dos Reis jullie nog ondersteunen als koningin Maria hem zijn machtsmisbruik vergeeft?'

'Zijn motieven zijn misschien dubieus,' erkende Fernandes. 'Niettemin is hij openlijk voorstander van onafhankelijkheid en heeft hij daar geld voor gegeven. Dat is voldoende garantie voor zijn loyaliteit.'

'Welke kans heeft Minas, met zo'n boef aan het roer, om een land van vrijheid en integriteit te worden?' vroeg Martinho terwijl hij minachtend snoof.

'Mannen als Gonzaga en Da Costa zullen de nieuwe regering leiden,' zei André.

'Mannen als jouw vader,' voegde Fernandes daaraan toe.

'Niemand gaat ervan uit dat de onafhankelijkheid meteen ook alle kwaad zou doen ophouden,' zei Luís Soares. 'De strijd tegen corruptie en onwetendheid zal even belangrijk zijn als de strijd op het slagveld. Onze zaak vraagt om vele helden.'

'En om martelaren?' mompelde Martinho, terwijl hij naar de grond keek.

Op zondag 8 februari 1789, nadat hij de mis had bijgewoond in de Franciscuskerk, ging André Vaz da Silva naar de rua das Flôres. Hij liep langzaam, om zijn vader niet in de steek te laten, die moeite met lopen had. Silva Xavier, die de beide mannen vergezelde, had zijn gala-uniform aangetrokken. Het drietal opende de stoet van een groep familieleden en vrienden die naar het huis van de Da Silvas gingen om de doop van de zoon van André te vieren, José Inocêncio, van wie de onderluitenant de peetvader was.

Twee stappen achter hem droeg Constança Oliveira de boreling in een sjaal van witte kant. Haar moeder liep naast haar, evenals haar zusters en de *madrinha*, de peetmoeder van de baby, Ana Figueirido, de getrouwde dochter van een *fazendeiro*, wiens familie al dertig jaar bevriend was met André's vader.

Constança Oliveira was twintig, had mooie ogen, lange, krullende bruine haren, en een aantrekkelijke gestalte. Zij deed haar best haar enige tekortkoming – hele grote voeten – te verbergen door schoenen te dragen die te klein voor haar waren. Ook was zij verschrikkelijk verlegen, en toen hij haar het hof maakte had André gedacht dat dat de natuurlijke terughoudendheid van een goed opgevoed meisje was. Maar sinds zij getrouwd waren was zij zo stil dat Raimundo da Silva zich afvroeg of zijn schoondochter niet ziek was. André ontdekte dat de reden van dit stilzwijgen niet in ziekte was gelegen, en ook niet in bescheidenheid. Constança had gewoon niets te zeggen. En dat was voor hem een enorme tegenvaller.

Een week voor de geboorte van José Inocêncio had hij een toespeling gemaakt op de komende gebeurtenissen, door te zeggen: '*Alferes* Silva Xavier denkt dat Minas Gerais ooit bevrijd zal worden.'

Constança had alleen maar geknikt.

'Ik hoop dat wij een zoon krijgen die nooit voor tirannen zal moeten buigen,' had haar man ook nog gezegd.

Weer geknik van Constança.

'Hij zal geen *derrama* betalen, maar belastingen waartoe het volk heeft besloten.'

'*Senhor* André, onze koningin zal een dergelijke ongehoorzaamheid nooit toelaten!'

'Ze zal er niets tegen kunnen doen.'

'God heeft de macht in handen van Dona Maria gelegd,' had de jonge vrouw verklaard, met een wanhopige uitdrukking op haar anders zo rustige gezicht. 'Wij moeten dat accepteren.'

Raimundo da Silva deelde de mening van zijn schoondochter en was er vast van overtuigd dat Brazilië zou ophouden te bestaan zonder de bescherming van Portugal. De kapiteinschappen zouden een voor een in handen van de Spanjaarden komen, die nog steeds een oogje op de kolonie hadden. In plaats van onafhankelijkheid stelde *senhor* Raimundo dan ook de volgende oplossing voor: 'Oude en vermoeide vaders en moeders verdienen het in het huis van hun kind opgenomen te worden. Portugal, uitgeput door eeuwen van ontdekkingen en veroveringen, heeft zo'n dergelijke hulp nodig. Brazilië moet haar poorten opengooien voor Dona Maria en de Braganças. Laat het hof maar uit Lissabon komen en zich hier vestigen! Met wat Brazilië heeft kan het Portugese imperium weer worden hersteld.'

André bracht daartegenin dat het Portugese koninklijk huis nooit zijn Europese wortels zou opgeven om in een ver Amerika te gaan zitten, tussen mannen die het als barbaren beschouwde. André had zijn vader nog niet onthuld in hoeverre hij bij de samenzwering betrokken was, om hem niet in gevaar te brengen. Ook had hij niet geprobeerd om zijn broer Dionésio erbij te betrekken, die op de *fazenda* woonde aan de weg naar Cachoeira do Campo. Die dacht dat de vaten die André en Fernandes op de boerderij hadden gezet inderdaad alleen azijn bevatten.

Luís en Fernandes Soares, uitgenodigd bij de doop, hoedden zich ervoor over de gebeurtenissen te praten die een week later moesten plaatsvinden, maar Silva Xavier kon zijn enthousiasme niet beteugelen. In de middag nam hij André mee naar het balkon op de eerste verdieping en zei tegen hem: 'Ik wilde je nogmaals bedanken voor de eer die je mij hebt bewezen. Ik zweer dat ik geen rust zal hebben voordat ik gezorgd heb dat mijn petekind vrij is.'

'Met Gods wil, Joaquim, zal mijn zoon jou ooit bedanken voor dit prachtige geschenk.'

'Anderen, die meer waard zijn dan ik, zullen ook deelnemen aan de strijd voor de onafhankelijkheid.'

'Mannen die jij geïnspireerd hebt, Joaquim.'

Tiradentes legde zijn slanke handen op de balustrade en keek naar het paleis van de gouverneur, op een heuvel rechts van de rua das Flôres.

'De burggraaf de Barbacena zal ook een rol spelen door zijn zegel te hechten aan de proclamatie van de *derrama*.'

'Is hij nog steeds vastbesloten?'

'Naar ik gehoord heb wel.'

580

De beide mannen bleven een ogenblik op het balkon over hun plannen staan praten, toen stelde Silva Xavier voor om naar de andere genodigden te gaan om een heildronk uit te brengen op zijn petekind: 'Op de eerstgeborene van André Vaz da Silva en Constança Oliveira! Moge God, die ons lot bestuurt, dit kind een leven als vrij Amerikaans burger geven!'

De genodigden applaudisseerden – hoewel zij voor het merendeel niet op de hoogte waren van de op handen zijnde opstand. André, Luís, Fernandes en de andere samenzweerders hieven hun glazen om niet alleen op het geluk van José Inocêncio te drinken maar ook op de revolutie.

'Een *derrama*!' riep Silva Xavier terwijl hij op het bureau van Luís Soares sloeg. 'Ze gaan allemaal tekeer als bange schapen. Naar de duivel met de *derrama*! Laten wij de wapens oppakken!'

Het was 1 maart 1789. Sinds twee weken wachtten de samenzweerders op de proclamatie van de nieuwe belasting, maar er was nog geen enkel bevel van de residentie van de gouverneur in Cachoeira do Campo uitgegaan. Silva Xavier vond dat dit uitstel de besluitvaardigheid van de samenzweerders ondermijnde en gaf uiting aan zijn ongerustheid tegenover Luís, Fernandes en André, die hij trof in het huis van de advocaat, drie weken na de doop van José Inocêncio.

'Ik ben niet zo elegant als Da Costa en ook niet zo rijk als Silvério dos Reis – al heb ik niet zoveel schulden – en ook heb ik volgens zeggen niet de leiderstalenten van kolonel Freire de Andrade. Ik ben onderluitenant en kiezentrekker. Heb ik me soms vergist toen ik dacht dat die mannen naar mij zouden luisteren?'

'Niemand twijfelt aan jouw toewijding,' antwoordde Luís Soares. 'Ik ben even ongeduldig als jij, maar wij moeten afwachten.'

'En als de burggraaf de *derrama* een half jaar of een jaar uitstelt? Onze dichters zullen weer odes gaan schrijven, onze financiers zullen weer de hielen van zijne majesteit gaan likken. Maar wij hoeven niet te wachten, de militie van Alvarenga Peixote staat in het zuiden klaar. *Padre* Rolim heeft zich van steun verzekerd in het diamantendistrict. In Vila Rica staan onze dragonders te trappelen van ongeduld. Wat willen we nog meer?'

Omdat zijn metgezellen niets zeiden, voegde Tiradentes eraan toe: 'Beste kameraden, zijn wij dan slaven die naar de vrijheid toe geslagen moeten worden?'

Op 9 maart, aan het eind van de middag, zat Raimundo da Silva te knikkebollen op een bank naast de ingang van zijn winkel toen Silva Xavier eraan kwam. De onderluitenant sprak een paar minuten met de koopman, en ging toen naar binnen om André op te zoeken.

'Ik moet je spreken,' zei hij. 'Niet hier, laten we gaan wandelen.'

Ze liepen de rua das Flôres uit in de richting van het grote plein van Vila Rica. De *derrama* was nog steeds niet afgekondigd en in de loop van de afgelopen negen dagen had Silva Xavier tevergeefs opgeroepen de opstand onverwijld te ontketenen.

'Gonzaga zegt dat zijne excellentie aarzelt de *derrama* op te leggen omdat hij bang is voor de reactie van de Mineiros,' zei de officier tegen zijn vriend. 'Zou het kunnen dat de burggraaf de ziel van de Mineiro beter kent dan zij die zijn bevrijders willen zijn?'

De beide mannen kwamen op het plein, lieten het paleis van de gouverneur rechts liggen en sloegen linksaf naar de kazerne van de dragonders en de stedelijke gevangenis.

'Mijn kolonel heeft zich op zijn *fazenda* teruggetrokken, waar hij met een jobsgeduld zit te wachten,' ging Tiradentes verder. 'Maar hoe langer het wachten duurt, des te groter wordt de verwarring. Sommigen stellen nu zelfs voor de burggraaf ertoe over te halen de zijde van de vrijheidsstrijders te kiezen. Hij is jong en ambitieus en zou misschien wel aangelokt worden door het denkbeeld een nieuwe Amerikaanse natie te kunnen regeren, zeggen zij. Maar dat is absurd! Hij is een *fidalgo*, hij wordt helemaal extatisch als zijn lippen de hand van Dona Maria raken. Hij zou nog liever met de duivel gaan eten dan onze zaak ter harte nemen!'

Ze liepen voor de kazerne langs, naar de rechterzijde van de gevangenis en naar de helling waarop de kerk van Nossa Senhora do Carmo stond.

'Ik ben het wel met je eens,' antwoordde André, 'maar wat kunnen wij doen?'

'In actie komen. Dat is de reden waarom ik je ben komen opzoeken.'

'Maar zonder de steun van kolonel Andrade, en van Alvarenga Peixote...'

'Hij is de enige met moed! Peixote vindt ook dat er nu gevochten moet worden. Nu! Zijn mannen staan klaar om de weg en de pas te blokkeren, evenals de andere toegangswegen vanaf São Paulo. "Houd de passen bezet," zegt hij, "vestig bases in de bergen en tienduizend mensen uit Portugal zal het niet lukken om ons patriotten te verdrijven!"'

'Alvarenga Peixote klaar voor het gevecht! Dan ben ik ook klaar, Joaquim.'

André, Fernandes en anderen hadden als taak om buskruit naar Vila Rica te brengen voor de opstandelingen die uit de heuvels zouden komen en de stad zouden infiltreren. Zij moesten er ook voor zorgen dat er in de straten onrust zou ontstaan.

Silva Xavier schudde zijn hoofd en zei: 'Peixote is door de meerderheid aan handen en voeten gebonden. Ik heb besloten om Vila Rica te verlaten.'

'Nu?'

'Ik ga naar Rio de Janeiro om met hen te spreken die ook vrijheid wensen. Ik zal ze zeggen dat de revolutie op het punt staat uit te breken in Minas Gerais, bij het minste of geringste incident.'

'En welk incident is dat dan?'

Silva Xavier stond stil in de geplaveide steeg naast de kerk en pakte zijn vriend bij de arm.

'De maand mei,' antwoordde hij met een schittering in de ogen. 'Dan vertrekt de *quinto* naar Rio de Janeiro, maar hij zal er niet aankomen. In de pas zal de patriottische militie het goud afpakken!'

André was sprakeloos. Het best bewaakte konvooi van Brazilië overvallen? Zelfs de Koorddanser met zijn bende van honderd struikrovers hoefde er niet aan te denken de schat van Dona Maria te pakken te krijgen. Maar toch...

'Wat denken de anderen daarvan?'

'Ik heb het er maar met een paar over gehad. Ik heb geen zin in duizend excuses en smoesjes. In Rio de Janeiro zal ik ervoor zorgen te weten te komen wanneer het schip moet aankomen dat de *quinto* moet ophalen. Ik ken de Mantiqueiras net zo goed als de Koorddanser. Als ik een precies plan heb, zal ik het aan Alvarenga Peixote voorleggen, zodat zijn mannen het kunnen uitvoeren.'

De beide mannen gingen op een muurtje naast de kerk zitten en spraken tot de zon achter de heuvels verdween. Silva Xavier zei tegen André dat hij de volgende dag naar de residentie van de burggraaf zou gaan om een vrijgeleide te vragen.

'Ik heb het gerucht verspreid dat ze mij in Rio willen zien om te spreken over mijn kanaliseringsplan.'

Ze liepen weer naar het plein, en dus ook weer langs de gevangenis. Tiradentes porde zijn vriend met zijn elleboog en wees hem op twee mannen die het plein overstaken, de Kleine Verminkte en zijn slaaf.

'God zegene hem,' zei Silva Xavier. 'Hij heeft geen vingers meer, zijn handen zijn stompjes geworden en hij verliest zijn tanden. Als allen die zo graag vrijheid willen zijn moed hadden, zouden jij en ik vanavond nog door de straten van Vila Rica lopen als vrije burgers van de republiek Minas Gerais.'

De volgende ochtend ging Silva Xavier naar Cachoeira do Campo en kreeg hij toestemming om naar Rio de Janeiro te gaan. In het paleis van de gouverneur ontmoette hij kolonel Alvarenga Peixote, die zijn opwachting maakte bij de burggraaf de Barbacena, zoals andere *fazendeiros* en rijkelui dat regelmatig deden. De onderluitenant had een kort gesprek met de commandant van de militie.

'In afwachting dat die imbecielen een licht opgaat, zal ik in Rio de Janeiro eens vertellen wie de contacten van José de Maia en Thomas Jefferson heeft begunstigd.'

Omdat hij het met Peixote al had gehad over het idee om de *quinto* te pakken te krijgen, zei hij alleen nog: 'Verder zal ik ook een middel zoeken om ons te verzekeren van een aardige bijdrage van de Kroon zelf.'

Op zijn terugweg naar Vila Rica, vanwaar hij direct te paard zou vertrekken, kwam Tiradentes een andere samenzweerder tegen die op weg was naar Cachoeira do Campo. Joaquim Silvério dos Reis, de belastingpachter, die de schatkist nog ongeveer een ton goud schuldig was.

'Ze maken mij nog eens tot bedelaar,' bromde de financier, die niettemin rijk was gekleed. 'De *junta* spreekt kwaad over mij, en dreigt al mijn bezittingen in beslag te zullen nemen. Als ze kon, zou ze me de kleren van het lijf rukken en die bij opbod verkopen!'

De afgelopen week was zeer onaangenaam geweest voor de debiteur van de Kroon, onder druk gezet door de Junta da Fazenda, het bureau van de schatkist van Vila Rica, om zijn verplichtingen na te komen. Silva Xavier kende de slechte reputatie van Silvério dos Reis maar geloofde dat zijn moeilijkheden vooral te wijten waren aan een repressief bestuur. De onderluitenant vleide zich met het denkbeeld een vriend van de financier te zijn want mannen als Dos Reis en Rodrigo de Macedo, de andere grote schuldenaar van de koningin, zouden hun fortuin nog zien groeien als er vrije handel zou komen en zouden hem kunnen helpen bij zijn plannen voor grote projecten.

Silvério dos Reis had haast. Hij had een afspraak met de gouverneur.

'Ik zal me als een lijfeigene aan de voeten van zijn heer werpen,' kreunde hij. 'Ik moet de burggraaf smeken om mij opnieuw uitstel van betaling te verlenen. Schulden, altijd die schulden! Wat ben ik het zat om voor schulden te vechten!'

'Moed houden, *senhor* Silvério. Binnenkort zult u een andere strijd leveren.'

Joaquim Silvério dos Reis was helemaal niet van plan om het gevecht af te wachten dat *alferes* Silva Xavier in het vooruitzicht stelde.

'Excellentie, ik kom onderhandelen over de schuld die ik aan de schatkist heb,' zei hij tegen de burggraaf de Barbacena, enkele uren later in de ochtend van 10 maart 1789.

De gouverneur stond voor een raam van zijn bureau, met de handen gekruist op de rug, en keek naar een groep slaven die in de tuin werkte. Zonder zich om te draaien antwoordde hij op een toon die duidelijk uiting gaf aan zijn verveling: 'En wat stelt u deze keer voor?'

'Excellentie, de *junta* luistert naar alle leugens en beschuldigingen die mijn vijanden verspreiden. Toch zult u in Vila Rica geen onderdaan vinden die loyaler is dan ik ten opzichte van hare majesteit.'

De gouverneur draaide zich langzaam om, en speelde met een lok van zijn gepoederde pruik.

'U verbaast mij, *senhor* Silvério. U komt al jaren uw verplichtingen tegenover de Kroon niet na, en u gaat prat op uw loyaliteit tegenover Dona Maria, alsof u een van de meest geachte ridders van haar koninkrijk was. Kunt u mij één enkele reden geven om niet te geloven aan de conclusies van de *junta*?'

'Ik ben dat geld schuldig, dat ontken ik niet. Meer dan tweehonderd *milréis*. Een fortuin, excellentie, maar niets vergeleken met wat ik in ruil daarvoor kan aanbieden.'

'Ik luister,' zei de burggraaf terwijl hij zijn bef rechttrok.

'Er zijn invloedrijke mannen die de regering van hare majesteit in Minas omver willen werpen.'

'Dat weet ik.'

Silvério dos Reis werd lijkbleek. Zou Barbacena de zijde van de samenzweerders hebben gekozen zonder dat hij het wist?

'Is uwe excellentie dan op de hoogte?'

'Natuurlijk. De sfeer is gespannen. Er zijn overal heethoofden, vol denkbeelden die uit het buitenland komen. Mannen die klagen over het onrechtvaardige en onderdrukkende juk van Portugal. Dat wist ik voordat ik hier kwam. Ik heb ook gedetailleerde informatie over een leger goud- en diamantdieven, smokkelaars en andere frauders die de schatkist plunderen, *senhor* Silvério dos Reis.'

'Waar ik het over heb is veel ernstiger dan alleen maar het verspreiden van buitenlandse ideeën, excellentie.'

De gouverneur keek hem vragend aan, dus de belastingpachter haalde eens diep adem en sprong toen in het diepe.

'Excellentie, u ontvangt in uw paleis mensen die samenzweren om u ten val te brengen.'

'Wat wilt u suggereren?'

'Gonzaga, Da Costa, Álvarenga Peixote, de jonge José Álvares Maciel. Die mannen en nog vele anderen bereiden een revolutie voor om u aan de kant te zetten en de Portugese macht in het kapiteinschap ten val te brengen. Zodra u de *derrama* oplegt, zullen zij een opstand ontketenen, de onafhankelijkheid en de republiek uitroepen.'

En zo verried Silvério dos Reis, die velen al lange tijd als een stuk uitschot beschouwden, de samenzwering aan de burggraaf de Barbacena. Als tegenprestatie voor zijn diensten verleend aan hare majesteit, vroeg hij aan de gouverneur om bij de Kroon te bemiddelen teneinde zijn schuld volledig te schrappen.

'Vertelt u vooral niemand iets over dit gesprek,' zei Barbacena op het moment dat de financier afscheid nam. 'Zelfs niet degenen die net als u dat complot veroordelen. Als ik besloten heb welke maatregelen ik zal nemen, zal ik u roepen.'

Na drie dagen nadenken en slapeloze nachten, stuurde de burggraaf een brief naar de *câmara* in Vila Rica waarin stond dat de *derrama* voor onbepaalde tijd uitgesteld. De volgende dag riep hij Dos Reis naar Cachoeira.

'U hebt het met niemand gehad over ons laatste onderhoud?'

'Ik heb alleen maar verteld dat ik uitstel voor het afbetalen van mijn schuld heb gevraagd.'

'Tijd, dat is wat ik nodig heb. Ik zal de verraders niet laten arresteren voordat ik zeker ben dat geen één mij ontsnapt. En nu, *senhor* Silvério, vertel mij alles, inclusief uw eigen rol in deze samenzwering.'

'En mijn schulden, excellentie?'

De burggraaf keek de verklikker koeltjes aan.

'De dankbaarheid van de koningin is u verzekerd.'

Silvério dos Reis slaakte een zucht van opluchting en vertelde toen alles wat hij wist over de bevrijdingsplannen van Minas Gerais.

'André! André!'

Dat werd geroepen terwijl er heftig op de deur van de winkel in de rua das Flôres werd geklopt. Het was na middernacht. De slaaf die onder de toonbank lag te slapen werd wakker en rende naar de deur.

'Ga je meester halen!' beval Fernandes Soares hem.

Een paar minuten later kwam André Vaz da Silva de trap afzetten.

'Alles is verloren!' riep Fernandes. 'Joaquim is in Rio de Janeiro gearresteerd!'

'Here God in de hemel!'

Het was 17 mei 1789, negen weken nadat Barbacena de *derrama* had uitgesteld. Deze plotselinge omslag deed sommige samenzweerders vermoeden dat zij verraden waren, maar toen Gonzaga en anderen de burggraaf in Cachoeira do Campo ontmoetten, bleef deze hen net als voorheen behandelen. Zodoende verslapte hun waakzaamheid. Toch verschoof het uitstel van de *derrama* het begin van de opstand.

Sommige samenzweerders vonden dat zij nu meteen moesten handelen, omdat zij al zover waren gegaan. Anderen bleven geloven dat er een verrader onder hen was en begonnen hun metgezellen te wantrouwen. Hun verdenkingen richtten zich vooral op Silvério dos Reis, wiens bezoeken aan Cachoeira do Campo niet onopgemerkt waren gebleven. Een poosje later verklaarde de financier plotseling dat hij naar Rio de Janeiro ging 'om het met de onderkoning over zijn schuld te hebben'. In werkelijkheid had Barbacena de verrader gevraagd om zijn aangifte te herhalen tegenover Dom Vasconceles e Souza, de onderkoning.

Silvério dos Reis kwam in mei in de hoofdstad aan. Meteen nadat hij hem aangehoord had, wees Dom Vasconceles e Souza een *devassa* aan, een geheime onderzoekscommissie, om bewijzen voor de samenzwering te verzamelen, en beval hij Silva Xavier te arresteren.

De afgelopen weken waren voor de *alferes* moeilijk geweest, omdat hij steeds meer merkte dat hij een roepende in de woestijn was. De groep kooplieden en schrijvers van wie hij dacht dat zij de zaak toegedaan waren bleek even weifelend als de mannen die hij in Vila Rica had achtergelaten.

Eind april werd Tiradentes gewaarschuwd door bevriende officieren dat de onderkoning hem in de gaten liet houden. Toch ging hij naar het paleis om toestemming te vragen om naar Vila Rica terug te gaan. Toen dat geweigerd werd, dook hij onder in een kamer boven de werkplaats van een vriend, Domingos da Cruz, in de rua das Latoeiras.

De *alferes* hoopte nog steeds de koninklijke *quinto* te pakken te krijgen, een operatie waarover hij het alleen met zijn naaste vrienden had gehad. Hij was van plan om een paar dagen onder te duiken en dan 's nachts de stad te verlaten om zonder vrijgeleide naar Minas terug te gaan.

Op 9 mei hoorde hij dat Silvério dos Reis in de hoofdstad was en in de hoop te weten te komen wat er in Vila Rica gebeurde, stuurde hij de financier een priester in wie hij vertrouwen had. De verrader gaf ontwijkend antwoorden en bleek graag te willen weten waar Tiradentes zat, terwijl hij liever niet over Minas sprak. De priester werd achterdochtig en ging weer weg zonder de schuilplaats van Silva Xavier genoemd te hebben. Maar hij werd gevolgd.

Vierentwintig uur later omsingelden soldaten van de garde van de onderkoning de werkplaats. De *alferes* werd naar een eiland in de Baai van Guanabara gebracht en in de gevangenis van een fort geworpen.

Dit verschrikkelijke nieuws bracht Fernandes aan André, in de nacht van 17 mei. De koopman nam hem mee naar de eerste verdieping zodat de slaaf hun gesprek niet zou horen en overlaadde hem met vragen.

'Wanneer is het gebeurd? Hoe heb je het gehoord?'

'Joaquim is zeven dagen geleden gearresteerd. Da Costa werd gewaarschuwd.'

'Door wie?'

'Door een boodschapper uit Rio de Janeiro. Da Costa heeft mijn vader gewaarschuwd. Wij zijn verraden, we moeten meteen weg. Het buskruit! We moeten het zien kwijt te raken!'

'Wie heeft ons verraden?'

'Er is geen enkele naam genoemd,' antwoordde Fernandes. 'In Gods naam, kleed je aan! We zullen onderweg wel verder praten.'

Maar André aarzelde en zei: 'Mijn neven, de *tropeiros* uit São Paulo, zijn op dit ogenblik op de *fazenda*.'

'Zij weten niet dat er buskruit verborgen ligt.'

'Maar dat zullen ze in de gaten krijgen als ze ons midden in de nacht zien komen.'

Ten slotte besloten de beide mannen te wachten. De volgende ochtend gingen zij naar de *fazenda* en brachten zij de vaten met buskruit naar een verlaten mijn. Toen André zijn vader vertelde dat hij terstond moest vertrekken met Constança en José Inocêncio, verraste Raimundo hem door te laten blijken dat hij van het bestaan van de samenzwering op de hoogte was.

'Ga maar, André. Red je leven terwijl er nog tijd is. Ik mag dan oud zijn, maar de Heer heeft mij nog goede ogen en goede oren gelaten. Al jullie geklets over vrijheid en onafhankelijkheid... er was maar één man niet op de hoogte van jullie plannen, en dat was de burggraaf de Barbacena. En dat was nog alleen maar omdat hij niet in Vila Rica woonde.'

Toen André zijn vrouw waarschuwde, zei zij niets.

'Begrijp je het dan niet?' vroeg hij terwijl hij haar door elkaar schudde. 'Wij moeten meteen vertrekken. Anders zullen de soldaten mij meenemen.'

'Ik vervloek je!' riep Constança ten slotte uit. 'Ik vervloek je voor de schande die je op onze zoon laadt!'

Voordat haar man kon antwoorden liep zij de kamer uit om het vertrek voor te bereiden.

Ze verlieten Vila Rica met de *tropeiros* op 19 mei 1789 en sloegen de weg in naar São João d'El Rei. De twee muilezeldrijvers die met hen meeingen waren de zonen van Agostinho en Vicente, de broers van Benedito Bueno da Silva. Tobias Henrique en Ivo waren allebei zwijgzame mannen, die een stevige slok lustten. Zij stelden André geen vragen, al vermoedden zij wel dat zijn overhaaste vertrek te maken had met de gespannen sfeer in Vila Rica, waar het gerucht de ronde deed dat de gouverneur op het punt stond een bende smokkelaars op te rollen.

Drie keer tijdens de eerste twee dagen van de reis werden zij door patrouilles ingehaald, waarvan er één stopte om hen te controleren. Terwijl Tobias Henrique zijn vrijgeleide en de documenten die hoorden bij een konvooi muilezels toonde, deed André, met oude kleren aan, alsof hij voor de beesten zorgde. De dragonders bevonden hun papieren in orde, keken even naar de muilezels, controleerden de vracht niet en gingen weer weg.

Op 22 mei waren de vluchtelingen op twintig mijl van São João d'El Rei toen zij weer werden ingehaald door een groep ruiters. Het waren twee blanken en vier zwarte slaven of mulatten. Toen zij ter hoogte van het konvooi waren gekomen vroeg de oudste van de beide blanke mannen om water. André ging naar het dier toe dat de waterzakken droeg, maakte er een los en gaf dat aan de onbekende.

'Orlando Costa Guedes,' zei de ruiter.

Hij was zwaar gewapend, had een zwaard, pistolen en een musket aan zijn zadel hangen.

'Mijn zoon Simão,' voegde hij eraan toe, terwijl hij met zijn hoofd op zijn jonge metgezel wees.

'Is uw *fazenda* hier in de buurt?' vroeg André.

Guedes antwoordde niet direct en nam de tijd om te drinken.

'Wij hebben een mijn op tien mijl hiervandaan,' zei hij ten slotte, terwijl hij de zak doorgaf aan zijn zoon.

André keek de man nadenkend aan en mompelde toen: '*Libertas, quae sera tamen...*'

Guedes keek verrast toen hij de woorden hoorde die als wachtwoord voor de opstand moesten gelden.

'Wie bent u?'

'André Vaz da Silva, koopman in Vila Rica. Ik breng mijn vrouw en mijn zoon naar São Paulo.'

'Dan bent u op tijd vertrokken.'

'Wat is er gebeurd?'

'Gonzaga, Da Costa... ze zijn allemaal gearresteerd.'

'Was u erbij?'

'Mijn zoon. Hij is vannacht gevlucht.'

'En de Soares?' vroeg André aan de jongeman.

'Dat weet ik niet. Ze hebben er een heleboel te pakken.'

'En waar gaat u nu heen?'

'Naar São João d'El Rei,' antwoordde Guedes. 'Voor de vrijheid strijden met Alvarenga Peixote en *padre* Carlos Correia. God zij met u, *senhor*.' Hij gaf zijn paard de sporen.

'*Libertas*!' riep André. '*Libertas, quae sera tamen*!'

Orlando Guedes draaide zich om in zijn zadel en antwoordde met dezelfde woorden.

Het volgende uur reed André zwijgend naast de muilezels. Een paar keer draaide hij zich om naar Constança, die twintig passen achter hem reed, met José Inocêncio in haar armen. Hij moest nog steeds aan Guedes denken en stelde zich voor hoe die naar de strijd galoppeerde. *Libertas, quae sera tamen*. André verkeerde in tweestrijd en kon maar niet besluiten. Moest de strijd nu voortgezet worden, en moest hij zijn vrouw en zijn zoon in de steek laten?

'Staan blijven!' riep hij plotseling. 'Houd de muilezels staande.'

'Wat is er aan de hand?' vroeg Tobias Henrique.

'Ik moet naar die beide mannen van daarnet. Zij gaan vechten voor de bevrijding van Minas.'

'Waar dan?'

'In São João d'El Rei.'

'Daar breng ik mijn beesten dan niet heen,' verklaarde de muilezeldrijver.

'Geen sprake van. Ik vertrouw je mijn vrouw en mijn zoon toe. Breng ze naar je oom Benedito Bueno. Over een paar maanden, als God het wil, zal ik ze daar komen halen.'

Na een kort afscheid van Constança nam André de weg naar São João d'El Rei. Een uur later kwam hij bij een doorgang in de Serra do São José, ten noorden waarvan de stad lag. Hij bedacht zich dat hij altijd aan dit opwindende moment, waarop hij vertrouwen in de toekomst had zou terugdenken, wat er ook zou gebeuren, en hij gaf zijn paard de sporen om snel bij de vrijheidsstrijders te kunnen zijn.

Toen hij in de buurt van São João d'El Rei kwam, kwamen er ruiters uit de bosjes langs de weg te voorschijn, die hem omsingelden.

'Halt!'

André minderde geen vaart. Er klonk een schot. Hij werd in zijn arm geraakt en vocht om in het zadel te blijven toen twee dragonders hem met getrokken sabel inhaalden.

'Geef je over of sterf!'

Hij trok aan de leidsels. Even later gaf hij zijn pistool aan de soldaten en mompelde: 'Dat heeft nergens voor gediend.'

De andere samenzweerders hadden hetzelfde kunnen zeggen want geen van de mannen die in de nacht van 22 mei 1789 werden gearresteerd had ook maar een enkel schot gelost.

André Vaz da Silva werd naar de gevangenis van São João d'El Rei gebracht, waar hij Orlando en Simão Guedes trof, die onder soortgelijke omstandigheden gevangen waren. Toen ontdekt werd dat André bevriend was met Tiradentes werd hij eerst naar Vila Rica gebracht, en in september 1789 naar Rio de Janeiro. Hij werd opgesloten in het fort van Nossa Senhora da Conceição, waar hij tot april 1792 bleef, terwijl een koninklijk tribunaal onderzoek deed naar wat voortaan de trouweloosheid van Minas genoemd werd.

Silva Xavier en achtentwintig andere samenzweerders zaten ook op berechting te wachten. De verrader Silvério dos Reis was enige tijd opgesloten en toen weer vrijgelaten, om andere verklikkers ertoe aan te zetten ook tegen de samenzweerders te getuigen. Cláudio Manuel da Costa, een van de steunpilaren van de onafhankelijkheidsbeweging, pleegde zelfmoord door zich op te hangen in een kast onder de trap van het huis van Rodrigo de Macedo, die aan achtervolging ontsnapte door met de burggraaf de Barbacena samen te werken. De justitie verklaarde dat Da Costa zelfmoord had gepleegd nadat hij bekentenissen had afgelegd die zijn vrienden in staat van beschuldiging stelden.

Luís Soares, die met Fernandes in het fort opgesloten zat, hoorde het nieuws van zijn andere zoon Martinho, die de bewakers omkocht om zijn vader te kunnen bezoeken.

'Hij zich ophangen? Nooit!' zei Luís tegen Martinho. 'Ze hebben hem vermoord voordat hij de onderkoning de waarheid over Rodrigo de Macedo en andere in opspraak gebrachte mannen kon vertellen. Barbacena zelf slaapt rustiger nu dr. Cláudio in zijn graf ligt. Velen dachten dat de burggraaf niet ongevoelig was voor de argumenten van Da Costa en anderen, dat hij best de huik naar de wind wilde hangen.'

Luís Soares bracht tweeëntwintig maanden door in een cel van zeven bij vijf voet, vochtig en koud, vol ratten, en stierf begin juni 1791. Hij werd door de franciscanen begraven, die de opdracht hadden hem geestelijk te verzorgen.

Tijdens zijn gevangenschap overkwam André Vaz da Silva nog een andere ramp. Door een brief van zijn neef Silvestre vernam hij de dood van zijn vader Raimundo, vijfenzeventig jaar oud, evenals die van Constança. André wist niet dat zijn jonge echtgenote zwanger was toen zij de moeilijke reis naar São Paulo ondernam. Ze kreeg een miskraam, werd ernstig ziek, en ondanks de goede zorgen van Benedito Bueno, die twee doktoren aan haar ziekbed had geroepen, stierf zij op 11 oktober 1789.

André werd zes keer voor de onderzoekscommissie gebracht om ondervraagd te worden over zijn vriendschap met Silva Xavier, en hij had eerlijke antwoorden gegeven, zonder echter de vaten buskruit te vermelden. Het verbaasde hem dat die niet ter sprake kwamen, maar hij kon niet weten dat de andere samenzweerders ook probeerden om aannemelijk te maken dat de trouweloosheid alleen neerkwam op eenvoudige gesprekken over onafhankelijkheid.

Hoewel hij van verraad beschuldigd werd, werd André slechts beschouwd als een eenvoudig medeplichtige, die een minder belangrijke rol had gespeeld dan Gonzaga, Andrade en Alvarenga Peixote, wier misdaad des te onvergeeflijker was omdat zij tot de meest gerespecteerde en meest invloedrijke mannen uit Minas Gerais behoorden.

In oktober 1791 was het koninklijk tribunaal klaar met de ondervraging en de confrontaties. De advocaat José de Oliveira Fagundes, die de verdediging van de samenzweerders opgedragen kreeg, erkende dat de aangeklaagden meerdere malen bijeen waren gekomen om een opstand te bespreken en deed een beroep op de clementie van de rechters door te zeggen: 'Dit gebrek aan loyaliteit tegenover hare majesteit, deze kort durende bevlieging van republikeinse ideeën, was slechts een laakbaar exces, voortgekomen uit kletspraat en extravagante denkbeelden die als sneeuw voor de zon verdwenen zodra de beschuldigden weer uit elkaar waren.

Ze hebben alleen in woorden gezondigd, en niet in daden, en onze rede beveelt ons onderscheid te maken tussen denken en handelen… Zij vragen voor hun domheid nederig vergiffenis aan hare majesteit.'

Het tribunaal hoorde het pleidooi van Fagundes aan en schorste de zitting voor zes maanden om de bewijzen en de afgelegde getuigenissen te kunnen onderzoeken. Half april 1792 waren de drie rechters klaar om vonnis te vellen, en in de nacht van de 17de werden André Vaz da Silva en de andere beschuldigden naar de gevangenis van het paleis van justitie gevoerd. Op de 18de, om acht uur 's morgens, werden ze naar de rechtszaal gebracht. Het merendeel van hen werd rechtsschuldig verklaard en het ging nu alleen nog maar om het voorlezen van het vonnis. Maar de geschreven conclusies van het hof betroffen alle aspecten van de trouweloosheid en de zitting duurde tot laat in de nacht.

'André Vaz da Silva!'

Het was nu bijna middernacht en de zaal van het hooggerechtshof werd verlicht door lampen en kaarsen. Toen zijn naam genoemd werd stond André op van zijn bank, en liep hij wankelend naar voren, uitgeput door de zestien uur zitten waarin het tribunaal slechts twee korte pauzes had toegestaan.

'André Vaz da Silva, u bent schuldig bevonden aan samenzwering tegen hare koninklijke majesteit. Hoewel de bewijzen die tegen u ingebracht zijn erop duiden dat u geen deel uitmaakte van de leiding van de samenzwering, bent u aanwezig geweest bij bijeenkomsten waarop dezen hun criminele plannen uitwerkten. Terwijl u volledig op de hoogte was van de opstandige plannen, hebt u die niet aangegeven, zoals de plicht is van een trouw onderdaan. U bent naar São João d'El Rei gegaan met de bedoeling de wapens op te nemen tegen de Kroon.

Het hof veroordeelt de beklaagde dan ook tot een verbanning van tien jaar naar Moçambique, en tot confiscatie van al zijn goederen. Als u voor het einde van uw straf naar de Amerikaanse koloniën terugkeert, zal uw leven op het schavot eindigen.'

Fernandes da Rocha Soares werd veroordeeld tot tien jaar ballingschap in Angola; tien andere samenzweerders werden voor het leven naar Afrika verbannen, met name rechter Tomás Antônio Gonzaga. Vier aangeklaagden werden bij gebrek aan bewijs vrijgesproken. De *alferes* Joaquim José da Silva Xavier en tien anderen, onder wie kolonel Alvarenga Peixote, luitenant-kolonel Freire de Andrade en dr. José Álvares Maciel, werden ter dood veroordeeld.

Tiradentes hoorde het vonnis rustig en waardig aan, zonder een spoor van angst in zijn blauwe, doordringende ogen.

De terdoodveroordeelden werden gescheiden van de verbannenen. André werd teruggebracht naar de kerkers van het fort Conceição. Daar was hij op 20 april, toen een wachter door de gang schreeuwde: 'De terdoodveroordeelden hebben gratie gekregen!'

'God zij geprezen!' zei André.

De bewaker liep verder de gang in, maar toen hij voorbij de cel van André kwam zei hij: 'Allemaal, op één na, want die had het te bont gemaakt. De Kiezentrekker wordt opgehangen.'

593

De afkondiging van de koninklijke gratie verwekte bij de bevolking veel devotie ten opzichte van hare majesteit. En op zaterdag 21 april 1792, een paar uur voor de executie van de Kiezentrekker, werden er in heel Rio de Janeiro missen gelezen om de vorstin te bedanken voor haar clementie. Er werd ook voor haar gezondheid gebeden want naar men zei was de koningin ziek. Alleen zij die in rechtstreeks contact met het hof stonden wisten dat Maria I, koningin van Portugal, van Brazilië en de andere resten van het imperium, ongeneeslijk krankzinnig was.

Dom José de Castro, graaf van Resende en nieuw benoemde onderkoning, stond ook aan de genegenheid voor zijn vorstin te denken toen hij, even voor negen uur, uit een raam van zijn paleis naar een groep soldaten keek die zich boven aan de Largo de Paço opstelden. Hij had Europa aan de vooravond van de Franse Revolutie verlaten, en had besloten dat de straf van Silva Xavier als voorbeeld zou dienen voor hen die ook revolutionair elan voelden. Tot zijn grote tevredenheid was het stralend weer, waardoor de menigte was samengedrongen naar het veld van Santo Domingos, waar in de nacht een enorm schavot was opgesteld. Er waren al veel nieuwsgierigen op de Largo de Paço, om Tiradentes te zien die uit de gevangenis achter het paleis kwam.

Enkele minuten na negen uur boog de graaf zich naar het venster toen er een gemompel door de menigte ging. Hij zag de veroordeelde, die gedeeltelijk schuilging achter bewakers. Een officier gaf een bevel, het escorte zette zich in beweging en liep naar de rua da Cadeia. Toen het uit het gezicht verdwenen was, liep de onderkoning weg van het venster, sloeg een kruis en mompelde: 'God hebbe genade met zijn ziel.'

'God heb genade met mijn ziel!' riep Silva Xavier.

Hij droeg een boetekleed, een witte jurk van grove stof die hem tot de enkels reikte. Een groot touw dat rond zijn nek lag was op zijn borst vastgeknoopt en zijn handen waren op zijn rug gebonden. Hij liep blootsvoets, omdat hij zijn laarzen aan een medegevangene had gegeven.

Er stonden soldaten met de bajonet op het geweer langs de straten waardoorheen de stoet trok. Op bevel van het tribunaal liep er een omroeper voor hen uit, die de misdaden omriep waaraan hij zich schuldig had gemaakt, evenals de straf die hij zou krijgen. Sommigen van hen die Silva Xavier voorbij zagen komen scholden hem uit voor judas, voor verrader, maar de meesten bewaarden een plechtig stilzwijgen. Tiradentes bleef rustig, hield zijn hoofd rechtop, en zei gebeden zonder op de beledigingen te letten.

Even voor tienen kwamen de veroordeelde en zijn escorte bij het veld van Santo Domingos, waar Dom Luís de Castro, de zoon van de onderkoning, en zijn officieren zes regimenten in een driehoek rond het schavot hadden opgesteld. De beul, in het zwart, was omgeven door vier assistenten die hem zouden helpen het lijk na de ophanging uit elkaar te snijden, zoals in de straf was voorgeschreven.

Achter de soldaten was een enorme menigte verzameld, op het veld van Santo Domingos zelf en ook op de hellingen van de nabije heuvel. Velen stonden al sinds zonsopgang te wachten en terwijl de uren verstreken, ontstond er een feestelijke sfeer. Maar het zien van de gestalte in de witte jurk die rustig op het schavot stond, met zijn hoofd gebogen, het symbolische touw rond de nek, en de galg achter hem, herinnerde hen eraan dat de dood thans nabij was, en duizenden mensen keken verdrietig naar het schavot. Toen de lekebroeders van de Santa Casa do Misericórdia door de menigte kwamen zetten, bedelend om de missen te kunnen betalen voor de zielerust van de zondaar, gaven allen, behalve de armsten, een aalmoes.

Even voor elven kwam de beul het schavot op. Een van zijn hulpjes, een mulat, liep naar de terdoodveroordeelde en beduidde hem dat hij het touw rond zijn nek moest afdoen. De man pakte de knoop vast, maar zijn handen trilden toen hij die losmaakte.

'*Calma,*' mompelde de *alferes*.

De franciscaan die met Silva Xavier uit de gevangenis was gekomen en mee was gelopen tot het veld van Santo Domingos liep de trap naar het schavot op.

'Joaquim,' zei hij.

Tiradentes knikte maar bleef naar de menigte kijken, toen hij zich omdraaide naar de beul.

'Laten we bidden,' zei de franciscaan.

De beide mannen zegden gezamenlijk het Credo.

Onder aan het schavot stonden trommelslagers klaar. Twintig passen achter hen stonden de vertegenwoordigers van de koningin, de magistraten en de notabelen. De soldaten die in een driehoek eromheen stonden sprongen in de houding. De ruiters bleven stil in hun zadel zitten, en de menigte zweeg. De franciscaan zei de veroordeelde vaarwel en liep het schavot af.

Joaquim José da Silva Xavier, voor de grap de Kiezentrekker genaamd, legde een laatste verklaring af: 'Ik heb mijn woord gehouden: ik sterf voor de vrijheid!'

Boek vijf

De zonen van het keizerrijk

XVII

Antônio Paciência was acht toen hij op een dag in augustus 1855 een vreselijke les kreeg. Tot dan toe was hij, donker van huid, mulat als hij was, niet beschaamd geweest om naakt te zijn en liep hij vaak in zijn blootje rond als hij in de Riacho Jurema ging zwemmen. Op die ochtend in augustus liep een onbekende naar de jongen toe, die net als zijn vier kameraadjes naakt was, en bekeek hem zoals een *vaqueiro* dat doet met een beest. Hij bekeek zijn hoofd, zijn schouders, zijn borst en zijn ledematen. Hij liet hem zelfs de mond opendoen om naar zijn tanden te kijken en betastte toen zijn geslachtsdelen. Het kind kon het niet nalaten te schreeuwen en de man barstte in lachen uit terwijl hij hem gemeen in zijn ballen kneep.

'Goed,' bromde hij, terwijl hij een stap achteruit deed. 'Die zal vast een goed arbeider worden.'

Hij liep tussen de andere slaven door die in een rij voor het hoofdgebouw van de Fazenda da Jurema stonden. Na een poosje durfde Antônio op te kijken en zag hij *senhor capitão* op de veranda zitten, die zich met zijn hoed koelte toewuifde. De zoon van de *capitão*, die ook aanwezig was, liep mee met de onbekende die de slaven bekeek die aan hem voorgesteld werden. De blik van het kind ging zenuwachtig naar een groep vrouwen die links stond opgesteld, tussen het huis en een schuur, en bleef rusten op Mãe Mônica, Moeder Monica, zoals *senhor capitão* haar vertrouwelijk noemde.

Toen zij begreep dat haar zoon door de onbekende was goedgekeurd, rende Mãe Mônica naar de veranda.

'*Senhor capitão*, Antônio is een goed jochie!' bepleitte zij. 'Als hij groot is, zal hij u trouw dienen. Zo goed als God mij ziet, heb ik hem opgevoed in eerbied voor de *senhor* en zijn familie. O meester, ik smeek u!'

De *senhor capitão* noch zijn zoon scheen haar te horen.

Antônio Paciência keek naar de *vaqueiros* die in de schaduw van een bosje stonden, voorbij de schuur. Veel van zijn speelkameraadjes stonden om hen heen, en ook zijn vriendje Chico Tico-Tico, een magere *caboclo* met kromme beentjes. Tico-Tico, de Mus, was twaalf en ondanks zijn verminkte gestalte was hij een duiveltje dat de bende jongens van de *fazenda* aanvoerde.

Weer keek Antônio naar de onbekende, die het lichaam van een volgende jongen betastte. Hij leek even oud als *senhor capitão* maar had brede schouders, een stevig lichaam, en een uitgedroogde huid. Hij was een Portugees uit São Paulo die de vorige avond naar de *fazenda* was gekomen, met een karavaan die hij door de *caatinga* leidde. Antônio en zijn kameraadjes waren komen aanrennen om hen van wie ze dachten dat ze colporteurs of paardenkopers waren te verwelkomen, maar in plaats van muilezels te zien, beladen met vracht, of paarden die te koop werden aangeboden, hadden de kinderen van de Fazenda da Jurema een tafereel gezien dat tot nog toe onbekend voor hen was.

Achter de Portugees, die op een zwart paard zat, kwam een stoet mannen, vrouwen en kinderen – sommigen nog zo jong dat hun moeder hen op de rug droeg. Het merendeel was even zwart als Mãe Mônica, anderen hadden een lichtere huid, en sommigen waren bijna blank. Ruiters reden langs deze colonne en riepen de menselijke kudde op door te lopen.

Antônio Paciência had nog nooit zulke miserabele mensen gezien als die nu aan hem voorbij sjokten. Het meeste medelijden wekten mannen met boeien om hun nek, die aan elkaar waren vastgebonden met kettingen die op het ritme van hun stappen heen en weer wiegden.

'*Escravos*,' had Chico Tico-Tico gemompeld.

Antônio wist dat dat slaven waren. Mãe Mônica was een slavin uit het huis van *senhor capitão*, en de *fazenda* telde nog zeven andere volwassen slaven, zwarten en mulatten, die bij elkaar zestien kinderen hadden. Maar hoewel hij de zoon van Mãe Mônica was, had de jongen nog niet beseft wat slavernij betekende, want ze lieten hem met de zonen van de *vaqueiros* en de kleinzonen van *senhor capitão* spelen.

'Waar worden die heen gebracht?' had Antônio aan zijn vriend Chico gevraagd.

'Naar het zuiden, naar de koffiestreek.'

'Voorbij de heuvels?'

'Veel verder!' antwoordde Tico-Tico lachend. 'Ze moeten nog maanden lopen voordat ze in São Paulo zijn. Als ze geluk hebben, worden ze meegenomen aan boord van een *balsa*, over de Rio São Francisco.'

De Portugees had de colonne stil laten staan bij de hutten van de *fazenda* en was alleen de *senhor capitão* gaan opzoeken. Een half uur later waren de slaven naar de rivier gebracht, waar zij allemaal naar het water renden. De vrouwen en kinderen die te uitgeput waren om zich nog tot de *riacho* te slepen hadden gesmeekt om water, maar het had een hele tijd geduurd voordat er voor hen gezorgd werd.

Antônio was naar de plek gerend waar Mãe Mônica bezig was met de kleiovens, vlak bij het huis.

'Blijf uit de buurt van die Portugees,' had zij hem gewaarschuwd. 'Hij is een duivel die jongetjes als jij meeneemt!'

Maar ze was meteen in lachen uitgebarsten, want toen had ze nog geen reden om zich zorgen te maken.

João Montes Ferreira, de zoon van *senhor capitão*, kon zich de nacht nog goed herinneren waarin hij, acht jaar geleden, Mãe Mônica ver-kracht had, op de warme aarde tussen de kleiovens. En hij wist ook heel goed dat de mulat Antônio zijn zoon was. Heitor Baptista Ferrei-ra, de *capitão*, was ervan op de hoogte, maar voelde niet het minste medelijden met de jongen. João Montes had vijf zonen, drie bij zijn echtgenote, Adelia Veras, en twee erkende bastaarden bij de dochter van een *vaqueiro*. Hij had nooit aandacht besteed aan het kind van Mãe Mônica en *senhor capitão* zag geen enkele reden om Antônio te houden, te meer niet daar de Portugees gezegd had dat hij goed wilde betalen voor gezonde *peças*.

João Montes had voorgesteld om Mãe Mônica ook maar te verko-pen, een voorstel dat Adelia van harte toejuichte, omdat zij jaloers was op de zwarte slavin. Maar Heitor wilde daar niets van weten. 'Zij is een veel te goede kokkin,' had hij gezegd, terwijl hij over zijn buik, zo rond als een tonnetje, wreef.

De houding van de *senhor capitão* tegenover het menselijke vee dat hij ging verkopen, was karakteristiek voor deze *poderoso do sertão*, wiens grootvader, Militão Cariri Ferreira, een Paulista, in 1781 de *fa-zenda* van de Cavalcantis van Santo Tomás had gekocht. Graciliano was teruggegaan naar de boerderij nadat hij Pedro Preto had gedood en de moord op zijn broer Paulo had gewroken. Maar twee jaar later, toen zijn vader stierf, was hij teruggekomen om het domein te leiden totdat Carlos Maria, de zoon van Paulo, meerderjarig zou zijn.

Toen Graciliano de Fazenda da Jurema in 1768 had verlaten had hij Januária Adorno Ribeiro daar achtergelaten, met wie hij nooit ge-trouwd was, evenals de kinderen die hij bij haar had. Nadat hij zich weer op Santo Tomás had geïnstalleerd had hij de dochter van een rechter getrouwd, bij wie hij drie dochters had. Hij was maar één keer naar de *fazenda* teruggekomen, in 1779, om de gevolgen in ogenschouw te nemen van een droogteperiode van twee jaar, waarin de gedwongen slachting van het vee of de dood ervan door gebrek aan voedsel de kudde had gereduceerd van achtduizend tot minder dan duizend stuks. In die tijd daalden de suikerprijzen, zodat de Cavalcantis hun veestapel niet konden vernieuwen. En toen Militão Cariri Ferreira, die gronden ten noorden van de Riacho Jurema bezat, een bod had gedaan op de *fazenda*, had Graciliano hem zijn eigendom van driehonderd vierkante kilometer verkocht.

Heitor Baptista Ferreira was het erkende hoofd van een grote clan waarvan de landerijen, die de Fazenda da Jurema en zeven andere boerderijen telden, zich in het geheel uitstrekten over vijfhonderd vierkante kilometers. De Ferreira-clan omvatte niet alleen de familieleden maar ook *vaqueiros*, pachters en *agregados*. Deze hadden het recht op het grondgebied van de clan te wonen omdat zij een afhankelijke positie innamen ten opzichte van Heitor of een ander belangrijk lid van de familie. Zij dienden als leger bij de conflicten tussen de Ferreiras en hun vijanden. Blanken, mulatten, *caboclos*, vrijgelaten slaven – de *agregados* vormden een meerderheid onder de bewoners van de gronden van de clan en werden er meteen van verjaagd als zij iets deden wat de *fazendeiro* niet beviel.

Sinds de tijd van Militão Ferreira was de Fazenda da Jurema opgedeeld, en het gedeelte van *senhor* Heitor besloeg ongeveer honderd vierkante kilometer, waaronder de oorspronkelijke boerderij, daar waar de Riacho da Jurema in de Rio Pajéu stroomde, die weer een zijrivier was van de Rio São Francisco. Het huis van Heitor Ferreira was een groot, lelijk en kaal gebouw, met slecht gepleisterde muren en een pannendak. Het was omgeven door slavenhutten en huizen van *vaqueiros*, die allemaal maar één raam hadden. De grenzen van het domein waren aangegeven door een hek van palen en takken, vijf voet hoog. Het meest opvallende aan de *fazenda* was dat zij praktisch niet veranderd was sinds Paulo Cavalcanti en *padre* Eugênio Viana er in 1756 waren geweest.

Op het grondgebied van de Ferreiras leefden verschillende families Cavalcante. De kleine verandering van de naam, in de laatste letter, was voor de eerste keer opgedoken in papieren betreffende een strafzaak rond Quintino Adorno Cavalcante, een van de drie bastaarden van Graciliano. Deze verandering kreeg zin toen zij het mogelijk maakte onderscheid te maken tussen de *sertanejos*, de mannen uit de *sertão*, en de planters die in 1855 nog steeds de prachtige vallei van

Santo Tomás bezaten, driehonderdvijftig kilometer meer oostwaarts. Chico Tico-Tico – die in werkelijkheid Francisco heette – en zijn vader Modesto, *vaqueiro* op de Fazenda da Jurema, waren rechtstreekse afstammelingen van Quintino Adorno Cavalcante. In drie generaties was het geen enkel lid van de tak Ribeiro-Cavalcante gelukt om ook maar het kleinste lapje grond in eigendom te verwerven. Verschillende Cavalcantes waren *vaqueiros* bij de Ferreiras of andere *fazendeiros* geworden. Sommigen hadden een paar morgen in het district gehuurd en voorzagen daardoor in hun levensbehoeften. Weer anderen waren nomaden geworden, en hadden langs de São Francisco door de *sertão* gezworven. Eén familie, die na de droogte van 1845 uit het binnenland was gevlucht, leefde in de buitenwijken van Recife, waarbij vader en twee zonen krabben zochten in de kwelders in de buurt van de stad.

In 1855 was de hoogste positie die verworven was door iemand uit de zeventien families die van Graciliano en Januária afstamden die van korporaal van het leger, in dienst in het verre westen, en de meest welvarende Cavalcante was stuurman van een *barca* op de São Francisco. Sommige *vaqueiros* lukte het inderdaad om rijk te worden, hun eigen kudde op te bouwen met hun jaarlijkse deel van de pasgeboren kalveren, maar als dat een van de afstammelingen van Graciliano Cavalcanti gelukt zou zijn, zou hij de grootste moeilijkheden hebben gehad om grond te kopen. Al decennia lang was praktisch het hele gebied van één miljoen vierkante kilometer half dorre *sertão* in het noordoosten in handen van families als de Ferreiras, of behoorde toe aan landeigenaren die aan de kust woonden. Met een hartstocht die leek op die van de *donatários* van Brazilië, drie eeuwen eerder, stelden deze *poderosos do sertão* er een eer in onafzienbare gebieden te bezitten. Zij vonden het verschrikkelijk om kleine stukjes grond te verkopen waarop mensen van een lagere sociale status zich zouden kunnen vestigen. Niets bedreigde hun macht meer dan boeren contracten te moeten aanbieden die hen verzekerden dat zij op hun grondgebied konden blijven. Modesto Cavalcante, de vader van Chico Tico-Tico, was de enige afstammeling van Graciliano die nog als *vaqueiro* in dienst was op de Fazenda da Jurema. Hij had een vrouw, zeven kinderen, een hut van adobe, een twaalftal ossen, zeven varkens en een tamme papegaai. Hij had vaak vee naar Recife gebracht maar zijn wereld beperkte zich voornamelijk tot de gronden van de Ferreiras, waar hij de *patrão* in absolute onderdanigheid diende.

Hij was die dag bij de *vaqueiros* die naar de slavenhandelaar stonden te kijken en Chico zei tegen hem: 'Antônio Paciência is nog wel erg jong. Waarom wil de *senhor* hem van de *fazenda* sturen?'

'Hij zal niet altijd kind blijven. Over een paar jaar is hij groot en sterk, en kan hij met de negers op de plantages werken.'

'Waarom kan hij niet op Jurema werken?'

'Hij is de zoon van een slaaf, hij is van *senhor* Heitor. Die moet zelf beslissen wat hij met zijn eigendom wil.'

'Wordt Antônio dan van zijn moeder afgepakt?'

Modesto keek naar Mãe Mônica maar antwoordde niet.

'Hij is hier geboren,' drong Chico Tico-Tico aan. 'Hij heeft hier zijn familie, zijn huis.'

Modesto wist niet wat hij tegen zijn ongeruste zoon moest zeggen. Iedereen wist dat Antônio een van de vijf zonen van *senhor capitão* als vader had. Maar welke? Dat deed er eigenlijk niet toe. Mãe Mônica was de moeder, en die was een slavin, met een 'vuile buik'. Zou zij een 'schone buik' hebben gehad, een *barriga limpa*, dan zou zij een licht gekleurde mulat ter wereld hebben gebracht in plaats van deze *preto*, en dan zou *senhor* Heitor misschien minder geneigd zijn geweest om de bastaard te verkopen, als Antônio niet zo zwart was geweest.

Modesto wist heel goed hoe belangrijk geld en huidkleur in de feodale samenleving waar hijzelf ook toe behoorde waren. *Fazendeiros* als Heitor Ferreira en de suikerrietboeren aan de kust hadden de macht in dit gebied, dat waren de rijken. De *vaqueiro* had nog nooit een *rico* gezien die niet ook *branco*, blank, was, of *branco da terra*, 'blank van grond' – een uitdrukking die aangaf dat de *senhor*, al was hij enigszins gekleurd, voldoende prestige en fortuin had om voor blanke door te kunnen gaan.

Na een lange stilte zei Chico Tico-Tico: 'Toen wij met Antônio speelden, hebben wij hem nooit als slaaf beschouwd.'

'Over een paar jaar zou hij net als zijn beide broers aan het werk gezet zijn, de *preto* die op de geiten past en de andere die de smid helpt,' zei Modesto. 'Nu krijgt hij een plaats in de grote kudde slaven die naar het zuiden gaat. Maar het loopt vast wel goed met hem af. Op de koffieplantages zal hij gauw de harde, droge *fazenda* vergeten zijn.'

De Portugees kocht Antônio Paciência voor driehonderd *milréis*, een goede prijs voor een jochie uit het noordoosten – hoewel hij ervan uitging dat hij hem in São Paulo voor het dubbele zou kunnen verkopen. Hij was een jaar of vijftig en heette Saturnino Rabelo, voormalig slavenhandelaar in Afrika. Sinds vier jaar bedreef hij een lucratieve handel door slaven binnen Brazilië van noord naar zuid te verplaatsen.

Rabelo beval een van zijn hulpjes de nieuwelingen naar de colonne slaven te brengen die bij de *juremas* stonden. Hij stond op het punt te vertrekken naar het zuiden, via de Rio Pajéu, terwijl Rabelo ondertussen met *senhor capitão* nog even wat zou eten.

'Vooruit, kleine *burros!*' riep de man, waarbij hij zijn donkere, verrotte tanden in een glimlach ontblootte.

Zijn bijnaam was Tropeiro, want voordat hij slavencolonnes leidde was hij muilezeldrijver geweest.

'Mãe Mônica!' kreunde Antônio. 'Help mij! Red mij!'

Zijn moeder liep weg bij het groepje vrouwen, tilde haar rok op en rende naar de drie blanken die nog op de veranda stonden.

'*Senhor! Senhor*, mijn kind...'

Heitor Ferreira keek haar medelijdend aan maar zei niets.

'Antônio is verkocht,' verklaarde João Montes kortweg.

'Jezus! *Santíssima Virgem!* Nee! Genade, *senhor* João!'

Mãe Mônica viel op haar knieën, pakte haar hoofd vast en stiet een lange klaaglijke kreet uit.

'De zuidelijke *fazendeiros* hebben jongens als Antônio nodig,' legde João Montes uit. 'Ze zijn rijk en goed, ze zullen hem goed behandelen.'

'Mijn Antônio? O, meester João, mijn volgzame kleintje...'

Heitor vond het vervelend dat die slavin voor Rabelo lag te klagen, stond met moeite op uit zijn stoel en beet haar geërgerd toe: 'Je hebt nog twee zonen en een dochter op de *fazenda*. Dank de Heer dat die niet ook verkocht zijn.'

Nu wendde hij zich tot de handelaar en beduidde hem binnen te komen. João riep Modesto Cavalcante, die met de hoed in de hand kwam aanlopen.

'Breng Mãe Mônica naar de jongen, opdat ze hem vaarwel kan zeggen.'

'*Sim, senhor.*'

Isabelinha, de dochter van Mãe Mônica, ging naar de hut van het gezin om Antônio Paciência's kleren te pakken. Ze deed er een oude leren hoed bij die van Antônio's halfbroer was, het hulpje van de smid, en een nieuwe, grijze deken die ze zelf had losgepraat van een colporteur in ruil voor groenten uit de tuin, die de slaven van *senhor capitão* mochten telen.

Antônio zag Mãe Mônica en Modesto Cavalcante naar de *juremas* toe gaan waar de slavenhandelaren de colonne van honderdzevenenzestig slaven bij elkaar dreven, met de zweep, waarbij ze de tragen stijf scholden. Ze lette even niet op toen de jongen naar zijn moeder toe rende en zich aan haar vastklampte.

'Mama, wat heb ik misdaan?'

De slavin omhelsde de magere schoudertjes van haar zoon, en wiegde hem snikkend.

'Kleed je aan, Antônio,' zei Isabelinha, en ze gaf hem zijn kleren. 'Je hebt nog een lange weg af te leggen.'

Ze haalde het kind van zijn moeder weg en hielp het zich aan te kleden.

'Ach, ach, ach!' kreunde Mãe Mônica. 'Hoe is dit mogelijk? Onze Antônio, meegenomen met die zwarte duivels!'

Het afscheid was kort en verward. Het kind smeekte om op de *fazenda* gelaten te worden, Isabelinha bad de Heilige Maagd om hen te beschermen, Mãe Mônica kreunde als een oude vrouw die een dode beweende. Toen de colonne zich in beweging zette rende Isabelinha naar Antônio. Ze had vergeten hem de deken en de hoed te geven.

'God zij met je, broertje.'

'Isabel...'

Plotseling begon het kind te huilen. De slaaf die achter hem liep vloekte en gaf hem een duw.

'Antônio!'

De jongen zag Chico Tico-Tico, die naar hem stond te gebaren, maar reageerde niet. Hij schaamde zich dat zijn kameraad en de andere kinderen van de *fazenda* hem nu niet meer als een van de hunnen beschouwden, maar als een slaaf. Hij keek naar de grond, zette de leren hoed met brede randen op, en zag alleen nog maar de voeten van hen die vlak bij hem liepen. Voeten vol stof en wonden, stinkende wonden, die in beweging kwamen toen de colonne naar het zuiden vertrok.

Antônio werd geteisterd door verdriet en door angst, vanaf de eerste nacht die hij buiten de *fazenda* doorbracht, gerold in de deken van zijn zuster, tot aan het eind van de reis, drie maanden later. Soms was het net of het allemaal niet echt was, waardoor hij zijn angst vergat en met de andere kinderen ging spelen, 's avonds, als de colonne halthield, maar één lelijk woord van de Tropeiro of een andere slavendrijver bracht hem weer aan het huilen, om zijn moeder en de wereld die hij op Jurema had achtergelaten.

Tijdens de lange mars zag hij veel dingen die indruk op hem maakten, met name de São Francisco, die hij voor de eerste keer vanaf de Pernambucaanse oever zag, tegenover Joazeiro, waar de rivier vijfentwintighonderd voet breed was. Toen hij begreep dat ze daar met een pont overheen zouden gaan, begon hij van angst te trillen, maar toen ze eenmaal op het water waren kreeg hij plezier in het avontuur. Saturnino Rabelo liet de colonne een paar keer in de steek om per kano verder te reizen, terwijl de slaven te voet gingen, in regen en onweer, geteisterd door ijskoude of gloeiend hete winden. 's Middags werd gepauzeerd zolang het humeur van de handelaars het toeliet, en dan liepen zij door tot de avond. Twee keer per dag kregen zij een maaltijd bestaande uit pap, gedroogd vlees en bonen, soms met toevoeging van wilde vruchten. Een keer per week kregen de mannen *cachaça* en tabak, op bevel van Saturnino Rabelo, die hun beloofde vrijgevig te zullen blijven zolang zij zich goed gedroegen.

De rantsoenen alcohol en tabak werden twee weken lang ingehouden nadat vijf slaven geprobeerd hadden de *sertão* in te vluchten. Ze waren weer gevangen en naar de colonne teruggebracht en werden gegeseld, maar wel zo dat hun huid niet te zeer werd toegetakeld. In plaats van de negentig slagen achter elkaar die zij verdienden, volgens Rabelo, kregen zij er negen dagen lang tien, telkens als er 's avonds gestopt werd.

Twee negers stierven door ziekte en tot twee keer toe zag Antônio slaven een gat graven naast de weg, om er doodgeboren kinderen in te leggen. Toch werd de colonne door deze verliezen niet kleiner, want Rabelo kocht in de *fazendas* onderweg nog zeventien *peças*.

De helft van de slaven was in Afrika geboren en ze vertelden de jongen dat zij niet hoopten hun land ooit nog terug te zien. 'Je moet niet meer aan het verleden denken,' raadden zij hem aan. 'Vergeet alles, behalve dat je geboren bent om als slaaf op de landerijen van Dom Pedro te leven.'

Antônio Paciência had Mãe Mônica en anderen met eerbied over deze Dom Pedro horen spreken, de tweede van die naam, een *poderoso do sertão* die niet slechts macht had over één enkele *fazenda*, maar over heel Brazilië. Zijn nieuwsgierigheid werd geprikkeld, nu hij meer hoorde over deze machtige *patrão*.

'Zijn dit zijn soldaten?' vroeg hij aan de andere slaven, als ze door een stad of een dorp kwamen.

'Alle Braziliaanse soldaten dienen Pedro II.'

'Is dit zijn huis?' vroeg het kind toen ze in Minas Gerais kwamen en de woning van een mijnbaas zagen.

'Nee. Pedro II heeft een veel mooier huis in Rio de Janeiro. Vraag dat maar aan Policarpo.'

De slaaf Policarpo, die door Rabelo in een *fazenda* in de Pernambucaanse *sertão* was gekocht, had een paar jaar eerder toebehoord aan een koopman uit Recife, met wie hij soms naar de hoofdstad geweest was. Policarpo vertelde Antônio dat hij niet alleen het paleis had gezien, maar ook Pedro II zelf, toen hij door de rua Direita kwam in een open koets, getrokken door acht roomkleurige paarden, versierd met groene veren.

' "Leve Dom Pedro! Leve de keizer van Brazilië!" riep ik,' zei Policarpo, met een stralend gezicht.

Op een zonnige ochtend rond half september 1855, twaalfhonderd kilometer zuidelijker in Rio de Janeiro, terwijl de colonne het dal van de São Francisco verliet, onderwierp een neger zich aan de inspectie van zijn meester, met dezelfde onderdanigheid als Antônio op de Fazenda da Jurema. Hij heette Rafael, was net vijftig en in tegenstelling tot de jongen glimlachte hij terwijl hij het onderzoek onderging.

'Nee, ik wil niet dat je lacht,' zei de meester. 'Ontspan je.'

Gekleed in een wit hemd, een zwarte broek en leren laarzen met glanzende neuzen, stond Rafael midden in een patio, drie stappen van zijn meester verwijderd.

'Kruis je armen.'

De neger gehoorzaamde.

'Goed. Nu draai je je hoofd een beetje naar rechts... zo ja!'

Rafael zag zijn meester naderen met een koperen instrument op een drievoet, en zich vooroverbuigen om zijn oog erop te drukken.

'Prachtig. Blijf mij aankijken. Je hoofd een beetje meer naar achteren... ja zo! Niet bewegen... niet bewegen!'

De meester gaf instructies aan een assistent die, al was het klaarlichte dag, in een belendend vertrek bij kaarslicht aan het werk was, achter zware zwarte gordijnen. De meester schroefde het achterste deel van het instrument los en nam er een ronde glazen plaat uit. De assistent gaf hem gauw een natte plaat, die hij bevestigde in plaats van de eerste.

'Nu absoluut niet bewegen, Rafael...'

De neger knipperde zelfs niet meer met zijn wimpers toen Dom Pedro, keizer van Brazilië, hem op de foto zette. Rafael woonde al een hele tijd in het paleis São Cristovão, want hij was de persoonlijke huisknecht van Pedro I geweest, voordat hij was overgedragen aan diens zoon. Terwijl de keizer en zijn assistent de bedrukte plaat snel naar de donkere kamer brachten, dacht Rafael met genoegen dat er in de wereld geen wijzer en rechtvaardiger monarch was dan Pedro II, de Eeuwige Verdediger van Brazilië.

Drieënzestig jaar na de gebeurtenissen konden enkele oude inwoners van Rio zich nog vaag Joaquim José da Silva Xavier herinneren, de gek die uit de bergen van Minas was gekomen met het waanzinnige idee om koning van Brazilië te worden. Dat idee was nu des te belachelijker omdat het volk in de straten waar Tiradentes doorheen gelopen was, op weg naar het schavot, uiting gaf aan zijn vreugde als de koets met de echte heerser voorbijkwam.

Voor de onderdanen van Dom Pedro was er niets verheffender dan het zien van een keizer en zijn familie, door wier aderen het edelste bloed van Europa stroomde. Maria I was ondanks haar waanzin koningin gebleven, met haar zoon João, die haar taken waarnam. Deze dacht maar aan één ding, namelijk de rust van het klooster van Mafra, en moest de moeilijkste beslissingen nemen die een prins in Lissabon ooit had moeten nemen.

Op 12 augustus 1807 hadden Frankrijk en haar bondgenoot Spanje van Portugal geëist dat het de oorlog aan Engeland zou verklaren, zijn havens zou sluiten voor Engelse schepen en de Britten die in Portugal resideerden gevangen zou nemen. De Bragranças hadden dit geweigerd en besloten naar Brazilië te vluchten. Op 17 januari 1808 bracht de *Principe Real* koningin Maria, Dom João en zijn zonen naar de Baai van Allerheiligen. Vier jaar na zijn aankomst besloot de regent om de grote havens van Brazilië open te stellen voor vriendschappelijke landen en vrije handel toe te staan tussen zijn onderdanen en vreemdelingen, waardoor hij de hoeksteen wegsloeg onder een politiek van monopolies en exploitatie die al drie eeuwen oud was.

De ene proclamatie na de andere, allemaal met het doel de situatie in Brazilië te verbeteren, was afgekondigd. In Rio de Janeiro, waar het huis van de Bragranças snel wortel geschoten had in een overdadige tropische wereld, werden met het grootste gemak hervormingen doorgevoerd die in het verre Lissabon ondenkbaar waren geweest. Koninklijke edicten schaften alle beperkingen op industrie en handwerk af, stonden drukpersen toe, richtten medische faculteiten op, evenals universiteiten en een bank van Brazilië.

Op 16 december 1815 verhief Dom João Brazilië tot een koninkrijk, op gelijke voet met Portugal. Drie maanden later stierf Maria I, waardoor de troon aan haar zoon kwam, die zodoende João VI van Portugal en João I van Brazilië werd. Ondanks de ineenstorting van het Napoleontische keizerrijk weigerde hij terug te gaan naar Lissabon. Vanuit Rio had hij op de eerste rij gezeten bij het schouwspel van het uiteenvallen van de Spaanse vicekoninkrijken en hij wilde zijn Braziliaanse koninkrijk niet verlaten voordat hij het helemaal veilig had gesteld voor revolutionaire onlusten die buiten de grenzen veelvuldig losbarstten. Bovendien droomde hij sinds zijn aankomst in Amerika van een verovering, namelijk die van de Spaanse provincie van het oostelijk gebied, ten oosten van de Rio Uruguay, dat zich in het zuiden uitstrekte tot de Rio de la Plata.

Spaans Amerika had haar eerste rebellie gekend in 1810. Dat was in Buenos Aires, hoofdstad van het vice-koninkrijk van La Plata, waar een junta de onafhankelijkheid had uitgeroepen. Ondanks de pogingen van de republikeinen om de eenheid te bewaren in de provincies van La Plata, had Paraguay zich in 1812 afgescheiden. Net als de Paraguyanen wilden de zestigduizend inwoners van het oostelijk gebied, onder aanvoering van José Gervasio Artigas, zich niet aan Buenos Aires onderwerpen, en eisten zij een soepele federatie. Toen op 9 juli 1816 de republiek Argentinië geboren werd, bleef Artigas volhouden dat hij niet onder het juk van de *porteños* wilde, de havenbewoners uit Buenos Aires. Iedereen dacht toen dat het oostelijk gebied het voorbeeld van Paraguay zou volgen, maar Artigas beging een noodlottige fout toen eenheden van zijn *gaucho*-cavalerie in 1817 Rio Grande do Sul binnendrongen, waardoor zij Braziliaans grondgebied schonden.

Dom João stuurde zijn troepen uit tegen Artigas en na een drie jaar durende veldtocht kon hij het oostelijk gebied annexeren, dat daarmee een provincie van Brazilië werd. De vreugde over deze overwinning werd bedorven door wat er in Portugal gebeurde, waar revolutionairen de Cortes – het Portugese parlement – bijeen hadden geroepen en de terugkeer van de Braganças hadden geëist, waarbij de koning zich zou moeten onderwerpen aan de grondwet die zij voorstelden.

Onder hen die zich verzamelden om de koning vaarwel te zeggen viel een mooie jongeman op, prins Pedro, op wie dom João zijn hoop gevestigd had om het Amerikaanse koninkrijk van de Braganças in stand te houden. 'Jij zult ervoor zorgen dat onze familie aanwezig blijft door mijn regent te zijn,' had de monarch tegen zijn zoon gezegd. 'Maar als Brazilië mocht besluiten om zich van Portugal af te scheiden, laat dat dan onder jouw heerschappij gebeuren, zoon, en niet onder die van een avonturier, want je bent verplicht om mij te respecteren.'

Toch was de prins, op zijn tweeëntwintigste, slecht voorbereid op zijn taak als regent. Hij werd omgeven door wijze raadslieden die uit de Portugese en de *mazombo*-aristocratie waren gerekruteerd, die hem leidden tijdens achttien stormachtige maanden waarin zijn regentschap een weg insloeg die steeds meer afweek van die welke de Cortes in Lissabon wenste.

Onder het voorwendsel dat de troonopvolger een gedegen Europese opvoeding moest hebben, had het parlement geëist dat de prins en zijn familie naar de koning in Lissabon terug zouden keren. Maar in Rio werd de regent een petitie aangeboden, ondertekend door achtduizend burgers, waarin hij werd opgeroepen om het verzoek van de Cortes naast zich neer te leggen. 'Voor het welzijn van allen, en het algeheel geluk van de natie, ik ben er klaar voor,' verkondigde Pedro. 'Ik blijf!'

Negen maanden verstreken, waarin Brazilië nog meer los kwam van de controle van de Cortes. De regent had een nieuwe regering samengesteld, waarin een vooraanstaand mineraloog uit São Paulo zat, José Bonifácio de Andrade e Silva, de eerste Braziliaan die een dergelijke hoge post bekleedde. De regent benoemde ook een wetgevende vergadering, bestaande uit vertegenwoordigers van de provincies, zoals de vroegere kapiteinschappen voortaan werden genoemd.

De definitieve breuk met de Cortes – en dus met Portugal – vond plaats op 7 september 1822. Dom Pedro was naar São Paulo gereisd om het parlement te staven in zijn verzet en kwam net terug in die stad na een klein uitstapje naar Santos toen boodschappers van het hof in Rio de Janeiro hem de berichten van José Bonifácio brachten. De Cortes had decreten uitgevaardigd waarbij de Braziliaanse assemblée werd ontbonden, bestempeld als rebels, en het ontslag werd geëist van de ministers van Dom Pedro, die tot verraders werden verklaard.

Dom Pedro nam zijn beslissing en op de oever van de Ipiranga, waar de boodschappers hem aantroffen, slaakte hij de kreet: 'De onafhankelijkheid of de dood!'

Hij werd op 1 december 1822 in de kathedraal van Rio de Janeiro tot keizer gekroond, en op die datum begon een regering van negen jaar, vanaf het begin omstreden. Op het moment van de kroning waren de noordelijke provincies Bahia, Maranhão en Grão Pará in handen van troepen die de Cortes trouw bleven. Om de Portugese garnizoenen te verjagen deed Dom Pedro een beroep op een Engelsman, admiraal Thomas Cochrane, en de laatste troepen die de Cortes trouw waren gebleven gaven zich in augustus 1823 over.

Het duurde niet lang of de keizer kwam in aanvaring met de wetgevende vergadering, die in september 1823 ontbonden werd. Dom Pedro en zijn raadgevers werkten toen een nieuwe grondwet uit die de macht van de keizer beperkte, maar hem niettemin het recht gaf om een derde van de senatoren aan te wijzen en ministers te benoemen en te ontslaan.

Na de constitutionele crisis riepen vier provincies uit het noordoosten in Pernambuco de onafhankelijkheid uit, en vormden de Confederatie van de Evenaar. Zes maanden later viel het laatste republikeinse bastion en twaalf raddraaiers verschenen voor het executiepeleton. Er braken ook onlusten uit in het zuiden, waar in 1825 drieëndertig mannen, gesteund door de regering in Buenos Aires, de zuidelijke provincie binnendrongen om de Brazilianen te bevrijden. Na drie jaar oorlog tussen Brazilië en de Argentijnse confederatie gingen de gronden die ten oosten van de Rio Uruguay veroverd waren weer verloren.

In 1831 kreeg Pedro een zekere populariteit doordat hij een gematigd kabinet samenstelde dat voor de eerste keer bestond uit Brazilianen, maar zijn meest conservatieve naaste medewerkers haalden hem er algauw toe over dit weer te ontbinden. Er braken gevechten uit in de straten van Rio, tussen Portugese absolutisten en Brazilianen, tijdens wat later heette de 'nacht van de bierflessen'. De keizer vormde een Braziliaanse regering, kwam op zijn beslissing terug en stelde weer ministers aan die Portugal gunstig gezind waren. Op 6 april 1831 gingen duizenden betogers de straat op, al snel versterkt door soldaten van het garnizoen in Rio.

Dom Pedro besloot onmiddellijk naar Europa te gaan en deed troonsafstand ten gunste van zijn zoon Pedro de Alcantara, vijf jaar oud.

In september 1855 was Pedro II negenentwintig en een levend toonbeeld van keizerlijke waardigheid. Hij was groot en sterk, open en eerlijk, had blauwe ogen, en een volle, kastanjebruine baard. Drie jaar na zijn troonsafstand was Pedro I in Lissabon overleden, nadat hij zijn dochter Maria da Glória op de Portugese troon had geholpen. Pedro II, wees op zijn achtste, werd tijdens het regentschap omgeven door gouvernantes en leraren die hem gevoel voor rechtvaardigheid en eer bijbrachten.

Ondanks zijn jeugdige leeftijd zorgde Pedro ervoor dat het keizerrijk niet tot verval kwam, want hij was algauw de lieveling van het Braziliaanse volk en werd het symbool van nationale eenheid. In 1840, midden in de regionale conflicten, terwijl de assemblée zelf ontbonden was, was hij pas veertien – en had hij nog vier jaar te gaan voor zijn meerderjarigheid – maar reageerde hij op het verzoek van de gedeputeerden en zei hij dat hij klaar was om te regeren. De assemblée riep hem uit tot soeverein van Brazilië, en het volgende jaar werd hij tot keizer gekroond.

Zoals zijn mentoren ook gehoopt hadden stond Dom Pedro welwillend en vaderlijk tegenover zijn onderdanen. Eén keer per week verleende hij audiëntie, zowel aan edelen als aan eenvoudige negers of aan vertegenwoordigers van de laatste Tupis-Guaranis. Ondanks de populariteit die hij genoot had hij toch een hang naar melancholie. Na een eenzame jeugd had hij absoluut geen plezier beleefd aan zijn huwelijk, in 1843, met Dona Theresa, een onaantrekkelijk meisje van eenentwintig. Tussen 1845 en 1848 werden er vier kinderen uit deze verbintenis geboren – Afonso, Pedro, Isabel en Leopoldina – maar de twee zonen stierven enkele jaren na hun geboorte.

Pedro's melancholie had dus diepe wortels, waarbij kwam dat hij weinig plezier beleefde aan de macht. Hij droeg met tegenzin de kroon en had liever een leven van meditatie en studie geleid. De keizer en de Braziliaanse edelen probeerden aan het hof de Europese elegantie te imiteren, liepen warm voor buitenlandse ideeën en volgden devoot de laatste Franse mode. Rio de Janeiro verhief zich langzaam uit haar koloniale misère. In de drukke straten in het centrum werden winkels van Franse kooplui en ambachtslieden geopend. De olielampen werden vervangen door gaslampen, en de moerassen in de buitenwijken werden drooggelegd. De eerste Braziliaanse locomotief vertrok aan de overkant van de baai uit het haventje Mauá, om krakend en zuchtend de twintig kilometer af te leggen tot het voorgebergte van de Serra da Estrela, op de weg naar Petrópolis, het zomerverblijf van de keizer.

De stad strekte zich in het noorden uit tot de wijk waar het keizerlijk paleis stond, en in het zuiden tot de Corcovado en de Tijuca. Rond de kleine baai van Botafago, met het Suikerbrood ernaast, stonden grote witte, stralende huizen van edelen en generaals tussen bananestruiken en palmbomen. Maar de aristocraten, de buitenlandse handelaars en de rijke koffieplanters vertegenwoordigden slechts een klein deel van de stadsbevolking, waarvan de helft bestond uit slaven, negers of mulatten.

De smalle straten waren vol halfnaakte mensen die ervoor zorgden dat de *homems bons* geen handwerk hoefden te verrichten. De zon die op een zee van parasols op de Passeio Público brandde, bescheen elders zakken koffie van honderddertig pond, gedragen door menselijke ketens waarvan de eerste schakels met kalebassen stonden te schudden om het ritme erin te houden, en vleugels die door zwetende Afrikanen door de stad werden gedragen. Of waterdragers die samendromden voor de weinige fonteinen, of slaven die vruchten, vis of gevogelte van hun meester verkochten.

Dom Pedro moest niets hebben van slavernij, zowel door zijn moreel hoogstaande opvoeding als omdat hij het niet kon hebben dat er onvrije mensen rondliepen in een hoofdstad waarvan hij wilde dat zij het Parijs van Amerika zou zijn. De keizer had de slaven die hij geërfd had vrijgelaten, maar hij durfde deze persoonlijke toegeeflijkheid niet algemeen te maken. Spreken over emancipatie van slaven betekende de woede wekken van rietplanters en *fazendeiros*, wier plantages het keizerrijk zijn grootste rijkdommen brachten: suiker, katoen, tabak en bovenal koffie.

De eerste zaden, in 1726 uit Frans Guyana naar Pará gebracht, en elders geprobeerd door mannen als *padre* Leandro in de vroegere *aldeia* van Nossa Senhora do Rosário, hadden planten opgeleverd die aan het begin van de eeuw naar het zuiden waren gebracht. Nu groeiden er, in de dalen vanaf Rio de Janeiro tot de provincie São Paulo, tientallen miljoenen koffiestruiken, die in het zuiden een systeem van grootgrondbezit deden ontstaan dat leek op dat van het noorden. Net zoals de onafhankelijke *lavradores* hun veldjes met suikerriet aan de grote planters hadden moeten afstaan, werden de kleine boeren in het zuiden door *fazendeiros* aan de kant gezet, of werden zij hun *agregados*.

Vanuit de hoofdstad bekeek Pedro II de armen en de berooiden, waar de bevolking voor het merendeel uit bestond, met vaderlijke liefde en christelijk mededogen. De keizer was in zekere zin heer en meester van één grote plantage, die Brazilië heette, met zijn hoofdstad als Casa Grande, en een minderheid van rijke en ontwikkelde aristocraten die hem hielpen om zijn domein te exploiteren. Miljoenen mensen woonden verspreid over zijn gronden, op dezelfde manier als hun voorouders, in slavernij, zonder de mogelijkheid om ook maar het minste stukje grond van het domein van *senhor* Pedro in eigendom te verwerven. Sinds het land zich bij de onafhankelijke naties had geschaard, was er weinig veranderd en voor sommigen was de situatie alleen maar erger geworden. Dat was ook het geval met Antônio Paciência, een kind dat van zijn moeder werd weggerukt en meegenomen op een reis van meer dan vijftienhonderd kilometer dwars door de *sertão*; Antônio, die slechts een vaag idee had van die edele *patrão* en niets af wist van alle vrijheden die door de Eeuwige Verdediger van Brazilië gegarandeerd werden.

Op 28 januari 1856, bij zonsopgang, werden Antônio Paciência en zeventig mannelijke slaven in een van de drie als slaapruimte bestemde schuren van de *fazenda* van Saturnino Rabelo en zijn trawanten, door hun wachters gewekt. De colonne was begin december bij de boerderij in de buurt van Sorocaba aangekomen, honderd kilometer ten westen van São Paulo. Sinds die tijd waren de slaven die de *sertão* van het noordoosten en de bergen van Minas Gerais waren overgestoken, het leven op de *fazenda* verbazingwekkend gemakkelijk beginnen te vinden.

Antônio, die nu negen was, was een magere, slungelige jongen gebleven, te groot voor zijn leeftijd, maar met een afwezige en trieste blik in zijn grote donkere ogen. Bij de lange mars had hij veel van Policarpo en de andere slaven geleerd, die hem allemaal hadden aangeraden om de hoop ooit nog naar Jurema terug te gaan te laten varen.

Tijdens het laatste deel van hun reis was de voornaamste zorg van de slaven geweest om te weten te komen aan welke meester zij verkocht zouden worden. Policarpo, die uit Moçambique afkomstig was, was bijna dertig; in de loop van de dertien jaren die hij in Brazilië had doorgebracht, had hij twee meesters gehad, een Portugese jood, koopman in Recife, en een katoenplanter uit de *sertão*.

'Waarom heeft de jood jou verkocht?' had Antônio willen weten.

'Geen flauw idee,' antwoordde Policarpo. 'Op een ochtend nam hij me mee naar de slavenmarkt in plaats van dat hij me aan het werk zette.'

'Was hij boos?'

'Nee, hij was heel rustig. Hij bracht me naar de markt, vond een koper, wees op mij en liep toen weg zonder iets te zeggen.'

'En de andere?'

'Pascoal Sampião, de planter? Goddank heeft hij me ook weer verkocht.'

Sampião en zijn opzichters hadden Policarpo gegeseld en hem in de *tronco* – de boeien – gegooid, vaker dan hij zich kon herinneren.

'Niet de *tronco simples*,' had Policarpo gepreciseerd toen Antônio zei dat zijn halfbroer ook wel eens met zijn benen in de *tronco* had gezeten omdat hij te veel *cachaça* had gedronken. 'De *tronco duplo*!' riep Policarpo uit terwijl hij zijn armen voor zich uit stak. '*Tronco diabo*!'

In de dubbele *tronco* zat de slaaf met zijn lichaam voorovergebogen, zijn benen gevat in twee gaten, zijn armen in twee andere, tijdens de hele duur van de straf, dag en nacht.

'Bid, mijn jongen, bid dat hij die je zal kopen niet zo'n bullebak is als die ik gehad heb,' had Policarpo gezegd.

'Mijn *senhor* zal vast een goede meester zijn,' antwoordde Antônio Paciência met een blind vertrouwen.

Op de *fazenda* van Saturnino Rabelo zat hij al twee maanden ongeduldig te wachten op de dag waarop hij zijn nieuwe eigenaar zou zien. De afgelopen veertien dagen had hij geen werk gehad, en urenlang onder de bomen liggen luieren, voor de slaapruimten. 's Avonds en 's morgens werden zij goed gevoed. Toen moesten de slaven zes weken in de velden werken, maar nooit hele dagen.

'Waarom verkoopt hij ons niet, die Portugees?' vroeg Antônio.

'Hij mest ons vet voordat hij ons naar de markt brengt, om een betere prijs te krijgen,' legde Policarpo uit.

Op deze ochtend in januari, toen de klok luidde en de opzichters iedereen wakker schreeuwden, wisten de slaven dat het mooie leventje voorbij was. De vorige avond had Rabelo gezegd dat de eerste groep *fazendeiros* met wie hij zaken deed de volgende dag een keus zou komen maken. De slavenhandelaar had de slaven aangespoord hun best te doen om de *senhores* te bevallen.

'Sta goed rechtop, en zorg ervoor dat je helder uit je ogen kijkt. Zeg de waarheid als je een vraag gesteld wordt.'

De jongen stond op van de mat waarop hij lag te slapen, ging achter Policarpo staan toen de rij slaven de slaapruimte verliet en liep naar de kookpotten met pap en koffie, die door andere slaven, die eerder waren opgestaan, waren klaargemaakt. Na de maaltijd werd de koopwaar in verschillende partijen opgedeeld. Slaven in perfecte conditie, die per stuk verkocht zouden worden; de zwakkeren die, gemengd met sterke mannen, per groep zouden worden verkocht; de vrouwen en de meisjes; en ten slotte de *moleques* – negertjes – en drie mulattenkinderen, onder wie Antônio.

Om tien uur kwam Rabelo met drie groepen mogelijke kopers. De slavendrijver wijdde zijn aandacht vooral aan een *fazendeiro* die niet minder dan dertig *peças* wilde kopen en die ook bemiddeld genoeg was om deze enorme investering te doen. Terwijl hij voor de slaven langsliep benadrukte Rabelo de kwaliteit van de koopwaar.

'Niet één wilde, ze zijn allemaal in het noorden door hun vroegere eigenaar gedresseerd, en ze zijn allemaal al minstens vijf jaar in dienst... kijkt u eens naar die stralende lichamen!'

Rabelo had de opzichters bevolen de negers goed in het vet te zetten.

'Ja, ja, wij kunnen de Engelsen wel bedanken,' ging hij verder. 'Zonder hen was het niet nodig geweest om slaven uit het noorden te laten komen. Die vervloekte Engelsen! Ik was een rijk man, maar ze hebben mijn boot in de baai van Porto Seguro afgepakt – mijn boot en mijn achthonderd slaven! Ik vraag u, is dat niet gewoon diefstal? En een schending van de Braziliaanse wateren?'

Sinds 1819 eiste de Britse anti-slavernijbeweging het eind van de handel tussen Afrika en Brazilië. In 1831 werd een wet aangenomen die voorzag in zware sancties, de confiscatie van slavenschepen en de bevrijding van de getransporteerde slaven. In de volgende twintig jaar waren er, ondanks de wet en de Engelse kruisers die opdracht hadden de territoriale wateren van Brazilië binnen te dringen bij hun achtervolging van de slavenhandelaren, minstens zeshonderdduizend negers in Brazilië ontscheept.

In mei 1850, toen Rabelo in Porto Seguro gepakt werd, had de dreiging van een blokkade van de Braziliaanse havens door de Engelse marine de keizerlijke regering in Rio er ten slotte toe gebracht om de handel inderdaad te verbieden. In 1853 verminderde het aantal illegaal ontscheepte negers tot enkele honderden. Tijdens de drie voorafgaande eeuwen, sinds Nicolau Cavalcanti, de grondlegger van Santo Tomás, op het strand in Recife de eerste zestig *peças* die in Mpinda ingeladen waren, bij de monding van de Kongo, had ontvangen, waren er bijna vier miljoen negers naar Brazilië gebracht, ongeveer tien keer zoveel als naar de Engelse kolonies in Amerika.

'Achthonderd slaven,' herhaalde Saturnino Rabelo. 'Een fortuin! Ze hebben me anderhalf jaar gevangengezet, ze hebben me een boete opgelegd en ik heb geld moeten lenen dat ik nog steeds niet terug heb kunnen betalen, vijf jaar later!'

'Maar u hebt hier een paar mooie exemplaren, Rabelo,' zei een *fazendeiro* die naar de groep stond te kijken waar Policarpo deel van uitmaakte. 'U weet ze uit te zoeken.'

'Dank u, hooggeachte heer. Ik koop nooit zonder dat ik zelf de koopwaar bekeken heb. De eigenaars doen hun best om de tekortkomingen en de ondeugden van hun slaven te verbergen. Maar de prijs stijgt elke keer als ik weer naar het noorden ga.'

De slavenhandel tussen Afrika en Brazilië werd verboden op een ogenblik waarop de vraag naar mankracht op de koffieplantages nog nooit zo groot was geweest. Vandaar de opkomst van een nieuwe handel waarbij dagelijks duizenden slaven door de *sertão* werden aangevoerd, zoals met de colonne van Rabelo gebeurd was, of vanuit noordelijke havens naar Rio en Santos. Deze binnenlandse handel was even barbaars als de Afrikaanse, maar werd door de keizerlijke regering toegelaten.

De *fazendeiro* die de slavenhandelaar een compliment gaf, was een man van achter in de zestig, gemiddeld van lengte, die er zeer eerbiedwaardig uitzag. Ondanks de warmte droeg hij een fijne linnen jas, een zwarte broek en een hoge, met zijde beklede hoed, waardoor hij groter leek. Alhoewel dat niet meer de mode was droeg hij nog steeds een korset en leed hij nog steeds liever dan dat hij zijn dikke buik liet zien. Zijn snor en zijn witte bakkebaarden waren zorgvuldig geknipt. Hij had een lichte wandelstok in de hand en rond zijn hals zat een gouden ketting, vastgemaakt aan een horloge in zijn borstzakje. Een zoet en sterk parfum verdoezelde niet helemaal zijn onaangename lichaamsgeur, die ontstond door kleren die eerder bij noordelijke klimaten gepast zouden hebben.

Meteen achter hem liep een bleke en magere jongeman, zijn kleinzoon, net zo gekleed, jas en hoge hoed. Hij had dezelfde grijsgroene ogen, en al deed hij heel gereserveerd, hij had een levendige blik. Hij studeerde rechten in São Paulo, en had daar nu ook moeten zijn, ware het niet dat hij thuis was vanwege een maagziekte.

De *fazendeiro* die zo sterk leek op een Engelse landedelman was Ulisses Tavares da Silva, de zoon van Silvestre Pires da Silva, de eerste van de familie die gebroken had met het nomadische bestaan van zijn voorouders, *bandeirantes*, en van zijn vader Benedito Bueno, groot-admiraal van de 'moessons'. Silvestre da Silva had de grote rivieren en de eindeloze *sertão* gelaten voor wat zij waren, om zich te wijden aan zijn negen kinderen en zijn rietvelden in Itatinga, tweehonderd kilometer ten noord-noordwesten van São Paulo.

Ulisses Tavares had rechten gestudeerd aan de universiteit in Coimbra, in 1807, toen de Braganças naar Amerika vertrokken. Maar de achttienjarige Paulista bleef liever in het belegerde land om de wapens op te nemen tegen de Fransen. In september 1810, zeven maanden voordat de Napoleontische legers eindelijk uit het koninkrijk verdreven werden, werd Ulisses Tavares, ondertussen luitenant bij de infanterie, in Bussaco gewond, waar eenenvijftigduizend Engelsen en Portugezen vijfenzestigduizend Fransen overwonnen. Toen hij helemaal hersteld was, maakte hij zijn studie niet af, maar ging in 1811 naar Brazilië terug.

In 1816 ging hij weer in de oorlog, dit keer om het oostelijke gebied te veroveren, en kwam hij als held in Itatinga terug. Vervolgens begon hij politiek te bedrijven, eerst op regionaal niveau, toen bij het provinciale gouvernement, aan de vooravond van de *grito*, de kreet die Pedro I bij de Ipiranga slaakte. Conservatief en fel anti-republikeins, mocht hij graag herinneren aan het lot van zijn familielid André Vaz da Silva, die mee had gedaan aan e trouweloosheid van Minas. De balling was in september 1798 aan koorts gestorven, toen hij centraal Afrika exploreerde op een expeditie onder leiding van de gouverneur van Moçambique.

Toch was er een koninklijk personage voor wie Ulisses Tavares niets dan minachting voelde, namelijk keizer Pedro I. Als oud-strijder uit de oorlog om het oostelijk gebied, had hij het vreselijk gevonden toen Brazilië deze verovering in 1828 verloor. Hij nam niet deel aan de tweede veldtocht want in het jaar van de opstand stierf Silvestre Pires da Silva, waardoor Ulisses de verantwoordelijkheid voor Itatinga kreeg.

Zoals zovele anderen beschouwde Ulisses Tavares de Rio de la Plata als de natuurlijke zuidgrens van Brazilië. 'Uruguay!' snoof hij, telkens als de naam van het nieuwe land werd uitgesproken. 'Bandieten hebben ons onze gronden afgenomen – en een keizer die de meest kwetsbare flank van zijn koninkrijk in de steek heeft gelaten!'

Ulisses Tavares was in de provinciale politiek gebleven, tijdens de eerste jaren van de regeerperiode van Pedro II, maar was zich steeds meer bezig gaan houden met de ontwikkelingen van Itatinga. In het midden van de jaren dertig waren *fazendeiros* uit het noordoosten van Itatinga begonnen koffie te verbouwen. Tien jaar later ging Ulisses Tavares naar Rio Claro, Campinas en andere districten uit de streek en kwam hij tot de conclusie dat de heuvels van het schiereiland Itatinga ideaal waren voor koffie, omdat ze rijk waren aan *terra roxa*, de violette grond die als de beste werd beschouwd voor deze cultuur. In 1855 zette de *fazendeiro* honderdtwaalf slaven aan het werk en plantte hij meer dan driehonderdduizend koffiestruiken op duizend morgen land.

Op 10 januari 1853 had Pedro II Ulisses Tavares in de adelstand verheven uit dankbaarheid voor aan het keizerrijk verleende diensten, en hem een titel gegeven die paste bij het grote domein dat hij exploiteerde: *barão* van Itatinga.

Samen met zijn geliefde kleinzoon, Firmino Dantas da Silva, liep de baron langzaam tussen de slaven van de *fazenda* van Rabelo door, op die ochtend in januari. Hij bleef staan en wees met zijn wandelstok op een neger die meteen bij hem werd gebracht.

'Hoe heet jij?'

'Policarpo, *senhor*.'

'Waar kom jij vandaan?'

'Uit Moçambique, meester.'

'Een onvermoeibaar werker,' zei Rabelo, 'die zich nooit beklaagt.'

De negers uit Moçambique en Angola gingen door voor lui, terwijl die van de Goudkust bekend stonden om hun energie.

'Wil jij voor mij werken, Policarpo Mossambe?'

'*Sim, senhor*,' antwoordde de slaaf, terwijl hij naar de grond keek.

'En bovendien is hij onderdanig,' zei de slavenhandelaar. 'De Pernambucaan van wie ik hem gekocht heb is een man die de wind eronder heeft.'

'Dat heb ik ook, *senhor* Rabelo,' zei de baron. Hij beduidde Policarpo met zijn wandelstok zich om te draaien, bekeek zijn rug en wees op de littekens. 'Onderdanig?'

'Ach, die man uit Pernambuco had geen geduld. Hij geloofde dat de karwats de enige manier is om de slaven goed gedrag bij te brengen.'

'En heeft deze Mossambe dat dan ook geleerd?'

'Zeer zeker, hooggeachte heer.'

'Wat weet u daarvan, Rabelo?'

'Hij heeft tijdens de reis geen moeilijkheden gegeven. Na een paar weken rust heb ik hem naar mijn rietvelden gestuurd. Hij is een goede arbeider.'

Ulisses Tavares beval de neger zich weer om te draaien en vroeg hem: 'Waarom hebben ze jou geslagen?'

'Om mij te leren, meester.'

'Ben je gehoorzaam en eerbiedig geworden?'

'*Sim, senhor.*'

'Goed, dan neem ik hem,' zei de baron tegen Rabelo.

'God zij geprezen!' riep Policarpo.

Omdat hij illegaal naar Brazilië gebracht was, droeg Mossambe niet het koninklijk merkteken op zijn borst, maar een rondtrekkende *padre* had hem gedoopt op de *fazenda* van Pascoal Sampião. Niettemin had de neger nooit een voet in een kerk gezet en de mysteriën van het geloof bleven voor hem onbekend, maar hij had gehoord dat vrome woorden bij de meesters in goede aarde vielen.

'God zij geprezen,' herhaalde Ulisses mechanisch.

Policarpo ging bij de elf reeds uitgezochte slaven staan, die goedkeurend mompelden, want hij was bij zijn kameraden erg populair.

Het duurde bijna twee uur voordat de baron van Itatinga vijfentwintig mannen en vijf vrouwen had gekocht. De andere planters, ook uit het district Tiberica, hadden maar kleine domeinen en de hoogste eerbied voor Tavares. Dus wachtten zij geduldig af tot hij zijn keus had gemaakt, voordat zij de slaven aanwezen die zij wilden kopen.

Antônio Paciência, die samen met de *moleques* en twee andere jonge mulatten stond te wachten, zag de verkoop van Policarpo en had diens nieuwe eigenaar sindsdien niet meer uit het oog verloren, in de hoop dat de *fazendeiro* zich ook voor hem zou interesseren. Maar de witte baard had hem niet aangekeken en de jongen, gezeten in de stralende zon, dacht verdrietig dat hij weer de pijn van een scheiding zou kennen.

Een uur later, na een hoop onderhandelen, toen de opzichters van de *fazendeiros* naar voren kwamen om hun nieuwe slaven mee te nemen, klonk er een kreet. De zwarte jongen die naast Antônio zat stond op.

'Jullie ook!' beval een van de wachters van Rabelo de andere jongens. 'Opstaan!'

Antônio Paciência was de laatste die opstond.

'Loop naar de *senhores* toe!'

Ze werden in een rij voor de veranda waar de planters zaten, opgesteld. Antônio begon te trillen toen hij Rabelo en Witbaard naar zich toe zag komen. Bang en vol schaamte deed hij toch zijn best om rechtop te staan en dacht hij: Mãe Mônica, alsjeblieft, zorg ervoor dat ik met Policarpo meega.

Ulisses Tavares had snel zijn besluit genomen. Nog voordat hij van de veranda naar beneden kwam, had hij de grote ogen, het eerlijke en open gezicht van het zwarte mulatje opgemerkt.

'Hoe heet jij, jochie?'

'Antônio Paciência.'

De baron glimlachte.

'Wie heeft jou die naam gegeven?'

'Mãe Mônica... *senhor.*'

'Wil je met mij meekomen?'

De jongen, die strak naar de laarzen van de *fazendeiro* keek, hief zijn hoofd op en glimlachte vol opluchting.

'O ja, *senhor*... dank u, *senhor!*'

Antônio Paciência en de dertig volwassen slaven die voor Itatinga waren gekocht klommen in twee karren met muilezels ervoor die op 31 januari 1856 in Tiberica aankwamen. Ze werden er opgewacht door Ulisses Tavares en zijn kleinzoon, die vooruit waren gereisd en de beide nachten van de reis in *fazendas* van familieleden hadden doorgebracht.

Tegen het einde van de ochtend werden de karren op het plein van de stad gezet, in de schaduw van een pretentieuze kerk waarvan de bouw drieëndertig jaar eerder begonnen was, ten tijde van Silvestre da Silva. Tiberica was thans een druk provinciaal centrum met achttienhonderd inwoners, maar de kerk was nog steeds niet af, hoewel gedeeltelijk onder de kap en ingewijd voor de eredienst.

De opzichters bevalen de slaven niet uit te stappen en hielden hen vanuit een herberg waar zij hun dorst lesten, sommigen met *cachaça*, anderen met lauw Engels bier, in de gaten.

De kleinzoon van de baron liep naar een van de karren en riep naar Antônio: 'Jochie! Kom eens met mij mee.'

Firmino Dantas bracht de jongen naar de rijkste winkel van Tiberica, gedreven door José Inocêncio da Silva, de zoon van André Vaz die door Silvestre was opgevoed. Antônio aarzelde om binnen te gaan, dus spoorde Firmino hem aan door te zeggen: 'Wees maar niet bang.'

De jongen deed een paar stappen en bleef toen weer staan.

'Vooruit, kom mee. De *senhor* wacht op je.'

De donkere ogen van de jongen werden groot van angst.

'Dit is geen straf,' legde Firmino uit. 'Niemand zal je kwaad doen.'

Twintig minuten later kwam Antônio de winkel weer uit, gekleed in een witkatoenen hemd, een grijze broek met dunne rode bandjes aan de zijkant, opgehouden door een paar helderrode bretels. Ze hadden hem geen schoenen gegeven – want die droegen slaven niet – en de baron had hem gewaarschuwd dat hij heel zuinig op deze kleren moest zijn, die hem veel *réis* gekost hadden.

'O ja, meneer! Antônio Paciência zal goed op zijn mooie kleren passen, meester!'

De jongen bedacht zich dat hij het risico liep ze meteen vuil te maken als hij weer bij de anderen in de kar ging zitten, maar Firmino bracht hem naar de calèche van de baron en zette hem naast de koetsier neer, een stevige mulat die Cincinnato heette. Voor de eerste keer sinds zijn vertrek van Jurema begon Antônio plezier te krijgen in de reis.

Tien kilometer ten noorden van Tiberica reed het span het domein van de da Silvas op. Het geluid van de hoeven van de vier paarden deed fel gekleurde vogels naar de hoogste takken van de bomen vluchten. De jungle was vol kleur en onbekende geluiden voor Antônio, die verwonderd en een beetje angstig om zich heen keek.

Op vijf kilometer van het centrum van het domein maakte het bos plotseling plaats voor pas ontgonnen open stukken. Enorme boomstammen stonden hier en daar nog op de heuvels, tussen de as die was overgebleven van het vuur dat hun bast zwart had geblakerd. Een kilometer verderop veranderde het landschap weer, bij de eerste rijen jonge koffieplanten, die donkergroen in de schaduw van andere cultures groeiden. Verderop stonden de oudere bomen, die tot twaalf voet hoog waren, in eindeloze rijen over de heuvels.

Verschillende *agregados* hadden hun huis aan de rand van de weg gebouwd en zij die buiten stonden groetten vol eerbied de calèche als die voorbijkwam, waarbij de mannen hun hoed tegen hun borst hielden, en de vrouwen een revérence maakten.

Twee uur nadat hij Tiberica verlaten had reed de wagen tegen een heuvel op waarachter het terrein langzaam glooide tot het schiereiland in de grote bocht van de Rio Tietê en haar witte stenen, Itatinga. Het vroegere huis van Benedito Bueno, een lelijk gebouw met muren van pleisterkalk, diende tegenwoordig als opslag en ziekenboeg voor de slaven. Rechts, tussen prachtige palmbomen, struiken en bloemen, stond het grote huis waarin de *barão* van Itatinga en zijn familie woonden. Het was een groot witgekalkt gebouw, met twee vleugels aan de achterkant. Rondom stonden een stuk of twintig bijgebouwen, waar onder andere de slaven woonden. Ongeveer honderd meter van het Casa Grande lag een grote plaats van aangestampte aarde, de *terreiro*, waar de vruchten van de koffiestruiken te drogen werden gelegd.

Cincinnato liet de paarden voor de ingang van het huis stilstaan, bij een stenen trap die naar een kleine veranda met een balustrade van smeedijzer leidde. Toen de baron en zijn kleinzoon uit de calèche stapten fluisterde de koetsier tegen Antônio: 'Jij moet ook uitstappen. Ga daar maar wachten, onder aan de trap. De baron roept je wel als hij je nodig heeft.'

'Om wat te doen?'

'Heb nou maar geduld.'

Antônio moest twintig minuten wachten voordat Ulisses Tavares zelf hem vanaf de drempel van het huis een teken gaf. Het kind beklom snel de trap en bleef voor de deur staan.

'Antônio, jij moet leren om er goed uit te zien,' zei de baron terwijl hij op een slip van zijn hemd wees die uit de grijze broek hing.

De jongen probeerde zonder succes om zijn hemd in zijn broek te stoppen en de *fazendeiro* hielp hem ten slotte.

'Zo,' zei hij, terwijl hij het hemd gladstreek. 'Doe eens een stap achteruit... zo is het goed!'

Op dat moment ontdekte Antônio Paciência in de ingang, naast de jonge *senhor* Firmino, een kleine meesteres met een blauwe jurk aan, waarschijnlijk zijn zuster. De *sinhazinha* stond druk met haar roze handjes te gebaren en keek de mulat met haar zwarte ogen aan.

'Nou?' vroeg de *barão*. 'Wat vind je ervan?'

'O ja,' riep het meisje uit.

'Hij heet Antônio Paciência.'

Het meisje knipperde met haar ogen en kirde van plezier. Teodora Rita Mendes da Silva zou over een week haar dertiende verjaardag vieren. Ze was impulsief, had een scherpe tong, maar was ook heel levendig en vrolijk, vooral als de aandacht uitsluitend haar betrof. Een aandacht die zij moeiteloos verkreeg, want zij was de echtgenote van Ulisses Tavares.

Twee jaar eerder had de baron, die al tien jaar weduwnaar was, het kind ontmoet bij haar vader, Emílio Mendes, een rijke *fazendeiro* uit het graafschap Tiberica en een intieme vriend van de Tavares. De blozende wangetjes van Teodora en haar stralende ogen hadden het hart van de baron in vuur en vlam gezet, toen vijfenzestig jaar oud. Toen Tavares na talloze bezoeken zijn bedoelingen kenbaar maakte, zag Mendes geen enkel bezwaar tegen het huwelijk, alleen vroeg hij zich af hoe lang het vuur van zijn vriend zou blijven branden. Zeven maanden na de bruiloft was Ulisses nog steeds net zo stapelgek op zijn kleine barones.

'O ja,' herhaalde Teodora Rita. 'Wat een lief negertje!'

Antônio zag het ernstige gezicht van *senhor* Firmino voor de eerste keer opklaren. Helemaal in de wolken door de reactie van zijn echtgenote, glimlachte de baron van Itatinga breeduit en zei: 'Antônio Paciência is van jou, engeltje. Een cadeautje voor je verjaardag.'

XVIII

November 1864 – juni 1865

Op 12 november 1864, na het middageten, scheen het leven aan boord van de *Marquês de Olinda* tot stilstand te komen. De eersteklaspassagiers installeerden zich in hun hut, in hangmatten of rieten fauteuils; anderen zochten een schaduwrijk plekje op het dek van de boot die met een snelheid van zes knopen de Rio Paraguay opvoer. De officier van de wacht en de roerganger bleven oplettend, terwijl de loods, die in Asunción aan boord was gekomen, de rivier af stond te turen. Manuel Pacheco, de tweede machinist, hield met ontbloot bovenlijf de machines in de gaten terwijl drie stokers met mechanische gebaren kolen schepten in de roodgloeiende ingewanden van de vuurkist.

De *Marquês de Olinda*, een Braziliaanse koopvaarder van vijfhonderd ton, legde acht keer per jaar de reis af van Rio naar Cuiabá, de hoofdstad van de provincie Mato Grosso, nog steeds ontoegankelijk via de weg. Twee dagen eerder had hij het anker uitgegooid in Asunción om kolen in te laden. In het droge seizoen was de hoofdstad van Paraguay bedekt met een dikke laag rood stof, dat over de lage huizen, de hutten en de andere onderkomens lag. Maar in de hele stad werd volop gebouwd, een residentieel paleis, een operagebouw, een kathedraal, een werf, een kruitfabriek, smelterijen, een postkantoor. Na eeuwen onder koloniaal bewind ingeslapen te zijn, lanceerde Paraguay nu de industriële revolutie, waardoor er honderden Europese ingenieurs en technici heen gingen.

Aan boord van de boot die nu over de Rio Paraguay stoomde, spraken drie passagiers die in rotanstoelen zaten, onder een zeil dat over de achterplecht gespannen was, over de vooruitgang die de kleine republiek boekte. Het waren Pedro Telles Brandão, mijneigenaar en hereboer uit Cuiabá, kolonel Frederico Carneiro de Campos, die als president van de Mato Grosso was aangewezen, en Sabino do Nascimento Pereira de Mendonça, een belastinginspecteur die de ontvangsten van de provincie ging controleren.

'Het bevalt mij helemaal niet,' zei Telles Brandão. 'Toen ik deze reis voor de eerste keer maakte, negen jaar geleden, waren er voorbij Tres Bocas alleen Guaranis en muggen. In Asunción zakten de steigers weg in de modder, en de huizen leken van plan erachteraan te gaan, en dat was ook veel beter geweest! Hier en daar stond een verroest kanon, en als je zo stom was de lont ervan aan te steken kwam je er niet heelhuids af. Dat was wat anders dan al die batterijen die nu klaarstaan om een eventuele invaller te verpulveren! Soldaten zag je bijna niet, tegenwoordig stikt het in de straten van Guaranis in uniform. Nee, dat bevalt mij helemaal niet.'

'Ik ben het met u eens,' zei Mendonça, die met zijn kleine bruine oogjes voortdurend rondkeek. 'Kruitdamp, forten, kanonnen... waarom dat alles, kolonel?'

'De Paraguayanen zien overal vijanden,' antwoordde De Campos.

'Zijn zij defensief... of agressief?' ging Telles Brandão verder, terwijl hij aan zijn zwarte baard trok.

'En tegen wie dan?' vroeg Mendonça. 'Tegen Brazilië? Dat nooit! *El Presidente* zal niet zo stom zijn om de lessen van de geschiedenis te vergeten. De Guaranis zijn al heel wat keren door onze legers onder de voet gelopen.'

De drie mannen waren even stil. Terwijl hij naar de flamingo's, de roze lepelaars, de ibissen en de zwanen keek, die onbeweeglijk op de zandbanken stonden, moest Brandão aan een receptie op de Franse ambassade in Asunción denken, zes jaar eerder. Hij had daar enkele leden van de machtigste Paraguayaanse familie ontmoet, die het land twee van de drie presidenten sinds de onafhankelijkheid had geleverd, namelijk Don Antonio López, bijgenaamd 'de Burger', wiens dictatuur achttien jaar had geduurd, en Francisco Solano López, zijn zoon, die in 1862 de teugels in handen had genomen. De laatste, die ook op de receptie was, was een dikke man die een eerlijke indruk maakte, waardoor hij sympathiek overkwam, maar Telles Brandão herinnerde zich dat hij zich niet op zijn gemak had gevoeld in de buurt van de toekomstige president.

'Misschien is Solano López toch iets van plan, door deze oorlogsmachine op te zetten,' zei hij, hardop nadenkend.

Mendonça keek geïnteresseerd op. De kolonel ging rechtop in zijn stoel zitten.

'Keizer López, de Napoleon van de Plata!' voegde Telles Brandão er met uitgesproken minachting aan toe.

'Toch moet je hem serieus nemen,' zei Carneiro de Campos. 'Onze ambassadeur heeft mij in vertrouwen meegedeeld dat veertienduizend Guaranis in training zijn in het kamp van Cerro León, en dat ook tienduizend anderen, reeds getraind, naar andere posten gestuurd zijn. Nu roept *El Presidente* zijn soldaten op blote voeten op om de Paraguayaanse bodem te verdedigen. Morgen vertelt hij ze dat er geen land zo machtig is op het continent als Paraguay, en dat de bewoners nergens zo gelukkig zijn. "Als er maar geen *macacos* waren..." zei hij nog.'

Mendonça fronste zijn wenkbrauwen toen hij de kolonel de bijnaam 'apen' hoorde gebruiken, die voor Brazilianen gebezigd werd, maar hij onderbrak hem niet.

'López strooit leugens rond,' ging De Campos verder. 'Hij zegt dat Brazilië en Argentinië van plan zijn om Paraguay te annexeren. Dat is absurd, maar als de president hun opdracht geeft te vechten, zullen ze hem volgen tot de laatste man, vrouw en kind. De Mato Grosso beschikt maar over een paar honderd soldaten en een handvol forten, die langs een honderden kilometers lange grens in puin liggen, en waarover Rio en Asunción ten tijde van mijn grootvader al ruzie hebben gehad. We zijn volkomen afhankelijk van López.'

'Bent u bang voor een invasie van de Mato Grosso?' vroeg Mendonça.

'Niets is uitgesloten met Solano López.'

'En beschikken wij echt over niet meer dan een paar honderd man?'

'*Sim*, Sabino, maar wij zijn modern bewapend,' zei de kolonel. 'Laat ze maar komen, die verdomde Paraguayanen, ze zullen een warm onthaal krijgen!'

'Laten we hopen dat ze niet komen,' zuchtte Mendonça. 'Wat denkt onze ambassadeur ervan?'

'Hij moet niets hebben van de huidige stemming onder de Paraguayanen. Sinds hij in Asunción is gekomen, in augustus, leeft hij op een kruitvat.'

'Here God! En het nieuws dat de *Marquês de Olinda* brengt zou de lont er wel eens in kunnen gooien.'

'Dat is precies waar zijne excellentie Viana de Lima, onze diplomaat, bang voor is.'

Dat nieuws was inderdaad explosief. Half oktober was het keizerlijke Braziliaanse leger Uruguay binnengevallen, dat onafhankelijk was sinds Brazilië het oostelijk gebied in 1828 verloren had. Sinds de onafhankelijkheid beheersten twee partijen het politieke leven in Uruguay, de Blancos en de Colorados. Het laatste bloedvergieten was in april 1863 begonnen, toen een naar Argentinië verbannen Colorado-generaal de grens weer was overgestoken om een opstand te ontketenen tegen de Blanco-regering, die het in Montevideo voor het zeggen had.

Een jaar lang hadden Pedro II en zijn ministers een politiek van strikte neutraliteit gevoerd, terwijl de burgeroorlog in Uruguay in volle gang was. Maar er woonden veertigduizend Braziliaanse burgers in dat land, onder wie een groot aantal afstammelingen van kolonisten die daar waren blijven wonen nadat Rio het oostelijke gebied had afgestaan. Dezen onderhielden nauwe banden met hun landgenoten in Rio Grande do Sul. In mei 1864 beklaagden zij zich dat Paraguayanen de grens overtrokken om te moorden en vee te roven en dat in Paraguay zelf het leven van Brazilianen gevaar liep. Rio de Janeiro stuurde een van zijn handigste diplomaten, José Antônio Saraiva, om schadevergoeding te eisen van de Blanco-regering in Montevideo. Keizerlijke regimenten werden naar de Rio Grande do Sul gestuurd, terwijl een Braziliaans eskader op de Rio de la Plata voer.

De Blancos verwierpen het ultimatum van Saraiva, en in oktober 1864 drong de voorhoede van het keizerlijke leger Uruguay binnen. Het Braziliaanse eskader kreeg opdracht de Rio Uruguay op te varen, om de haven van Paysandu, in handen van de Blancos, te blokkeren.

De crisis escaleerde en Francisco Solano López stelde voor als bemiddelaar op te treden tussen de Uruguayaanse facties, maar zijn aanbod werd verworpen. Asunción waarschuwde toen dat Paraguay op het standpunt stond dat elke aantasting van de soevereiniteit van Uruguay de stabiliteit van alle landen in de regio in gevaar bracht.

Aan boord van de *Marquês de Olinda* huldigde Telles Brandão een optimistisch standpunt: 'Hoe vaak hebben Brazilië en Uruguay al niet dreigend tegenover elkaar gestaan? En hoe vaak zijn de hartstochten al niet bekoeld voordat het tot een handgemeen kwam? De vader van López, Don Carlos Antonio, vond dat geen enkel betwist gebied, of het nu een stuk jungle of een stuk slecht begrensde rivieroever was, de moeite waard was om het bloed van zijn kleine natie voor op te offeren. Zijn zoon zal er wel net zo over denken.'

'López kijkt verder dan rivieroevers,' antwoordde de kolonel. 'Hij ziet zich als scheidsrechter van de Plata. Als verzoener, maakt hij de wereld wijs. Maar zijn leger wordt elke maand groter. En zijn ambities ook, vrees ik.'

Toen de *Marquês de Olinda* Asunción aandeed, waarbij hij het nieuws bracht van de invasie van Uruguay door de Brazilianen, was president López in Cerro León, tachtig kilometer naar het zuidoosten, eindpunt van de spoorweg uit Asunción. Een locomotief had een boodschapper naar het grote militaire kamp gebracht waar duizenden rekruten tussen zestien en zestig in opleiding waren.

De boodschapper vond de president in het hoofdkwartier van het kamp, een laag witgekalkt gebouw, met een suite voor zijne excellentie, een vergaderzaal waarvan de getraliede ramen uitkeken over het grote oefenterrein. López, die die ochtend persoonlijk de instructie van een peloton rekruten voor zijn rekening had genomen, droeg hetzelfde uniform als zijn officieren, een purperrode jas met hoge kraag en blauwe siersels, een witte broek en hoge zwarte laarzen.

El Presidente was 24 juli achtendertig jaar geworden. Hij had donkere, dicht bij elkaar staande ogen, een beetje schuin en afgezet met dikke wimpers onder vooruitstekende wenkbrauwen – de karakteristieke trekken van raszuivere inboorlingen. López had het trouwens met trots over zijn Guarani-overgrootmoeder, hoewel de president volgens kwade tongen van moeders zijde afstamde van wilde Guaicurus. Zijn nogal wisselende humeur bevestigde dat. De plotselinge overgang van innemende charme naar vulkanische toorn, van ongebreideld optimisme tot algehele wanhoop, kon verschrikkelijk zijn.

Onder de officieren die in de vergaderzaal bij López waren, bevonden zich drie mannen die uit heel verschillende streken kwamen: Juan Bautista Noguera, bij zijn kameraden beter bekend onder de naam 'Cacambo', een eerbiedwaardige oud-strijder van pure Guarani-afkomst, luitenant Hadley B. Tuttle, een Engelsman die in Asunción woonde sinds hij in 1859 deel had uitgemaakt van de ingenieurs en de technici die door J. & A. Blyth, Londense agenten van de Paraguayaanse regering, in dienst waren genomen, en Lucas Kruger, een Amerikaans staatsburger die beweerde dat hij uitvinder was en die even vaag deed over zijn antecedenten als over zijn experimenten die hij in een schuur van het arsenaal in Asunción uitvoerde.

Generaal Noguera, zevenenzeventig jaar oud, was een klein, gedrongen mannetje, met dikke handen en met een gezicht waarop de tijd zijn sporen had achtergelaten. Hij was trots op zijn bijnaam Cacambo, afkomstig uit het episch gedicht *O Uruguai*, dat over het verzet ging, tijdens de Spaans-Portugese campagne tegen de zeven jezuïetendorpen. Voor Juan Bautista Noguera had deze bijnaam een bijzondere betekenis want hij was de kleinzoon van de Guarani-commandant die de troepen van de zeven dorpen had aangevoerd, en omdat hijzelf tegen de Brazilianen gevochten had, in 1817, toen zij het dorp San Carlos hadden geplunderd, op de westelijke oever van de Rio Uruguay. De Nogueras, die hun Spaanse naam te danken hadden aan de verre periode waarin de zwartjurken hun best deden om de positie van de wilden te verbeteren, waren gedwongen geweest om naar Paraguay te vluchten, waar Juan Bautista de politieke leider was geworden van de zeven vroegere dorpen en de enkele raszuivere Guarani-groeperingen die het geheel overleefd hadden.

De Engelsman, Hadley Baines Tuttle, had ook deelgenomen aan een groot conflict, maar had het daar vrijwel nooit over. In de Krimoorlog was hij een van de helden die de spoorweg naar Balaklava hadden gebouwd, midden in de hel. In juni 1859 had hij een contract getekend met J. & A. Blyth om als ingenieur voor de Paraguayaanse spoorwegen te werken. Tuttle en acht van zijn landgenoten hadden de lange reis samen ondernomen en waren in Buenos Aires overgestapt van de prachtige stoomboot die hen had gebracht op een oude raderboot, eigendom van kapitein Angelo Moretti. Deze dronk als een ketter en zat dag en nacht te zingen terwijl hij zijn rookspugende wrak over de Paraná en de Paraguay stuurde, met een zorgeloosheid die de negen jonge Engelsen aan boord soms aan de rand van muiterij bracht. Maar Moretti kende de rivierbedding op zijn duimpje, de telkens veranderende zandbanken baarden hem geen zorgen en noch de *aguardiente* noch zijn gezang schaadde zijn navigatiekunst.

Na vijf jaren, die snel voorbijgingen, werd het oorspronkelijke contract van Tuttle hernieuwd, met honderd pond meer per jaar. Tot mei 1864 had hij deelgenomen aan de constructie van de spoorweg naar Cerro León en metingen gedaan voor zijsporen in noordelijke en zuidelijke richting, vanaf een station in de buurt van het militaire kamp. Zes maanden eerder had López hem gevraagd dienst te nemen in het Paraguayaanse leger, en luitenant Tuttle was momenteel adjudant van een andere Engelsman, kolonel George E. Thompson, ex-officier van het Britse leger. De beide mannen waren voor López van het grootste belang omdat zijn eigen hoofdingenieur niet zo gezond meer was. Dat was een andere buitenlander, luitenant-kolonel Baron von Wisner de Morgenstern, een Hongaar die al negentien jaar in Paraguay woonde. Hij was heel trots op de *Bateria de Londres*, geïnstalleerd in Humaitá, op een heuvel naast de Rio Paraguay, veertig kilometer stroomafwaarts van Tres Bocas. 'Het Sebastopol van Zuid-Amerika,' zei Von Wisner, sprekend over deze fortificaties die beschikten over zestien grote kanonnen – een benaming die Hadley Tuttle minder beviel, omdat hij zich de verschrikkingen van het beleg van dat Russische fort nog goed kon herinneren.

Tuttle, negenentwintig jaar oud, had golvende blonde haren, die voor zijn blauwe ogen hingen waarvan de blik een koppig karakter verried, evenals zijn hoekige kaken. Zijn gedecideerde manier van doen herinnerde aan zijn voorvader Will Tuttle; deze, een zeevaarder

uit de 17de eeuw, had zich ten slotte in Londen gevestigd als haven-
autoriteit, en de Hakluyt Society, in 1846 gevestigd met het doel reis-
verhalen te publiceren, had zijn dagboek uitgegeven:

*'Een korte weergave van de reis van de Hopewell, een Londens schip
in dienst van de koning van Portugal tegen de Hollanders van Pernambuco, in het jaar 1640, waarin verschillende ware zaken zijn
weergegeven, met enkele notities over de vila de Bahia, door kapitein
Will Tuttle.'*

Hoewel hij een hartelijke man was en van gezelschap hield, deelde
Hadley Tuttle niet de voorliefde van sommige buitenlanders voor
prostituées en Paraguayaanse rum. In feite was hij verliefd op Luisa
Adelaida, een meisje van achttien wier vader, John MacPherson, bijgenaamd Scotty, tegelijk met baron Von Wisner naar Asunción was
gekomen. Dona Gabriel, de vrouw van MacPherson, was afkomstig
uit een rijke koopmansfamilie en zoiets als gezelschapsdame van Eliza Lynch, de maîtresse van de president. Hadley was kort na zijn aankomst in Asunción bevriend geraakt met MacPherson, die ingenieur
bij de wapenfabriek was. Een jaar later was hij verliefd geworden op
Luisa Adelaida, die de zwarte haren en de amandelvormige ogen van
haar moeder had, en een lichte huidkleur, alsof ze rechtstreeks uit
Schotland kwam.

De andere vreemdeling in de vergaderzaal van het kamp Cerro
León, was de mysterieuze Lucas Kruger. 'Luke', zoals hij genoemd
werd, was een klein, gedrongen mannetje, met een grote neus, die
vrijwel constant een nors gezicht trok. Hij was de enige die niet in
uniform was, droeg een vieze katoenen broek, een versleten hemd en
op zijn hoofd een gedeukte strohoed die hij nooit afzette, ook niet
tegenover de president. Zijn leeftijd was moeilijk te raden. Het leek
alsof hij veertig was, maar als hij moe van het werk uit zijn schuur
kwam, leek hij veel ouder.

'Vraag het maar aan Luke', klonk het telkens als een machine alle
pogingen tot reparatie weerstond. Hij werd niet alleen geëerbiedigd
door zijn handigheid om wat dan ook weer aan de gang te brengen – of
het nu een oud horloge was, of de motor van de *Golconda*, de oude
raderboot van Angelo Moretti – maar ook omdat hij zoveel talen
sprak, zeven, zelfs acht als je het Guarani ook meetelde.

Hoe hij in Paraguay terecht was gekomen? Dat was een vreemd
verhaal dat Luke zelf, al was hij gek op geheimpjes, niet voor zich had
kunnen houden. Hij had in 1862 in Shanghai een zekere Petrie leren

kennen, die hem ertoe had overgehaald om met hem naar Peru te gaan, met een heel vreemde vracht, namelijk vier olifanten, die de hoofdattractie van een reizend circus moesten zijn. Achttien maanden later eindigde het avontuur in La Paz, in Bolivia, waar Petrie en Kruger na een heldhaftige overtocht van de Andes met de vier dikhuiden aankwamen. Petrie werd door faillissement gedwongen de olifanten te verkopen en naar Peru te gaan, om daar een exportfirma van lama's naar Azië op te zetten. Kruger, die hoorde dat er technici in Paraguay werden gezocht, trok verder zuidwaarts en bereikte in februari 1864 Asunción. Hij vond werk bij de wapenfabriek, waar zijn monteurstalenten algauw werden opgemerkt. Zes maanden na zijn aankomst suggereerde hij baron Von Wisner dat torpedo's goedkoper en doeltreffender waren dan de granaten die door de kanonnen werden afgeschoten. Kruger zette een drijvende mijn in elkaar, en de president was aanwezig bij de explosie ervan, maar de inspanning van de uitvinder richtte zich vooral op een machine die uit zichzelf kon voortbewegen. Toen López hem naar Cerra León had laten komen om hem te ondervragen over de tijd die het zou kosten om een dergelijk wapen in elkaar te zetten, had Luke laconiek en brutaal geantwoord: 'Zoveel tijd als er nodig is.'

Op 10 november 1864 las president López, terwijl Kruger, Tuttle, Cacambo en de andere officieren toekeken, het bericht uit Asunción, met gespeelde kalmte, en concludeerde hij: 'God weet dat ik mijn best heb gedaan om de vrede te bewaren. Al onze oproepen daartoe zijn minachtend aan de kant geschoven.'

'De *macacos* zullen respect voor ons krijgen als wij onze tanden laten zien,' verklaarde Cacambo.

'En ze doen net alsof zij in Uruguay tussenbeide komen om hun onderdanen te beschermen!' brieste José Diaz Barbosa Vera. Hij was de vroegere hoofdcommissaris van politie uit Asunción, en stond nu aan het hoofd van het veertigste bataljon, een elite-eenheid bestaande uit burgers van de hoofdstad. 'Absurd! Ze hebben maar één doel, en dat is hun invloed uitbreiden van het keizerrijk naar La Plata. Excellentie, de toekomst van Zuid-Amerika ligt in uw handen.'

Cacambo dwong zijn fragiele lichaam in de houding en riep: '*El Libertador! El Libertador de la Plata!*'

'Goddank hebben we hierop gerekend,' zei López geroerd. 'Zodat Paraguay klaar zou zijn als de provocaties van Brazilië te ver zouden gaan!'

Luitenant Hadley Tuttle was amper onder de indruk van deze krijgshaftige retoriek. Hij wist wel dat Paraguay zich kon verdedigen tegen een aanval, maar was heel sceptisch als het ging om een offensief. Het land telde vierenveertigduizend soldaten – drie keer meer dan het Braziliaanse leger – waarbij nog zestienduizend rekruten gerekend konden worden. Bovendien waren de Paraguayanen zeer zwaar getraind. Kolonel George Thompson verzekerde dat hij geen andere soldaat kende die zomaar een dergelijke discipline zou accepteren. Zeker, maar waarmee moesten die fantastische troepen dan vechten? vroeg Tuttle zich af.

Drie elitebataljons waren uitgerust met moderne geweren, die bij de kulas herladen werden, maar duizenden soldaten hadden alleen oude musketten. Er werden in het arsenaal kanonnen gemaakt met getrokken ziel, maar de Paraguayaanse artillerie bestond voor het merendeel uit stukken die leken op die welke in Engeland gebruikt werden als paaltjes in de kazernes. Zelfs de batterij van Humaitá, waar baron Von Wisner terecht zo trots op was, bestond deels uit oud materieel.

Tuttle had de meeste noordelijke defensielinies met Thompson geïnspecteerd, en vreesde de consequenties van een militair avontuur. Hij keek eens naar Kruger, die hij slechts oppervlakkig kende, in de hoop dat die, omdat hij altijd zo eerlijk was tegen López, zich zou permitteren deze te waarschuwen. Maar Luke was alleen maar ongeduldig om zo snel mogelijk naar zijn schuur en zijn experimenten terug te gaan.

President Francisco Solano López verklaarde vervolgens: 'Wij wilden vrede, en we hebben hun antwoord, de oorlog! Wij moeten van de gelegenheid gebruik maken om niet gedwongen te worden later in minder gunstige omstandigheden te moeten vechten. Kameraden, Paraguayanen, wij moeten nu toeslaan!'

Op 12 november 1864, om twee uur 's middags, voer de *Marquês de Olinda* met veel geborrel de rivier op, waarbij het water van zijn schoepenraderen stroomde. Manuel Pacheco, de tweede machinist, kwam even aan dek om aan de hel in de machinekamer te ontsnappen. Het schip was door drie bochten van de rivier gevaren en begon net aan de vierde toen Pacheco en de wacht die op onder water liggende boomstammen moest letten een rookwolk boven de struiken zagen uitstijgen, maar geen van beiden reageerde. Pacheco dacht eerst dat er bos ontgonnen werd, want uit Asunción zou in veertien dagen geen ander schip meer vertrekken. Maar even later was hij ervan overtuigd dat een andere boot de *Marquês de Olinda* volgde.

'Een schip!' riep hij luidkeels. 'Een schip achter ons!'

Kolonel Carneiro de Campos en zijn metgezellen hadden hun beschouwingen over López' bedoelingen net afgesloten, vlak voordat de machinist alarm sloeg. De officier was ingeslapen. Telles Brandão rookte een dunne sigaar en keek verveeld naar de oever. Mendonça zat met open mond te dutten.

'Kolonel?' vroeg Telles Brandão terwijl hij opstond. 'Kolonel?' Carneiro de Campos werd langzaam wakker.

'Een schip!'

'Een schip? Waar dan?' vroeg de president van de Mato Grosso slaperig.

Het zeil waaronder de drie mannen zich bevonden was boven de achterplecht gespannen, waar de passagiers van de eerste klasse zaten. Dit deel van het schip werd veiliger geacht in geval een van de stoomketels van de boot zou exploderen, een ongeluk dat niet zelden voorkwam, vooral op stoomschepen als de *Marquês*, die al bijna twintig jaar dienst deed.

Zodra hij in het zuiden zwarte rook zag ging de kolonel op zoek naar de kapitein, die hij in allerijl uit zijn hut zag komen. Samen gingen zij naar het stuurhuis, waar Manuel Pacheco en anderen druk stonden te praten. Het was duidelijk dat de boot die hen volgde hen achtervolgde.

'Maar waarom?' vroeg Mendonça aan Telles Brandão.

'Dat zullen we gauw genoeg weten.'

De *fazendeiro* wendde zich tot een matroos en vroeg hem, terwijl hij op de rook wees: 'Een van de snelle kanonneerboten van López?'

'*Sim, senhor.*'

'Kunnen wij die voorblijven?'

De man schudde ernstig zijn hoofd en zei: '*Não, senhor.* De oude *Marquês de Olinda* lukt dat niet.'

'Waarom moeten wij vluchten voor Paraguayanen?' vroeg Mendonça verontwaardigd.

'Waarom sturen zij een oorlogsschip achter ons aan?' was de wedervraag van Telles Brandão. 'Dat kan alleen maar gedonder geven.'

'Maar waarom dan?' hield Mendonça vol. 'Als ze bezwaar gehad hadden tegen onze komst, zouden ze ons in Asunción hebben vastgehouden.'

Zij werden onderbroken door de officier die snel over het dek rende en aan de passagiers vroeg om van de bakboordreling weg te gaan. De honderd mensen die daar bij elkaar stonden deden het schip overhellen. Telles Brandão en Mendonça bleven staan, de matroos die bij hen stond aarzelde en bleef toen ook, stak zijn arm uit naar Pacheco en naar de eerste machinist, die naar het luik van de machinekamer rende.

'De kapitein heeft bevel gegeven om de druk op te voeren,' bromde hij, voordat hij verdween, waarbij hij een onbegrijpelijke vuiligheid mompelde.

De *Marquês de Olinda* voer bijna rechtstreeks op het westen aan toen hij uit de vierde bocht van de Rio Paraguay kwam om een stuk van drie kilometer op te varen waar de breedte van de rivier werd gereduceerd tot vijfhonderd voet, met een vaargeul vlak bij een van de oevers, en hoge zandbanken bij de andere. De lage heuvels in de verte kondigden een andere bocht aan, die naar het noorden gericht was. Al snel steeg de snelheid van de boot tot zeveneneenhalve knoop. Het vuur loeide onder de stoomketels, de stoom ontsnapte fluitend aan de veiligheidskleppen en een regen van hete as viel op het dek. Maar aan de rook was te zien dat het andere schip nog steeds terrein won.

'Sluit de veiligheidskleppen!' beval de kapitein, toen de *Marquês de Olinda* het einde van het rechte stuk naderde.

Met maximale stoomdruk en oververhitte ketels verliet het schip het smalle kanaal en wendde de steven noordwaarts. Plotseling werd de Rio Paraguay breder en het wateroppervlak zo glad als een spiegel. De boot schoot met een snelheid van negen knopen naar voren, waarbij het risico van een explosie van een stoomketel niet uitgesloten was – een ramp die hem midden op de rivier in tweeën zou doen breken, en waarschijnlijk nog verergerd zou worden door de munitie die hij aan boord had.

'O, Heilige Moeder Gods!' riep Mendonça uit. 'Daar! Daar! Daar!'

Drie keer wees hij met zijn vinger op de boot die nu uit de vaargeul kwam en snel op hen afvoer.

Het was de *Tacuari*, de trots van de zoetwatermarine van Francisco Solano López. Gebouwd voor vreedzame doeleinden, en snel omgebouwd tot oorlogsschip, was hij uitgerust met zeven kanonnen, waarvan één wendbaar, dat op de kampanje stond.

'Moeder Gods!' herhaalde Mendonça. 'Wat moeten we nu doen?'

'Als ze ons inhalen…' begon Telles Brandão.

'Als? Ze hebben ons al zowat!'

'Maar ze hebben het recht niet…'

'Welk recht? Ze hebben immers kanonnen!'

'*Calma*, Sabino.'

'Maar ze kunnen ons totaal aan stukken schieten!'

'Ze zullen niet durven schieten op een Braziliaanse boot.'

'En als ze het toch doen?'

'Dan moge God hen helpen. Eén enkel kanonschot en heel Brazilië zal erop antwoorden!'

Een waterleiding van de stoomketel barstte, de *Marquês de Olinda* verloor snelheid, waardoor de *Tacuari* dichterbij kwam, die nu op honderd meter bakboord voer. De Paraguayaanse bemanning stond op haar post en verschillende mannen waren bezig rond twee van de kanonnen van de stoomboot.

Op het dek van het Braziliaanse schip was het een pure chaos. Onder een regen van as en roet hieven enkele roekeloze passagiers hun vuisten op in de richting van de *Tacuari*. Matrozen met zwarte gezichten kwamen uit de machinekamers omhoog om een beetje frisse lucht te ademen nadat zij de stokers hadden geholpen de vuurkisten vol te gooien. Een paar *marinheiros* bleven bij de reling staan, klaar om in het water te springen. In het stuurhuis keken de kapitein van de *Marquês* en Carneiro de Campos hoe de *Tacuari* hen inhaalde, en wachtten op een wonder.

Dat gebeurde niet. De Paraguayaanse boot hees signaalvlaggen die de Brazilianen bevalen om onmiddellijk de machines stop te zetten. Aangezien de *Marquês de Olinda* zich daar niets van aantrok, klonk er een fluitje aan boord van de *Tacuari* en zonder verdere waarschuwing schoot het kanon van de kampanje een granaat voor de boeg van de Braziliaanse boot langs.

Meteen gaf de kapitein van de *Marquês* opdracht de machines stop te zetten. Twee van zijn officieren, die vlak bij het stuurhuis stonden, begonnen heftig naar de *Tacuari* te zwaaien, waarvan de bemanning dit teken van onderwerping met gejuich ontving.

Op de eerste zaterdag van februari 1865 verlichtten gekleurde lantaarns de tuinen van de Fazenda de Itatinga, terwijl de maan scheen in de Rio Tietê. Vanuit het grote huis klonken quadrilles, walsen en polka's, gespeeld voor de genodigden van de baron en de barones.

Ulisses Tavares da Silva, gekleed in een smetteloos zwart pak, danste lichtvoetig de quadrille, ondanks zijn vijfenzeventig jaar, en keek dolverliefd naar de *baronesa*, wier kleine gestalte, gestoken in een korset dat haar borsten een beetje omhoog drukte, zich boven een enorme ovale jurk ontplooide. Teodora zag er prachtig uit in haar rode jurk, afgezet met zwart kantwerk, met lintjes en parels in haar gitzwarte haar.

De barones gaf hun die de hartstocht van een oude man voor een kind van dertien bespottelijk hadden gevonden ongelijk, want ze was een trouwe en liefhebbende vrouw geworden. En tevens moeder.

Ulisses, die bij zijn jonge echtgenoot zijn mannelijkheid herwon, had vijf jaar eerder een zoon en een jaar geleden een dochter gekregen.

Aan het eind van de quadrille, toen de baron gracieus boog voor zijn vrouw, klonk er spontaan applaus in de grote zaal waar honderdveertig echtparen uitgenodigd waren om de tweeëntwintigste verjaardag van Teodora te vieren. De uitbundigheid van de avond was een goede illustratie van het feit dat de welvaart van de suikerrietplantages in het noorden was overgegaan op die van de koffie in het zuiden. In Itatinga kon de baron uren paardrijden tussen eindeloze rijen koffiestruiken, waarvan de sterke geur even opwindend was als het vooruitzicht fortuin te kunnen maken met die takken vol kleine roodbruine besjes.

Uit zijn eerste huwelijk had Ulisses Tavares zeven kinderen die nog in leven waren, van wie er twee in Itatinga leefden met hun familie, namelijk Adélia en Eusébio Magalhães, de vader van Firmino. Eusébio, de oudste, thans al vijftig, was een zwijgzame en gespannen man. Hij had een onvoorstelbaar goed geheugen en deed vreselijk kruiperig als zijn vader erbij was. De 'Boekhouder' noemde de baron hem, want Eusébio kon met cijfers toveren en was een voortreffelijk administrateur van het domein.

Evenals zijn echtgenote Feliciana, een dikke, zachtaardige vrouw, had Eusébio er een hele tijd over gedaan om aan het gedrag van Teodora te wennen, wier brutaliteit tegenover haar 'schoondochter' zelfs Ulisses ertoe had gebracht in te grijpen. Maar terwijl zij haar zwager en diens jonge vrouw weer aan het dansen zag gaan, wierp Feliciana hun een brede glimlach toe, want hoe verbaasd de hartstocht van de oude man haar ook nog steeds deed staan, ze ontkende nu niet meer dat Teodora het geluk van haar man was.

Achter de baron en de barones die de quadrille aanvoerden, volgde Firmino met zijn cavalière. Hij was vijfentwintig, had een diploma voor rechter aan de school van São Paulo behaald, en een licenciaat in Parijs. Serieus als hij was, erudiet zonder pedant te zijn, had hij grijsgroene ogen die soms nogal dromerig stonden. Hij was mager, van een gemiddelde lengte, een mooie man met lange zwarte wimpers, een perfect rechte neus en sensuele lippen. Die avond keken vele jonge vrouwen naar hem maar hij lette alleen op het meisje met wie hij afgelopen december verloofd was.

Zij was een charmante dame van negentien, bruin en levendig, met een energiek gezicht en een vastberaden blik waaruit duidelijk viel af te lezen dat zij besloten had om de vrouw van Firmino te worden – een ambitie waarvan zij zeker wist dat zij die zou kunnen realiseren. Het moet ook gezegd worden dat Carlinda da Cunha Mendes stevig geholpen was in haar pogingen om de liefde van Firmino te winnen, want zij was de zuster van Teodora.

Carlinda kwam regelmatig naar Itatinga, voordat Firmino naar Parijs vertrok, en toen hij elf maanden eerder terugkwam, was de barones begonnen om de jongelieden aan elkaar te koppelen, aangemoedigd door Ulisses Tavares. Firmino als kandidaat was verstrooid en zelfs een beetje terughoudend, maar zijn vader en Teodora stapelden argument op argument om deze veelbelovende verbintenis toch vooral door te laten gaan. Argumenten waren trouwens overbodig want Firmino had echt een oogje op Carlinda – en de jongedame verlangde hartstochtelijk naar hem.

In de loop van de laatste elf maanden was Firmino meestentijds in Itatinga geweest, zonder veel enthousiasme voor de uitoefening van zijn vak, waarvoor hij toch zo ijverig gestudeerd had. Er was een discussie hierover geweest met zijn vader Eusébio. Ook werd hij onder druk gezet door Ulisses die graag zijn kleinzoon aan een carrière zag beginnen die zoveel toekomst bood aan briljante jongelieden uit het keizerrijk. In de ogen van Pedro II zou de nieuwe generatie die de zwarte toga van de juristen droeg pionierswerk kunnen doen door gerechtigheid te verspreiden in het achtergebleven koninkrijk, dat daar zo'n behoefte aan had.

'Ga jij binnenkort naar São Paulo?' had Eusébio in juni aan zijn zoon gevraagd.

'Ik heb daaraan gedacht, *pai*.'

'Goed,' had zijn vader gezegd terwijl hij een afwachtende blik op Firmino wierp. 'Goed...'

Maar de jongeman had verder niets meer gezegd. Vader en zoon stonden niet op erg goede voet met elkaar. Eusébio en Feliciana hadden drie dochters, die alle drie getrouwd waren. Firmino was hun enige zoon. Maar zij hadden hem als het ware verloren toen hij nog kind was, want hij was de geliefde kleinzoon van Ulisses Tavares geworden, die de opvoeding van Firmino tot in de details geregeld had. De baron gaf dat nooit toe, maar deze interesse in zijn kleinzoon had natuurlijk iets te maken met het verlies van zijn eerstgeborene, Silvestre, op wie hij zoveel hoop had gevestigd.

'De baron zelf is ongeduldig en wil je graag aan het werk zien,' zei Eusébio.

'Dat begrijp ik, *pai*. Ik zal grootvader niet teleurstellen.'

'Heel goed, *doutor* Firmino.'

Advocaten, doktoren, geleerden – alle zonen van het keizerrijk die

aan de universiteit een diploma haalden hadden recht op de geëerbie-
digde titel van doctor.

'Kom eens mee, *pai*,' had Firmino plotseling voorgesteld. 'Laten
we naar buiten gaan.'

De oogst van de pasvolgroeide struiken was in mei begonnen, de
eerste maand van het koele, droge seizoen. Van zonsopgang tot zonsondergang plukten tweehonderdtwintig volwassen slaven en hon-
derdnegentig *agregados* de takken kaal van vierhonderdduizend
struiken, die te zamen zeshonderd ton vruchten droegen.

Firmino Dantas had zijn vader naar de *terreiro* gebracht, een terras
van leisteen waar de bessen in de zon lagen te drogen. Als het vrucht-
vlees hard werd, verschrompeld, bijna zwart, moesten ze naar de
dichtstbijzijnde watermolen worden gebracht.

'*Maravilhoso!*' riep Firmino ironisch boven het lawaai van de vier
enorme stampers van de molen uit. 'Wij leven in een tijd van stoom,
van vooruitgang, en wij stellen ons tevreden met deze middeleeuwse
monstruositeit!'

De beide mannen hadden naar de slaven staan kijken die handig de
stukgedrukte vruchten door zeven haalden om ze te scheiden van hun
verpulverde buitenste mantel. De twee zaden van elke vrucht bleven
aan elkaar zitten door een dubbel membraan, waardoor zij opnieuw
gestampt moesten worden, terwijl *ventiladores* met de hand het kaf en
het fijne stof wegwaaiden dat rond de hoestende en spugende negers
opdwarrelde.

'Zeshonderd ton in de bek van dat monster!' riep de *doutor* terwijl
hij de armen ten hemel hief. 'Vader, er moet toch een betere manier
zijn!'

Toen had hij Eusébio meegenomen naar de smidse en de werkplaatsen van de *fazenda*. Toen zij de brieven lazen die de jonge student hun uit Parijs stuurde, beseften de vader en de grootvader van
Firmino dat de studie van Latijn en Grieks, bestemd om de horizon
van de jongeman te verruimen, veel minder belangrijk voor hem was
dan wetenschap en techniek. Toch hadden zij niet verwacht dat Firmino een maand na zijn terugkeer plotseling op het idee zou komen een
machine te bouwen om de oogst te stampen en te schillen. Ulisses Tavares had er aanvankelijk welwillend tegenover gestaan en het plan
zelfs aangemoedigd, door toe te stemmen in de aankoop, in de hoofdstad, van een kleine stoommachine. Hij dacht dat dat geflirt met mechanica van de *doutor* gauw genoeg op zou houden, en dat het alleen
maar een soort ontspanning was na acht lange jaren studeren.

Maar Firmino was gehecht gebleven aan zijn 'uitvinding', zoals de familie het noemde. Al een paar keer was de machine in het ongerede geraakt, en gelijk de wapenrusting van een ridder in stukken uiteengevallen. Firmino had haar met veel geduld weer in elkaar gezet en hoewel zijn machine kapot bleef gaan en koffiezaden alle kanten uit bleef blazen, gaf hij zijn plan niet op.

De baron begon zich te ergeren aan het feit dat zijn kleinzoon tussen de arbeiders van de smidse aan het werk was. Tijdens het verjaarsfeest had hij hem al een paar keer voorgesteld aan juristen – een rechter, een advocaat – in de hoop dat de conversatie van die *homems bons* Firmino aan zijn aanvankelijke roeping zou herinneren.

Na de quadrille werd er een Parijse nieuwigheid gespeeld, die meneer Armand Beauchamp, muziekleraar, bij de gegoede burgerij had geleerd, namelijk de wals. Firmino en Carlinda waren de eersten die over het parket ronddraaiden, al gauw geïmiteerd door Teodora en een luitenant van de nationale garde. Ulisses Tavares bekeek hen glimlachend maar mompelde tegen de man die naast hem zat: 'O Clóvis, was ik vanavond maar tien jaar jonger!'

Clóvis Lima da Silva was de derde zoon van de Tibericaanse koopman José Inocêncio en de kleinzoon van André Vaz, de balling die in Afrika was overleden. Zijn donkere ogen en zijn enigszins koperkleurige huid verraadden zijn inheemse afkomst. Clóvis, zesendertig jaar oud, stamde via André Vaz af van Trajano, de bastaard die Amador Flôres tijdens zijn zoektocht naar smaragden had laten executeren. Op zijn negentiende was Clóvis naar de militaire school in Rio gegaan, waar hij artillerieofficier was geworden. Sinds die tijd diende hij zijn land en thans had hij de rang van kapitein behaald.

Clóvis da Silva wist dat de opmerking van Ulisses Tavares niets te maken had met de jeugdige leeftijd van de cavalier van zijn vrouw.

'Baron, u hebt destijds moedig de koning gediend.'

'Ik heb mijn plicht gedaan, Clóvis.'

'Meer dan dat, *senhor* Ulisses. Uw daden worden nog steeds herinnerd.'

'Kon ik nog maar mee met het leger! Om, net als ten tijde van koning João, de overwinning te behalen in gebieden die de onze waren totdat Pedro I ze opgaf. Hoe vaak nog moeten wij, Clóvis, met het bloed van onze zonen de prijs van die nederlaag betalen?'

Het laatste had de baron hardop gezegd en verschillende hoofden draaiden zijn kant uit, om te kijken waar die angstige vraag gesteld werd, die in het geheel niet scheen te passen op deze feestavond. Maar de helft van de mannen die met hun dames aan het walsen waren droegen het uniform van het keizerlijke leger of van de nationale garde, want te midden van de muziek en het gelach werd er over oorlog gesproken. Het ging met name over drie conflicten: de burgeroorlog die op het punt stond uit te breken in de Verenigde Staten, die welke de soldaten van Napoleon III in Mexico uitvochten, en waarvan de afloop onzeker leek, en ten slotte die voor welke de baron in der haast vertrokken zou zijn als hij niet zo oud was geweest.

Dit derde conflict, dat vier maanden geleden begonnen was, speelde zich af langs twee langgerekte fronten. Nadat de Paraguayanen de *Marquês de Olinda* hadden aangehouden en naar Asunción teruggebracht, was de lading wapens in beslag genomen en waren alle passagiers gevangengezet, met inbegrip van Carneiro de Campos, president van de Mato Grosso. De ambassadeur van Rio de Janeiro in Asunción, Viana de Lima, had opdracht gekregen Paraguay te verlaten, met de paspoorten van de gearresteerde Brazilianen. Toen het nieuws van deze gebeurtenissen naar Rio kwam, eind november 1864, was de stad algauw in rep en roer en schreeuwde iedereen om oorlog.

Het merendeel van de zestienduizend man van het keizerlijke leger was in Uruguay bezig om de Colorado-factie te steunen tegen de Blancos die in Montevideo de macht hadden. De nationale garde, die theoretisch uit tweehonderdduizend man bestond, had het recht niet om zich in buitenlandse zaken te mengen, een verbod waarvoor heel wat kolonels en hun lokale milities plotseling vreselijk veel eerbied hadden. Over het plein van de stad defileren of de orde in het district handhaven was één ding, maar een Guarani-bende aanvallen was iets anders. Om deze situatie het hoofd te bieden had de keizerlijke regering een decreet uitgevaardigd waarin de formatie van bataljons vrijwilligers werd besloten, samengesteld uit mannen tussen de achttien en de vijftig.

Aan deze oproep werd direct en volop gehoor gegeven want het decreet werd uitgevaardigd vlak nadat er een Braziliaanse overwinning in Uruguay had plaatsgevonden. Op 2 januari 1865, na een beleg van een maand en een tweeënvijftig uur durend bombardement door de schepen van de keizerlijke marine, had de havenstad Paissandu, met Montevideo een van de laatste Blanco-bastions, zich aan de Brazilianen en de Colorados overgegeven. Maar er waren nog andere redenen waarom de Brazilianen graag ten strijde trokken tegen hun nieuwe vijand Paraguay.

'Duizenden Paraguayanen schenden het Braziliaanse grondgebied!' zei de baron tegen Clóvis da Silva. 'Onze moedige verdedigers zijn afgeslacht, mannen, vrouwen en kinderen zijn gevangengezet, anderen zijn aan de wilden in de *sertão* overgelaten. Here God! López die de Mato Grosso binnenvalt!'

641

Op 27 december 1864 had een Paraguayaans eskader van drieduizend man, gesteund door vijfentwintighonderd cavaleristen en infanteristen, Fort Coimbra aangevallen, de zuidelijkste verdediging van de Mato Grosso, dat zich na zesendertig uur verzet had overgegeven.

De baron en de koopman verlieten de danszaal om buiten de benen te strekken, tussen de vleugels van het huis.

'Wat voor verschrikkingen zullen zij daar meemaken, onder die sterren,' ging Ulisses Tavares verder terwijl hij naar de hemel keek.

'López heeft ons op onze zwakste plek geraakt, *senhor* Ulisses. Hij...'

'Laten we blij zijn! López kaapt de *Marquês de Olinda*, hij schendt een grens waar wij maar weinig forten hebben, die bovendien in verval zijn. Dat zijn echt overwinningen voor die despoot, die ervan droomt om keizer te worden en de Guaranis ophitst door alsmaar over glorie te spreken!'

'De Paraguayaan zal zijn vergissing inzien,' zei Clóvis, 'maar het zal misschien langer duren dan wij denken om hem weer tot rede te brengen.'

'Waarom?'

'Vanwege de Guarani-soldaten, *senhor* Ulisses. Die hebben geleerd blindelings aan hun dictator te gehoorzamen.'

'Onze *voluntários* zijn net zo gedisciplineerd.'

Te oud voor de Paraguayaanse slagvelden deed Ulisses Tavares alles wat binnen zijn macht lag om een compagnie vrijwilligers in Tiberica te rekruteren. Terwijl hij naar het huis terugliep zag hij door een open deur zijn kleinzoon een wals dansen met Carlinda, dwars door de zaal.

'Over twee weken zullen luitenant Firmino Dantas en de *voluntários* uit Tiberica naar La Plata vertrekken,' zei de baron. 'En over drie maanden, met Gods hulp, zullen zij Asunción binnentrekken.'

Firmino glimlachte tegen Carlinda, maar zijn gedachten waren elders. Hij steunde de Braziliaanse zaak, vooral sinds de inval van de Mato Grosso, maar hij haatte het Paraguayaanse volk niet. Omdat hij in de nationale garde had gediend, had hij een zekere ervaring op het exercitieterrein, maar het denkbeeld dat hij zou moeten vechten maakte hem misselijk.

Op de dag dat het nieuws van het decreet waarbij om vrijwilligers gevraagd werd tot Itatinga was doorgedrongen, was Ulisses Tavares op zoek gegaan naar zijn kleinzoon, en had hem bij de molen gevonden, onder het stof, met vieze, opengehaalde handen. Verblind door zijn eerbied voor het verleden bleef de baron trouw aan ideeën die niet veel verschilden van die van de *donatários* in de 16de eeuw. Voor hem betekende vooruitgang uitbreiding van grondgebied; eer de goedkeuring van de koning; en waardigheid minachting van handwerk.

Firmino beklaagde zich daarentegen over de enorme achterstand van zijn land ten opzichte van Europa. Van 1860 tot 1863 was hij getuige geweest van de vernieuwing van Parijs volgens de grootse plannen van keizer Napoleon III en zijn stadsarchitect Georges Haussmann. 'Grote boulevards, ondergrondse rioleringen, parken – gigantische werken die de stad een heel nieuw gezicht geven! Parijs maakt een revolutie mee die bestaat uit een even spectaculaire breuk met het verleden als de opstand van 1789!' had de jongeman enthousiast bij zijn terugkeer op het domein verteld.

'Wilde u mij spreken, grootvader?'

'Ja, Firmino,' antwoordde de baron ernstig. 'Francisco Solano López moet leren het keizerrijk te respecteren. Een decreet vraagt om vrijwilligers om die tiran en zijn Guarani-uitschot te verjagen. *Meu filho*, God geve dat de veldtocht snel afgelopen zal zijn! Jij zult de *voluntários* uit Tiberica aanvoeren, Firmino Dantas!'

De jongeman wist dat hij zou gehoorzamen, hoewel hij niets liever wilde dan doorgaan met het perfectioneren van zijn uitvinding. De drie jaar die hij ver van Itatinga had doorgebracht hadden hem onafhankelijker moeten maken, maar toen hij eenmaal op het domein terug was, maakte hij weer deel uit van die honderden mensen, vrij of slaaf, over wie de *barão* een absolute macht uitoefende.

De glimlach die Firmino al walsende toonde verborg de onrust die zijn op handen zijnde vertrek naar Paraguay in hem wekte. Toch had hij Carlinda niets verteld over zijn vrees – misschien omdat hij dat jonge charmante meisje eerder met zijn hoofd dan met zijn hart trouwde. Het kind had trouwens gemerkt dat haar verloofde vrij onverschillig deed en had dat aan haar zuster verteld.

'Je moet voorzichtig en geduldig zijn, liefje,' had de barones aangeraden. 'De arme donder weet niets van liefde. Hij is een dromer, een uitvinder. Pas op dat je geen kritiek levert op zijn obsessie voor die machine. Toon begrip en hij zal de dag dat hij jou uitgekozen heeft zegenen!'

Firmino, ondanks zijn vijfentwintig jaren gereserveerd en kuis, had hun die hem in de armen van Carlinda dreven geen reden gegeven om te twijfelen aan het succes van hun onderneming. Tenminste niet tot de avond van het grote bal.

Het was bijna middernacht toen Teodora, uiterlijk onverschillig maar met een schitering in haar ogen, Firmino voor de derde keer met dezelfde dame zag dansen, en de verrukte uitdrukking van de jongeman deed de barones spijt krijgen dat zij dat meisje en haar vader, August Laubner, had uitgenodigd.

Laubner was een rustige, dikke Zwitser met een hangsnor. Negen jaar eerder was hij uit Graubünden vertrokken, met een groep van tweehonderd personen, in een poging om aan de strenge winters en de nog ergere armoede van het verlaten dal van de Prätigau te ontsnappen.

August was een vondeling die een apotheker, Jeremias Laubner, in zijn schuur had gevonden – tenminste dat zei hij. Er gingen geruchten dat hij de opvoeding van een bastaard van een oude adellijke familie in de buurt van Davos op zich had genomen. August was door de Laubners opgevoed, die zelf een kind hadden, Matthäus, vijf jaar ouder dan August.

Vanaf zijn veertiende had August in de winkel van de apotheker gewerkt, die hem graag mocht, maar niet zoveel van hem hield als van zijn eigen kroost. August was getrouwd en had twee kinderen. In 1854 was zijn pleegvader doodgevroren in een sneeuwhoop waar zijn paard hem in had geworpen toen hij uit Davos terugkwam, en zes maanden later was zijn vrouw overleden aan een longontsteking.

Matthäus en zijn echtgenote, even bekrompen als haar man, hadden August opgedragen om de twee kamers die hij bewoonde vrij te maken: 'Zoek maar een ander onderkomen, August, en vlug wat. Mijn vrouw zal binnenkort bevallen en er is geen plaats voor twee gezinnen in het huis.' Toentertijd zochten de agenten van een groep Paulista-*fazendeiros* contact met arbeiders in het dal, een oplossing die noodzakelijk was geworden omdat de slavenhandel op Afrika in 1850 was afgeschaft. August was naar een bijeenkomst, georganiseerd door een van die mannen, gegaan, en die had hem reiskosten en een voorschot aangeboden waardoor hij het het eerste jaar zou kunnen uithouden.

Dezelfde avond nog had August Laubner besloten naar Brazilië te vertrekken en een nieuw leven te beginnen. Door een paar goede oogsten zou hij zijn schulden kunnen betalen en zodra hij de middelen daartoe zou hebben, zou hij zich als apotheker vestigen.

Na een lange oversteek en een moeilijke reis over de Serra do Mar, waren de Laubners aangekomen bij een miserabele hut van pleisterkalk, met een rietdak en gaten bij wijze van vensters. Dat was het 'onderkomen' dat Alfredo Pontes hen aanbood, de *fazendeiro* die vrijwel geen onderscheid maakte tussen zijn *colonos*, zoals hij de immigranten noemde, en zijn zestig slaven.

De *colonos* hadden ontdekt dat *senhor* Pontes, als hij niet tevreden was over hun werk, hun contract kon verbreken en onmiddellijke uitbetaling van de som kon eisen die zij hem schuldig waren. Hij die dat niet kon betalen kreeg twee jaar dwangarbeid. Pontes probeerde slechts om de *colonos* gehoorzaamheid en onderdanigheid bij te brengen, die een *fazendeiro* van zijn *agregados* kon verwachten, maar de Zwitsers begrepen dat niet helemaal. Na de eerste oogst beklaagden zij zich dat de prijzen die hun *fazendeiros* toepasten veel lager waren dan de marktprijs in Santos, en een flink aantal van hen ging in staking.

Dit conflict lokte een enquête uit door een Zwitserse diplomaat van het consulaat in Rio, die het in feite eens was met de *colonos*. De keizerlijke regering probeerde van haar kant de immigranten tevreden te stellen, want zij was van plan om nog andere Europese kolonisten naar Brazilië te halen. Enkele duizenden Duitsers deden het goed in Rio Grande do Sul, op landerijen die van de Kroon waren. Daarentegen was het tewerkstellen van Portugese, Duitse en Zwitserse contractarbeiders in de streek rond São Paulo een privé- initiatief. De beide partijen kwamen weliswaar tot bedaren, maar de 'opstand' zoals Pontes en anderen het noemden, had voor Brazilië rampzalige gevolgen. Pruisen verbood de rekrutering van andere emigranten en de Zwitserse kantons raadden hun armen af naar Brazilië te vertrekken.

Alfredo Pontes verkocht de contracten van Laubner en andere *colonos* aan een planter wiens *fazenda* veertig kilometer van Tiberica lag. Deze nieuwe baas bleek gewetensvol en eerlijk te zijn en binnen drie jaar betaalde August zijn schulden af. Begin 1862 was hij vrij van zijn contract en ging hij met zijn vrouw Heloïse en zijn twee kinderen, een jongen en een meisje die destijds elf en vijftien waren, naar Tiberica. In maart van datzelfde jaar, in de voorkamer van een klein huis, opende August Laubner zijn apothekerswinkel, de eerste van de stad.

De baron van Itatinga zelf was een klant van Laubner, wiens poeder tegen maagzuur hij geregeld gebruikte, evenals het tonicum op basis van rundvlees, ijzer en kersen om het vlees te sterken en het bloed te zuiveren. Ulisses Tavares had niets dan goeds gehoord van de Zwitser en zijn familie, maar was toch enigszins bezorgd toen Teodora hem vertelde dat zij Laubner, zijn vrouw en zijn dochter voor die avond had uitgenodigd.

'Hij zal zich niet bij ons op zijn gemak voelen tussen onze vrienden,' argumenteerde de baron. 'Zij hebben respect voor zijn talent, maar ze verwachten hem vast niet in onze balzaal te zullen zien.'

'Dat klopt,' had de barones lachend geantwoord.

'Waarom heb je hem dan uitgenodigd?'

'Omdat mij dat van verschillende kanten gevraagd is.'

'Hoe dat zo?'

'Weet jij dan niet dat jongens uit onze beste families zowat het huis van de apotheker belegeren?'

'Ach ja, het is waar, zijn dochter is allercharmantst!' riep de baron uit, die het eindelijk begreep.

'Drie jonge harten' – ze had de namen van drie jonge mannen genoemd – 'kloppen nog slechts voor Renata Laubner. Kon ik hun smeekbeden dan negeren?'

Renata Laubner was een uit de kluiten gewassen meisje van achttien, met ronde blauwe ogen, een kroon van blonde haren met een scheiding in het midden, die zij in vlechten droeg, versierd met kleine bloempjes van dezelfde kleur als haar ogen. Ook haar jurk was rood, en eenvoudig vergeleken met de gekunstelde toiletten van de barones en de andere genodigden, maar paste uitstekend bij haar lichte huidkleur. De vrijgezellen uit Tiberica waren allemaal ondersteboven van deze engelachtige schoonheid, die zo hemelsbreed verschilde van de provocerende meisjes van de tropen.

Firmino Dantas leerde Renata die avond pas kennen. Nadat hij aan Laubner was voorgesteld, had de jongeman naar de apotheker geluisterd die vertelde over een recente reis naar de halfwilde Tupis wier medicijnen hij wilde leren kennen.

'Echt waar, *senhorita*, bent u met uw vader mee geweest naar de *sertão*?' had Firmino bewonderend gevraagd toen Laubner klaar was met zijn verhaal.

'Ja, waarom niet?' antwoordde Renata enigszins beledigd.

'Renata heeft een speciaal karakter,' legde August Laubner uit terwijl hij zijn dochter teder aankeek.

'Ik ben niet bang,' ging Renata verder. 'Het was een prachtige reis. Na de laatste *fazenda* hebben we drie dagen lang een pad door het bos gevolgd. Dat was een wandeling door het paradijs, wat een bloemen, wat een vogels!'

Firmino kreeg het gevoel dat deze jongedame, die zo dapper haar vader vergezeld had op zijn tocht, ook zijn hartstocht voor vooruitgang zou begrijpen. Zijn gereserveerde aard had hem niettemin ingefluisterd verder te gaan met over serieuze onderwerpen te discussiëren voordat hij aan Laubner toestemming vroeg om met zijn dochter te dansen. Maar toen hij Renata in zijn armen nam voelde hij zich verschrikkelijk zenuwachtig. Het had een half uur geduurd voordat hij genoeg moed had verzameld om haar weer opnieuw uit te nodigen en in de tussentijd had hij drie jongemannen uit Tiberica op zijn idool zien afkomen. Toen zij hem een derde dans toestond, had hij het genoegen dat hij voelde door haar middel te omsluiten en met haar op de tonen van een polka door de zaal te glijden, niet kunnen verbergen.

Na de dans nam Teodora haar toekomstige zwager apart en fluisterde ze hem toe: 'Die tedere schoonheid danst de polka op een fantastische manier.'

'Teder? Een meisje dat met haar vader is mee geweest naar de *sertão*, tien dagen lang?'

Teodora leek geschokt.

'Waarom doet ze zoiets, grote God?'

'Laubner wilde de oude remedies van de *pagés* bestuderen en *senhorita* Renata is met hem meegegaan. Vind je dat niet formidabel?'

'Ik vind het belachelijk. Een jong meisje hoort bij haar moeder, thuis.'

'Renata Laubner is anders.'

'Anders?' herhaalde de barones, terwijl ze haar wenkbrauwen optrok.

Firmino, die in de gaten kreeg dat de barones geïrriteerd was, raakte in de war en antwoordde: 'Maak je geen zorgen. Ik heb mijn hoofd niet verloren in een Zwitserse wolk.'

'Dat hoop ik dan maar,' antwoordde Teodora, met een valse schittering in haar ogen. Ulisses Tavares kwam eraan, en zij wees met haar kin op hem. 'En de baron ook. Hij zou dit helemaal niet leuk vinden, Firmino.'

Vroeg in de ochtend van de elfde juni 1865 lagen er negen Braziliaanse oorlogsschepen voor anker op vijftien kilometer van Tres Bocas, een zijrivier van de Paraná, de Paraguay en de Riachuelo. Het eskader, dat in totaal beschikte over een vuurkracht van negenenvijftig stuks, had als admiraalsschip de *Amazonas*, een fregat van honderdvijfennegentig voet en driehonderdzeventig ton, de enige raderboot van de negen schepen. De acht andere werden voortgedreven door een schroef, waardoor zij beter konden manoeuvreren. De *Amazonas*, met de blauwe met sterren bezaaide vlag van de marine boven in de grote mast, en de goud-met-groene vlag van het keizerrijk aan de fok, had een zwart geverfde romp, met vooraan een zware sneb, en netten boven de reling om entering te voorkomen.

Op deze zondag van de Heilige Drieëenheid woonden de commandant van het eskader, vice-admiraal Francisco Manuel Barroso, zijn officieren en zijn tweeëntwintighonderd man, inclusief elfhonderd-vierenzeventig infanteristen van het negende bataljon, de mis bij zonder zich kennelijk al te veel zorgen te maken over de tweeduizend Paraguayanen die op de oostelijke oever van de Paraná gestationeerd waren, met een batterij van tweeëntwintig kanonnen.

Het was duidelijk dat het optimisme van mannen als de baron van Itatinga, die in februari 1865 nog voorspelde dat Asunción binnen drie maanden zou vallen, ongegrond was. Zes maanden na de inbeslagname van de *Marquês de Olinda* hadden de Braziliaanse soldaten nog steeds geen voet op Paraguayaanse bodem gezet. Dat was des te onbegrijpelijker omdat Argentinië ook de oorlog aan Paraguay had verklaard en een triple alliantie had gevormd met Brazilië en de overwinnende Colorado-factie in Uruguay. Dat was gebeurd nadat López aan Buenos Aires toestemming had gevraagd om met zijn troepen over Argentijns grondgebied te trekken tussen de Rio Paraná en de Rio Uruguay, om de Brazilianen in Uruguay te kunnen bestrijden en verder oostwaarts te kunnen trekken naar Rio Grande do Sul. Bartolomé Mitre, de Argentijnse president, had dat geweigerd, waarop López tienduizend man naar het vroegere missiegebied had gestuurd. In maart 1865 verklaarde het Paraguayaanse parlement de oorlog aan Argentinië en op 14 april zette López' marine drieduizend soldaten aan land om Corrientes in te nemen, een haven in de Argentijnse provincie van dezelfde naam. Corrientes was zonder tegenstand gevallen. Binnen een paar weken hadden vijfentwintigduizend Paraguayanen de provincie bezet, met als doel naar Buenos Aires zelf op te trekken.

Eind mei 1865 was het eskader van vice-admiraal Barroso met vierduizend man de Paraná opgevaren om Corrientes te ontzetten. Het offensief was geslaagd, maar vierentwintig uur na hun succes waren de geallieerden weer aan boord gegaan uit angst voor een tegenaanval van de vierentwintigduizend Paraguayanen die op een paar dagmarsen van Corrientes gelegerd waren. Sindsdien hadden de Braziliaanse schepen een positie ingenomen op tien kilometer van Corrientes, in een bocht van de rivier in de buurt van de Riachuelo, om de Paraná te blokkeren en de Paraguayaanse vloot het uitvaren onmogelijk te maken.

Om negen uur op 11 juni waren de beide aalmoezeniers van het eskader klaar met de mis. Nog geen veertien dagen na het begin van de blokkade waren de Brazilianen het al zat om dag en nacht de rivier in de gaten te houden waar slechts enkele kano's en kleinere schepen over voeren, waarvan de bemanning soms helemaal niet eens wist dat er oorlog was. Niets vermoedend voeren zij de grote bocht in, kwamen eerst voorbij de *Belmonte*, dan voorbij het admiraalsschip, de *Amazonas*, de korvetten *Jequitinhonha* en *Beberibe*, de vier kanonneerboten *Parnaíba, Iguatemi, Mearim* en *Ipiranga*, en ten slotte voorbij de laatste boot van het eskader, de *Aruguari*, uitgerust met 32- en 68-ponders. Wat de meeste indruk maakte op de bemanning van de kano's was de omvang van de *Amazonas*, met acht grote schoepen en zijn grote sneb van voren, die dreigend naar de vaargeul tussen de zandbanken en de eilanden wees, omgeven door riet.

Aan boord van de *Mearim* sloeg de klok die ochtend glazen voor negen uur, het tweede uur van de ochtendwacht. De *Mearim* lag achter de *Belmonte*, maar wel zó dat de wachten ervan vrij stroomafwaarts konden kijken. Het geluid van de klok verstierf toen er een kreet klonk: 'Schip in aantocht!'

Het bewuste schip werd algauw door een tweede en derde boot gevolgd.

'Vijandelijk eskader in zicht!'

Veertien Paraguayaanse schepen kwamen de Paraná opvaren, voortgestuwd door een stroom van drie knopen; acht stoomschepen en zes platte schuiten die getrokken werden en allemaal voorzien waren van een achtduims kanon. De vuurkracht van de Paraguayanen bestond uit zevenenveertig stukken geschut, en net als de Brazilianen hadden zij meer dan duizend infanteristen aan boord. Aan het hoofd van het eskader voer de *Paraguarí*, gepantserd en voorzien van acht kanonnen, achteraan de *Tacuari*, het admiraalsschip, met aan boord commandant Pedro Ignácio Meza; net vóór de *Tacuari* voer de *Marquês de Olinda*, die acht maanden eerder was overgeverfd en waarvan de acht kanonnen nu gereed waren om het vuur te openen op de schepen van zijn vroegere meesters.

Aan boord van de Braziliaanse schepen werd alles in staat van paraatheid gebracht. Machinisten en stokers haastten zich de stoomdruk op te voeren maar hadden nog geen kwartier tussen het alarm, geslagen door de *Mearim*, en de eerste schoten van de Paraguayanen die voor hen langs voeren. De afstand tussen beide vloten was te groot voor voltreffers maar het lawaai en de rook van de kanonnen waren een rechtstreekse uitdaging. De jonge Braziliaanse tamboers die nog geen uur geleden in witte kleren de mis verzorgden, stonden op hun post en sloegen op hun instrumenten. De kanonniers laadden hun stukken, de soldaten verzamelden zich op de brug, klaar om een entering af te weren.

Vice-admiraal Barroso, die naar de *Parnaíba* was gegaan, kwam in der haast terug aan boord van de *Amazonas*, vanwaar hij het voorste vijandelijke schip zich half zag omdraaien. Barroso, eenenzestig jaar oud, was in Portugal geboren, maar diende al lang in de marine van zijn nieuwe vaderland. Hij had dunne grijze haren, een witte baard en bruine wenkbrauwen met daaronder autoritaire ogen, net zo autoritair als de rest van zijn trekken. Om de vijand beter te kunnen zien was hij op een van de schoepenraderen van de *Amazonas* geklommen en vandaar gaf hij een adelborst het bevel om een signaal te geven dat de schepen moesten terugvechten.

Toen de Paraguayaanse vloot was omgekeerd en de rivier weer opvoer, namen de Braziliaanse boten hun posities in in de vaargeulen tussen de zandbanken en de eilanden, en openden het vuur. Een van de stoomboten van López, de *Jejuí*, liep een beschadiging aan de stoomketel op en verliet het gevecht. De zeven andere en de zes platte schuiten verlieten de slagorde om groepjes te vormen die elk één bepaald vijandelijk schip onder vuur namen. Zo werd de Braziliaanse korvet *Jequitinhonha* onder vuur genomen door drie Paraguayaanse schepen die een regen van kogels afvuurden, terwijl de infanteristen met hun musketten het dek onder spervuur namen. Zo werd de kanonneerboot *Parnaíba* door drie boten onder vuur genomen, waaronder de kruisers *Tacuarí* en *Paraguarí*, die salvo na salvo losten terwijl zij op het Braziliaanse schip afvoeren in een poging het te enteren.

Voorbij de grote bocht in de rivier raakte de lucht al snel verzadigd van de bijtende gele rook van de gevechten, gemengd met roet en as die door de schoorstenen van de boten werd uitgespuwd. Het begin van de slag op de Riachuelo verliep niet zo best voor de Brazilianen want ze waren amper begonnen te vechten met López' vloot toen er een andere dreiging opdook. De tweeëntwintig kanonnen van de Paraguayaanse batterij die op de oever stond openden het vuur om het eskader te ondersteunen.

Op het water concentreerden de bemanningen van de *chatas*, de schuiten van achttien voet lang en bewapend met een enkel kanon, hun vuur op de houten rompen van de Braziliaanse boten in de hoop een stoomketel of een munitiekamer te kunnen treffen. Voor de matrozen van een van de *chatas* hield het gevecht op toen een granaat, afgeschoten door een 68-ponder van de *Amazonas*, het vaartuig raakte, waardoor het in stukken vloog.

Aan boord van de *Tacuarí*, de *Paraguarí* en de kleine *Salto*, maakten de Guaranis zich op om te enteren, toen zij een verschrikkelijke ontdekking deden. Zij die in Asunción zaten te wachten op het nieuws van een grote overwinning hadden nagelaten om het enige voorwerp aan boord van de schepen te brengen dat onontbeerlijk was voor de aanval die zij nu moesten doen, namelijk enterhaken.

'De klootzakken!' vloekte een sergeant van de *Salto*.

De soldaten die om hem heen stonden, stinkend naar de *cana* die zij voor het gevecht hadden gedronken, begonnen nog veel erger te vloeken.

'De idioten!' riep de sergeant weer terwijl hij naar de *Tacuari* keek die probeerde om bij de *Parnaíba* langszij te komen.

Twee Paraguayanen die boven op de schoepenraderen van de *Tacuari* zaten sprongen over de reling van de *Parnaíba* maar omdat er geen enterhaken waren kon de Guarani-boot niet lang genoeg tegen het vijandelijke schip blijven aanliggen zodat ook anderen konden volgen. Toen de *Tacuari* weer wegdreef, sprongen de beide soldaten weer haastig aan boord.

Nu was het de beurt aan de *Salto*. Aangedreven door een schroef, en dus makkelijk te manoeuvreren, schoof hij tegen de Braziliaanse kanonneerboot. In een paar minuten enterden de sergeant en negenentwintig van zijn kameraden de *Parnaíba*, waarbij hun strijdkreten het geschreeuw overstemden van een Paraguayaan die tussen beide boten terecht was gekomen en nu platgedrukt werd door hun rompen.

Vier aanvallers werden door Braziliaanse kogels getroffen maar de vijfentwintig anderen stortten zich op het dek. Ondersteund door scherpschutters die in de masten van de drie boten zaten die de *Parnaíba* bestookten, veegden de aanvallers de Brazilianen van het dek. De meeste andere soldaten van het keizerrijk waren al naar het ruim gevlucht om niet door de Paraguayanen onder vuur te worden genomen. Binnen een kwartier waren de mannen van López de kanonneerboot meester, de eerste vangst voor *El Presidente* van die dag.

Toen kwam de *Amazonas* uit de rook zetten, en zijn stuurboordkanonnen openden het vuur op de beide dichtstbijzijnde vijandelijke schepen, de *Tacuari* en de *Salto*. Het bakboordgeschut, dat met schroot geladen was, veegde het dek van de *Parnaíba* schoon, waarbij driekwart van de Paraguayanen omkwam. Aangemoedigd door deze slachting, kwamen de Brazilianen die in het ruim waren gevlucht weer aan dek en maakten de overlevenden met bajonetten af.

Viereneenhalf uur lang woedde de strijd in de bocht van de Rio Paraná. De Brazilianen, die een grotere vuurkracht hadden, begonnen langzamerhand de overhand te krijgen. De *Jejuí* werd tot zinken gebracht, de *Salto* liep op een zandbank. De *Marquês de Olinda*, het mikpunt van de Braziliaanse kanonniers, werd in de stoomketel geraakt en liep prompt ook op een zandbank.

Hoewel de Paraguayanen drie schepen en twee *chatas* verloren hadden, bleef de strijd onbeslist, want de Brazilianen waren ook niet gespaard gebleven. De *Belmonte*, die bij de waterlijn getroffen werd, liep vast. De *Jequitinhonha* liep ook op een zandbank en de *Parnaíba* werd eveneens buiten gevecht gesteld.

De *Amazonas* voer, na de kanonneerboot te hulp geschoten te zijn, langzaam door de vaargeul, in een constant vuurgevecht met de vijand. Dit was echter niet het belangrijkste doel van het admiraalsschip, want nadat het twee kilometer de rivier opgevaren was, draaide het om. Met volle kracht vooruit, en geholpen door de stroom, voer de boot recht op de *Paraguarí* af, het nieuwste schip van de vloot van president López.

De sneb van de *Amazonas* raakte het schip in het midden, boorde zich door de ijzeren platen en verpulverde de reling. De machines die op volle kracht draaiden deden het dek van het admiraalsschip trillen. De Paraguayaanse stoomboot helde over onder de schok, en kapseisde op een zandbank.

'*Viva Dom Pedro Segundo! Viva Brasil!*' riepen de matrozen van de *Amazonas* toen het fregat zich losmaakte van het opengereten schip.

Er waren door de schok Paraguayanen in het water terechtgekomen. Anderen sprongen daarin om naar de oever te zwemmen, maar twaalf Guaranis, die de *macacos* beledigingen toeschreeuwden, deden hun best om het laatste bruikbare kanon van de *Paraguarí*, een 12-ponder, vrij te maken. Het was een wanhopige uitdaging, geboren uit woede en haat voor de aartsvijand.

Nu de *Paraguarí* gestrand was en een vijfde kanonneerboot beschadigd, hees de *Tacuari* het signaal voor de terugtocht. Aan boord van deze laatste boot lag de commandant van het eskader, Pedro Ignácio Meza, te sterven. Duizend Paraguayanen waren gedood of gewond, een verlies dat drie keer zo groot was als dat onder de Brazilianen. Met de *Tacuari* in de achterhoede trokken de drie Paraguayaanse schepen die het overleefd hadden terug, nog even achtervolgd door twee Braziliaanse schepen. Maar de slag was ook voor de vloot van het keizerrijk uitputtend geweest en de Brazilianen gaven de achtervolging van de Paraguayanen op bij de Rio Paraguay, waar zij onder vuur kwamen van vijandige forten. De Brazilianen stelden zich ermee tevreden te weten dat de vernietiging van de Paraguayaanse vloot López er voortaan van zou weerhouden de Paraná op te varen.

Maar de kanonnen op de oever zwegen nog niet en voor één Braziliaans schip was de hel, die viereneenhalf uur eerder was begonnen, nog niet afgelopen. De korvet *Jequitinhonha* was door drie Paraguayaanse schepen onder vuur genomen en had een entering afgeweerd na een gevecht van man tot man. Zij voer een smalle vaargeul binnen, toen ze op een zandbank terechtkwam binnen schootsafstand van de batterijen op de kust. Ze had zo'n dodelijk kanonvuur te verduren gekregen dat vijftig van de honderdachtendertig bemanningsleden gedood of ernstig gewond waren, waarbij vijftig anderen, ondanks hun lichte verwondingen, op hun posten bleven.

Tot twee keer toe waagden de boten van het Braziliaanse eskader zich binnen het schootsveld van de vijand in een vergeefse poging de korvet weg te slepen. Bijna zeven uur na het begin van de slag verlieten de Paraguayanen aan de oever, gebombardeerd door de *Amazonas* en de andere boten, ten slotte de batterij. Toen het vuur ophield lieten de overlevenden van de *Jequitinhonha* zich op het dek vallen, dat aan alle kanten openlag, en begonnen te huilen.

In het ruim van het achterschip waren twee mannen op hun post gebleven, zeven verschrikkelijke uren lang, zonder aan hun eigen leven te denken. Rondom hen lagen mannen met kapotte ledematen, verminkte lichamen, weggeslagen gezichten.

De oudste van de twee, Manuel Batista Valadão, luitenant-scheepsarts van de *Jequitinhonha*, had als assistent een onderluitenant van zevenentwintig, genaamd Fábio Alves Cavalcanti, wiens vuurdoop dit was. De hut waar zij waren werd verlicht door vier lampen waarvan het gele licht het tafereel nog helser maakte: een stapel geamputeerde armen en benen, zichtbaar voor de gewonden die op hun beurt wachtten; een rode vloer, en de beide chirurgen zelf onder het bloed. Er hing een vieze, walgelijke lucht in de hut, waarvoor de gewonden de Heer echter dankten, want het was de lucht van ether, sinds kort in gebruik genomen, waardoor hun heel wat lijden werd bespaard.

Soms, in de loop van de zeven verschrikkelijke uren, was Fábio Alves Cavalcanti doodsbang geweest. Dan had hij zich omgedraaid naar Manuel Valadão, die onverstoorbaar was, en had uit zijn voorbeeld kracht geput om de slag te vergeten die boven hun hoofden woedde. Soms, als zij een gewonde verzorgden, moest Fábio aan het domein Santo Tomás denken, dat al generaties lang van zijn familie was. 'Here God, laat mij daarnaar teruggaan,' bad hij hardop, zonder er rekening mee te houden dat Valadão hem kon horen.

Voor Fábio Alves Cavalcanti, kleinzoon van Carlos Maria, het kind dat Pedro Preto wees had gemaakt door Paulo Cavalcanti te vermoorden, had de herinnering aan Santo Tomás iets rustgevends in deze hut waar mannen hem aankeken met ogen die om de dood vroegen. Hij zag weer het Casa Grande uit zijn jeugd, waar hij al tien jaar niet meer woonde. Zijn vader, Guilherme Cavalcanti, bracht het grootste deel van het jaar door in zijn herenhuis in Olinda en hijzelf had zijn middelbare studies in die stad gevolgd, voordat hij zich liet inschrijven bij de faculteit van geneeskunde in Bahia, om ten slotte dienst te nemen bij de keizerlijke marine, achttien maanden eerder. Nu, omgeven door kreunende mannen, vroeg Fábio zich af of dat wel een verstandige beslissing was geweest en voelde hij heimwee naar het dal van de Cavalcantis, zo ver van dit bloedbad verwijderd.

Maar zijn twijfel duurde niet lang. Toen de kustbatterij ophield met schieten, beval luitenant Valadão zijn assistent naar de brug te gaan om te kijken of de slag echt afgelopen was. Fábio liep langzaam de gang op, met een van vermoeidheid gebogen rug, toen hij een stem achter zich hoorde: '*Tenente...*'

Het was een kanonnier die op de vloer lag. Hij was een van de eerste gewonden, en was met een half opengereten lichaam en beide benen gebroken door een Paraguayaanse granaat naar de chirurgen gebracht.

'Ja?' zei Fábio, terwijl hij zich naar hem overboog.

De zeeman stak zijn arm uit en met zijn niet-verbonden hand pakte hij die van de onderluitenant.

'Dank u, vriend.'

En ook Fábio Alves Cavalcanti voelde zich vervuld van grote dankbaarheid, realiseerde zich dat het een voorrecht was om daar te zijn waar zulke dappere mannen als deze verminkte kanonnier hem nodig hadden.

XIX

April 1866 – maart 1870

Eind maart 1866 bekeek de eerbiedwaardige Guarani-generaal Juan Bautista Noguera, bijgenaamd Cacambo, thans negenenzeventig jaar oud, haatdragender dan ooit jegens de Brazilianen, met groot genoegen de trofee die naar Francisco Solano López in zijn hoofdkwartier aan de Paraná gestuurd was, een leren zak met de hoofden van negen vijandelijke soldaten. Cacambo danste van vreugde, waarbij hij met zijn kleine handjes zwaaide, trok toen zijn sabel, hief met moeite het zware lemmer omhoog en herhaalde zijn eed: 'Ik, Cacambo, zweer de eerste *macaco* die een voet op vaderlandse bodem durft te zetten, te zullen doden!'

De invasie kon elk ogenblik plaatsvinden. Het Paraguayaanse offensief in de Argentijnse provincie Corrientes was op een ramp uitgelopen. Zestienduizend Guaranis waren in het gevecht omgekomen of gestorven door ziekte voordat de laatste eenheden van López de Paraná overstaken om zich in Paraguay terug te trekken, aan het eind van oktober 1865.

De dienstplicht had het aantal weerbare mannen weer op vijfentwintigduizend gebracht, die voor het merendeel naar kampen langs de Paraná waren gestuurd. Hun voornaamste basis bevond zich in Paso la Patria, vijftien kilometer ten oosten van Tres Bocas. Tussen beide plaatsen werd de noordelijke oever van de Paraná onderbroken door de *carrizal* – diepe lagunes en moerassen, drie tot vier kilometer landinwaarts. In Itapiru, tussen Tres Bocas en Paso la Patria, was een batterij van zeven kanonnen geïnstalleerd. In Paso la Patria, dertig voet boven de *carrizal*, stond een andere batterij van dertig stuks. Overal elders in het oerwoud langs de oever waren compagnieën artillerie verborgen op plaatsen waar de vijand mogelijk aan land zou kunnen gaan.

In maart 1866 trokken de geallieerde strijdkrachten van Brazilië, Argentinië en Uruguay zich voor de Paraná samen. De Brazilianen beschikten nu over een leger van zevenenzestigduizend man, onder wie vijfendertigduizend vrijwilligers. Een Argentijns contingent van vijftienduizend man stond onder bevel van president Bartolomé Mitre, die overeenkomstig het verdrag van de triple alliantie de opperbevelhebber van de geallieerde strijdkrachten was, voor de operaties op Argentijns grondgebied. De Uruguayanen, onder bevel van de Colorado-generaal Venancio Flores, hadden na de bloedige burgeroorlog tegen de Blancos slechts vijftienhonderd man op de been kunnen brengen.

Dom Pedro Segundo in hoogst eigen persoon was met zijn beide schoonzoons, prins Louis Gaston, graaf van Eu, en prins Louis Augustus, hertog van Saksen-Coburg-Gotha, naar de operaties komen kijken. Het keizerlijk trio reisde te paard door het zuiden van Brazilië en was getuige geweest van de overgave van een colonne van tweeënveertighonderd Paraguayanen, in Uruguaiana, in september 1865. De keizer, negenendertig jaar oud, imposanter dan ooit, met goudkleurige haren en dito baard, was niet erg onder de indruk van de gevangenen. 'Dat is een vijand die het niet eens waard is overwonnen te worden', had hij in een brief aan een vriend geschreven.

De tweeënnegentig *voluntários* van Tiberica, onder leiding van Firmino Dantas da Silva, hadden de stad in februari 1865 verlaten. Zij waren naar Santos gegaan, waar zij met andere Paulista-vrijwilligers aan boord waren gegaan van een schip dat naar Rio Grande do Sul vertrok. Daar waren zij tot juli getraind en hadden vervolgens de bewaking gekregen over een doorwaadbare plaats in de Rio Uruguay. Ze waren daar acht maanden gebleven, zonder één enkele vijand te zien en kregen ten slotte het bevel zich bij het eerste korps van het Braziliaanse leger in Corrientes te voegen.

In april 1866 begon het gros van het Braziliaanse leger zich te installeren op vooruitgeschoven posten langs de zuidelijke oever van de Paraná, tegenover de Paraguayaanse batterijen van Itapiru. Op 5 april groef een voorhoede van elfhonderd man, die over La Hitte-kanonnen en over mortieren beschikte, zich in in een begroeide zandbank die van Itapiru gescheiden werd door een smalle vaargeul. Acht Braziliaanse oorlogsschepen ondersteunden deze ontscheping.

Op 10 april, om vier uur 's ochtends, zetten dertienhonderd Paraguayanen een tegenaanval in, in kano's, om de vijandige troepen van hun zandbank te verdrijven. Nog geen kwartier later verscheurden geweldige lichtflitsen de duisternis, toen de Braziliaanse schepen het vuur openden, waarbij het gebulder van de kanonnen het lawaai van de veldslag op de zandbank overstemde.

Slechts zestig van de tweeënnegentig mannen die Tiberica in februari 1865 hadden verlaten namen aan deze operatie deel. De anderen hadden dysenterie, pokken of andere ziektes gekregen. Veertien waren overleden, acht lagen in het hospitaal van Corrientes en tien waren naar huis gestuurd. Firmino Dantas da Silva zelf had twee weken met roodvonk in het ziekenhuis gelegen. Hij diende nu als verbindingsman tussen het bataljon en het hoofdkwartier van generaal Manuel Luís Osório, de commandant van het eerste Braziliaanse legerkorps.

Twee Tibericaanse vrijwilligers keken naar de lichtflitsen die door de nacht schoten en spoorden de onzichtbare kanonniers van de Braziliaanse boten aan. Tegenover hen spuugden de vijandelijke kanonnen hun vuur vanaf de donkere streep van het oerwoud, en de granaten die bestemd waren voor de boten vlogen over beide mannen heen, die erom lachten. Toen de zon opkwam klommen zij op een heuvel om een beter uitzicht over de zandbank te hebben. Maar die was gehuld in rook en lichtflitsen, nu minder zichtbaar in de ochtendschemering.

Het eerste zonlicht scheen ook over een verschrikkelijk litteken van een van de beide *voluntários*, die niettemin nog aan geen enkele schermutseling had deelgenomen. Het was een oude diepe snee, van zijn linkerslaap tot zijn nek. De man wiens schedel zo toegetakeld was, was helemaal kaal geworden.

Het was Policarpo, een van de slaven die door Ulisses Tavares in januari 1856 gekocht waren van de handelaar Saturnino Rabelo. Mossambe, toen negenentwintig jaar oud, had de baron verzekerd dat de zweep hem geleerd had te gehoorzamen en te werken.

In werkelijkheid was Policarpo lui en vond hij er niets aan op de plantage, vooral niet als er geoogst moest worden, als de klok om vijf uur 's ochtends begon te luiden om de slaven op te roepen zich te verzamelen voor het grote huis, om daar te bidden, alvorens zij tot zonsondergang moesten zwoegen op de velden. Vier jaar geleden, op een ochtend, had Policarpo niet geluisterd naar de roep van de klok, en was een opzichter de slaapzaal binnengestormd, zonder hem te vinden. Er werd meteen een zoektocht georganiseerd om de vluchteling te pakken. De prijs van de slaven was zo omhooggegaan sinds de handel op Afrika afgeschaft was, dat zelfs de nonchalante Policarpo een waardevol bezit voor *senhor barão* was.

Policarpo was niet uit Itatinga gevlucht. Toen zijn achtervolgers op weg gingen, was hij nog geen tien kilometer van de *senzala*, en lag hij te snurken in een bosje langs de weg naar Tiberica. Hij was daar 's morgens vroeg volledig dronken in elkaar gezakt, met een kruik *cachaça* en een pakje Bahiaanse tabak naast zich. Af en toe stal de neger een zak koffie in het oude huis, dat schuur en ziekenboeg was geworden, en ruilde die dan met de *agregado* Gonzaga tegen alcohol, tabak en prullen.

Toen hij gevonden werd was de slaaf nog dronken van de *cachaça*. Zijn achtervolgers bonden hem zijn handen vast en lieten hem naar de *fazenda* rennen, aan een lang touw dat aan het zadel van een van ruiters werd vastgemaakt. Onderweg was het paard plotseling opzij gesprongen, het touw was losgeraakt en Policarpo was naar een heuvel met koffiestruiken gerend. Hij smeerde hem tussen de struiken door, ontsnapte enkele minuten aan de ruiters totdat het geschreeuw de opzichter van een groep slaven die op een naburige heuvel aan het werk was alarmeerde. Deze greep de vluchteling door hem met een ijzeren staaf op het hoofd te slaan, die gebruikt werd om gaten in de grond te boren om er koffieplanten in te zetten. Policarpo raakte buiten bewustzijn, zijn schedel was beschadigd, en hij leek het niet te zullen overleven.

Toch was hij er weer bovenop gekomen en naar Ulisses Tavares gebracht, die zijn wond had bekeken en hem heel lang had ondervraagd. De neger was in de boeien geslagen, in de *tronco diabo*, en had honderd zweepslagen gekregen. Toen hij weer op het veld aan het werk was gegaan, viel hij af en toe flauw, of werd hij razend, en de opzichters stelden hem ten slotte te werk op de *terreiro*, om de vruchten die in de zon lagen te drogen door elkaar te harken.

Policarpo was onderdanig geworden, en buiten zijn zucht naar *cachaça*, had hij geen moeilijkheden meer veroorzaakt in Itatinga. Toch mochten de andere slaven die op de *terreiro* werkten hem niet. Het scheen dat Policarpo, telkens als de zon onbarmhartig over de mannen op het terras scheen en de hitte onverdraaglijk werd, duizelingen kreeg en kreunend met zijn hoofd begon te schudden totdat hij toestemming kreeg om in de schaduw te gaan uitrusten.

Sommige slaven vroegen zich nog andere dingen af betreffende de Moçambiquaan. Was hij, toen zijn schedel geraakt was, niet het lievelingetje van *mãe de santo* geworden, de moeder van de dochters van de heiligen die in het geheim in de *senzala* vereerd werden? Als de trommelaars speelden, kreeg hij dan niet opeens een geweldige energie, als hij voor de Afrikaanse goden danste? En als hij bezeten raakte door de geesten, was het dan niet de mond van Policarpo, de simpele, die het hardst tekeerging?

De *voluntário* die bij Policarpo was, op de ochtend van de slag om de zandbank, was de mulat Antônio Paciência, thans negentien jaar oud. Hij was groot en mager, maar had stalen spieren, een licht gebogen neus, en een blik die een grote innerlijke kracht verried. Zijn donker gekleurde gezicht had een eerlijke uitdrukking, die vaak werd aangezien voor brutaliteit. 'Hij zal een goed arbeider zijn,' had Rabelo voorspeld, en hij had zich niet vergist. Over de kwaliteit van zijn werk kon hem niets verweten worden. En toch was hij een heel slechte slaaf.

Antônio herinnerde zich nog hoe enthousiast de *iaiá* – de *sinhazinha* – was geweest toen hij haar cadeau werd gedaan. Zij had hem getoond aan bezoekers uit Itatinga. Ze was helemaal verrukt geweest als ze haar met hem complimenteerden. Maar buiten die bezoeken bleek Antônio Paciência niet in staat de barones te behagen. Teodora had zich constant over hem en over de moeite die zij had om hem goed op te voeden, beklaagd.

Op een dag was de zilveren schoenlepel van de *sinhazinha* verdwenen en Teodora verklaarde dat zij hem had laten zitten in een van de laarzen die zij aan Antônio had gegeven om ze te poetsen. De *iaiá* en Dona Feliciana, de echtgenote van Eusébio, hadden Cincinnato, de koetsier, opdracht gegeven om de jongen een pak ransel te geven tot hij zijn misdaad zou bekennen: 'O! Vergiffenis, *iaiá*! Ik had hem in mijn zak gestoken... Ik heb hem verloren, maar ik weet niet waar!'

Tweeëneenhalf jaar na zijn aankomst in Itatinga was Antônio Paciência naar de *senzala* gestuurd. Hij was daar verbaasd over, want het was al een poosje geleden dat hij voor het laatst door de *iaiá* onder handen was genomen, en zeker niet voor zulke belangrijke zaken als het verlies van een schoenlepel.

'Ik ben de slaaf van de barones,' had Antônio geprotesteerd, toen de opzichter hem in de keuken was komen halen. 'Ik werk in het grote huis.'

De opzichter, een mulat net als Antônio, had hem in zijn nek gegrepen.

'De barones zelf heeft mij het bevel gegeven!'

Het duurde een poosje voordat de jongen begreep dat Teodora alle interesse in het verjaarscadeau dat haar man haar gegeven had verloren had.

De overgang naar de *senzala* was bijna even schokkend geweest als de scheiding van Mãe Mônica. Hij werd gewoon bij de tweehonderdtwintig slaven van de *fazenda* gevoegd, en voelde zich daar zo door te kort gedaan dat hij niet eens dacht aan het verlies van zijn mooie kleren of het voedsel uit de keuken van het grote huis.

De pruimende man was de eerste geweest die Antônio duidelijk had gemaakt dat hij zijn waardigheid nu kwijt was.

Dat was een oude neger die doorging voor ouder dan negentig en die nog had gediend onder de vader van de baron in de kano's van de 'moessons'. Hij wist hoe hij zandvlooien onder de voeten van slaven uit moest halen, die daarin kropen om hun eieren te leggen. Hij paste deze eenvoudige chirurgie toe voor een van de slaapzalen en Antônio zelf had het mes van de ontvlooier leren kennen. Terwijl hij de oude man de vlooien met de punt van zijn mes zag zoeken, besefte de mulat wat hij verloren had door niet meer het Casa Grande te zijn.

Toen hij veertien was deed Antônio het werk van een man, waarvoor hij door de baron zelf gecomplimenteerd werd.

'Ik heb me niet vergist door naar Rabelo te luisteren. Jij bent een goed arbeider. Als God het wil kun jij later nog weleens opzichter in Itatinga worden.'

Zeven maanden later kreeg de mulat vijftig zweepslagen omdat hij van de *fazenda* gevlucht was. Achttien maanden later had hij zijn achtervolgers zevenenveertig dagen weten bezig te houden voordat hij in São Paulo weer gegrepen werd. Antônio had deze tweede vlucht voorbereid met twee andere slaven, maar toen hij aan Policarpo vroeg om zich bij hen te voegen, had de Moçambiquaan dat geweigerd, zeggend: 'Het risico is te groot.'

'We gaan naar São Paulo, en misschien wel naar Rio de Janeiro. Ze vinden ons nooit terug tussen de duizenden inwoners van die steden.'

'Die kans heb je.'

'Kom toch mee, Mossambe!'

'Om ze jou te laten pakken?'

'We worden niet gepakt.'

Policarpo boog zijn hoofd om zijn litteken te laten zien.

'Ik ben gemarkeerd als een beest. Als ze dat zien weet iedereen dat ik Mossambe met de kapotte kop ben, eigendom van de baron van Itatinga. Ik kan niet met jou mee, Antônio.'

De drie slaven waren aan het begin van de winter van 1863 gevlucht. Een van de metgezellen van Antônio was aan een longontsteking overleden, in het schamele onderkomen dat zij in een bos hadden gebouwd, honderdtwintig kilometer ten zuidwesten van Itatinga. De ander was gevangen in de *senzala* van een *fazenda* op vijftig kilometers van São Paulo, terwijl Antônio, verborgen in de bomen, zat te wachten. Hij had geschreeuw gehoord toen zijn kameraad gepakt was door hen aan wie hij te eten had gevraagd, en zonder te wachten hoe het afliep was hij ervandoor gegaan. Als enige van het trio kwam hij in

São Paulo, maar hij werd drie dagen na zijn aankomst in de stad als zwerver aangehouden.

Senhor barão in eigen persoon was komen kijken naar de afstraffing van de jonge mulat, die werd gegeven onder het toeziend oog van de hoofdopzichter Eduardo, door de slaven 'Setenta' (zeventig) genaamd, vanwege het aantal zweepslagen dat hij meestal toediende. 'Dat is niet te veel en niet te weinig,' meende hij altijd.

'Ik zou je aan een andere *fazendeiro* moeten verkopen, Antônio Paciência,' had Ulisses Tavares gezegd, 'maar ik ben er de man niet naar om anderen op te zadelen met mijn fouten. Hier heb jij geleerd je slecht te gedragen. Hier zullen wij je ook leren om een goede slaaf te worden, al duurt het nog zo lang.'

Toch veranderde de *barão* van mening. Op een ochtend in februari 1865 werden Antônio Paciência en vijf andere recalcitrante of luie slaven naar het grote huis gebracht, waar Ulisses Tavares hun verklaarde: 'Jullie hebben mij niet goed gediend. Jullie hebben meer zweepslagen verdiend dan de rest van de slaven. Moge Jezus die alles vergeeft jullie te hulp komen. Wees trouw! Wees trots op de taak waar jullie voor uitgekozen zijn! En wees vooral moedig!'

Ulisses Tavares bood de zes slaven aan het leger van keizer Dom Pedro aan. Al had hij kerels uitgekozen van wie hij meende dat zij niet meer te beteren waren, de *barão* vond dat hij een gebaar van patriottisme maakte. Vele andere slavenhouders gaven een paar negers cadeau alleen om zelf niet te hoeven vertrekken. Tavares minachtte deze lafbekken diep, en dat was terecht, want terwijl tweeënnegentig Tibericaanse vrijwilligers de stad verlieten, reed zijn kleinzoon aan het hoofd van die colonne.

Deze bestond uit zevenentwintig *fazenda*-slaven uit het district, die drie aan drie liepen, niet allemaal even graag, verschrikt, terwijl anderen stralend onder de toejuichingen liepen te glimlachen. Antônio Paciência behoorde bij de laatsten, en liep links naast Policarpo Mossambe, een van de zes mannen uit Itatinga die aangewezen waren als *voluntários da patria*.

Op het ogenblik dat de zon op 10 april 1866 boven de Paraná uitrees, begonnen Antônio en Policarpo aan hun afdaling naar het kamp terwijl zij luisterden naar het strijdgewoel vanaf de zandbank tegenover de Paraguayaanse batterijen van Itapiru. Door het dunne struikgewas zagen zij links en rechts andere mannen die net als zij de heuvel waren opgeklommen om naar de strijd te kijken. Het tafereel had iets ongerijmds, want al waren ze in Zuid-Amerika, er namen duizenden Afrikanen deel aan het gevecht. In april 1866 waren er tienduizend zwarte slaven in het leger van Pedro II, waarbij nog vijfduizend mulatten en andere halfbloeden kwamen. Toen het enthousiasme voor de oorlog onder het volk verzwakte, omdat er geen zicht was op een snelle overwinning, werd een andere categorie 'vrijwilligers' gedwongen om de keizer te dienen. In de *sertão* van Pernambuco, van Bahia en andere provincies, arresteerden ronselaars mannen die niets bezaten, bonden ze vast en brachten ze naar de kust, waar zij scheep gingen naar de Plata.

Die ochtend, vlak nadat Antônio en Policarpo in het kamp gekomen waren, zwegen de kanonnen van Itapiru. Firmino was vertrokken naar het hoofdkwartier van Manuel Luís Osório, de commandant van het eerste legerkorps, dus hadden zij de ochtend voor zich alleen en waren ze naar de oever gegaan, vlak bij de plaats van ontscheping, toen ze voor het eerst iets hoorden over de slag op de zandbank.

'De Paraguayanen zijn verslagen!' riep een soldaat. 'Het eiland is van ons!'

'*Viva Dom Pedro Segundo! Viva Brasil!*'

Een geweldig gejuich steeg op uit de kelen van de mannen die op de oever stonden, Policarpo nam Antônio in zijn armen en drukte hem tegen zich aan.

'Eindelijk! Nu steken we de Paraná over! En aan de andere kant zijn wij vrij!'

Policarpo geloofde in geruchten die lieten doorschemeren dat de slaven die in Paraguay voor de keizer hadden gevochten vrijgelaten zouden worden.

'Dat is maar een gerucht,' herinnerde Antônio Paciência hem.

'Ik heb Dom Pedro in zijn koets in Rio de Janeiro gezien. Hij is een groot monarch, een wijs man! Als wij de vijand zullen hebben overwonnen, zal hij tegen ons zeggen: "Voortaan zijn jullie vrij, mijn Brazilianen."'

Op 15 april 1866 klommen tienduizend mannen van het eerste legerkorps aan boord van elf stoomboten, kano's en dekschuiten die aan de boten vastzaten. Zevenduizend andere soldaten, voor het merendeel Argentijnen, stonden klaar aan boord te gaan als de Brazilianen klaar zouden zijn. Een vloot van zeventien Braziliaanse schepen, verdeeld over drie eskaders, lag langs de Paraguayaanse oever van Tres Bocas, dicht bij Paso la Patria, het hoofdkwartier van López.

De compagnie vrijwilligers uit Tiberica nam plaats op een van de drie dekschuiten die getrokken werd door een stoomboot met aan boord generaal Osório. Op 16 april, om zeven uur 's ochtends, voer deze boot op de vaargeul tussen Itapiru en de zandbank af die de Brazilianen vijf dagen eerder hadden veroverd. Deze landtong heette het Eiland van de Verlossing, en dat was misschien een goed teken voor de achthonderd mannen die zich daar hadden laten vermoorden.

Firmino Dantas da Silva was ook aan boord van de stoomboot met Osório en zijn generale staf. Hij stond vlak bij de stuurboordreling, met verschillende andere officieren uit het vrijwilligerskorps, en voelde zich vreselijk nerveus terwijl de granaten van het eskader de oever schoonveegden, de bomen tot brandhout reduceerden en het bos in vuur en vlam zetten. De batterij van Itapiru antwoordde met een voortdurend gebulder en het water spoot als een geiser omhoog toen een Paraguayaans projectiel de rivier raakte.

Firmino had veertien maanden op dit moment gewacht, veertien maanden waarin hij constant had gedroomd terug te kunnen naar Itatinga. In het garnizoen in Bagé, waar de compagnie getraind was, was hij amper onder de indruk gekomen van de officieren van het reguliere leger, met wie hij weinig gemeen had. 'O Pensador', de Denker, hadden zijn collega's hem genoemd.

Ten slotte was de compagnie naar het noordwesten van de Rio Grande do Sul gestuurd, en Firmino had in de buurt van een zijrivier van de Rio Uruguay een verlaten boerderij ontdekt waar zijn mannen beschermd zouden zijn tegen de kou en het vocht van de winter. Elke dag hadden patrouilles de oever uitgekamd, zowel om Paraguayanen te zoeken als om iets te eten te vinden. De slaven-soldaten zoals Antônio Paciência en Policarpo, begonnen maïs, cassave en andere cultures te planten. Firmino stuurde regelmatig zijn rapport naar Bagé, en al kreeg hij de routineuze antwoorden, de compagnie uit Tiberica scheen vergeten te zijn.

Sommige *voluntários* weten dit nietsdoen aan Firmino Dantas, die het al lang best scheen te vinden dat hij in een oude boerderij de boeken kon lezen die hij had meegenomen. O Pensador droomde, en wachtte tot de oorlog naar hem toekwam. Maar anderen legden deze schijnbare wil om ver van het slagveld te blijven anders uit: 'De kleinzoon van de baron van Itatinga is bang.'

Toen de compagnie ten slotte naar het zuiden werd gestuurd, was zij naar het kamp in de buurt van Corrientes gegaan, waar Firmino zijn neef Clóvis da Silva had teruggevonden, inmiddels kapitein bij de artillerie. Deze had al tegen de Paraguayanen gevochten, en deed nogal kritisch tegen Firmino.

'De baron heeft je niet aangespoord om je als vrijwilliger te melden voor zo'n miserabele post,' zei hij hem op de avond dat zij samen in het hotel Riachuelo dineerden, een van de vele etablissementen in Corrientes die goede zaken deden bij de toestroom van duizenden soldaten.

Firmino kende zijn neef slecht, maar wist dat Ulisses Tavares hem erg bewonderde.

'Ik ben geen beroepssoldaat, Clóvis.'

'Daar gaat het niet om. De kleinzoon van de *barão* van Itatinga moet het tegen de borst stuiten om acht maanden niets te zitten doen in een kamp. Ulisses Tavares verwacht iets meer van jou, Firmino.'

Na deze discussie zorgde Clóvis da Silva ervoor dat zijn neef verbindingsofficier werd bij het hoofdkwartier van Osório. Deze benoeming bracht hem in contact met de commandant van het eerste legerkorps en opende voor hem perspectieven voor een snelle bevordering. Toch bleef Firmino er niet veel in zien om soldaatje te spelen, en voerde hij de bevelen goed uit, maar zonder de ijver die de aandacht van superieuren op hem had kunnen vestigen. Hij wilde eigenlijk maar zo snel mogelijk naar Itatinga terug om verder te kunnen gaan met zijn experimenten met de molen... en om het meisje terug te zien waarvan hij al maanden droomde. De hartstocht van Firmino voor de blonde Renata was, sinds de avond bij de barones, groter geworden. Voor zijn vertrek was hij naar de apothekerswinkel gegaan en had de baas gevraagd om een persoonlijke eerstehulptrommel voor de veldtocht samen te stellen. Hij had van de gelegenheid gebruik gemaakt om een beetje met Renata te kletsen, waarbij hij haar blikken vol bewondering – en aanbidding – toewierp. Toen August Laubner naar achter was gegaan, had Firmino plotseling de hand van Renata gegrepen en zijn lippen erop gedrukt.

Hij maakte zich zorgen over zijn verplichtingen tegenover Carlinda. Hij wist ook dat Teodora, fanatiek aanhangster van zijn verloofde, het er niet mee eens zou zijn als hij zijn woord zou terugnemen. Maar in de loop van de maanden had Firmino zijn hoop gevestigd op meer dan wat een handkus toeliet te geloven. 'Renata, mijn liefste,' mompelde hij. 'Na deze oorlog kom ik terug naar Tiberica, waar jij op mij wacht.' Hij had zichzelf ten slotte hiervan overtuigd.

Thans, op het dek van de stoomboot die de landingsvaartuigen naar Itapiru bracht, en terwijl rond hem het lawaai van de oorlog woedde – aan stuurboord spuugden de Whitworth-kanonnen van een kruiser hun vernietigende vuur naar de vijand; in de kano's en op de dekschuiten maakten duizenden mannen zich klaar voor de landing – werd zijn nerveuze verwachting tot vervoering.

Firmino keek naar de voorplecht, waar Manuel Luís Osório met zijn generale staf stond. De generaal was een gentleman van achtenvijftig met een heldere, open blik. Hij had al op zijn negentiende zijn eerste veldslag geleverd in het oostelijke gebied, in 1827, en had een enorme reputatie opgebouwd.

Toen Firmino hem voor het eerst ontmoette, in zijn hoofdkwartier, had Osório opgemerkt dat de naam Ulisses Tavares da Silva boven aan de lijst stond van hen die koning Joã de verovering van het oostelijk gebied in 1817 hadden bezorgd. 'Als u half zo moedig bent als hij, Firmino Dantas, zal de oude Paulista trots op u kunnen zijn,' had de generaal gezegd. De jongeman had beloofd om zijn best te zullen doen maar toen hij weer alleen was was hij bang geworden te zullen mislukken tegenover een vijand die de baron, evenals zijne majesteit dom Pedro, eigenlijk maar minderwaardig vond.

Firmino's angst verdween naarmate de landingsvloot vorderde. De Paraguayaanse artilleristen hadden eindelijk de juiste afstand berekend en een boot geraakt. Maar toen de stoomboten een paar honderd meter van het Eiland van de Verlossing waren, draaide de voorste boot naar bakboord. Een voor een, met de dekschuiten achter hen aan, en de kano's naast zich, begonnen de schepen de rivier af te varen, richting Tres Bocas. De landing moest niet in Itapiru plaatsvinden maar op een plek achthonderd meter voorbij Tres Bocas, langs de Rio Paraguay zelf.

'*Macacos... Macacos... Macacos.*'

Generaal Juan Bautista Noguera herhaalde dat woord met ijzeren kalmte, terwijl hij de *armada* zag aankomen langs de lage oevers op het punt waar de Paraguay in de Paraná stroomde.

Vierduizend Paraguayaanse soldaten hadden hun posities ingenomen langs de Paraná, de meesten tussen Itapiru en Paso la Patria. Al maandenlang werd er een geallieerde landing verwacht en het opperbevel had weinig hoop een vijand tegen te kunnen houden die getalsmatig verre in de meerderheid was. Cacambo was echter een van de weinige officieren die het daar niet mee eens waren. Evenals de Engelse officieren van López, kolonel George Thompson en luitenant Hadley Tuttle, vond hij dat Paso la Patria, Itapiru en andere mogelijke landingsplaatsen verdedigd moesten worden met alle kanonnen die uit Humaitá aangevoerd konden worden.

Maarschalk López had dat plan verworpen want hij beschouwde de fortificaties van Humaitá als de sleutel van de Paraguayaanse defensie. De batterijen die langs de oever stonden verschaften de Paraguayanen een verschrikkelijke vuurkracht, en nog geen jaar na de overwinning bij de Riachuelo, had de Braziliaanse vloot het nog steeds niet gewaagd door te breken naar Humaitá. De vijand kreeg namelijk niet alleen te maken met kanonnen, maar ook met de *esteros*, een moerassige streek van niet meer dan vijftien vierkante kilometer, die echter een natuurlijke afweer vormde welke evenzeer te vrezen was als de door mensenhanden gebouwde fortificaties. 'De plek van de verdoemden', had López die genoemd.

Achter de *carrizal*, tussen twee parallel lopende waterstromen, strekte zich de *esteros* uit. Een dicht palmbos groeide er op het hoge land, tien tot dertig meter boven moerassen vol biezen, die één à twee meter diep waren. Voor een landingsleger waren er weinig plekken erger dan die waarheen de geallieerden zich die ochtend van de 16de april 1866 begaven.

Cacambo en zijn compagnie zaten in een palmbos, tweehonderd meter van de Rio Paraguay. Achter hen lag een uitgestrekt moeras, voor hen een smalle strook vasteland, de afgelopen twintig minuten beschoten door de vijandelijke artillerie.

'*Macacos... Macacos... Macacos.*'

Stoomkruisers, troepentransportschepen, platte dekschuiten en kano's, dat was alles wat er te zien viel. Daarentegen had Cacambo tweehonderd mannen en jongens, voor het merendeel gewapend met ouderwetse geweren en kapmessen. Noguera had drie mannen uitgestuurd om versterking te vragen aan een detachement dat vijf kilometer oostwaarts was gelegen, achter het moeras, maar hij wist dat het zijn boodschappers minstens een uur zou kosten om het moeras over te steken.

Het palmbos was geen beste schuilplaats voor de soldaten van Cacambo. Hier en daar hadden de Guaranis kleine aarden terpen opgeworpen, die weinig uithaalden tegen het onophoudelijke en dodelijke bombardement van de Brazilianen. In een kwartier tijds had de compagnie van Noguera vijftig mannen verloren en in de vuurstorm die de palmen vernietigde waren een heleboel anderen doof geworden door het lawaai van de explosies. Slechts enkele soldaten hielden het uit terwijl de meerderheid zich terugtrok in de moerassen.

Cacambo schold niet op de vluchtelingen. Hij wendde zich tot een jongen van elf, die de blauw-wit-rode vlag van de Paraguayaanse republiek droeg en beval hem: 'Ga maar! Breng de vlag maar in veiligheid.'

Het kind, een Guarani uit de stad van Cacambo, weigerde door met zijn hoofd te schudden.

'Ga dan toch! Je kunt hier niets meer doen. Breng onze driekleur naar maarschalk López en zeg hem dat Cacambo...' Een granaat vloog fluitend door het palmbos en ontplofte vlak bij. 'Ga toch!' riep de oude man.

Het kind rende naar het moeras. De Braziliaanse kanonnen zwegen. In het bos kraakten bomen en vielen met een plof om. Gewonden kreunden. Verderop, waar rook en stof in de lucht hing, was het stil. Een stilte die al snel doorbroken werd door stemgeluid toen drie dekschuiten en twee kano's de oever van de Rio Paraguay naderden.

Met de zes mannen die hij nog over had rende generaal Juan Bautista Noguera naar de indringers. Zijn metgezellen renden voor hem uit want de oude Guarani, die zich al lang met de andere oudsten had moeten terugtrekken in zijn hangmat, had bijna geen adem meer. Hij struikelde verschillende keren, en verloor bijna het evenwicht aan de rand van de kraters die de vijandelijke granaten geslagen hadden. Hij had zijn sabel getrokken, en zwaaide daarmee terwijl hij mompelde: '*Macacos...*'

De Brazilianen van de dekschuiten ontdekten de zes Paraguayanen die achter elkaar aanrenden, en met hun rode jassen een prachtig doelwit vormden. Het geweervuur maaide ze alle zes neer.

'*Macacos...*'

Cacambo ging door met zijn aanval, lette alleen op de voorste kano, waar een grote *macaco* met een witte pet en een blauwe poncho brutaal op de voorplecht stond, met een zilverkleurige lans in de hand.

De oude man stond twintig meter van de oever toen vier kogels hem troffen. Hij zakte in elkaar, met zijn sabel naast zich.

'Mijn Guaranis...' snikte hij in een laatste ademtocht.

De man met de witte pet, de eerste Braziliaan die voet zette op Paraguayaanse bodem, was generaal Manuel Luís Osório, wie dit triomfantelijke ogenblik de titel van baron de Herval zou bezorgen.

Achtendertig dagen na de landing was de vervoering die Firmino tijdens de operatie gevoeld had totaal verdwenen. Tijdens de oversteek van de *carrizal* hadden er schermutselingen plaatsgevonden tussen Paraguayanen die rond de lagunes lagen en Braziliaanse troepen. Het contingent uit Tiberica was op 21 april in Paso la Patria gekomen, zonder meer schoten te lossen dan die welke de nerveuze vrijwilligers losten op het oerwoud, als zij een geluid hoorden.

Firmino begon de prijs te betalen voor de gereserveerde houding die hij maandenlang had aangenomen. Hij was totaal alleen, er was geen band van vriendschap met andere officieren of met soldaten van zijn compagnie. Zelfs met Clóvis da Silva, die hij in Paso la Patria vaak tegenkwam, had hij weinig te bespreken. De conversatie van de artillerist gaf de jongeman de indruk dat hij niet helemaal op zijn plaats was en hij zag in de majoor – Clóvis was sinds de landing bevorderd – het type soldaat dat precies beantwoordde aan de verwachtingen van Ulisses Tavares.

Als hij naar zijn neef en anderen luisterde, versterkten hun vrolijke en opschepperige woorden alleen maar zijn gevoel van isolement. Als hij langs de weg lijken van Paraguayanen zag liggen, stelde hij zich zijn eigen dood voor. Als hij sprak met overlevenden van de aanval van 2 mei, waarbij de Braziliaanse voorhoede zestienhonderd man verloren had, wist hij zeker dat hij zo'n bloedbad ontvlucht zou zijn. Zijn angst werd zo groot dat hij nergens anders meer aan kon denken, zelfs niet aan de raadgevingen van Ulisses Tavares, die hem naar het zuiden had gestuurd om de heroïsche reputatie van de Da Silvas van Itatinga hoog te houden.

Op 24 mei 1866, achtendertig dagen na de landing, vormden de vooruitgeschoven posten van de geallieerden een front van vijf kilometer, tot Tuyuti, een hoger gebied met palmbomen, even ten noorden van de Bellaco Sur, en aan de zuidrand van de moerassen. Vijfendertigduizend man afkomstig uit Paso la Patria en ondersteund door ruim honderd kanonnen hadden zich daar ingegraven. De Braziliaanse divisies bezetten de linkerflank, de Argentijnse de rechterflank. Ook waren er negenhonderd Uruguayanen, alles wat over was van de bataljons onder aanvoering van de Colorado-generaal Venancio Flores. De geallieerden bleven onder het bevel van de Argentijnse president, generaal Bartolomé Mitre, en het Braziliaanse leger onder bevel van generaal Osório.

Op 24 mei beval generaal Mitre in Tuyuti om de *esteros* te verkennen. Firmino Dantas en de compagnie uit Tiberica bevonden zich bij een divisie die achter aan de Braziliaanse linkerflank geposteerd was. Generaal Antônio Sampião voerde deze bataljons aan, bestaande uit Braziliaanse vrijwilligers, en bedoeld als ondersteuning voor een regiment artilleristen – de Mallet-batterij – bewapend met achtentwintig Whitworth- en La Hitte-kanonnen. Majoor Clóvis da Silva diende in deze eenheid, die zijn naam dankte aan de naam van zijn commandant, Emílio Mallet, een Fransman die in de jaren 1820 naar Brazilië was geëmigreerd, en de beste artillerist van het keizerlijke leger geworden was.

Aan het eind van de ochtend zaten de bataljons die voor de verkenning waren uitgekozen te wachten op het bevel het moeras binnen te dringen. Het was warm en vochtig, de hemel was wolkeloos, en terwijl de troepen zich verzamelden stonden de transpirerende mannen te vloeken. Ze hadden niet verwacht dat de operatie zo moeilijk zou zijn.

Firmino Dantas en zijn soldaten bevonden zich met andere vrijwilligers op driehonderd meter van de Mallet-batterij. Zijn compagnie had zich ingegraven op een heuvel bedekt met palmbomen. Aan de voet van die heuvel begon een moeras dat zich uitstrekte tot de *esteros*, die vol riet stonden. Een brede diepe gracht was voor het geschut langs gegraven.

Om precies elf uur vijfenvijftig ontplofte er links van de Braziliaanse posities een lichtkogel boven het oerwoud. Hier en daar klonk een bugel of een fluitje. Een paar minuten later kwam een Braziliaanse verkenner uit het oerwoud, die schreeuwde: '*Os Paraguaios!*'

Achtduizend infanteristen en duizend ruiters, die hadden moeten afstijgen en hun rijdieren te voet door het dichte kreupelhout hadden moeten leiden, kwamen links tussen de bomen vandaan. Rechts stortten zich zevenduizend cavaleristen en tweeduizend soldaten, die achter hen aanrenden, op de Argentijnse flank. In het midden vielen vijfduizend infanteristen, uitgerust met vier granaatwerpers, de Mallet-batterij frontaal aan. In totaal waren het ongeveer drieëntwintigduizend man, het gros van het Paraguayaanse leger.

Tegen de middag, vijf minuten na de explosie van de lichtkogel die het sein tot de aanval was, woedde de Slag van Tuyuti langs het hele geallieerde front.

De compagnie uit Tiberica, die met haar bataljon tussen de palmbomen zat, schoot op de vijand onder aan de heuvel, zevenhonderd meter verderop. De eerste rijen Paraguayanen waren goed gegroepeerd, waadden door het moeras naar het vasteland vóór het geschut en naar de hogere terreinen met palmbomen. De achtentwintig kanonnen van kolonel Mallet kwamen in actie, maar de ware zondvloed van ijzer en vuur die zij veroorzaakten hield de golf rode legerjassen die op de Brazilianen afrolde niet tegen.

'*Fogo!*' beval Clóvis da Silva aan de mannen van de vier La Hitte-kanonnen.

De grond trilde onder hun voeten, kogels floten langs hun oren. Kolonel Mallet in eigen persoon liep tussen de artilleristen en zei telkens: 'Ze mogen er niet door komen!'

'*Fogo! Fogo! Fogo!*' riepen de officieren.

Driehonderd meter van de bulderende kanonnen openden de vrijwilligers uit Tiberica het vuur op de Paraguayanen. Firmino Dantas stond achter zijn mannen, onder dekking van een palmboom, en moest vreselijk zijn best doen om met zijn trillende vingers zijn geweer telkens weer te laden.

Bajonetten fonkelden terwijl de Paraguayanen vastberaden het moeras bleven oversteken. Die uit de eerste rijen laadden hun geweren zodra zij vaste grond onder de voeten voelden. Zij werden door de Mallet-batterij gedecimeerd, maar direct door anderen vervangen.

Firmino Dantas was eerst vreselijk bang, en toen wanhopig, waarna hij tevergeefs naar een schuilplaats op zoek ging. Een paar seconden later doorbraken enkele honderden Guarani-cavaleristen de uiterste linkerflank van de Brazilianen en stortten zich op het palmbos.

Antônio Paciência was niet minder bang dan Firmino. Met Policarpo Mossambe en zeven andere vrijwilligers had hij stelling genomen achter wat lage rotsblokken die minder bescherming gaven dan ze verwacht hadden.

'Laad dan toch, Antônio! Schiet dan toch, verdomme!' bromde Policarpo toen hij zag dat de jonge mulat van schrik niets meer kon.

Antônio gehoorzaamde. Mechanisch mikte hij, en schoot hij op de massa mannen die aan de rand van de *esteros* gekomen waren. Toen bleef hij weer doodstil liggen, en keek hij met open mond naar de vijand.

'*Baioneta*, Antônio! *Baioneta!*'

De jongeman hoorde Policarpo's bevel maar voerde het niet uit. Zoals ook anderen was hij versteend van schrik toen hij de Paraguayaanse cavalerie zag. De regen van kogels afkomstig van de vrijwilligers maaide de eerste ruiters neer, en bracht een paar paarden ten val, maar de Brazilianen hadden de tijd niet om te herladen, en de horde stortte zich op hen, met blanke sabel en kapmessen.

Met een verschrikkelijke kreet stortte een Paraguayaan met een dolk in de hand zich op Policarpo. Er klonk een geluid van staal op staal toen de slaaf pareerde met zijn bajonet, die hij meteen bij de Guarani in diens wang duwde. Het paard van de man sloeg op hol, en nam de gewonde mee, die hoge kreetjes slaakte. Een tweede ruiter kwam eraan, viel van zijn zadel toen hij zich vooroverboog om Policarpo te raken, en werd ook aan het driehoekige lemmer geregen.

Maar weinig vrijwilligers vochten zo goed als Policarpo. Honderd van hen lagen dood of gewond onder de palmbomen. Een heleboel anderen waren naar de Mallet-batterij gevlucht. De Paraguayanen gingen door met hun aanval, die zij nu op de kanonnen richtten, maar zij stuitten op een muur van vuur, afkomstig van de troepen van generaal Sampião.

Antônio Paciência keek zijn vriend beschaamd aan.

'O, Mossambe, ik heb niets gedaan!'

Toen de cavalerie had aangevallen, was de jonge mulat plat op de grond gaan liggen, achter de rotsen. De Moçambiquaan stak zijn hand uit om hem te helpen opstaan en zei: 'Dit was dan het eerste gevecht.'

Firmino lag aan de voet van een palmboom, zijn gezicht onder het bloed, evenals zijn jas. Hij luisterde naar het lawaai van de slag, dat van verre tot hem kwam. Hij hoorde de stemmen van de Brazilianen die de gaten welke in hun rijen gevallen waren kwamen opvullen, maar deed geen poging om hulp te roepen. Hij keek naar zijn vingers, die hij tegen zijn zij gedrukt hield, en kreunde zachtjes.

Twee meter van hem vandaan lag een Paraguayaanse ruiter. De man was dodelijk gewond geraakt, van zijn zadel gevallen en zijn lichaam, dat tegen de palmboom was geslagen, had Firmino Dantas onder het bloed doen komen.

Aan de rechterflank van de geallieerde troepen vielen zevenduizend Paraguayaanse cavaleristen een Argentijns regiment aan. Vierhonderd Guaranis kwamen achter hen aan, want zij sloegen een gat naar een batterij met twintig stuks geschut. De helft van hen werd door de geallieerden neergemaaid, maar de overlevenden kwamen bij de kanonnen en doodden de artilleristen die bij hun stukken waren blijven staan, of joegen ze op de vlucht. De Paraguayanen draaiden de kanonnen om en trokken ze naar hun eigen kamp, toen plotseling de reservetroepen van de Argentijnse cavalerie opdoken. De Guaranis wilden de stukken geschut niet meer opgeven en werden tot de laatste man afgeslacht.

Zo kwam de Argentijnse batterij weer in actie, en voegde zij haar vuurkracht bij de honderd andere kanonnen die onafgebroken langs het vijf kilometer lange front in actie waren. Nergens was de Paraguayaanse aanval zo fel als op de batterij van Emílio Mallet en de divisie van Antônio Sampião die de artillerie ondersteunde. De vijfduizend Paraguayanen die met een constante golfbeweging de *esteros* waren overgetrokken, stortten zich op de Brazilianen, sloegen links- of rechtsaf, al naar gelang zij de batterij of de troepen uit het palmbos aanvielen.

Het vijfentwintigste Paraguayaanse bataljon – nieuwe rekruten die het leger van López weer op sterkte hadden moeten brengen – moest een hoge prijs betalen voor zijn moed. Het snelle vuur van de Mallet-batterij dunde hun rijen sterk uit. En de volgende compagnie die aan de aanval deelnam ontdekte dat het moeras vol lag met lijken van mannen van het vijfentwintigste.

De ruiters die aan de rechterflank konden doorbreken voegden zich bij de infanteristen van de colonne die door het oerwoud was gekomen, ten oosten van de Braziliaanse posities. Samen voerden zij drie charges uit, waardoor zij de Brazilianen in het palmbos terugdreven. Tot drie keer toe hergroepeerden de keizerlijke troepen zich en drongen zij de Paraguayanen terug naar de *esteros*. Na vier uur vechten werd Antônio Sampião zelf ernstig gewond. Duizend van zijn mannen, reguliere soldaten of vrijwilligers, waren dood of buiten gevecht gesteld. Om drie uur 's middags werd Manuel Luís Osório op de hoogte gesteld van de hachelijke situatie van de overlevenden.

De opperbevelhebber van het Braziliaanse leger verzamelde alle troepen die hij kon vrijmaken en schoot de divisie van Sampião te hulp.

Het merendeel van de Paraguayaanse aanvallers bevond zich zonder dekking tussen de palmbomen en de *esteros*, en was bezig een nieuwe aanval voor te bereiden. Toen Osório en zijn mannen optrokken schoten de soldaten van López met musketten op hen, waardoor de eerste rijen sterk werden uitgedund.

'*Avançar, Brasileiros! Avançar!*' beval Osório, met zijn poncho wapperend in de wind, en in zijn hand de zilveren lans die zijn favoriete wapen was.

Een naast hem lopende bugelspeler werd dodelijk getroffen. De generaal zag vanuit zijn ooghoek een soldaat het instrument oprapen.

'Blaas erop, *voluntário*!' zei Osório. 'Blaas erop.'

De soldaat bracht het instrument aan zijn lippen en blies iets dat leek op een bevel tot de aanval.

Aangespoord door de generaal wierpen de Brazilianen zich op de vijand. Binnen een kwartier waren er honderden Paraguayanen in gevechten van man tot man gedood of zwaar gewond door de bajonet. De infanterie van Osório liep de troepen van López in deze sector onder de voet, en tegen halfvijf zwegen de geallieerde kanonnen over het hele front.

Bij het eind van de charge zag Osório de man die de bugel had opgeraapt naar het kamp teruglopen.

'Hoe heet jij, vrijwilliger?'

'Policarpo Mossambe, generaal. Uit Tiberica.'

'Noteer dat,' zei Osório tegen een van zijn officieren. 'Waar heb jij dat litteken opgelopen, Policarpo?'

'Dat dateert nog van voor de oorlog, generaal. Ik ben slaaf.'

'Ik heb je vandaag zien vechten. Ga naar je compagnie en zeg tegen je commandant dat jij op het slagveld een je promotie hebt verdiend. Je bent nu korporaal.'

'Goddank, jij leeft nog!' riep majoor Clóvis da Silva toen hij Firmino Dantas aan de rand van een veld vol gewonden zag zitten.

De onderluitenant was langzaam tot de ontdekking gekomen dat het bloed dat overal op hem zat, niet het zijne was, maar dat van de Paraguayaanse ruiter. De overlevenden van het bataljon werden bijeengebracht toen Firmino opstond en Antônio Sampião had de jongeman wankelend naar zijn soldaten zien lopen. Omdat de generaal ongerust over hem was, had hij gezegd: 'Ik ben niet gewond.'

Toch had Sampião hem voor alle zekerheid maar ingedeeld bij een compagnie reservisten, die een munitiedepot in de achterhoede moest bewaken. Clóvis, die daar niets van wist, keek vol eerbied naar het bebloede uniform van zijn neef.

'Als Ulisses Tavares je nu zou zien, zou hij heel trots op je zijn!'

Antônio Paciência liep een beetje onzeker naast korporaal Mossambe.

'Ik heb me als een worm gedragen,' bekende de mulat. 'Ik heb mijn best gedaan om uit handen van de vijand te blijven. Maar jij hebt me daarna toch gezien, toen ze teruggekomen zijn, heb ik toch gevochten, of niet, korporaal?'

'Als een jonge leeuw!'

Dit was de dag na de slag. Policarpo en Antônio hadden *cachaça* gedronken aan de kar van een ambulante koopman, voordat zij naar het kamp teruggingen. Toen zij rook zagen voor de geallieerde linies, vroeg Antônio: 'Wat is dat?'

'Weet ik niet,' antwoordde Policarpo, die zijn wenkbrauwen fronste.

'Ik heb geen kanonschot gehoord.'

Ze liepen verder en ontdekten waar de rook vandaan kwam.

'Jezus!' riep Antônio Paciência. 'Wat erg! Sommigen zijn zo mager dat er niks meer te verbranden valt!'

De Paraguayaanse lijken werden op stapels gelegd die in brand werden gestoken. Van de drieëntwintigduizend man die López in de strijd had geworpen, waren er zesduizend dood, en zevenduizend gewond. De verliezen van de geallieerden werden op vierduizend becijferd.

In een donkere nacht voeren zeven kano's snel de Rio Paraguay af. Vier daarvan waren aan elkaar vastgebonden, zwaar beladen en lagen dus diep in het water. Een van de drie kano's voer vooruit, twee andere kwamen erachteraan. Het was tegen middernacht, 20 augustus 1866.

'Voorzichtig aan, jongens,' zei een officier uit de voorste boot. 'Laat jullie maar door de stroom meevoeren.'

De kano's kwamen uit een moerassige kreek in de buurt van Curupaiti, een batterij langs de oostoever van de Rio Paraguay, tien kilometer stroomopwaarts van het fort van Humaitá, en gingen naar Curuzu, een ander Paraguayaanse fortificatie. Curuzu was een ingegraven batterij met dertien kanonnen en vijfentwintighonderd man, de voornaamste verdediging van López stroomafwaarts van Tres Bocas.

Alle ogen waren gericht op de officier van de voorste kano. Voor de oorlog had Angelo Moretti, kapitein van de raderboot *La Golconda*, in alle jaargetijden en in elk weertype op de Paraguay gevaren. Zijn boot had een half jaar eerder haar laatste reis gemaakt, met afgekoelde ketels en niet meer te repareren machines. Op sleeptouw genomen door de *Tacuari*, een van de drie stoomkruisers die nog te gebruiken waren, had de *Golconda* haar dagen beëindigd in een vaargeul in de buurt van Curupaiti, waar ze tot zinken was gebracht als obstakel voor de vijand.

De Italiaanse *capitán*, wiens broodwinning op de bodem van de rivier lag weg te roesten, had zijn diensten aangeboden aan de marine, samen met duizend buitenlanders van twaalf verschillende nationaliteiten, die dienst hadden genomen in het leger van maarschalk López, voor het merendeel technici en ambachtslieden die dag en nacht in de wapenfabriek van Asunción werkten om oorlogsmateriaal te produceren.

Buiten Moretti hadden nog drie andere officieren plaats genomen in de kano's, met veertig mannen. Een van hen, Ramos geheten, was een jonge Paraguayaan die een paar jaar in Engeland was geweest, waar hij bij J. & A. Blyth een expert op het gebied van explosieven was geworden. De tweede, een Pool die Michkoffsky heette, was zonder een cent in Asunción gekomen, nog voor de oorlog, en was zo gelukkig geweest een nicht van *El Presidente* te kunnen trouwen.

De derde officier, die in een van de boten zat die aan elkaar waren vastgebonden, had sinds zij uit de kreek vertrokken waren nauwelijks op de afgelegde weg gelet. Met zijn strohoed op zijn voorhoofd zat Lucas Kruger te dommelen en keek pas op als een van de zeelieden ergens op wees.

De uitvinder uit Pittsburgh had de belofte gehouden, die hij tegen-over Francisco Solano López had afgelegd, om Paraguay heel gevaar-lijk te maken voor een vijand. Vier maanden geleden waren zestien stoomboten met houten rompen en vier kruisers van zijne keizerlijke majesteit Dom Pedro uit Tres Bocas vertrokken en waren zij vijftien kilometer de rivier opgevaren, waar zij schaakmat waren gezet door Luke Kruger, de meester torpedist van Paraguay.

Luke had twee soorten mijnen. Explosieve, drijvende apparaten, die vastlagen in de vaargeulen tussen de eilanden en de zandbanken, tussen Humaitá en Curuzu, en andere die in het water werden losgela-ten zodat de stroom ze naar de vijandelijke schepen zou voeren. Ze waren van verschillende afmetingen – tussen de vijftig en de vijftien-honderd pond – en de vaste mijnen werden verankerd zodat zij vijf of zes voet onder het wateroppervlak bleven drijven. De drijvende wer-den vastgemaakt aan tonnen of mandflessen.

Sinds het begin van de oorlog was Kruger al bezig een zelfvoortbe-wegende torpedo te maken, maar dat was hem nog niet gelukt. Drie-honderd mijnen dreven in mei 1866 in de rivier, toen het de Brazilia-nen eindelijk lukte om de Rio Paraguay op te varen. Sindsdien zakten Luke en zijn mannen regelmatig de rivier af om andere uit te zetten.

De Braziliaanse oorlogsschepen werden beschermd door schuiten die lange lijnen voorzien van enterhaken voorttrokken, waarmee zij de mijnen vastpakten en naar de oever sleepten. Dit voortdurende opletten werd in de nacht moeilijker, als de mannen bij lamplicht moesten roeien, en moeite hadden om in het donker de dreiging te zien die op hen afkwam. De jonge Ramos had pas geleden de taak van de Brazilianen moeilijker gemaakt door een duivels procédé dat hij had uitgevonden. Hij stuurde een flink aantal tonnen en mandflessen de rivier af, die vastzaten aan leren zakken waarin alleen maar stenen zaten.

In de nacht van 20 augustus transporteerden de kano's die naar de Braziliaanse boten voeren tien echte mijnen. Op ongeveer tweeën-eenhalve kilometer van de ankerplaats van de vijand verdeelden vier eilanden de wateren van de Rio Paraguay. Twee lagen bij elke oever, en twee andere midden in de rivier. In het droge seizoen waren de middelste eilanden onderling verbonden door een moeras, dat nu on-der water stond. Het was de eerste keer dat Kruger en zijn mannen dit deel van de rivier probeerden. Voor die tijd hadden zij hun mijnen losgelaten in vaargeulen dicht bij de oever. Een paar keer stuitten de kano's op een muur van biezen die de zeelieden uit de modder moesten trekken om zich een doorgang te banen, voet voor voet. Ontelbare muggen, vliegen en andere insekten vlogen steken en bijtend om hen heen. Vogels die in het riet nestelden vlogen op. Grotere dieren – misschien capybara's, grote waterratten – verdwenen met veel lawaai naar diepere schuilplaatsen.

Het kostte hun een uur om over het moeras heen te komen. Kruger en Michkoffsky moesten zelf uitstappen om de boten lichter te maken en ze door de modder te trekken. Moretti, van wie het idee was om hierlangs te gaan, bleef echter in zijn kano zitten, waar hij met droge voeten liedjes zat te zingen. Toen de kano's weer voeren, schreeuwde Kruger hem toe: 'De volgende keer ben jij de eerste die aan de beurt is om uit te stappen.'

'Echt waar, Luke?' vroeg de Italiaan met een glimlach die zijn tanden ontblootte.

'Jazeker! Met je mooie broek, je zilveren knopen en de rest, meneer de admiraal!'

In tegenstelling tot Kruger, die er zo armzalig uitzag dat zelfs maarschalk López er iets van had gezegd, zonder er echter iets aan te doen, droeg Moretti een witte zeemansbroek, een blauwe jas met zilveren knopen die hij van een soldaat had gekocht die het lijk van een Argentijnse kolonel, in Tuyuti gesneuveld, had beroofd.

'Welnee,' zei de Italiaan. 'Want de volgende keer zijn we vlak bij de Brazilianen.'

'Ik hoop dat je gelijk hebt.'

'Rustig aan met die peddels, nu,' zei Moretti tegen de matrozen.

De kano van de Italiaan kwam nu tussen het riet terecht. Een kwartier later hielden de mannen helemaal op te peddelen. De kano voer nog een eindje door, en bleef toen liggen achter een bosje riet. Een voor een kwamen de volgende boten ernaast liggen.

Tussen de biezen door zag Kruger de lantaarns van de schuiten die de Braziliaanse schepen moesten beschermen.

'Ik heb je toch nooit slechte raad gegeven, Luke?' vroeg Moretti fluisterend.

Kruger antwoordde niet. Hij was al bezig om de eerste mijn in het water te leggen. Twintig zeelieden trokken de mijnen zwemmend naar het open water. Dat moesten zij twee bij twee doen, maar voordat de eerste twee vertrokken gingen een paar andere matrozen te water om de sector te verkennen en eventuele gevaren op te sporen, zoals een onder water liggende boomstam. Toen ze terugkwamen en zeiden dat de weg vrij was, gaf Kruger een signaal.

'Voorzichtig, jongens, voorzichtig.'

Tijdens de hele operatie moest hij dit nog wel een keer of honderd zeggen. De nacht was lekker koel, maar als je de ontsteking van het ding zag, die eruitstak, was dat voldoende om te baden in het zweet.

'Rustig aan, jongens. Doe maar net alsof het een baby is.'

Toen de tien mijnen in het water lagen kwamen de zwemmers terug naar de kano's. Luke stond op, en keek naar de lantaarns in de verte, die knipperden als vuurvliegjes.

'Ramos?'

'Kapitein?' vroeg de jonge Paraguayaan, al had Kruger geen enkele officiële titel en was hij tevreden met zijn salaris als technicus.

'Wat vind je ervan?'

'Misschien hebben we vanavond geluk. Ik zou het leuk vinden als een van die verrotte schuiten zou zinken.'

Aan de andere kant van het riet stuurde een stroom van drie knopen de mijnen op de Braziliaanse vloot af. Een Braziliaanse luitenant die het bevel voerde over een schuit van zeven roeiers sloeg alarm toen hij een ton zag. Even later gooide hij een haak uit, maar die ketste af op het hout, dook het water in, en raakte de mijn.

Een lichtflits verlichtte de rivier.

'Heilige Moeder Gods!' riep Ramos. 'Kapitein...'

'Nee, dat was maar een dekschuit.'

'Maar ze werken! Uw mijnen werken!'

'Tja, vroeg of laat...' zei Kruger laconiek.

Op 27 augustus 1866, een week later, bereidden Kruger en de jonge Ramos zich voor op een andere tocht naar de Braziliaanse vloot. Paraguayaanse verkenners die de *carrizal* stroomopwaarts van Curuzu waren ingestuurd, in de richting van Tres Bocas, hadden een aantal transportschepen achter de oorlogsschepen gesignaleerd, een aanduiding voor een op handen zijnde aanval op de defensies van Curuzu en Curupaiti.

Die avond had Kruger een ander plan uitgedacht, met een boot, acht mannen – onder wie hij en Ramos – en één enkele mijn van vijfhonderd pond. De boot was een stoomsloep van drieënveertig voet, door de Paraguayanen in december 1864 veroverd bij de invasie van de Mato Grosso. De zeelieden hadden haar *Yacaré* gedoopt – Alligator – maar Moretti noemde haar liever Lucky Luke, Luke de Bofkont. De Italiaan, die aan de operatie had moeten deelnemen, had net gedaan alsof hij naar Asunción geroepen was.

'Waarvoor dan?' had Luke Kruger gevraagd.

'Misschien om over *La Golconda* te praten.'

De Amerikaan dacht niet dat Moretti schadeloos zou worden gesteld voor de stoomboot die de marine had gevorderd.

'Je verliest je tijd, Angelo. Ze hebben je trouwens een dienst bewezen door hem te laten zinken.'

'Dat is niet waar.'

'Ik heb op die machines gewerkt...'

'Dan had je kunnen zien dat ze liepen als een tiet!'

'Dat was zeker niet zo. Het is nog een wonder dat je uit Asunción Baai hebt kunnen wegkomen. Maar ga er toch maar heen – ik neem Ramos wel mee.'

De beide mannen waren het niet vaak met elkaar eens, maar vonden wel allebei dat de strijd van vijfhonderdvijfentwintigduizend Paraguayanen tegen drie andere landen die bij elkaar twaalf miljoen inwoners hadden, een strijd was waarbij het ging om het pure overleven van Paraguay.

'López' vijanden zweren dat zij alleen tegen hem strijden, maar de Paraguayanen weten dat dat een leugen is', had Kruger eens op een avond gezegd. 'Buenos Aires heeft nog een appeltje te schillen met Asunción, dat begrijp ik. Maar Pedro van Brazilië, die slaven in de strijd werpt terwijl hij zegt dat dat is om de Paraguayanen van López te verlossen? Pedro, wiens legers de Guaranis bij bosjes afslachten? Hij weet dat zijn toekomst afhangt van de slagvelden in Paraguay. Als López het keizerlijke leger overwint, houden de Braganças het geen half jaar meer uit. De Brazilianen gaan Juarez in Mexico achterna.'

'Het zal niet alleen het eind van de Braganças zijn,' had Moretti gezegd. 'De keizer en zijn slavenbarons weten donders goed dat de burgeroorlog bij jullie de slavernij in de beide Amerika's op de helling heeft gezet. Als hij de oorlog in Paraguay verliest dan is dat voor het keizerrijk een even grote ramp als de nederlaag van de Confederatie.'

Op de avond van de 27ste augustus zat Kruger alleen in de hut die hij normaal met Moretti deelde. Hij had het grootste deel van de dag doorgebracht met de *Yacaré* klaarmaken voor de missie van die nacht, geïnspireerd door de aanval van William Cushing op de kruiser van de Confederatie, *de Albermarle*, in oktober 1864. De sloep zou op een Braziliaans schip af varen, met de mijn op sleeptouw in het water. Het ding zou met een kabel worden losgelaten om terecht te komen onder de romp van het vijandelijke schip. De *Yacaré* zou dan achteruitvaren, en dan zouden ze alleen nog aan een tweede lijn hoeven te trekken om de mijn tot ontploffing te brengen.

Kruger lag op zijn brits en keek naar de rook van zijn sigaar, terwijl hij aan Moretti dacht, die naar Asunción was vertrokken. Hij geloofde niet dat de *capitán* naar de hoofdstad was geroepen en dacht dat de Italiaan gewoon geen zin had om die avond aan boord van de *Lucky Luke* te gaan. Ik begrijp je best, Angelo, dacht de Amerikaan, die zich plotseling realiseerde dat zijn lange omzwervingen misschien die nacht in Paraguay ten einde zouden komen.

Een half uur voordat hij Ramos zou gaan vergezellen aan boord van de sloep, stond Kruger op, stak een lamp aan en liet het gele licht zijn eenvoudig gemeubileerde kamer verlichten. Twee slaapplaatsen, een tafel, twee stoelen en in een koffer alles wat de Amerikaan bezat. Netjes op de koffer gerangschikt lagen zijn voornaamste schatten, boeken. Hij nam zijn bijbel, sloeg die open, zocht een passage die hij uit zijn hoofd kende maar die nog meer kracht kreeg als hij haar las: 'De Heer is mijn herder...'

Toen hij dat gelezen had, nam hij zijn strohoed van het bed van Moretti, zette die op, blies de lamp uit, ging naar buiten en liep vastberaden naar de kreek waar de *Yacaré* voor anker lag. De boot was zwart geverfd om minder op te vallen in de nacht. Ramos, die bij de ketel stond, riep dat ze klaar waren voor vertrek. Kruger antwoordde met een knikje, en keek even naar de boegspriet. Daar was een sneb van zestien voet aan bevestigd, die hij met een katrol op kon halen en kon laten zakken, aan het uiteinde waarvan een mijn van vijfhonderd pond zat.

Kruger liep de brug op en gaf bevel de trossen los te gooien. De maan ging schuil achter de wolken. Ramos liet de *Yacaré* de kreek uitvaren en nam de vaargeul dicht bij de oostelijke oever van de Rio Paraguay. Via deze route kwamen zij voor de batterijen van Curupaiti en Curuzu langs, een vaargeul die niet vol mijnen lag. De vijandelijke schepen die zo roekeloos zouden zijn om die te nemen zouden onder vuur genomen worden door de achtenvijftig kanonnen van de beide fortificaties.

Tien minuten na vertrek voer de boot ronkend voor de batterij van Curupaiti langs. Kruger stond met Ramos bij de reling, twee zeelieden stookten het vuur op, de anderen, op de brug gezeten, probeerden hun geweren, gloednieuwe Enfields die waren buitgemaakt op geallieerde soldaten. Ramos, die sinds het vertrek zijn mond niet had gehouden, zei tegen Kruger: 'Ik ben maar wat blij dat Moretti naar Asunción is gegaan.'

'Waarom dan?'

'Omdat ik er graag bij wil zijn als u...'

Het woord bestierf op zijn lippen. Terwijl de *Yacaré* met zijn mijn van vijfhonderd pond aan een hefboom door de duisternis gleed, stuitte zij op het wrak van *La Golconda*, dat sinds het water gestegen was volledig onder het oppervlak lag. Angelo Moretti had vast geweten dat ze hier niet langs hadden moeten varen.

De ontploffing scheurde de zes mannen aan boord aan stukken. Het vluchtige denkbeeld dat een uur eerder door Krugers hoofd was gegaan werd werkelijkheid: zijn lange zwerftocht kwam in Paraguay tot een einde.

Op 1 september drongen zestien Braziliaanse schepen stroomopwaarts de vaargeulen van de Rio Paraguay richting Curuzu binnen. Een klein eskader zorgde voor bescherming van het troepentransport, dat veertienduizend man aan de rand van de *carrizal* aan land moest zetten, voorbij de eerste Paraguayaanse fortificatie. Tegen de middag, toen het gros van de vloot onder schootsafstand van Curuzu lag, begon een artillerieduel tussen de schepen en de batterijen op de oever. Het zou zeven uur duren.

Op 2 september, bij zonsopgang, werd de beschieting hervat. De Brazilianen schoten ruim tweehonderd granaten per uur af op de ingegraven batterij van Curuzu, zonder veel schade aan te richten, maar ook zonder zelf ernstig getroffen te worden door de dertien stuks geschut van de vijand. Onder de keizerlijke boten, die maar licht beschadigd werden door het Paraguayaanse vuur, was de *Rio de Janeiro*, een kruiser die in februari 1866 te water was gelaten, een van de sterkste oorlogsschepen van de vloot. Omdat hij voorop voer, had hij een kanon verloren en andere schade opgelopen, maar hij bleef op zijn post en hield het het hele gevecht uit.

Rond twee uur in de middag ontplofte de *Rio de Janeiro*. Een mijn had de voorsteven geraakt, en een andere de voorzijde van de romp. Het schip zonk in een paar minuten. Meester torpedist Luke Kruger had eindelijk zijn kruiser te pakken.

Op 22 september wapperden de geallieerde vlaggen boven de defensies van Curuzu, die de derde september waren ingenomen. Na de val van dit fort bleef de batterij van Curupaiti, drie kilometer verder noordwaarts, het enige obstakel dat de geallieerden er nog van weerhield om de loopgraven van Humaitá aan te vallen.

Voor de zevenhonderd mannen van het 10de Paraguayaanse bataljon dat de loopgraven links van Curuzu had verdedigd, was de prijs van de nederlaag vreselijk hoog geweest. Geconfronteerd met een overmachtige vijand waren de Paraguayaanse soldaten weggevlucht, en hadden zij de verdediging overgelaten aan hun commandant en een paar officieren. In Humaitá beval maarschalk López de mannen van het 10de bataljon zich te verzamelen op het exercitieterrein en in de houding te gaan staan. Vervolgens wees hij één op tien soldaten aan en de zo uitgekozen mannen werden, voor het front van de troepen, gefusilleerd.

In Curuzu gaf generaal Bartolomé Mitre het sein tot de aanval op Curupaiti, in de ochtend van 22 september. De bedoeling van de geallieerde opperbevelhebber was om achttienduizend man in te zetten – elfduizend Brazilianen en zevenduizend Argentijnen – die Curupaiti op drie fronten zouden aanvallen, waarbij het gros van de keizerlijke troepen op zou trekken in het midden, via de enige weg.

Het had drie dagen pijpestelen geregend boven de *carrizal*, waardoor het eenvoudigste corvee een beproeving werd. Om de kanonnen te verplaatsen moesten tientallen mannen als beesten door de modder ploeteren; geniesoldaten die de loopgraven van de achterhoede moesten maken vochten dag en nacht tegen tonnen grond die steeds weer in de gaten vielen. Op 21 september hield de regen eindelijk op en het eskader, dat te horen kreeg dat de aanval voor de volgende dag gepland was, kreeg het bevel om zeven uur 's morgens met het voorbereidende bombardement te beginnen.

Het grote leger werd gewekt door het gebulder van de kanonnen. De mannen, doodmoe en nog steeds kletsnat, verzamelden zich bij het geluid van de bugel. De zon kwam op, en een licht windje voerde de zoetige lucht van doornige *aromitas* aan.

De beide slaven-vrijwilligers Antônio Paciência en Policarpo, die deel uitmaakten van de zevenenveertig overlevenden van de compagnie uit Tiberica, werden ingedeeld bij een bataljon uit Pernambuco met nog andere soldaten uit de noordelijke provincies, die samen een buitensporig groot contingent vrijwilligers vormden, slaven zowel als vrije mannen. De *voluntários* uit Tiberica namen aan de strijd deel sinds de Slag bij Tuyuti, waar de Paraguayanen in juli 1866 de linker geallieerde flank weer hadden aangevallen. De afloop van het gevecht was onbeslist gebleven, maar de dood van duizenden geallieerde soldaten in Potrero Sauce had het eind van de glorierijke dagen die waren gevolgd op de grote overwinning van Tuyuti betekend.

Firmino Dantas da Silva was niet meer bij de compagnie van Tiberica. Drie weken na Tuyuti was de onderluitenant achter de linies tewerkgesteld, in Itapiru, aan de Paraná, bij de intendance. De slaven van de *fazenda* van Itatinga – van wie de helft gesneuveld was – hadden niets meer van Firmino vernomen sinds hij vertrokken was.

In Curuzu werd de *escouade* van korporaal Policarpo op 22 september ingedeeld bij een sectie onder bevel van een *caboclo*-sergeant, Mario Bomfim, afkomstig uit een familie *vaqueiros* uit de *sertão* rond Pernambuco ten noorden van de Rio São Francisco. Antônio vertelde hem alles wat hij zich nog van Jurema kon herinneren, en dat was dus niet veel: '*Senhor* Heitor Batista en zijn zoon, João Montes, hebben mij verkocht toen ik nog een kind was.'

'Ik ken ze, jongen,' antwoordde Bomfim, een magere man met een gelig gezicht, van een jaar of veertig. 'Als je de kolonel of een andere *poderoso* van de familie Ferreira een poot dwars zet, dan laten ze een *capanga* je keel tekeer gaan als een viool!'

'Ik kan Mãe Mônica niet vergeten. Voor haar zou ik daar weer heen gaan.'

'Als je een voet op het grondgebied van de Ferreiras zet, moet je goed weten wat je doet. De kolonel is geen grapjas.'

'Mijn moeder is een oude slavin die niet lang meer zal leven. Waarom zou de kolonel zo'n mond dan nog voeden?'

Tegen het eind van de ochtend bevonden sergeant Bomfim en zijn sectie zich midden in de Braziliaanse colonne en moesten zij ongeveer tien minuten wachten nadat de eerste bataljons zich langs de oever in beweging hadden gezet, voordat zij zelf door konden marcheren. Ze hadden driehonderd van de drieduizend meter afgelegd die hen van Curupaiti scheidden, toen het gebulder van de kanonnen van de Braziliaanse kruisers overstemd werd door oorverdovend vuur. De Paraguayanen beschikten in Curupaiti over negenenveertig stuks geschut. Dertien stonden langs een helling tegenover de rivier, en zesendertig bestreken de toegang tot de batterij via de weg naar Curuzu.

Vijftienhonderd meter van het doel verwijderd hadden Bomfim en zijn sectie nog geen man verloren, maar ze kwamen ook amper vooruit. Ze legden nog honderd meter af, door de rook die als mist over de *carrizal* kwam te hangen, en kwamen bij een plek in de weg waar een Paraguayaanse granaat was ontploft. Ze liepen om de krater heen, waar overal lijken lagen, en begonnen vastberaden door te lopen.

Een kilometer van de batterij verwijderd kregen zij bevel rechtsaf te slaan en de *carrizal* in te gaan. Het geritsel van biezen en het gevloek van mannen duidden erop dat er al honderden andere soldaten door het moeras ploeterden om stelling te nemen tegenover de vijandelijke fortificaties.

'Rechtsaf! Rechtsaf! Doorlopen!' riepen de officieren tussen het riet.

Toen de mannen bij een strook vaste grond kwamen, waar zij beschutting vonden van een paar bomen, riep Bomfim: 'O mijn God!'

Tweehonderd meter verderop, achter een brede strook open terrein, lagen de eerste defensielinies van Curupaiti. Omgehaalde bomen waren als verhakking langs de Paraguayaanse fortificaties gelegd, een ineenstrengeling van stammen en takken, allemaal aangepunt, acht voet hoog en twintig voet breed. Daarachter liep de grond op naar de zesendertig kanonnen die op verhogingen stonden, om ze een maximale schootsafstand te geven. De verdedigers maakten gebruik van dit voordeel, en ontvingen de geallieerden die uit de *carrizal* kwamen met artillerievuur.

Twee Braziliaanse bataljons hadden, toen zij het moeras eenmaal overgestoken waren, stelling genomen in een smalle strook bos langs het open terrein dat voor de verhakking lag. Er lagen overal lijken en een Argentijns bataljon viel aan, waarbij de officieren te paard zaten en de infanteristen voor zich uit stuurden. De Argentijnse commandant zakte neer met zijn rijdier toen een granaat bij hem ontplofte. Vier mannen schoten hun superieur te hulp en droegen hem naar de *carrizal*. Een andere granaat ontplofte, waarop de gewonde officier en zijn vier redders in een wolk van stof en rook verdwenen.

Een kwartier later gaf een kolonel met getrokken sabel het Braziliaanse bataljon bevel aan te vallen.

'Naar voren, *Brasileiros*! Naar voren, *voluntários*!'

Korporaal Policarpo Mossambe sprong tussen de bomen vandaan, met Antônio Paciência vlak achter zich aan. De neger gleed tussen de zwartgeblakerde boomstammen door en riep zijn groepje hem te volgen. Een regen granaten kwam op de open plek neer.

'Opstaan! Opstaan!' brulden de officieren tegen de soldaten die achter een boomstam kropen om aan de vuurzee te ontsnappen. '*Viva Dom Pedro!*'

Tien meter van Antônio ploegde een granaat de grond om. Het geschreeuw van de gewonden vermengde zich met het waanzinnige lawaai van de keihard geschreeuwde bevelen, het gefluit van de musketkogels en het gebulder van de kanonnen. Toen Antônio en Policarpo bij de verhakking kwamen, was Bomfim er al met vijfhonderd man, verdeeld over de volle lengte van de ineengestrengelde boomstammen. Sommige vrijwilligers hadden plaatsen gevonden vanwaar ze op de vijand konden schieten, maar het gordijn van stof en rook voor de loopgraven maakte het moeilijk om goed te mikken. Anderen vielen het obstakel met bijlen aan, om een doorgang open te hakken.

Een soldaat zat schrijlings op een boomstam en zwaaide met zijn bijl toen hij uitriep: 'Heilige Moeder G...'

Hij zakte in elkaar, met een kogel in zijn borst. Policarpo Mossambe sprong op de boom, pakte de bijl en begon de spaanders rond te laten vliegen.

'Vooruit, korporaal! Vooruit!' moedigde Bomfim aan.

Toen de neger een grote tak had weggehakt, trokken de sergeant en andere vrijwilligers hem weg. Policarpo ging meteen weer aan het werk, zonder zich iets aan te trekken van de kogels die als horzels om hem heen zoemden. Toen Bomfim zag dat al dat gedoe van de korporaal nauwelijks iets uithaalde, schreeuwde hij: 'Zo komen we er nooit door! We moeten het in brand steken!'

Policarpo was twee meter vooruitgekomen maar reageerde niet op wat de sergeant zei en hakte gewoon verder.

'Policarpo!' schreeuwde Antônio. 'Kom naar beneden! We gaan de boel in de fik steken!'

De neger draaide zich niet om maar knikte, hief zijn bijl op om nog een keer te kunnen toeslaan en bleef toen roerloos zitten, met het werktuig boven zijn hoofd. Even later ontplofte er een granaat naast de verhakking en werd de Moçambiquaan de lucht in geslingerd.

Antônio werd door een van een boom gerukte tak getroffen en viel.

'Here God!' kreunde hij, met een vreselijke pijn in zijn hoofd.

Hij keek op en zag sergeant Bomfim drie meter van hem vandaan liggen, met de inhoud van zijn hersenpan op de grond.

'Policarpo?' mompelde de mulat.

De korporaal lag naast de verhakking met een levenloze blik naar de hemel te kijken, één oog diep in zijn schedel geslagen. Niet ver daarvandaan blies een bugel de aftocht en begonnen de vrijwilligers zich naar de bomen terug te trekken. Boven het lawaai van de laatste schoten hoorden de overlevenden een fanfare aan de andere kant van de verhakking, als om hen te pesten.

'Terug!' schreeuwde een officier tegen Antônio, die roerloos bij het lijk van zijn vriend bleef staan. 'Red je!'

António Paciência voegde zich bij de soldaten die her en der naar de bomen en de *carrizal* vluchtten.

Pas veel later werd de omvang van de Paraguayaanse overwinning bij Curupaiti bekend. De soldaten van López hadden maar vierenvijftig artilleristen en infanteristen verloren. Toen de uit elkaar geslagen geallieerden in de *carrizal* verdwenen waren, kwamen duizenden Paraguayanen uit hun loopgraven te voorschijn, klommen op de verhakking en stroomden over de open plek. Urenlang maakten zij gewonden af, kleedden zij doden uit, en beroofden zij de lijken van de *maca-cos*. Toen ze naar hun kamp terugkwamen lieten zij op het slagveld bijna vijfduizend doden achter. Met de tweeduizend gewonden die naar het moeras werden gebracht was dat in totaal één derde van het geallieerde leger.

Tetteretet...

De bamboe-trompetten van de Guaranis klonken in de nacht als antwoord op het doelloze bombardement van tien Braziliaanse krui-sers die probeerden de Paraguayaanse fortificaties klein te krijgen. Na de nederlaag bij Curupaiti liep het geallieerde offensief bij de *este-ros* vast, en het duurde negen maanden voordat ze een belangrijke doorbraak konden forceren, door een omsingeling met dertigduizend man, tot aan de posities ten noordoosten van Humaitá.

Voor Hadley Baines Tuttle was het sinistere geloei van de trompet-ten een slecht voorteken. Na drie jaar in het Paraguayaanse leger te hebben gezeten zag de Londenaar niet meer wanneer de offers die aan het Paraguayaanse volk gevraagd werden eens op zouden hou-den. Humaitá en de *esteros*, waar een lijkenlucht hing, deden hem steeds meer denken aan het beleg van Sebastopol in die verschrikke-lijke winter van 1854/1855.

Tuttle was tot majoor bevorderd en had drie jaar lang onder bevel gestaan van kolonel George Thompson, een oud-officier van het Brit-se leger aan wie López de verantwoordelijkheid voor de verdedigings-linies van Humaitá had opgedragen. Met zevenhonderd geniesolda-ten hadden de beide mannen vijfenzeventig kilometer vestingwal op-geworpen en tien kilometer loopgraven laten maken. In Humaitá stonden naast de Bateria de Londres, bestaande uit zestien stuks ge-schut, thans acht andere batterijen met in totaal achtenzestig kanon-nen.

Voor de beide legers die klem zaten in het vochtige oerwoud en de moerassen, net onder de Steenbokskeerkring, was de zomer een hel. In de loopgraven lagen de mannen in de zon te bakken of verzopen zij in stortregens; iedere dag brachten de wagens van het garnizoen onge-veer vijftig mannen met cholera naar het hospitaal.

De honger vormde een ander probleem. De werving van nieuwe rekruten na het bloedbad van Tuyuti had de kleine Paraguayaanse boerderijen mankracht ontnomen. De in lompen geklede soldaten van López waren blij als ze een kapotte poncho hadden. Door de sterk verminderde rantsoenering werden ze magerder, maar het geluid van de bamboe-trompetten deed nog steeds hun ogen stralen. Ondanks het lijden en de ontberingen bleven zij geloven in de uiteindelijke overwinning, zolang hun maarschalk-president het voor het zeggen had.

Op een avond, eind oktober 1867, was Hadley Tuttle bij een feestje waarop Francisco Solano López de moed van zijn soldaten prees. 'Luister,' zei de maarschalk terwijl hij zijn hand opstak om stilte te vragen. Zijn gezicht was paars van de brandy die hij na het diner had gedronken. 'Luister...' In de verte klonken de trompetten als antwoord op een granaat van het Braziliaanse eskader. 'Blaas maar, mijn zonen. Laat de Brazilianen maar eens rillen!'

De gasten waren ten huize van Eliza Lynch, de maîtresse van de president, die een eigen huis in het garnizoen had, apart van haar minnaar. Zij zat met drie andere dames aan een tafeltje achter in het vertrek whist te spelen. Tuttle, die bij López, bij kolonel Thompson en bij twee andere gasten stond, wierp af en toe een verliefde blik op de jongedame die rechts van *madame* Lynch zat, Luisa Adelaida.

Hadley Tuttle was in mei 1865 met Luisa Adelaida getrouwd. Dona Gabriel, de moeder van Luisa, was een van de weinige dames van de gegoede burgerij die banden hadden aangeknoopt met La Lynch toen zij in 1855, al zwanger van het eerste kind van de president, uit Parijs was gekomen. 'Zij zijn uw tranen niet waard,' had Dona Gabriel tegen Eliza Lynch gezegd toen de vooraanstaande dames uit Asunción de favoriete verwierpen. 'Zij minachten u omdat ze jaloers zijn op uw schoonheid en uw intelligentie.'

De Brit keek weer eens naar López. Al drie keer had de president getracht vrede te sluiten. Aan de vooravond van de slag van Curupaiti had hij een ontmoeting gehad met Mitre, de Argentijnse president. Begin januari 1867 had López de bemiddeling van de Verenigde Staten aanvaard. In augustus vond een Brits diplomaat uit Buenos Aires de maarschalk bereid een vredesverdrag te sluiten. Al deze pogingen waren mislukt want de geallieerden hadden een eis die López onmogelijk kon inwilligen, namelijk dat hij eerst uit Paraguay moest vertrekken.

Toen hij de Engelse diplomaat uit Buenos Aires in augustus in Humaitá ontmoet had, had Tuttle hem brieven meegegeven voor zijn familie, die ten zuiden van Londen woonde. Aan zijn broer Ainsley, die met hem op de Krim had gevochten, schreef de majoor, om de situatie samen te vatten: 'Sinds het begin van de oorlog doet de vijand alsof hij een kruistocht onderneemt voor de mensheid, om Paraguay te bevrijden van een tiran die alleen met terreur regeert. López is inderdaad geen doetje en in de gevangenissen in Asunción martelt de geheime politie de ongelukkige tegenstanders van de president. Maar de woorden van de vijand, die verklaart dat hij maar één doel heeft, dat is het regime van López omver werpen, moeten in twijfel worden getrokken. Het verdrag dat Brazilië, Argentinië en de Uruguayaanse Colorados getekend hebben, en waarin geheime clausules staan die de Brazilianen en de Argentijnen duizenden vierkante kilometers Paraguayaans grondgebied toezeggen, is hier welbekend. De soldaten van López denken trouwens dat het niet alleen gaat om grondgebied, maar om het voortbestaan van hun land.

In tegenstelling tot zijn Braziliaanse soortgenoten bezit de Guarani-boer zijn eigen stukje grond of huurt dat voor een bescheiden prijs van de staat. Zijn kinderen gaan naar school, en elke *pueblo* heeft er een. Zijn gezondheid wordt veiliggesteld door massieve inentingscampagnes tegen de pokken en door andere maatregelen die door Engelse doktoren ontworpen zijn. Al die voordelen heeft hij te danken aan de despoot die hem regeert en die hij met evenveel eerbied vereert als zijn voorouders de jezuïeten in de dorpen vereerden. Zolang de maarschalk-president er is zullen de Paraguayanen blijven vechten, al ligt hun hele geliefde vaderland in de as.'

Evenals Thompson, zijn commandant en het merendeel van de vreemdelingen die door López werden betaald, had Tuttle er de voorkeur aan gegeven in Paraguay te blijven, alhoewel hij steeds ongeruster werd over de veiligheid van zijn vrouw. Luisa Adelaida en Dona Gabriel woonden met Hadley in Humaitá, al zes maanden, in een huis vlak bij dat van Eliza Lynch. Deze laatste had hun gevraagd te helpen bij het opzetten van een vrouwenbataljon en enkele honderden moeders of dochters van soldaten werkten in het hospitaal, maakten de gebouwen van het kamp schoon en bewerkten de velden. Mevrouw Lynch werd vaak in kolonelsuniform gesignaleerd, als zij de vrouwelijke troepen inspecteerde, die ook hun kapiteins en hun sergeants hadden. Een delegatie van vrouwen vroeg aan de maarschalk-president om getraind te worden en naar het front te worden gestuurd, maar López willigde hun verzoek niet in. Die avond, in het huis van zijn maîtresse, geloofde de president nog aan de mogelijkheid om zonder de vrouwen de vijand van het Paraguayaans grondgebied te verdrijven door even hard toe te slaan als destijds in Curupaiti.

El Presidente dacht deze klap toe te kunnen brengen in een nieuwe veldslag bij Tuyuti, waar de Paraguayanen hun grootste nederlaag hadden geleden. Wachttorens langs de fortificaties van Humaitá keken uit over die plek, die de voornaamste bevoorradingsbasis van de geallieerde divisies in het noordoosten was geworden. López was van plan er achtduizend man op af te sturen, zestien bataljons infanterie, en zes regimenten cavalerie. 'Het is ons vorig jaar niet gelukt omdat er geen verrassingselement inzat. Dit keer gaan wij in de nacht over de *esteros* en hebben wij vóór zonsopgang onze stellingen ingenomen. Wij zullen ons wreken voor het bloedbad van de eerste slag bij Tuyuti,' beloofde hij.

De kanonnen van de Braziliaanse soldaten zwegen en de Guaranitrompetten ook, toen Tuttle en de MacPhersons bij Eliza Lynch weggingen. Het getsjirp van cicaden doorbrak de stilte. Vanaf de torens zagen de wachters de vijandelijke kampen en boten, onbeweeglijk in het maanlicht, maar voor de meeste soldaten van Humaitá gaf de nacht een indruk van schijnbare vrede.

De volgende ochtend bracht Hadley Tuttle Luisa Adelaida en haar familie naar een steiger in de buurt van het fort, waar zij een stoomboot zouden nemen naar het noorden. Er speelde een fanfare om de aankomst van het schip luister bij te zetten, dat volzat met nieuwe rekruten – Guaranis, mulatten, maar vooral Hispano-Guaranis, voor het merendeel – gekleed in lompen of in uniformen die zij hadden gekregen van een broer of een vader die niet was teruggekeerd. Ze hadden één ding gemeen, en dat was hun jeugd. De jongste van deze 'soldaten' was negen, de oudste dertien.

In het voorjaar van 1867 wogen de geallieerde generaals hun woorden als ze het over de oorlog hadden. 'Ik overweeg één of twee mogelijkheden,' zei maarschalk Luís Alves de Lima e Silva, markies van Caxias, minister van Oorlog van Dom Pedro, die na de nederlaag van Curupaiti het opperbevel over de Braziliaanse troepen had. Toen hij in november 1866 naar Paraguay was gekomen, was hij vierenzestig en Caxias had een reputatie van handig tacticus en organisator, die, sinds hij op zijn achttiende afstudeerde aan de militaire academie in Rio, nog geen veldslag verloren had. Met hun welbekende neiging tot klinkende bijnamen hadden de Brazilianen hem O Pacificador genoemd, vanwege zijn overwinningen, met name bij het onderdrukken van opstanden binnen het keizerrijk zelf. Caxias had grijze haren, een stekelige witte snor, had zijn ogen altijd half dicht geknepen en had hoekige trekken. Hij was zo krachtig als een man van twintig. Hij zou al zijn energie nodig hebben voor de taak die hem wachtte bij zijn komst naar Paraguay, eind 1866.

Na Curupaiti, waar duizenden Brazilianen de dood hadden gevonden, was het hele geallieerde kamp gedemoraliseerd. Onder de vijftigduizend man die achter de stinkende *esteros* lagen te wachten, waren duizenden vrijwilligers, die tegen hun wil aan de oorlog moesten meedoen, slaven of zwervers uit de *sertão*, gevangen, en als vee uit de *caatinga* gedreven. Velen zouden al gedeserteerd zijn als ze niet duizenden kilometers van hun dorp waren.

Verder was er nog iets dat het geallieerde leger ondermijnde, namelijk de vijandigheid tussen Braziliaanse en Argentijnse soldaten. Een verkeerd woord was aanleiding voor bloedige twisten, en de straten van Paso la Patria werden vaak tot slagveld voor gewelddadige bendes Brazilianen en Argentijnen.

Dan was er bovenal nog het verschrikkelijke terrein waar de geallieerden zich bevonden. In het regenseizoen werd Bellaco Sur veranderd in een modderstroom, omdat het water in de moerassen steeg en de kampen overstroomde. Cholera en tyfus werden algauw de echte vijanden, die begin 1867 driehonderd doden per dag vergden. In mei lagen er niet minder dan dertienduizend man in het hospitaal.

Het geallieerde opperbevel was theoretisch verdeeld tussen Bartolomé Mitre, de Argentijnse president, Venancio Flores, de Uruguayaan, die niet meer dan een paar honderd man over had, en de markies van Caxias. In de praktijk was de laatste opperbevelhebber, want Mitre werd verantwoordelijk gehouden voor de verliezen bij Curupaiti en Venancio Flores werd naar Montevideo geroepen om zich bezig te houden met een van de eeuwige conflicten tussen Blancos en Colorados.

Maarschalk Caxias deed er zes maanden over om het leger te reorganiseren, dat thans voor het merendeel uit Brazilianen bestond. De kampementen werden schoongemaakt, de verdedigingswerken werden versterkt. Er werden telegraaflijnen aangelegd en ingegraven, en men deed een poging om de vijandelijke stellingen serieus in kaart te brengen, met hulp van ballonvaarders uit de Verenigde Staten.

Caxias herstelde de discipline, verhoogde het moraal van de troepen, en beschikte op 22 juni 1867 over dertigduizend man, klaar om Humaitá te omsingelen. Generaal Manuel Luís Osório, die de eerste landing had geleid, voerde het bevel over een geheel nieuw derde legerkorps, waar het grootste deel van zijn divisie onder viel. Drie maanden lang trokken de mannen met moeite naar het noorden, waarbij zij vijftig kilometer loopgraaf groeven en overal onderweg batterijen installeerden. Eind oktober 1867 sloegen zij af in westelijke richting en kregen zij de Rio Paraguay in zicht. Op 2 november namen zij Tayí in, een kleine post aan de oever op vijfentwintig kilometer ten noorden van Humaitá.

Maar 2 november was ook de dag die maarschalk López had uitgezocht om zijn achtduizend man de *esteros* in te sturen om het eerste geallieerde legerkorps te vernietigen.

Die ochtend was in Tuyuti de mis opgedragen voor Allerzielen, maar toen de nacht viel dacht men niet meer aan de doden, in de feeststemming die rond de *comércio* heerste, waar de rondtrekkende kooplieden het leger te drinken gaven. In de mess, een hoge tent, zaten Braziliaanse en Argentijnse officieren rustig met elkaar te converseren, waarbij zij eventjes hun onderlinge twisten lieten rusten.

Kapitein Firmino Dantas da Silva en zijn neef Clóvis zaten aan een tafel, vlak bij de plek waar een Braziliaanse tweeling, Sabella en Narcisa, haar nummer bracht. Ze hadden allebei golvende bruine haren, vuurrode lippen, felle, groene ogen, en een warme, kaneelkleurige huid, als een tropische nacht. Hun diep gedecolleteerde kanten blouses verborgen amper hun goedgevormde borsten, hun donkerrode satijnen jurken zwierden onder het gewieg van hun heupen.

Twee zwarte soldaten, nat van het zweet, sloegen met de hand op trommels om drie gitaristen te begeleiden. Een lansier ging bij de meisjes staan en deed hun erotische bewegingen na, onder luid applaus van zijn kameraden. De tweeling schaterde van het lachen, maakte een paar schuine grapjes met de lansier en danste voort op het ritme van de trommelaars. Ze waren door een leverancier van prostituées naar het kamp gebracht, die een jaar geleden met veertien meisjes uit Bahia was komen aanzetten.

Clóvis deed mee met de officieren die de lansier aanspoorden, maar Firmino, die gereserveerder was, bleef melancholiek voor zich uitkijken. Hij was in juni 1867 naar Tuyuti teruggekomen, een paar maanden voordat het derde korps naar het noorden en het westen trok, maar bleef bij de intendance en was kapitein geworden, omdat hij in de depots in Itapiru goed werk had gedaan.

Hij had al heel wat brieven gekregen van zijn verloofde Carlinda, en van Ulisses Tavares. 'Kom toch terug naar Itatinga,' had zijn grootvader in april geschreven. 'Jij hebt je best gedaan. Kom terug om van de eer te genieten die je verdient.' Deze veranderde houding van de *barão* had Firmino niet verrast. De hoop die Ulisses gehad had op een snelle overwinning tegen een barbaarse vijand leek nu, in het licht van de bloedige werkelijkheid en van een conflict dat duizenden Brazilianen het leven had gekost en het keizerrijk een fortuin, volkomen ongegrond.

Een paar uur eerder hadden de beide neven een wandeling door de citadel gemaakt, waar Clóvis sinds mei 1866 aan het hoofd stond van een batterij.

'Wanneer zal dit eens afgelopen zijn?' zuchtte Firmino. 'Al bijna drie jaar...'

Clóvis, klein, gespierd, met een rond gezicht dat zijn Tupi-afkomst verried, bezat de onwankelbare moed van zijn voorouders, de *bandeirantes*.

'De Guaranis horen nog steeds de jezuïetenpreken tegen de duivels van São Paulo,' antwoordde hij. 'Ik weet niet hoe lang zij het nog volhouden, maar we zullen ze eronder krijgen.'

'Dat betekent ze uitroeien?'

'Hoe dan ook, neef... Brazilië zal overwinnen.'

Toen ze het grondgebied van zijn land waren binnengevallen had Firmino geen ogenblik getwijfeld aan de juistheid van de Braziliaanse zaak, maar het vooruitzicht van volkerenmoord op de Paraguayanen deed hem zich afvragen of het conflict Brazilië wel zoveel glorie zou bezorgen. Toch was hij nog niet naar Itatinga teruggegaan want voor de eerste keer had hij de indruk dat hij eindelijk vrij was van die patriarch die zijn leven al sinds zijn jeugd bestuurde. In Tuyuti kon hij net zoveel aan zijn uitvinding denken als hij wilde, en aan Renata Laubner, de mooie Zwitserse.

Firmino had een paar keer overwogen om de baron in te lichten over zijn hartstocht voor Renata, maar ten slotte vond hij het toch maar beter om dat geheim te houden. Tegenover zijn neef was hij minder discreet gebleven.

'Het mooiste meisje van het bal, die avond. Drie keer heb ik haar in mijn armen mogen houden, ze was betoverend!'

'En Carlinda dan?' had Clóvis gevraagd.

'Tegenover haar zal ik eerlijk zijn.'

'Droom maar net zoveel als je wilt hier, Firmino, maar als jij naar Itatinga teruggaat, mag je blij zijn dat je je verloofde in je armen kan sluiten.'

In de tent van de mess keek Clóvis niet langer naar de danseresjes, maar naar Firmino.

'Waarom doe je zo verdrietig? Sterf je nog altijd van liefde voor jouw prinses?'

De kapitein begon te lachen, om geen antwoord te hoeven geven.

'Je hebt een paar juweeltjes voor je ogen, en die zie je niet eens,' ging de majoor verder. 'Je bent blind, jij bent slachtoffer van de oude ziekte.'

'Welke ziekte?'

'Dezelfde die al heerste sinds de Portugezen in Brazilië aan land zijn gegaan. Het hartstochtelijk zoeken naar wat je niet kan bereiken, naar El Dorado.'

'Maar Renata Laubner bestaat. Op ditzelfde ogenblik ligt ze in Tiberica te slapen, met haar goudgele haren over een satijnen kussen.'

'Ja, in Tiberica! Maar jij, jij zit hier, met twee juweeltjes die voor je ogen staan te dansen.'

'Twee juweeltjes? Vergeleken met de schat die ik zoek...'

'Ach, kom toch, dromer! Laten we dan maar op jouw prinses drinken, Firmino, op het El Dorado van jouw hart!'

In de vroege ochtend van 3 november stortten vijfenzestighonderd Paraguayaanse infanteristen en vijftienhonderd cavaleristen, die in de nacht de *esteros* waren overgestoken, zich op de basis van Tuyuti. De eerste loopgravenlinie, bezet door ballingen, deserteurs en Paraguayaanse gevangenen die gedwongen werden om voor de geallieerden te werken, viel binnen een paar minuten. Bij de tweede, verdedigd door Argentijnen en Brazilianen, werden de paar compagnieën die op hun post waren gebleven uitgemoord terwijl de anderen naar de *comércio* vluchtten.

Majoor Clóvis da Silva zat in een schuilplaats waar hij in de vroege ochtend van 3 november heen was gegaan. De artilleristen werden verrast door zevenhonderd Paraguayanen die van hun paarden sprongen en met getrokken sabels tegen de verdedigingswerken opklommen, terwijl de mannen van de batterijen volkomen in paniek uit hun tenten en hun schuilplaatsen kwamen. Een half uur na het begin van de aanval gaf de stelling zich over. Twaalf officieren en tweehonderdnegenenveertig mannen werden krijgsgevangen gemaakt.

Om zeven uur hing er een gordijn van rook over de basis van Tuyuti, afkomstig van de magazijnen en de munitiedepots, allemaal in brand gestoken. Honderden geallieerde soldaten vluchtten met de kooplieden van de *comércio* en stonden pas stil bij de oever van de Rio Paraná, vijf kilometer verderop. Anderen glipten de citadel binnen, achter de vestingwal, en wachtten de volgende aanval van de vijand af. Die kwam niet meteen, want de Paraguayanen waren bij de *comércio* blijven staan.

Daar plunderden zij de karren en de winkeltjes, zopen hele *garrafas* met alcohol leeg, aten handenvol suiker, maakten ruzie over snoeperij die zij nog nooit gezien hadden, en staken hun tanden in ongekookte artisjokken en Engelse kazen, zo hard als steen. Dit feestelijke ogenblik moesten zij duur betalen, want het garnizoen kon zich op deze wijze hergroeperen. Om acht uur deden Brazilianen en Argentijnen een tegenaanval op de citadel en de andere posities, waarbij zij heftige gevechten van man tot man leverden.

Om negen uur was de tweede slag van Tuyuti ten einde, de Paraguayanen trokken terug door de *esteros* en lieten twaalfhonderd doden en evenveel gewonden achter. De haan van de geallieerden kraaide victorie maar ze hadden tweeduizend man verloren, en hun fort was niet meer dan een rokende puinhoop. De soldaten van López namen na Humaitá vijftien geallieerde kanonnen en vele gevangenen mee, onder wie Clóvis da Silva.

Firmino maakte de angsten van de eerste veldslag nog eens door. In de algehele verwarring rende hij als een gek naar de palmbomen waar hij zich de eerste keer ook verstopt had, maar viel honderd meter van de bomen neer, met twee kogels in zijn lichaam, en een flinke snijwond in zijn schouder. Hij werd met honderden andere gewonden naar de citadel gebracht, en bleef door een wonder in leven. Maar aan zijn beproevingen was nog geen einde gekomen.

Vier dagen na de slag werd hij naar de basis in Paso la Patria gebracht, en met een dertigtal officieren uit Tuyuti in een hospitaaltent ondergebracht. Firmino voelde zich niet op zijn gemak tussen die mannen die hem als een held beschouwden. De eerste nacht bleef hij wakker liggen, luisterend naar de anderen die om water, hun moeder of God schreeuwden.

In de ochtend kwamen twee verplegers tussen de veldbedden door om koffie uit te delen en de gewonden voor te bereiden wier namen voorkwamen op de lijst die de chirurgen hadden opgesteld. Een uur na hun vertrek voelde Firmino dat er iemand naast hem stond, deed zijn ogen open en zag een van de doktoren.

'Firmino Dantas da Silva?'

De kapitein knikte bevestigend.

'Uit Tiberica?'

'Ja,' antwoordde de jongeman met een akelig voorgevoel.

'Ontspan u, ik breng u niet naar de operatietafel,' zei de dokter met een vriendelijke glimlach.

'Kent u onze stad dan?'

'Volgens zeggen is ze heel mooi. U zult snel naar huis kunnen, Firmino Dantas.'

'En, hoe heet u dan?'

'Fábio Alves Cavalcanti. Ik kom uit Recife.'

'Wij waren met tweeënnegentig vrijwilligers uit Tiberica, maar er zijn er al een heleboel dood,' zei Firmino. Zijn gezicht vertrok van de pijn in zijn arm. 'Wie heeft u over Tiberica verteld?'

'Niet een *voluntário*, maar een van de verpleegsters van Dona Ana, *senhorita* Renata.'

'Renata... Renata,' herhaalde Firmino, ongelovig, hoewel iets in hem vertelde dat dit Renata Laubner was.

'De dochter van de apotheker. Een prachtige blondine met blauwe ogen. U kunt zich haar vast nog wel herinneren, kapitein.'

'Renata... in Paraguay?'

'In het hospitaal in Corrientes, al een half jaar. Het is een fantastisch meisje, ze klaagt nooit. Ik heb mannen van dank zien huilen als zij hun wonden waste of hun koortsige voorhoofd bette. Een lief woord van die engel gaf hun weer moed.'

'Ja, ze is een engel,' zei Firmino.

'Ik moet nu weg,' zei Fábio Cavalcanti plotseling. 'Ik kom uw kogels er nog uithalen... en ik wil graag alles weten over *senhorita* Laubner.'

De volgende ochtend werd Firmino wakker uit een onrustige slaap en zag hij de donkere gestalte van een verpleegster, die zich over hem heen boog.

'O, Renata...' mompelde hij met zijn uitgedroogde lippen.

'Stil blijven liggen.'

Toen de verpleegster zijn gezicht schoonmaakte, ontdekte hij dat het een oude vrouw met grijze haren was. 'Dona Ana', Ana Néri, degene die Renata en andere meisjes had opgeroepen om verpleegster te worden, was eenenvijftig en leefde comfortabel op het familiegoed in Cachoeira, in de buurt van Salvador, toen zij alle gemoederen had bewogen door openlijk te verklaren dat zij naar Paraguay ging om gewonden te verzorgen. De notabelen van de stad prezen haar edele aanbod, maar herinnerden haar er beleefd aan dat de plaats van een dame van haar stand het Casa Grande was, en niet het slagveld. Vijf dagen later nam Dona Ana de boot naar Rio de Janeiro, waar zij de militaire autoriteiten de kop gek zeurde totdat zij toestemming kreeg om naar de Plata te vertrekken. Ana Néri was een legende geworden, niet alleen vanwege haar medeleven voor de gewonden, of het nu landgenoten of vijanden waren, maar ook door de roekeloosheid waarmee zij zich midden in de strijd wierp. Haar missie had haar het grootste verdriet bezorgd dat een moeder kon treffen. Na een schermutseling in de *esteros* had zij, aan de rand van een moeras, haar overleden zoon gevonden.

Luitenant Fábio Cavalcanti was in Paraguay sinds zijn vuurdoop aan boord van de *Jequitinhonha*, tijdens de slag van Riachuelo in juni 1865. Begin 1867, toen dertienduizend mannen cholera hadden, vroeg de landmacht de marine om hulp en Cavalcanti maakte deel uit van de doktoren die voor overplaatsing tekenden. Sinds die tijd werkte hij in het hospitaal in Corrientes, en vier dagen geleden was hij naar Paso la Patria gestuurd om de honderden gewonden van Tuyuti te verzorgen.

Zoals beloofd, haalde Fábio zelf de twee kogels uit het rechterbeen en de rechterschouder van Firmino. De laatste herstelde slechts langzaam, en kreeg in drie weken nog twee keer hevige koorts. Cavalcanti was verantwoordelijk voor de tent waarin hij lag en er ging geen dag voorbij zonder dat hij aan het ziekbed van de kapitein kwam om hem te onderzoeken... en om hem te ondervragen over Renata Laubner.

Firmino kon niet veel over het meisje vertellen. Hij had haar op een bal ontmoet en haar een paar keer in de winkel van haar vader gezien. En hij was verliefd op haar – maar dat vertelde hij niet tegen de jonge dokter. Toen deze de loftrompet over Renata stak, luisterde Firmino jaloers naar hem, maar niet met wrok, want hij voelde zich solidair in deze gemeenschappelijke bewondering.

De beide mannen vonden elkaar trouwens ook sympathiek. Ze waren bijna even oud, Fábio was negenentwintig en Firmino zevenentwintig, en ze kwamen allebei voort uit grote families. Fábio Cavalcanti uit Pernambuco, wiens voorvader Nicolau Santo Tomás had gesticht. Firmino da Silva, de Paulista, afstammeling van de *bandeirante* Amador Flôres. Hun beide families hadden in de Braziliaanse uitgestrektheid imperiums opgebouwd.

Fábio was de derde zoon van Guilherme Cavalcanti, de tegenwoordige eigenaar van Santo Tomás. Een van zijn broers was advocaat, de andere woonde op het domein. Fábio zelf had meestentijds in het herenhuis van de Cavalcantis in Olinda gewoond, net als *senhor* Guilherme, die zijn oudste zoon Rodrigo de plantage liet leiden. Maar noch Guilherme, noch zijn zonen die door hun carrière ver van Santo Tomás verbleven, vergaten ooit dat de macht van de clan voortkwam uit die groene dalen.

Terwijl hij de dokter over zijn familie hoorde vertellen voelde Firmino zich schuldig en dacht hij aan zijn terugkeer naar Itatinga, waar Ulisses Tavares op een held zat te wachten. De baron zou het vast niet leuk vinden als hij hoorde dat zijn kleinzoon voor de Guaranis gevlucht was.

Op 20 december 1867 ging Firmino met andere gewonden aan

boord van een stoomboot die naar Buenos Aires vertrok, waar zij een schip naar Santos zouden nemen. Hij was geheel hersteld, was alweer een week op de been en had de vorige avond afscheid genomen van Fábio Cavalcanti.

'Bedankt voor alles, dokter.'

'Het was een waar genoegen met u te praten. Er zijn veel te veel helden hier.'

Firmino bloosde, en vroeg zich af of de dokter iets van zijn lafheid af wist.

'*Conquistadores!*' ging Fábio verder. 'Ze moeten zonodig veroveren, hoeveel bloed en lijden dat ook kost.'

Firmino was opgelucht en antwoordde: 'De oorlog kan vast niet lang meer duren.'

'Ja, dat zeiden ze drie jaar geleden ook.'

Op de avond van 20 december ging de *Aurora*, de boot met gewonden aan boord, voor anker in de haven van Corrientes, en zei de kapitein dat zij daar twee dagen zouden blijven. De herstellende zieken die konden lopen gingen naar de herbergen en de hotels, die aanlokkelijker waren dan de nauwe hutten van de stoomboot.

'Ga Renata maar eens opzoeken in het hospitaal,' had Fábio voor vertrek tegen Firmino gezegd. 'Ik vraag me alleen af of ze zich mij nog kan herinneren.'

Vanaf het dek van de *Aurora* zag kapitein Da Silva het hospitaal liggen. Twee dagen lang keek hij ernaar vanaf de boot, maar hij ging niet aan land.

Twee maanden later brachten mannen en jongens in Humaitá, in de vroege ochtend van 19 februari 1868, de vierentachtig stukken geschut van de *Bateria de Londres* en de andere batterijen in gereedheid. De doorgewinterde veteranen, de beste artilleristen van het leger van López, moesten de modernste kanonnen bedienen, die met een getrokken ziel. De anderen stonden bij een eerbiedwaardige vuurmond uit de 17de eeuw, *São Gabriel* geheten. Kinderen stonden dapper te wachten om hun oudere broers te helpen bij de stukken waar ze slechts bij konden als ze op hun tenen gingen staan.

Acht kilometer van de hellingen van Humaitá werden de strategische punten in het netwerk van loopgraven versterkt door het gros van de vijftienduizend verdedigers van het fort. De vorige avond hadden Paraguayaanse verkenners die uit de moerassen terugkwamen gemeld dat de vijftigduizend vijandelijke soldaten die de fortificaties belegerden zich klaarmaakten voor de aanval.

Majoor Hadley Tuttle was ingedeeld bij de *Bateria de Londres*, want kolonel Thompson moest de verdedigingswerken ten westen van het hoofdkwartier van López, in Paso Paicú, in de voorhoede van de loopgraven, af gaan maken. De kolonel was de Rio Paraguay overgestoken om vijftien kilometer stroomopwaarts van Humaitá een nieuwe batterij neer te zetten, omdat het duidelijk was dat het fort te ernstig bedreigd werd.

De maarschalk-president bleef niettemin de vijand voor de ogen van zijn mannen uitdagen. Hij reed op een wit paard tussen de loopgraven door, bleef vaak staan om met zijn mannen grapjes te maken over de *macacos* die in de *esteros* in de modder zaten. Na de tweede slag om Tuyuti had López medailles uitgedeeld aan de overlevenden, een geste die sommigen – onder wie Tuttle – belachelijk vonden, want het was *El Presidente* zelf die de mannen had aangezet om het vijandelijke kamp te plunderen, een ernstige fout die talloze Paraguayaanse levens gekost had.

López toonde in het openbaar hetzelfde vertrouwen. Op zijn bevel werd de minste schade die door vijandelijke granaten aan zijn huis was toegebracht, meteen gerepareerd, zodat zijn witte muren, intact en onbevlekt, voor de Guaranis en de mestiezen een teken zouden zijn voor de onoverwinnelijkheid van *El Presidente*. Maar binnenskamers met zijn generaals erkende de maarschalk dat Humaitá het niet eeuwig kon uithouden tegen de geallieerden.

Zonder aan onmiddellijke capitulatie te denken besloten López en zijn officieren om tienduizend man over de Rio Paraguay te zenden, naar de Chaco – de enige mogelijkheid om terug te trekken – voordat zij volledig door de geallieerden omsingeld zouden zijn.

Op 19 februari, om drie uur 's ochtends, bevond Tuttle zich in gezelschap van de commandant en andere officieren van de *Bateria de Londres*. De majoor, verantwoordelijk voor twee 32-ponders, voelde zich zenuwachtiger dan meestal voor de veldslag, want hij besefte, evenals de anderen, dat dit een kritiek moment voor Humaitá zou zijn.

Al een jaar lang beschoot het Braziliaanse eskader dat in de vaargeulen van de Paraguay voor anker lag, tussen Curupaiti en Humaitá, beide forten met duizenden granaten zonder een doorgang te forceren. De voorstevens van de oorlogsschepen waren versterkt en uitgerust met beschermende masthouten. Voortdurend patrouilleerden er boten op zoek naar mijnen, maar het verlies van de torpedist Luke Kruger was een zware slag voor Paraguay geweest, want noch Moretti, noch iemand anders was in staat om de gevaarlijke experimenten van de Amerikaan voort te zetten. Zo lagen er steeds minder mijnen in de wateren van de Rio Paraguay, en bleven de kanonnen van Humaitá en de andere naburige batterijen het enige obstakel op weg naar Asunción.

Van bovenaf bekeek Hadley Tuttle de donkere rivier om te letten op het eerste teken dat de vijand ging aanvallen. Hij hoefde niet lang te wachten. Om half vier begon het in de verte te bulderen omdat de kanonnen van de negentien schepen op de verschillende Paraguayaanse stellingen begonnen te schieten. Op het ogenblik dat zij het vuur openden voeren de meeste boten door een kronkelig stuk van de Rio Paraguay, in de richting van de hellingen van Humaitá, om daarna in noordwestelijke richting weg te varen.

Een kleine batterij, anderhalve kilometer van de *Bateria de Londres*, was de eerste die antwoordde. Toen deden drie anderen – Coimbra, Taquari, Maestranca – hetzelfde, met hun twintig stuks geschut. De voorhoede van de vijandelijke vloot kwam onder de stortvloed van granaten uit, en lag toen onder vuur van de zestien zware kanonnen van de *Bateria de Londres*.

Tuttles mannen deden hun best om te herladen, in rook en bij lantaarnlicht, afkomstig van het dak van de batterij. De majoor ging naar een mangat en zag in de duisternis het vuur van de kanonnen van de korvetten die langs de oever van de Chaco lagen. In de voornaamste vaargeul zag hij drie nieuwe oorlogsschepen – kanonneerboten die zich een week eerder bij de Braziliaanse vloot hadden gevoegd.

Deze boten, gebouwd in Rio de Janeiro, zagen er weinig geducht uit. Bijna ovaal van vorm, drieënveertig meter lang, lagen zij als grote zwarte kakkerlakken op het water. Iedere boot mat driehonderdveertig ton, met staalplaten van bijna zes duim dik, gemonteerd over achttien duims Braziliaans hout, harder dan eikehout. *Alagoas, Pará, Rio Grande* – ze droegen allemaal namen van provincies van het keizerrijk.

De Braziliaanse kruisers beschikten over een pantserkoepel waardoor het daarin opgestelde kanon – een 70-ponder Whitworth in het geval van de *Alagoas*, 120-ponders bij de beide andere – een hoek van honderdtachtig graden kon beschrijven. Hoewel zij onder stoom lagen, werden zij door andere snellere kruisers getrokken, om voorbij Humaitá te komen.

De granaten afkomstig van de moderne schepen bliezen een munitiedepot op, waardoor het struikgewas op de helling in brand vloog. Een Braziliaans korvet stond in brand, een kruiser die de nieuwe boten trok werd midscheeps getroffen, maar geen van de beide boten stond op het punt te zinken.

De kanonnen van de *Bateria de Londres* vuurden onophoudelijk en de rook was zo dik dat Tuttle en zijn mannen amper de artillerist van de naburige stukken konden zien. De batterij was het voornaamste doelwit van de geallieerde schepen, hun granaten raakten de bepantsering en ploegden de helling open. Een projectiel kwam door het schietgat van een oud stuk dat van voren geladen moest worden, en dat de soldaten naar achteren hadden getrokken om het te herladen. Alle mannen van de ploeg werden gedood, verschillende jongens bij de naburige kanonnen werden gewond en de hele batterij kwam onder het bloed en de hersens te zitten.

De voorste kruiser, aangekomen op de plek waar een ijzeren ketting over de rivier hing, zwenkte naar bakboord en voer naar de noordwaarts gerichte bocht. Hij moest nog voor twee batterijen langs die aan de uiterste noordelijke punt van de helling stonden, maar was al buiten schootsafstand van de kanonnen van de Londres. De kruiser *Bahia*, die de *Alagoas* trok, voer zonder problemen over de ketting die thans op de bodem van de rivier lag.

Tuttle schoot driftig een van zijn beide kanonnen af en sprong aan de kant om de terugstoot te vermijden. Bijna tegelijk vuurden nog drie andere kanonnen, allemaal op de *Alagoas*. Twee granaten raakten het achterschip van de kruiser zonder schade toe te brengen, twee andere explodeerden ervóór.

'Wel verdomme nog aan toe!' vloekte Tuttle, druipend van het zweet, en met een gezicht dat zwart was van stof en buskruit.

Een paar minuten later schreeuwde een artillerist: 'De kruiser! We hebben de sleepkabel geraakt!'

Tuttle rende naar het schietgat en zag dat de *Alagoas* snel achterop raakte.

'Vlug, jongens, herladen!' beval hij. 'We kunnen hem nog tot zinken brengen.'

Dertig minuten lang kwam de kruiser onder zwaar kanonvuur te liggen. Hij werd door vele granaten getroffen, en de projectielen met stalen punten kwamen door zijn bepantsering heen. Andere explodeerden bij de romp in het water, waardoor hij helemaal door elkaar werd geschud en waterhozen over het dek stroomden. De commandant en zijn negenendertig mannen dreven nu achteruit, opgesloten in hun kleine boot, want toen de sleepkabel brak was de druk in de ketels van de *Alagoas* minimaal.

In de *Bateria de Londres* haastten Tuttle en zijn mannen zich om te herladen, toen zij hoorden: 'Staakt het vuren!'

'Staakt het vuren?' herhaalde de majoor ongelovig.

'Niet meer op de kruiser schieten,' zei de commandant van de batterij. 'Kijk maar, er zijn daar vijftig man die hem gaan enteren!'

De stukken ten noorden van de *Bateria de Londres* bleven de andere boten beschieten, maar dat had geen enkel nut. Al snel zwegen de *Londres* zelf en de batterijen ten zuiden ervan. De hemel werd grijs, duizenden ogen keken naar de rivier, waar een vloot van twaalf kano's op de kruiser afvoer.

Honderdvijftig *bogavantes* – peddelaars – stuurden hun twaalf boten, door lange kabels twee aan twee verbonden, naar de vijandelijke boot. De voorste kano zou langs de boeg van de kruiser varen, met de bedoeling dat de kabel de romp zou raken en de beide prauwen tegen de zijkant van het schip terecht zouden komen als dat naar voren zou varen.

'Snel, jongens! Snel,' hijgde Tuttle alsof hij zijn eigen mannen aanspoorde.

De kruiser, waar de machinisten de druk hadden opgevoerd, begon de rivier weer op te varen.

'Nu! Nu!' schreeuwde de Engelsman.

Een kano kwam voorbij de *Alagoas*, de kabel kwam strak te staan toen de stoomboot sneller ging varen. De beide kano's plakten tegen de romp vast. De *bogavantes* sprongen op het dek van het schip, terwijl er al twee andere boten kwamen aanvaren.

Vier prauwen kwamen langszij de *Alagoas*, maar een handvol Paraguayanen kwam niet verder dan tien meter van de pantserkoepel. Twee mannen renden naar de stuurhut, om te ontdekken dat die beschermd werd door ijzeren platen waar zij met hun sabels niets tegen konden uitrichten. Andere *bogavantes* probeerden om de platen die de luiken afdekten open te krijgen en vielen neer, getroffen door kogels die vanuit de pantserkoepel werden afgeschoten. In nog geen tien minuten werd de aanval afgeslagen en voer de *Alagoas*, met het dek vol lijken, over de rivier, met de lege kano's op sleeptouw.

Maar het was nog niet afgelopen. In plaats van zich bij de Braziliaanse vloot te voegen, achtervolgde de kruiser de prauwen die zich terugtrokken en overvoer ze, evenals de mannen die in het water vielen. Vier kano's zonken, vier andere ontsnapten door naar ondiep water te gaan.

De kruiser staakte de achtervolging en voer over de ketting heen. De noordelijke batterijen, die niet hadden geschoten uit angst de *bogavantes* te treffen, openden het vuur. Weer werd de *Alagoas* getroffen, maar de schade was oppervlakkig. Als een jonge hond die achter zijn meester aandraafde haalde de boot hijgend en stampend de vijf andere schepen in, op deze grijze ochtend waarop de Brazilianen erin slaagden om voorbij Humaitá te komen.

Zes kruisers voeren nu stroomopwaarts van Humaitá. De geallieerde landmachtdivisies hadden succes gehad bij hun gezamenlijke aanval op een stelling drie kilometer ten noorden van het fort. Maar de *Londres* en de andere batterijen van de helling beheersten nog steeds de bocht van de rivier. Aan de andere kant van de Rio Paraguay lag het oerwoud en de moerassen van de Chaco, die de geallieerden niet onder controle hadden gehouden, omdat zij eens te meer hun vijand onderschatten. In maart 1868 ging López met tienduizend soldaten en de beste kanonnen uit Humaitá de Chaco in. Hij liet drieduizend man achter, die de batterij van Curupaiti in de steek lieten en zich in Humaitá verschansten.

De geallieerden belegerden het fort gedurende de winter van 1868, en de drieduizend verdedigers sloegen meerdere aanvallen af. In juli evacueerden de Paraguayanen, onder vuur genomen door Braziliaanse boten en geallieerde kanonnen die verderop aan de oever van de Chaco geïnstalleerd waren, de gewonden en de vrouwen, want zij konden nog bij het smalle schiereiland met oerwoud komen dat tegenover het fort lag. Op 5 augustus 1868 gaf Humaitá zich over. Het was vijf dagen geleden sinds de verdedigers de laatste voedselvoorraden van het garnizoen hadden opgegeten, en tweehonderd van de dertienhonderd mannen konden niet meer op hun benen staan.

López had zijn nieuwe hoofdkwartier in San Fernando gevestigd, negentig kilometer ten noorden van het fort en honderdzestig van Asunción. Toen de vooruitgeschoven posten van de Paraguayanen voorbij Humaitá in handen van de geallieerden kwamen, verliet *El Presidente* met zijn leger San Fernando, om zich honderd kilometer verder noordwaarts te vestigen in een streek op zestig kilometer van de hoofdstad, waarvan de bevolking geëvacueerd was. Na voorafgaande metingen, uitgevoerd door Thompson en Tuttle, bleek deze sector de beste te zijn voor een defensief front. De Paraguayanen groeven zich acht kilometer van de kleine haven van Angostura in, aan de Pykysyry, een zijrivier van de Paraguay.

Aan het ene uiteinde van de loopgraven lag Itá-Ybate, de Hoge Rots, een positie die zich verhief boven de lage heuvels van Lomas Valentinas, waar López zijn hoofdkwartier installeerde. Ongeveer vierduizend man lag langs de Pykysyry en rond de batterijen van Angostura. Vijfduizend anderen, ondersteund door twaalf kanonnen, vormden een mobiele achterhoede die de geallieerden bij hun opmars naar Lomas Valentinas moest onderscheppen.

Eind augustus 1868, toen de geallieerden eindelijk naar Asunción optrokken, werd de oorlog geleid door de Brazilianen. Caxias was opperbevelhebber, Mitre zat in Buenos Aires en Venancio Flores was in februari 1868 in Montevideo vermoord.

De geallieerde generaals besloten om de Pykysyry-linie niet frontaal aan te vallen en stuurden hun geniesoldaten de Chaco in, ten zuiden van Angostura, om een doorgang door het oerwoud en door de moerassen te maken. De weg die zij aanlegden liep dwars door modderpoelen die moesten worden volgegooid met stammen van palmbomen, zij aan zij over tien kilometer. Maar eind november konden tweeëndertigduizend man die weg nemen. De kruisers die voorbij de beide kanonnen van Angostura waren gekomen zetten vervolgens troepen aan land op de oostelijke oever van de Rio Paraguay, ten noorden van de Pykysyry. Begin december 1868 begon het geallieerde leger op te trekken vanuit Lomas Valentinas om López en zijn mannen de genadeslag toe te brengen.

'Hé, Antônio Paciência! Daar ligt er een! Is dat een generaal? Of een kolonel?'

De lantaarn verspreidde een gelig licht en zwaaide heen en weer toen de man zich vooroverboog om het lijk van dichterbij te bekijken.

'*Caramba*! Zilveren sporen! En goud, *Santa Maria*! Een kruis zo groot als mijn hand! Kom snel, Antônio.'

'Ik kom eraan.'

Plotseling ging de man rechtop staan, draaide zich om, stak de lantaarn naar voren en keek de duisternis in.

'Padre?' Er kwam geen antwoord. 'Waar is Padre?'

'Achter ons,' mompelde Antônio Paciência toen hij eraan kwam, met zijn eigen lantaarn in de hand.

'Ik zie hem niet.'

'Hij is daar, tussen de bomen.'

'Kom eens kijken, Antônio,' herhaalde de man terwijl hij het gouden kruis van de nek van de dode Paraguayaan rukte. 'Ik lieg niet.'

'Rustig aan, hij zal er niet vandoor gaan,' zei de mulat met een sinistere glimlach.

De man zette zijn lantaarn op de grond, knielde en sneed met zijn mes de zakken van het uniform van de dode open.

'Hier zit een kogel,' bromde hij terwijl hij met de punt van het lemmet in het lijk prikte. 'En hij heeft een steek van een lans in zijn buik...'

Hij ging verder de Paraguayaan te beroven en klaagde over de schamele buit. Een paar religieuze medailles, een paar zilverstukken, een gebroken sigaar, kogels. Antônio maakte de zilveren sporen los en probeerde zijn kameraad te troosten door op te merken dat de grond van Avaí, waar zij waren, vol lag met lijken van vijanden.

'En van Brazilianen!' antwoordde de man grimmig.

Hij zag een lantaarn naderbij komen en riep: 'Padre?'

'Ja,' antwoordde een stem uit de verte.

'Die komt ook altijd te laat,' bromde Antônio's metgezel.

Net als de zogenaamde *padre*, had ook hij een bijnaam, namelijk Urubu. Niemand kon zo goed over het slagveld sluipen, na de gevechten, om de doden te beroven. Hij was een volbloed Braziliaanse inboorling, een van de vierendertig Pancurus die als vrijwilligers in dienst waren genomen in een dorp in de *sertão* ergens bij de Rio Moxoto, dertig kilometer boven de São Francisco. Dat dorp was een oude *aldeia* waar zijn voorouders hun toevlucht hadden gezocht bij de jezuïeten.

In werkelijkheid heette hij Tipoana, en hij was een jaar of veertig, klein en sterk, had pikzwarte haren en was volkomen baardeloos. Antônio Paciência had hem leren kennen na de bestorming van Curupaiti, waar Policarpo Mossambe omgekomen was. Het bataljon van de jonge mulat had zulke zware verliezen geleden dat de overlevenden bij andere eenheden waren ingedeeld. Antônio was terechtgekomen bij het 53ste bataljon, afkomstig uit Pernambuco, en daaronder viel ook de compagnie van de Pancurus. Antônio, Urubu en Padre maakten deel uit van het tweede legerkorps dat met het eerste en het derde begin december 1868 was opgetrokken naar Lomas Valentinas. Vijf dagen eerder, op 6 december, was het leger bij een smalle brug over de Itororó terechtgekomen, die door vijfduizend Paraguayanen verdedigd werd. Drie keer werd de brug genomen en weer opgegeven, totdat een laatste aanval de troepen van López definitief verjoeg.

De strijd bij de Itororó was het voorspel van wat er in de ochtend van 11 december gebeurde. De plek waar de officier met de zilveren sporen lag was aan de rand van een hoogvlakte, vijf kilometer van de Rio Paraguay. Er stroomden twee rivieren overheen, waarvan er een, de Avaí, haar naam gaf aan de slag die plaatsvond op de hoogte en in de dalen die haar doorkruisten. Vier uur lang stonden achttienduizend geallieerden tegenover vierduizend Paraguayanen, in een genadeloze strijd. De bataljons van *El Presidente* werden volledig vernietigd. Zesentwintighonderd doden, twaalfhonderd gewonden, en tweehonderd overlevenden die naar het zuiden vluchtten. Maar de

703

Brazilianen en de Argentijnen verloren zelf ook tweeënveertighonderd man en Manuel Luís Osório, de oude commandant van het derde legerkorps, stond op de lijst van gewonden.

Sinds hij vier jaar geleden uit Tiberica was vertrokken, had Antônio Paciência deelgenomen aan alle grote slagen, maar na zijn indeling bij het 53ste bataljon werd hij ziekendrager bij het veldhospitaal van het tweede legerkorps. Samen met Urubu en nog anderen zocht hij tegenwoordig 's nachts naar geallieerde gewonden. Gedurende de negen uren die verstreken waren sinds de gevechten waren afgelopen had hij in een landschap vol verschrikking rondgezworven. Afgerukte armen en benen, zwaar verminkte lichamen, karkassen van paarden die bedekt waren met vliegen.

Urubu was net klaar met de zakken van het Paraguayaanse lijk, maar aan de koppelriem van de dode zag hij nog een kapotte leren lus waaraan vast een beurs had gezeten. Hij zocht met zijn lantaarn over de grond rond de Paraguayaan.

Padre kwam er langzaam aanlopen, waarbij hij zijn grote stelten één voor één ophief. Hij was groot en mager, en had kromme schouders. Hij liep met zijn hoofd naar de grond gericht, en hield zijn lantaarn zo laag mogelijk.

'Olá!' riep hij. 'Ik heb hem!' Hij bukte zich om iets op te rapen. 'Is dat wat jij zoekt, Tipoana?' Hij zwaaide de beurs voor Urubu heen en weer, die een veelbetekenend gerinkel hoorde. 'Zilver? Goud?'

Padre glimlachte en ontblootte zijn grote tanden. Hij had een lang, smal gezicht, met een haakneus en kleine, dicht bijeenstaande oogjes.

'Maak eens open!' bromde Urubu ongeduldig.

'Calma! Je zult de dode nog wakker maken.'

Tipoana draaide zich om naar Antônio.

'Wel heb je ooit! Eindelijk komt hij eraan, en het eerste wat hij ziet, is mijn beurs!'

'Jouw beurs?'

'Ik heb die vent gevonden.'

'En ik heb de beurs gevonden,' antwoordde Padre.

Urubu bond in. Dat was de regel: de buit was van wie hem vond.

'Maak dan open,' bromde hij.

Padre keek in de beurs. Er zat niet meer in dan wat zilverstukken. Urubu was weer gerust en trok het gouden kruis uit een van zijn zakken, waarop hij zei: 'Dit is veel meer waard!'

'Voor een heiden zoals jij?'

'Mooi hè?'

De drie mannen gingen terug naar het kamp, waarbij zij een paar meter uit elkaar bleven om nogmaals de grond en de bosjes te kunnen doorzoeken.

Padre had drie grote hobby's: kletsen, bier drinken, en achter de vrouwen aanzitten. En omdat hij de laatste twee nu niet kon bedrijven, kletste hij heel veel, waarbij zijn woorden vaak tot preken werden, vandaar zijn bijnaam. Hij was net als Antônio een mulat, maar was iets lichter van huid en was drie jaar jonger. Hij heette eigenlijk Henrique Inglez, net als zijn vader, een zeer middelmatig Engels acteur die naar Brazilië verhuisd was. Padres welsprekendheid was afkomstig van zijn vroegere debuut op het toneel. Toen hij vier was, liet zijn vader hem liefdesgedichten opzeggen voor het publiek in zijn Teatro Grande in Itamaracá. Dit vroege optreden was echter niet uitgegroeid tot een echt talent bij een jongeman wiens lelijke uiterlijk trouwens een handicap geweest zou zijn. Toen hij twintig was, was Padre een luie nietsnut geworden, en was zijn vader blij dat hij zich aanmeldde als vrijwilliger.

Padre en Urubu raakten bevriend met Antônio Paciência die voordat hij naar Paraguay ging, alleen met slaven was omgegaan. Nooit zou hij de dag vergeten waarop de slavenhandelaar hem had betast, als een beest op de markt, een herinnering die bij hem een diepe afkeer van slavernij had gewekt, en een hevig verlangen naar vrijheid.

Vrijheid! Vaak had hij Policarpo Mossambe horen praten over die grote hoop, een verdiende vrijlating, door te vechten voor Pedro II. Had de Moçambiquaan maar twee maanden langer geleefd, tot november 1866, om te horen dat de slaven die in Paraguay vochten per keizerlijk decreet vrij man werden! De wet betrof alle vijfentwintigduizend negers en mulatten in de Braziliaanse divisies en beloofde dezelfde vrijheid voor alle toekomstige rekruten.

In werkelijkheid betekende die belofte nog niet zoveel voor Antônio, evenmin als voor vele andere slaven-soldaten. Toen hun aanvankelijke enthousiasme wat getemperd was door de routine van de oorlog, ontdekten zij dat de beloofde vrijheid niets aan de zaak veranderd had. De duizenden mannen die in de zomer van 1867 werden getroffen door cholera en andere ziekten herinnerden de slaven eraan dat zij, om de beloning die Dom Pedro in het vooruitzicht stelde te verdienen, allereerst moesten overleven. De vrijheid was moeilijker te bereiken dan ooit.

Op een dag in augustus was Antônio de terrassen van Curupaiti opgeklommen om naar de plek te gaan waar Policarpo omgekomen was. Toen hij terugkwam in de tent die hij deelde met Tipoana en Henrique Inglez, vertelde hij hun dat hij zijn vriend wilde eren door een eenvoudig houten kruis met daarop geschreven: 'Korporaal Policarpo Mossambe, *Brasileiro*.'

Padre schreef die woorden op een plankje, en drie dagen lang graveerde Antônio in zijn vrije tijd elke letter met zijn mes – hij die nooit iets anders had gedaan dan een kruisje zetten bij zijn naam op de lijst van de *voluntários da patria*. Toen dat klaar was en hij op het punt stond met Henrique het kruis te gaan plaatsen mompelde hij, terwijl zijn vingers over de inscriptie zwierven: 'Nooit meer slaaf, Policarpo Mossambe. Nooit meer.'

In Itá-Ybate, waar Francisco Solano López zijn hoofdkwartier had, werd Kerstmis 1868 ingeluid met een kanonnade van de zesenveertig stukken geschut die in een halve cirkel tegenover de heuvel stonden opgesteld. Vanuit hun stellingen riposteerden de Paraguayanen met de zes kanonnen die hun overbleven.

Vier dagen eerder, op 21 december, waren vijfentwintigduizend Brazilianen in een verstikkende hitte de Lomas Valentinas overgestoken om zich te nestelen tegenover de loopgraven van Itá-Ybate. Verschillende eenheden hadden de Pykysyry-linie meteen aangevallen, waarbij zij negenhonderd van de vijftienhonderd verdedigers doodden of gevangennamen, en de rest dwongen naar de Rio Paraguay te vluchten. In de middag volgde de ene golf cavaleristen en infanteristen op de andere, bij de aanval op Itá-Ybate. De Brazilianen kregen verschillende kanonnen te pakken maar konden de linies van López niet doorbreken. Om zes uur trokken de geallieerden zich terug, nadat zij vierduizend man verloren hadden, maar het aantal verdedigers teruggebracht hadden tot tweeduizend.

In de drie dagen die volgden wisselden de beide kampen kanonschoten zonder dat hun posities echt veranderden. Op 24 december vroegen de geallieerde commandanten López te capituleren, wat hij weigerde.

De kanonnade op eerste kerstdag werd gevolgd door hernieuwde pogingen om de Paraguayaanse linies te doorbreken. De Brazilianen klommen de heuvel op, om weer met zware verliezen te worden teruggeslagen. De volgende dag werden de keizerlijke troepen versterkt met zevenduizend Argentijnen die over de Pykysyry-linie waren gekomen en deze versterkingen waren beslissend voor de afloop van de slag van Itá-Ybate.

In de ochtend van 27 december werden de Paraguayaanse stellingen weer zwaar onder vuur genomen. Vervolgens stuurden de geallieerde generaals vijfentwintigduizend man eropaf, met de Argentij-

nen voorop. Hier en daar brulde een Paraguayaans kanon nog bij wijze van uitdaging. Hier en daar kwam een enkele Paraguayaan nog uit
een loopgraaf, met een Guarani-strijdkreet op de lippen, en zijn sabel
opgeheven tegen een heel bataljon. Hier en daar stierf een kind doorzeefd met kogels. Om halftwaalf wapperden de geallieerde vlaggen
op het vernietigde hoofdkwartier van Francisco Solano López.

Aanvankelijk, toen de Braziliaanse officier nog ver weg was, dacht
Antônio Paciência dat hij een kind in zijn armen droeg. Antônio, Padre en een ziekenbroeder zaten in een bos, één kilometer achter het
hoofdkwartier van López, waar de overwinnende troepen de plek
hadden gevonden waar de gevangenen van de Paraguayanen zaten.
Toen de officier dichterbij kwam zag Antônio dat hij geen kind droeg
maar een man met een verschrikkelijk verminkt lichaam. De officier
zelf liep te wankelen, zijn uniform was aan flarden en hing rond zijn
magere gestalte.
    'Rustig aan,' zei hij toen Padre en Antônio hem hielpen om de man
op een brancard te leggen. 'Hij heeft vier jaar gevangengezeten bij die
honden.'
    De donkere ogen van de man die op de draagbaar werd gelegd ke-
ken de officier aan, en toen de ziekenbroeders; plotseling werd hij
bang en slaakte hij een verschrikkelijke kreet.
    '*Calma, calma*, Sabino,' mompelde de officier terwijl hij de doods-
bange man bij zijn schouder pakte.
    Het was Sabino do Nascimento Pereira de Mendonça, de belasting-
inspecteur die aan boord van de *Marquês de Olinda* was toen het schip
door de *Tacuari* werd geënterd. Zijn reisgezellen, kolonel Frederico
Carneiro de Campos, president van de Mato Grosso, en de *fazendeiro*
Telles Brandão waren door ziektes gestorven. Maar Mendonça, die in
de hel had geleefd vanaf het ogenblik dat de kanonnen van de *Tacuari*
in zijn oren hadden gedreund, had zijn lange gevangenschap overleefd in een *estancia* ten noorden van Humaitá. Toen López zich terugtrok naar Itá-Ybate, waren de inspecteur en de andere gevangenen naar deze plek gebracht.
    Terwijl Padre en Antônio Mendonça optilden, stelde de officier
zich voor aan de ziekenbroeder. Hij was majoor Clóvis Lima da Silva.
De afgelopen dertien maanden had de artillerist meerdere malen de
hoop laten varen zijn gevangenschap nog te zullen overleven. In San
Fernando, na de slag bij Humaitá, was hij gevangengenomen, met
nog andere geallieerde officieren, en opgesloten met politieke tegenstanders van López, die voortdurend vreesden geëxecuteerd te zullen
worden.

Antônio had de neef van Firmino Dantas in Corrientes gezien, en in Tuyuti, maar had hem niet onmiddellijk herkend in deze gehavende man. De ziekendragers brachten Mendonça weg, en Clóvis da Silva en de verpleger liepen mee.

'Ik heb nog gediend bij *tenente* Firmino Dantas,' zei de mulat toen het gesprek tussen de officier en de ziekenbroeder even stokte.

'Is hij ook hier?'

'Dat weet ik niet. Ik heb hem niet meer teruggezien sinds ik vertrokken ben naar het depot van Itapiru.'

'Hij was afgelopen november weer terug in Tuyuti.'

'Ik was daar niet, majoor.'

'Als God het wil, zal ik hem nog levend terugzien.'

Het was drie uur geleden dat Itá-Ybate ingenomen was. Voor Clóvis werd de vreugde bevrijd te zijn een beetje bedorven door het nieuws dat López met honderd man ontkomen was.

'Hoe hebben onze generaals zoiets kunnen toelaten!' zei hij tegen de ziekenbroeder.

'Hoe het ook zij, het is afgelopen. Zonder leger kan López niks doen. Hij heeft geen kanonnen, geen steun, geen hoop meer. Nee, de oorlog is afgelopen.'

'Maar dat beest loopt nog vrij rond. Zolang we hem niet klem hebben gezet blijft hij een vloek voor deze aarde,' voorspelde Clóvis da Silva.

Op 29 december, achtenveertig uur na de val van Itá-Ybate, was de batterij van Angostura de enige stelling die de Paraguayanen in deze sector nog bezetten. Het fort, dat door Braziliaanse kruisers sinds 21 december gebombardeerd werd, had een golf vluchtelingen uit de Pykysyry-linie en andere stellingen opgenomen. Vierentwintighonderd mannen en vrouwen, van wie achthonderd gevechtsklaar, zaten thans achter de fortificaties, met minder dan tien dagen leeftocht. De batterij beschikte nog slechts over negentig granaten per kanon, waardoor zij bij een aanval twee uur konden schieten.

Luitenant-kolonel George Thompson, commandant van Angostura, begreep dat de situatie hopeloos was. In de loop van de dag had hij een commissie van vijf officieren naar Itá-Ybate gestuurd, met de witte vlag, om over een wapenstilstand te onderhandelen. Zij mochten het hoofdkwartier van López inspecteren, vragen stellen aan Paraguayaanse gevangenen, en waren naar Angostura teruggekomen met de bevestiging van de nederlaag. Thompson riep de generale staf bijeen en stuurde de geallieerden een brief waarin hij de capitulatie van het garnizoen voorstelde op 30 december, om twaalf uur 's middags.

Hadley Tuttle, een lid van de commissie die naar Itá-Ybate was gegaan, stemde voor overgave. Toen de andere officieren van de generale staf de vergadering verlieten, bleef Tuttle bij Thompson.

'Ze zijn met twintig keer zoveel als wij,' zei de majoor. 'Het is het enige dat we kunnen doen.'

'Dat is niet wat de Paraguayanen denken. U hebt ze gehoord, Hadley. Zij beschouwen het als een plicht om tot de laatste man door te vechten.'

'Alles wat nu telt is om levens te sparen en het geteisterde land weer op te bouwen.'

Thompson woonde al elf jaar in Paraguay. Tijdens de oorlog had hij de natie zo loyaal gediend dat López hem tot ridder in de Orde van Verdienste had benoemd, een onderscheiding die voor het eerst aan een buitenlander werd verleend.

'Paraguay wordt niet weer opgebouwd,' zei hij plotseling. 'Ook al ontkent hij het, keizer Pedro en zijn ministers zijn op annexatie uit. Alleen de dreiging van een oorlog met Argentinië kan hen nog tegenhouden.'

Tuttle was ook bang voor wat er na de oorlog zou gebeuren, vooral voor zijn vrouw Luisa Adelaida, die Asunción had verlaten toen López bevolen had die stad te evacueren.

'Ik moet naar mijn familie, George,' zei hij.

'Dat is geen probleem. Wij geven ons over op voorwaarde dat wij vrij zijn om te gaan waar wij willen.'

'Hoe lang zullen die formaliteiten in beslag nemen, volgens jou?'

'Een paar dagen.'

'Zeg maar rustig een paar weken. Ik kan maar beter gaan.'

'Vergeet u niet dat de wegen naar het noorden afgesneden zijn? Wacht toch nog even.'

'Nee, ik vertrek vanavond. Ik ga door de Chaco.'

Thompson begreep dat hij Tuttle niet van zijn voornemen kon afbrengen en drong niet verder aan: 'Zoals je wilt. Breng de jouwen maar in veiligheid. God weet dat het nog niet afgelopen is. López is op weg naar Cerro León...'

In het militaire kamp tachtig kilometer van de hoofdstad, werden meerdere duizenden mannen in het hospitaal verzorgd.

'De maarschalk wil vast en zeker de invaliden weer op de been brengen,' ging Thompson verder. 'Maar als dit bloedbad doorgaat, dan krijgt één man daar de verantwoordelijkheid voor, en dat is Caxias. Wat let hem om López gevangen te nemen? Wil hij in Paraguay een bezettingsleger handhaven dat de annexatie vast voorbereidt? Of wil hij dat López de laatste overlevenden van Paraguay nog bij elkaar roept?'

'Waarom zou hij dat willen?' vroeg Tuttle verbaasd.

'Zou hem dat dan niet in staat stellen om de Guaranis tot de laatste man uit te roeien?' antwoordde Thompson.

Op de derde zondag van januari 1869 luidde het carillon van de kathedraal van Asunción over de hoofdstad terwijl de markies de Caxias, zijn commandanten en een menigte Braziliaanse en Argentijnse officieren zich verzamelden om God te danken voor de overwinning. Drie dagen eerder, op 14 januari, had de markies de dagelijkse verordening, nummer 272, gepubliceerd: 'De oorlog is voorbij, het Braziliaanse leger kan trots zijn te hebben gestreden voor de meest rechtvaardige en heilige zaak.'

Terwijl Caxias en zijn officieren in de kerk de hemel dankten, speelden zich buiten helse taferelen af. De eerste geallieerde troepen die op 1 januari Asunción waren binnengetrokken hadden maar heel weinig weerstand ondervonden, en een paar dagen later was het gros van het leger op weg gegaan om op deze zondag in januari de hoofdstad binnen te trekken. López had al maanden geleden de evacuatie van de stad bevolen. De overheid, de regering, de rijke burgers en de vreemdelingen waren gevlucht naar de oostelijke voorsteden. Maar toen de geallieerden de hoofdstad binnendrongen, troffen zij er duizenden armen aan, Guaranis en mestiezen, die niet waren gevlucht of die, op zoek naar voedsel, uit de voorsteden waren teruggekeerd.

De overwonnenen keken naar de *macacos* die door een verlaten en vieze stad defileerden, over boulevards die onder het afval lagen, vol gezwollen kadavers van dieren, waardoor de hele stad stonk als een open riool. Een artillerist die in Itapiru had gevochten zat tegen de muur van de opera in aanbouw met lapjes leer over de stompjes die eens zijn benen waren, te huilen. In de schaduw van een boom stond een Guarani-lansier. Hij was blind geworden in het spervuur van de eerste slag bij Tuyuti, en had de helft van zijn neus verloren. Een halfbloed infanterist lag op zijn rug, met een verscheurde poncho over zich heen waardoorheen zijn dijen en zijn geslachtsdelen te zien waren, zwart geworden van gangreen.

'*Macacos…Macacos,*' stamelde hij.

Voor iedere man waren er vier of vijf vrouwen, en twee keer zoveel kinderen. De vrouwen, mager en vrijwel naakt, keken zwijgend naar hun overwinnaars; tussen de benen van hun moeders keken de kinderen stiekem naar de reuzen die voorbij kwamen.

De plundering van de Moeder der Steden door de overwinnaars kwam langzaam op gang. Een groep soldaten brak de deur van een *pulperia* open en kwam er weer uit met de flessen van de herberg; plunderaars stortten zich op een juwelierszaak, anderen haalden een leeg huis neer omdat ze er niets gevonden hadden. Er was geen sprake meer van enige discipline en de officieren zelf deden mee, waarbij zij buit verzamelden die zij naar Brazilië mee zouden nemen.

Het werd allemaal nog erger toen er geruchten de ronde deden over het fortuin van López en van zijn maîtresse, Lynch. Bendes soldaten stroomden door de chique wijken, aan de rand van de hoofdstad; mannen met bijlen sloegen de deuren van schuren kapot; in de tuinen van de grote huizen groeven *voluntários* overal in de grond. Geen plek bleef gespaard, de Amerikaanse, Franse en Italiaanse consulaten werden ook geplunderd. De plunderaars, die nog steeds de schat van *El Presidente* niet vonden, gingen naar de kerkhoven, waar de mooiste tombes werden opengebroken.

De hemel boven de stad nam een rode kleur aan. Bij het licht van de branden die de overwinnaars hadden aangestoken, begonnen de mannen die moe waren van het zoeken naar buit of tevreden met wat zij al in de verlaten huizen gestolen hadden, aan andere pleziertjes te denken. Verschillende broodmagere vrouwen die naar de aankomst van de geallieerden hadden staan kijken gaven hun lichaam in ruil voor voedsel; anderen werden verkracht, maar niemand lette op hun geschreeuw.

De markies van Caxias wist dat zijn troepen aan het plunderen waren, maar twee jaren in Paraguay hadden hem volledig uitgeput en hij was niet meer in staat zijn mannen in de hand te houden. Tijdens de mis viel hij flauw, en de volgende dag vertrok hij naar Brazilië.

Honderd kilometer ten oosten van Asunción liep Francisco Solano López tussen de gewonden van het kamp van Cerro León door. De verlamden, de verminkten, de halfblinde mannen luisterden aandachtig naar hun leider, die zwoer dat de strijd niet afgelopen was zolang nog één enkele Guarani zich kon verzetten tegen die bende *macacos*.

Fábio Cavalcanti was ook aanwezig bij de mis in de kathedraal van Asunción. Met andere leden van de medische staf van het leger was hij uit Humaitá vertrokken, waar hij in augustus 1868 heen was gestuurd. Na de overgave van het fort was hij naar een hospitaal aan de rand van de hoofdstad overgeplaatst waar de honderden gewonden van de strijd bij Lomas Valentinas terechtkwamen.

Zoals alle mannen die naar het Te Deum van de overwinning luisterden, had Fábio Cavalcanti, die al bijna vier jaar in Paraguay was, God uit de grond van zijn hart gedankt dat de strijd ten einde was. Zoals zovele anderen werd hij in de weken daarop grondig teleurgesteld toen patrouilles ontdekten dat López nog iets in petto had. Ze hadden aanvankelijk geloofd dat de president, zijn concubine en zijn zonen op weg waren naar de Boliviaanse grens maar enige tijd later ontdekten verkenners bendes gewapende Paraguayanen langs de Andes, vijftig kilometer ten oosten van Asunción, en op de weg van de hoofdstad naar Cerro León.

Toen Caxias uit Asunción wegging, werd het opperbevel van het leger overgedragen aan maarschalk Xavier de Souza. Toen het leger begreep dat er nog moest worden gevochten om het Guarani-verzet te breken, zakte het moreel. De soldaten in de hoofdstad gingen extra hard tekeer, veel officieren vroegen en verkregen toestemming om gezondheidsredenen naar huis te gaan, terwijl zij voor het merendeel eenvoudig moe van de oorlog waren en begonnen voor te stellen López voorwaarden voor een eervolle overgave aan te bieden.

Duizenden kilometers van Paraguay bleef keizer Dom Pedro, ondersteund door zijn meest oorlogszuchtige ministers, volhouden dat Braziliës eer eiste dat López uit de weg geruimd werd. Wat volgens zijne majesteit voor dat doel nodig was, was een jonge opperbevelhebber, die het keizerlijke leger weer kracht zou kunnen geven en de jacht zou kunnen leiden op de bandiet López, op wiens hoofd de keizer een prijs van honderd Engelse sovereigns had gezet.

Dom Pedro koos prins Louis Gaston d'Orléans, graaf van Eu, echtgenoot van prinses Isabel. Toen hij vlak voor de oorlog naar Rio was gekomen, werd de graaf te jong en te onervaren geacht om naast veteranen als Caxias en Osório te kunnen strijden. Hij was in maart 1869 zesentwintig, toen de keizer en zijn ministers hem benoemden tot opperbevelhebber van het Braziliaanse leger in Paraguay.

Fábio Cavalcanti was een van de honderden officieren die naar de baai van Asunción gingen, op 14 april, om de prins te ontvangen. Deze vestigde zijn hoofdkwartier in Luque, vijftien kilometer buiten de hoofdstad, en begon meteen aan de reorganisatie van het leger. Op 28 april liet hij met tegenzin toe dat exercities en inspecties even ophielden zodat de troepen de zevenentwintigste verjaardag van hun opperbevelhebber konden vieren.

's Avonds organiseerden de officieren van de medische staf een bal in hun kwartieren, een villa van een Paraguayaanse legerarts die wegens verraad in San Fernando was terechtgesteld. Het huis was oud en slecht onderhouden, de witgekalkte muren zaten onder het rode stof en de grote tuin stond vol onkruid.

Toen het orkest een van de laatste wijsjes van de avond speelde stond Fábio in de tuin, terwijl hij zich tegelijkertijd blij en schuldig voelde. In dit gebied vervuld van lijden, waar hij zoveel pijn had gezien, was hij tegelijk in de wolken, omdat hij Renata Laubner aan zijn arm had.

De jonge dokter was naar het hospitaal van Corrientes teruggegaan nadat hij de gewonden van de tweede slag bij Tuyuti in Paso la Patria had verzorgd. Weer was hij verbaasd geweest toen hij zag dat de verpleegster de zieken, voornamelijk vrije slaven en ruwe boeren uit het binnenland, troostte. Dit keer had hij elke gelegenheid te baat genomen om haar zijn gevoelens te tonen, terwijl hij wist dat hij slechts een van de velen was die haar het hof wilden maken. En toen op een avond, toen zij allebei op een bank zaten, had Renata haar hoofd op zijn schouder gelegd en gemompeld: 'Ik houd van je, Fábio.'

Na de val van Humaitá was de dokter daarheen gestuurd en ook Renata vroeg overplaatsing naar het fort aan. Dona Ana gaf graag haar toestemming want de liefde van dokter Cavalcanti en de verpleegster was een openbaar geheim. Nu werkten zij in het hospitaal van Asunción waar zij in januari zo hadden gehoopt dat de oorlog eindelijk afgelopen zou zijn, zodat ze naar huis zouden kunnen – eerst naar Tiberica, waar Fábio aan August Laubner de hand van zijn dochter zou vragen, en dan naar Recife.

Renata wist dat Fábio veel van haar hield, dat hij medelijden had met de armen en begrijpend was, maar vanaf haar prilste jeugd had ze gemerkt met hoeveel minachting *fazendeiros* als de Cavalcantis gewone mensen behandelden, die op hun koffieplantages werkten, zoals Zwitserse immigranten. Ze herinnerde zich dat haar vader haar de avond van het bal in Itatinga had gezegd: 'Wij zijn hier omdat de barones jou heeft uitgenodigd. De *barão* heeft niets tegen de apotheker Laubner, bij wie hij inkopen doet, maar ik zie wel dat hij niet tevreden is. Hij vindt het vervelend dat hij onder zijn genodigden een arme en onopgeleide man als August Laubner heeft.'

Zo had Renata het ook wel als een kleine overwinning gevoeld toen Firmino, de kleinzoon van de baron, haar ten dans had gevraagd. De dochter van een Zwitserse boer die walste met een jongeman van een belangrijke familie! Later was hij haar komen opzoeken in de winkel en de apotheker, aan wie deze bezoeken niet ongemerkt voorbijgingen, was daar niet gerust op geweest. 'Maak je geen zorgen, vader,' had Renata geantwoord. 'Ik mag Firmino graag maar hij is al verloofd met de zuster van de barones. Bovendien, ik zou mij nooit op mijn gemak voelen in een huis waar ze zich schamen voor mijn vader!'

Nu dacht het meisje met angst en beven aan de ontvangst die de familie van Fábio haar zou bereiden. Walsen in Firmino's armen was één ding, het Casa Grande van Santo Tomás binnenkomen als de aanstaande van *doutor* Fábio was iets heel anders. Renata bad de hemel om evenveel geduld en kracht als haar vader, die geweigerd had de slaaf van *fazendeiros* te worden.

Fábio deelde de vrees van het meisje in het geheel niet en zei: 'Binnenkort zullen wij in de tuinen van Santo Tomás wandelen. Daar is het mooi weer en...'

'O, wat zou ik graag willen dat deze oorlog afgelopen was!'

'Over hooguit drie maanden is alles voorbij,' verzekerde Fábio. 'López heeft nog maar drieduizend man, en die zijn voor het merendeel invalide. Kom, liefje, laten we naar binnen gaan, voor de laatste wals!'

Vijftig kilometer buiten Luque, het hoofdkwartier van de graaf van Eu, lag het dal van de Pirayu, omgeven door beboste heuvels. Op 30 april 1869, achtenveertig uur na de verjaardag van de graaf, trokken veertig vijanden midden in de nacht erdoorheen om de prins een ontvangst te geven van een enigszins andere aard.

De aanvallers vielen een vooruitgeschoven post aan met een met Paraguayaanse vlaggen getooide locomotief met voor en achter platte wagons waarop twee lichte kanonnen achter zandzakken opgesteld stonden.

Het was een oude rammelende machine van negentien ton maar de zes voet hoge aandrijfwielen lieten het ding zeventig kilometer per uur halen. Het was vijfentwintig jaar geleden in Engeland gebouwd, en had gediend in de Krimoorlog. Majoor Hadley Tuttle, staande op de treeplank, kende de oude *Piccadilly Pride No. 11* van de Balaklava-lijn die hij in de moorddadige winter van 1855 voor Sebastopol had helpen bouwen, goed.

'Hadley, jongen, dit is een klein wonder,' had Scotty MacPherson, zijn schoonvader, een paar uur geleden tegen hem gezegd op het station van Cerro León, toen de trein klaarstond voor vertrek.

De Schot doelde niet alleen op de op handen zijnde aanval maar ook op iets nog veel verbazingwekkenders. Vier maanden nadat López met een handvol officieren Itá-Ybate was ontvlucht, stond hij alweer klaar om een veldtocht te beginnen – met een leger van dertienduizend man.

De maarschalk had een leger geformeerd met als kern de vijftienhonderd soldaten die uit Asunción waren vertrokken voordat de geallieerden er binnentrokken. Daarbij hadden zich de gewonden uit Cerro León gevoegd die nog in staat waren een geweer vast te houden. Maar het merendeel was afkomstig van kleine, over het hele land verspreide groepen, ontsnapte gevangenen, soldaten die na de slag bij Lomas Valentinas in de heuvels waren achtergebleven, veteranen die de wapens hadden neergelegd om ze meteen weer op te nemen toen ze zagen wat de bezetter met hun land deed, inboorlingen van stammen in het binnenland van de Chaco, die hadden gehoord over de *macacos*, een plaag die erger was dan de Spanjaarden en de andere indringers aan wie zij al generaties lang verzet boden.

Guaranis hadden zich bij López gevoegd met hun oude musketten, hun lansen en hun sabels die in de smidses van de dorpen gemaakt waren, met wapens en munitie die zij uit een van de geallieerde kampen hadden gestolen. Groepen mannen kamden de verlaten loopgraven van de Pykysyry-linie en andere slagvelden uit en kwamen terug met achtergebleven wapens, kanonskogels en granaatscherven. De laatste, evenals al het schroot dat nog gevonden kon worden, plus kerkklokken, werden naar een geïmproviseerd arsenaal gebracht waar Scotty MacPherson en andere buitenlanders werkten.

In dit arsenaal bij Piribebuy, de voorlopige hoofdstad van López, ten noorden van Cerro León, goten Scotty en zijn ingenieurs achttien kanonnen en mortieren en maakten zij enkele honderdduizenden granaten. Zij leverden ook de twee lichte kanonnen die op de wagons van de trein stonden, evenals de grote staalplaten die de mannen moesten beschermen tegen vijandelijk vuur.

Hadley Tuttle had Luisa Adelaida en haar familie eind januari teruggevonden, in een *estancia* in de buurt van Piribebuy. Sinds die tijd woonden ze daar, waarbij Scotty in het arsenaal werkte, acht kilometer verderop, en Hadley patrouilles leidde in de bergen. Hij deed metingen om de beste plaats voor de batterij te vinden, waarbij hij gebruik maakte van zijn ervaringen met Thompson, die Paraguay na de val van Angostura had verlaten.

Na het vertrek van de luitenant-kolonel maakte Tuttle deel uit van de hooggeplaatste officieren van López. De president, die bij Itá-Ybate bijna volledig was verslagen, had op die heuvel zijn testament opgesteld, waarbij hij al zijn bezittingen naliet aan mevrouw Eliza Lynch. Maar in de loop van de vier maanden die daarop volgden, toen duizenden mannen en jongens zich weer bij hem voegden, had hij weer zin gekregen om de vijanden van het vaderland te bestrijden. Onder die vijanden waren ook Paraguayanen die verdacht werden van samenzwering om hem af te zetten, met name twee van zijn broers en zelfs zijn eigen moeder.

Terwijl de locomotief door het dal van de Pirayu reed dacht Hadley vol vertrouwen aan de afloop van de operatie. De *Piccadilly Pride* moest vijfendertig kilometer afleggen voordat zij bij haar doel zou zijn, een vooruitgeschoven Braziliaanse post in de buurt van het hoofdkwartier van de graaf van Eu. De trein moest langs twee stations komen, waarvan verkenners hadden gezegd dat ze verlaten waren. Na de eerste van die beide stations voerde de spoorlijn langs het meer van Ipacaraí, waar het dorp Aregua lag, en daar hadden vooruitgeschoven Braziliaanse eenheden hun kamp opgeslagen.

De locomotief klom puffend omhoog langs een beboste helling, kreeg toen meer vaart en reed twintig minuten later voorbij Tacuaral, een leeg en stil station, zoals de verkenners dat ook gerapporteerd hadden. Nadat zij tien kilometer langs het meer was gereden reed de locomotief langs een tweede verlaten station, Patiño Cué. Aregua, de vooruitgeschoven Braziliaanse post, lag tien kilometer verder, langs de rails. Eén kilometer van de post verwijderd was een afgraving, dan maakte het spoor een bocht en werd weer recht tot aan een brug van veertig meter lang, ondersteund door pijlers van hardhout.

Vijfhonderd meter van de afgraving minderde Hadley vaart en toen de locomotief erdoorheen reed, gaf hij tegenstoom. De grote aandrijfwielen beten zich vast in de rails, en *No. 11* stond trillend stil. Meteen sprong de helft van de veertig mannen van de wagons en verzamelde zich voor de trein. Vijf minuten later liepen zij het spoor op.

Tuttle marcheerde samen met de Paraguayaanse sergeant die de compagnie aanvoerde, Julio Nuñez, die ook onder zijn bevel in Angostura had gediend. Nuñez leidde een groep van achttien man om een wachtpost te overmeesteren aan het noordelijke uiteinde van de brug.

'Ze liggen allemaal te pitten, majoor,' verzekerde de sergeant, met een sigarepeukje tussen zijn lippen.

'Als ik jou was zou ik daar maar niet te veel op rekenen.'

'Zo laat als het nu is? Die *macacos* slapen, majoor!

Tuttle ging met hem mee tot de bocht voorbij de afgraving.

'Als er gedonder komt dan weet je wat je moet doen,' zei hij tegen Nuñez.

De Brit wierp een blik op een soldaat die twee lichtkogels droeg. In geval van moeilijkheden zouden die worden afgeschoten. Tuttle zou in dat geval de operatie niet meteen afbreken maar het lag voor de hand dat het beter was om eerst de controle over de brug te krijgen, want via die weg moesten zij zich eventueel terugtrekken.

'Ik beloof u dat niemand alarm zal slaan, majoor.'

Van de zeven Brazilianen die de brug moesten bewaken, was er geen een op post. Het was bijna twee uur in de ochtend en Nuñez had zich niet vergist. Zes *macacos* sliepen in hun tenten. De zevende sliep ook, maar dan op de brug, tegen een paal. Hij werd niet wakker toen een Paraguayaan naar hem toe kroop en hem zijn strot afsneed. De Brazilianen die in de tenten sliepen vormden verder ook geen probleem.

Tien minuten later reed de *Piccadilly Pride* hijgend door de bocht en maakte vaart op het rechte stuk naar de brug. Zij reed eroverheen, en toen steeds langzamer tot het vijandelijke kamp, waar ze bleef staan.

De artilleristen hadden hun kanonnen geladen met projectielen die in brand vlogen als ze insloegen, waardoor zij de hele omgeving in vuur en vlam zouden zetten. Vervolgens zouden ze dan met schroot gaan schieten. De eerste granaat ontplofte en verlichtte een lange rij tenten in de nacht. Het tweede schot, gelost vanaf de tweede wagon, was niet helemaal goed gemikt maar bij het licht van de vlammen waren soldaten te zien die uit de tenten kwamen rennen. De Paraguayanen, geknield achter hun stalen platen, openden het vuur met hun geweren en Tuttle zelf deed mee met zijn revolver.

Na een poosje groepeerden de Brazilianen zich en begonnen zij terug te schieten, waarbij zij drie mannen op de eerste wagon neerschoten. Hadley blies op zijn fluit, het signaal voor de terugtocht.

'Vooruit, ouwe van me!' schreeuwde hij naar de *Piccadilly Pride*, waarbij hij volle druk gaf. 'Vooruit!'

De oude machine reageerde fantastisch. Een flinke zwarte rookpluim achterlatend vertrok de locomotief in achterwaartse richting, waardoor de mannen op de eerste wagon, die op de vijand bleven schieten, onder het roet kwamen. Die van het tweede platform raakten het station van Aregua met een brandgranaat die het gebouwtje in lichterlaaie zette. Toen maakte de *Piccadilly Pride* weer vaart en kwam zij bij de brug.

Sergeant Nuñez rende langs het spoor en schreeuwde tegen Tuttle dat er explosieven onder de stutbalken waren gelegd. Zijn mannen stonden op het punt die aan te steken.

Braziliaanse soldaten waren achter de trein aangerend, en begonnen te schieten. Nuñez werd door een kogel die tegen de tender afketste getroffen en zakte in elkaar.

Tuttle gaf volle druk en de locomotief verwijderde zich van de brug. De explosieven maakten een donderend kabaal, en de vlammen stegen naar de hemel. Eventjes was er niets anders te horen dan het gepuf van de trein, toen volgde er een heftig gekraak.

'Goed werk, jongens!' riep de majoor tegen zijn mannen terwijl de brug in elkaar zakte.

De locomotief bleef in Patiño Cué staan om water te tanken en terwijl het reservoir gevuld werd trokken een paar soldaten door het verlaten dorp. Ze gingen een *pulperia* binnen en vonden een achtergelaten ton rum. Een andere groep begon vreselijk te lachen toen ze die een varken vond dat door een straat in de buurt van het station drentelde. De soldaten dreven het doodsbenauwde dier in een hoek, sneden het de keel door en brachten het naar de wagon, waar ze het, ondanks de protesten van de gewonden, inlaadden.

Er ging een halfuur voorbij voordat de locomotief weer weg kon, en de mannen dronken en lachten. Hadley was blij voor ze. De Brazilianen hadden ongetwijfeld honderd man verloren en hun kamp was een puinhoop geworden. Wat hij niet wist, was dat driehonderd cavaleristen van een elite-regiment uit Rio Grande do Sul achter hem aanzaten. Anderhalve kilometer buiten Aregua waren zij de rivier overgestoken maar in plaats van meteen af te slaan naar de spoorweg, waren ze over een weg gegaloppeerd die naar het dal van de Pirayu voerde.

De locomotief reed langs het meer van Ipacaraí en kwam voorbij Tacuaral, het laatste station voor het dal. Hadley voerde de druk niet meer op, want hij had geen reden om zich te haasten.

'Die idioot! Hij waagt zijn leven!' schreeuwde hij.

Een van zijn mannen was van de voorste wagon op de voorkant van de *Piccadilly Pride* gesprongen. Terwijl zijn kameraden hem toejuichten haalde hij een van de vlaggen van de rookkast en begon daarmee te zwaaien.

De trein was drie kilometer voor het bos bij de ingang van het dal toen de Braziliaanse cavaleristen op het spoor afstormden. Vijfentwintig van hen hadden het gros van de troep verlaten om in het dal zelf op de trein te wachten.

'Here God!' vloekte Tuttle, en gaf volle druk.

Er klonk een kreet toen de man die op de locomotief stond zijn evenwicht verloor en viel. Op de wagons maakten de soldaten zich zenuwachtig klaar voor het gevecht. Het kadaver van het varken werd eraf gegooid om een van de kanonnen te kunnen draaien.

De Braziliaanse cavaleristen wisten niet goed hoe ze het monster, de eerste geblindeerde trein van Zuid-Amerika, moesten aanvallen. Bij de aanval vielen sommigen onder de kogels van hun eigen kameraden, anderen werden uit het zadel gewipt nadat ze vergeefs geprobeerd hadden met hun lansen de stalen flanken van de *Piccadilly Pride* door te prikken. Maar ze waren met bijna driehonderd en er was nog slechts een dertigtal weerbare mannen op de trein. De Brazilianen vielen achter elkaar aan, waarbij zij hun geweren en hun revolvers leegschoten, en met hun sabels op de hoofden en de schouders die bloot kwamen inhakten.

De locomotief kreeg nog meer vaart op de helling naar de ingang van het bos. De cavaleristen verloren terrein en Tuttle dacht dat hij ze ontsnapt was toen hij een stapel balken voor zich op de rails zag liggen. De Brazilianen die van het gros van hun troep waren weggegaan waren een paar minuten eerder onder aan de helling gekomen en hadden daar deze val uitgezet.

'De klootzakken!' mompelde de Brit.

Onmogelijk om te stoppen. Een paar seconden later raakte de eerste wagon de boomstammen, de locomotief ontspoorde, de grote aandrijfwielen ploegden door de grond, deden een hoop stof opdwarrelen, en braken door de boomstammen die langs het spoor lagen. Met het geknars van opengereten metaal viel de machine opzij, en stroomde het reservoir fluitend leeg. Omdat er geen koelwater meer was explodeerde de oververhitte stoomketel, waardoor twee cavaleristen die naderbij waren gekomen om getuige te zijn van de dood van de *Piccadilly Pride*, zelf ook gedood werden.

Rond *No. 11* van de Balaklava-lijn en majoor Hadley Baines Tuttle, wiens lange strijd aan de zijde der Paraguayanen ten einde was gekomen, viel een diepe stilte.

De Paraguayaanse strooptochten gingen door en de Brazilianen sloegen heftig terug, maar in de geallieerde kampen werden de maanden mei en juni vooral gebruikt om de laatste veldtocht voor te bereiden. Eind juni beschikte het keizerlijke leger over zesentwintigduizend gevechtsklare soldaten. De graaf van Eu kon weliswaar rekenen op enkele duizenden Argentijnen en een symbolisch aantal Uruguayanen, maar de laatste aanval op López zou vooral uitgevoerd worden door de Braziliaanse strijdkrachten, verdeeld over twee korpsen, waarvan één onder commando van de legendarische Osório.

Begin juli trokken lange colonnes infanterie, cavalerie en artillerie langzaam het dal van de Pirayu binnen. In het noorden lagen de vooruitgeschoven stellingen van de nieuwe Paraguayaanse linies, achter de beboste hellingen van het gebergte. Dertien kilometer ten noordoosten van de bergen lag Piribebuy, de geïmproviseerde hoofdstad van maarschalk López.

Op 1 augustus gaf de graaf van Eu het bevel op te trekken. Zijn plan was om een tangbeweging uit te voeren om Piribebuy te omsingelen. De Argentijnen, ondersteund door de zware artillerie, zouden ten noordoosten de rechterflank van López aanvallen, het gros van de zesentwintigduizend Brazilianen zou naar het zuidoosten trekken, het gebergte oversteken en de Paraguayaanse linkerflank nemen.

Op 11 augustus was Piribebuy omsingeld. De volgende ochtend, na zware artilleriebeschietingen, namen de geallieerden de stad in. Ze moesten echter verder vechten, want López, het wild van deze drijfjacht, liep nog steeds vrij rond. Op 15 augustus namen de Brazilianen Caacupé in, waar de Paraguayanen hun arsenaal hadden. Onder de Europeanen die krijgsgevangen werden gemaakt was Scotty MacPherson. Luisa Adelaida Tuttle, bleek en gekleed in het zwart, stond zwijgend naast haar moeder en haar vader toen een Braziliaanse officier haar kwam vertellen dat zij bevrijd waren van een tiran.

Op 16 augustus, bij zonsopgang, sloeg de geallieerde valhamer weer toe in de vlakte van Acosta Ñu, vijfentwintig kilometer ten noorden van Piribebuy. De graaf van Eu koos twintigduizend man om vier divisies te vormen, die hij elk op een belangrijk punt stationeerde. Tegenover hen, in de in rode grond gemaakte loopgraven, lagen drieënveertighonderd Paraguayaanse soldaten, de achterhoede en de laatste resten van het leger dat López de afgelopen zomer had verzameld.

Onder de duizenden Brazilianen van Acosta Ñu waren drie mannen die al vanaf het begin van de oorlog aan het vechten waren, kolonel Clóvis Lima da Silva, luitenant Fábio Alves Cavalcanti, en de vrijwilliger Antônio Paciência. Alle drie waren zij getuige van de gebeurtenissen van die zuidelijke winterse dag in augustus 1869.

Clóvis, helemaal hersteld van zijn gevangenschap en onlangs tot kolonel bevorderd, voerde het bevel over een batterij van achttien stuks op een helling twee kilometer van de Paraguayaanse loopgraven. Op de hoogten ten zuiden en ten oosten zouden andere granaatwerpers en kanonnen de vijandelijke stellingen wegvagen. Om zeven uur 's morgens gaf kolonel Da Silva het bevel het vuur te openen met twee stuks geschut van zijn batterij.

Terwijl de artilleristen hun best deden stond Clóvis vlak bij een kanon, met de verrekijker voor zijn ogen. De hemel zat dicht, het was

720

koud, en in het dal hingen mistbanken. Daar waar de mist was opgetrokken zag de kolonel de Paraguayaanse verdedigingswerken en een deel van hun kamp, een lange donkere vlek in de *macega*, een kort soort gras dat de armste bodem overleeft.

'Iedereen klaar? Vuren! Vúren!'

Clóvis verstrakte toen de kanonnen begonnen te bulderen. Hij telde de seconden, en hoorde de knal in de verte. Door zijn verrekijker zag hij de granaten exploderen en hij hoorde meteen daarna het gebulder van andere kanonnen, als een echo van zijn eigen batterij.

'Nummers 1 en 2,' beval Clóvis. 'Meer naar links.'

De mannen herlaadden, stelden het vizier bij, richtten de stukken zijwaarts en namen hun plaatsen aan weerszijden in toen de kolonel vroeg: 'Iedereen klaar?... Vúúr! Vúúr!'

Weer telde hij de seconden voordat de granaten ontploften, die de aarde boven de Paraguayaanse loopgraven hoog deden opspatten. Weer bruiden de Braziliaanse kanonnen rechts van de batterij. De vijand antwoordde, de eerste granaten van de zes stukken Paraguayaans geschut tegenover hen vlogen fluitend over hen heen en ontploften een eindje verderop.

'Zelfde afstand,' zie Clóvis. 'Vuur!'

De Braziliaanse kanonnen bestookten de Paraguayaanse stellingen, die met hun drieëntwintig stuks geschut antwoordden totdat er in plaats van mist rook in het dal hing. Tegen het midden van de ochtend zetten de infanterie en de cavalerie de aanval in. De witte petten van duizenden infanteristen brachten de *macega* tot bloei. Vanuit het noorden, te ver om iets anders te zijn dan een zwarte massa, te ver om het geroffel van hoeven over grond te horen, vielen de eerste eenheden van de cavalerie aan.

De Brazilianen vielen overal aan, kogels floten en zoemden door de *macega*. De ruiters die in het noorden aanvielen stuitten op de Paraguayaanse cavalerie, die hen tegemoet kwam. De troepen van López sloegen de eerste aanval af en hielden de geallieerden in de *macega* staande. De strijd verminderde, toen hernamen de Brazilianen hun aanval, golf na golf, waarbij ze langzaam de Paraguayaanse loopgraven schoonveegden.

In het veldhospitaal waar luitenant Cavalcanti was voerden de ambulancekarren vanaf het begin van de ochtend menselijke resten aan die hersteld moesten worden. In de middag stond Fábio nog steeds aan zijn operatietafel. De ziekenbroeders hadden hem een jonge Guarani van een jaar of twaalf gebracht, die een voet kwijt was en van wie een been onder de knie tot moes was geschoten.

Vanaf het begin van de veldtocht door het gebergte voelde Fábio steeds meer hoe tragisch dit conflict eigenlijk was. De jonge Paraguayaanse slachtoffers werden steeds talrijker naarmate de Braziliaanse colonnes de linkerflank van López aanvielen. Twee dagen eerder in Piribebuy, hadden de luitenant en zijn collega's drieënvijftig geallieerde gewonden verzorgd terwijl andere doktoren, die ter plekke waren gebleven, doorgingen met te zorgen voor honderden Paraguayaanse gewonden. Wat Fábio nog meer dwarszat dan dit bloedbad, waren de geruchten volgens welke de Braziliaanse troepen vrouwen en kinderen hadden afgeslacht die de in puin geschoten stad ontvluchtten. Er werd ook verteld dat ze het hospitaal van Piribebuy in brand hadden gestoken en de Paraguayaanse gewonden hadden gedwongen erin te blijven.

Toen hij in juni meeging met de veldtocht door het gebergte, had Fábio in Asunción Renata achtergelaten en hij was blij dat zij geen getuige hoefde te zijn van de verschrikkingen van deze laatste aanval – want deze veldtocht zou de laatste van de oorlog zijn, dat wist hij zeker.

In de operatietent lag de jonge Guarani, met ether verdoofd, naakt op de tafel. Fábio en zijn assistenten stelpten het bloed dat heftig uit het been zonder voet stroomde. Het andere been was onder de knie geamputeerd.

De jongen stierf terwijl zij hechtingen op het stompje been aanbrachten.

Tegen het eind van de middag werden de Paraguayaanse linies in de vlakte van Acosta Ñu doorbroken. Ze hadden negen uur lang weerstand geboden, maar de loopgraven vielen achter elkaar, en de batterijen werden weggevaagd. Honderden gevangenen kwamen achter de geallieerde linies terecht.

'Fantastisch!' riep de graaf van Eu in zijn hoofdkwartier, vlak bij de batterij van Clóvis.

De charmante Franse prins bleek in de strijd een echte tijger, die onbevreesd van de ene stelling naar de andere galoppeerde, om de troepen aan te sporen. Tegen de avond scheen de overwinning bijna een feit.

Vanuit het geallieerde hoofdkwartier werden in de verte kleine donkere vlekjes zichtbaar, die uit het bos ten zuiden van de vlakte kwamen en de *macega* overstaken naar de Paraguayaanse linies, alsof het kuddes pekari's waren. Net als die wilde varkens waren zij een prachtig doelwit voor de cavaleristen die hen met hun lansen bestookten.

Deze kleine gestalten die door de *macega* renden waren de moeders van de kinderen die in de loopgraven lagen te vechten. Zij waren in het bos verborgen, hadden de hele dag het verloop van de veldslag gevolgd, en renden nu naar voren om te kijken of hun kinderen nog in leven waren.

Omdat de koppige Guaranis nog steeds een paar stukken *macega* bezetten, werd de vegetatie in brand gestoken. De vlammen verbrandden de gewonden die op de grond lagen en dwongen hun weerbare kameraden om zich bloot te geven aan de Brazilianen.

De slag van Acosta Ñu kwam tot een einde maar eens te meer was Francisco Solano López aan zijn achtervolgers ontsnapt. Bij het vallen van de nacht rapporteerden Braziliaanse verkenners dat de president en de rest van zijn leger – hooguit tweeduizend man – in noordelijke richting wegvluchtten.

De drieënveertighonderd Paraguayanen die het de hele dag hadden uitgehouden hadden López kostbare tijd gegeven – ten koste van tweeduizend doden. Onder hen bevonden zich achttienhonderd jongens, kinderen van zes of zeven jaar, die naast de ouderwetse geweren lagen die even groot waren als zijzelf.

Die nacht zaten de vrijwilliger Antônio Paciência en zijn vriend Henrique Inglez op een hoop aarde van de Paraguayaanse verdedigingswerken terwijl Tipoana met een lamp door de loopgraven liep. Achter hen vierden hun kameraden, gezeten rond vele kampvuren, de overwinning.

'*Meninos... Meninos*!' klaagde Urubu.

Kinderen, alleen maar kinderen! Geen opperbevelhebbers met gouden kruisen en zilveren sporen. Geen buit voor de beste lijkenschenner die er was! Toch zwierf Tipoana door de loopgraven, stapte over kleine verminkte lichaampjes, doorzocht zakken, begon hoopvol te roepen als hij een oude man ontdekte, maar die had steeds net zulke lege zakken als zijn jonge kameraden.

'Je verdoet je tijd,' zei Henrique Inglez. 'De Paraguayaanse kluif is al helemaal afgekloven!' Padre wendde zich tot Antônio en vroeg: 'Wat wil hij nog meer?'

Ze hadden alle drie hun deel gehad, dat wist Antônio. Hijzelf had een beurs vol goud en zilverstukken. Urubu kwam uit de loopgraven terug en zeurde: '*Meninos!* En ze hebben geen *peso* bij zich!'

Hij boog zich over het lijk van een kind dat aan zijn voeten lag, pakte iets en hield dat met een onheilspellend gegiechel in het licht van zijn lamp. Het lange, smalle gezicht van Henrique Inglez verried zijn woede.

'Wilde!' schreeuwde hij tegen Tipoana. 'Die dappere kinderen verdienen eerbied!'

'Laat zitten, Tipoana,' zei Antônio. 'Ze hebben gevochten en ze zijn immers als mannen gestorven.'

Wat Urubu in het licht van de lantaarn hield, was een slecht gemaakte valse baard. Elke jongen uit de loopgraven had er een gedragen in de hoop dat de *macacos* hem voor een man zouden aanzien.

Francisco Solano López ontsnapte nog zes maanden lang aan zijn achtervolgers. Hij vluchtte naar het diepste binnenland, over moerassen in oerwouden die niemand tot dan toe had onderzocht, een spoor achterlatend van lijken, van partizanen die van de honger gestorven waren en van slachtoffers van zijn laatste zuiveringen. Op 1 maart 1870 was *El Presidente*, door de voorlopige regering in Asunción vogelvrij verklaard, in Cerro Corá, een bebost dal met heuvels eromheen, tweehonderdachtendertig mijl ten noordoosten van de hoofdstad. Hij had nog vijfhonderd uitgemergelde mannen en jongens bij zich, de laatste Paraguayaanse strijders.

Eliza Lynch was ook naar haar minnaar in het grote wilde en verlaten amfitheater gegaan, met haar vijf zonen. De donas uit Asunción hadden haar uitgemaakt voor *puta* en voor nog een heleboel andere dingen, maar één vaststaand feit konden zij nooit ontkennen: Eliza Lynch was altijd bij de man gebleven van wie zij hield, in Humaitá, toen de kanonnen bulderden, tijdens de terugtocht door de moerassige Chaco, bij de nederlaag in Itá-Ybate en bij Piribebuy.

De Brazilianen vielen om zeven uur 's morgens aan door een regiment cavalerie over de heuvels te zenden. Rond het dal stonden achtduizend soldaten te wachten.

'In Gods naam, Eliza, ga weg!' zei *El Presidente* toen hij van de vijandelijke aanval hoorde. 'Neem onze jongens mee. Ga weg!'

Eliza vertrok in een wagen met vier van haar zonen, waarbij de vijfde – kolonel Juan Francisco López, vijftien jaar oud – hun escorte leidde.

De Braziliaanse cavalerie veegde de vooruitgeschoven posten van de heuvels, en stortte zich in het dal. Honderd ruiters die uit het struikgewas kwamen zetten galoppeerden naar mevrouw Lynch en haar zonen.

'Halt! Halt!'

De koetsier stopte de paarden.

'Geef u over!'

'Nooit!'

Kolonel Juan Francisco López hief zijn revolver op en schoot. Direct daarna zakte hij dodelijk gewond in elkaar, met een lans in zijn borst.

In het kamp van Cerro Corá duurde de slag een kwartier. Met geweerschoten, sabelhouwen en lanssteken baanden de Brazilianen zich een weg door de linies van de vierhonderd armzalige verdedigers die hun president, gezeten op een wit paard, beschermden.

Een lansier gaf zijn paard de sporen en viel met gevelde lans aan. Het lange mes haalde López' buik open, maar hij bleef in het zadel zitten. Verschillende van zijn officieren groepeerden zich rond hem om hem te beschermen en probeerden met hem te vluchten naar het oerwoud door zich een weg door de vijand te banen. Zij kwamen aan de rand van de Aquidaban-Niqüí, een rivier die drie kilometer ten noorden van het kamp door een ravijn stroomde.

López verloor veel bloed. Toen zijn paard de stroom inreed, viel hij bijna van zijn zadel en een paar van zijn mannen hielpen hem af te stijgen. Anderen zochten een makkelijker doorwaadbare plaats.

De Brazilianen die hem achterna zaten vonden hem in de modder, bij een palmboompje.

'Geef u over!'

López antwoordde niet. Met zijn laatste krachten zwaaide hij met zijn zwaard naar de *macacos*.

Een Braziliaan liep naar hem toe en schoot van vlak bij op hem.

Francisco Solano López sprak zijn laatste woorden: '*Muero con mi patria*. Ik sterf met mijn vaderland!'

Een treffender grafschrift was niet denkbaar.

In vijf jaar oorlog had negentig procent van alle mannen en jongens van Paraguay het leven verloren.

Paraguay, het land van de Guaranis, was dood.

In Rio de Janeiro becijferde men ook de kosten van de grootste oorlog tussen Amerikaanse naties.

De geallieerden hadden honderdnegentigduizend man verloren, voor het merendeel Brazilianen.

Toch werd in de hoofdstad de overwinning van Pedro de Alcantara, keizer van Brazilië, gevierd. Net als zijn voorouders die hun *soldados* eropuit hadden gestuurd om in Indië de ongelovigen af te straffen en de wilden in Afrika en Brazilië te onderwerpen, in de glorieuze tijd van *As Conquistas*, had ook Dom Pedro Segundo zijn verovering gehad.

Boek zes

De Brazilianen

XX

November 1884 – november 1889

Op een zondagmiddag in november 1884 stroomde in Recife de menigte die het Teatro Santa Isabel vulde over de Campo das Princesas, in het centrum van de stad. Zij die niet naar binnen hadden gekund verdrongen zich voor de vensters in de hoop Joaquim Aurélio Nabuco te zien, jurist en journalist, de man van het ogenblik in Brazilië.

De 'Mooie Joaquim', zoals zijn vrienden hem noemden, was bijna twee meter lang. Hij had golvende bruine haren, met een scheiding in het midden, en een grote snor. Nabuco sloot een heftige strijd voor een zetel als gedeputeerde van het eerste district van Recife af. Hij vertegenwoordigde de liberale partij tegen Manuel Machado Portela, de conservatieve kandidaat, een hoogleraar in de rechten en een oude rot in de politiek. De verkiezingen waren uitgeschreven nadat het kabinet was gevallen over de vrijlating van slaven ouder dan zestig. Tot dan toe hadden de beide voornaamste Braziliaanse partijen één lijn getrokken als het ging om kwesties die de plattelandselites betroffen, die nog steeds de macht in Brazilië in handen hadden. Een derde partij, die van de republikeinen, had in 1870 een manifest gepubliceerd waarin de afschaffing van de monarchie werd geëist, maar zij hadden geen vertegenwoordiger in de nationale vergadering.

Honderdtwintigduizend burgers hadden stemrecht voor de volgende verkiezingen, iets meer dan één procent van de vrije bevolking van het keizerrijk.

Joaquim Nabuco had alle benodigde kwaliteiten om verkozen te kunnen worden. Hij kwam uit een oude familie in het noordoosten die al drie generaties lang mannen aan het parlement leverde, zoals senator José Thomaz Nabuco de Araujo, Joaquims vader. Zijn moeder, Dona Ana Benigna de Sá Barreto, stamde af van João Paes Barreto, die in 1557 naar Pernambuco was gekomen en in Cabo een van de grote plantersdynastieën had gevestigd.

Na zijn middelbare-schoolopleiding in Recife was Joaquim Nabuco naar de faculteit der rechten in São Paulo gegaan, tijdens de oorlog tussen het keizerrijk en Paraguay. Hij had deel uitgemaakt van een groep jonge idealisten, onder wie de dichter Antônio de Castro Alves die, evenals de schrijvers uit Vila Rica in de 18de eeuw, opkwamen voor de vrijheid.

Tot afgevaardigde van Rio gekozen in 1878, op negenentwintigjarige leeftijd, trok Nabuco ten strijde tegen de slavernij, maar de aanhangers van afschaffing daarvan vormden nog een minderheid en de hoofdstad, waar twee werelden samenkwamen, bleef nog sterk in het verleden geworteld. Bij het begin van de jaren tachtig telde Rio de Janeiro vierhonderdvijftigduizend inwoners. De edelen uit het keizerrijk, suiker- en koffiebarons, woonden in de dure buitenwijken van Corcovado, waar sommige huizen mooier waren dan het keizerlijk paleis in São Cristovão. De meeste inwoners van de hoofdstad leefden in armoedige wijken, zoals de Varkenskop, waar duizenden mensen opgepropt zaten, onder wie veel oud-strijders uit de oorlog met Paraguay. Het conflict had de industrie ook op gang gebracht. Naast oude kloosters stonden nieuwe fabrieken. Telegraaflijnen en spoorlijnen over honderden kilometers liepen, naar het binnenland.

Zoals Recife en Bahia vroeger centra waren geweest van grote streken met suikerriet, was Rio het handelscentrum van drie provincies die meer dan de helft van alle koffie ter wereld produceerden, São Paulo, Minas Gerais en Rio de Janeiro. Daar woonde ook twee derde van het anderhalf miljoen Braziliaanse slaven. Sommige *fazendeiros* hadden opnieuw voorgesteld Aziatische immigranten op de plantages te laten werken, maar het idee om koelies te importeren had weinig aanhangers. Men had ook pogingen ondernomen boeren uit Portugal, Spanje en Italië aan te trekken, maar het aantal nieuwe kolonisten bleef onbeduidend. In de 'Zwarte Driehoek', zoals liberalen als Nabuco de drie koffieprovincies noemden, waren de grote oogsten van de rode bessen nog steeds afhankelijk van slavenarbeid.

In 1880 legde Nabuco het parlement een wet voor die de slavernij in 1890 moest afschaffen, maar die werd verworpen. Hetzelfde jaar stichtte hij samen met andere liberalen de Braziliaanse Maatschappij tot Afschaffing van de Slavernij, waarvan hij de eerste voorzitter werd. Ondanks haar voortdurende pogingen verloor de beweging kracht in 1881, het jaar waarin Nabuco en andere abolitionistische volksvertegenwoordigers hun zetel in het parlement kwijtraakten.

Een van de grootste obstakels voor totale afschaffing was een wet die in 1871 was aangenomen, de wet van de 'vrije buik', die onder bepaalde voorwaarden de vrijheid verleende aan kinderen die na die datum geboren waren. De *ingênuos* (onschuldigen) werden door de eigenaar van hun moeder gevoed tot zij acht jaar waren, en konden dan vrijgemaakt worden in ruil voor een door de regering te betalen schadevergoeding of bleven als leerling in dienst van hun eigenaar tot hun eenentwintigste verjaardag. Natuurlijk hielden de meeste planters de *ingênuos* het liefst tot hun eenentwintigste en in 1884 waren slechts honderdachttien kinderen op een geschat totaal van vierhonderdduizend vrij geworden.

De wet van de 'vrije buik' had de critici het zwijgen opgelegd, behalve een handvol verstokte abolitionisten. Dom Pedro zelf, die van nature afkerig was van slavernij, was gevoelig voor petities die om afschaffing vroegen, maar aangezien de grootgrondbezitters en de slavenhouders ook de beste verdedigers van de monarchie waren, was de keizer heel voorzichtig.

In het Teatro Santa Isabel in Recife, op die zondagse namiddag in november, verguisde Joaquim Nabuco de tegenstanders van afschaffing: 'Zij denken dat de slavernij uit Brazilië verdwenen is sinds de buik van de slavin vrij is. Deze wet is niet meer dan een smoesje dat de slavenhouders goed uitkomt en de schande van ons land slechts verlengt. Laten we als voorbeeld een slavin nemen die op 27 september 1871 geboren is, een dag voor de inwerkingtreding van de wet. De buik van haar moeder was nog niet vrij, dus zijzelf zal een slavin blijven tot zij veertig is, in 1911, en dan misschien zelf een kind hebben. Als de meester van deze *ingênuo* schadevergoeding afwijst, zal het kind voorlopig in slavernij blijven tot het eenentwintig is, in 1932. Zeventig jaar na de proclamatie van Abraham Lincoln, zal Brazilië nog een generatie slaven hebben die in *senzalas* verkommeren!

"De afschaffing zal Brazilië ten gronde richten," zeggen de slavenhouders. In de Zwarte Driehoek, waar één miljoen slaven leven, stellen onze tegenstanders Aziatische immigratie als oplossing voor. Dat zou een fatale fout zijn, waardoor er miljoenen gele slaven worden toegevoegd aan de zwarte.

Wij zijn daarentegen voorstanders van een vrije immigratie. Brazilië, dat de helft van het Zuidamerikaanse vasteland beslaat, kan miljoenen Europeanen herbergen. Ieder jaar ontvangt Argentinië er honderdduizend, de Verenigde Staten driehonderdduizend en Brazilië doet het met dertigduizend. Welke man die een beter leven zoekt zal in Napels of in Lissabon de boot nemen naar een sinistere gevangenis waar de slavernij nog heerst? Ik keur de slavernij uit de grond van mijn hart af, het gaat in tegen alle artikelen van het wetboek van strafrecht, tegen alle geboden van de Heer!'

Op het domein Santo Tomás was het grote Casa Grande een symbool van conservatisme. Vijf generaties Cavalcantis hadden de plantage bestuurd sinds dit imposante oude huis was gebouwd door Bartolomeu Rodrigues, in 1751. Zijn huidige eigenaar, Rodrigo Alves Cavalcanti, achter-achterkleinzoon van Bartolomeu, hield ook van de vooruitgang en had een van de eerste met stoom aangedreven suikermolens in Pernambuco neergezet, maar enige aantasting van zijn macht kon hij niet dulden.

Op een middag in januari 1885 zat Rodrigo op de veranda voor het huis te praten met zijn broer Fábio Alves en zijn zoon Celso, negentien jaar oud. Rodrigo was tweeënvijftig, vier jaar ouder dan Fábio, een verschil van leeftijd dat ook duidelijk te zien was. Rodrigo had een gemiddelde lengte, atletisch gebouwd, had een rond gezicht en levendige groene ogen. Zijn kastanjebruine haardos was sterk uitgedund maar werd flink gecompenseerd door zijn goed gevulde bakkebaarden, zijn volle snor en zijn imposante baard.

Doctor Fábio was even groot als zijn broer maar veel magerder. Hij had dezelfde intelligente groene ogen, waaruit, in tegenstelling tot die van zijn oudere broer, mededogen straalde. Zijn kleine baard en zijn bescheiden snor contrasteerden met de overvloed van haar bij Rodrigo. Hoewel hij volgens de laatste Londense mode gekleed was, zag hij er altijd een beetje slonzig uit, en maakte een ongeduldige indruk.

Fábio Cavalcanti had op de tribune van het Teatro Santa Isabel gezeten als lid van de verkiezingscommissie van Joaquim Nabuco. Hij was een persoonlijke vriend van deze, die hem vaak bezocht in de Passagem do Madalena. Fábio dacht, net als hij, dat Brazilië geen plaats kon innemen in de gemeenschap van vrije naties voordat de slavernij afgeschaft zou zijn.

Evenals Nabuco, met wie hij vaak over de kwestie discussieerde, zag Fábio in de afschaffing slechts het begin van de strijd. Hij werd nog steeds achtervolgd door de herinnering aan Paraguayaanse kinderen die in Acosta Ñu tijdens de oorlog waren afgeslacht, en zes jaar geleden, in het noordoosten, was hij voor de tweede keer van zijn leven getuige geweest van een vreselijke tragedie. Acht maanden lang had hij samen met andere doktoren gediend in Fortaleza, in Ceará, om de duizenden vluchtelingen te verzorgen die uitweken voor de droogte. In de kampen was het een ware hecatombe. Meer dan vijftienduizend ongelukkigen werden in een maand tijds in massagraven geworpen. De *seca* was een natuurramp maar het feit dat er geen voorzorgsmaatregelen waren getroffen, de onwetendheid, de viezigheid, en de afschuwelijke armoede van deze miserabelen die zich naar

732

de kust sleepten waren voor Fábio mensenwerk.

'Ik ken geen mooiere plek dan het dal van mijn familie,' had hij op een dag tegen zijn vriend Nabuco gezegd. 'De Cavalcantis wonen al generaties lang op Santo Tomás. Natuurlijk is het grote domein van onze voorouders verdeeld door erfenis, maar zelfs vandaag beslaat het nog twintigduizend morgen, waarvan driekwart nog nooit bebouwd is. Voor ons is dat heel goed. Voor Brazilië is dat een vloek!'

Guilherme Cavalcanti, de vader van Fábio en Rodrigo, was in 1874 overleden waarbij hij aan Fábio een derde van Santo Tomás naliet, evenals zijn bezittingen in Recife en Olinda. Recife was de derde stad van Brazilië geworden, na Rio en Bahia, met een inwonersaantal van honderdveertigduizend. In Olinda waren de prachtige herenhuizen bewaard gebleven uit de tijd dat de grote planters vanaf de smaragdgroene heuvels minachtend neerkeken op de colporteurs en de ambachtslieden uit Recife. Maar ondanks de oude kerken en de oude kloosters veranderde ook Olinda. Aan de kust, onder de palmen, wemelde het van de pensions en de muziektenten, en er waren rijdende kleedhokjes zorgden voor de liefhebbers van een badkuur.

Fábio, wiens huis en praktijk in Boa Vista, een wijk van Recife, stonden, had totaal gebroken met het patriarchale regime van Santo Tomás. Grote bezittingen waarop honderden arme families als lijfeigenen leefden waren volgens hem een plaag voor het land. Recife was vol met duizenden behoeftigen die van het platteland waren gekomen op zoek naar werk, ongeschoolde arbeiders die beter op kleine boerderijtjes hadden kunnen wonen, maar geen enkele hoop hadden om een stukje goede grond te vinden of de middelen om het te kopen. In de lage moerassige streek voorbij São Antônio, evenals op de hellingen van het dal van de Capibaribe, bouwden zij grove hutten die zij *mocambos* noemden, naar een Bantoe-woord dat 'grot' betekent.

Op Santo Tomás leefden honderdtachtig families van *agregados* van wie een groot deel twee of drie dagen per week voor de *senhor* werkte, zonder ander loon dan het recht om een stukje grond voor eigen voedsel te bewerken. Rodrigo was niet helemaal gespeend van medelijden ten opzichte van deze miserabelen. 'Je weet net zo goed als ik dat bepaalde families al generaties lang bij ons zijn,' had hij ooit tegen zijn broer gezegd. 'Dit dal is hun tehuis, net zo goed als het onze. Ten tijde van onze vader hadden wij tweehonderd slaven. Ik moet het nu doen met vijfentachtig. De *agregados* werken niet hard genoeg en ik moet steeds meer gebruik maken van zwervers die voor de oogst uit de *sertão* komen. Uitschot! Ik kan de velden niet eens meer inspecteren zonder lijfwacht.'

Het was eind januari en de suikerrietoogst was volop aan de gang. Rodrigo Cavalcanti werd inderdaad geëscorteerd door gewapende *capangas* als hij te paard door de rijen rondtrekkende rietkappers ging. Maar gezien vanaf de veranda waar de drie mannen zaten leek het tafereel heel vredig. Aan de voet van een helling die bij de rivier uitkwam steeg de rook uit de schoorstenen van de molen en de distilleerderij boven het bos dat achter de raffinaderij lag. Rechts van de veranda, waar het grote kruis op de patio van de kapel was gezet, begon het rode lint van een weg die door de palmbomen, de tamarindebomen en andere bomen slingerde, waardoor hij de rand aangaf van de suikerrietvelden die het dichtst bij het Casa Grande lagen. De golvende heuvels achter de weg waren ook beplant met suikerriet dat er vanuit de verte uitzag als een groot weiland waar de wind overheen streek. Meerdere heuveltoppen in de buurt van het huis werden bekroond door bosjes bomen; in het noorden waren hier en daar op de heuvels nog donkere vlekken te zien, resten van het grote oerwoud dat vroeger het hele dal bedekte.

Evenals Nabuco ging Fábio tekeer tegen grote domeinen en zijn zorg voor de grote massa landloze Brazilianen was oprecht. Hij was een man van de stad, in wiens ogen veel aspecten van het leven op het domein vreemd, uit de tijd en wreed waren. Maar telkens als hij naar Santo Tomás kwam had hij toch de indruk dat hij naar huis ging. Daar woonde zijn moeder, Dona Eliodora Alves Cavalcanti. En veel min of meer naaste familieleden woonden in het dal en in Rosário, thans een stad van drieëntwintighonderd inwoners.

Op de veranda waar hij met Rodrigo en Celso zat te praten hoorde Fábio het gelach van zijn kinderen, twee meisjes en een jongen die onder het toeziend oog van hun moeder, Renata, gezeten onder twee oude, met oranje en gele bloemen bedekte bomen, met een vlieger liepen te spelen.

Fábio zou zijn broer altijd dankbaar blijven voor de ontvangst die hij hem had bereid toen zij uit Paraguay terugkwamen. Rodrigo en Leopoldo, die toen gestorven was, hadden allebei dochters van edele families getrouwd. Hun zuster Virgínia had Guilherme Cavalcanti een gewetenscrisis bezorgd door verliefd te worden op de mulat Cicero de Oliveira, maar de *senhor* had deze verbintenis ten slotte goedgekeurd want doctor Cicero had een mooi, licht gekleurd gezicht, en een doctorstitel van de universiteit van Edinburgh. Bovendien bezat hij een domein in een district van Rosário, waardoor hij tot de gegoede burgerij behoorde.

'Joaquim Nabuco gooit olie op het vuur van de opstand,' zei Rodrigo. 'Dat is het eind van onze landbouw en van het keizerrijk.'

Hij wist dat Fábio en Celso abolitionisten waren, maar gaf evenzogoed zijn mening. De beide broers waren altijd eerlijk tegenover elkaar geweest. *Senhor* Rodrigo maakte tevens van de gelegenheid gebruik om de jonge Celso, die vreemde ideeën had welke voor zijn vader neerkwamen op anarchie, eens de les te lezen.

'Joaquim is geen brandstichter en ook geen fanaticus,' antwoordde Fábio. 'Hij heeft eindeloos herhaald dat de emancipatie rustig en zonder haat dient plaats te vinden!'

'Ik lees de *Diário*, Fábio, maar wat is de waarheid? De gebeurtenissen in São José?'

'Dat was een tragedie, maar dat had niets te maken met de beweging tot afschaffing van de slavernij.'

Op de avond na de verkiezingen was uit de telling gebleken dat de conservatieve tegenstander van Nabuco in het district São José een overwinning had behaald. Er was een oproer uitgebroken, waarbij twee conservatieve stemmentellers om het leven waren gekomen en de stembiljetten zoek waren geraakt. Nieuwe verkiezingen vonden op 9 januari plaats, in het hele eerste district van Recife, en Nabuco was met een verpletterende meerderheid gekozen.

'Hij is misschien wel voorstander van gematigdheid,' ging Rodrigo verder, 'maar de jongens die oproer kraaien en de slaven aansporen om naar Ceará te vluchten vinden in zijn verklaringen een verontschuldiging.'

De zuidelijke provincie Ceará, getroffen door de droogte, had een derde van haar bevolking verloren. Duizenden slaven waren omgekomen en de overlevenden waren verkocht aan de koffieprovincies in het zuiden. Toen er belastingen werden geheven op export van slaven en de handel daardoor weinig winstgevend was geworden, kwam het abolitionisme in Ceará opzetten, waardoor de provincie op 24 maart 1884 de slavernij afschafte.

'Joaquim schaft de slavernij niet af, dat doet de vooruitgang.'

'Dat moet ik toegeven,' zei Rodrigo.

'Waarom blijf jij dan tegenstander van afschaffing?'

'De slavernij is ten dode opgeschreven maar we kunnen een systeem dat drie eeuwen geduurd heeft niet van de ene op de andere dag afschaffen. Later we het een zachte dood laten sterven, zoals de wet dat ook voorziet... Weet je, Fábio, sommige planters willen de wapens opnemen. Krijgen we hier net zo'n conflict als wat de Verenigde Staten verscheurd heeft?'

'De situatie hier is totaal anders.'

'Is dat wel zo? In Ceará zijn geen slaven meer. Amazonas, Rio Grande do Sul en andere provincies zullen dat voorbeeld volgen. In het zuiden werken één miljoen slaven op de koffieplantages. Zonder hun werkkracht gaan de *fazendeiros* failliet. Denk je nu echt dat de Paulistas zonder slag of stoot hun slaven zullen opgeven?'

'Zij zullen de eenheid van het keizerrijk niet in gevaar brengen voor een verloren zaak,' antwoordde Fábio. 'Onze situatie is niet te vergelijken met die van de Confederatie in de Verenigde Staten. Er is een fundamenteel verschil in onze houding ten opzichte van de slaven. Wij hebben van de slavernij geen religie gemaakt. Zeker, wij hebben de slaven gebrandmerkt in Afrika, maar dat was óns merk, niet dat van God. Wij hebben nooit gedacht dat God de negers bestemd had om voor ons te werken. Het onmisbare fanatisme om een bloedige kruistocht voor de slavernij te ondernemen heeft in Brazilië nooit wortel geschoten.'

Celso keek naar zijn oom met een mengsel van eerbied en bewondering. Hij was de jongste zoon van Rodrigo. De oudste, Duarte, leefde met zijn familie op het domein, maar was er die dag niet. De tweede zoon, Gilberto, was leraar op een particuliere school in Rio. Celso, mager en bleek als een teringlijder, had een te ernstig gezicht voor zijn leeftijd. De laatste jaren, terwijl hij in Recife rechten studeerde, had hij bij zijn oom in Boa Vista gewoond. Het huis van dr. Fábio stond open voor abolitionisten en vrijmetselaars. Fábio zelf was grootmeester in een van de loges van de stad. De student nam veel ideeën van hem over die in de ogen van Rodrigo, zijn zoon tot een potentiële anarchist maakten. Deze mening was niet gefundeerd, maar in het geheim koesterde Celso een hartstocht die zijn vader evenveel zorgen gebaard zou hebben, want hij wilde priester worden.

Toen zijn oom zijn mond hield zei de jongeman niets. Hij wilde best met andere studenten door de straten van Recife defileren, schreeuwend dat Joaquim Nabuco het licht was dat hen leidde, maar tegenover zijn vader hield hij eerbiedig zijn mond.

'Dat klopt, Brazilië kent niet dat klimaat van haat waardoor broedertwisten ontstaan,' erkende Rodrigo. 'Maar de anarchisten? De subversieve elementen die zeggen dat onze monarchie een anachronisme in Amerika is?'

'Ik ben niet bang voor een minderheid van heethoofden. Het grootste deel van ons volk houdt van de keizer. Hoeveel groter zal hun respect zijn als Pedro onze Lincoln is?'

Rodrigo trok een zuur gezicht en zei: 'Welke steun kan het volk zijne majesteit geven? Bloemen, op de weg gestrooid als hij langskomt? De meeste Brazilianen hebben geen stemrecht. Als de zuidelijke planters zich tegen Pedro keren, dan worden ze misschien gevoelig voor de woorden van republikeinse agitatoren. Het kwaad verspreidt zich, Fábio. We hebben niet alleen te maken met een paar imbecielen of met studenten die revolutionaire ideeën hebben. De republikeinse partij is een gevaarlijke werkelijkheid geworden.'

'Dom Pedro heeft het roer al een halve eeuw in handen. De monarchie zal de afschaffing van de slavernij best overleven,' verzekerde Fábio.

'Ik hoop oprecht dat je gelijk hebt,' zuchtte Rodrigo.

De keizer stelde zich welwillend op tegenover fanatieke vijanden zoals de republikeinen die drie jaar geleden aan een potentieel gevaarlijke operatie waren begonnen. Op 21 april 1882 hadden zij de *Clube Tiradentes* opgericht, als eerbetoon aan de republikeinse martelaar Joaquim José da Silva Xavier, de Kiezentrekker.

Dom Pedro had nog twee andere geduchte vijanden gekregen, en een daarvan was de Kerk. In 1864 had Paus Pius IX de orde van de vrijmetselaars veroordeeld, die in Brazilië veel aanhangers had, zowel bij leken als bij priesters. Maar de keizer, tolerant als hij was, had zijn gezag over de Braziliaanse Kerk gebruikt en de publikatie van de encycliek in Brazilië verboden. In 1872 trotseerde Dom Vital Maria de Oliveira, bisschop van Olinda, de Kroon door de lekenbroederschappen van de katholieke Kerk te bevelen de vrijmetselaars uit hun rijen te verwijderen. Deze broederschappen deden een beroep op Pedro II, die Dom Vital vroeg op zijn bevel terug te komen. De prelaat weigerde dat, werd gearresteerd, berecht wegens verzet tegen de Kroon en veroordeeld tot vier jaar dwangarbeid.

Een ander instituut welks vijandschap Pedro zich op de hals had gehaald was het leger. Dat was teruggebracht tot dertienduizend man, verstrooid over het land. Officieren die in de *esteros* en de jungle van Paraguay hadden gevochten beklaagden zich steeds meer over de ondankbaarheid van de keizer.

Het laatste probleem waarmee Dom Pedro te maken had: hij was negenenvijftig, had suikerziekte en malaria. Veel van zijn onderdanen vroegen zich af hoe dat moest met zijn opvolging, die eigenlijk geregeld moest worden door de keizerlijke prinses Dona Isabel, getrouwd met de graaf van Eu. De prins, als overwinnaar uit Paraguay teruggekomen, was een tijdlang de lieveling van de Brazilianen geweest maar omdat hij heel eenvoudig was, was de luister van zijn glorie snel verbleekt. Dona Isabel was charmant, intelligent, algemeen geacht, maar men was bang dat zij, als zij eenmaal op de troon zou zitten, de teugels aan haar echtgenoot over zou geven.

Op de veranda van het Casa Grande wendde Rodrigo zich tot zijn broer en erkende: 'De slavernij moet verdwijnen, je hebt gelijk. Trouwens, heb ik ooit iets gezegd ten nadele van jouw emancipatieplannen voor Rosário?'

'Nee.'

Een groep abolitionisten uit de stad had Fábio uitgenodigd om twee dagen later aanwezig te zijn bij de stichting van de *Associão Libertadora Rosário*, die als doel had de slaven van de stad vrij te kopen of de planters ertoe over te halen ze op eigen initiatief vrij te laten.

'Ga maar naar Rosário, Fábio. Spreek maar met de burgers, en spoor ze maar aan hun slaven vrij te laten. Ik zal de eerste zijn om ermee in te stemmen.'

'Jouw steun is van groot belang.'

'Die heb je. En bovendien een gift van twee *milréis*. Ik hoop dat dat genoeg is om drie of vier slaven vrij te kopen...'

Celso koos dit ogenblik om zijn stilzwijgen te verbreken en zei: 'God zou u nog dankbaarder zijn als de slaven van Santo Tomás vrijgelaten zouden worden.'

'Celso...' zuchtte *senhor* Cavalcanti.

'Ja, *pai*?'

'Heb jij geluisterd naar wat ik zei?'

'Ik heb alles aandachtig gevolgd, vader.'

Rodrigo wendde zich weer tot zijn broer en zei: 'Luistert hij ook zo naar zijn leraren?'

'Neem het hem niet kwalijk. Hij is ongeduldig.'

'Mijn zoon,' ging Rodrigo verder, 'er is voor jou vrijwel geen toekomst als Brazilië een failliet land wordt, met verlaten plantages.'

'Mag ik wat zeggen, *pai*?'

'Jawel,' bromde Rodrigo.

'Ik weet dat rondtrekkende rietkappers geen best werk leveren. Ik heb gezien hoeveel moeite u hebt om de *agregados* naar de velden te krijgen. Een dag of twee werken, en dan willen ze rust. Dat verandert pas als de slavernij verdwijnt.'

'Dat zal nooit veranderen. Zij zijn van nature lui.'

'Dat klopt, ze zijn lui, maar dat zijn ze alleen maar omdat ze het niet eervol vinden om naast slaven te moeten werken.'

'Ach, hoe vaak heb ik dat argument al niet gehoord! Sinds de eerste Tupi uit het bos gehaald is, ten tijde van de *donatários*, kan geen vrije man meer een vinger opsteken. Zeg eens, Celso, wie heeft Santo Tomás gegrondvest?'

'Dat is niet hetzelfde, vader. Dit zijn arme boeren, hun voorouders hebben geen groot dal gehad om te ontginnen.'

'Dus wij moeten onze grond aan hen afstaan?'

Fábio zag dat Celso zich op glad ijs begaf en zei: 'Wat hij bedoelt is dat met de afschaffing van de slavernij het werk in de ogen van de *agregados* meer waard zal zijn.'

'*Exatamente!*' riep Rodrigo. 'De slaven zullen de plantages verlaten en de oogst zal afhangen van het humeur van die luie niksnutten!'

'Geef ze een kans. Laat de *senzala* leegstromen, zorg ervoor dat zij die in de velden werken vrije mannen zijn. De *agregados* zullen leren trots te zijn op hun werk.'

'Ga maar naar Rosário,' herhaalde Rodrigo plotseling. 'Overtuig de burgers van onze stad maar hun slaven vrij te laten. Er staan er honderdzestien in het register van Rosário. Maar op de domeinen in het district zitten er in totaal twaalfhonderd. Leg mij nu eens uit hoe jij er zoveel kunt vrijkopen. Niet een paar slaven, maar twaalfhonderd!'

De jongeman keek met zijn gebruikelijke ernst naar zijn vader, maar gaf geen antwoord.

De *extravagância* van Costa Santos – zoals Rodrigo het soms noemde – lag twaalf kilometer van het Casa Grande. De beide broers Cavalcanti gingen er de volgende dag te paard heen, waarbij ze de oude weg naar Rosário namen. Na tien kilometer kwamen ze bij een kruising, sloegen rechtsaf in de richting van de Jacuribe, die door het naburige dal stroomde, evenals door dat van Santo Tomás. Aan de overkant van de houten brug begon de *extravagância*.

Rodrigo en Fábio stegen af, gaven hun rijdieren aan twee *capangas* die met hen mee waren gegaan en staken te voet de brug over. Ze liepen naar een groot gebouw met een zinken dak, dat gedragen werd door ijzeren pilaren. Rechts stond een andere constructie met een hoge stenen schoorsteen, even hoog als de woudreuzen erachter. Her en der verspreid stonden nog vele andere kleinere gebouwen en aan de rand van de kaalslag, eenzaam op een spoorlijn van een meter breed, stond een kleine stoomlocomotief die met palmbladeren was afgedekt.

De *extravagância* van Costa Santos, de Verenigde Suiker Maatschappij van Oost-Pernambuco, was een onderneming waarin honderdduizend kilo suikerriet per dag had kunnen worden geperst. Ze was helemaal verlaten. De grondvester ervan, Vinicius Costa Santos, was dood en begraven en zijn aandeelhouders beklaagden zich in hun Londense clubs over zijn faillissement.

Vinicius stamde af van Joaquim Costa Santos, de onafhankelijke planter die zo blij was zijn dochter Luciana te kunnen uithuwelijken aan *senhor* Paulo Cavalcanti. De moeder van Carlos Maria, de overgrootmoeder van Fábio en Rodrigo, was, al was zij weduwe, een belangrijke vrouw in het Casa Grande geworden. De wilde Graciliano was naar het domein teruggekomen maar volgens het recht van de oudste, dat nog steeds gold, was Santo Tomás voor de pas geboren Carlos Maria. Toch was Graciliano een hele steun geweest voor Luciano, evenals *padre* Eugênio Viana, die Carlos Maria ideeën had bijgebracht die hem ten slotte deel hadden doen nemen aan een republikeinse opstand in 1824, onder de regering van Pedro I. Carlos Maria was vijf jaar opgesloten in een fort in Bahia, en vrij kort na zijn vrijlating overleden.

Zoals Joaquim Costa Santos gehoopt had had het huwelijk van zijn dochter het prestige van zijn familie aanzienlijk doen toenemen, evenals de oppervlakte van zijn landerijen in het naburige dal van Santo Tomás. Vinicius, de kleinzoon van een van de drie broers van Luciana, was de meest welvarende – en de meest ongelukkige – van de Costa Santos, want geen ander lid van de familie kende zo'n noodlot als hij.

In Londen, waar dr. Vinicius aan het eind van de jaren zeventig vaak naartoe reisde om zijn project te verkopen, maakte de Verenigde Suiker Maatschappij van Oost-Pernambuco de indruk een serieuze investering te zijn. 'Twee grote dalen met onafzienbare rietvelden en grote landerijen die nog ontgonnen moeten worden. Een overvloed aan water, aangevoerd door de Rio Jacuribe. Makkelijk te bereiken dank zij de spoorlijn van Recife naar het binnenland.' De Engelse ingenieurs die in 1878 het dal bezochten bevestigden bij hun terugkeer de woorden van de Braziliaan, en op 1 februari 1879 werd de maatschappij opgericht.

Op 27 september 1880, bij het begin van de oogst, keek Vinicius trots naar de stoommachine van veertig pk die het gebouw waar zij stond deed trillen. De eerste stengels rolden tussen de grote persen door, het sap liep in de filterpers. Precies twintig maanden later, in mei 1882, ging de maatschappij failliet.

Costa Santos had een fatale rekenfout gemaakt. Er waren in het dal tweeëntwintig domeinen, waaronder Santo Tomás, met vijfduizend morgen suikerriet, en de enige door stoom aangedreven suikermolen. Vier domeinen waren van de familie Costa Santos, maar meer dan de helft van de andere domeinen was eigendom van familieleden of 'klanten' van de Cavalcantis, die hun oogst naar Santo Tomás brachten.

Vinicius had onophoudelijk het idee van een centrale suikermolen gepropageerd. Zijn familieleden ondersteunden hem en de achttien andere *senhores* toonden interesse voor een plan waardoor zij zich uitsluitend zouden kunnen bezighouden met de teelt van suikerriet. Rodrigo Cavalcanti leek ook wel wat te voelen voor een centrale molen, maar Vinicius kreeg van hem geen vast contract los. 'Natuurlijk aarzelt hij,' vertelde Costa Santos de Engelse investeerders. 'De meesters van Santo Tomás wonen al sinds onheuglijke tijden in het dal. Ik ben er niettemin van overtuigd dat *commendador* Rodrigo ons idee zal steunen als hij de voordelen ziet die de andere planters ervan hebben.' En de *doutor* verzekerde de Engelsen ook nog: 'Bovendien, mijne heren, zijn wij als het ware van dezelfde familie als de Cavalcantis.'

Ondanks de banden met de Costa Santos schaarde Rodrigo zich niet achter het project. Niet één stengel van de oogst van Santo Tomás in 1880 werd naar de centrale molen gestuurd en van de veertien planters die verwant waren aan de Cavalcantis, gaven slechts twee hun oogst aan de Maatschappij, als dank aan Vinicius, die hun vroeger geld geleend had. Toch hield hij hoop voor de volgende oogst, en ging hij langs alle planters, onder wie Rodrigo. 'Het spijt me,' had die hem gezegd, 'maar ik had je niets beloofd. Ik geef mijn suikerriet niet aan Engelsen.'

Dat de meerderheid van de aandelen van de suikerindustrie in handen van vreemdelingen was, was slechts een van de redenen waarom Rodrigo Cavalcanti weigerde de centrale molen te steunen. 'Onze eigen molen laten staan en ons riet naar de centrale sturen zou het failliet van Santo Tomás betekenen,' verklaarde hij tegenover zijn broer. 'Onze plantage wordt zodoende de gijzelaar van de maatschappij. Ik, Rodrigo Cavalcanti, word niet meer dan een *fornecador*!' Voor de *commendador* betekende de degradatie tot eenvoudig leverancier van suikerriet het verlies van zijn eer en waardigheid.

Op 30 augustus 1882, vlak voor de oogst, stak Vinicius Costa Santos de centrale molen in brand en hing zich op aan een boom.

'Arme ziel,' mompelde Rodrigo tegen zijn broer toen zij voorbij de vervallen molen liepen. 'Ik heb alles gedaan om hem ervan te weerhouden. "Ik heb niets tegen Brits kapitaal," zei ik hem. "De Engelsen hebben spoorwegen, hoogovens, gasfabrieken en willen bij ons textielbedrijven opzetten. Brazilië heeft ze nodig, maar Santo Tomás niet."'

'Toch had hij gelijk. Het district heeft een centrale molen nodig.'

'Daar was ik het ook wel mee eens... maar ik heb hem gewaarschuwd er geen Engelsen bij te halen. "Laten we nu samen nadenken, Vinicius," stelde ik voor. "Wij stellen ons eigen plan op en dat leggen we voor aan het ministerie in Rio. Ik heb invloed, ik krijg de nodige steun wel." Maar hij luisterde niet naar mij.'

Fábio bleef staan. De bewaker, op de hoogte van de komst van de beide broers, had de zware deuren van het hoofdgebouw opengemaakt, waarvan het binnenste, in duisternis gehuld, een nog sinisterder indruk gaf dan de voorkant. De molen, de machines, alles wat gedemonteerd kon worden, was verkocht naar een andere centrale in Bahia. Alleen de grote kuipen waren nog over, de pijpleidingen en een stapel los materiaal. Het rook naar smeervet en suiker.

Fábio liep het gebouw binnen en zei: 'Het was een enorm risico.'

'Dat heeft Vinicius tot zijn schande moeten leren, maar dit keer zal het anders gaan. Ik heb alle planters achter mij staan.'

'Jawel, maar toch – één miljoen *réis*!'

Rodrigo was van plan een *usina* te vestigen, een raffinaderij die de verwerking in verschillende stadia op zich zou nemen, van ruw suikerriet tot witte kristalsuiker. Toen de Londense maatschappij failliet was gegaan, had Rodrigo de centrale molen opgekocht, aanvankelijk zonder bepaalde bedoelingen. Maar het afgelopen halve jaar had hij andere planters ervan overtuigd zijn plan van een *usina* te steunen en ging hij een week lang naar Rio om te praten met de minister van Landbouw.

Dokter Cicero de Oliveira, de halfbloed-zwager van Rodrigo en eigenaar van een domein dat grensde aan Santo Tomás had ook aanwezig moeten zijn maar had afgezegd, omdat zijn vrouw Virgínia op het punt stond hun vierde kind ter wereld te brengen. Rodrigo vond dat niet leuk van Cicero, die in Edinburgh voor ingenieur gestudeerd had, en een vurig voorstander van zijn plan was.

'Cicero en anderen willen graag investeren in de onderneming,' zei Rodrigo tegen zijn broer. 'De regering geeft garanties voor de leningen die we nodig hebben.'

'En waarom niet gewoon de centrale molen weer in orde gebracht?'

'Nee! We moeten investeren in een moderne raffinaderij. De *usina* Jacuribe zal de kroon op het werk van de Cavalcantis zijn, van allen die hebben gestreden om ons dal te bewaren.'

In Rosário stond de vroegere jezuïetenkerk nog steeds in het westelijk deel van de stad. De dikke adobemuren van het gebouw waren getekend door de tand des tijds maar de mooie façade met de puntgevels was pas gerestaureerd en de houten luiken voor de ramen waren hemelsblauw geverfd. De stad was uitgebreid ten westen van de oude kerk, langs een lage heuvel. In het centrum, op het hoofdplein, de Praça do Jardim, stond de nieuwe kerk van São Pedro. Het stadhuis en de andere overheidsgebouwen stonden in de rua Carlos Maria Cavalcanti – de rua Cavalcanti, voor de inwoners. De huizen in het centrum waren voor het merendeel wit, met rode pannendaken.

Het aantrekkelijkste van Rosário was het landschap. Tamarindebomen, mangobomen, cachoubomen en wilde bananestruiken stonden naast de velden met koffie en sinaasappels. Oude woudreuzen bedekt met mossen overschaduwden de tuinen met rozen, anjers en lavendel.

Op 1 februari 1885 was het groot feest op de Praça Velho voor de jezuïetenkerk, ter gelegenheid van de stichting van de *Associão Libertadora Rosário*. Om drie uur 's zondagsmiddags vulden een paar honderd burgers de oude kerk om te luisteren naar dr. Fábio Cavalcanti en andere notabelen die kwamen pleiten voor de vrijlating van de slaven van Rosário. Na de officiële ceremonie stroomde het publiek uit over de Praça om zich te voegen bij de menigte die naar het feest was gekomen.

Op het plein stonden stands met bloemen waarop de namen van vooraanstaande abolitionisten te lezen waren: Luís Gama, die in São Paulo tegen de slavernij streed, jaren nadat hij bij zijn meester was weggevlucht om dienst te nemen in de militie en zijn vrijlating te verkrijgen door te bewijzen dat hij illegaal tot slaaf was gemaakt; José Patricinco, de Zwarte Maarschalk, hoofdredacteur van de *Gazeta da Tarde*, een abolitionistische krant uit Rio; André Reboucas, een kalme en geraffineerde halfbloed ingenieur, de favoriet van Dom Pedro en prinses Isabel; de betreurde Castro Alves, de jonge 'slavendichter' en natuurlijk niet te vergeten Nabuco.

Bij de stand van Nabuco werd een soort hoed verkocht die symbolisch was voor zijn ideeën. Ook waren er bretels, sigaren en zakdoeken met zijn naam, en voor de dames de Joaquim Nabuco parasol. Andere stands boden dergelijke artikelen aan, waarvan de opbrengst naar de *Associão Libertadora* zou gaan.

Fábio en de leden van het comité bleven staan bij de stands om de inwoners van Rosário aan te zetten tot vrijgevigheid. Rodrigo was er niet. Persoonlijk was hij voor de afschaffing van de slavernij in de stad, maar als vertegenwoordiger van de planters uit het district vond hij het beter om enige afstand tot de *Associão* te bewaren. Daarentegen was zijn zoon Celso met twee studievrienden en drie jonge heren in zwarte jassen gekomen, die achter de notabelen aanliepen waarbij zij deden alsof zij heel belangrijk waren.

Padre Epitácio Murtinho, de pastoor van de oude kerk, zat in het comité. De priester van de stad, *padre* José Machado, was als waarnemer aanwezig, al nam hij tegenover de *Associão* een lauwe houding aan, typerend voor de stellingname van de Kerk, die met geen woord repte over de afschaffing van de slavernij.

Na het bezoek van de stands troffen Fábio en zijn neef Renata aan te midden van een groep vrouwen die naar de plaatselijke fanfare luisterden.

'Tante Renata, ik heb gezien dat u met de weduwe Escobar zat te praten,' zei Celso toen zij in een tuin zaten waar tafels en stoelen waren neergezet voor de gegoede burgerij. 'Ik had nooit geloofd dat Dona Ricardina de eerste zou zijn om haar slaven vrij te laten.'

Dona Ricardina was de weduwe van Manoel Escobar, een koopman die een jaar geleden overleden was. Een deel van de erfenis bestond uit zeven slaven en zij maakte gebruik van de diensten van drie van hen. Tijdens de bijeenkomst in de kerk had Dona Ricardina verklaard dat zij haar slaven onmiddellijk vrij zou laten op voorwaarde dat ze nog één jaar langer bij haar zouden blijven werken.

'Dona Ricardina zegt dat zij te veel zorgen heeft met haar slaven sinds Manoel Escobar overleden is,' legde Renata uit. 'Ze zijn het niet waard om gevoed te worden.'

'Ze is tenminste eerlijk,' zei Fábio. 'Maar hoe dan ook, haar slaven zullen vrijgelaten worden, daar gaat het om.'

'En als mevrouw Ricardina het voorbeeld geeft, volgen de anderen ook wel.'

De weduwe Escobar, dochter van een ambassadeur, had in Europa rondgereisd voordat zij Escobar trouwde. Dertig jaar eerder had zij het Parijs van Napoleon III kunnen bewonderen maar in Rosário, waar zij al zesentwintig jaar woonde, was *madame* Escobar de grote dame in de ogen van de *senhoras*, omdat zij wist te vertellen over het hof van de Franse keizer.

'Het aanbod van Dona Ricardina komt goed uit,' zei Celso. 'En de *Associão* zal nog negen andere slaven vrijkopen. Maar de honderd die overblijven, hoe lang zullen we daar nog op moeten wachten?'

'Zestien slaven vrijgekocht, Celso,' zei Fábio. 'En de *Associão* is nog maar een dag oud. Kijk eens om je heen, denk jij dat de inwoners van Rosário hier met honderden tegelijk naartoe gekomen zouden zijn als zij niets voor de afschaffing van de slavernij zouden voelen?'

'Het ziet er heel bemoedigend uit, oom, maar de velden, even buiten de stad dan?'

744

'Heb nu geduld. Jij was nog niet eens geboren toen de strijd tegen de slavernij begon. De overwinning komt niet van de ene dag op de andere.'

'Het kost vast nog tientallen jaren.'

'Misschien, maar het moet vreedzaam gebeuren. Dat is beter dan op de andere manier.'

Fábio hoefde zich niet nader te verklaren. Celso kende de andere manier. In Ceará was een clandestien netwerk dat slaven opving. In Recife werden er in het geheim abolitionistische verenigingen opgericht die vluchtende negers hielpen.

Toen de nacht viel zag het op de Praça Velho zwart van de mensen. Bij het licht van houtvuren dansten de eenvoudigste inwoners van de stad de *batuque*, terwijl de *senhores* in de tuin die verlicht werd door kleurige lampions met hun echtgenotes een wals of een polka dansten. Tegen een uur of negen verliet de fanfare het plein om zich voor te bereiden op het hoogtepunt van het feest. Fábio en de andere leden van het comité namen plaats op de tribune, en wachtten net als de menigte op het grootse moment.

Een paar minuten later kwam de fanfare weer te voorschijn, en speelde een mars, direct overgenomen door de muzikanten die de *batuques* speelden. De kerkklok begon te luiden en er werden vuurpijlen afgeschoten.

Er kwam een processie aan van kinderen met lampions, gevolgd door een kar die versierd was met bloemen en die getrokken werd door een paard waarop een jonge Tupi in een lange witte jurk zat. Het meisje, uitgekozen om de Vrijheid uit te beelden, was een mooie *cabocla*, want de laatste inboorling uit het district was al lang geleden overleden.

De Vrijheid werd gevolgd door een groep jongens, negers, blanken en mulatten, zonen van *senhores* zoals Rodrigo Cavalcanti of van vrijgelaten slaven zoals José Carvalho, een van de drie smeden van Rosário. Zij twistten om de eer een kar te trekken waarin dertien slaven zaten, acht mannen en vijf vrouwen. Vier waren van Dona Ricardina, door de leiding van de *Associão* uitgenodigd om plaats te nemen op de tribune. De meesters van de negen anderen hadden hen door de *Associão* laten vrijkopen voor in totaal vierenveertighonderd *milréis*.

Toen de jongemannen de kar naar de tribune reden begon iedereen te juichen. De vreugde van de menigte viel in het niet bij die van de slaven, die zongen en in hun handen klapten, en God en de vrijheid prezen. Toen de kar stopte en de slaven uitstapten zette de fanfare het volkslied in, en de klok van Nossa Senhora do Rosário luidde dat het een lust was.

Een voor een klommen de vroegere slaven op de tribune, waar Fábio Cavalcanti hun een certificaat van vrijlating overhandigde. Wat het tafereel nog ontroerender maakte was de oude zuil die Elias Souza Vanderley had opgericht, een pilaar van vijf meter hoog met verroeste ijzers, waarvan het hout verweerd was. Hij stond nog steeds honderd meter van de tribune, verlicht door het vreugdevuur.

Acht maanden later verzamelden zeven mannen zich in het geheim in een huis gebouwd in Hollandse stijl, in de oude wijk van Recife. Zij waren leden van de *Clube do Cupim*, die zijn naam ontleende aan de *cupim*, de termiet, en ook zijn devies, namelijk: Vernietig Geluidloos.

Tijdens het afgelopen half jaar hadden zij zevenennegentig vluchtende slaven geholpen, voor het merendeel afkomstig van de plantages in de buurt van Recife. De leden van de club stuurden agenten naar het platteland die zich uitgaven voor seizoenarbeiders en de slaven aanspoorden uit de *senzala* weg te vluchten. Zij boden hun schuilplaatsen en gidsen tot aan de kust, waar de vluchtelingen scheepgingen naar Ceará.

De mannen die in deze nacht van 2 oktober 1885 vergaderden waren woedend. Vier dagen geleden had Dom Pedro in Rio een nieuwe wet goedgekeurd die de vrijlating van oude slaven betrof. In plaats van dat zij onvoorwaardelijk vrij werden, zoals de eerste wet voorzag, moesten zij die de leeftijd van zestig bereikten hun meester schadeloos stellen door drie jaar gratis voor hem te werken. Er was nog een clausule in de wet die de woede van de leden van de club wekte: het helpen van vluchtende slaven zou voortaan als een misdrijf worden beschouwd.

'Als de politie ons arresteert, heren, worden wij behandeld als ordinaire misdadigers,' verklaarde de president van de club. 'En twee jaar naar de gevangenis gestuurd. Maar als ze mij pakken, ga ik met opgeheven hoofd naar het *Casa do Detenção*.'

De andere leden van de club waren het unaniem met deze woorden eens, al waren zij zeer verschillend qua leeftijd en beroep. De *Clube do Cupim* telde onder zijn leden een student, een boekhouder, en zelfs een acteur van het Teatro Santa Isabel – die voorzitter was – die volop gebruik maakte van zijn talenten als hij moest spreken. Hij was heel mager, was een jaar of veertig, had een lang smal gezicht en grote tanden.

Bekend in het theater als Agamemnon de Andrade Melo, was hij niemand anders dan de mulat Henrique Inglez, bijgenaamd Padre, die Guarani-lijken had beroofd met zijn vrienden Antônio Paciência en Tipoana.

Toen hij terugkwam uit Paraguay had hij zijn buit er snel doorgejaagd en was toen naar zijn vader teruggegaan, Henry, die nog steeds met moeite zijn brood verdiende in het Teatro Grande in Itamaracá, veertig kilometer ten noorden van Recife. Henrique had er nog een tijdje op los geleefd, maar toen had zijn vader daar een punt achter gezet. 'Geen cent meer voor jouw uitstapjes. Als je geld wil, verdien je het maar.'

Zo verdiende Henrique zijn geld op de planken van het kleine Teatro Grande, waar hij talent bleek te hebben als toneelspeler, vooral bij Franse kluchten. Hij was met name goed in de rol van fat. Toen zijn vader in 1873 stierf, verliet Henrique het Teatro Grande en ging op weg naar Rio, waar hij ten slotte weer opdook onder de naam Agamemnon de Andrade Melo. Hij speelde een paar keer voor zijne keizerlijke majesteit en ging in 1880 naar Recife terug, om daar de trekpleister van het Teatro Santa Isabel te worden. Sinds vijf jaar was hij getrouwd met Joaquina, de dochter van een hofdignitaris, en had twee zonen die van hun vader de grote tanden geërfd hadden.

Al was hij komisch acteur, Henrique, of Agamemnon, zoals de andere leden van de club hem noemden, was heel serieus als het ging om de abolitionistische zaak. Hij kende persoonlijk nogal wat leiders van de beweging, onder wie Nabuco, en José Patricinio, de Zwarte Maarschalk, voorstanders van revolutionaire methode, zoals de *Clube do Cupim* die ook voorstond.

'Toch is er een gevaar dat zwaarder weegt dan de dreiging voor onze eigen vrijheid,' ging hij verder, druk gebarend. 'De planters hebben de *ingênuos* getoond om te kunnen zeggen: "De slavernij bestaat niet meer in Brazilië!" Sinds tien jaar zijn de stemmen die om afschaffing vragen verstomd. En zij hopen dat de vlam van de vrijheid met deze nieuwe wet voorgoed zal doven.'

'Nee! Nee!' riepen verschillende aanhangers.

'Ik hoor jullie,' antwoordde Henrique. 'Wat zijn twee jaar gevangenisstraf vergeleken met een leven in slavernij? De club moet verder gaan met zijn werk.'

'Bravo, *senhor* Agamemnon, wij staan achter u!' riep een jongeman, net zo mager als de toneelspeler.

Dat was Celso Cavalcanti, die Henrique Inglez bij zijn oom had leren kennen. De acteur had hem ertoe overgehaald lid van de club te worden, ondanks de bezwaren van Fábio, die ervan overtuigd was dat legale middelen beter waren voor de afschaffing van de slavernij.

De afgelopen drie maanden had de jongeman de club geholpen door geld in te zamelen bij de studenten van de rechtenfaculteit. Hij had ook bij een gelegenheid, een gids vergezeld die vluchtende slaven naar het eiland van Itamaracá bracht. Het oude Teatro Grande, dat niet meer gebruikt werd maar nog altijd van Henrique was, diende als schuilplaats voor de voortvluchtigen voordat zij scheep gingen naar Ceará.

Later, in het Hollandse huis waar de toneelspeler woonde, sprak Henrique met Celso over *senhor* Rodrigo Cavalcanti.

'Wanneer komt uw vader thuis?' vroeg de mulat.

'Dat weet ik niet. Vorige week heeft hij een telegram gestuurd waarin stond dat hij naar Londen ging.'

Rodrigo Cavalcanti was in juli naar Frankrijk vertrokken om daar de fabrieken van de Compagnie de Fives-Lille te bezoeken, die machines had geleverd aan verschillende Braziliaanse industrieën.

Henrique haalde een tabaksdoos uit zijn zak en met een delicaat gebaar van zijn knokige vingers nam hij een snuif.

'Als uw vader de *senzala* eens wilde zien zoals zij werkelijk is! Een schandvlek op jullie dal, vergeleken met de moderne raffinaderij die hij wil bouwen.'

'Ik geloof dat hij dat zich bewust is,' zei Celso.

'Als hij het voorbeeld geeft in het district van Rosário, zullen de andere planters hem zeker volgen.'

Dat wist de student. Zelfs de vrijlating van de slaven van Rosário was nog niet helemaal afgerond ondanks alle emoties rond de stichting van de *Associão*. Een derde van de honderdzestien slaven van de stad was nog niet vrij en honderden negers werkten nog steeds op de plantages in de buurt. Hoewel Celso diezelfde dag nog vluchtelingen had geholpen van een domein in de buurt van Recife, was hij niet van plan activiteiten te ontplooien die hem in openlijk conflict met zijn vader konden brengen, of met zijn oudste broer, Duarte, die in Santo Tomás woonde en momenteel bij afwezigheid van zijn vader de oogst leidde.

Henrique legde een hand op de schouder van de jongeman.

'Ik weet dat het moeilijk voor u is, voor een Cavalcanti van Santo Tomás,' zei hij. 'Maar bedenk maar dat de dag waarop deze schandelijke instelling in Brazilië op zal houden te bestaan, mannen zoals uw vader zelf ook vrij zullen zijn. De boeien van de slavernij hinderen hen evenzeer als hen die zij in dienstbaarheid onderwerpen.'

Twee weken later stuurde Henrique een kleine zwarte jongen, de zoon van een vrijgelaten slaaf die hij in dienst had, met een boodschap naar de faculteit der rechten. Hij wilde Celso direct spreken. De beide mannen ontmoetten elkaar in de Trapiche, de drukste wijk van de stad, en spraken met elkaar terwijl zij over een plein wandelden waarlangs schuren stonden. Slaven met zakken suiker en balen katoen dribbelden als mieren naar de pramen die langs de kade lagen. Muilezeldrijvers die de hele dag onderweg waren geweest vanuit het uiterste westen van Pernambuco voerden de oogst van de suikerriet- en katoenplantages aan. Een eindeloze reeks colporteurs bood goederen aan als ara's in kooien, takkebossen, gebakjes, sinaasappels, en medicijnen tegen de pokken.

De toneelspeler vertelde de student dat hij een rapport had ontvangen waarin stond dat veertig 'ananassen' – het codewoord voor ontsnapte slaven – op het punt stonden om uit het district van Rosário weg te vluchten. Jorge, een *caboclo* landarbeider en agent van de club, had hem een bericht gestuurd dat de slaven pas over twee dagen van de verschillende domeinen zouden vluchten en gidsen nodig hadden om hen naar de kust te brengen. Ze zouden hen op de weg naar Rosário oppikken.

'Ik stuur vijf mannen om de slaven naar Itamaracá te brengen,' ging Henrique verder. 'Ik denk wel dat ze het halen maar we zullen uw hulp hard nodig hebben. U kent de beide dalen uit de streek heel goed. Niettemin zal niemand het u kwalijk nemen als u weigert. Dat zou ik begrijpen.'

Celso keek naar een groep bedelaars die een goed uitziende *senhor* belaagde, die net uit een koets stapte.

'Dat kan ik niet,' zei hij zonder Henrique aan te kijken. 'Ik kan niet weigeren.'

De jongeman liep zenuwachtig heen en weer tussen twee rijen suikerriet. Het was voorbij middernacht, twee dagen later, en hij bevond zich op het afgesproken punt, een kilometer voorbij Paso do Natal, op de oude weg naar Rosário. Waarom werd die plek zo genoemd? Niemand kon het zeggen. De herinnering aan de oude jezuïet Leandro Taques, die daar de kerstnacht van 1759 had doorgebracht, op weg naar Recife, was al lang vervlogen. Twintig meter achter Celso, achter het dichte gordijn van suikerriet op de grond gezeten, wachtten achttien slaven op de andere groep vluchtelingen. Tweeëntwintig slaven afkomstig van Santo Tomás.

Vanaf het ogenblik dat Henrique de veertig 'ananassen' had genoemd, afkomstig uit de twee dalen, had Celso al geraden dat het onder andere het domein van de Cavalcantis betrof.

'Waarom hebben jullie voor mij verborgen gehouden dat wij een agent in Santo Tomás hadden?' had hij Henrique verweten. 'Dachten jullie dat jullie mij niet konden vertrouwen omdat ik een Cavalcanti was?'

'Als ik geen vertrouwen in u had, zou ik dan nu een beroep op uw hulp doen? U hebt nog de tijd om uw familie te waarschuwen. Ik wist dat Jorge Chinela in Santo Tomás zat, maar ik dacht niet dat ik zo gauw al een boodschap van hem zou krijgen.'

Celso was doodsbang. Dat *senhor* Rodrigo in Londen was deed daar amper iets aan af, want hij kon bij deze missie gepakt worden. 'Ik moest hier niet zijn,' herhaalde hij sinds hij uit Recife was weggegaan met twee van de vijf mannen die de slaven moesten escorteren. Het waren grote, zwijgzame en bebaarde kerels, die er zo vreeswekkend uitzagen dat Celso daar alleen nog maar zenuwachtiger van werd. Hij was mager en zo bleek dat het bijna komisch was, met zijn zwarte broek en zijn versleten jas. Zijn leren laarzen waren daarentegen nieuw, een cadeau van oom Fábio, voor zijn twintigste verjaardag, vorige week. De student had het huis in Boa Vista tegen de middag verlaten, toen zijn oom in het hospitaal Portuguez was en zijn tante Renata naar de meisjesschool vertrokken, waar zij eens per week een cursus eerste hulp gaf. Hij had een briefje achtergelaten waarin stond dat hij een paar dagen wegging en dat zij zich niet ongerust moesten maken, maar hij wist wel dat zijn oom zou raden waarover het ging.

Zo graag als Celso ook ergens anders had willen zijn, toch was hij niet in staat geweest zijn hulp te weigeren, zoals hij ook al tegen Henrique had gezegd. Hij had deel uitgemaakt van de erewacht van Nabuco, had door de straten gedefileerd en de liederen van de beweging gezongen. Hij had zijn woord gegeven. Hij kon nu de zaak niet verraden en zich terugtrekken. Bovendien wilde hij priester worden. Als hij doof bleef voor het hulpgeroep van de slaven, hoe kon hij dan ooit hopen de roep van God te zullen horen?

Honderd kilometer afleggen met veertig 'ananassen' zou geen makkelijke zaak zijn. Eerst moesten ze twintig kilometer afleggen om uit het dal te komen, dan naar het noorden gaan, de spoorweg naar het westen oversteken en dan naar een domein dat van een abolitionistische advocaat uit Recife was, geleid door een opzichter die instructie had de vluchtelingen asiel te verlenen. Dan zouden ze naar een tweede schuilplaats gaan, in een steengroeve, en vandaar, als alles goed zou gaan, zou de groep vertrekken naar het eiland Itamaracá, laat in de vierde nacht.

Plotseling stond Celso stil en draaide zich om.

'*Olá, senhor.*'

De man die dat zei was bijna geluidloos naar hem toe gekomen.

'Jorge Chinela?'

'Ja, dat ben ik.

'Waar komt u vandaan? Ik heb u niet eens horen komen.'

'Niemand hoort Jorge Chinela,' zei de man glimlachend.

Hij was groot, goed gebouwd, en lenig. Hij droeg een katoenen broek en dito hemd maar zijn leren jas en zijn hoed duidden op zijn verwantschap met de *vaqueiros* van de *caatinga*. Hij had soepele leren schoenen aan zijn voeten, die hem, buiten het feit dat hij altijd voortsloop, de bijnaam Jorge Pantoffel hadden bezorgd.

'*Senhor* Agamemnon zei me dat hij iemand zou sturen die het dal kent,' zei hij.

'Ik ben een Cavalcanti.'

'De zoon van een *senhor* uit het district?'

'De zoon van Rodrigo Cavalcanti.'

Jorge Chinela floot even tussen zijn tanden.

'Ik ben lid van de club,' ging Celso verder. 'Ons doel is om slaven naar een veilige plaats te brengen.'

'*Sim, senhor*, maar…'

'Maar wat?'

'De slaven van Santo Tomás zullen u herkennen.'

'Doet dat er iets toe dan?'

'Niet als wij ze probleemloos naar het noorden krijgen.'

'Laten we dan gaan. Hoe eerder we dit dal uit zijn, des te beter het is.'

'*Sim, senhor, sim,*' antwoordde Pantoffel terwijl hij Celso stomverbaasd aankeek.

Louco, dacht hij. Hij is gek. God helpe hem als zijn broer Duarte ons vindt. Zes weken geleden was Chinela in Santo Tomás in dienst genomen als karman. Ze konden maar beter een eind uit de buurt zijn als de klok van de *senzala* zou luiden, want anders zou deze jongeman de woede van *senhor* Duarte niet ontlopen.

Chinela had tweeëndertig slaven bij zich, tien meer dan voorzien was, onder wie negen kinderen. Toen zij de zoon van de meester herkenden werden ze heel bang maar Pantoffel stelde hen gerust en zei dat de *nhonhô* – het woord waarmee de slaven de *senhorzinho*, de kleine meester aanduidden – hun bondgenoot was. Toen deelde Jorge de vluchtelingen op in zes groepen, en drie van de slaven van Santo Tomás bevonden zich bij de zeven negers die Pantoffel met Celso zou leiden. Verna, een dienstmeid die in het Casa Grande werkte toen Celso nog een kind was, kwam naar hem toe met haar hand voor haar mond.

'Ach, dat is mijn kleine meester,' zei zij tussen haar vingers door. 'Waarom bent u hier, *nhonhô*? Uw plaats is niet bij die negers.'

'Ik ben gekomen om jullie te helpen, Verna.'

De hand van de slavin ging van haar mond naar haar hoofd, omhuld door een hoofddoek.

'Ga weg, *nhonô*. Ga naar huis.'

'Nee, *ama* Verna. Ik breng je naar Itamaracá. Vandaar zul je naar Ceará gaan.'

Jorge onderbrak hen en zei: 'Wij zijn klaar, *senhor* Celso.'

'Ach, Here Jezus,' kreunde Verna terwijl zij naar haar man Isaac en haar zoon Angelo liep. 'Mijn *nhonhô*... mijn *nhonhô*.'

De groep van Jorge liep voorop en de vluchtelingen vertrokken om halféén in noordelijke richting, door de berm van de oude weg naar Rosário. Om drie uur 's morgens klom de groep van Chinela over een van de drie lage heuvels van het dal toen ze hoefgetrappel op de weg hoorden die ze net hadden verlaten.

Achter Celso beklommen de andere groepen de heuvel, waarbij zij takken in het kreupelhout lieten kraken. De jongeman keek naar de weg maar zag niets in het duister. Het geluid van paardehoeven kwam dichterbij.

'Komen die van Santo Tomás?' fluisterde hij.

'Misschien,' antwoordde Jorge.

'Zoveel ruiters, dat kan bijna niet anders.'

'Ik heb de slaven een voor een achter de *senzala* gebracht. Niemand heeft ons gezien.'

'Het is al zes uur geleden. Dat is ruimschoots genoeg om de vlucht te ontdekken.'

'Een van de andere slaven heeft misschien gesproken...'

'Wat doet het ertoe? Mijn broer zit achter ons aan. We zitten lelijk in de moeilijkheden, Jorge.'

'Zeg dat wel, *senhor*.'

Pantoffel liep geluidloos weg naar de andere groepen. Ze waren allemaal net op tijd van de weg afgegaan en klommen tegen de heuvel op, onzichtbaar voor de ruiters die in de richting van de Paso do Natal galoppeerden. Hij kwam naar Celso terug en zei: 'Ze zullen hierlangs terugkomen, *senhor*. Ze zullen de andere domeinen waarschuwen en de *guarda* roepen.'

'Wat stel jij voor?'

'Het is nog ongeveer vier uur lopen naar de spoorweg, en het wordt algauw dag. Dat is een te groot risico met de *capangas* die door het dal rijden. We moeten de slaven verbergen tot het weer nacht is.'

Celso knikte.

'Ik weet wel een plek.'

Ze waren op één kilometer van de verlaten molen. Rodrigo Cavalcanti en zijn vennoten hadden al mannen aan het werk gezet op de *usina*, maar alleen om de spoorweg te repareren tussen de molen en de grote westelijke lijn, twintig kilometer verderop. Celso, Jorge, de slaaf Isaac en twee van de gidsen liepen naar de brug over de Rio Jacuribe, en zagen op de andere oever de donkere omtrekken van het gebouw. Rechts, in de buurt van de hut van de bewaker, blafte een hond.

Jorge wees Isaac en een van de gidsen aan.

'We gaan de bewaker een bezoekje brengen,' zei hij terwijl hij een lang mes trok. 'Wacht op ons teken, *senhor*.'

'Het heeft geen zin hem te doden.'

'*Senhor?*'

'Je moet die bewaker geen kwaad doen.'

'Nee, *senhor* Celso.'

Maar toen zij de brug overstaken fluisterde Chinela tegen zijn metgezellen: 'Als hij doet wat wij hem zeggen, zal het gaan. Als hij dat niet doet... de jonge *senhor* is veel te aardig.'

Pantoffel had, toen zij wegingen, tot zijn stomme verbazing ontdekt dat Celso Cavalcanti niet gewapend was. Geen revolver, geen kapmes, niets! *Ama* Verna had gelijk: haar *nhonhô* was bij hen niet op zijn plaats.

De bastaard van de bewaker hield op te blaffen en kwam kwispelstaartend naar de bezoekers toe. Twee minuten later stond de hond ongeduldig bij de deur van de hut te grommen terwijl Jorge het lemmer van zijn mes op de keel van zijn meester zette.

'Luister goed naar wat ik je zeg als je de dageraad nog wilt zien,' dreigde Chinela.

Even later zag Celso donkere gestalten uit de hut komen, en hoorde hij gefluit.

'Breng ze de brug over,' beval hij de gids die vlak bij hem stond. 'Snel!'

Terwijl de eerste slaven de Jacuribe overstaken rende Celso naar Jorge toe. De beide mannen brachten de vluchtelingen naar het hoofdgebouw, met de vrouw en de kinderen van de bewaker, gingen toen op hun beurt naar binnen en installeerden zich voor een lange tijd wachten. Een halfbloed gids bleef bij de bewaker, voor het geval hun achtervolgers op het idee zouden komen naar de molen te gaan. Pantoffel, die bang was dat de hond hun schuilplaats zou verraden, sneed hem de keel af.

Om negen uur begon de zon het zinken dak van de molen op te warmen toen de *capangas* kwamen. Twintig ruiters, die te paard de kleine brug naar de binnenplaats overstaken. De bewaker kwam uit zijn hut. De halfbloed gids volgde hem.

'*Bom dia*, Gomes Cabral,' zei de bewaker tegen een zwaargewapende man.

Zonder terug te groeten zei de leider van de *capangas* van Santo Tomás: 'Wij zoeken vluchtende slaven.'

'Van het domein gevlucht?'

'En van elders. Vijftig in totaal.'

'Hier zijn ze niet langsgekomen,' zei de bewaker.

'En die, wie is dat?' vroeg Gomes Cabral, terwijl hij op de gids wees.

'Die? Dat is mijn neef Diego.'

De *capanga* keek de halfbloed lang en doordringend aan en inspecteerde toen de binnenplaats.

'Geen slaven dus?'

'Ik heb ze niet gezien.'

Gomes Cabral lachte spottend.

'Al zouden ze voor je neus voorbijlopen, dan zou je ze nog niet zien, Luilak.'

João Cunha, bijgenaamd Luilak, was twee jaar geleden tot bewaker van de molen benoemd, nadat de opzichters van Santo Tomás hun pogingen hadden laten varen hem zijn luiheid af te leren.

'Alles doorzoeken!' beval Gomes Cabral zijn mannen.

Hijzelf reed het hoofdgebouw binnen en de hoeven van zijn paard weerklonken op het cement terwijl het dier langzaam tussen het verroeste materiaal doorliep. Hij bleef staan, spitste de oren, en hoorde alleen waterdruppels die uit een lekkende pijp vielen. Hij ging weer weg en leidde zijn dier, dat nerveus snoof, naar de achterkant van het gebouw. Hij kwam vlak voor de kuipen langs en draaide om tegen de andere *capangas* te roepen: 'Hier is niets!'

Tien minuten later, nadat zij de andere gebouwen hadden doorzocht, vertrokken Gomes Cabral en zijn mannen weer.

Celso, Jorge en de slaven kwamen weer uit hun schuilplaatsen. Sommigen waren onder de grote kuipen gekropen, anderen waren in een goot gaan zitten die halfvol bedorven water stond en bedekt was met planken. Weer anderen waren op een gaanderij geklommen en vandaar boven op een filterkuip.

Tegen de middag werd de hitte onder het metalen dak verstikkend maar de vluchtelingen hadden voldoende water en mondvoorraad, door de gidsen uit Recife meegenomen. Ze wachtten af, klaar om elk ogenblik weer in hun schuilplaatsen te duiken.

'Hoe ben jij bij de Termieten terechtgekomen?' vroeg Celso aan Jorge, tegen het eind van de middag.

'Dat is een lang verhaal.'

'We hebben alle tijd.'

'Ik kom uit Ceará. Ik woonde daar toen de strijd voor de afschaffing van de slavernij begon. De grote droogte heeft mijn leven veranderd.'

Pantoffel woonde in het hart van de provincie Ceará toen de *seca* de *sertão* van het noordoosten trof. Zijn familie verbouwde katoen in het district Pedra Branca, tweehonderdvijftig kilometer van de kust. De droogte had de kleine plantage van de Chinelas te gronde gericht, die vervolgens naar de stad Pedra Branca trokken om te overleven. In de eerste maanden van 1878, het tweede jaar waarin het niet regende, had Jorge zijn moeder en zijn vader, van honger gestorven, begraven en toen, in mei 1878, zijn vrouw en zijn drie kinderen, van ziekte en uitputting gestorven tijdens de uittocht naar Fortaleza, toen vierhonderdduizend andere *sertanejos*, slachtoffers van de hongersnood, wegtrokken.

'Ik weet niet waarom God mij gespaard heeft,' ging Jorge verder. 'Ik ben door doodstille gebieden gekomen waar niets meer in leven was. Geen insekten, geen vogels – ze vielen uit de dode bomen als wij voorbij kwamen. Geen dieren, geen mensen, geen vrouwen. De berm van de weg lag vol kadavers, de huizen waren vol doden. Het was verschrikkelijk, *senhor*. In de hutten zogen de vampiers het bloed uit de stervenden. Uit eerbied voor hen hebben we die in brand gestoken...'

Chinela slaakte een langgerekte zucht, en ging toen door: 'Wie van ons nog in de hoofdstad kwam was ook nog niet gered. De regering had voedsel gestuurd, maar een groot deel van de hulpgoederen werd verduisterd. De mensen hadden honger. De velden zaten vol ongedierte, en de vluchtelingen vielen als vliegen. Ik herinner me nog een vrouw die een stukje vlees uit het lijk van haar broertje had gesneden, om het op te eten. Here God! Als een wilde bij een *boucan*!

De regering stuurde ook schepen om mensen uit Ceará naar de Amazone te sturen. Duizenden gingen aan boord. De agenten van de rubbermaatschappijen hadden hun het paradijs beloofd. Ik ben niet vertrokken. De groene hel? Nadat ik de *seca* had overleefd? Ik ben niet *louco*. Bovendien had ik werk in de haven gevonden, en ik zag de slaven die net uit deze hel kwamen maar wier lijden nog maar amper begon. Ze waren levende skeletten, met honderden naar de kust gedreven, en daar werden ze verkocht. Slaven die aan de *seca* waren ontsnapt en die gestraft werden omdat ze het overleefd hadden! Ik wist toentertijd nog niets van slaven – wij waren te arm om ze te hebben – maar ik had medelijden met die arme schepsels die op het zand aan het strand stonden.'

'Dus daarom ben jij bij de abolitionisten gegaan?'

'*Sim*. Ach, u had ons moeten zien toen wij riepen: "Geen slaaf zal in deze haven meer aan boord gaan!"'

Dat was de oorlogskreet van de 'Zeedraak', Francisco do Nascimento, een zeeman die de grote *jangadas* bestuurde die vrachten van de kust naar de op de rede voor anker liggende schepen voeren. De Draak en andere schippers zoals João Napoleao, ook een vroegere slaaf, weigerden om slaven die verkocht waren en naar het zuiden moesten vertrekken aan boord van de schepen te brengen.

'De slavenhandelaars deden alles om onze staking te breken,' ging Jorge verder. 'Ze dreigden, ze kochten ons om, ze lieten de politie ingrijpen. Maar niet één *jangada* verliet de kade, en niet één slaaf de haven.'

Deze actie was aanleiding tot een golf van abolitionisme die de hele provincie overspoelde en leidde tot de afschaffing van de slavernij in Ceará, in maart 1884.

Jorge Pantoffel, die binnen de groep van de Draak een reputatie had opgebouwd, werd door de laatste aanbevolen aan de toneelspeler Agamemnon, die in Fortaleza was komen spelen.

'Omdat ik toch niemand meer in Ceará had, ging ik in op zijn verzoek naar Recife te komen,' besloot Chinela.

Tegen het eind van de middag, toen zij door de lange, rustige uren die voorbij waren gegaan, weer vertrouwen hadden gekregen, waagden Celso en Jorge zich buiten, terwijl de slaven binnen bleven wachten. Toen hij de binnenplaats overstak, groette Pantoffel Diego, die voor de hut van de bewaker zat en Luilak in de gaten hield, die naast hem zat te dutten. Ze kwamen bij de brug toen Jorge riep: 'Stil!... Paarden.'

Celso hoorde ook hoefgetrappel in de verte.

'Onder de brug! *Pronto*!'

Ze wierpen zich in de Jacuribe, en verborgen zich in het riet dat aan de oever groeide.

'*Capangas*?' fluisterde de jonge student, terwijl de paarden over de brug liepen en hen onder het stof deden komen.

Toen de ruiters op de binnenplaats waren kwamen Celso en Jorge voorzichtig uit het water en verscholen zij zich achter een bosje. Ze zagen een twaalftal ruiters, geen *capangas*, maar een afdeling van de Guarda Nacional van het district van Rosário.

'Heilige Moeder Gods!' fluisterde Celso. 'De hemel bescherme ons.'

Duarte Cavalcanti stond aan het hoofd van de troep.

'De slaven zullen zich wel verbergen,' zei Jorge terwijl hij op het hoofdgebouw wees.

Celso zag dat zijn broer naar Luilak en Diego toe reed. Duarte leek erg op zijn vader. Hij was tien jaar ouder dan Celso, robuust, had een brede borst en net als Rodrigo prachtige bakkebaarden.

'*Boas tardes, senhor* Duarte,' stamelde Luilak, met zijn hoed in zijn hand.

'*Boas tar-tardes, senhor*!' riep Diego, die deed alsof hij dronken was.

Hij liep wankelend naar Duarte Cavalcanti toe, met een stupide glimlach, struikelde, en pakte zich vast aan de schouders van de bewaker.

'Ik ben Diego! Z... zijn neef Diego.'

De planter bekeek hem minachtend en vroeg: 'Slaven? Hebben jullie die ook gezien?'

Diego porde met twee vingers in Luilaks zij, die van nee schudde.

'Ai, *senhor*, de *capangas* zijn al gekomen, en die hebben nie... niets ge... gevonden,' zei de valse neef. 'Wij hebben oo... ook gezocht, maar nie... niets!'

'*Nada*,' bevestigde Luilak.

'Verdomme, zuip jullie maar verder vol!' riep Duarte, om vervolgens zijn mannen bevel te geven weer te vertrekken.

Toen de ruiters weer naar de brug toe reden, ging hij naar het hoofdgebouw, keek even naar binnen en reed toen weer door. Hij ging naar de andere gebouwen, en kwam weer terug naar Luilak en zijn neef.

'Doe die deuren dicht!' beet hij hun toe.

'*Sim, senhor, sim*,' antwoordde João Cunha.

'*Immediatemente*,' zei Diego met de ernst van een dronkeman.

Duarte Cavalcanti ging naar zijn mannen, die alweer over de Jacuribe heen waren.

'Dank u, Here God,' mompelde Celso onder de brug.

Jorge glimlachte en kneep in de arm van de jongeman.

Om tien uur 's avonds verlieten zij de molen, waarbij zij de bewaker en zijn familie meenamen. Luilak ging graag met ze mee, want hij was bang dat zijn medeplichtigheid, al was die niet vrijwillig, door *senhor* Duarte ontdekt zou worden. Terwijl zij langs de spoorweg liepen bleven zij in het bos en vermeden de ontgonnen strook voor de lijn naar de molen, want het kamp van de mannen die daar werkten moest ergens langs de rails liggen. Om vijf uur kwamen zij op het domein van de advocaat uit Recife, waar zij de volgende dag onderdak vonden.

's Avonds gingen zij op weg naar de steengroeve en de laatste groep, onder leiding van Diego, vijfhonderd meter achter de andere, stuitte op een officier en vier soldaten die op zoek waren naar een paardendief. Toen de luitenant overtuigd was dat zij niets met de dief te maken hadden, liet hij hen doorgaan. Het leger, dat de keizerlijke regering ervan beschuldigde zich niet voor hem te interesseren, telde veel vrijgelaten slaven, en was steeds minder bereid om vluchtende slaven te achtervolgen.

De vierde nacht begonnen Celso en Jorge, nu in het volste vertrouwen, aan de laatste etappe naar Itamaracá. Om drie uur in de ochtend waren zij met de vijftig slaven op de oever van de rivier die het eiland van het vaste land scheidde. In groepjes van tien werden zij overgezet door een *jangada* die door andere leden van de club op die plek verborgen was.

Aan de rand van het dorp Pilar lieten Celso en Jorge de slaven in het bos achter, en vervolgden hun weg tot het Teatro Grande, dat aan het eind van een lange laan stond vol onkruid en struikgewas. Ze liepen voorzichtig naar de dubbele deuren van het gebouw, die half openstonden. Pantoffel gleed stil naar binnen en riep even later: 'Senhor Celso! U kunt binnenkomen! Er is niemand.'

Maar toen de student naar binnen liep, riep een andere stem: 'Welkom! Welkom, beste metgezellen!'

Senhor Agamemnon de Andrade Melo verscheen op het podium. Een dun straaltje maanlicht dat door het gat in het dak kwam bescheen hem, gekleed in een grote zwarte cape. Hij sprong op de grond, rende naar Celso toe, en drukte hem tegen zich aan.

'O jongen, wat een fantastische daad heb jij verricht!'

'Wij brengen u vijftig slaven.'

'Nee, Celso...'

'Jawel, vijftig.'

'Geen slaven, Celso. Ze zijn nu vrij!'

De volgende dag zat dr. Fábio Cavalcanti 's middags in de salon van zijn huis naar de mooie leren laarzen te kijken die hij aan zijn neef had gegeven voor diens twintigste verjaardag. Ze waren helemaal afgetrapt.

'Tweeëndertig slaven!' zuchtte de dokter.

Hij had twee dagen eerder de vlucht van de slaven van Santo Tomás vernomen, door een telegram uit Rosário. Toen Celso thuis was gekomen, had Fábio hem ondervraagd en de jongeman had zijn daad toegegeven.

'Waarom heb je dat gedaan?' vroeg zijn oom.

'Ik ben lid van de Termieten. Ik moest het doen.'

'God helpe je als je vader dat te weten komt.'

'Alstublieft, oom, u vertelt hem toch niets?'

De dokter keek de student aan, en zei: 'Nee, Celso. Als hij het ontdekt, dan heeft hij het niet van mij gehoord.'

De processie begon drie kwartier te laat want Rodrigo Cavalcanti wilde nog een laatste keer de *usina* inspecteren. Om kwart voor twaalf hief de dirigent van de fanfare van Rosário zijn stokje op, en begonnen de muzikanten het volkslied te spelen. Vervolgens speelden zij 'Santa Cecilia', een religieuze mars waarop zes misdienaars de binnenplaats overstaken, voor de twee priesters van Rosário, José Machado en Epitacio Murtinho. Direct daarna kwamen Rodrigo Cavalcanti en zijn zonen aan het hoofd van een groep planters die in de raffinaderij geïnvesteerd had. Daarna kwamen de notabelen en de lokale magnaten, de directeur van de *usina* en de opzichters, plus anderen die uitgenodigd waren aanwezig te zijn bij de inzegening van het bedrijf.

Het was 11 september 1886, de dag van de opening van de Usina Jacuribe. De processie kwam voorbij vijf hopen suikerriet die op de binnenplaats lagen, de oogst van Santo Tomás en van vier andere plantages. *Agregados* en arbeiders van de molen zaten op de wagons en de oude karren met hoge wielen die gebruikt werden voor het transport van het suikerriet. Een grote menigte dromde samen achter de witte strepen die links en rechts van het hoofdgebouw over de grond getrokken waren, en waar *capangas* klaarstonden om elk overdadig enthousiasme meteen de kop in te drukken.

De vrolijke kopermuziek van de fanfare werd harder, de eerste rotjes klapten, de processie drong de ijzeren caverne binnen en liep langs het laadperron naar de enorme Fives-Lille molen. *Padre* José zei een gebed, vroeg Gods zegen voor de machine en besprenkelde haar met wijwater. Dit gebaar herhalend liep hij langzaam door het doolhof van materiaal, reservoirs, kuipen, filters, centrifuges. Toen kwam de stoet onder gejuich van de menigte weer naar buiten.

Een detachement van de nationale garde presenteerde het geweer terwijl de processie naar de andere delen van de *usina* liep, het gebouw met de stoomketels, de schuren voor de *bagasse*, geperst riet dat als brandstof werd gebruikt, en de andere bijgebouwen. Aangekomen bij de distilleerderij, maakte de priester zich snel van de inwijding af, want hij was een sterk tegenstander van het gebruik van *cachaça*.

De optocht had meer dan een half uur nodig, met de fanfare achter zich aan, om overal te komen en naar het hoofdgebouw terug te keren. Een kleine energieke man probeerde vervolgens de aandacht van Rodrigo te trekken.

'*Senhor Barão*?'

Een maand geleden had een decreet van Pedro II de meester van Santo Tomás in de adelstand verheven 'voor diensten verleend aan Pernambuco en het keizerrijk'.

'Alles is klaar,' zei Alain de Lamartine, de directeur van de raffinaderij.

Hij nam de genodigden mee naar de machine van zestig pk die de nieuwe molen draaide en vroeg om stilte, want de baron wilde enkele woorden zeggen.

'Ik kan het niet nalaten op deze gedenkwaardige dag de planters te noemen die ons voorgegaan zijn en die ten koste van vele moeilijkheden zulke prachtige oogsten uit de rode en vruchtbare aarde van Pernambuco hebben gehaald. Maar ik wend ook de blik naar nieuwe horizonten. Tegenover de concurrentie van de Europese bietentelers en de Antilliaanse planters zal de *usina* onze redding zijn. Deze raffinaderij opent een nieuw tijdperk!'

Voorafgegaan door een glimlachende directeur, en onder hoerageroep uit honderden kelen, zette de baron de stoommachine van zestig pk in gang. Arbeiders die op een platform waren geklommen gooiden het eerste riet in de koldermolen, en de eerste druppels sap stroomden in een kuip.

Na de inauguratie van de molen richtte Rodrigo Cavalcanti zich tot de *agregados* en de contractarbeiders waarbij hij hun een welvarende tijd beloofde, en hen toen uitnodigde om meer directe genoegens te proeven: drie ossen, zes varkens, een berg gebak, en een kar vol tonnetjes *cachaça*.

'*Viva!*' brulde de menigte.

Toch hadden enkele *agregados* zo hun bedenkingen over de *usina*. Vier maanden geleden waren drie families *agregados* uit het dal verjaagd, en daarna was er suikerriet geplant op de terreinen waarop zij hun eigen voedsel verbouwden.

Rodrigo Cavalcanti liet zijn boeren in de steek om naar zijn genodigden te gaan, die onder een afdak champagne zaten te drinken. Er waren geen vrouwen aanwezig. De dona's en hun dochters waren in het Casa Grande van Santo Tomás, waar zij zich opmaakten voor het banket waar tachtig personen zouden aanzitten.

Gedurende de hele ceremonie hield Celso Fábio goed in de gaten. De rol die de jongeman had gespeeld bij de vlucht van vijftig slaven bleef geheim, en hij bleef God daarvoor danken. Trots op zijn daad, had hij graag gewild dat hij moed genoeg had om die tegenover zijn vader te bekennen. Deze moeilijke tijd voor de student stond niettemin in het teken van een vrolijke gebeurtenis. Op 23 juli 1886 was de slavernij in Rosário geheel afgeschaft. De eigenaars van de zeventien laatste slaven van de stad hadden er ten slotte in toegestemd hen vrij te laten in ruil voor een ruime schadeloosstelling. Rodrigo was bij de ceremonie geweest die de *Associão Libertadora* had georganiseerd, en had zijn handtekening onder een telegram gezet dat naar zijne majesteit was gestuurd, maar hij bleef vinden dat de vrijlating van de slaven van de plantages een probleem apart was.

Tegen drieën begonnen zij die voor het banket uitgenodigd waren de *usina* te verlaten. Rodrigo vertrok met Fábio in een wagen, zijn zoon Duarte en dr. Cicero de Oliveira gingen mee. De oude weg naar Rosário, hersteld en verbreed, liep nu parallel aan een spoorweg die de raffinaderij met Santo Tomás verbond. Een tweede lijn vormde een verbinding met de grote westelijke lijn, en een derde verbond de *usina* met de andere domeinen over gronden die eigendom waren van familieleden van Vinicius Costa Santos, de onfortuinlijke bewonderaar van de Verenigde Suiker Maatschappij van Oost-Pernambuco. Er was maar één Costa Santos bij de ceremonie. De anderen wilden er niets van weten en maakten deel uit van de vier planters die weigerden hun suikerriet naar de molen te sturen.

'Die komen over een paar seizoenen wel,' voorspelde Rodrigo toen hij voor het domein van een van de weerbarstigen langsreed.

'En als ze het nu eens belangrijker vinden om onafhankelijk te blijven dan grotere oogsten binnen te halen?' bracht Fábio hiertegenin.

Hij was niet vergeten wat zijn broer vroeger altijd beweerde, namelijk dat een *fornecador* van suikerriet aan de centrale molen zich op de lange duur blootstelde aan verlies van grond.

'De raffinaderij is het begin van een welvarende tijd, dat heb ik beloofd,' zei Rodrigo. 'Maar de meesters van Santo Tomás hebben altijd de eenheid van deze dalen bewaard...'

'Dat is een heilige plicht voor ons!' riep Duarte.

De baron de Jacuribe keek vol liefde naar zijn oudste zoon.

'Ja, heilig!' herhaalde hij nadrukkelijk.

Het was bijna vijf uur, het tijdstip waarop het banket moest beginnen, maar de baron liep nog steeds tussen zijn genodigden in de grote entree van het Casa Grande en leek niet gehaast hen naar de salons van de eerste verdieping te brengen. Terwijl hij met een groepje andere planters stond te praten – allemaal gekleed in zwarte jassen en voorzien van zijden stropdassen – keek Rodrigo eens door de zaal. In een hoek zat Fábio te praten met dr. Cicero, waarbij hij ongetwijfeld weer een lans brak voor de afschaffing van de slavernij, want Cicero was een van de ergste tegenstanders daarvan. Aan het andere einde van het vertrek stond Renata, die er charmanter dan ooit uitzag in een paarse avondjurk, bij een sofa waarop Dona Eliodora zat, Rodrigo's moeder, en Dona Josepha, zijn echtgenote. De oude dame had de air van een gravin was en keek trots naar haar zoon die baron was geworden, waarbij zij trekjes nam van een van de kleine sigaartjes waar ze zoveel van hield. Ook zag de meester van Santo Tomás Duarte en zijn andere zoon Gilberto, de leraar die voor de gelegenheid uit Rio was gekomen, maar die hij zocht vond hij niet, Celso. Nadat hij een poosje had geconverseerd liet hij de planters in de steek om naar de student te gaan zoeken, want hij wist waar hij die moest vinden.

De deuren van de kapel stonden open. Al was er al lang geen priester meer die op het domein woonde, het kleine gebouw werd nog steeds uitstekend onderhouden, het houtwerk was gevernist, de muren waren nog steeds smetteloos wit en het altaar was verguld. Twee *padres* waren Eugênio Viana opgevolgd, maar de laatste had het domein in 1847 verlaten, en was niet vervangen.

Celso zat vlak bij het altaar, zijn hoofd gebogen. Rodrigo, ontroerd door de devotie van zijn zoon, liep naar hem toe.

'Celso...'

Toen hij zijn naam hoorde uitspreken stond de jongeman op en hij leek niet verrast, alsof hij wist dat zijn vader naar hem toe zou komen.

'Ik dank de Heer, *senhor pai*,' zei Celso.

'Ik dank Hem ook voor Zijn weldaden... ik weet alles, Celso. Fábio heeft het mij verteld.'

'Jezus,' mompelde de student, en hij werd bleek.

'Fábio heeft mij verteld dat jij jezelf pijnigt omdat je het mij niet durft te vertellen,' ging Rodrigo kalm verder. 'Jij weet dat ik de achterlijke houding van de Kerk niet op prijs stel, en ook niet het gebrek aan discipline van onze bisschop. Wij hebben maar één meester in dit gebied en dat is de keizer. Maar het is verre van mij mij te verzetten tegen Gods wil. Aangezien jij beslist priester wilt worden...'

'O *pai*!' riep Celso, opgelucht door het feit dat zijn vader niets wist van zijn rol bij de vlucht van de slaven.

Met tranen in zijn ogen nam de jongeman zijn vader in zijn armen en drukte hem tegen zich aan. Zijn blik viel op het kleine verminkte beeld dat de Cavalcantis opnieuw hadden laten verven. De heilige, met tedere roze wangen, droeg een pij met bloemen, en een gouden gordel. De veters van zijn sandalen waren kunstig op zijn voetjes getekend. Maar de stompjes van de armen, die in 1645 door een Hollandse soldaat waren afgehakt, waren nog steeds van zwart versplinterd hout.

'God zegene je, mijn zoon, zoals Hij ook jouw vader vandaag heeft gezegend,' zei Rodrigo.

De beide mannen gingen de kapel uit en liepen naar het Casa Grande. Vlak bij de deur bleven zij staan, en bekeken in stilte de landerijen aan de voet van de heuvel, groen en goudgeel in de ondergaande zon. Toen liepen zij gearmd het huis binnen.

In juli 1886 veroordeelde een jury in Paraíba do Sul, een stad in een dal met koffieplantages in de Mantequeiras, honderdvijftig kilometer ten noorden van Rio de Janeiro, vier slaven tot driehonderd zweepslagen ieder, omdat zij een rentmeester hadden aangevallen. Twee van de vier slaven stierven na de afstraffing.

Joaquim Nabuco verhaalde dit gebeuren tot in de details in een artikel dat hij voor *O País* schreef, een liberale krant in de hoofdstad. In oktober leidde de verontwaardiging die daardoor loskwam tot het aannemen van een wet waarbij van overheidswege het geselen van slaven werd verboden. Het resultaat daarvan was weer dat er veel meer slaven vluchtten, aan wie een geheime organisatie van jonge abolitionistische militanten, Qajjafa geheten, naar de naam van de joodse hogepriester uit de bijbel, in São Paulo hulp verleende. Hun leider, António Bento de Souza e Castro, afkomstig uit een plantersfamilie, hield hun de oproep van Qajjafa aan het Sanhedrin voor: 'Het is beter dat één enkele man voor het volk sterft en dat het volk zelf niet ten onder gaat.' De vluchtelingen die in São Paulo kwamen werden door de Qajjafas verborgen. Zij die naar het oerwoud vluchtten vonden onderdak in *quilombos*.

In de loop van de eerste helft van 1887 werd de Paulista-hoofdstad opgeschrikt door geruchten van een opstand. In juli hadden tweeduizend vluchtelingen zich gegroepeerd in een kamp buiten Santos, in een veld waar geen *capanga* zich durfde laten zien, en niemand wist hoeveel negers verborgen zaten in de *quilombos* van het achterland. De provinciale autoriteiten vroegen Rio om hulp. Er werd een oorlogsschip gestuurd, en ook troepen.

De koffieoogst was in april begonnen en de Paulista-planters hoopten die tot een goed einde te kunnen brengen. Maar veel *fazendeiros* maakten zich zorgen, niet alleen om de oogst, maar ook om de planttijd, die in oktober zou beginnen. De clubs van planters – een antwoord op geheime organisaties zoals de Qajjafa – namen resoluties aan waarin de hulp van de anarchisten uit de stad aan de vluchtelingen werd afgekeurd maar accepteerden steeds meer de onvermijdelijkheid van de afschaffing. Op 9 juli 1887 verklaarden de *fazendeiros* uit Tiberica tijdens een vergadering dat vijf jaar de minimumtermijn moest zijn om een systeem van vrije arbeid voor te bereiden.

De vergadering van planters uit Tiberica had een stormachtig verloop gehad.

Een oude *fazendeiro* die had voorgesteld om Chinezen te laten overkomen kreeg voor de voeten geworpen dat op die manier de bevolking veel te gemengd zou worden. Een andere spreker herinnerde zijn toehoorders eraan dat de provinciale assemblée voorstellen voor subsidie had aangenomen om de reis van Europese immigranten in 1886 te betalen. De agenten van de *Sociedade Promotora de Imigração* waren actief aan het werven onder Italiaanse boeren en verschillende planters merkten op dat het massaal in dienst nemen van Italianen het gevaar voor stakingen vergrootte.

Aan het eind van de vergadering bleven verschillende *fazendeiros* in kleine groepjes voor de *câmara* met elkaar praten, in het centrum van Tiberica, tegenover een kerk die nog steeds niet voorzien was van een klokketoren. In de buurt van de nieuwe markt was de winkel van de Da Silvas, omgeven door kleinere winkels en verschillende herbergen. Het plein was beplant met bomen en omzoomd door tuinen, tussen geplaveide lanen, de plaats waar de gegoede burgerij 's avonds bij voorkeur wandelde.

Twee planters gingen naar de winkel van 'Da Silva en zonen'. De oudste liep mank en had een wandelstok met een knop, voorzien van een prachtige diamant. Hoewel hij nog geen vijftig was, waren zijn haren zilvergrijs. De jongste had gitzwarte haren, diepliggende bruine ogen en een hoog voorhoofd. Niet erg groot en wat gezet liep hij toch gedecideerd. Hij was twee jaar geleden na een lang verblijf in Europa naar Tiberica teruggekomen, en had de bewoners van de stad verbaasd met een apparaat dat hij uit Engeland had meegenomen, de eerste fiets die ooit in Tiberica was gezien.

De oudere man was Firmino Dantas da Silva, die nog steeds mank liep vanwege zijn verwonding opgelopen in de tweede slag van Tuyuti. Hij was in januari 1868 naar de *fazenda* van Itatinga teruggekeerd, bijna drie jaar na het vertrek van de vrijwilligers van Tiberica, waarbij hij zich diep schaamde over zijn gebrek aan moed. Ulisses Tavares was in 1871 gestorven, in de overtuiging dat zijn kleinzoon in Paraguay met roem was overladen.

Firmino was getrouwd met Carlinda Mendes, de zuster van barones Teodora, in hetzelfde jaar dat hij terugkwam. De apotheker August Laubner en zijn vrouw waren bij de bruiloft, zonder in de gaten te hebben dat de zeer vriendelijke houding die de kleinzoon van de baron tegenover hen aannam te maken had met zijn geheime liefde voor hun dochter Renata. De zaak van Laubner liep goed en had hem in staat gesteld een *fazenda* te kopen die door zijn zoon Maurits – Mauricio voor de andere planters – werd geleid.

Firmino en Carlinda Mendes hadden drie kinderen gekregen, Evaristo, Delfina en João. Hun verbintenis was niet zo gelukkig want Carlinda hield weliswaar veel van haar echtgenoot en zorgde goed voor hem, maar zij hadden weinig gemeen. Carlinda was dik en rond, zat graag thuis en was bijgelovig, verliet zelden het grote huis aan de Rio Tietê, waar zij een leven leidde zoals de donas vroeger, uitgestrekt op kussens met kantwerk, en in de watten gelegd door een heel leger slavinnen. Zij geloofde meer in de heiligen van de *senzala* dan in die van de Kerk en door tussenkomst van *bábá* Epifánia, had ze een hele voorraad kruiden, veren, kaarsen en padden om ziekte en ongeluk ver van zich te houden.

Haar man wist dat zij aan bijgelovige praktijken deed – hij rook vaak vreemde geuren in de vertrekken van het huis, en vond fijngewreven kruiden in zijn zakken – maar hij had niet in de gaten hoever de obsessie van Carlinda ging. Het enige dat voor hem telde was dat zij hem vrij liet om zich bezig te houden met zijn eigen interesses.

Eusébio Magalhães was vier jaar na Ulisses Tavares overleden, waarbij hij zijn zoon de plantage naliet. Firmino had zijn experimentele molen afgemaakt, die sinds 1872 functioneerde, maar voortdurend kapot was. In 1876 ging Firmino mee met de Paulista-delegatie naar de tentoonstelling in Philadelphia en bleef acht maanden in de

Verenigde Staten, waar hij materiaal kocht dat van zijn *fazenda* een van de modernste maakte in de provincie.

Duizenden morgen waren ontgonnen op de twintig vierkante mijl binnen de grote bocht van de Rio Tietê, en de plantage telde thans zevenhonderdvijftigduizend struiken, waarvan vijfhonderdduizend volgroeid waren. In de weilanden liepen witte, bultige dieren, een kruising van Indiase zeboes en inlandse dieren. Bovendien bezat de *fazenda* een suikermolen, een zagerij, veel werkplaatsen, winkels voor de behoeften van de vijfhonderd *agregados*, en een *senzala* met driehonderdzeventig negers en mulatten.

Twee jaar na de dood van haar man was barones Teodora naar Parijs vertrokken, met haar beide kinderen. Zij was veertig, en werd het middelpunt van een kleine kolonie Brazilianen, voor het merendeel edelen, die in Frankrijk de hitte van de tropen ontvluchtte.

De jongeman die samen met Firmino het plein overstak was Aristides Tavares da Silva, de zoon van Ulisses en Teodora. Na aan de Sorbonne gestudeerd te hebben was hij naar Italië en Griekenland geweest en had hij een jaar in Engeland gewoond.

In Londen had hij Joaquim Nabuco leren kennen, tijdens een avond op de Braziliaanse ambassade. De abolitionistische leider had zich ontfermd over de jongeman, en hem voorgesteld aan baron Alfred von Rothschild, een persoonlijke vriend van Nabuco en bankier in Brazilië. Later was Aristides met Nabuco uitgenodigd in Exbury, een landgoed van baron Alfred, waar deze met een prachtig versierde dirigeerstok zijn eigen symfonieorkest leidde.

'Waar voel jij je thuis, Aristides?' had Nabuco de jongeman die avond gevraagd. 'In Parijs? In Londen? Ik houd veel van Londen, maar mijn hart is toch in Brazilië. Je moet kiezen, Aristides, en wel snel. Ofwel je gaat door met een lui leventje in Europa, of je gaat naar huis, naar een land wat ooit vrij zal zijn. Naar huis, naar Brazilië, waar je thuishoort.'

Toch duurde het nog een jaar voordat Aristides scheep ging naar Brazilië. De barones had hem de hele winter in Parijs gehouden want ze had een echtgenote voor hem uitgezocht, Anna Pinto de Sousa, negentien jaar oud, dochter van een Portugese burggraaf die liever in Parijs was dan in Lissabon. Aristides, tot over zijn oren verliefd op het meisje, was bang dat zij niet in Brazilië zou willen wonen maar toen hij haar zijn beslissing meedeelde, had ze geantwoord dat ze hem tot het eind van de wereld zou volgen. Zij waren op 10 juni 1885 in Parijs getrouwd en hadden acht dagen later de boot genomen naar Rio en Santos.

Firmino en Aristides konden meteen goed met elkaar opschieten, hoewel hun bloedbanden iets vreemds hadden. Firmino, zevenenveertig jaar oud, was de kleinzoon van Ulisses Tavares, terwijl Aristides, zevenentwintig jaar oud, diens zoon was.

Firmino Dantas had tot zijn genoegen ontdekt dat Aristides evenveel als hij van mechanica hield. De jongeman had er een paar maanden over gedaan om overweg te kunnen met het materiaal en de onderneming, verzette zich nergens tegen, behalve dan tegen de *senzala*, maar hij accepteerde de handhaving van de slavernij als een noodzakelijk kwaad. Hij wist dat Firmino veel meer negers dan alleen maar de oudsten vrij zou hebben gelaten als hij niet met andere zaken rekening had moeten houden, met name de hypotheek van de *fazenda*, die gedekt werd door honderdzevenenveertig slaven.

Op deze avond in juli 1887 discussieerden de beide mannen toen ze het plein overstaken over het onderwerp dat bij de vergadering ter sprake was gekomen, namelijk de Italiaanse immigratie.

'Voor die boeren is in Italië geen hoop meer,' zei Aristides. 'Ik ben in het land geweest, ik heb gezien hoe verschrikkelijk arm zij zijn. De families die naar Santos gaan kunnen hier werkelijk een beter leven vinden.'

'Toch blijf ik vinden dat wij zouden moeten wachten tot we beter voorbereid zijn om ze op te vangen.'

'Twintig families, *senhor* Firmino. Ze kunnen wel slapen in de oude schuur. Alleen voor een paar maanden.'

Firmino bleef bij een fontein staan die hij aan de stad geschonken had, ter nagedachtenis aan de baron, en woelde met zijn wandelstok in het onkruid dat aan de voet ervan groeide.

'Wanneer ga jij weg?'

'Het liefst morgen,' antwoordde Aristides. '*Senhor* Martinho Prado verwacht mij woensdag in de hoofdstad, en dan gaan wij samen naar Santos. Hij zal mij helpen onze arbeiders uit te zoeken.'

Prado was een van de organisatoren van de *Sociedade Promotora de Imigração*.

'Ik reken erop dat je de besten uitzoekt,' zei Firmino terwijl hij verder liep.

Aristides begon te lachen.

'Heldere ogen, goede spieren, sterke handen! Net zoals een slavenhandelaar zijn troepen inspecteert?'

Firmino deed alsof hij die opmerking niet had gehoord en ging verder: 'Het experiment in Itatinga zal invloed hebben op andere planters in het district.'

'Dat begrijp ik. Ik neem alleen hen die vastberaden zijn om zich hier te vestigen en hard te werken.'

'Het werk zal inderdaad hard zijn, maar ze zullen goed behandeld worden in Itatinga, dat kun je hun beloven.'

In plaats van naar de winkel van 'Da Silva en zonen' te gaan, liepen zij langs de herbergen, naar de stal waar zij hun paarden hadden achtergelaten.

'Ik neem aan dat je morgenvroeg wilt vertrekken,' zei Firmino. 'Ga maar direct naar het station, je hoeft hier niet meer langs te komen.'

'Nu ja, tenzij ik je nog wat te vertellen heb.'

De beide mannen namen afscheid van elkaar, Firmino liep verder door de straat waarbij hij met zijn wandelstok op de keien sloeg. In afwachting van het zadelen van zijn paard keek Aristides hem na. Hij wist waar Firmino heen ging en dacht tevreden aan de vreugde die deze ongelukkig getrouwde man in zijn grote liefde, Jolanta, gevonden had.

Jolanta, negenentwintig jaar oud, was de dochter van Américo dos Santos, een leraar en dichter uit Salvador, en Adelia Pinheiro, afkomstig van een welvarende familie mulatten uit Bahia. Firmino had haar in 1877 in Rio leren kennen, toen hij uit de Verenigde Staten terugkwam. Hij had een paar weken gelogeerd bij kolonel Clóvis Lima da Silva, zijn neef, die evenals andere officieren boos was over het gebrek aan belangstelling van Dom Pedro voor het leger. In de vijf jaar die Clóvis in Paraguay had doorgebracht hadden zijn vrouw Maria Luisa, zijn twee zonen, Eduardo en Honório, en zijn dochters, bij broers gewoond, de eigenaars van de winkel in Tiberica. Na de oorlog was Clóvis met zijn familie naar Rio teruggegaan, maar Eduardo da Silva was getrouwd en naar Tiberica teruggekeerd, waar hij nu hoofd van de politie was.

Tijdens zijn verblijf in de hoofdstad was Firmino voor een diner uitgenodigd bij Américo dos Santos, waar hij Jolanta had ontmoet, die toen negentien was. Hij was gefascineerd door haar natuurlijke schoonheid, haar bruine haren, haar dito ogen en haar beeldschone lichaam. Toen de leraar aan het hoofd van het lyceum in São Paulo werd benoemd, in 1878, knoopte Firmino weer contact aan met de Dos Santos en bezocht hen telkens als hij van Tiberica naar de Paulista-hoofdstad ging. Hij was verliefd op de dochter van de dichter die hem van haar kant aanbad. In november 1880 verklaarde de planter Américo dat hij een huis in Tiberica had gekocht, voor Jolanta. De dichter protesteerde, zij het te laat: 'Ik heb niets tegen u, Firmino, en

768

ik weet dat mijn dochter geen kind meer is. Maar ik zou u toch willen vragen om uw besluit nog eens te overdenken, in het belang van Jolanta. Zij verdient een man die haar een huwelijk en een gezin kan aanbieden, en geen vernederende situatie.'

Firmino Dantas hield rekening met het verzoek van de dichter en zei: 'Ik zal een half jaar wachten, en niet meer bij jullie komen, en Jolanta niet meer zien. Als zij na die tijd nog steeds dezelfde mening is toegedaan, neem ik haar mee naar Tiberica.'

Drie weken later liep Jolanta weg naar Tiberica, waar zij sinds zeseneenhalf jaar de openlijk erkende maîtresse van Firmino was.

Américo had zijn dochter begiftigd met smaak voor boeken en muziek. Ze was een aangename, ontwikkelde vrouw, die in de rua Riachuelo, bij haar thuis, avonden gaf waar de vrienden van Firmino samenkwamen. In Itatinga zei Dona Carlinda niets. Al vond zij dat de vleselijke genoegens die haar man bij de mulattin smaakte haar positie als echtgenote en moeder absoluut niet bedreigden, toch vroeg zij van tijd tot tijd *bábá* Epifánia een toverformule tegen de verleidster.

Die avond in juli merkte Jolanta dos Santos dat haar minnaar gespannen en zorgerlijk was, na de vergadering van de planters. Zij aten samen, bediend door drie negers in livrei, allemaal oude slaven die op verzoek van de jonge vrouw vrijgelaten waren. De dichter Américo dos Santos was abolitionist, had zijn dochter ook in die geest opgevoed en bezocht tegenwoordig de Qajjafa van António Bento. Na de maaltijd ging het paar naar de salon, waar Firmino zijn maîtresse deelgenoot maakte van zijn zorgen: 'Tot nu toe zijn we gespaard gebleven voor massale bewegingen onder de slaven. Maar dat zal niet lang meer duren als de negers in de gaten krijgen dat wij onderling verdeeld zijn. Ze zullen in groten getale wegvluchten, ook al proberen wij nog zo'n redelijke houding aan te nemen.'

Firmino had eigenlijk niets aan te merken op de driehonderdzeventig slaven van de Fazenda da Itatinga zelf. Sinds het begin van het jaar waren er negen weggelopen, van wie er twee weer waren gevangen en door het hoofd van de politie, Eduardo da Silva, na gegeseld te zijn weer waren teruggebracht. Firmino beschouwde zijn neef als een onverbeterlijke bruut – geheel het tegendeel van zijn vader, Clóvis Lima.

'Met Gods hulp zal Itatinga deze storm wel overleven,' zuchtte hij.

'Ja, *senhor*. Mijn vader zegt dat de slavernij over vijf jaar alleen nog een kwade herinnering zal zijn.'

'Misschien. Wij hebben tijd nodig, Jolanta, zowel de eigenaars als de slaven zelf. De vrijheid betekent meer dan een paar nieuwe schoenen en een nieuwe hoed. Het zal een nieuwe manier van leven worden, en de slaven moeten erop worden voorbereid.'

'Ja, *senhor*.'

'Genoeg gepraat,' zei Firmino, en zijn gezicht klaarde op. 'Speel nu, mijn lieve kleine mulattin.'

Jolanta stond lachend op.

'Wat wil de *senhor* horen?'

'Kies zelf maar.'

De jonge vrouw nam een fluit en begon te spelen. Met gesloten ogen luisterde Firmino naar een wijsje dat hem meevoerde naar een betoverde plek in het bos, midden in het oerwoud, in de *sertão* van vroeger. Toen riep de improvisatie van Jolanta de ritmes van Bahia op, de stad waarvan de ziel zo dicht bij Afrika was gebleven.

En toen zij ophield, hield hij zijn ogen dicht en deed ze pas weer open toen hij haar jurk vlak bij zich hoorde ritselen. Hij stak zijn arm uit, trok haar tegen zich aan en zij begonnen in de salon met elkaar te vrijen.

Bábá Epifánia, een robuuste, vijftigjarige vrouw met een vierkant gezicht, was in 1847 illegaal van het gebied van de Bakongo naar Brazilië gebracht, na de afschaffing van de slavenhandel. Zij was door Ulisses Tavares gekocht en had met haar melk veel baby's op de *fazenda* gevoed, onder wie Aristides en zijn zuster Carmen. Toen de baron stierf was *bábá* Epifánia een van de tien slaven die vrijgelaten werden, overeenkomstig de laatste wil van Ulisses. Datzelfde jaar nog was zij gaan samenwonen met Basilio Pedrosa, een halfbloed pottenbakker die de ovens van Itatinga verzorgde, en was zij begonnen magie te bedrijven.

Bábá Epifánia zei dat zij een *curandeira* was, een genezeres die met kruiden werkte, en riep altijd God en Christus aan om haar patiënten te zegenen. Maar de hele gemeenschap van Itatinga, inclusief Dona Carlinda, wist dat zij bovendien aan zwarte kunsten deed. Ze kon evenzogoed elke slangebeet genezen als adders opdragen iemand ter dood te brengen, zei men.

Af en toe verdween zij uit Itatinga en dan ging het gerucht dat zij was vertrokken om te overleggen met haar meester Lucifer. In werkelijkheid ging zij dan naar een dorp honderd kilometer verderop, waar nog halfwilde Tupis woonden, *caboclos* en afstammelingen van bosnegers. De plek heette *Tamanduatei-mirim*, de Kleine Rivier van Tamanduá, de mierenhoop. In de ogen van Epifánia was de *tamanduá* naar de aarde gestuurd om de geesten te helpen, want als zij de grond omwoelde op zoek naar die insekten, vond zij ook magische wortels die zij voor haar genezingen gebruikte.

De eerste week van oktober 1887 vertrok Epifánia met twee jongens als begeleider naar *Tamanduatei-mirim*. Dit keer ging ze niet alleen voorraad inslaan maar ook de vlucht van meer dan honderd slaven van de Fazenda da Itatinga voorbereiden. Sinds het begin van het jaar was het dorp een schuilplaats geworden van ontsnapte slaven en een basis voor de Qajjafa. Een lid van de geheime organisatie die in Itatinga voor de oogst was aangenomen, had contact opgenomen met de *curandeira*, die er in eerste instantie niet veel voor voelde om het vertrouwen van de Da Silvas te schaden. Maar de Qajjafa, die Nô Gonzaga heette, had haar herinnerd aan de tijd dat zij zelf slavin was en haar ervan overtuigd dat zij het grote prestige dat zij genoot bij de slaven moest gebruiken om hen ertoe over te halen uit Itatinga weg te vluchten.

Toen de *bábá* in *Tamanduatei-mirim* kwam stond er een hele menigte klaar om haar te ontvangen, waarbij verschillende dorpelingen knielden toen zij voorbij liep. Epifánia gedroeg zich als een koningin op staatsbezoek en nam plaats voor de grootste hut van het dorp, waarbij zij haar lange rok tussen haar benen trok, en tegen de zon beschermd werd door de parasol die een van de jongens die bij haar waren droeg. Ze had een vliegemepper in de hand, van paardehaar, die zij gebruikte om lastige insekten te verjagen, maar ook om slechte invloeden weg te wuiven. De menigte werd uit elkaar gedreven, met uitzondering van zes mannen, Qajjafas.

'Is er nog nieuws, *bábá*?' vroeg Nô Gonzaga, een mulat van middelbare leeftijd die vanaf het begin al deel uitmaakte van de organisatie van António Bento.

'Ik heb goed nieuws.'

'O ja?'

Epifánia had echter geen haast om haar informatie prijs te geven. Zij wuifde met haar vliegemepper en begon een lang verslag te geven van wat zij met de slaven van Itatinga had meegemaakt, waarbij zij veel van hen met name noemde, hun ziekten beschreef en de remedies die zij toepaste. Dat nam tijd in beslag, maar Nô wist dat hij haar maar beter haar gang kon laten gaan. Ten slotte verklaarde zij: 'Ik heb ze voorbereid. Stel maar een dag vast, Nô Gonzaga, dan verdwijnen zij uit Itatinga.'

'Als bij toverslag?' grinnikte de mulat.

Ze keek hem kwaad aan en haar zilveren amuletten fonkelden toen zij driftig met haar vliegemepper zwaaide.

'Ik heb grote risico's genomen,' zei zij. 'Als een van hen de *senhor* waarschuwt...'

'Neem me niet kwalijk, *bábá*,' antwoordde Nô, die zenuwachtig naar de bewegingen van de vliegemepper zat te staren.

Sinds hij de vroegere slavin had gerekruteerd, had hij haar al heel wat keren ontmoet en telkens had zij meer blijk gegeven van haar neiging de hele zaak in eigen hand te nemen. Dat bewees zij nu weer door te zeggen: 'Honderdveertig slaven staan op het punt te vertrekken. Maar denk jij dat ze jou zullen volgen? Nooit van zijn leven!'

'Nee, bábá Epifáncia. U hebt de macht.'

Ze ademde zwaar en keek triomfantelijk degenen die om haar heen stonden aan.

Nô krabde op zijn hoofd. 'Wij komen over twee weken. Ik moet eerst naar São Paulo om voor de trein te zorgen. De slaven moeten direct naar Santos, in de nacht van 18 oktober.'

Epifánia schudde van nee.

'Is dat te vroeg?' vroeg Nô.

'Niet 's nachts. Ze zullen overdag vertrekken.'

'Onmogelijk, *bábá*.'

Ze keek hem vernietigend aan.

'De slaven worden elke avond opgesloten en de opzichters hebben de wacht verdubbeld sinds er veel vluchtpogingen in de streek voorkomen. Mannen en honden zwerven overal rond zodra het donker wordt. 's Nachts vluchten is onmogelijk.'

'Maar op klaarlichte dag?'

'De slaven die zullen vluchten ontginnen het bos, acht kilometer van het Casa Grande. Zorg dat jij er bent met je mannen, op de 18de, als ze te eten krijgen. Er zullen tien opzichters zijn, allemaal gewapend met geweren.'

'Misschien kunnen we beter een andere *fazenda* proberen?' stelde een Qajjafa voor.

Epifánia deed alsof zij dat niet hoorde en ging door: 'De slaven worden niet voor zonsondergang op de *fazenda* terug verwacht. In zes uur kunnen zij bij de spoorweg komen en hebben dan de hele nacht voor zich om te vluchten.'

'Maar de bewakers dan?' vroeg Nô Gonzaga.

'Ach, Jezus! Ben jij een man of een insekt? De bewakers houden om elf uur op met werken, om koffie en *cachaça* te drinken, dat weet jij toch ook wel?'

'Ja, *bábá*.'

'Ik zal een drankje voor ze maken!' grinnikte de *curandeira*. 'Een krachtig geneesmiddel!'

Nô Gonzaga en elf man drongen in de nacht van 17 oktober 1887 het domein binnen. Ze hadden zich in de vroege morgenuren verborgen tussen de bomen van een heuvel, minder dan één kilometer van de plek waar het bos ontgonnen werd.

Om zeven uur kwamen de slaven aan, en een eerste groep begon langs een heuvel het kreupelhout weg te kappen. Meer naar beneden, op vijf morgen die al ontgonnen waren, zaagden andere slaven boomstammen die vervolgens naar de timmermanswerkplaats gesleept zouden worden. Verderop lag een stuk zwarte rokende grond waar het bos enkele dagen geleden in brand was gestoken. De slaven spitten de grond om tussen de verkoolde stammen, en bereidden haar voor op de koffiestruiken.

Nô Gonzaga keek met een kleine verrekijker naar de slaven en hun bewakers. Hij was naar São Paulo geweest, waar António Bento hem had geholpen de plannen voor de operatie op te stellen. Gonzaga moest de vluchtelingen door het oerwoud meenemen tot een plek waar de trein op hen zou wachten, ongeveer tien kilometer buiten Tiberica. Even voor elf uur zag Nô de slaven van het al ontgonnen gedeelte naar de plek gaan waar de vrouwen het eten bereidden. De andere groepen zouden spoedig volgen, geëscorteerd door bewakers te paard.

'Nu zullen we zien of het "geneesmiddel" van de *bábá* werkt,' zei Nô tegen de man die bij hem was.

Dat was een grote neger, Anselmo geheten, een boslandcreool die met de Qajjafas meedeed sinds António Bento hem had opgevangen. Deze stuurde hem door de straten van São Paulo, waarbij hij de littekens toonde die hij had opgelopen door de dolk van een opzichter, die hem zijn handen had doorstoken.

'Lopen we door?' vroeg Anselmo, die op de grond zat, met een geweer over zijn dijen.

Gonzaga gaf een teken aan de andere Qajjafas en zei: 'Begin maar naar beneden te lopen, maar langzaam, en laat je niet zien.'

Toen ze op vierhonderd meter van het kamp waren bleven de Qajjafas staan, en gingen Nô en Anselmo naar de rand van het oerwoud. De bewakers zaten in de schaduw van een groepje bomen te eten, vanwaar zij de slaven in de gaten konden houden. Een van hen slikte net zijn laatste hap door, stond op, deed een paar stappen en begon toen te plassen terwijl hij naar de plek keek waar Nô en Anselmo zaten.

'Met hem is niets aan de hand,' mompelde de neger.

'Kijk dan maar eens naar die ander.'

Een tweede bewaker was net op zijn rug gaan liggen, met open mond. De eerste knoopte zijn gulp dicht, en liep wankelend naar zijn kameraden. Hij schudde de slapende man door elkaar, kreeg geen antwoord en ging zelf ook naast hem liggen, waarbij hij zijn hoed over zijn ogen trok.

Nu zakte een derde bewaker in elkaar. Zijn buurman, Cesar, stond op, en was kennelijk nog klaar wakker want hij schopte de slapers in de zij, maar zonder resultaat.

'Kom op!' zei Nô tegen zijn mannen.

Hij sprong met Anselmo uit het bos.

'Qajjafas!' riep Cesar. 'Opstaan! Opstaan!'

Het lukte vier bewakers om overeind te komen.

'Gooi jullie wapens neer!' schreeuwde Gonzaga. 'We zullen jullie geen kwaad doen.'

Maar Cesar schoot tweemaal. Anselmo werd aan in schouder geraakt, vloekte en schoot terug, waarbij hij Cesar in zijn arm verwondde.

'Geef jullie over!' schreeuwde Nô.

Van de honderdachtentwintig slaven die klaarstonden om weg te vluchten wisten er maar een paar dat *bábá* Epifánia iets in de koffie van de bewakers zou doen. Toen zij Gonzaga en zijn mannen tussen de bomen vandaan zagen komen, pakte een stel kapmessen en wierp zich op de bewaker.

'Genade!' kreunde Cesar. Hij liet zijn geweer los en greep naar zijn wond. 'Genade...'

Een andere bewaker hield zich nog vast aan een tak, maar gleed langzaam op de grond, onder invloed van Epifánia's drankje.

'Stop!' zei Nô tegen de slaven.

De voorsten liepen door en eisten het bloed van hun bewakers.

'Wij doden ze alleen als dat nodig is,' verklaarde Gonzaga. 'We hebben nog een lange weg af te leggen tot Santos. Als wij een spoor van lijken achterlaten, hebben we zo een leger *capangas* op onze hielen, die hen zullen willen wreken.'

'Jullie komen nog geen kilometer buiten Itatinga!' riep Cesar.

Nô deed alsof hij hem niet hoorde.

'Pak jullie spullen, we gaan meteen weg,' zei hij tegen de slaven. 'Als ze ons beginnen te zoeken, zijn we al ver weg.' Hij wendde zich tot Cesar en zei: 'Rust jij maar uit. Als je je meester eenmaal gewaarschuwd hebt, zul je daar niet veel tijd meer voor hebben.' Toen zei hij tegen de slaven: 'Help mijn mannen eens even die luilakken naar het bos te brengen, dan zullen zij jullie wel laten zien hoe jullie ze moeten vastbinden.'

Twintig minuten later gingen de vluchtelingen op weg. De bewakers sliepen door, naakt, met een prop in hun mond en vastgebonden. Sommigen slaakten gesmoorde kreten toen zij voelden dat de mieren over hun huid begonnen rond te kruipen.

Om vier uur 's middags verloor Firmino Dantas zijn gebruikelijke kalmte voor het grote huis in Itatinga, toen hij Cesar op de grond zag liggen naast het paard van een *agregado* die naar de kaalslag was gestuurd om het hout te inspecteren dat voor de timmermanswerkplaats bestemd was. Het hoofd van de bewaking, dat geplaagd werd door een schouderwond en door veel insektenbeten, bracht kreunend verslag uit van de gebeurtenissen.

'Hoeveel vluchtelingen?' vroeg Aristides.

'Alle slaven die aan het werk waren.'

'Maar hoe dan…?'

'Ze zijn geholpen.'

De arbeiders die gealarmeerd waren kwamen uit de bijgebouwen en liepen naar de beide mannen toe.

'En jij hebt niets gezien?' beet Aristides de man die op de grond lag toe.

Cesar zei niets en Firmino antwoordde: 'Hij zegt dat de vrouwen hun voedsel vergiftigd hadden.'

Een *agregado* met een hoekig gezicht kwam naar voren. Hij heette Ulisses Ramos, en zijn familie diende de Da Silvas al sinds de tijd van de 'moessons'. Hij was het hoofd van de *capangas*, begon tegen Cesar te schelden en vroeg toen aan de meester, met een stem die trilde van verontwaardiging: 'Uw bevelen graag, *senhor* Firmino.'

'Breng de andere slaven naar huis en sluit ze op.'

'*Sim, senhor.* En de voortvluchtigen?'

'Stuur onmiddellijk twee ruiters naar kapitein Eduardo, om hem te waarschuwen. Als de slaven opgesloten zijn, verzamel dan hier de *capangas.*'

Na het vertrek van Ramos liep een andere man naar voren en zei: 'Wij willen u ook helpen, *senhor* Da Silva.'

'Dank je, Patrizio, jullie moeten op de slaven passen.'

Patrizio Telleni was een van de twintig Italianen die Aristides in juli uit Santos had gehaald. De *colonos*, zoals de gemeenschap van negentig immigranten werd genoemd, leefde drie kilometer van de *fazenda* in hutten.

Firmino beval Cesar naar de ziekenboeg te brengen en liep langzaam, hinkend, de veranda op.

'Dat is het werk van Antônio Bento en zijn Qajjafas. Zij willen een opstand in de streek ontketenen.'

Aristides knikte kort, wendde zich tot een oude neger die bij hem stond en zei: 'Cincinnato, zadel mijn paard, en snel!'

'De vluchtelingen zijn met te veel om zich in de *quilombo* van Tamanduá te verbergen,' riep Firmino verder. 'Ze zullen proberen naar Santos te komen.'

'Ik ga naar Tiberica, *senhor* Firmino.'

'De slavenjacht is niet uw aangelegenheid, Aristides.'

'Daar ben ik het helemaal mee eens. Ik ben alleen bang voor de reactie van Eduardo da Silva. Wij moeten die slaven levend weer in handen krijgen, niet half dood van de zweepslagen of vol met kogels.'

'In dat geval moet u gaan. Als ik kon...' zuchtte Firmino terwijl hij naar zijn stijve been keek.

'Ik zal u wel vervangen,' verzekerde Aristides.

'De trein!' zei Eduardo da Silva.

De kapitein zat op de rand van een tafel in de kazerne van de politie van Tiberica, en trok zijn laarzen aan. Het was tien uur 's avonds, Aristides was tien minuten eerder aangekomen.

'De vluchtelingen weten dat als zij zich in het bos verbergen ik ze wel te pakken zal krijgen. De trein is hun enige uitkomst.'

De zoon van kolonel Clóvis da Silva was een gedrongen zware man, van eenendertig, met zwarte, kille ogen onder borstelige wenkbrauwen. Hij had twee jaar op de *Escola Militar* in Rio gezeten, waar hij slechte cijfers had gehaald, en was toen in dienst gegaan bij de politie in Rio, waar hij de reputatie had gekregen van een ongenadig man. Zeven jaar eerder had hij een betrekking als hoofdcommissaris in Tiberica aangenomen en sinds die tijd nam hij zijn functies krachtig ter hand, vooral als het om slaven ging.

Er was nog een derde man in het bureau van de *capitão*, groot, mager, met holle wangen en een puntbaardje, die door zijn collega's Tex werd genoemd. Toch kwam Cadmus Rawlings niet uit Texas maar uit Alabama. Hij was na de Burgeroorlog naar Brazilië gekomen, met nog enkele honderden families van ballingen die tegenwoordig verspreid langs de oevers van de Tapajó op de koffieplantages van São Paulo woonden. Hij was vierenveertig, weduwnaar van zijn eerste vrouw en leefde samen met een mulattin die hem drie kinderen met een donkere huid geschonken had, wat hem er niet van weerhield om op negers neer te kijken.

'De trein moest om zes uur vertrekken,' merkte Aristides op.

'En sinds wanneer vertrekt die op tijd?' vroeg Eduardo terwijl hij opstond. 'We krijgen ze wel te pakken, neef.'

'Dat hoop ik wel, *capitão*,' zei Rawlings in slecht Portugees.

'Sergeant Tex heeft zo zijn eigen ideeën over de manier om het probleem van de vluchtelingen op te lossen,' ging Eduardo verder, die de abolitionistische ideeën van Aristides wel kende. 'Hij vindt ons te slap.'

'Daar was ik al bang voor,' antwoordde de jongeman.

'Jullie zijn veel te lief voor die klootzakken,' legde Rawlings uit. 'De vrijlating van de negers zal uw land te gronde richten, zoals dat ook met het onze is gebeurd.'

'Laten we gaan,' zei Aristides, 'ik hoor jullie mannen buiten.'

Tex liep naar de uitgang, met zijn armen vol dozen patronen die bestemd waren voor de twaalf mannen van de politiemacht.

'Ik zei het al tegen de *capitão*,' ging hij verder. 'Jullie moeten er gewoon een paar langs de weg naar Tiberica ophangen, dat zet de anderen wel aan het denken.'

Hij liep voor Aristides langs, schopte de deur open en verdween.

'Je bent een aanhanger van vreemde Franse ideeën, neef,' zei Eduardo, 'maar er zijn Brazilianen die vinden dat Rawlings gelijk heeft.'

'En daar ben jij er een van?'

De *capitão* antwoordde hier niet op maar zei: 'Je kunt misschien beter hier blijven, Aristides.'

'Nee, ik ga met jullie mee.'

'Mmmm....' bromde Eduardo. Maar plotseling glimlachte hij breeduit en zei: 'In dat geval moet je maar naast sergeant Tex rijden.'

'Is dat provocerend bedoeld?'

'Nee, neef. Ik denk alleen dat hij je leven wel eens zou kunnen redden als wij slaags raken.'

Het hoofd van de politie begon luidkeels te lachen, waardoor hij de vloek die Aristides uitte niet hoorde.

Een uur later kwamen ze bij het station en hoorden zij van een spoorwegbeambte dat de trein twintig minuten geleden vertrokken was zonder één enkele vluchteling aan boord, zo zwoer de man.

'Vooruit!' beval Eduardo da Silva, waarbij hij zijn paard de sporen gaf en langs de lijn weggaloppeerde.

Een half uur later zagen zij de trein, die op een recht stuk van de lijn stilstond. De kapitein reed voorop naar de locomotief zonder zich te realiseren dat hij aangevallen kon worden als de Qajjafas en de vluchtelingen al in de trein zouden zitten.

'Hé daar!' riep hij, terwijl hij zijn revolver richtte op twee mannen die hem met open mond vanuit de stuurcabine aankeken. 'Naar buiten komen!'

Ze gehoorzaamden. Da Silva en drie agenten sprongen op de grond.

'Waarom staan jullie hier stil?'

'Een kapotte losklep,' antwoordde de machinist, waarbij hij het geluid van ontsnappende stoom nadeed.

Da Silva gaf hem een klap met zijn wapen.

'Waarom?'

Twee agenten pakten de stoker, drukten hem tegen de tender en begonnen hem overal te stompen.

'Rustig aan maar! Ik zal het u zeggen!' riep de machinist. 'We stonden op een paar slaven te wachten.'

'Leugenaar! Er zijn er meer dan honderd van Itatinga ontsnapt. En hij is hun eigenaar.'

Eduardo keek waar zijn neef was, maar zag hem niet.

'Genade... Genade...'

Hij gooide de man op de grond, en schopte hem tot hij zijn mond hield.

Bábá Epifánia, die met haar familie in het derde rijtuig zat, had de eerste ruiters in galop voor het raam langs zien komen. Even later kregen alle passagiers het bevel uit te stappen.

Basilio Pedrosa, Epifánia's man, had ze niet allemaal meer op een rijtje sinds hij door de explosie van een granaat in de Paraguayaanse oorlog een hersenbeschadiging had opgelopen. Hij bakte nog wel potten, maar tot iets anders was hij nauwelijks in staat. Toch had hij wel in de gaten, al stuurde Epifánia hem vaak de hut uit als zij overlegde met mannen als Nô Gonzaga, dat het niet alleen maar om kruiden ging. De vorige avond toen ze hem had gezegd dat zij naar Santos gingen, had hij gevraagd of dat was om slaven te begeleiden. Ze was vreselijk kwaad geworden, en had haar dikke arm opgeheven om hem te slaan, maar hij had beloofd dat hij het geheim zou houden.

'*Bábá*,' kreunde hij in de trein. 'Wat moeten we nu?'

'Luister goed. Wij gaan naar São Paulo. Voor... eh, om jouw broer op te zoeken.'

'Maar ik heb helemaal geen broer.'

'Basilio!'

'Ja, *bábá*. Om mijn broer op te zoeken,' mompelde de pottenbakker, stomverbaasd.

'Naar buiten!' schreeuwde een agent achter in de wagen.

Epifánia duwde haar man en haar kinderen naar de deur.

'Waarom?' vroeg zij agressief aan de agent.

'Houd je kop!'

Ze keek de man minachtend aan terwijl zij achter Basilio en haar kinderen uit de trein stapte, maar toen verloor zij haar zelfverzekerdheid. Aristides da Silva stond drie meter van de wagon. Ook hij herkende haar in het licht van een lantaarn die de politieagent vasthield.

'Wat doe jij hier, *bábá*?'

Toen zag hij Basilio, die zich achter het dikke lijf van zijn vrouw probeerde te verbergen.

'Pedrosa!'

De pottenbakker schrok toen hij zijn naam hoorde.

'Wat doe jij hier?' herhaalde Aristides.

'Geef eens antwoord aan de *senhor*, vuile negerin!' zei Rawlings die bij de jongeman was komen staan.

'Wij gaan naar Basilio's broer, in São Paulo,' antwoordde *bábá* gegeneerd.

'Wat vertelt ze nou?' bromde Rawlings.

'Dat zou ik ook wel eens willen weten,' antwoordde Aristides. 'Pedrosa!'

De pottenbakker keek naar de grond en schudde zijn hoofd.

'Pedrosa, wanneer ben jij van Itatinga weggegaan?'

De zwakbegaafde man mompelde een onverstaanbaar antwoord.

'Vanochtend, *senhorzinho*,' zei Epifánia.

Sergeant Tex reed zijn paard naar Pedrosa.

'De *senhor* heeft het tegen jou!'

'O, *bábá! Bábá*,' kreunde Basilio.

Rawlings haalde een voet uit de stijgbeugel en drukte de punt van zijn laars in de rug van de mulat, waardoor hij naar Aristides toe struikelde.

Epifánia en haar kinderen begonnen te schreeuwen.

'Antwoord, Pedrosa,' zei Aristides, 'anders maak je het alleen maar erger.'

'Ik maak hem af, die klootzak,' dreigde Rawlings.

'*Bábá* zei dat we weg moesten,' stamelde Basilio.

'Vanwege die vluchtende slaven?'

De pottenbakker herhaalde zijn antwoord.

'Klopt dat, *bábá*?' vroeg Aristides aan zijn min.

Epifánia, die met een beschermend gebaar haar armen om haar kinderen had geslagen, wendde haar grote hoekige gezicht naar de kleine meester die zij vroeger zo teder aan haar borst had gekoesterd.

'Ja, *senhorzinho*, dat klopt. *Bábá* Epifánia heeft gedaan wat zij moest doen voor de haren.'

'Vuile klotenegerin!' riep Rawlings, terwijl hij haar met zijn zweep sloeg.

'Stop! Hou op!' riep Aristides.

Hij reed naar voren naar de sergeant toen Nô Gonzaga en zijn mannen op de daken van de wagons verschenen. De Qajjafas zaten vijfhonderd meter van de trein in het bos waar de lijn doorheen voerde, toen zij de ruiters zagen aankomen. Terwijl Eduardo de machinist ondervroeg en de andere agenten met de passagiers bezig waren, waren zij van de andere kant naar de trein toe gekomen en hadden stilletjes de wagens beklommen.

Nô, die een treffen wilde vermijden, gaf zijn troepen opdracht om waarschuwingsschoten te lossen over de hoofden van de agenten heen.

'Wij zijn met velen,' zei hij. 'Geef...'

Eduardo da Silva was de eerste die schoot, waardoor hij een slaaf doodde die bij de locomotief stond. Rawlings gaf zijn paard de sporen, opende het vuur en schreeuwde: 'Maak ze af, die klootzakken!'

De Qajjafas en de slaven schoten terug. De passagiers raakten in paniek en vluchtten naar de bomen waar andere slaven tussenuit kwamen, of verscholen zich onder de wagen. Het treffen hield op toen Rawlings zijn wapen had leeggeschoten. Plotseling lieten de agenten het hunne vallen en gingen ervandoor – met uitzondering van Eduardo da Silva, gedood door een kogel in zijn hart.

'Kom terug, lafbekken!' vloekte Rawlings. 'Terugkomen!'

Toen merkte hij dat Aristides over zijn paard lag.

'Da Silva?'

De jongeman, die in de schouder was geraakt, kwam moeizaam overeind.

'Het gaat wel,' kreunde hij.

Nô Gonzaga gaf zijn mannen opdracht op te houden met schieten.

'Uitschot!' riep sergeant Tex terwijl hij zijn lege revolver op hen richtte.

'Wij wilden geen bloed laten vloeien,' zei de leider van de Qajjafas. 'Maar jullie hebben het eerst geschoten. Neem jullie gewonden mee en vertrek... donder op!' herhaalde hij, terwijl hij zijn geweer op Rawlings richtte.

En terwijl Cadmus Rawlings, veteraan van het twintigste infanterieregiment van Alabama, met de *fazendeiro* Aristides Tavares en het lijk van Eduardo da Silva, hoofd van de politie, wegreed, klonk er gejuich van de groep Qajjafas en slaven.

Aristides werd naar het huis van Jolanta dos Santos gebracht, waar een dokter uit Tiberica zijn wond kwam verzorgen. Firmino, door een boodschapper gewaarschuwd, kwam in de vroege ochtend uit Itatinga. Hij trof zijn maîtresse aan het bed van Aristides, die bleek zag omdat hij veel bloed had verloren maar die volgens de dokter niet meer in levensgevaar verkeerde.

'Eduardo...' mompelde de gewonde.

'Ik weet het.'

'Ze waren met te veel, we konden ze niet arresteren.'

'Maak je geen zorgen. Laten we God danken dat hij jou gespaard heeft.'

'Heb je de autoriteiten in São Paulo gewaarschuwd?'

'Ze sturen een detachement naar Tiberica, als dat nog ergens goed voor is.' Nogal wat eenheden van het leger stonden op het punt te weigeren nog langer vluchtende slaven te achtervolgen.

'Eduardo da Silva heeft zijn leven gegeven voor een verloren zaak,' zei Jolanta terwijl ze Aristides' voorhoofd depte. 'God moge ons helpen als wij weigeren dat in te zien.'

Op 19 oktober stuurden de autoriteiten van São Paulo vijftig soldaten om de wegen en paden van de Serra do Mar te blokkeren, met het bevel de vluchtelingen dood of levend terug te brengen. Drieëntwintig slaven, onder wie twee gewonden van het korte treffen bij de trein, werden gevangen en geboeid naar São Paulo gebracht. Maar de andere voortvluchtigen lukte het om een voor een in Santos te komen.

Op 24 oktober zagen de vijfenveertighonderd boslandcreolen die in Jabaquará woonden een vreemde processie door de smalle straten van de *quilombo* gaan. Achter muzikanten die de *berimbau* bespeelden, de *cuica* en andere instrumenten van Afrikaanse oorsprong, draaiden lenige jongemannen in het rond en maakten radslagen terwijl zij de *capoeira* demonstreerden, een geduchte vechtmethode van de slaven. Achter hen aan kwam een kar versierd met gekleurd papier en getrokken door twee ossen, waarin, onder een blauw baldakijn, haar hoofd getooid met een kartonnen kroon, de Koningin van de Vrijheid troonde, zwaar versierd met armbanden, ringen en kettingen die haar door haar bewonderaars waren aangeboden.

'*Viva! Viva Regina!*' riep de menigte.

Het was *bábá* Epifánia, die met een brede glimlach zat te zwaaien met haar vliegenmepper om haar vrije onderdanen te groeten, en die volop van deze glorie genoot.

Op dezelfde dag werd Eduardo da Silva in Tiberica begraven. Na de begrafenis gingen Clóvis en zijn andere zoon Honório, die uit Rio was overgekomen, naar Itatinga, waar Firmino hen uitgenodigd had. De volgende dag wandelden de meester van de *fazenda* en zijn neef in de tuin van het domein. De kolonel van de artillerie liep met zijn achtenvijftig jaren nog steeds kaarsrecht en had nog steeds dezelfde doordringende blik als toen hij het bevel voerde over de batterijen van Acosta Ñu in Paraguay.

'Ik heb de gezichten eens bekeken van een paar mensen die bij de begrafenis waren,' zei hij. 'Er was duidelijk op te lezen dat Eduardo da Silva nog in leven zou zijn als het leger aanwezig was geweest om zijn mannen te helpen. En dat is waarschijnlijk waar. Ik vind het moeilijk dit toe te geven, Firmino, maar ik had het niet graag op mij genomen om jouw slaven te achtervolgen. Zelfs als ze allemaal weer gevangen waren, waar zou dat dan goed voor zijn geweest? Zelfs als het leger zich zou moeten verzetten tegen de afschaffing van de slavernij, wat kunnen twaalfduizend man dan tegen zeshonderdduizend slaven in alle *senzalas*? Onze rijen raken uitgedund, en onze verzoeken om materiaal worden niet in behandeling genomen. Here God! Moeten wij dan al die beledigingen accepteren zonder iets terug te doen?'

Clóvis was lid van de *Clube Militar*, die in het leven was geroepen om het leger te verdedigen en onder leiding stond van maarschalk Deodoro da Fonseca. Bij de volgende vergadering zou de club zijn voorzitter opdragen de Kroon een petitie aan te bieden waarin gevraagd werd het leger vrij te stellen van achtervolging van slaven.

'De keizer kan niet militair denken,' besloot de kolonel.

'Het volk houdt van hem maar begrijpt hem niet,' zei Firmino. 'Pedro's intelligentie straalt over Rio uit, maar buiten de hoofdstad is daar weinig van te merken.'

'Ben jij misschien republikein geworden?' vroeg Clóvis glimlachend want hij kende de monarchistische overtuiging van zijn neef.

'Nog niet.'

'Maar je begint de ideeën van die dromers wel aantrekkelijk te vinden?'

'Nee. Toch zeurt de jonge Aristides me de kop erover gek als hij de kans krijgt.'

Weer glimlachte Clóvis.

'Mijn zoon Honório doet ook zijn best om mij aan te steken. Afschaffing van de slavernij? Keizerrijk, republiek, federatie? Er zal sneller een antwoord op al die vragen komen dan wij denken, neef. En zij die na ons komen zullen de gevolgen ervan dragen.'

Terwijl hun vaders discussieerden deden Aristides Tavares en Honório Azevedo da Silva hetzelfde in een ander deel van de tuin. Geheel anders van karakter dan zijn broer Eduardo, was Honório een van de beste leerlingen van de *Escola Militar* in Rio. Hij was tweeëntwintig, was officier in opleiding en had alle trekken van de Da Silvas, behalve zijn neus, die bij een artillerieoefening gebroken was.

Hij was republikein, en ook een fervent aanhanger van Auguste Comte, wiens positivisme verdedigd werd door majoor Benjamin Constant Botelho de Magalhães, wiskundeleraar aan de *Escola Militar*. De ideeën van Comte – orde en vooruitgang – spraken jonge kadetten als Honório aan, die droomden van een elite van wetenschappelijk gerichte geesten, als leiders van een positivistisch paradijs.

'De monarchie is al jarenlang ziek, Ari,' zei hij. 'En niet alleen vanwege het feit dat de keizer een slechte gezondheid heeft. Er zitten duizenden ambtenaren in Rio maar het lukt ze niet om een zo groot land als Brazilië te besturen. Wij hebben een federaal systeem nodig dat elke provincie in staat stelt vooruitgang te boeken.'

'Geloof jij dat jouw positivisten efficiënter zijn dan anderen die Brazilië willen veranderen? Zullen ze beter slagen dan de dichters die om een republiek in Minas vroegen, honderd jaar geleden?'

'Daar hoorde André Vaz da Silva bij!' zei Honório, waarbij hij doelde op zijn over-overgrootvader.

'Hij is in Afrika in ballingschap gestorven maar veel andere deelnemers aan de *incondifidêncià* hebben nog lang genoeg geleefd om mee te maken dat Pedro I, een Bragança, Brazilië onafhankelijk verklaarde.'

'Een breuk met Portugal, maar niet met het verleden – en niet zonder de sanctie van een koninklijk zegel! In de *Clube Tiradentes*, in Rio, eren wij de nagedachtenis van de Braziliaanse martelaar Silva Xavier, vermoord door de Portugezen, van André Vaz en anderen, die zij in ballingschap hebben laten sterven. De roep van Tiradentes klinkt over die honderd jaar heen...'

'*Libertas, quae sera tamen!*' besloot Aristides.

'Ja, ik ben ervan overtuigd dat wij die roep binnenkort zullen overnemen: "De vrijheid, al is het laat!"'

De tweeëneenhalve maand die verlopen waren sinds de vlucht van de slaven uit Itatinga waren cruciaal voor de abolitionistische beweging, niet alleen in het district Tiberica maar in heel de Zwarte Driehoek: São Paulo, Minas Gerais en Rio de Janeiro. Gewelddadige confrontaties namen toe, vrije slaven en boslandcreolen vielen de gevangenissen aan om gevangen voortvluchtigen te bevrijden, de Cassa Grandes werden belegerd door negers die hun vrijlating eisten.

Begin december 1887 nam de *quilombo* buiten Santos tienduizend vluchtelingen op en het aantal slaven dat in het oerwoud en het achterland verborgen zat was onbekend.

Op 16 december waren Firmino en Aristides in São Paulo bij een vergadering van *fazendeiros* waar, om de oogst van 1888 te redden, besloten werd dat de planters hun slaven een salaris en een arbeidscontract tot 31 december 1890 zouden aanbieden, de datum waarop zij zouden worden vrijgelaten.

Op eerste kerstdag beval Firmino de slaven die in Itatinga gebleven waren zich voor het grote huis te verzamelen. De drieëntwintig vluchtelingen die in oktober weer waren gevangen waren weer naar de *senzala* gegaan, maar er waren ook weer anderen weggelopen en de verplichte vrijlating van twintig negers en mulatten die op leeftijd waren had het aantal slaven teruggebracht tot tweehonderddrie, tegen driehonderdzeventig een half jaar eerder.

De meester van Itatinga hield een korte toespraak en kwam meteen ter zake. Vanaf 1 januari 1888 zouden de slaven een salaris krijgen, waarvan de hoogte begin januari zou worden vastgesteld. De slaven ontvingen het nieuws met gejuich, en gingen toen weer naar hun hutten om Kerstmis en de beloofde vrijheid te vieren.

Aan het eind van de week hadden alle slaven, op drieëndertig na, de Fazenda da Itatinga verlaten.

Op een koude en droge ochtend in april stonden Firmino da Silva en August Laubner voor het station in Tiberica. De apotheker, drieënzestig jaar oud, had nu witte haren en een dito snor. Hij was in de *câmara* verkozen en had zijn zoon Mauricio uitgehuwelijkt aan een dochter uit de familie Mendes, de machtigste clan uit het district na de Da Silvas.

Met het op handen zijnde einde van de slavernij zagen de planters uit São Paulo steeds meer in dat geïmmigreerde arbeiders een oplossing zouden zijn. De aan de nieuwkomers, voor het merendeel Italianen, aangeboden arbeidscontracten waren oneindig veel liberaler dan die welke de Zwitsers in de jaren vijftig waren aangeboden. In 1887 waren er ongeveer dertigduizend Italianen naar de provincie São Paulo gekomen, en alleen al in het eerste kwartaal van 1888 waren er nog eens dertigduizend in Santos aan land gegaan. De *Sociedade Promotora de Imigracão* hoopte het getal van honderdduizend immigranten voor het eind van het jaar te halen.

August Laubner, die niet was vergeten hoe moeilijk zijn eerste jaren in Brazilië waren geweest, interesseerde zich persoonlijk voor het lot van de nieuwe immigranten, en vertegenwoordigde de *Sociedade* in Tiberica. Deze ochtend van 12 april 1888 stonden Firmino en de apotheker op de trein uit São Paulo te wachten, die een tweede groep Italianen naar Itatinga zou brengen. In totaal honderdvijftien zielen, die Aristides Tavares in de hoofdstad had gerekruteerd.

Laubner was meteen naar de streek rond Rio gegaan om te proberen de planters te interesseren voor het werk van de *Sociedade*, en had het met Firmino over zijn missie: 'Wat mij vooral opviel waren de woorden van een oude *fazendeiro*, die Ivo Tupinambá Texeira heette: "Uw plan om Italiaanse bedelaars naar Brazilië te halen noem ik een Paulista-viezigheid, een experiment dat de planters van de provincie te gronde zal richten. De Italianen zullen een paar seizoenen koffie oogsten en gaan dan naar hun land en hun luie leven terug." Voor *senhor* Ivo is de immigratie een grote fout, net als alle pogingen om luie Brazilianen die onze landerijen bezetten om te scholen tot goede arbeiders.'

Terwijl hij naar Laubner luisterde kon Firmino Patrizio Telleni zien, het hoofd van twintig Italiaanse families in Itatinga, die bij de karren stond die de nieuwkomers naar de *fazenda* moesten brengen.

'Ze hebben tijdens het plantseizoen goed gewerkt,' zei hij. 'Samen met die Aristides ons brengt, kunnen we nog iets van deze oogst maken, en God weet dat we dat nodig hebben. Wat betreft de opmerking van Ivo Tupinambá over luie Brazilianen...'

'Hij overdreef.'

'Veel *agregados* uit Itatinga zijn dapper, en veel steken geen vinger uit. Vergis u niet, ik ben voor de Italiaanse immigratie, maar wat gebeurt er met het merendeel van ons volk?'

'De afschaffing van de slavernij geeft iedereen meer kansen om te slagen.'

'Dat is wat de optimisten denken.'

'Bent u dan pessimistisch?'

'Eerder realistisch. Het aantal "luie Brazilianen" wordt iedere dag groter, door de vroegere slaven die geen werk vinden. Zij die het hebben over een paradijs na de afschaffing weten niet waar ze over praten. De afschaffing van de slavernij brengt ons aan de rand van de afgrond.'

August Laubner zette grote ogen op van verbazing.

'U bent wel erg pessimistisch, Firmino, u ziet de verandering wel erg negatief.'

'Laten we zeggen realistisch. De slavernij is nog niet afgeschaft, of ze hebben het al over herverdeling van de grond.'

'Naar wat ik gelezen heb, is het de bedoeling om de staatsgronden open te stellen voor armen en vroegere slaven.'

'Broeinesten van "luie Brazilianen"! Ik ken geen enkele *fazendeiro* die zijn domein zou laten opdelen om stukken ervan aan de eerste de beste weg te geven.'

'Dat slaat helemaal nergens op,' zei Laubner.

'Onze hervormers laten zich bij de neus nemen door de snelle voortgang van die afschaffing en zien de oude Ivo niet, die met zijn geweer op zijn veranda zit. Het zal ze misschien lukken hem ervan te overtuigen dat de afschaffing een goede zaak is, met veel toespraken en bloemen, maar laten ze maar eens proberen om hem een centimeter grond af te nemen!'

'Geen enkele politicus met gezond verstand zou het in zijn hoofd halen om de planters te gaan bedreigen. De keizer begrijpt de gevoelens van de *fazendeiros*.'

'Dat klopt, maar zal zijn opvolger dat ook doen?'

'Ik zie geen reden om daaraan te twijfelen.'

'De kroonprinses opent op 3 mei de zitting van de assemblée, en ik geef je op een briefje, August, dat de slavernij nog voor het eind van de maand wordt afgeschaft, maar verder kan de regering niet gaan, het geduld van de meeste *fazendeiros* is op.'

De beide mannen stonden op toen ze de trein hoorden aankomen.

'Goed, nu moeten we eerst onze Italianen ontvangen,' zei Laubner. 'Honderdvijftien mannen, vrouwen en kinderen die voor de oogst komen.'

Toen de locomotief stopte hielden de Italianen, die in de eerste drie wagens zaten, eerst een poosje hun mond, toen begonnen ze druk te praten met Patrizio Telleni en andere landgenoten uit Itatinga. Aristides Tavares, die op het balkon van een van de wagons stond, groette Firmino en Laubner toen hij uit de trein stapte.

'Geen honderdvijftien,' zei hij even later. 'Honderdzeventien, er is vannacht een tweeling geboren.'

'Waar dan?' vroeg Laubner meteen.

'In de derde wagon.'

Terwijl de apotheker snel naar de wagon ging stroomden de immigranten over het perron. Firmino liep langs de trein, Patrizio Telleni schreeuwde zijn landgenoten toe aan de kant te gaan. De planter zag de beschaamde blik van een oude man met zilveren haren, de bittere blikken van een jonge boer, het energieke gezicht van een vrouw die een baby in haar grote handen hield, en de dromerige blikken van een jongetje op blote voeten.

August Laubner verscheen bij een van de vensters van het derde rijtuig.

'De moeder moet eerst maar bij mij rusten voordat ze naar Itatinga gaat,' zei hij.

'Zeker,' antwoordde Firmino. 'En de baby's?'

'Jongens. Twee reuzen!' riep de apotheker uit. 'Dit is de gelukkige vader.'

Patrizio Telleni kwam dichterbij, riep een man, een reus van twee meter, en vroeg hoe hij heette.

'Pietro Angelucci,' antwoordde die. 'Goede morgen, *signors*.'

'Welkom in Tiberica, Pietro Angelucci,' zei Firmino da Silva. 'Itatinga is jouw thuis, voor jou en je beide zonen.'

'Twee Brazilianen,' voegde Aristides eraan toe, 'die het geluk hebben geboren te zijn aan de vooravond van onze bevrijding!'

Op 13 mei 1888, tien dagen nadat prinses Isabel – de regentes van de keizer, die nog in Europa was – de zitting van het parlement had geopend, werd de wet tot afschaffing van de slavernij door beide kamers aangenomen. Het nieuws werd meteen per telegraaf door het hele land verspreid, naar Rosário, naar Pernambuco, naar Tiberica, naar de provincie São Paulo.

Clóvis Lima da Silva vloekte vanwege de regen die de modder rond zijn laarzen deed opspatten en langs zijn rubberen poncho stroomde. Hij zat onder de insektenbeten, zijn arm deed zeer van de reumatiek en hij had in dagen geen echte maaltijd gehad. Na drie weken lopen dwars door de Mato Grosso, in augustus 1889, zag de colonne onder bevel van Da Silva eruit als een eenheid die zich terugtrok, met karren en kanonnen die in de modder vastzaten.

In januari 1889 stonden Paraguay en Bolivia op het punt elkaar de oorlog te verklaren wegens uiteenlopende aanspraken op een deel van de Chaco. Maarschalk Manuel Deodoro da Fonseca en verschillende eenheden uit Rio, onder wie die van Clóvis, hadden bevel gekregen om naar Corumbá te gaan, om het garnizoen ter plaatse te versterken en de verdere ontwikkelingen in de gaten te houden. Vijftienhonderd kilometer ten noordwesten van Rio Corumbá aan de Rio Paraguay, de grens tussen Bolivia en Brazilië. De gespannen verhouding tussen Paraguayanen en Bolivianen was ten slotte verbeterd maar bij de soldaten uit Rio was na acht maanden in de Mato Grosso weer een diepe vijandschap ten opzichte van de 'witte boorden' ontstaan, de politici die hen zover naar het westen hadden gestuurd.

Toen ze, drie weken eerder, opdracht kreeg terug te komen, was de colonne van Clóvis op weg gegaan naar São Paulo, langs paden die vaak de rivieren volgden die Benedito Bueno da Silva tijdens zijn prachtige reizen had gevolgd. Maar er was niets roemrijks aan deze terugtocht door wat de soldaten eenvoudigweg 'de hel' noemden. Over meerdere honderden kilometers had de colonne door moerassen vol kaaimannen adders geploeterd, was vervolgens door woestijnen of dichtgegroeid oerwoud getrokken, zoals waar ze nu in vastzaten, niet ver van de grens tussen Mato Grosso en de provincie São Paulo.

Een van de officieren van Clóvis, verbitterd geworden door de ontberingen, had de vorige dag, toen zij hun kamp voor de nacht opsloegen, gezegd: 'Ik zie ze door de straten van Rio lopen, die "witte boorden", terwijl wij lopen te ploeteren.'

'Wij hebben nog een appeltje met ze te schillen,' had Clóvis gezegd.

'Jazeker, kolonel. Dit keer zijn ze toch echt te ver gegaan.'

De vijftien maanden die waren verlopen sinds de slavernij afgeschaft was waren een periode van groeiende onzekerheid geweest in het hele land. Verschillende vroegere eigenaren van slaven hadden, omdat de regering weigerde hen schadeloos te stellen, zich bij de republikeinen geschaard, maar het merendeel van hen had gewoon zijn steun aan de monarchie opgezegd. Duizenden slaven gingen naar hun plantages terug en namen genoegen met het loon dat hun geboden werd. Anderen, de meerderheid, voegden zich bij de massa van miljoenen armen die nog minder rechten hadden dan vóór de afschaffing.

De keizer, terug uit Europa, voelde zich beter maar kon nog niet een situatie in de hand nemen die alsmaar erger werd. In de ogen van zijn onderdanen leed het absoluut geen twijfel meer dat de regeerperiode van Pedro op haar einde liep.

De republikeinse propagandisten alarmeerden het volk met geruchten volgens welke de graaf van Eu, Isabels man, van plan was achter de schermen de troon te gaan beheersen te worden. Er waren nu ongeveer tweehonderdvijftig republikeinse clubs – waarvan de meest invloedrijke, de *Clube Tiradentes*, behoorlijk wat aanhang kreeg in de zuidelijke koffieprovincies – en meer dan zeventig opruiende republikeinse kranten en bulletins. Toch behaalden de republikeinen, ondanks hun aanhang, slechte resultaten bij de verkiezingen.

Een factie van de republikeinse partij en haar pers lonkte sinds het begin van de 'militaire kwestie', zoals de conflicten tussen het leger en de regering werden genoemd, naar het leger. Deze republikeinen, bewust van hun electorale onmacht, meenden, net als de met hen bevriende officieren, dat alleen een revolutie de stervende monarchie de genadeslag kon toebrengen. De publieke opinie onder de Brazilianen neigde er echter toe om Pedro zijn regering te laten afmaken, om pas daarna te beslissen over het lot van prinses Isabel en haar echtgenoot.

In Corumbá had kolonel Clóvis da Silva maanden gehad om over deze vraagstukken na te denken. Maar ondanks zijn woede bleef hij de Kroon trouw. Als hij het had over appeltjes die nog geschild moesten worden, dacht hij alleen aan de politici die het leger constant beledigden. Hij wist dat zijn zoon Honório bij de positivistische kliek van officieren hoorde die voorstander was van een revolutionaire oplossing. Ze konden kletsen tot ze ademnood kregen! Zonder de steun van maarschalk Deodoro en oudere officieren zoals hijzelf, zou er geen revolutie plaatsvinden.

In Tiberica had *senhor* Firmino Dantas da Silva niets te klagen. Van mei tot juli hadden meer dan zeshonderdduizend struiken, die volgroeid waren geraakt, de rijkste oogst gegeven die de *fazenda* ooit had voortgebracht. In augustus waren aan de struiken die afgeoogst waren de eerste witte bloemen verschenen die de triomftocht van de koffie inluidden, de ware meester van de gronden en de mensen in het zuiden van Brazilië.

De Paulista-*fazendeiros* die net als Firmino nog voor de afschaffing van de slavernij arbeidskrachten hadden ingeschakeld, waren vanzelfsprekend beter voorbereid op de gevolgen ervan dan de planters die tot 13 mei hadden gewacht. In Itatinga hadden de Da Silvas hun tweehonderdzeven Italianen verdeeld over twee kolonies, waar de immigranten hun hut van pleisterkalk en hun eigen stukje grond hadden. Na afloop van het jaarcontract mochten ze zich vrij gaan vestigen in een stad of op een andere plantage, maar tot nu toe was er nog niemand weggelopen uit Itatinga, behalve een laarzenmaker, die werk in Tiberica had gevonden.

De Italianen werden betaald per duizend struiken, en kregen om allerlei redenen boetes opgelegd, als ze te laat waren, dronken waren, of te wreed met hun vrouwen omsprongen. Firmino bestudeerde elk geval met zorg, voorgelegd door een administrateur die voor de zaken van de *colonos* moest zorgen.

De pachtboeren en de landbezetters, onder wie ook vrijgelaten slaven, werden minder welwillend behandeld. Zwervers en oproerkraaiers werden snel van de *fazenda* verwijderd. Cesar, de rentmeester, die nu een ploeg *agregados* en vroegere slaven leidde, verkocht nog wel eens een optater aan een voormalige slaaf die zijn geduld te zeer tartte.

Onder een veranderend regime dat beloofde de uitgestrekte bezittingen van de grootgrondbezitters onaangeroerd te laten, had Firmino dus alle reden om het leven optimistisch te bekijken. Zijn oudste zoon Evaristo, negentien jaar oud, vervolgde zijn studies aan de faculteit der rechten in São Paulo, zoals zijn vader dat op zijn leeftijd ook had gedaan. João, de jongste, zat op kamers in de hoofdstad en Delfina was een knappe dochter van achttien, misschien een beetje dik omdat zij, net als haar moeder, erg van snoepen hield. Dona Carlinda zelf werd nog steeds dikker, en haar bovenlip tooide zich met een laagje dons. Zij aanvaardde zwijgend de ontrouw van haar man, als een kruis dat zij moest dragen.

Firmino bracht steeds meer tijd door met Jolanta dos Santos, in het huis in de rua Riachuelo, waar hij vree met een hartstocht waarvan hij vroeger geloofde dat die hem voor altijd ontzegd zou zijn. Op de avond van 23 augustus 1889, op de eenendertigste verjaardag van zijn maîtresse, gaf hij haar een prachtig collier met negen smaragden, versierd met diamanten, om de negen jaren te vieren die zij samen hadden doorgebracht.

'Ons land wordt een puinhoop,' verklaarde Aristides Tavares. 'Hoe langer wij wachten met het volgen van onze ware bestemming, des te hoger zal de prijs zijn die wij moeten betalen.'

Hij zweeg in afwachting van de reactie van Firmino en Clóvis, die bij hem in een van de salons op de eerste verdieping in Itatinga zaten. Twee dagen eerder, op 7 september 1889, was de colonne uit Mato Grosso in het district aangekomen. De mannen van Clóvis waren verder getrokken naar São Paulo, maar de kolonel was naar de *fazenda* gegaan, waar hij een flink deel van de dag had doorgebracht met het luchten van zijn woede. En de zenuwachtige manier waarop hij thans zijn sigaar zat te roken, na het eten, verried dat hij nog helemaal niet rustig was geworden.

'De prijs zal net zo zwaar zijn, jonge vriend, als wij ons laten meeslepen door idealen die slechts illusies zijn,' antwoordde hij ten slotte.

'Met alle respect, kolonel, de Verenigde Staten van Brazilië zijn geen utopische visie.'

'En wat denk jij dan van al de Sauls die door de afschaffing bekeerd zijn, duizenden slavenhandelaren die republikein worden om zich te wreken? Tot 13 mei waren zij de beste vrienden van de keizer. Wat voor idealen hebben zij, behalve hun eigen belangen? Steunen zij jullie nog als jullie republiek niet loopt zoals voorzien was?'

'De natie is in principe republikeins.'

'Geklets!'

Firmino schoot Clóvis te hulp en zei: 'Twee republikeinse gedeputeerden in het parlement, dat is niet erg overtuigend.'

Liberalen en conservatieven hadden praktisch alle zetels bij de verkiezingen van augustus 1889 in de wacht gesleept.

'De verkiezingen waren een blijk van aanhankelijkheid aan de keizer, die trouwens net aan een aanslag ontsnapt was,' antwoordde Aristides.

Clóvis blies een wolkje rook uit.

'Het betekende veel meer dan dat,' antwoordde hij. 'De natie is niet rijp voor een republiek. Hebben jullie enig idee wat een succesvolle opstand tegen de monarchie met zich mee zou brengen? We hebben een massa analfabeten die in de grootste verwarring zou worden gebracht.'

'Precies! Het merendeel van de Brazilianen is half barbaars,' bevestigde Aristides. 'Zij vegeteren en sterven zonder het land iets te geven. Dat is de erfenis van het keizerrijk.'

'We hebben veertig jaar intern vrede gehad,' bracht Firmino hiertegenin.

'Geloof jij dan dat jouw half barbaarse Brazilianen zonder de monarchie nog steeds vredig met elkaar samen zouden leven, volgens het devies "orde en vooruitgang", waar mijn zoon Honório de mond zo vol van heeft?' vroeg Clóvis.

'Ja, kolonel. Ik geloof in een verenigd Brazilië,' antwoordde Aristides. 'Wij zijn een verenigd volk – door taal, door ras, door religie. Onze voorouders hebben gestreden tegen de Fransen, de Hollanders, de Spanjaarden en ten tijde van Tiradentes stonden wij op het punt om zelfs de Portugezen te gaan bestrijden.'

'André Vaz da Silva dácht dat wij klaar waren,' verbeterde Clóvis. 'Net als jouw republikeinen, die denken dat de tijd rijp is om de monarchie omver te werpen. "De vrijheid, ook al is het laat!" beloofde de Kiezentrekker, maar de trieste waarheid is dat niemand naar hem wilde luisteren. Vraag maar aan de massa van het volk wat die verstaat onder "vrijheid" of "democratie". Dan krijg je duizend verschillende antwoorden, en niet één heeft wat om het lijf. Toegegeven, onze politici dragen bij tot de verwarring, maar ik houd vol dat de situatie zonder Dom Pedro aan de macht nog veel erger zou zijn geweest.'

'Dom Pedro heeft niet het eeuwige leven.'

'Dat is nu juist het probleem.'

'Alles gaat snel,' zei Firmino. 'Een paar fouten kunnen het land in de afgrond storten.'

'Het lijkt mij dat ik dat ook al eens gehoord heb toen de slavernij nog afgeschaft moest worden,' antwoordde Aristides. 'De toekomst van ons land staat op het spel, en wij moeten de moed hebben iets te doen.'

'En de consequenties te dragen,' voegde Clóvis eraan toe.

Maar Aristides leek niet overtuigd en zei: 'Wij moeten niet voor onszelf handelen, maar voor de toekomst van Brazilië.'

Op de avond van 9 november was de hemel licht bewolkt en vreemd gevormde flarden trokken langs de maan. In de verte waren het Suikerbrood en de lage heuvel van Urca te zien. Andere donkere toppen staken boven de met gaslantaarns verlichte straten van Rio de Janeiro uit. Vanaf de kade van de Praça de Dom Pedro II, de vroegere Praça Palácio, en van andere kades vertrokken tientallen schuiten naar het Ilha Fiscal, een eiland dat tegenover het oude plein lag. Hun lantaarns dansten als vuurvliegjes over de wateren van de baai van Guanabara. Als ze in de buurt van het eiland kwamen leken de schuiten opeens heel klein in vergelijking met de drie kruisers – de *Riachuelo*, de *Aquidaba* en de *Almirante Cochrane* – die voor de rede van Fiscal lagen, geheel verlicht.

Achter de kade waar de sloepen hun passagiers losten werd een brede, geplaveide laan nog feller verlicht door de ramen van een balzaal. Baronnen, burggraven, markiezen – de bovenlaag van de Braziliaanse aristocratie – kwamen naar het eiland om feest te vieren met de financiële elite van de stad.

Een leger in livrei gestoken lakeien bediende de vierduizend genodigden voor wie onder andere vijfhonderd kalkoenen, dertienhonderd kippen, vierenzestig fazanten, driehonderd kisten wijn en andere drank gereed stonden. Een paar orkesten losten elkaar af en speelden akkoorden die wegstierven boven de baai.

De gastheer van deze gargantueske receptie was zijne keizerlijke majesteit, die een bal gaf ter ere van de commandant en de officieren van de *Almirante Cochrane*, een Chileens oorlogsschip. Overal waren de uniformen van de Chilenen en hun collega's van de keizerlijke Braziliaanse marine te zien. De landmacht werd daarentegen slechts vertegenwoordigd door een veertigtal officieren, van wie er meer zouden zijn gekomen als zij niet zo'n hekel aan de witte boorden hadden gehad, die ook in groten getale uitgenodigd waren.

Ongelooflijk, dacht Aristides Tavares. De aristocratie van een wankelend keizerrijk stond grapjes te maken en te wachten op de keizer, alsof de toekomst van haar was. Hij keek naar zijn vrouw Anna Pinto, elegant als een prinses in een roze jurk uit Parijs. Wat zie jij er mooi uit, dacht hij. En zo echt, te midden van die ijdele praal!

Aristides en Anna zouden de nacht doorbrengen in het huis van Clóvis, in de buitenwijk Flamengo. De kolonel hoorde nog steeds bij de officieren die de keizer trouw bleven, maar na de fanatieke verklaringen van Honório wist Aristides Tavares dat het leger al lang in opstand zou zijn gekomen, als mannen zoals Clóvis en maarschalk Deodoro da Fonseca dat niet tegenhielden.

Dezelfde dag was luitenant Honório da Silva naar een vergadering van de *Clube Militar* geweest waar honderdvijftig officieren gediscussieerd hadden over de laatste belediging die zij hadden moeten verdragen. Luitenant-kolonel Benjamin Constant Botelho de Magalhães, een positivistische leraar met republikeinse sympathieën, had de regering ervan langs gegeven in een toespraak tot de bezoekende Chilenen, op 25 oktober. De kadetten en de officieren die hadden geapplaudisseerd waren berispt en de regering had verklaard dat het tweeëntwintigste bataljon op 10 november naar de Amazone zou vertrekken. Tijdens de vergadering van de *Clube* was Benjamin Constant de Magalhães expliciet opgedragen genoegdoening te verkrijgen van de witte boorden. Dit kwam erop neer dat hij de revolutie moest organiseren.

In het feeërieke decor van het Ilha Fiscal stelden de meeste edelen en politici zich gerust met de gedachte dat het keizerrijk eerdere republikeinse tendensen en andere blijken van ontevredenheid had overleefd, en waren er vast van overtuigd dat de monarchie eens te meer ongeschonden uit de strijd zou komen.

Om tien uur precies ontscheepten de keizer en zijn gevolg zich op het eiland, onder luid gejuich van de menigte. Aristides en Anna, die bij de ingang van de balzaal stonden, zagen de genodigden uiteenwijken om doorgang te verlenen aan Dom Pedro en Dona Theresa, gevolgd door prinses Isabel en de graaf van Eu.

De keizer liep enigszins gebogen. Hij was het toonbeeld van de majesteitelijke vader, met zijn prachtige witte baard. Hij liep de grote zaal in en struikelde over de lange rode loper die uitgerold lag voor de ingang. Verschillende mensen schoten hem te hulp en Aristides, ook al was hij fel tegenstander van de monarchie, vond dit toch een trieste vertoning.

Rodrigo Cavalcanti, de *barão* van Jacuribe, was een van de mensen die de keizer te hulp schoten. Toen de planter hem bij de arm pakte verklaarde Dom Pedro luchtig: 'De monarchie is uitgegleden, baron, maar zij is niet gevallen.' Vervolgens liep hij de balzaal door. Rodrigo glimlachte, en ging terug naar zijn vrouw Josepha en zijn zoon Gilberto.

Het was nu drie jaar geleden dat *senhor* Cavalcanti en zijn vennoten de raffinaderij van Jacuribe hadden gesticht. De *usina*, die vanaf het begin een succes was, verwerkte nu het suikerriet van alle domeinen uit de beide dalen. Ondanks de aandrang van zijn broer Fábio, had Rodrigo de *senzala* van Santo Tomás aangehouden tot de ochtend van 14 mei 1888, de datum waarop een telegram in Rosário aankwam, en de Gouden Wet afkondigde.

De baron was in Rio om over nieuwe leningen te onderhandelen want ondanks het succes van de raffinaderij waren de winsten laag, omdat de prijs van het suikerriet daalde. Hij was met Dona Josepha naar zijn zoon Gilberto en diens vrouw Nadina gegaan. De planter was trots op de carrière van Gilberto, maar voelde meer voor Duarte, die hij als de bewaker van de familietraditie zag, de toekomstige *usineiro*, de moderne versie van de molenaar. Onderweg van Recife naar Rio hadden de baron en zijn vrouw Bahia aangedaan om de jonge Celso op te zoeken, die aan het seminarie van Salvador studeerde.

Rodrigo vond de sfeer in de hoofdstad zorgwekkend.

'Waarom aarzelt de regering?' vroeg hij aan Gilberto, een even fanatiek monarchist als zijn vader. 'Ouro Preto moest al die anarchisten laten arresteren voordat het te laat is.'

De burggraaf van Ouro Preto, Afonso Celso de Assis Figueiredo, was de eerste minister van het liberale kabinet.

'Hij moet voorzichtig zijn, om niet de lont in het kruitvat te gooien,' antwoordde Gilberto. 'De Magalhães loopt overal met een brandende fakkel rond.'

'Maar Ouro Preto kan een beroep doen op de nationale garde.'

'Zover komt het niet.'

'Ze hadden de wacht al lang moeten versterken. Eén Krupp-batterij zal De Magalhães wel doen nadenken voordat hij zijn mond opentrekt.'

'Ze zouden ze gauw tot bedaren hebben gebracht,' voorspelde Gilberto. 'Het leger blijft de keizer wel trouw.'

De baron van Jacuribe bleef geloven dat zijn zoon het bij het rechte eind had. Zelfs zijn broer Fábio, die oplettender dan hij de gebeurtenissen volgde, dacht dat het leger het belang van het land zou laten prevaleren. Dr. Fábio had Rodrigo ook gerustgesteld wat betreft de republikeinen die de middenstand van Recife infiltreerden. Door resoluut optreden kon de monarchie zich schikken in de meeste hervormingen die door de republikeinen werden voorgesteld, inclusief het toekennen van een grotere autonomie aan de provincies. Dat luchtte Rodrigo op, want alles was beter dan een republiek, vooral een republiek die onder leiding zou staan van Paulistas en *Mineiros*, de ergste oproerkraaiers.

Op donderdag 14 november 1889, aan het eind van de middag, zag Aristides Tavares zijn beide neven even bij Clóvis da Silva. Voor Honório was er maar één oplossing mogelijk: revolutie. De jonge luitenant was ingedeeld bij het 11de regiment artillerie, en had maandagavond gezworen alle orders van luitenant-kolonel De Magalhães op te zullen volgen. Deze, en de officieren uit zijn omgeving, waren sindsdien in het offensief gegaan om hun superieuren die de Kroon nog trouw waren te overreden. Met een kleine groep republikeinse politici die een gewapende opstand ondersteunden, verspreidden De Magalhães en zijn aanhangers geruchten volgens welke verschillende regimenten ver van Rio gestuurd werden. Daardoor ontstonden weer geruchten als zou Dom Pedro besloten hebben af te treden bij zijn volgende verjaardag, ten gunste van prinses Isabel, en als zou maarschalk Da Fonseca binnenkort op last van eerste minister Ouro Preto gearresteerd worden.

De vorige dag had Honório da Silva Aristides in het geheim een Smith & Wesson pistool gegeven.

'Hou dat altijd bij je,' had hij gezegd. 'Het lijkt misschien alsof Rio slaapt, maar over een paar dagen worden de Cariocas wakker. Jazeker! Heel Brazilië zal wakker worden uit de slaap van de monarchistische onderdrukking.'

Na verloop van dagen, na vergaderingen bij maarschalk Deodoro da Fonseca, had ook Clóvis stelling genomen voor de opstandelingen, weliswaar met een ander doel. Dat onderstreepte hij nog eens tegenover de beide jongelieden tijdens hun korte ontmoeting op die donderdagmiddag, vlak voordat de kolonel en zijn zoon naar hun eenheid vertrokken.

'Honório, jij moet een van de meest vervelende opdrachten vervullen die een soldaat kan krijgen, voor het welzijn van het land,' zei Clóvis.

'Dat begrijp ik heel goed, vader.'

'Ik vraag me alleen af of jullie beiden begrijpen wat dit offer betekent. Dat hoop ik maar. Maarschalk Da Fonseca stuurt aan op een confrontatie met Ouro Preto. De eerste minister en de witte boorden moeten weg. Dat is alles. De maarschalk zal geen enkele actie van ontrouw tegenover zijne majesteit tolereren.'

'Ja, kolonel,' zei Honório stijfjes.

'Wij willen een regering die de waardigheid van het leger herstelt – van het keizerlijke leger – dat er is om Dom Pedro te dienen. Dat is alles wat de maarschalk wil, onze militaire instellingen verdedigen, niet ze vernietigen.'

Hij wendde zich tot Aristides en voegde eraan toe: 'Jullie republiek komt er ooit nog wel eens, maar dit keer nog niet.'

'Ja, kolonel,' antwoordde de jongeman slechts.

Clóvis verliet het vertrek om naar zijn kamer te gaan, waar hij knielde en tot God bad. Toen hij weg was zei Honório tegen Aristides: 'Ik heb eerbied voor mijn vader. Ik geloof ook wel dat hij gelijk heeft, maar denk jij ook dat het blijft bij een blijk van macht?'

'Misschien, maar dat is niet erg waarschijnlijk. Als jullie eenmaal de kazernes uit zijn, is de muiterij een feit.'

'Een week geleden wilden maarschalk Da Fonseca en mijn vader nog niets met ons te maken hebben. Nu Ouro Preto dreigt de maarschalk te zullen arresteren en de Guarda te zullen roepen om ons in de kazernes te houden, zien zij in dat er maar één oplossing is, namelijk het vertrek van Ouro Preto. Maar wat gebeurt er daarna?'

'De toekomst is in de handen van de goden.'

'En in die van Benjamin Constant de Magalhães.'

De revolutie van 15 november was in veel opzichten opmerkelijk. De stervende dynastie van de Braganças werd weggevaagd zonder dat er veel schoten werden gelost.

Op donderdagavond vertrok Honório naar zijn eenheid. Clóvis ging naar maarschalk Da Fonseca die de hele avond bezoek kreeg van opstandige officieren terwijl de regimenten in Rio zich voorbereidden op muiterij.

De keizer en de keizerin waren in hun zomerverblijf in Petropolis, zestig kilometer buiten de hoofdstad. Op 15 november, om vier uur 's morgens, ontving zijne majesteit een telegram van Ouro Preto waarin hij op de hoogte werd gesteld van het feit dat eenheden van het leger op het punt stonden te gaan muiten. Dom Pedro zag geen reëel gevaar in wat hij beschouwde als een minderheidsfactie en nam zijn gebruikelijke koude bad alvorens naar de mis te gaan.

Om acht uur ging Da Fonseca, die hoge koorts had, met zeshonderd man naar het hoofdkwartier van Campo de Santana. De maarschalk had iets van een terrier, wat nog onderstreept werd door zijn uitwaaierende baard. Getrouw aan zijn woord voerde hij de rebellie aan onder de keizerlijke vlag, en onder betuigingen van trouw aan zijne majesteit. Met Clóvis da Silva en andere officieren marcheerde hij naar het hoofdkwartier, waar burggraaf Ouro Preto en verschillende van diens ministers hun toevlucht hadden gezocht.

'Verwijder ze!' eiste de eerste minister van generaal Floriano Peixote, de commandant van het garnizoen van het hoofdkwartier. 'Neem hun kanonnen in beslag!'

Peixote weigerde te gehoorzamen en zei: 'De kanonnen waartegen ik in Paraguay moest vechten waren die van de vijand. Die ik nu tegenover mij zie zijn Braziliaans.'

De situatie zat dus in een impasse toen de minister van Marine in het hoofdkwartier van het leger kwam. De marine zelf steunde de rebellie maar haar minister, de baron de Ladário, werd erdoor verrast. Toen hij uit zijn rijtuig stapte, voor de kazerne, werd hem duidelijk gemaakt dat hij gearresteerd was. De baron trok zijn revolver en schoot op de opstandige officieren, die terugschoten en hem verwondden.

Na dit korte vuurgevecht gooide Floriano Peixote de deuren van het hoofdkwartier open voor de maarschalk en zijn aanhangers, die er binnendrongen terwijl zij weer leuzen riepen ten gunste van de keizer. Nadat hij het ontslag van Ouro Preto had geëist en had gegarandeerd het gezag van zijne majesteit te zullen respecteren, liep Da Fonseca met zijn troepen door de stad, op weg naar het arsenaal van de marine, waar zij hartelijk werden ontvangen door officieren en matrozen die aan de muiterij deelnamen. Tegen het einde van de ochtend ging de maarschalk naar huis omdat hij nodig naar bed moest. Wat hem betrof was de revolutie afgelopen.

Om één uur 's middags kwamen de keizer en Dona Theresa uit Petropolis en gingen naar het paleis waar in de koloniale tijd de onderkoningen zetelden. Om drie uur kwamen ook prinses Isabel en de graaf van Eu, en Dom Pedro begon te luisteren naar de vele waarschuwingen die tot hem gericht werden. Hem werd aangeraden om naar Petrópolis terug te gaan, of zich nog verder in het achterland terug te trekken om een regering te vormen waar zijn trouwe onderdanen zich achter konden scharen. Maar het leek alsof het oude paleis van de onderkoningen een wereld op zich was geworden, want buiten riep een waanzinnige menigte victorie.

Om drie uur kreeg een groep republikeinen de *câmara* in het stadhuis zover dat zij een motie aannam waarin een federale republiek
werd uitgeroepen: *Os Estados Unidos do Brasil*.

Aristides stond voor het stadhuis toen de republiek werd uitgeroepen.
Het nieuws werd met luid gejuich ontvangen en enkele duizenden kelen zetten spontaan de *Marseillaise* in.

De jongeman werd door de menigte meegesleept toen bekend werd
dat de overwinnende republikeinse delegatie op weg was naar Deodoro da Fonseca om hem de functie van voorlopig staatshoofd aan te
bieden. Voor het huis van de maarschalk zocht Aristides tevergeefs
naar Clóvis, maar hij herkende verschillende mensen die naar binnen
gingen, waaronder Benjamin Constant de Magalhães, de abolitionistische leider José de Patrocinio en de journalist en politicus uit Bahia
Rui Barbosa. Deze, zonder twijfel de meest vooraanstaande figuur
die had bijgedragen tot het omverwerpen van de monarchie, was enkele dagen eerder naar het republikeinse kamp overgelopen, een beslissing die hem de portefeuilles van Justitie en Financiën opleverde.
Om zeven uur 's avonds was de vreugde voor het stadhuis algemeen,
toen aangekondigd werd dat de maarschalk de voorlopige regering op
zich had genomen.

Ondanks de vreugde van de menigte die samengedrongen was in de
buurt van het Campo de Santana, zweefde de stemming van de Cariocas tussen onverschilligheid en verwarring. Edelen, die de tonen van
de *Marseillaise* hoorden, bereidden zich voor op het ergste en barrica-
deerden zich in hun paleizen. Zwarte en halfbloed burgers uit de stad
herinnerden zich hun eigen vrijheid, die zij pas hadden verworven, en
die zij meenden aan prinses Isabel te danken te hebben. Het gerucht
volgens welk de keizer en zijn familie voorgoed uit Brazilië verbannen
zouden worden, bracht de vrijgelaten slaven in verlegenheid. Hier en
daar begonnen sommigen te roepen om steun aan de geliefde prinses.

Tot middernacht zwierf Aristides door de stad in de hoop een van
zijn neven te zullen treffen. Het was bijna één uur toen hij terugkwam
in Flamengo. Terwijl hij het bordes opliep glimlachte hij, toen hij
moest denken aan zijn Smith & Wesson die hij in zijn zak voelde en
die hij geen moment nodig had gehad. Hij wilde naar binnen gaan
toen hij rook zag op de veranda.

'Kolonel?'

'Ja, Aristides, ik ben het,' antwoordde Clóvis, die in een van de
rotanstoelen zat.

De jonge luitenant liep verbaasd naar hem toe.

'Ik dacht al een paar dagen dat Deodoro dat zou aannemen,' zei de officier. 'Ik twijfel niet aan de oprechtheid van zijn drijfveren. De Magalhães en Rui Barbosa beweren ook al bij hoog en bij laag dat het gaat om het belang van het land. Ik twijfel niet aan hun patriottisme, maar ik ben niet zo blij als zij.'

Hij trok aan zijn sigaar, een lichtend puntje in de duisternis.

'Vandaag is het feest. Ik vraag me alleen af wat er morgen zal gebeuren, als Brazilië de realiteit van jullie republiek zal meemaken,' besloot hij.

'Wat er vannacht is gebeurd was niet te vermijden,' verklaarde Aristides.

'Dat hadden we kunnen verwachten, dat zei Deodoro een paar dagen geleden ook al. We hadden meer tijd nodig gehad om de overgang voor te bereiden.'

Aristides wist dat de maarschalk en zijn omgeving in feite geen keus hadden gehad. Hij had Clóvis graag willen overhalen tot zijn eigen optimisme, maar de kolonel mompelde: 'Laat me nu maar met rust.'

'Welterusten. Ik beloof u dat ons vaderland welvarend zal worden.'

'Ik zou je graag geloven.'

Honório da Silva deelde absoluut de twijfel van zijn vader niet, zoals hij Aristides twee dagen later liet blijken, toen ze tegen twee uur 's ochtends op het oude plein voor het paleis stonden. De vorige dag had de keizer te horen gekregen dat hij verbannen werd en dat hij vierentwintig uur kreeg om Brazilië met zijn familie te verlaten. Het vertrek was vastgesteld op zondagmiddag, maar de officieren van het leger, die bang waren voor een volksbeweging ten gunste van de keizerlijke familie, hadden geëist dat het eerder zou plaatsvinden en dat Pedro middenin de nacht zou vertrekken. De monarch had dat aanvankelijk geweigerd, maar de officieren hadden voet bij stuk gehouden.

Honório en een deel van zijn eenheid hadden stelling genomen op een *praça* in de buurt van het oude paleis, sinds 16 november omsingeld door een regiment cavalerie. Honório kende een van de officieren die het gebouw moesten bewaken, en had voor hemzelf en Aristides toestemming gekregen om erheen te gaan. Zo stonden ze in de stromende regen te wachten.

Even voor drieën kwamen de eerste leden van de keizerlijke familie, onder wie prinses Isabel en de graaf van Eu, uit het paleis, en werden naar de kade gebracht. Even later staken ook de keizer en de keizerin in een rijtuig het plein over. Ondanks de stromende regen zagen Honório en Aristides duidelijk hunne majesteiten in het licht van de gaslantaarns van de kade.

'Wat jammer dat het zo moet aflopen,' zuchtte de *fazendeiro* toen een van de hofdames de keizerin hielp knielen, zodat zij de grond kon kussen.

'Laat ze naar de duivel lopen!' bromde zijn neef. 'Kijk maar eens naar dat sombere, natte plein. Op deze zelfde plek liep onze martelaar voor de vrijheid naar het schavot. Wat voor medelijden had koningin Maria toen voor Tiradentes?'

Aristides rilde.

'*Alferes* Silva Xavier ziet het misschien wel...'

'Vast en zeker!' antwoordde Honório, met een kort lachje. 'Honderd jaar geleden heeft hij de fakkel aangestoken die in deze donkere nacht de gehele Verenigde Staten van Brazilië verlicht!'

Op 24 november voer het passagiersschip *Alagoas*, dat de Braganças naar hun ballingschap voerde, langzaam voorbij het eiland Fernando do Noronha, het laatste Braziliaanse grondgebied tweehonderd mijl uit de kust. Toen de omtrekken ervan begonnen te vervagen, stelde de kleinzoon van de keizer, veertien jaar oud, voor dat een van de postduiven van het schip een laatste boodschap naar het vaderland zou brengen. Staande op de brug, met zijn witte haren wapperend in de wind, mompelde zijne majesteit '*saudade*', een woord dat een diepe melancholie uitdrukt.

'*Saudades do Brasil*,' schreef de jongeman op het stukje papier dat de hele familie tekende.

De duif werd losgelaten met de boodschap aan haar poot, en de ballingen keken haar na tot zij achter de horizon verdween.

XXI

Juni 1897 – december 1906

Het gekraak van zijn leren zadel en het geluid van de hoeven op de steengrond verstoorden amper de stilte toen Clóvis da Silva zijn paard naar de soldaten leidde. Zij gingen aan de kant, stelden zich in twee rijen op naast een majesteitelijke *mandacuru*-cactus die boven de omringende *caatinga* uittroonde en vroegen zich af hoe de kolonel zou reageren op wat zij gevonden hadden.

De dode soldaat zat met zijn rug tegen de doornige stam van de *mandacuru*. Zijn uniform was hier en daar verkleurd. Een stompje nek stak nog boven de kraag van de jas uit, die zorgvuldig was dichtgeknoopt. Het hoofd lag op de grond, met het gezicht in het stof.

Clóvis hield zijn rijdier in, keek even naar het lijk en zei toen tegen de vinders ervan alleen: 'Terug naar jullie posten.' Hij ging niet achter ze aan, en keek weer naar de onthoofde man. De sombere voorgevoelens die hij aan de vooravond van de revolutie had gehad bekropen hem opnieuw, op deze dag eind juni 1897, in de *sertão* van het noordoosten.

De republiek was acht jaar geleden uitgeroepen, en het pessimisme van de kolonel was gerechtvaardigd gebleken. Brazilië werd geteisterd door politieke twisten en militaire opstanden, sinds maarschalk Deodoro da Fonseca in februari 1891 gekozen was tot president van de nieuwe republiek. Negen maanden na zijn functieaanvaarding had de maarschalk het parlement ontbonden en de staat van beleg afgekondigd. Toen er opstand uitbrak trad hij af ten gunste van de vicepresident, maarschalk Floriano Peixote, die het parlement weer in ere herstelde maar de greep van het leger op het land niet verzwakte. Een muiterij bij de marine was nog niet onderdrukt, of er brak een opstand uit in Rio Grande do Sul en die was nog aan de gang toen de staat São Paulo, de rijkste staat van de republiek, in maart 1894 de verkiezing van een eerste burgerpresident doordrukte, een Paulista, Prudente de Morais. In augustus 1895 was de opstand in Rio Grande onderdrukt en schenen de Verenigde Staten van Brazilië hun kinderziektes te boven te zijn.

Tweeëntwintig maanden later, op 27 juni 1897, trok Clóvis da Silva met vijfduizend man op om een opstand te onderdrukken in het achterland van de staat Bahia, vierhonderd kilometer ten noordwesten van Salvador. De onthoofde soldaat die tegen de *mandacuru* zat was niet de enige die de eerste colonne gevonden had sinds zij haar kamp acht dagen eerder verlaten had. Andere lijken lagen in de *caatinga* en de weg lag vol met resten van de nederlaag, achtergelaten laarzen en petten die in het stof vertrapt waren.

De troepen waarover Clóvis het bevel voerde volgden op drie vorige expedities. In november hadden honderdvier mannen die uit Salvador waren gestuurd een kwart van hun mensen verloren voordat zij terugtrokken naar het dorp Uauá. In januari 1897 verlieten vijfhonderdzevenenvijftig soldaten en officieren de hoofdstad van de staat, met twee Krupp-kanonnen en twee Nordenfeldt-mitrailleurs. Na twee dagen strijd, die in hun kamp enkele honderden doden vergden, trokken ook zij zich terug. De derde expeditie vertrok een maand later, met dertienhonderd man onder aanvoering van de fanatieke Antônio Moreira César, bekend om zijn doortastend optreden tegen de opstandelingen in Rio Grande do Sul. Hij werd gedood, evenals kolonel Pedro Nunes Tamarindo en driehonderd soldaten. De overlevenden vluchtten weg en lieten hun uitrusting in de *caatinga* staan, waaronder vier Krupp-kanonnen.

De voorgevoelens van Clóvis mengden zich met onbeantwoorde vragen over de rebellen, die al naar gelang de zegsman werden gekwalificeerd als bandieten, fanatiekelingen of monarchisten. Na de nederlaag van Moreira César gaven de kranten in Rio uiting aan de alarmerende mening volgens welke de opstand in de *sertão* de voorbode was van een beweging om de Braganças weer op de troon te krijgen. Dom Pedro was in Parijs in 1891 in ballingschap gestorven, de keizerin was hem twee jaar later gevolgd, maar prinses Isabel en haar kinderen leefden nog, en konden de troon opeisen. Volgens sommige geruchten voegden zich monarchisten bij de opstandelingen in Bahia, met Franse en Oostenrijkse strategen die in Europa waren gerekruteerd.

Toch vond Clóvis da Silva dat de termen 'bandieten' of 'fanatiekelingen' beter bij de rebellen pasten. Eén ding was in ieder geval duidelijk: de aanstichter van de beweging was gek. Men noemde hem Antônio Conselheiro, de Raadgever, en de kerkelijke autoriteiten hadden al vanaf het begin van de jaren zeventig moeilijkheden met hem, toen hij begonnen was de godsdienstige rust van de *sertanejos* te verstoren. Heel vaak hadden priesters geklaagd bij de aartsbisschop van Bahia dat de Raadgever hun parochies overnam, en ideeën die naar vuur en zwavel roken verspreidde onder de *sertanejos* die altijd godvruchtig hadden geleefd.

Men vertelde dat de Raadgever in 1828 in Quixeramobim geboren was, een klein stadje in Ceará, onder de naam Antônio Vicente Mendes Maciel, een lid van de grote familie Maciel die lange tijd een vooraanstaande plaats in Ceará en andere verre staten in het noordoosten had ingenomen. Zijn vader wilde hem voor priester laten studeren maar Antônio gaf er de voorkeur aan als kassier te werken in de manufacturenzaak van de familie, totdat hij negenentwintig was. In 1857 stierf zijn vader, diep in de schulden. Antônio vestigde zich, om aan de schuldeisers te ontsnappen, in een stad ten zuiden van Quixeramobim waar hij volgens zeggen een klap kreeg die zijn geestelijke gezondheid schaadde en waar hij door zijn vrouw werd verlaten, die er met een politieagent vandoor ging.

Antônio trok verder naar het zuiden, door Pernambuco, kwam in de staat Bahia en vestigde zich in Itapicurú, tweehonderd kilometer ten noorden van Salvador. In 1876 trok de Raadgever een groot aantal boeren naar zijn 'Kamp van de Goede Jezus'. Al snel vroeg de politie van Itapicurú hulp aan Salvador tegenover 'de excessen van fanatici tegen de natuur en de autoriteiten'. Maar de Raadgever zelf vermeed een openlijk conflict en trok met een paar metgezellen de woestijn in, zoals de profeten van vroeger.

Zestien jaar lang trok Antônio Conselheiro door de *sertão*, van *fazenda* naar *fazenda*, en ten slotte zocht hij op zijn vijfenzestigste, in 1893, zijn toevlucht in Canudos. De uitgekozen plek lag vierhonderd kilometer ten noordwesten van Salvador, in een grote vlakte omringd door kale heuvels die vanwege de daaromheen liggende lage *caatinga*, ten onrechte heel steil leken. Aan de zuidelijke rand van de vlakte stroomde de Vasa-Barris, aan de oever waarvan Antônio besloot zijn nieuwe Jeruzalem te bouwen.

Hij was niet de eerste die zich in deze streek vestigde. Al in de 18de eeuw had een kamp dat de inboorlingen Tapiranga noemden, gevluchte slaven van de plantages aan de kust opgevangen. Deze *quilombo*, die generaties lang bestaan had, werd bekend door de vaardigheid van de inwoners om ijzer te bewerken. Af en toe voegden zich bandieten uit het binnenland bij hen, die de politie probeerden te ontlopen.

Verschillende *sertanejos* die in het leger van Clóvis dienden hadden Antônio Conselheiro beschreven als een man van gemiddelde lengte, met een lichaam dat zwaar te lijden had gehad van vasten en ontberingen. Aan zijn gezicht was te zien dat hij mesties was. Hij had doordringende zwarte ogen, haren tot op zijn schouders en een lange baard met grijze haren erin. Over het algemeen droeg hij een blauwe pij met een leren ceintuur om zijn middel waaraan hij een houten crucifix had hangen. Aan zijn voeten droeg hij sandalen en op zijn hoofd een blauw petje. Buiten zijn grote pelgrimsstok droeg hij overal een *missão abbreviado* met zich mee, een oud liturgisch werk.

Wat de *sertanejos* hem over zijn preken vertelden bevestigde Clóvis' overtuiging dat de man gek was. 'Wend uw ogen naar het oosten,' zei de Raadgever. 'De dag is nabij waarop don Sebastião zal opstaan, lopend over de golven, om de antichrist uit Brazilië te verdrijven.' Dit geloof in de opstanding van de ongelukkige koning van Portugal, die in de strijd tegen de ongelovigen in Alcacar-Quibir in 1578 gesneuveld was, was trouwens niet nieuw. In Portugal was het 'sebastianisme' al eeuwenoud.

'De Raadgever voorspelt het eind van de wereld in 1899. Er zal een regen brandende sterren komen, daarna duisternis, gevolgd door pest en hongersnood. Alleen de inwoners van het nieuwe Jeruzalem zullen de nieuwe eeuw en de overwinning van Dom Sebastião meemaken,' vertelden de *sertanejos* hun kolonel.

Maar de Conselheiro liet het niet bij mystieke woorden en sinds 1889 identificeerde hij meer en meer de republiek met de overwinning van de antichrist.

'Op een dag, op de markt in Bom Conselho, heb ik hem de nieuwe belastingaankondigingen zien verscheuren terwijl hij schreeuwde: "Dood aan de republikeinen!"' rapporteerde een soldaat.

Clóvis was het zelf niet helemaal eens geweest met het uitroepen van de republiek, maar toen dat was gebeurd beschouwde hij het als zijn plicht om die te dienen. Zijn aanvankelijke vrees nam echter toe toen hij de machiavellistische manoeuvres van maarschalk Peixote zag om de macht te behouden, en de kolonel nam min of meer vervroegd pensioen door een kantoorbaan in Rio aan te nemen.

Bij de presidentsverkiezing van maart 1894 was het leger verdeeld, met mannen als Da Silva die weer een burgerregering wilden, en anderen die hoopten op een nieuwe Floriano Peixote. Prudente de Morais was echter gekozen en had in november zonder moeilijkheden zijn functie kunnen aanvaarden. Clóvis was weer in actieve dienst gegaan in de hoop naar Rio Grande do Sul te worden gestuurd, waar de opstand nog steeds gaande was, maar daar hadden ze hem niet ingedeeld. Drie maanden eerder had de minister van Oorlog, Carlos Machado de Bittencourt, een oud tegenstander van het militaire regime,

Clóvis persoonlijk opgedragen een artilleriedivisie tegen de fanatie-kelingen aan te voeren. De minister had de kolonel eveneens de rang van generaal beloofd, een promotie die hij al lang had moeten krijgen als hij zich niet tegen het voorgaande regime verzet had.

In april was Clóvis scheep gegaan naar Bahia, op dezelfde boot als zijn zoon Honório, die majoor bij een cavalerieregiment was geworden. Dat voegde zich bij de tweede colonne, die via het oosten naar Canudos optrok, dwars door de *caatinga*.

In Bahia had Clóvis' regiment direct de trein van de centrale lijn genomen, tussen Salvador en Juazeiro, vijfhonderd kilometer uit de kust aan de oevers van de Rio São Francisco. De troepen waren vervolgens naar Queimadas gegaan, honderdvijftig kilometer ten zuiden van Canudos, en hadden vijfenzeventig kilometer te voet afgelegd tot het dorpje Monte Santo, uitvalsbasis van de vorige expedities. Ze waren er al vijf weken toen generaal Artur Oscar de Andrade Guimarães, de commandant van de eerste colonne, op 19 juni zijn drieduizend man opdracht gaf op te trekken.

Hoe meer Clóvis van deze gebarsten aarde zag, zo vaak door de droogte getroffen, des te meer begreep hij dat die in de ziel van een mens de vlammen van de hel kon doen oplaaien. Het eigenlijke kamp werd opgeslagen aan de voet van de Monte Santo, al eeuwenlang een pelgrimsoord. Clóvis zelf was de heuvel opgeklommen naar de kapel waar volgens zeggen de Raadgever ook vaak kwam bidden. Vanaf de top van de heuvel had hij de *caatinga* bekeken in de richting van Canudos en zich afgevraagd of de duivel zelf deze weg niet ook genomen had.

Dat vroeg hij zich weer af toen hij naar de onthoofde soldaat keek. In Paraguay had hij nog veel vreselijker dingen gezien, maar de Guaranis die door López misbruikt werden streden tenminste met eer. In Canudos was het alleen maar pure barbarij – barbaren die de grondslagen van de maatschappij aantastten.

Plotseling voelde Da Silva hoe moe hij was. Hij was achtenzestig en had al aan heel wat veldslagen deelgenomen. Zijn haren en zijn baard waren grijs, maar zijn gezicht was nog vol. Veel van zijn vroegere strijdmakkers waren dood – Deodoro da Fonseca, Floriano Peixote – en hij voelde zich alleen. Even dacht hij aan zijn zoon Honório, die optrok met de tweede colonne van generaal Cláudio do Amaral Savaget, die zij over vierentwintig uur moesten ontmoeten om de schuilplaats van de bandieten aan te vallen, momenteel een tiental kilometers verderop.

Hij bad in stilte en vroeg God om genade voor de onthoofde soldaat, liet zijn paard omdraaien en ging naar zijn mannen.

De dag liep ten einde toen de voorste eenheden een helling beklommen op een kilometer van Canudos. Luitenant-kolonel Siqueira Menezes en zijn genietroepen, sinds acht dagen aan het hoofd van de colonne, maakten de weg vrij en bouwden bruggen over stroompjes voor de artillerie en het bevoorradingskonvooi. Achthonderd meter van het vijfentwintigste bataljon, dat de genietroepen dekte, hesen kolonel Clóvis da Silva en zijn mannen vier Krupp-kanonnen en twee mitrailleurs de heuvel op.

Zes uren waren verlopen sinds de dode soldaat gevonden was. De muildieren die de kanonnen trokken waren uitgespannen, de mannen hadden hun plaats ingenomen, waarbij zij zenuwachtig door elkaar liepen, want ze waren bang. Af en toe keken zij op om de grijsgroene muur van bosjes en de uit de grond stekende rotsen af te speuren. Twee keer die middag hadden musketschoten uit de bosjes enkele doden onder hun gelederen gevergd. Ze hadden blindelings teruggeschoten, en vervolgens was het weer doodstil geworden zonder dat de vijand te voorschijn was gekomen.

Clóvis reed voor zijn mannen uit, de klep van zijn revolvertas open. Siqueira Menezes had hem een boodschapper gestuurd die hen waarschuwde dat de weg naar de top van de heuvel door een klein dal voerde en dan weer omhoogging tot de top van een andere heuvel, die de Monte Favela heette. Verder noordelijk lagen nog wat kleinere heuvels en twaalfhonderd meter verderop Canudos.

Da Silva wilde zijn kanonnen op de Monte Favela hebben vóór het vallen van de nacht. Ook hij bleef aandachtig de *caatinga* afturen maar sinds hij Monte Santo verlaten had had hij niet één keer een rebel gezien. De colonne was een kilometer of tien lang. Achter generaal De Andrade trok de rest van de artillerie langzaam op met een Whitworth, getrokken door twintig ossen. De mannen hadden dat stuk, een 32-ponder, 'de donder Gods' genoemd, en dat moest de stem van de valse profeet tot zwijgen brengen. Ver achter de Whitworth, achter aan de colonne, liep een konvooi van vijftig muildieren dat voedsel en munitie vervoerde.

Clóvis vroeg majoor Lauro Correia om de kanonnen naar boven te brengen en ging toen naar de soldaten van het 25ste, die aan beide zijden van de weg piketten aan het opzetten waren. Hij gaf zijn paard de sporen, reed snel naar beneden, kwam voorbij andere mannen van het 25ste, zag hier en daar de witte petten van scherpschutters die in de bosjes zaten. Hij keek even naar de andere heuvels, in het oosten en in het westen, waarvan de hellingen al in de schaduw lagen. Hij kneep zijn ogen toe om geheel links van hem een donkere rij rotsblokken te bekijken, die een soort wal vormden. Ook verderop zag hij ronde rotsformaties die er niet natuurlijk uitzagen, maar daar was evenmin beweging waar te nemen.

Tien minuten later stond hij boven op de Monte Favela en keek naar Canudos. Luitenant-kolonel Siqueira Menezes, die naast hem was komen staan, riep uit: 'Het paradijs van de *sertanejos*! Ze komen van honderd kilometer uit het rond, en zelfs van nog verder, verkopen hun goederen, geven hun velden op... voor zoiets.'

Clóvis bewaarde het stilzwijgen. Een uitgestrekte heuvelachtige vlakte begon achter de Vasa-Barris, aan de oever waarvan twee enorme torens van een nog niet afgebouwde kerk stonden. Rechts, op een stuk open terrein, stond de ruïne van een kapel en daarachter enkele gebouwen van steen. De meeste indruk maakten de duizenden hutten van pleisterkalk, met riet gedekt, die kriskras door elkaar stonden, zonder bepaalde orde.

'Met hoevelen zijn ze?' vroeg Clóvis verstrooid, alsof hij hardop dacht.

'Vijftien- tot twintigduizend. Misschien meer.'

'En waar komen ze vandaan?'

'Van overal waar de Raadgever zijn gif gespuid heeft.'

'Maar wie heeft ze toestemming gegeven om met zoveel bij elkaar te gaan zitten?' verbaasde Clóvis da Silva zich. 'De autoriteiten moesten toch weten dat er niets goeds uit voort kon komen.'

'Dat was niet ieders mening. Sommige districtshoofden meenden er belang bij te hebben het met Antônio Conselheiro op een akkoordje te gooien.'

Siqueira Menezes legde uit dat verschillende *poderosos*, die een zware politieke strijd voerden om een plaats te krijgen in de nieuwe republikeinse orde, de discipelen van Antônio als potentiële bondgenoten hadden beschouwd.

'Ze zullen binnenkort wel begrijpen dat dat fout was,' voegde hij eraan toe. 'Toen Canudos zich ontwikkelde lieten hun eigen *sertanejos* hen in de steek. En terwijl de Raadgever en zijn heiligen hun idiote evangelie preekten vertrokken uit Canudos huurmoordenaars om de *fazendas* kilometers in de rondte te gaan plunderen.'

Bij het vallen van de nacht kon Clóvis kleine gestalten zien die naar de kapel gingen.

'Het lijkt eerder op een fort,' zei hij, terwijl hij naar de kerk in aanbouw wees.

'Ja, kolonel. En bij daglicht kunt u de loopgraven zien die ze rond het plein hebben gemaakt.'

'Hebben ze kanonnen?'

Da Silva dacht aan de Krupp-kanonnen die bij de tweede expeditie waren achtergelaten.

'Ik heb er geen gezien.'

'Hebben ze volgens u hulp gekregen?'

'Ik weet er niets van.'

Clóvis bleef naar de kapel staan staren.

'Ze moeten weten dat wij hier zitten.'

Siqueira Menezes lachte even.

'Ze bespioneren ons dag en nacht sinds we uit Monte Santo zijn vertrokken.'

'Ik zie geen enkel teken van paniek.'

'Ze hebben al drie expedities weten af te slaan,' merkte de luitenant-kolonel op. 'Bovendien, waarom zouden ze bang zijn? Hun Raadgever bereidt hen voor op het eind van de wereld.'

De regeringstroepen gingen verder met het innemen van hun posities in het dal. Om tien uur 's avonds stonden de kanonnen opgesteld als batterij, en bivakkeerde tweeduizend man op de Monte Favela en langs de weg door het dal. De rest van de colonne en het muildieren-konvooi bevonden zich kilometers verderop, door de nacht geblokkeerd. Er waren schildwachten uitgezet, en een paar lichtkogels boven de heuvels afgeschoten voordat de maan opkwam, maar geen enkele soldaat van het leger van de fanatiekelingen liet zich die nacht van 27 juni 1897 zien. Er werd besloten om Canudos bij dageraad te beschieten, om het tegen de middag aan te vallen, het tijdstip waarop de tweede colonne onder bevel van generaal Savaget zich bij de troepenmacht van generaal Artur Oscar moest voegen.

Even na elven verliet Clóvis een vergadering van de generale staf met generaal Artur Oscar en voordat hij ging slapen inspecteerde hij met Lauro Correia de kanonnen. De beide mannen besloten dat ze zo snel mogelijk de stukken op een andere heuvel moesten zetten, dichter bij de Vasa-Barris, zodat ze beter zouden kunnen schieten.

'Het is mij te rustig,' zei de kolonel toen hij de majoor verliet. 'Dit doet me denken aan Tuyuti...'

'Ze weten dat wij morgenochtend zullen aanvallen. Ze sparen hun krachten.'

'Wie weet,' mompelde Clóvis, niet erg overtuigd.

'Gaat u maar slapen, kolonel. Wij zijn niet meer in Paraguay.'

'Toch is het veel te rustig,' herhaalde Clóvis.

'Ze slapen, die fanatiekelingen. Ze dromen van het paradijs. Morgen zullen wij ze wakker maken!'

Maar de fanatiekelingen sliepen niet.

Da Silva was op weg naar zijn tent toen hij rechts van hem gefluit hoorde. Plotseling lag de hele colonne onder vuur van troepen van Antônio Conselheiro.

'Het was inderdaad veel te rustig!' riep Clóvis uit. Hij rende terug naar Lauro Correia, die als versteend stond toe te kijken. 'In 's hemelsnaam, laat de stukken in gereedheid brengen!'

De kolonel schreeuwde zelf bevelen naar de artilleristen die uit hun tenten kwamen. De eersten stuurde hij eropuit om voor de Nordenfeldts te zorgen, de anderen droeg hij op de Krupp-kanonnen op de stellingen van Antônio Conselheiro te richten.

Minstens drieduizend fanatiekelingen kwamen tussen de rotsen te voorschijn en vielen aan met Mannlichers en Comblains die ze van de soldaten van de vorige expedities hadden afgepakt. De mitrailleurs van Clóvis kwamen in actie, en stuurden zeshonderd kogels per minuut over de *caatinga*. De 7-ponders begonnen ook al snel terug te schieten. Majoor Correia, bijgekomen van zijn verbazing, schoot snel achter elkaar.

Generaal Artur Oscar, een klassiek veldheer, verscheen zonder pet, met zijn haren in de war en zijn jas los, maar toch heel indrukwekkend omdat hij op zijn paard zat, te midden van zijn mannen en met het vertrouwen van een oude soldaat reed hij door het dal om zijn troepen te verzamelen, zonder zich te bekommeren om de kogels die om hem heen floten. Verschillende compagnieën waren begonnen terug te schieten, maar veel te veel soldaten liepen nog halfnaakt rond, volkomen in paniek. Een paar idioten stormden blindelings de *caatinga* in, waar vele armen hen opvingen.

De slag woedde een uur lang. Vier artilleristen van Clóvis werden geraakt, van wie twee dodelijk. Een van de mitrailleurs liep vast, maar de andere stukken bleven schieten. Toen hield de aanval even plotseling op als hij begonnen was. Nog geen honderd meter van Clóvis stond de *caatinga* in brand. De vlammen bereikten een van de vele steenhopen waarachter de rebellen verscholen lagen. Verschillende gestaltes kwamen overeind, een mitrailleurschutter richtte zijn wapen op ze en schoot een salvo af. De fanatiekelingen gingen ervandoor maar een van hen bleef in zijn eentje op de rotsen staan en slaakte een kreet die kolonel Da Silva al eerder had gehoord, en die hem de rillingen over zijn rug deed lopen: '*Macacos! Macacos!*'

Toen sprong de man op zijn beurt weg en verdween in de *caatinga*.

De rebel die de regeringstroepen had uitgedaagd haalde zijn kameraden in die naar Canudos terugtrokken. Hij liep snel en zijn laarzen klosten over de stenen. Na een bergengte van een paar honderd meter gevolgd te hebben sloeg hij linksaf in de richting van de Umburana, een zijrivier van de Vasa-Barris.

Bij de oever van de rivier gekomen, hing hij zijn Mannlicher over zijn schouder, om een gewonde te helpen oversteken naar de andere oever waar tientallen soldaten lagen te wachten om met een kar naar het hospitaal gebracht te worden, in het westelijk gedeelte van de stad. De man liep voorbij de nieuwe kerken, stak een plein over naar een laag gebouw, het hoofdkwartier van Antônio Conselheiro. Toen hij op een groepje mannen afliep dat zich rond een brandend kampvuur zat te warmen, werd hij met enthousiaste kreten ontvangen. Hij voegde zich bij de groep en vertelde snel hoe zij de vijandelijke kanonnen hadden aangevallen.

Een jongen kwam uit de schaduw, bleef drie passen van de man staan en riep: 'Vader!'

De man glimlachte en keek naar de andere commandanten van het leger van Canudos.

'Zullen we even naar hem luisteren?' vroeg hij.

Het antwoord was unaniem: '*Sim*!'

'Wel, jongen, wat is er?'

De jongen sprong in de houding, waardoor hij bijna het ouderwetse geweer liet vallen dat hij onhandig vasthield. Hij deed zijn mond open, maar er kwam geen geluid.

'Ik luister, zoon.'

'Vader, ik geloof...'

'Nou?'

'Ik geloof dat... dat ik er een te pakken heb gehad!'

'Zijn eerste *macaco*! Op twaalfjarige leeftijd! Het zal vast niet de laatste zijn.'

De andere commandanten prezen de jongen.

'Ga dan nu maar naar huis,' zei zijn vader. 'Je moet slapen. Morgen moet je nog veel meer vechten.'

De kleine soldaat liep met een stralende glimlach weg. Zijn vader keek hem na en wendde zich toen tot de commandant van Canudos die begonnen was de plannen te ontvouwen voor de volgende aanval op de regeringstroepen.

Het licht van het kampvuur scheen over het gezicht van een man van middelbare leeftijd, groot en mager. Hij had een arendsneus, bruine ogen en een harde blik, die echter zachter werd toen hij naar zijn zoon keek. Hij droeg een broek en een vest van leer, dat openhing op zijn borst. In tegenstelling tot de meeste andere commandanten van Canudos, die blootsvoets liepen, droeg hij een prachtig paar laarzen dat hij had afgepakt van een officier van Moreira Cesar. Hij droeg een grote hoed, eveneens van leer, met omgekrulde rand en versierd met kleine zilveren sterretjes rond een kruis. Een rode sjaal rond zijn nek gaf een vrolijke noot aan zijn gevechtspak, dat grijs was van het stof. Hij droeg drie patroongordels, een rond zijn middel, en de beide andere kruiselings over zijn borst.

Zoals zoveel andere strijders van Canudos had hij zijn vijanden een scheldwoord naar het hoofd geslingerd dat hijzelf vijfentwintig jaar geleden had gehoord, toen hij de keizer diende in het oerwoud en de *esteros* van Paraguay.

Er waren nog een heleboel andere dingen die Antônio Paciência, de zoon van Mãe Mônica, slaaf van de Fazenda da Jurema, zich herinnerde uit dat verre tijdperk, ver voordat hij de wapens opnam voor de Here Jezus en de Raadgever.

Antônio Paciência kon zich nog heel goed herinneren wat er gebeurd was toen hij in 1870 naar de *fazenda* was teruggekeerd. Dat jaar bloeide de droge *caatinga*. De eerste week van februari keken de *sertanejos*, bruin van de zon, naar de hemel en zagen grote wolken uit het noordoosten komen aanrollen. De eerste regendruppels vielen op de gebarsten grond en deden kleine rode stofwolkjes opwarrelen. Binnen enkele minuten stroomde het water bulderend in de spleten van de grond, in de zandkuilen en door de droge bedding van de rivier. Daarna maakten de inwoners van de *sertão* een wonder mee. De uitgedroogde heuvels raakten bedekt met vegetatie, hoog gras wuifde op de vroeger kale velden. Miljoenen bloemen kleurden de *caatinga* tot de horizon, kleine paarse knopjes kwamen boven de grond en de cactussen raakten overdekt met een orgie van rood, violet en geel.

Antônio bereikte de *fazenda* van kolonel Heitor Batista Ferreira, vier maanden na zijn vertrek uit Recife, waar hij met het 53ste bataljon vrijwilligers naartoe was gebracht, evenals zijn vrienden Henrique Inglez en Tipoana. Hij had afscheid genomen van Henrique om met Tipoana en zes andere Pancurus de *sertão* in te trekken, en was vervolgens alleen verder gegaan. Op 18 april 1870 kwam hij op de Fazenda da Jurema, en liep meteen naar het grote huis, waar een *capanga* hem zei te wachten tot de kolonel gewaarschuwd zou zijn.

Een uur later verscheen Heitor Batista Ferreira in de deuropening, een berg vlees in een hemd met zweetvlekken en een strakke katoenen broek over enorme dijen. De kolonel, bijna zeventig jaar oud, was zo verschrikkelijk dik geworden dat hij amper tien passen kon doen.

'Ben jij de zoon van Mãe Mônica?' vroeg hij.

'Met uw permissie, *senhor coronel*, ik ben Antônio Paciência.'

'Een *liberto* uit Paraguay?'

'Ja, *senhor*, ik ben vrijgelaten. Ik kwam Mãe Mônica opzoeken...'

'Na zoveel jaar nog?'

'Ik ben mijn moeder niet vergeten.'

Heitor Ferreira fronste zijn wenkbrauwen, en zijn wangen trilden toen hij een straal zwart tabakssap uitspuugde.

'Ze is tegenwoordig vrij. Ik heb haar twee jaar geleden vrijgelaten,' zei hij. 'Ze woont bij Isabelinha, bij de *juremas*.'

'God zegene u, *senhor coronel*!'

De *fazendeiro* leek even te aarzelen en mompelde toen: 'Mijn zoon is er niet, maar hij wil je vast wel zien.'

'Ik kom meteen als *senhor* João Montes naar mij vraagt.'

'Breng hem maar naar zijn moeder,' beval Heitor Ferreira de *capanga*.

De *caboclo* bracht Antônio naar een hut, dertig meter van de bomen. De vroegere slaaf bedacht, toen hij naar de deur rende, dat de slavenhandelaar Saturnino Rabelo hem op deze plek bij zijn menselijke kudde gevoegd had.

'Mãe Mônica! Mãe Mônica!' riep hij, nog voordat hij bij de deur was, die trouwens gesloten was.

'Wie is daar?'

'Antônio... Antônio Paciência!'

Een van de luiken van het venster rechts van de deur ging piepend een paar centimeter open. Een nog jonge vrouw verscheen.

'Isabelinha?' vroeg Antônio, die slechts een vaag beeld van zijn halfzuster had bewaard. 'Ik ben Antônio Paciência.'

'Dat kan niet. Antônio is door de *senhor* verkocht...'

'Ik ben het. Ik ben inderdaad verkocht, en ik ben in de oorlog vrijgelaten.'

Het luik ging iets verder open.

'Antônio is al jaren geleden van Jurema vertrokken...'

'Doe de deur nu open, Isabelinha, dan zul je zien dat ik het ben.'

Toen de deur openging zag Antônio zijn moeder aan tafel zitten. Langzaam draaide zij haar oude gezicht naar hem toe. Met angstige ogen keek ze daarna Isabelinha aan, die haar met een glimlach geruststelde.

'O, Mãe Mônica!' riep Antônio, en knielde neer bij de voeten van de oude vrouw. 'Ik ben je zoon, je kind.'

Mãe Mônica's handen begonnen te trillen.

'Ant... Antônio?'

Met tranen in de ogen nam Antônio zijn moeder in zijn armen en begon honderduit te praten om haar ervan te overtuigen dat hij inderdaad het kind was dat haar zoveel jaar geleden was ontnomen.

Toen ze hem ten slotte geloofde begon ze ook te huilen en God te danken.

'Isabelinha! Onze kleine Antônio... mijn zoon! Hij is terug!'

In de daaropvolgende dagen volgden er meer hernieuwde ontmoetingen, vooral met zijn jeugdvriend Francisco Cavalcante, bijgenaamd Tico-Tico. De Mus, nu achtentwintig, was *vaqueiro* op de Fazenda da Jurema en de rechterhand van de Ferreiras, die het nog steeds in het district voor het zeggen hadden. Al naar gelang de plek waar zij opereerden, werden deze privé-soldaten van de grootgrondbezitters *jagunços* (bandieten), of *cangaçceiros* genoemd, van *canga*, het juk van de ossen. Ze waren genadeloos, moedig en driftig, en veel van deze mannen waren vroegere *vaqueiros* die de *sertão* heel goed kenden.

Twee dagen na Antônio's terugkeer vertelde Tico-Tico zijn vriend ongewild iets dat verborgen had moeten blijven. De mulat had al gehoord dat zijn halfzuster Isabelinha de moeder was van twee bastaarden van João Montes Ferreira, maar hij wist nog niet dat *senhor* João vierentwintig jaar geleden Mãe Mônica achter het grote huis had verkracht.

'Toen ze jou meenamen brak Mãe Mônica's hart,' vertelde Tico-Tico achter een kruik *cachaça*. 'En toen jouw vader met Isabelinha naar bed begon te gaan...'

'Mijn vader?'

'Wist je dat dan niet?'

'João Montes Ferreira... mijn vader... en die heeft mij verkocht!'

Antônio stond vloekend op en liet zijn vriend alleen de rest van de *cachaça* opdrinken. De hele nacht voedde hij zijn haatgevoelens voor João Ferreira aan de oever van de Riacho Jurema, waar Tico-Tico hem bij zonsopgang terugvond en zijn best deed hem tot kalmte te manen. In de middag kwam João Ferreira naar de *fazenda* terug en liet hij Antônio bij zich komen.

Hij was in de vijftig, maar niet zo indrukwekkend dik als zijn vader, al leek hij op hem vanwege zijn bolle wangen en zijn ronde buik. Evenals zijn vader was João kolonel van de Guarda Nacional. Hij bekeek Antônio, die nog steeds het vrijwilligersuniform droeg, van zijn pet tot zijn laarzen.

'Zo, dus jij hebt je vrijheid verdiend?' zei hij, niet zonder bewondering. 'En jij bent bij de grote veldslagen tegen López geweest?'

'Tuyuti, Curupaiti, Humaitá,' antwoordde Antônio koeltjes.

'Ik heb twee zonen bij de Guarda verloren.'

'En nog een derde die u hebt verkocht, *senhor coronel*.'

João hield even zijn mond, aarzelde, en antwoordde ten slotte: 'Ik ben geen slecht mens. Ik heb andere zonen in Jurema, en die verzorg ik goed. Vraag het maar aan Isabelinha. Ik ben goed voor de jongens. Als jij blijft, zal ik ook goed voor jou zijn.'

Antônio bleef, zeven jaar, en werkte met Tico-Tico en de andere *vaqueiros*. Mãe Mônica stierf vreedzaam in 1875, het jaar waarin de tweede dochter van Antônio geboren werd, uit Carolina Cavalcante, een nicht van Tico-Tico. In 1877 brak de grote droogte in de *sertão* uit. De mannen van de Ferreiras, ook Antônio, verjoegen de landbezetters die zich aan de oever van de Riacho Jurema hadden geïnstalleerd. Dat bleek trouwens overbodig, want de rivier lag algauw droog en de beesten van de *fazenda* moesten naar de Rio Pajeú worden gebracht.

Voor Antônio ging de *seca* gepaard met een persoonlijk verdriet. Carolina Cavalcante, met wie hij acht jaar had samengeleefd, stierf. Een jaar na de droogte werd Tico-Tico neergestoken door een van de landbezetters die de beide vrienden van de gronden van de *fazenda* hadden verjaagd en die moord had ernstige gevolgen voor Antônio. De oudste zoon van de Mus, José, achttien jaar oud, wilde zijn vader wreken. De landbezetter die hem had vermoord was weggevlucht, maar hij had een broer bij de politie in de stad Jurema. Toen die probeerde om José, bijgenaamd Zé, te arresteren, omdat hij de wet had overtreden die het verbood in de stad gewapend rond te lopen, sloeg de jongeman hem neer. Antônio, die hiervan getuige was, verliet met Zé Jurema, maar zij werden algauw door vier agenten aangehouden. Er werden schoten gewisseld, en een politieagent werd gewond.

Jaren later herinnerde Antônio zich die dag nog vol bitterheid: 'Zé Cavalcante ging er in galop vandoor, alsof de duivel hem op de hielen zat, en bleef pas staan toen hij de São Francisco over was. Hij had mij ook aangeraden te vluchten, maar imbeciel die ik was, ging ik terug naar de *fazenda* en vertelde alles aan João Ferreira, precies zoals het gebeurd was. Ik zat bij hem toen de sergeant en zijn mannen bij het huis kwamen. "Je moet de wet gehoorzamen," zei hij eenvoudig. "Ga maar met ze mee, Antônio." Hij leverde mij aan hen uit, en beloofde mij dat hij voor mij zou getuigen bij het proces. Verdomme! De hoerenzoon! Tien jaar lang had ik het vuile werk voor hem opgeknapt en zo bedankte hij mij! Ik zei tegen die klootzak, mijn vader, dat ik liever koeiestront zou eten dan hem om hulp te vragen. Maar dat betaalde ik duur. De sergeant en zijn mannen pakten mij vast en smeerden mijn gezicht vol.'

In augustus 1882 werd Antônio Paciência veroordeeld tot acht jaar dwangarbeid. Elf maanden later ontsnapte hij op een nacht en vluchtte hij naar het zuiden en stak twintig kilometer stroomafwaarts van Juazeiro de São Francisco over in een vissersboot. Aan de andere kant vond hij de Rio Salitre, een zijrivier waar hij twee dagen langstrok. De avond van de tweede dag kwam hij bij een *riacho* dat zich in de Salitre stortte en aan de oever waarvan de ruïnes van een enorme kerk stonden. Hij besloot daar de nacht door te brengen en keek naar de pilaren die overwoekerd waren met klimplanten en de wirwar van cactussen waaronder het altaar verborgen zat, toen hij hoorde: '*Sim, mulatto*, zeg je gebeden maar. Je tijd is gekomen.'

Antônio draaide zich om en zag een man met een onheilspellende gelaatsuitdrukking en een hoge hoed op, die een donderbus met een wijde loop op hem richtte. Zo leerde hij Vivaldo Maria Marques kennen.

Vivaldo was een jaar of veertig, en de zoon van een Portugees uit Setúbal die ten tijde van Pedro I was geëmigreerd in de hoop rijk te worden. In plaats van rijk te worden vatte de man – en daarna zijn zonen – het vak op dat zijn familie al generaties lang uitoefende aan de kust van Setúbal: het verzamelen van zout.

Toen Antônio Vivaldo duidelijk had gemaakt dat hij geen slechte bedoelingen had, bracht de *salineiro* hem naar een dorp op nog geen kilometer afstand, waar veertig mensen in een groepje hutten woonden, bij de oever van de Salitre. De huizen, de mensen, het vee en de honden – alles was bedekt met een laag stoffige klei, het spul waarmee Vivaldo Maria Marques en de zijnen in hun levensonderhoud voorzagen.

Die avond zag de *salineiro* de sporen die de boeien op de benen van de vroegere gevangene hadden achtergelaten, maar vroeg niets, en gaf hem vlees, bonen en maniok. Maandenlang onttrok ook Antônio zout aan klei, toen kwam het regenseizoen en steeg de rivier. Grote druppels wasten het stof van het dorp weg.

In de eerste maanden dacht Antônio, als hij in zijn hangmat lag, te moe om nog te proberen de klei die aan zijn lijf plakte weg te halen, vaak aan weggaan. Maar Vivaldo behandelde hem goed, en had een dochter van zestien…

Rosalina Marques was stevig gebouwd maar had merkwaardig fijne trekken. Ze werd Antônio's maîtresse vanaf het eerste regenseizoen en Vivaldo stimuleerde hun band, want daardoor zou de mulat in het dorp blijven. De *salineiro* had het bij het rechte eind, want Antônio bleef. Aan het eind van de jaren tachtig haalde hij geen zout meer uit klei maar ging hij het verkopen in de vele kleine stadjes in de *sertão*, samen met Vivaldo. Tijdens een van die reizen, in november 1890, zagen de beide mannen voor het eerst de Raadgever, in Chorrocho, een plaatsje ten oosten van Juazeiro.

De kluizenaar werd vergezeld door een groepje discipelen die net als hij mager waren van het vasten. Gekleed in zijn blauwe pij, met een ruwe stok in een hand en zijn kleine gebedenboekje in de andere, stond hij in de schaduw van een grote acacia, bij een reisaltaar bedekt met bidprentjes.

Antônio en Vivaldo hoorden hoe hij de bevolking waarschuwde voor het laatste oordeel, de dag waarop het leger van Dom Sebastião zou opstaan om alle zondaren uit Brazilië over de kling te jagen. De preek maakte zo'n indruk op ze dat zij zich mengden onder een menigte die met de profeet in discussie ging. Volgens Antônio Conselheiro had de droogte dat jaar het achterland getroffen omdat God boos was over de republiek. Maar er zou een dag komen waarop Brazilië bevrijd zou worden van dat kwaad, en waarop de *caatinga* een vruchtbare tuin zou worden!

Elf maanden na deze eerste ontmoeting bracht de Raadgever drie weken door op een *fazenda* vijftig kilometer van de Rio Salitre. Antônio Paciência, Vivaldo en zijn hele familie, onder wie zijn vrouw Idalinas, die heel vroom was, ondernamen de reis om naar hem te luisteren want de reputatie van de Conselheiro had zich door de hele streek verspreid.

De *sertanejos* waren zeer godsdienstig en in hun hutten, hoe eenvoudig ze ook waren, was altijd de beeltenis van een heilige te vinden die uitverkoren was om hun huis te beschermen. De armsten gingen nog minstens één keer in hun leven naar pelgrimsoorden zoals Monte Santo, ten zuiden van Canudos, of naar de grot van Bom Jesus da Lapa. En in 1893, toen de Raadgever naar Canudos ging om daar Nieuw Jeruzalem te stichten, gingen honderden boeren die hem hadden horen preken op weg naar de heilige stad.

Aan het begin van dat jaar staken Vivaldo en Antônio de *caatinga* over om hun zout in Canudos te verkopen, en de Conselheiro vroeg hun persoonlijk zich daar te vestigen, voor hun eigen welzijn. Toen zij dat deden, een paar maanden later, was dat om geestelijke maar ook om materiële redenen. In de loop van de jaren leverde de klei van het dorp steeds minder zout, zodat Vivaldo op een ochtend in augustus 1893 aankondigde: 'Hier is het afgelopen. Wij gaan naar Canudos.'

Antônio, die al tien jaar bij het gezin van Vivaldo Maria Marques woonde, aanvaardde zonder meer deze beslissing. Waar had hij heen kunnen gaan, op zijn zevenenveertigste? Bovendien was ook hij onder de indruk van de profetieën van de Raadgever. Soms lag hij 's nachts wakker, en vroeg zich af of het eind van de wereld binnenkort zou komen, of mannen zoals João Ferreira, die hem hadden laten stikken als een hond, in het vuur van de hel zouden branden terwijl andere uitverkorenen de eeuwige vrede in het Nieuw Jeruzalem zouden smaken.

Ze gingen dus naar Canudos, Vivaldo, Idalinas en hun twee nog ongetrouwde dochters, Antônio, Rosalina en de beide kinderen die nog over waren van de vijf die zij gehad hadden. Teotônio, de oudste, was de jongen van twaalf die naar zijn vader bij het kampvuur was gekomen waar de commandanten van het leger van Canudos bij elkaar zaten. De jongste was nog maar vier maanden toen zij naar de heilige stad gingen, in augustus 1893.

Toen zij in september 1893 in Canudos aankwamen woonden er duizend mensen in de stad. In de loop van de twee daaropvolgende jaren groeide de bevolking snel, en strekte de stad zich uit ten noorden van de Vasa-Barris, zowel in oostelijke als in westelijke richting, op het grondgebied van een verlaten *fazenda* aan de voet van de Monte Favela. Antônio Conselheiro, de leider, werd bijgestaan door een vierkoppige raad die zich bezighield met alle militaire, burgerlijke, economische en religieuze zaken. Grond en vee waren gemeenschappelijk eigendom, en het hoofd van iedere familie mocht alleen behouden wat noodzakelijk was voor zijn tafel. De verkoop van *cachaça* was verboden, niet-bekeerde prostituées werden uit de stad gejaagd, en misdaden werden zeer streng gestraft.

Een van de vurigste voorstanders van deze maatregelen was een Spanjaard, Xever Ribas geheten, een goede vriend van Antônio, een vroegere novice die verstoten was uit de Sociëteit van Jesus. Ribas was in 1888 naar Brazilië gekomen en had als rondtrekkend schrijver door het noordoosten gezworven, waarbij hij de kost verdiende door brieven te schrijven voor analfabeten. De vroegere novice van de zwartjurken was al vanaf het begin van het avontuur in Canudos, en hij zag er de triomfantelijke terugkeer van de tijd van de *aldeias* in.

De gemeenschap knoopte contacten aan met de omliggende dorpen, verkocht haar produkten op de markten in Uauá en andere steden. De relaties met de Kerk waren aanvankelijk ook vriendschappelijk want de Raadgever probeerde geen priesterfuncties te vervullen en liet deze zorg over aan een oude pastoor die regelmatig uit de naburige parochie van Cumbe naar Canudos kwam. Maar toen de stad groter werd werden de religieuze autoriteiten minder lankmoedig en in 1895 stuurde de aartsbisschop van Bahia twee fraters kapucijnen naar Canudos om de Conselheiro te bevelen zijn volgelingen de wacht aan te zeggen. Antônio weigerde dat, de monniken gingen terug naar Bahia en rapporteerden dat er een opstand werd voorbereid.

Het was natuurlijk onvermijdelijk dat de preken van de Raadgever tegen de veranderingen die de republiek teweegbracht hem in conflict moesten brengen met de plaatselijke leiders. Tijdens de eerste jaren van het republikeinse regime was het in de staat Bahia een politieke chaos, want mannen die daar onder het keizerrijk de absolute macht hadden gehad deden nu hun best om die in de republiek te behouden. In deze roerige tijd deden tegenstanders van gouverneur Luís Viana hun best de weinige haast die hij zette achter het onderdrukken van de fanatiekelingen, in hun ogen een onvergeeflijke zwakheid, te veroordelen en beschuldigden zij hem er bovendien van in het geheim monarchistische sympathieën te koesteren.

Afgezien van de politiek kreeg de gouverneur steeds meer klachten te horen over Canudos, dat een roversnest heette, en waar ook Zé Cavalcante, de zoon van Tico-Tico, zou zitten. Nadat hij in 1882 van Jurema gevlucht was, had Zé zich bij een bende *jagunços* gevoegd die verlaten dorpen aanviel en onvoorzichtige reizigers beroofde. Hij was een jaar na Antônio Paciência in Canudos gekomen, aan het hoofd van acht vogelvrijen wier onbetwistbare leider hij was.

Al herbergde Canudos inderdaad enkele honderden bandieten, de twintigduizend inwoners die het aan het eind van 1896 telde waren voor het merendeel *sertanejos* wier ernstigste misdaad was dat zij de *poderosos de sertão* de rug hadden toegekeerd. Ze waren *vaqueiros*, landbezetters, *agregados*, ontheemden van tientallen *fazendas* en steden, niet alleen uit de *caatinga* maar ook uit de groene dalen van Pernambuco en de staat Bahia. Allemaal hadden ze de stem van de hoop gehoord, die hen naar het Nieuw Jeruzalem riep.

Antônio Paciência en de andere rebellenleiders, rond het vuur gezeten, luisterden naar João Abade, hun opperbevelhebber, die sprak over de volgende aanval op de regeringstroepen. De Monte Favela zou bij dageraad weer worden aangevallen.

Antônio was een van de militaire leiders geworden van de gemeen-

818

schap bij de eerste drie expedities tegen Canudos. Hij dwong eerbied af door moed en bescheidenheid, verdiende zijn sporen in het gevecht, en reed vaak samen met Zé Cavalcante uit om hinderlagen te leggen voor de colonnes van de regering. Zijn oorlogservaring was natuurlijk ook van veel waarde. De oud-strijders van Paraguay hadden de bouw van de verdedigingswerken van de stad geleid en de nog niet voltooide kerk omgebouwd tot een fort.

De groep commandanten bestond, met uitzondering van twee negers, uit *caboclos* en mulatten. Er waren ook nog enkele tientallen vreemdelingen in Canudos, voor het merendeel arme Portugezen, maar ook enkele Syriërs, een familie Boliviaanse zigeuners en de Spanjaard Xever Ribas. Evenals Antônio Paciência waren de andere commandanten allemaal mannen die voor justitie op de vlucht waren. De generaal – een rang die verleend was aan João Abade – was afkomstig uit een vooraanstaande familie uit Bom Conselho, waar de Raadgever de belastingmaatregelen van de republiek had verscheurd. Hij was lang *capanga* geweest van een grootgrondbezitter uit Pernambuco, waarbij hij de rechten van zijn *patrão* wreed deed eerbiedigen, totdat de districtspolitie niet langer de ogen kon sluiten voor zijn misdaden. Verder was er nog 'Pajeú', die, nadat hij een collega had gedood, bij de politie was weggelopen; João Grande, een neger, snel als de bliksem met een mes, die zes mannen zou hebben gekeeld; en de oude Quimquim, een *jagunço* die bandiet was geworden, en wiens trekken herinnerden aan zijn Tapuya-afkomst.

In de loop van de maanden waren zij geweldige guerrillastrijders geworden, en de *caatinga* bood hun een ondoordringbaar schild. Rond Canudos zelf lagen duizenden opstandige soldaten in loopgraven en in de omgeving voerden bendes in leer geklede ruiters, met de punten van hun prikkels geslepen als scheermessen, verrassingsaanvallen uit op de regeringstroepen. Van oudsher bandieten, zoals Zé, of eenvoudige koeiendrijvers die hun *fazenda* hadden verlaten voor het betere leven dat in Canudos beloofd werd, draafden zij door de *caatinga*, stortten zij zich op de vijand en verspreidden zij zich even snel als zij gekomen waren.

Aan het eind van het overleg over de plannen voor de volgende dag stelde generaal João Abade, een kleine man met kromme beentjes van bijna vijftig, voor dat Antônio Paciência en twee andere commandanten de leiding zouden nemen bij een van die verrassingsaanvallen. Terwijl de hoofdaanval uitgevoerd zou worden op het kamp op Favela, zouden zij met tweehonderd mannen naar het zuiden gaan om een hinderlaag te leggen voor het voedselkonvooi van de eerste colonne.

'Wij kunnen de tweede colonne niet tegenhouden,' verklaarde de generaal, waarbij hij doelde op de vijandelijke troepen die uit het oosten kwamen. 'Wij hebben ze aardig te pakken gehad, maar ze zullen toch in Favela komen. Zie jij die voedselvoorraden te pakken te krijgen, Antônio. Binnenkort heeft Artur Oscar vijfduizend uitgehongerde mannen.'

'Goed, generaal.'

'En wat je niet mee kan nemen, die verbrand je.'

'Behalve ónze munitie.'

De andere leiders bulderden van het lachen. Het mislukken van de expeditie van Moreira César had de rebellen enkele honderdduizenden patronen opgeleverd. De beide Krupp-kanonnen die zij te pakken hadden gekregen waren in goede staat, maar ze hadden slechts zevenendertig granaten. De stukken waren zo opgesteld dat zij de plaats bestreken waar de regeringstroepen waarschijnlijk over de Vasa-Barris zouden proberen te komen, links van de nieuwe kerk.

Na de vergadering ging Antônio Paciência naar huis. Hij liep door een sterk hellende straat midden in de stad, en keek automatisch even naar het huis van de Conselheiro, waar zes vrouwen voor waakten. Zij maakten deel uit van een groep van vrome vrouwen – onder wie Idalinas Marques – die aangeduid werd als *beatas*. De *Santa Companhia*, de mannelijke tegenhanger van deze groep heilige vrouwen, telde achthonderd mannen die de belofte van armoede hadden afgelegd en het spirituele leven van de gemeenschap leidden.

'God beware je, Raadgever,' mompelde Antônio toen hij voorbijliep, om de aandacht van de Heer te vestigen op de profeet die negenenzestig jaar oud was. Toen het conflict met de autoriteiten tot openlijke rebellie werd had de Conselheiro de militaire zaken overgelaten aan João Abade en de andere commandanten. Hij zag hen vaak, maar wijdde al zijn krachten aan het voorbereiden van zijn volgelingen in Nieuw Jeruzalem op de apocalyptische slag die gestreden zou worden als Dom Sebastião en de hemelse legioenen het leger van de antichrist zouden komen bevechten.

Toen hij in de buurt van zijn huis kwam zag Antônio Paciência Teotônio bij de deur zitten, met zijn rug tegen de muur, met zijn wang tegen de donderbus die hij in zijn handen hield. Het kind sliep als een roos. Antônio liep hem voorbij, glipte door de half openstaande deur, en kwam in de grootste van de twee kamers van het eenvoudige onderkomen.

'*Papai*?' zei een stemmetje.

'*Sim*, Juraci,' mompelde Antônio terwijl hij naar een hangmat liep.

'Ik heb de geweren gehoord,' zei de jongste zoon van de mulat, die nu bijna viereneenhalf was.

Antônio streek de haren van zijn zoon glad.

'Ben je bang geweest?'

In plaats van te antwoorden riep Juraci: 'Teotônio zegt dat hij een *macaco* heeft gedood!'

Antônio drukte zijn zoon tegen zich aan en dacht aan de woede van diezelfde *macacos*, zijn kameraden *brasileiros*, in Curupaití, waar Policarpo was gesneuveld.

De verrassingsaanval van de rebellen had honderdnegen doden en gewonden gekost bij de troepen van generaal Artur Oscar. De regimenten die enkele uren van tevoren nog arrogant achter de bugels en de trommelslagers aanliepen waren veranderd in kleine doodsbange groepjes, die wanhopig probeerden dekking te vinden. Toen het duidelijk was dat de rebellen zich teruggetrokken hadden beval een woedende Artur Oscar zijn troepen zich onmiddellijk in gevechtsformatie op te stellen.

Om halfzes 's morgens stond Clóvis da Silva op een lage heuvel, rechts van de Monte Favela. De kou van de nacht had zijn reumatische ledematen verstijfd, en hem ook wakker gehouden, in staat van paraatheid, sinds de aanval van elf uur 's avonds. Onder dekking van compagnieën van de derde brigade waren de Krupp-kanonnen de noordelijke helling van de Monte Favela afgetrokken, om dichter bij de Vasa-Barris te worden opgesteld. Rechts op een andere heuvel stond een tweede batterij met het Whitworth-kanon.

Clóvis hield met beide handen een kom dampende koffie vast, staande achter zijn kanonnen. Terwijl hij de hete vloeistof met kleine slokjes opdronk keek hij naar majoor Lauro Correia, die zich klaarmaakte voor het gevecht. Daarna keek hij over de Krupp-kanonnen heen naar de andere kant van de Vasa-Barris. In het grijze ochtendlicht zag hij de beide torens van de kerk in aanbouw en voelde hij de blikken van de vijandige schildwachten.

Rechts van de kanonnen stroomde een beekje door een bergengte, tegenover hem lag een hoogvlakte. Clóvis tuurde naar de minste spleten in de rots waarin een scherpschutter kon zitten en evenals de vorige dag zag hij geen enkele beweging. Hij volgde met zijn ogen de helling van de heuvel waarop de batterij was geïnstalleerd. Aan de kant van de bergengte was die steil en rotsig; naar het noorden was het een glooiende helling, met hier en daar dikke doornbosjes. Onderaan zag hij de ruïne van de *fazenda* waar een compagnie stelling had genomen.

Voordat hij zijn batterij verplaatste had Clóvis een merkwaardig gesprek gehad met generaal Artur Oscar, die vijf jaar in Paraguay had gestreden.

'Ik dacht even dat we daar weer waren,' had de generaal gezucht.

'Ja, ze schreeuwen net als de Guaranis,' had Clóvis geantwoord.

'Zij hebben ook een waanzinnige dictator die ze voorbereidt op het offer. Wij moeten een eind maken aan die waanzin, Clóvis. Of het nu fanatiekelingen, bandieten of monarchisten zijn, we moeten ze snel van de aardbodem wegvagen, want ze zijn een uitdaging aan het bestaan van ons land.'

'Ik was al lang bang voor dit soort gebeurtenissen, generaal. Ik heb de republiek geaccepteerd, en ik heb mijn onvoorwaardelijke steun aan maarschalk Da Fonseca toegezegd. Maar op diezelfde avond van de 15de november heb ik ook de afgrond gezien die tussen ons en die miljoenen ongeletterde lijfeigenen en vroegere slaven ligt, die alleen de bevelen van hun meesters kunnen begrijpen. En in deze godvergeten streek is het Antônio Conselheiro die de orders uitdeelt.'

'De meeste van onze armen zijn eerlijk en leven godvrezend. Die met wie wij hier te maken hebben zijn volslagen gedegenereerd, zij willen Brazilië terugvoeren naar duistere tijden. Wij moeten ze genadeloos uitroeien.'

Op 28 juni, precies om zes uur 's ochtends, gaf generaal Artur Oscar het sein voor het begin van de slachtpartij.

De kanonnen van Clóvis openden het vuur, de eerste granaten ploegden de grond achter de nieuwe kerk om. De tweede batterij begon ook te schieten en het gerommel van het geschut werd niet meer onderbroken. Na een bombardement van een kwartier, toen het stof en de rook wegtrokken, stelde Clóvis vast dat de vijand vrijwel geen schade had geleden. Er waren een paar hutten vernietigd, en er stonden een paar schuren in brand.

'Waar schieten ze in godsnaam op?' gromde Clóvis tegen Lauro Correia. 'Op het grote plein in Uauá?'

De granaten van het Whitworth-kanon explodeerden in de *caatinga*, ver voorbij de noordelijke oever van de Vasa-Barris.

Om halfzeven deden de verdedigers van Canudos een tegenaanval. Zij kwamen vanaf de heuvels, uit de bergengte, uit de richting van de vroegere *fazenda*, waar een compagnie regeringstroepen volkomen onder de voet werd gelopen. De Nordenfeldt-mitrailleurs van de linkerbatterij schoten salvo na salvo door de bergengte; de artilleristen van de Krupp-kanonnen stelden de afstand bij om de fanatiekelingen die aanvielen te kunnen raken. De soldaten van de derde brigade die de batterij moesten beschermen probeerden terug te schieten, maar hun stellingen werden onder dodelijk vuur genomen. Enkele minuten na het begin van de aanval zakte majoor Lauro Correia in elkaar, met een kogel in zijn nek.

Clóvis zag de artilleristen in de buurt van het lijk van de majoor gealarmeerde blikken op de helling van de Favela werpen. Overal om hen heen trokken de infanteristen van de derde brigade zich terug. De mitrailleurs blokkeerden de vijand in de bergengte, maar de 7-ponders konden niets uitrichten tegen de *sertanejos* die vanaf de lage heuvels aankwamen.

'De eerste die vlucht schiet ik neer!' riep Clóvis.

Rechts van hem hielden het Whitworth-kanon op met schieten. Twee Krupp-kanonnen deden er ook het zwijgen toe, maar de infanteristen die de kanonnen beschermden lagen in een betere positie, en waren met de achterhoede verbonden door een communicatielijn.

Twaalf minuten later schoot het derde kanon van de batterij van Clóvis zijn laatste granaat af. Er was geen enkele hoop meer op munitie, want het konvooi met muilezels was kilometers verderop.

'*Viva Conselheiro!*' schreeuwden de fanatiekelingen aan de voet van de heuvel waar de Krupp-batterij ook stond.

Clóvis had een van de Nordenfeltds voor zijn kanonnen gezet maar er was ook voor de mitrailleur vrijwel geen munitie meer. Artilleristen lieten de nutteloze stukken in de steek en begonnen nu met het geweer te schieten. De infanteristen van de derde brigade waren naar de top van de Favela gevlucht, en Clóvis en zijn mannen waren vrijwel geïsoleerd.

'*Viva Bom Jesus! Viva Conselheiro!*'

'Wacht even, jongens,' zei Clóvis tegen de schutters van de Nordenfeldt. 'Wacht tot je die klootzakken kunt horen ademhalen!'

Niet een van de artilleristen was gevlucht, niet omdat hun commandant hen had bedreigd, maar omdat hij in de regen van vijandelijke kogels rechtop was blijven staan.

'*Viva Bom Jesus!*'

De Nordenfeldt maaide de eerste aanvallers neer, maar die werden snel door andere vervangen die naar de kanonnen renden en de *macacos* vervloekten. De artilleristen van de linkerflank van de batterij werden onder de voet gelopen en in stukken gehakt; de *sertanejos* begonnen met de 7-ponder weg te slepen.

Clóvis schoot zijn revolver leeg en begon met de blanke sabel te vechten om met zestien andere artilleristen twee stukken geschut van zijn batterij te verdedigen. Vanuit zijn ooghoek zag hij de rebellen het vierde kanon meenemen. Zonder te aarzelen stortte hij zich schreeuwend en krijsend op de fanatiekelingen. Negen van zijn mannen kwamen achter hem aan en de eerste die de vijand bereikte was een zwarte sergeant uit Santa Catarina, die met een tweesnijdende bijl zwaaide die hij van een fanatiekeling had afgepakt. De neger werd in zijn dij geraakt, maar bleef aanvallen en sneed de arm van een *caboclo*-rebel af, die koppig het kanon bleef vasthouden.

Een heftige strijd laaide op rond het Krupp-kanon. Clóvis zwoer hardop dat de rebellen het kanon geen centimeter meer vooruit zouden krijgen. Het lot gaf hem gelijk, enkele ogenblikken na het begin van de bloedige schermutseling klonken er kreten achter de artilleristen. De infanteristen van de derde brigade schoten de mannen van Clóvis te hulp.

Twee compagnieën met Bahianen vielen op de vijand aan, bajonet op het geweer. De rebellen vluchtten naar de bergengte. Clóvis hield zich vast aan een van de wielen van het Krupp-kanon dat de *sertanejos* bijna hadden meegenomen. Vlak bij hem lag een jonge artillerist op zijn knieën en putte met trillende hand uit de patroongordel van een dode vijand om zijn wapen te herladen. Hij draaide zich om toen hij Clóvis een paar onbegrijpelijke woorden hoorde spreken en zag een donkere vlek op de broek van zijn kolonel, ter hoogte van de buik.

'Mijn God!' riep hij.

'Schieten, jongen! Schiet op die duivels!'

Vijf minuten later waren de infanteristen weer heer en meester over de batterij, waarbij de helft van de artilleristen op zijn post omgekomen was. Clóvis Lima da Silva lag bij het kanon en stamelde: '*Brasil... O! Brasil.*' Toen blies de oude artillerist, net als zijn voorvader, de *bandeirante* Amador Flôres da Silva, in de *sertão* de laatste adem uit.

Negen kilometer zuidelijker galoppeerden Zé Cavalcante en Antônio Paciência aan het hoofd van tweehonderd cavaleristen een heuvel af in de richting van het bevoorradingskonvooi van generaal Artur Oscar. Een vijandelijk officier op een groot zwart paard keek hen even stomverbaasd aan, schoot toen twee keer, en werd vervolgens aan de prikkel van Antônio geregen.

De soldaten die niet wegvluchtten boden hevig weerstand, maar het was hopeloos. Veel *tropeiros*, ook *sertanejos*, vluchtten de *caatinga* in en gaven de colonne muildieren op. Eén derde van de beesten ging ervandoor, waardoor ze voor beide kampen verloren waren. Een kwartier later vluchtten de nog levende soldaten naar de Monte Santo. Achter hen slaakten Zé Cavalcante, Antônio Paciência en hun mannen triomfkreten en begonnen vervolgens de muildieren te verzamelen die nog niet te ver weg waren gelopen.

Een uur na de aanval waren de *sertanejos* klaar om weer naar Canudos te gaan, met veertig beesten, voor het merendeel met munitie beladen. Twee van hen trokken een kar met een paar kisten Krupp-granaten.

'Breng ze naar de Raadgever,' zei Zé tegen Antônio. 'Ik ga naar de *fazenda*.'

'Ik ga met je mee,' stelde Paciência voor.

'Niet nodig. Mijn mannen zijn dit gewend.'

'Dat dacht ik al,' antwoordde Antônio lachend.

Zé de bandiet vertrok met elf leden van zijn bende naar een *fazenda* drie kilometer verderop. Voordat hij de boerderij in brand stak slachtte hij de eigenaar en diens zoon af, om hen te straffen voor het feit dat zij het bevoorradingskonvooi op hun erf hadden toegelaten.

Op de avond van 30 juni, achtenveertig uur na de eerste slag, zat het leger vast op de Monte Favela, als een enorm beest dat op de grond lag, hijgend, met trillende flanken, en de oren in de nek. Een dodelijke stilte heerste over de andere donkere heuvels. Op de Monte Favela, waar de soldaten zich klaarmaakten voor de nacht, was ook alles stil en het enige dat er te horen viel waren vage klachten afkomstig uit het veldhospitaal waarin de achthonderdzeventien gewonden lagen. Niet ver daarvandaan was de *caatinga* verbrand en kaalgekapt, voordat kolonel Clóvis da Silva en achthonderd soldaten erin begraven werden.

Tegen acht uur kwam een priester die bij een stervende was gehaald uit een tent van het veldhospitaal. Hij liep dertig passen, bleef toen staan, keek naar de pas gegraven grafkuilen, liep toen naar de tent die hij deelde met twee aalmoezeniers van het leger, bleef weer staan en keerde toen op zijn schreden terug.

Het was Celso Cavalcanti, thans eenendertig jaar oud, gekleed in een versleten en vieze soutane. Ondanks de vermoeidheid die van zijn gezicht viel af te lezen randden zijn blauwgroene ogen vol vuur. In de loop van de elf jaren die verstreken waren sinds Rodrigo Alves Cavalcanti, zijn vader, hem toestemming had gegeven om zich tot priester te laten wijden, was Celso ingedeeld gebleven bij het aartsbisdom Salvador, waar zijn superieuren hem een goede toekomst hadden voorspeld, als hij tenminste zijn ongeduld kon afremmen en zijn opstandige karakter kon beteugelen.

Het was de aartsbisschop zelf die Celso naar Canudos had gestuurd om te kijken wat daar gaande was, een taak die hij vervulde terwijl hij de aalmoezeniers van de tweede colonne van generaal Claúdio do Amaral Savaget hielp, die Celso al vanaf de kust volgde. Op 25 juni was Savaget twaalf kilometer buiten Canudos. In de loop van de drie volgende dagen waren er driehonderd mannen gevallen langs die twaalf kilometer terwijl de colonne door diepe ravijnen kwam waar de fanatiekelingen hinderlagen hadden gelegd, en enorme rotsblokken op de soldaten en de dieren lieten neerkomen. Maar de generaal had nog iets veel ergers meegemaakt toen hij, eenmaal bij de Monte Favela, ontdekte dat de eerste colonne sterk was uitgedund en geen levensmiddelen en geen munitie meer had. De drie wegen naar het basiskamp werden alle drie bedreigd, en het leger dat eropuit was gestuurd om Canudos te veroveren zat in de val.

Aangekomen bij het hoofdkamp, vroeg Celso Cavalcanti waar de officieren waren van een cavalerie-eskadron van de tweede colonne en werd hij naar een tent gebracht bij het hoofdkwartier van Artur Oscar en Savaget. Toen hij daarnaartoe liep dacht de priester aan wat hij zou zeggen tegen Honório Azevedo da Silva, wiens vader diezelfde ochtend begraven was.

De beide mannen hadden elkaar ontmoet vlak nadat de colonne uit de haven van Aracaju in Sergipe vertrokken was. Majoor Da Silva was een robuuste lansier, wiens soldateske houding deed vermoeden dat hij al lang geleden een carrière als beroepssoldaat had gekozen. Hij verklaarde onomwonden dat het leger, onafhankelijk van de burgerlijke regering, Brazilië op het goede pad moest houden: 'Het is heel eenvoudig, *padre*. Het leger moet een matigende invloed uitoefenen, zoals keizer Pedro dat deed. Totdat de natie volwassen is, moet het leger optreden als tutor, zowel wat betreft de excessen van de witte boorden als om het uitschot van het binnenland af te straffen.' Celso was een andere mening toegedaan, maar de discussie had een vriendschappelijke toon behouden. De majoor hield rekening met de mening van de priester, vooral wat betrof de *sertanejos*, die de officier slecht kende. Sinds de tijd dat hij samen met de Termieten vluchtende slaven hielp, hield Celso zich bezig met het lot van de verdrukten. Hij steunde de strijd van de Kerk tegen het religieuze fanatisme van de *sertanejos* maar was zich zeer goed bewust van de ondraaglijke levensomstandigheden die de armen ertoe brachten te geloven in de beloften van valse profeten zoals Antônio Conselheiro.

Maar tijdens de mars naar Canudos had Honório verteld dat zijn vader afkomstig was van de Da Silvas uit Tiberica en Celso had gevraagd of hij de vader van zijn tante Renata kende, August Laubner. Vaag, had Honório geantwoord, waarbij hij eraan toevoegde dat zijn neef Aristides Tavares da Silva Mauricio Laubner had gesteund, Augusts zoon, in zijn verkiezing voor het parlement van São Paulo.

Toen Celso de tent van Honório binnenkwam groetten de beide mannen die bij de majoor waren hem en gingen naar buiten. De ordonnans van Honório, een vroegere slaaf, had van munitiekisten een geïmproviseerde tafel gemaakt. Een petrolielamp die aan een van de masten van de tent hing wierp een geel licht op het gezicht van de officier, en benadrukte zijn aangedane uitdrukking. Celso ging op een metalen reiskist zitten en luisterde naar Honório, die vertelde over zijn vader die hij zojuist verloren had.

'We waren het weleens niet met elkaar eens,' erkende de majoor. 'Hij was een soldaat van de oude school, hij wilde dat het leger buiten de politiek bleef. Voor hem was het niet gemakkelijk na het vertrek van maarschalk Deodoro. Hij was ervan overtuigd dat hij uit het leger gezet zou worden, nam een kantoorbaantje aan en gedroeg zich heel waardig, zonder ooit in het openbaar zijn superieuren te bekritiseren. En opeens wordt hij de strijd ingestuurd...'

Honório verloor zijn kalmte en begon te schreeuwen: 'Vervloekt, die fanatiekelingen! Mijn vader verdedigde alles wat rechtvaardig en eerbaar is in dit land.'

Celso probeerde hem te kalmeren en pakte hem vast.

'Vandaag,' ging de majoor verder, 'op de weg naar Geremoabo, hebben we een groepje mannen onderschept dat op weg was naar de Raadgever. We hebben ze gedood.'

De priester opende zijn mond om iets te zeggen, maar Honório ging verder: 'Spaar uw spraakwater, *padre*. Ze waren even schuldig als de anderen. Ze hebben de *fazendas* van mannen verlaten die probeerden om de orde in deze streek te handhaven. Stelletje wilden!'

'Zo simpel ligt het niet, Honório.'

'Nee, dat klopt. De wilden van vroeger waren kannibalen. Geïsoleerd van de rest van de wereld...'

'De *sertanejo* van vandaag de dag is ook geïsoleerd, maar dan op geestelijk gebied.'

'Hij is een crimineel die onschuldige families uitmoordt, *fazendas* vernietigt en dorpen terroriseert!'

'Honório, wij hebben die mannen in deze barbaarse streek aan hun lot overgelaten, terwijl wij er niets mee te maken wilden hebben. Daarom is de beschaving van de kust hier machteloos. De *sertanejo* kent slechts twee meesters: de *poderoso* en de droogte.'

De wankele tafel bewoog toen de officier er een klap op gaf.

'*Padre*, ik ken het noorden niet, maar ik weet dat er paden door de *sertão* naar de kust lopen. De São Francisco stroomt over deze gebieden, over meer dan vijftienhonderd kilometer, en de spoorweg loopt tot het midden van de *caatinga*. Hoe kunt u dan beweren dat de *sertanejo* aan zijn lot wordt overgelaten?'

'U hebt geen flauw idee hoe groot de *sertão* is.'

'Maar hij wordt al eeuwenlang doorkruist door mensen: *bandeirantes*, goudzoekers, koeiendrijvers, priesters, slavenhandelaren, colporteurs, ronselaars van het leger... In het oerwoud van de Amazone moet je op zoek naar een verloren stam, niet hier, in de provincie Bahia.'

'U kent deze streek helemaal niet.'

'Ik ken het lot van de minder bedeelden. Ik ben voor orde en vooruitgang, voor een totale breuk met het verleden waarin iedereen, rijk of arm, slechts een pion van de Braganças was. Ik wil een nieuwe maatschappij die op realiteit stoelt, niet op idiote visies van Antônio Conselheiro.'

'Dat willen wij allemaal, majoor. Een land verlost van de onwetendheid en de straffeloosheid, dat de Raadgever in staat heeft gesteld om de *sertanejos* eronder te krijgen.'

'Niemand heeft ze gedwongen om alles in de steek te laten voor Canudos, dat bandietennest, geïsoleerd tussen de heuvels. U hebt zelf dat woord gebruikt. Goddank zijn die slechte elementen, die idiote gekken inderdaad geïsoleerd geraakt van de rest van het land. En ik zal die profeet Antônio en al de leden van zijn vervloekte stam uitroeien!'

'Waar is Teotônio?'

'Weet ik niet.'

Rosalina, die bij haar moeder Idalinas op de grond zat en Maria, een van haar nog ongehuwde zusters, keken niet op toen Antônio Paciência binnenkwam en gingen door met een cassavewortel te raspen. Juraci Cristiano speelde in de buurt van de vrouwen met de knikkers die Teotônio, nu een man geworden, hem had gegeven.

'Is hij niet hier geweest?' hield Antônio aan.

'Nee,' antwoordde Rosalina. 'Hij is misschien bij mijn vader.'

'Vivaldo heeft hem ook niet gezien. Ik ben daar al langs geweest.'

Tot nu toe had de vroegere *salineiro*, die niet veel zin had om te vechten, zich aan de strijd kunnen onttrekken door in het arsenaal van Canudos te werken. Rosalina keek haar man aan en zei: 'Dit is niet de eerste keer dat hij verdwijnt.'

'Dat klopt,' erkende Antônio, die toch ongerust was.

Het was 24 juli 1897. De bendes van Zé Cavalcante en anderen galoppeerden nog steeds door de *caatinga*. De loopgraven die door de heuvels rond Canudos waren gegraven waren nog altijd in handen van de rebellen, maar de verdedigers concentreerden zich nu voornamelijk op de stad zelf. Gedurende de ruim twee weken die waren verlopen sinds de aanval van 28 juni waren de *macacos* geblokkeerd rond de Monte Favela, zonder ravitaillering. Op 14 juli was een eerste muilezelkonvooi uit Monte Santo vertrokken en had de belegerde troepen bereikt. Vier dagen later hadden Artur Oscar en Savaget een massale aanval uitgevoerd aan de andere kant van de Vasa-Barris, in de richting van de *barrios* aan de zuidoostkant van de stad. Na achtenveertig uur verbeten strijd waren de regeringssoldaten met zware verliezen teruggedrongen, maar ze hadden zich ingegraven in de heuvels in de buurt van de stad. Sinds 18 juli lag Canudos onder vuur van negentien kanonnen, waaronder de 'Donder Gods', die nu zo stond opgesteld dat zijn granaten van tweeëndertig pond het hart van de stad konden raken.

Het lagere gedeelte van Canudos lag in puin, hele rijen hutten waren met de grond gelijkgemaakt. Een deel van het gebouw waar het hoofdkwartier zetelde was verwoest en een muur van de oude kapel was ingestort. De nieuwe kerk was verschillende malen gebombardeerd. Een van de torens had ernstig schade geleden, maar het gebouw stond nog overeind, een symbolisch feit dat nogal indruk maakte op de gelovigen. De twee Krupp-kanonnen die op de vijand buit waren gemaakt waren er opgesteld, maar de kanonniers van de Raadgever, die hun meeste granaten hadden afgeschoten om de aanval op de *barrios* af te slaan, waren nu zuinig op hun laatste munitie.

In Canudos werden de doden niet meer geteld. Er waren honderden gevallen van desertie geweest bij de overlevenden, hele families waren naar de heuvels van Cannabrava gevlucht. Toch was het merendeel van de inwoners gebleven, waarbij die van de lagere stad zich hadden gevoegd bij hun kameraden die als beesten in de vlakte achter de stad leefden.

De huizen van Antônio Paciência en Vivaldo stonden in een hoger gelegen deel van de stad, nog weinig geraakt, ook al ontstond er daar steeds meer puin. Toen de vijandelijke kanonnen het vuur openden vluchtten vrouwen en kinderen naar de vlakte. Als ze geluk hadden, vonden ze bij terugkomst hun huis nog overeind, na het bombardement.

'Ik moet weer weg,' zei Antônio, die het bevel voerde over de loopgraven tegenover de *barrios* ten oosten van de stad.

'Als de kleine thuiskomt, zal ik hem naar je toe sturen,' zei zijn vrouw.

'Nee, stuur hem maar naar zijn post.'

'Als hij terugkomt...' mompelde Rosalina geresigneerd.

Teotônio was 's middags op zijn post toen een twaalftal mannen was aangekomen onder leiding van een jonge *jagunço*, met een speciale missie van generaal João Abade. Toen ze hun post hadden verlaten om de Vasa-Barris over te steken, was Teotônio achter ze aan geglipt. Vijfhonderd meter verderop hadden de *sertanejos* in de gaten gekregen dat de jongen hen was gevolgd, maar ze hadden hem niet teruggestuurd.

Het groepje had de hele middag nodig gehad om zich een weg te banen door de droge bosjes en kwam bij het vallen van de nacht aan de voet van een heuvel in de buurt van de Monte Favela, waar zij wachtten tot de *macacos* zouden slapen.

Midden in de nacht begonnen de rebellen de heuvel te beklimmen. Zij vermeden een wachtpost en waren op honderdvijftig meter van hun doel toen hun leider bevel gaf aan te vallen. Dertien mannen en een jongen kwamen uit de *caatinga* en stortten zich op de 'Donder Gods', die een eindje verderop stond, donker en zwijgend.

De jongen rende op zijn dunne beentjes achter de aanvallers aan. De *jagunço* en drie andere mannen hadden granaten bij zich met ontstoken lont, maar die gooiden zij te vroeg weg, zodat ze vóór het Whitworth-kanon ontploften.

De kanonniers die achter het stuk geschut sliepen grepen hun wapens. Elders in het kamp pakten tientallen soldaten die door de explosies uit hun slaap gehaald waren, hun pistolen en hun sabels en wierpen zich op de aanvallers.

Teotônio kreeg drie kogels in zijn borst, en twaalf andere rebellen vielen met hem. De dertiende ontsnapte naar de *caatinga* en ondanks zijn verwondingen kwam hij in Canudos. Toen hij rapport uitbracht aan João Abade, verklaarde hij dat zijn kameraden dood waren maar vertelde niets over de jongen, met wie hij niet gesproken had en wiens naam hij niet kende.

Zoals hij dat de voorgaande twee dagen ook gedaan had ging Antônio Paciência naar de ziekenbarak om zijn zoon tussen de gewonden te zoeken. Vivaldo ging met hem mee. Antônio en Rosalina hadden het niet meer over Teotônio gehad maar waren er nu allebei van overtuigd dat hun zoon in handen van de vijand was gevallen. Toch voelde de mulat weer hoop toen hem verteld werd dat ze een jongen naar de ziekenbarak hadden gebracht.

De beide mannen die voor de gewonden moesten zorgen waren een *curandeiro* die de inheemse kruiden kende en iemand uit Ceará die in een hospitaal had gewerkt. De laatste, een *caboclo* die kortweg Simão Medico, 'Simon de Dokter' werd genoemd, groette Antônio en Vivaldo met een hoofdknik toen zij binnenkwamen. Hij bescheen een jonge mulat met een lantaarn, wiens wond ter hoogte van de maag net verbonden was. Het was Teotônio niet.

'Dat is misschien maar beter ook,' zei Simão. 'Als jouw zoon het geluk heeft gehad op slag dood te zijn...'

Uit de opmerking van Medico bleek dat hij zich al lang neergelegd had bij al dat lijden. Negentien jaar eerder, toen hij twintig was, was hij voor de grote *seca* van 1877-79 in Ceará gevlucht en meegegaan met de duizenden mannen die gerekruteerd werden om rubber te gaan tappen in het Amazonegebied. Maar in Belém vonden Simão en vijfhonderd andere vluchtelingen uit Ceará beter betaald werk in Santo Antônio, een basiskamp van arbeiders die een spoorweg aanlegden dwars door het oerwoud. Na achttien maanden, toen het project werd opgegeven, waren driehonderd van hen gestorven aan malaria en andere ziekten.

In 1891, na dertien jaar aan de oevers van de Amazone te hebben doorgebracht, was Simão naar Ceará teruggekeerd, dat opnieuw te lijden had van de droogte. 'En ik dankte God ervoor!' had Medico aan Antônio Paciência verteld. 'Ik ben op mijn knieën gevallen om de gebarsten grond te kussen, want ik had geluk gehad. Geloof je echt dat er geen slavernij meer is in Brazilië? Ga dan maar eens bij de rubbertappers kijken.'

In Canudos was Simão een van de vurigste volgelingen van de Raadgever geworden. Meestentijds gedroeg hij zich normaal, maar soms werd hij geknield aangetroffen bij mannen die al dood waren, waarbij hij hen smeekte om hem iets te vertellen over Dom Sebastião en de andere uitverkorenen die zij in de hemel ontmoetten.

Antônio en Vivaldo verlieten de ziekenbarak en liepen even zwijgend door. Tot aan de verdwijning van Teotônio had Vivaldo zelden uiting gegeven aan zijn twijfel over de afloop van de opstand, maar sinds twee dagen werd hij moedeloos.

'De Raadgever wordt zwakker,' zei hij ten slotte mompelend. 'Als hij doodgaat, wat hebben we dan nog over?'

'Anderen zullen de strijd voortzetten,' antwoordde Antônio.

'Tot Canudos helemaal met de grond gelijk is gemaakt?'

'Denk jij aan vluchten?' vroeg de mulat, zonder zijn metgezel aan te kijken.

'Zeker niet! Antônio Conselheiro belooft duizend jaar vrede op aarde na de gevechten.'

'Voor hen die het geloof bewaren, Vivaldo.'

Voor hen die in wonderen geloven... dacht de vroegere *salineiro*, terwijl hij uit zijn ooghoek naar zijn schoonzoon keek.

Drie dagen later verdween Vivaldo Maria Marques, waarbij hij zijn vrouw en zijn beide dochters achterliet. Niemand geloofde dat hij onder de kogels van de vijand gevallen was. Om de zonde van haar laffe man goed te maken begon Idalinas aan een lange vasten die haar aan de rand van de dood bracht.

Op 10 september, aan het eind van de ochtend, reden Honório da Silva en vierenvijftig ruiters naar een *fazenda* in de Serra Vermelha, ten oosten van Canudos. In de loop van de weken waren de soldaten die in een smetteloos uniform van de kust waren vertrokken, aardig op de rebellen zelf gaan lijken. Ook de vierde expeditie leek een mislukking te worden. Het leger, met gebrek aan levensmiddelen en water, voedde zich met vruchten en wortels die de *sertanejos* in de *caatinga* vonden. Met het vlees van wilde ossen was dat alles wat de regeringstroepen konden eten voordat de eerste bevoorradingskonvooien de Monte Santo bereikten. In augustus kwamen er ook drieduizend soldaten als versterking om de tweeduizend gewonde of zieke mannen te vervangen, en toen hoorden zij dat maarschalk Carlos Machado de Bittencourt, minister van Oorlog, besloten had om zich persoonlijk met de veldtocht te bemoeien.

De eigenaar van de *fazenda* en zijn *vaqueiros*, tot de tanden bewapend, wachtten Honório voor de boerderij op. De officier groette hen, en vroeg of er *jagunços* voorbij waren gekomen.

'*Sim*, majoor,' antwoordde de *fazendeiro* knorrig. 'Afgelopen nacht. Met de duivel zelf, Zé Cavalcante, aan het hoofd.'

'Met zijn hoevelen waren zij?'

Luís Teixeira, de boer, wees met zijn karabijn naar de paarden die met hun hoeven op de aangestampte grond van de binnenplaats stonden te trappelen.

'Net zoveel als uw mannen,' zei hij. 'Ongeveer veertig.'

'Heb je ze te eten gegeven? Heb je hun dieren laten drinken?'

'Ik ben nog in leven, nietwaar?'

'Opgepast, *senhor* Luís.'

'Hoezo?'

'Uw buren hebben een andere versie dan u.'

'Leugenaars! Geitendieven!'

'Waarheen zijn de bandieten vertrokken?'

'Ik heb ze horen praten over de weg naar Geremoabo.'

'Richting Canudos?'

'Nee, naar het noorden.'

Honório reed bij de *fazendeiro* weg en gaf het sein tot vertrek. Sinds twee dagen verkenden zijn ruiters de *caatinga* ten westen van de Monte Favela en dienden zij als voorhoede voor bataljons die optrokken naar de heuvels van Cannabrava om Canudos te belegeren. Een dergelijke operatie vond ook in het westen plaats.

Voorafgegaan door zes ruiters die als verkenners dienst deden bereikte het gros van de troep twee uur later de weg naar Geremoabo en volgde die in oostelijke richting. Toen zij ongeveer tien kilometer hadden afgelegd stuitten de ruiters op een verkenner die verse sporen van hoeven had gevonden op een pad dat naar het noorden voerde.

De colonne in lompen geklede soldaten drong de dichte bosjes in. Iedere man bekeek de wirwar van cactussen en doornbosjes tot hij pijn in zijn ogen had. Twintig minuten later werd het pad nog smaller, waardoor Honório's mannen langzamer moesten gaan rijden. Plotseling klonken er schoten achter de majoor, en vielen zes ruiters uit het zadel.

De soldaten verlieten het pad en verspreidden zich over de *caatinga*. Honório en vijf van zijn mannen schoten terug en vielen een groepje *jagunços* aan dat in een hinderlaag lag. De dichtstbijzijnde ruiter werd in zijn gezicht geraakt, de tweede slaakte een kreet omdat hij in de borst was geraakt. Honório bleef met de overlevenden aanvallen, en trof vier *jagunços* die op een open plek geposteerd waren. Hij leegde zijn revolver en gebruikte zijn sabel om een van de bandieten te doden en een andere zwaar aan zijn arm te verwonden.

De *jagunços*, wier tactiek eruit bestond om er meteen na een aanval vandoor te gaan, deden dat ook nu, waarbij zij een twintigtal doden en gewonden achterlieten.

Zé Cavalcante was al in zijn borst geraakt toen zijn paard neerstortte. De bandiet kwam zo hard terecht dat hij zijn been brak, maar het lukte hem zich naar een bosje te slepen waar hij zich kon verbergen toen het gevecht afliep. Hij hoorde de ruiters van het regeringsleger praten en lachen, en af en toe schieten om de gewonde *jagunços* af te maken. Toen zij verder reden over de weg naar Geremoabo, kwam Zé uit zijn schuilplaats en liep hij steunend op zijn geweer naar het pad.

Twee dagen later vond een groep van zijn mannen die naar de *caatinga* was gevlucht hem in de buurt van de weg. De *urubus* waren al begonnen zijn gezicht op te eten, en de oogkassen onder zijn donkere wenkbrauwen waren leeg.

Canudos werd dagelijks gebombardeerd terwijl de belegeringslinies ten oosten en ten westen van de vlakte oprukten. De torens van de nieuwe kerk waren ingestort, honderdzevenenzestig rebellen hadden de dood gevonden maar anderen bleven de enorme ruïne verdedigen waarvan Antônio Conselheiro de tempel van het Nieuw Jeruzalem had willen maken.

Na de bombardementen begonnen de regeringsbataljons de citadel aan te vallen. Maarschalk Bittencourt, een koelbloedige en methodische strateeg, was begonnen Canudos huis voor huis te veroveren. Half september waren zijn troepen meester van de *barrios* ten oosten van de stad, na bloedige gevechten. Vervolgens werden zij niet ver van het centrale plein en de ruïnes van de kerk, waaromheen de *sertanejos* loopgraven hadden gemaakt, tot staan gebracht. Maar terwijl de tang zich rond hen sloot verloren de verdedigers in andere sectoren terrein. De regeringstroepen trokken ook door de vlakte op, en dreven de rebellen terug in een steeds kleiner wordende schuilplaats.

João Abade en verschillende andere officieren waren dood, het opperbevel was nu in handen van João Grande, de grote João, zeer bedreven in *capoeira*, de vechtkunst van de slaven. Antônio Paciência, die voorheen met Zé Cavalcante meeging, was al een maand niet meer buiten Canudos geweest en had vijfhonderdzeventig mannen en jongens onder zich, in de loopgraven rond de kerk.

Op 22 september gingen honderden vrouwen bij het vallen van de nacht naar de open plek in de buurt van de schuilplaats van de Raadgever, ten westen van Canudos. De meesten liepen in stilte maar sommigen konden hun geweeklaag niet voor zich houden.

Antônio Conselheiro lag op sterven.

Dag na dag was hij zwakker geworden terwijl hij getuige was van de vernietiging van zijn heilige stad. Zijn huid was geel geworden, zijn lichaam schokte door hoesten en overgeven, hij had ook last van dysenterie en sinds een week kwam hij niet meer van zijn ziekbed, terwijl Simão Medico en de *curandeiro* elkaar aflosten.

De menigte voor het huis van de profeet was veel minder talrijk dan twee maanden eerder. Veel vrouwen waren omgekomen bij de bombardementen en in de loopgraven, waar zij de wapens herlaadden en munitie aandroegen. Naarmate de voorraad levensmiddelen slonk werden er ook steeds meer mensen ziek. In de buurt van het plein lieten de meeste vrouwen zich op de knieën vallen en richtten zij hun blikken op het huisje waar de Raadgever lag.

Rosalina zat bij haar moeder, Idalinas Marques, en Juraci Cristiano, die niet meer naar buiten mocht sinds de veronderstelde dood van zijn broer Teotônio. Rosalina leek tien jaar ouder dan haar eenendertig jaren. Haar zwarte haren, vol luizen, waren kortgeknipt. Haar te diep liggende ogen in haar dikke gezicht getuigden van haar angst.

Idalinas, de *beata*, gekleed in een lang hemd van grove stof, bad hardop, waarbij zij heen en weer wiegde. Nadat haar man gedeserteerd was had zij een nieuwe slag te verduren gekregen toen een van haar dochters met een groep rebellen was gevlucht, en door de vijandelijke linie was gekomen. Ook had zij haar derde dochter, Maria, verloren, die bij een aanval om het leven was gekomen.

Juraci Cristiano kroop tegen zijn moeder aan en rilde in de koude nacht terwijl hij naar de angstige ogen, de blauwe lippen en de zwarte tanden van zijn grootmoeder keek. De kreten van Idalinas maakten hem bang. Ze vertelde hem dat het einde van de wereld naderde, dat Jezus sterren over de vijanden zou laten regenen, en het kind keek af en toe bang naar de hemel.

Er werd geen enkele vrouw toegelaten in het huis van de Raadgever, waar Xever Ribas met verschillende leden van de *Santa Companhia* waakte over de stervende. Zij losten elkaar af en zaten aan een lange tafel. Grote kaarsen wierpen een flakkerend licht op de beelden van de meest vereerde heiligen van de gemeenschap.

Antônio Conselheiro lag op een bed dat tegen de muur was geschoven. Zijn vuile pij stonk verschrikkelijk, en zijn braaksel bleef in zijn baard zitten. Hij klemde het kruis dat hij vroeger aan zijn ceintuur droeg in zijn handen die gekruist over zijn borst lagen.

Tegen negenen deed de Raadgever plotseling de ogen open.

'Broeders, mijn compagnie,' mompelde hij met zijn gebarsten lippen. 'De Here Jezus ziet onze strijd.'

Hij draaide zijn hoofd naar de geopende deur en luisterde naar de vrouwen.

'Waarom wenen zij?'

'Ze zijn bang,' antwoordde Xever.

'Nee! Dat mag niet. Jezus houdt van hen! Zeg hun dat!'

Xever Ribas, even mager als de stervende profeet, knikte alleen. De woorden van de Conselheiro troostten hem niet meer nu zijn droom, de reconstructie van een grote *aldeia*, in duigen lag. Antônio Conselheiro schokte onder een hoestaanval, kreeg met moeite zijn adem terug en sprak verder: 'Ik wilde de armen helpen. Zij die honger leden – in hun lichaam en in hun ziel. Wie kon hen leiden? De *poderosos*, die zich meer zorgen maakten om een weggelopen dier? De priesters, die hun de rug toekeerden? De kolonels, die hun alleen maar dienst wilden laten nemen in hun privé-milities?'

Na de volgende hoestaanval ging de Raadgever verder met een heftig betoog tegen de republiek, doorspekt met profetieën over het eind van de wereld. Buiten adem hield hij op en keek hij Xever Ribas en de leden van de *Santa Companhia* met koortsige ogen aan.

'De antichrist heeft Canudos niet overwonnen,' zei hij met rochelende stem. 'In de hemel worden er tienduizend zwaarden geheven om ons te helpen... een leger van licht... de Heilige Antonius die met het zwaard van de waarheid zwaait... onze kleine Dom Sebastião in zijn blinkende wapenrusting... O, Xever, de bomen staan in bloei, het water stroomt weer door de bedding van de rivieren, de mensen hebben geen dorst meer!'

Antônio Vicente Mendes Maciel, heilige van de *sertanejos*, stierf met dat visioen van het paradijs, beloofd aan de armen van Nieuw Jeruzalem.

De omsingeling van Canudos werd voltooid op de ochtend van 24 september. In de middag begonnen regimenten lansiers de vlakte 'schoon te vegen', met een vloedgolf van mensen en dieren die over de heuvels van Cannabrava rolde. Majoor Honório da Silva en zijn compagnie legden ruim anderhalve kilometer af voordat zij op het eerste verzet stuitten. Een bende *sertanejos* had zich ingegraven aan de voet van de kleine heuvel, achter een aarden wal.

De ruiters verspreidden zich meteen en begonnen te schieten.

'Bugelspeler, blaas de aanval!' beval Honório.

Een kogel drong door zijn leren broek en haalde zijn been open. Hij keek even naar beneden, toen weer naar de vijandelijke stelling, nu op vijftig meter voor hem en schreeuwde: '*Viva Patria!*'

De aarden wal was een meter hoog en was dus geen echt obstakel voor de paarden, die er gewoon overheen sprongen. De *sertanejos* die aan de lansen van de cavaleristen ontkwamen hergroepeerden zich en hoewel het één tegen drie was, boden zij heftig weerstand tegen de aanvallers. Zij gebruikten de geweren die zij leeggeschoten hadden als knuppels. De stenen van de wal gooiden zij naar de vijand. Geen enkele rebel probeerde te vluchten, en geen enkele overleefde het.

De cavaleristen telden hun eigen verliezen, zes doden, elf gewonden. Honório da Silva liep langzaam tussen de verminkte lichamen, die onder het bloed zaten en riep: 'Mijn God, wat een vijand!'

In het veldhospitaal achter de Monte Favela stond Celso Cavalcanti aan het ziekbed van een jonge soldaat die hij de laatste sacramenten had toegediend. In de loop van de drie maanden die hij op deze trieste plek had doorgebracht had hij rebellen en regeringssoldaten met evenveel medeleven behandeld. Hij had de stervenden de biecht afgenomen, en met hen gebeden om de vergiffenis van Christus. Iedere dag was hij naar de gewonden en de zieken gegaan, ook de gevangen *sertanejos*, om hen zoveel mogelijk te kunnen sterken.

Toen de slag in volle gang was – tegen de rebellen, de hitte, het bijgeloof dat aan de geest van de mannen vrat die in een dergelijk isolement moesten leven – bleef Celso zich beklagen over wat hij beschouwde als een nationale tragedie, wat hij ook had geprobeerd uit te leggen aan Honório da Silva.

Op het moment dat Celso zich omdraaide om nog een laatste woord te spreken tot de gewonde soldaat, stelde hij vast dat deze al dood was. Met zijn ogen vol tranen mompelde hij een laatste gebed, en toen keek hij op.

'Weer een offer op het altaar van de waanzin.'

Toen hij deze woorden hoorde draaide de priester zich om. Hij kende de man die hij achter zich zag staan van gezicht, maar sinds die tien dagen eerder naar het kamp was gekomen waren zij nog niet aan elkaar voorgesteld.

'Euclides da Cunha, correspondent van de *Estado de São Paulo*,' zei de man die net had gesproken. 'Bent u *padre* Celso Cavalcanti?'

Celso knikte. De journalist, die even oud leek als hij, droeg een donkere jas met twee loshangende knopen. Zijn broek met dunne strepen flodderde rond zijn knieën, en zijn das was kennelijk inderhaast omgeknoopt. Hij had hoge, vooruitstekende jukbeenderen en bruin, warrig haar, dat goed paste bij zijn slordige voorkomen.

'Wie was het?' vroeg hij terwijl hij naar de jonge soldaat keek.

De priester vertelde hem het weinige dat hij wist. De jonge bankbediende uit Rio was de vorige dag gewond tijdens een uitval van de rebellen tegen de regeringstroepen.

'Een jaar geleden had hij ongetwijfeld nog nooit over Canudos gehoord,' zei Euclides da Cunha.

'Een offer op het altaar van de waanzin, zei u?'

'Vindt u dat dan niet? Ik meen anders te weten dat u vreemde ideeën over de *sertanejos* hebt.'

'Heeft Honório da Silva u over mij verteld?'

'Hij, en anderen. Ik zou het graag met u over deze oorlog willen hebben, proberen te begrijpen waarom Antônio en zijn twintigduizend fanatiekelingen de banier van de Middeleeuwen over Brazilië hebben opgeheven.'

'Ik dacht dat ik de enige was die zich dat soort dingen afvroeg.'

De beide mannen verlieten de tent en liepen langzaam naar een rivier die nu niet meer was dan een stroompje. Terwijl hij zijn visie op de gebeurtenissen gaf, liet de journalist ook enkele inlichtingen betreffende zichzelf los. Hij was in Rio geboren, naar de militaire academie geweest maar had het leger vervolgens verlaten, om civiel ingenieur in de staat São Paulo te worden.

'Ik ben geen pacifist,' preciseerde hij. 'Ik heb de wapens ooit opgenomen om de republiek te verdedigen en ik ben bereid dat weer te doen, maar ik haat oorlog.'

Toen Celso zijn visie op de opstand gaf, knikte Euclides da Cunha heftig ten teken van instemming.

'Toen ik uit Salvador ging had ik wel een idee wat me te wachten stond,' zei de correspondent van de *Estado de São Paulo*. 'Maar ik vergiste mij. Hoe verder ik van de kust kwam, des te meer ik de indruk had in het buitenland terecht te komen, naar het verleden te reizen. Het is waar dat onwetendheid en armoede de *sertanejos* tot paria's maken, maar dat komt omdat wij drie eeuwen lang ons alleen maar bezig hebben gehouden met het vestigen van onze beschaving aan de kust, waarbij we een derde en wellicht wel meer van onze natie hebben verwaarloosd.'

'Dat is precies wat ik ook tegen Honório da Silva heb gezegd!' riep Celso uit. 'De *sertão* is in de steek gelaten. De majoor is het daar niet mee eens. Volgens hem hebben de *bandeirantes* en de jezuïeten de streek opengebroken voor de beschaving.'

'Hoe legt hij deze barbaarse opstand dan uit?'

'Met het meest gehoorde argument, dat Canudos een schuilplaats van criminelen is.'

'Als wij Canudos verlaten in die overtuiging, zal onze misdaad nog groter zijn,' zei de journalist. 'Interessant, die toespeling op de *bandeirantes*.'

'Maar niet verrassend. Honório is een afstammeling van Amador Flôres da Silva, de smaragdzoeker.'

'De criminelen over wie de majoor het heeft zijn voor het merendeel afstammelingen van de *bandeirantes*. Ik durf zelfs te beweren dat zij de basis van onze natie zijn.'

'Dat klopt,' beaamde de priester. 'En toch zijn ze ons net zo vreemd als de Tupis het waren voor de eerste Portugese kolonisten.'

Euclides speelde even met een van de loshangende knopen van zijn jas, en keek Celso toen aan.

'Het offer van de jonge soldaat die wij zoëven gezien hebben zou nutteloos zijn als onze kanonnen niet de weg openden voor een nieuwe verovering van de *sertão* – een koppige campagne om de *sertanejos* te betrekken bij ons nationale leven.'

Die nacht, in het gedeelte van de stad dat nog in handen was van de rebellen, kwam Antônio Paciência uit een loopgraaf voor de *praça* en ging alleen een meter of dertig verderop zitten, geleund tegen een stuk muur van de nieuwe kerk. Hij had een deken over zijn schouders geslagen want de temperatuur was sterk gedaald na de hitte van de dag. In de verte klonken geweerschoten. Een uitval van de mannen van de grote João tegen de *macacos*.

De mulat keek naar het zuiderkruis dat boven hem schitterde. Anderen zochten in de hemel naar tekenen van de terugkeer van de Raadgever, maar Antônio verwachtte geen wonder. Elke dag werden de doden talrijker. De overlevenden zaten samengedrongen in een groepje huizen rond de kerk, en waren verzwakt door honger en angst. In veel huizen stierven hele families, getroffen door ziektes.

Antônio wist dat de beslissende slag op handen was. In de loopgraven verheugden de mannen zich op dit denkbeeld, zongen psalmen en riepen de Raadgever te hulp. Verstokte *jagunços* zoals Zé Cavalcante, in de *sertão* gestorven, baden met liefde tot Christus de Verlosser, terwijl zij hun kapmessen slepen.

Toen de dageraad gloorde ging Antônio weer naar de loopgraaf en opende een vijandelijke batterij achthonderd meter verderop het vuur. Twintig minuten later werden verschillende straten van de stad die door de artilleristen tot doelwit waren gekozen, onder vuur genomen. Het kanonvuur hield op en er werden slechts hier en daar schoten gewisseld in de *barrios* in het oosten voordat de ochtend voorbij was.

Antônio ging naar huis, en zag Rosalina voor het huis zitten, bij een pan waarin een grijze blubber kookte. Door de grote open deur zag hij Idalinas die binnen voor een beeld van de Heilige Maagd geknield lag. Juraci Cristiano, die uit een hut aan het eind van de straat kwam, rende naar zijn vader toe. Het kind zag er afschuwelijk mager uit in zijn vodden. Idalinas had twee religieuze medaillons aan zijn hemd gespeld en hem gezegd dat hij niet bang hoefde te zijn voor de kanonnen van de *macacos*. Als hij zou sterven, zou hij een engel worden aan de voeten van Jezus. Toch was Juraci wel bang.

De hut waar hij was geweest was van een *caboclo* die Plácido de Paula heette, en die niet wist hoe oud hij precies was, maar die geboren was ten tijde van koning João van Portugal. Plácido, zwak en half-blind, kon niet vechten tegen de *macacos* en bracht zijn tijd door met een engel Gabriël van acht voet hoog uit hout te snijden, ondanks zijn slechte gezichtsvermogen. Deze begon een treffende gelijkenis met de Raadgever te vertonen.

Placido was zijn hele leven beeldhouwer geweest, en had met name boegbeelden gemaakt voor de *barchas* van de Rio São Francisco. Gabriël was zijn meest ambitieuze project. Juraci kon urenlang naar de oude man kijken, die krullen sneed uit zijn enorme blok hout, waaruit dan de gestalte van de engel verrees. Toen de jongeman naar zijn vader liep probeerde deze te glimlachen en vroeg hem hoe het met Plácido ging.

'Hij heeft de hele ochtend gewerkt, *pai*.'

'Goed zo. Hij moet Gabriël gauw af krijgen. Weet je, Plácido is even moedig als de mensen die in de loopgraven vechten. Hij hoort de kanonnen, hij ziet de granaten exploderen maar toch werkt hij door.'

'Waar zetten we die Gabriël neer?' vroeg Juraci. 'We hebben geen kerk meer.'

'We bouwen wel een andere…'

'Als de *macacos* weg zijn!'

'Ja, mijn zoon. Een kerk van Santo Antônio, groter dan die welke zij verwoest hebben.'

'*Ai, Nossa Senhore!*' zei Rosalina. 'Hebben we nog niet genoeg geleden?'

Antônio wist hoe bang zijn vrouw was voor de laatste slag.

'Wij hebben de *macacos* al eerder overwonnen, en wij zullen dat opnieuw doen,' zei hij.

'Jaag de *macacos* weg, jaag de *macacos* weg, *pai!*' riep Juraci.

Antônio pakte zijn zoon bij de schouder.

'Er komt een grote veldslag, zoon. Blijf bij je moeder en je grootmoeder.'

'Ik zal dapper zijn, *pai*. Net als Teotônio.'

Antônio kneep zo hard in de schouder van het kind dat diens gezicht vertrok.

'Wat is er, *pai?*'

Antônio mompelde: 'Ik zal mijn leven geven. Ik zal alles geven wat U mij vraagt, Here Jezus. Maar spaar de zoon van Antônio Paciência.'

Op 1 oktober 1897, bij zonsopgang, begonnen alle kanonnen van de regeringstroepen te schieten. Eenentwintig stuks geschut vormden een halve boog van anderhalve kilometer tegenover Canudos. De regen van granaten vloog over de *caatinga* heen en verwoestte de laatste huizen die door de fanatiekelingen nog werden bezet. Het duurde bijna een uur.

Simão Medico zag een muur van vuur optrekken door de droge bosjes rond zijn tweehonderd gewonden. De vlammen lekten langs de tenten, en bedreigden de mannen die niets konden doen. Volkomen in de ban van dit helse visioen stond Simão aan de rand van de vuurzee en slaakte onsamenhangende kreten. Toen een vreselijk verbrande gewonde naar hem toe kwam rennen en hem om hulp vroeg, dacht hij dat hij de duivel zag en vluchtte de *caatinga* in.

Enkele minuten later werd Simão Medico door een verkenner van de regeringstroepen neergeschoten.

Hoewel de Sociëteit van Jezus voor hem gesloten was gebleven, was Xever Ribas in zijn geest een zwartjurk en beschouwde hij zich als een nieuwe *padre* Mola die de slavenhandelaren uitdaagde. Maar in de loop van de laatste week, toen de regeringstroepen hun greep op Canudos verstevigd hadden, had de Spanjaard de moed verloren. Hij besloot te vluchten, kwam bij de Vasa-Barris zonder op een vijandelijke patrouille te stuiten en liep door het modderige water toen hij plotseling bleef staan.

'O, Here Jezus!'

Xever Ribas zag Antônio Conselheiro aan de andere oever staan, waarbij zijn blauwe pij omgeven was door een hemels licht.

Hij kreeg spijt en keerde terug naar de *sertanejos*, ging naar het heiligdom waar de heiligen van de gemeenschap zich bevonden en viel op zijn knieën om vergiffenis te vragen aan de Raadgever.

Hij bevond zich nog in deze positie toen twee granaten het kleine gebouwtje verwoestten en hem onder het puin begroeven.

Idalinas Marques, geknield in haar eigen urine, bad tot de Here Jezus en de heiligen. In een andere hoek van het vertrek drukte Rosalina

Juraci Cristiano tegen zich aan. Het bombardement was nog nooit zo hevig geweest. De explosies deden de grond schudden en dreven rook en stof het huis binnen, ondanks de huid die voor de deur hing.

Idalinas hoestte, spuugde, en begon weer de Heer aan te roepen. Het was haar laatste gebed. Met verschrikkeiijk gekraak ontplofte er een granaat vlak bij het huis, waarbij de hoek waar zij zat vernietigd werd. De balken van het plafond kwamen omlaag, de muren stortten in. Een granaatscherf sloeg in de schedel van Rosalina, die haar kind had moeten loslaten door de luchtdruk van de explosie.

Onder een regen van projectielen verlieten Antônio Paciência en zijn mannen de loopgraaf om hun toevlucht te zoeken in de ruïnes. Toen het kanonvuur eindelijk ophield klom hij op een stuk muur en keek om zich heen. Links verlichtte de opkomende zon de heuvels, rechts was het nog donker, behalve op die plaatsen waar de vlammen tussen de huizen oprezen, aangewakkerd door een noordoostelijke wind. Het geschreeuw en het geweeklaag van de dodelijk gewonde stad vermengden zich tot een afschuwelijk gekrijs van doodsstrijd.

'Wat zie jij, Antônio?' vroeg een rebel hem.

'Het einde van de wereld,' antwoordde hij met een stem die alleen hij kon horen. 'Zoals de Raadgever het voorspeld heeft... Het einde van de wereld.'

'Viva Bom Jesus! Viva Conselheiro!'

Hier en daar klonk nog de oude strijdkreet maar de meeste rebellen wachtten in stilte af. Ze waren misschien nog met vijfhonderd in de loopgraven en rond de kerk, en vijfhonderd in de hel achter hen. Duizend overlevenden van de twintigduizend inwoners die Nieuw Jeruzalem drie maanden geleden nog telde.

Achter de *praça* , in het oosten, en aan de andere kant van de Vasa-Barris, in het zuiden, maakten vijfentwintighonderd soldaten zich op om de laatste stellingen van de rebellen in te nemen. Drieduizend anderen stonden klaar als versterking. Het merendeel van de soldaten verschilde weinig van zijn vijanden, het was arm, ongeletterd, en werd niet geteisterd door vragen als die van Celso Cavalcanti en Euclides da Cunha. Voor hen was Canudos een vervloeking, een hel waar vijfduizend van hun kameraden in waren omgekomen.

De mitrailleurs kwamen in actie. Een kwartier lang hingen de schutters aan hun Nordenfeldts tot zij pijn in hun polsen kregen, waarbij zij een regen van lood over de Vasa-Barris stuurden.

'Aanvallen!'

De bugels klonken.

'*Viva a Republica! Viva Brasil!*'

Vijftienhonderd bajonetten drongen door de bosjes toen de compagnieën samenstroomden in de richting van de rivier. Op hetzelfde ogenblik sprongen duizend soldaten te voorschijn uit de oostelijke *barrios*, en liepen naar de *praça*.

In het rebellenkamp klemden vingers bedekt met korsten van stof zich rond trekkers van geweren.

'Nog niet schieten,' zei Antônio Paciência tegen zijn mannen.

Alle leiders van de *sertanejos* gaven hetzelfde bevel. De soldaten die in het oosten aanvielen kwamen aanlopen over het plein, naderden en bevonden zich op minder dan honderd meter van de vijand toen de storm losbarstte. Zestig rebellen waren uit de loopgraven gekomen en hadden stelling genomen ten noorden van het plein, en hun spervuur maaide dertig *macacos* neer.

'Schieten!' riep Antônio meteen, om vervolgens de aanvallers onder spervuur te nemen.

Voor de soldaten die de Vasa-Barris overstaken was de situatie amper beter. Zij waren prachtige mikpunten voor de fanatiekelingen die in de loopgraaf of achter de ingestorte muur van de kerk lagen.

In zijn hoofdkwartier bewaarde maarschalk Bittencourt zijn kalmte, maar hij waarschuwde zijn officieren: 'Het leger belooft al drie maanden de overwinning. Brazilië heeft geduld met ons gehad. Als wij vandaag weer mislukken, hebben we ons gezicht absoluut verloren.'

Bittencourt, die de artillerie alleen kon inzetten ten koste van zijn eigen troepen, gebruikte dynamiet als laatste redmiddel. Zes bommen, gelanceerd vanuit het riet, explodeerden in de vijandelijke loopgraaf. Direct daarna liep een tweede golf aanvallers de verdedigers van de Vasa-Barris onder de voet, dwars door de rook en het stof heen.

Voor de *praça* lagen de mannen van Antônio Paciência onder vuur van soldaten die vanuit de vroegere kapel schoten. Tot twee keer toe waren de vijanden op de loopgraaf afgerend, met bommen in de hand, maar zij waren neergeschoten voordat ze die konden wegwerpen. Tegen negen uur had Antônio een kwart van zijn mannen verloren. Vanuit het noorden naderden de explosies en de rebellen kwamen naar de huizen toe rennen. De mulat schoot zijn geweer leeg, wendde zich tot de *caboclo* naast hem en mompelde: 'Ze willen de overwinning, nu, die zullen ze hebben.'

Hij herlaadde zijn wapen, bracht een fluitje naar zijn lippen en blies. Snel en ordelijk, want zij wachtten op dit bevel, begonnen de *sertanejos* zich terug te trekken. Ook bij de kerk, toen de eerste bommen de zuidelijke muur van het gebouw deden instorten, trokken de verdedigers zich terug.

Om kwart over negen namen de regeringstroepen de *praça* in, vanaf de Vasa-Barris. Tien minuten later slaakten tweeduizend mannen een triomfkreet toen de groen-gouden vlag van Brazilië op de ruïnes van de tempel van Nieuw Jeruzalem wapperde.

Om half tien verstilde het gejuich. Drie mannen van de tweede groep die naar de kapotgeschoten huizen waren gestuurd zakten dood in elkaar.

'In godsnaam!' riep een generaal die zijn mannen had geleid bij de aanval op de *praça*, 'begrijpen die fanatiekelingen dan nooit dat het afgelopen is? Moeten we ze een voor een verbranden?'

Het antwoord kwam uit de ruïnes: *'Viva Bom Jesus! Viva Conselheiro!'*

De officier beval zijn soldaten nog meer bommen en blikken kerosine te gaan halen.

Uren gingen voorbij voordat een pauze in de strijd Antônio Paciência in staat stelde om te gaan kijken of zijn huis gespaard was gebleven voor het vuur. Een paar honderd meter ervandaan vond hij Plácido de Paula en Juraci Cristiano.

'Pai! Pai!' riep het kind, terwijl het naar zijn vader rende en de tranen over zijn wangen stroomden.

Antônio begreep het meteen. Hij nam zijn zoon in zijn armen en liep naar de beeldhouwer toe.

'Mijn huis?'

'Sim.'

'Rosalina? Idalinas?'

'Sim.'

'En mijn zoon? Was die bij jou?'

De oude man, die het kind in de straat gevonden had, antwoordde niet.

'O *pai!*' snikte Juraci.

'Ik ben er, alles gaat goed.'

Omdat Plácido wegliep, riep Antônio: 'Oude man... bedankt.'

Zonder zich om te draaien liep de beeldhouwer verder door de straat, met gebogen hoofd. Antônio zette zijn zoon op de grond, hurkte naast hem neer en herhaalde voor hem de belofte van Idalinas. Er was een plaats bij Jezus voor hen die in Canudos gestorven waren.

Maar het kind bleef ontroostbaar. Antônio nam hem bij de hand en bracht hem bij Bettina, een vriendin van Rosalina die al aan het begin van de oorlog weduwe was geworden. De mulat hoopte haar in leven te vinden en haar eventjes zijn zoon te kunnen toevertrouwen. Om bij de weduwe te komen namen de man en het kind een straat die parallel liep aan de hunne, en waar zo weinig huizen nog overeind stonden dat Antônio de ruïnes van zijn eigen huis kon zien, waaronder Rosalina en Idalinas begraven lagen. Ook zag hij de beeldhouwer, wiens huis verbrand was. De oude man stond voor wat leek op een verkoolde boomstam. De grote engel Gabriël. Antônio liep door het puin naar Plácido toe.

'Zoveel werk verspild...' zuchtte de mulat. 'God zal hen straffen.'

Juraci keek met grote ogen vol tranen naar het beeld dat nog rookte.

'Ga met ons mee, oude man,' stelde Antônio voor.

De beeldhouwer schudde het hoofd. Antônio en zijn zoon vertrokken zwijgend. Na een poosje vroeg het kind: 'Is Gabriël nu ook dood?'

Antônio Paciência antwoordde niet.

Vierentwintig uur na de verovering van de *praça* zat Celso Cavalcanti uit te rusten op een veldbed, met zijn hoofd in zijn handen, in een hospitaaltent achthonderd meter van het hoofdkwartier van Bittencourt. De hele nacht was hij bij de gewonden en de stervenden gebleven. In de ochtend van deze tweede oktober was Canudos weer opnieuw gebombardeerd maar het laatste offensief dat tot nog toe vijfhonderd slachtoffers had gevergd, was praktisch vastgelopen. De regeringstroepen kwamen meter voor meter vooruit in de richting van de laatste haard van verzet, waar elk nog overeind staand huis een fort was geworden, en elke straat was gebarricadeerd.

In de hel van de middag hoorde Celso, die ook al was hij nog zo moe niet kon slapen, kreten aan de andere kant van het tentdoek: 'Ze geven zich over! De fanatiekelingen geven zich over!'

De priester drukte zijn gevouwen handen tegen zijn voorhoofd en mompelde vurig: 'Dank u, God.'

Met van emotie trillende vingers knoopte hij zijn soutane vast en ging naar het hoofdkwartier, waar hem een bittere teleurstelling wachtte. Er was geen sprake van capitulatie, alleen een staakt-hetvuren van drie kwartier, door maarschalk Bittencourt toegestaan op verzoek van de rebellen.

'Zij sturen ons hun vrouwen en kinderen,' vertelde een officier aan de priester.

Antônio Paciência en de andere rebellen escorteerden enkele honderden van de hunnen naar de *praça* waar zij zouden worden overgedragen aan de regeringstroepen. Er waren naakte kinderen, vrouwen die alleen nog maar een lendendoekje droegen en hun borsten, die onder het stof zaten, toonden. Sommigen liepen zwijgend, anderen huilden, vroegen om water of smeekten de Raadgever hen naar de hemel te brengen.

De overlevenden van de opstandige citadel hadden geen enkele hoop meer. Er waren geen levensmiddelen meer, er was geen water, en voor hen die nog konden vechten waren er niet meer dan honderd kogels per man. De vorige avond, bij het kampvuur, hadden de aanvoerders gesproken over beëindiging van de strijd. Voor sommigen was het ondenkbaar zich over te geven want zij bleven ervan overtuigd dat zij tegen de antichrist streden, in een strijd die aan het Armageddon voorafging. Voor anderen, onder wie Antônio Paciência, was het enige waarop zij konden hopen als zij zich over zouden geven, de gevangenis, of in het ergste geval – wat zij weinig waarschijnlijk achten – een executiepeloton. Sommigen, zoals João Grande, verklaarden dat het absoluut niet eerloos zou zijn om te vluchten.

Voor de vrouwen, de kinderen en de ouderen die langzaam naar het plein liepen, was de strijd ten einde. Toch hadden veertien vrouwen geweigerd te vertrekken en niemand had Plácido kunnen overreden, de beeldhouwer, om zijn verkoolde beeld in de steek te laten.

Toen de colonne op het plein kwam liep Antônio naar Juraci en Bettina toe, die beloofd had voor het kind te zullen zorgen.

'*Pai...*' kreunde de jongen, toen hij de regeringssoldaten zag die rond de *praça* stonden.

'Niet bang zijn.'

'*Macacos!*'

'Ze zullen je geen kwaad doen.'

'Maar *pai...*'

'Ga nu!'

Bettina pakte Juraci bij de hand en nam hem mee. Antônio keek zijn zoon na en riep hem toe moedig te zijn, maar het kind hoorde hem niet meer. Plotseling liet hij Bettina's hand los en rende hij langs de *macacos* naar zijn vader toe. Een soldaat probeerde hem te pakken, maar liet hem weer glippen. Anderen lachten toen hij voorbijliep. Het kind greep de broek van zijn vader, die hem zachtjes wegduwde.

'Juraci, luister naar me. Je moet nu gehoorzamen. Bettina zal ervoor zorgen dat de *macacos* je geen kwaad doen.'

'*Pai... o pai!*' smeekte de jongen, heftig snikkend.

'Genoeg!' riep Antônio. 'Luister naar je vader!'

Omdat hij zijn zoon strak aankeek, zag hij niet de priester die naar hem toe kwam.

'Vertrouw hem maar aan mij toe,' zei Celso Cavalcanti.

De mulat keek op, en staarde eventjes in de ogen van de man in soutane. Wat zag hij in die groenblauwe ogen? Medelijden? Lijden? Een *macaco*! dacht Antônio, en hij keek naar de grond.

'Ik zal voor hem zorgen,' beloofde Celso zachtjes.

Al verzette hij zich ertegen, Antônio voelde dat hij de priester kon vertrouwen.

'Hoor je wat de *padre* zegt, Juraci?'

Het kind begroef zijn gezicht nog dieper in de schoot van zijn vader.

'Hoe heet hij?' vroeg Celso.

'Juraci Cristiano.'

'Kom, Juraci, ik zal je geen kwaad doen.'

Antônio duwde zijn zoon van zich af maar hield hem nog bij zijn schouders vast.

'Je bent toch altijd dapper geweest, is het niet? Net als Teotônio.' Het lukte het kind tussen twee snikken door te knikken. 'Vooruit, ga dan mee met Bettina en de *padre*.'

'Bent u zijn vader?' vroeg Celso.

'Ja. Zijn moeder is dood,' verklaarde Antônio zonder enige emotie. 'Bettina is een vriendin.'

Celso nam de jongen bij de hand, verwijderde zich, maar stond toen weer stil.

'Komt u toch mee met uw zoon,' zei hij tegen Antônio.

'Dat is te laat.'

'Genadige God, wat voor hoop is er voor u hier?'

'Neem het kind nu maar mee!' antwoordde de mulat bruusk. 'Hij zal het ooit wel begrijpen.'

'*Pai…*'

Antônio liep alweer met grote stappen naar de andere rebellen toe, die in de richting van de ruïnes vertrokken. Toen hij aan de rand van de loopgraaf was gekomen draaide hij zich om en volgde hij met zijn blikken de priester die Juraci naar de groep vrouwen en kinderen bracht.

'Here God!' riep hij. 'Here God!'

Hij zag niet Juraci, maar Antônio Paciência, de zoon van Mãe Mônica, die naar de armoedige troep slaven werd gebracht die in de volle zon bij de *juremas* stond te wachten.

Ze waren met minder dan driehonderd man, en er waren er heel wat gewond. João Grande en zestien mannen waren de *caatinga* ingevlucht, maar de anderen waren gebleven, en zij vochten om elke straat. Drie dagen later, om halfdrie 's morgens, deden de soldaten van Bittencourt een aanval op een loopgraaf en doodden zij de laatste verdedigers van Canudos, onder wie een mulat en een oude *caboclo*, die naast elkaar gestorven waren.

De ene was Plácido de Paula, de beeldhouwer, die alsnog aan de gevechten was gaan deelnemen nadat hij zijn grote engel Gabriël had zien verbranden. De ander was Antônio Paciência, die weinig aan de *podorosos* had gevraagd en niets had gekregen. Antônio Paciência – een *Brasileiro*!

Nieuw Jeruzalem werd met de grond gelijk gemaakt. Twee dagen en twee nachten stond de vlakte in brand, en voordat de aarde weer afkoelde werd de hemel verduisterd door een gevleugeld legioen, de eerste troep *urubus* die op de ruïnes van Canudos kwam zitten.

In het belang van de wetenschap werd het lijk van Antônio Conselheiro opgegraven en vervolgens onthoofd; het hoofd werd naar Bahia gestuurd, waar men in zijn hersenen de sporen van de waanzin zocht.

Tien dagen na de slag was *padre* Celso Cavalcanti op weg naar de kust in een overvolle en oververhitte wagon samen met Honório da Silva en Euclides da Cunha. Juraci Cristiano zat tussen de banken op de grond te dommelen.

Na de inname van Canudos was Celso meegegaan met Bittencourt en zijn generale staf, om de citadel te inspecteren. In de loopgraaf van de laatste strijders had hij het lijk gezien van de man die hem zijn zoon had gegeven. Terug in het kamp bij de ziekenbarak waar de vrouwen en kinderen waren ondergebracht, had de priester het nieuws aan Bettina verteld en haar gevraagd wat er van Juraci moest worden.

'Ik heb beloofd voor hem te zorgen, *padre*.'

'Waar gaat u heen?'

'Dat weet ik niet. Mijn broer werkt op een *fazenda*, in Bom Conselho, en ik heb een oom in Uauá.'

Toen het kind wilde weten wanneer zijn vader hem zou komen halen, had Celso geantwoord, waarbij hij hem zoveel mogelijk probeerde te sparen, dat die dood was. Toen had hij Bettina verteld van een katholiek weeshuis in Bahia dat Juraci kon opnemen. De weduwe, die vond dat de jongen daar beter verzorgd zou zijn dan bij haar, accepteerde het.

In de trein opende Juraci Cristiano af en toe zijn donkere ogen en keek hij naar de bestofte laarzen van de mannen die op de bank zaten. De *padre* was goed voor hem geweest, en had hem een hemd en een broek gegeven, en snoepjes. Maar Juraci was bang en durfde nog altijd de *macacos* niet in de ogen te kijken.

In de loop van de zes uren die verstreken waren sinds hun vertrek hadden Celso en zijn twee metgezellen hun conversatie vaak onderbroken om lange perioden van stilte in te lassen. Op dit moment keek Euclides da Cunha door het raam naar buiten terwijl Honório met gekruiste armen zich rot scheen te vervelen. Toen de trein door een grote vlakte met geërodeerde grond reed merkte de journalist op: 'Er is niet veel voor nodig om zulke gebieden uit te putten. De doornbosjes veroveren het terrein centimeter voor centimeter, als een bezettingsleger.'

Toen hij zag dat de majoor zijn wenkbrauwen fronste voegde Euclides eraan toe: 'Ik heb het over de *caatinga*, niet over een menselijk bezettingsleger.'

Toch kon Honório niet nalaten te zeggen: 'Wij hebben de streek niet bezet, wij zijn er alleen gekomen om de orde te herstellen.'

'Toen het te laat was.'

'Hoezo te laat?'

'Net als de generaties voor ons zijn wij ons te buiten gegaan aan zelfgenoegzaamheid, terwijl een idioot achter onze rug door de *sertão* zwierf. Toen wij ons omdraaiden om te kijken wat er in het hart van ons land gebeurde, was het te laat. Toen waren wij gedwongen om wreedheid met wreedheid te vergelden.'

'O ja?' zei Honório, met een gespannen uitdrukking op zijn gezicht.

Celso probeerde de gemoederen te kalmeren door te zeggen: 'Canudos heeft het hele land op zijn kop gezet. Wij kunnen alleen maar bidden dat deze gebeurtenissen ons zullen verlossen van eeuwenoude zonden...'

'Laten we bidden dat zij ons in staat zullen stellen de werkelijkheid onder ogen te zien, ja!' zei Da Cunha.

'Welke werkelijkheid?' vroeg majoor Da Silva plotseling.

'We moeten eens ophouden alsmaar naar het buitenland te luisteren. Wij verdoen onze tijd met het bestuderen van theorieën en oplossingen die niet bij Brazilië horen.'

'Dat ben ik met u eens!' zei Honório, die de opmerking had aangezien voor een indirecte aanval op monarchisten die aan de tradities van het oude continent hechtten. 'Europa was gek op Pedro II, de meest gecultiveerde man van Amerika! Het was van geen enkel belang dat Rio slechts een oase was en de rest van Brazilië een woestijn. De republiek heeft met dat verleden definitief gebroken.'

'Antônio Conselheiro en de *sertanejos* hebben daar niets van gemerkt,' zei de journalist.

'Ik moet toegeven dat hun lot niet benijdenswaardig is, maar u hebt het tegen iemand die een betere toekomst heeft gezien.'

'Weer van die visioenen!' grinnikte Euclides.

'Nee. Ik denk aan mijn neef Aristides Tavares da Silva. Met zijn oom Firmino Dantas heeft hij fortuin gemaakt in de koffie, maar dat was niet voldoende voor hem. Nu investeert hij miljoenen in de textiel, in schoeisel, in openbare werken.'

De naam van Aristides da Silva was tot over de grenzen van de staat São Paulo bekend, waar hij actief deelnam aan de modernisering van een streek die al de rijkste en de machtigste van het land was.

'De Paulistas en de Italiaanse immigranten – honderdduizend per jaar! – zorgen voor deviezen voor Brazilië, orde en vooruitgang, een werkelijkheid,' ging Honório verder.

'De vooruitgang is essentieel,' beaamde Da Cunha. 'Maar wij moeten oppassen dat die ons niet nog verder van de *sertão* verwijdert.'

'Dat is zo,' zei de majoor. 'Trouwens, de fabrieken zullen ons de middelen verschaffen om de massa's op te voeden. En de Europese immigranten die niet bang zijn hun handen vuil te maken zijn een goed voorbeeld voor onze gedegenereerde bendes.'

Het minachten van mestiezen was destijds zeer verspreid in Brazilië. Da Cunha zelf, die de *sertanejos* beschouwde als het fundament van de Braziliaanse bevolking, maakte zich zorgen over de rassenvermenging.

'Hoe kunnen wij ooit hopen de *mestizo* op te voeden?' vroeg hij. 'Hij is instabiel, onstuimig en wispelturig. Hij mist de kracht van zijn wilde voorouders en het intellect van het superieure ras.'

'Beste vrienden, jullie zitten jezelf tegen te spreken,' zei Celso.

'Hoe dat zo?' mompelde Honório, die een defensieve houding aannam.

'Jullie hebben net gezegd dat wij te veel neigen naar buitenlandse ideeën en jullie keren de Braziliaanse werkelijkheid die jullie onder ogen willen zien de rug toe. De werkelijkheid is dat er hier al vier eeuwen lang rassenvermenging heeft plaatsgevonden. Waarom interesseren wij ons dan voor de theorieën van Gobineau en andere vooraanstaande Europese geesten? In Bahia, als ik op de Praça da Sé sta, zie ik mannen van allerlei huidkleur om mij heen, zwarten, blanken, mulatten, *morenos, caboclos*. Het is een nieuw ras dat in opkomst is, niet een bleke imitatie van Europeanen.'

'En wat is de toekomst daarvan dan?' vroeg Honório da Silva.

'Misschien zal hij het antwoord kennen,' zei Euclides da Cunha, terwijl hij naar Juraci Cristiano keek.

De drie mannen namen afscheid van elkaar in Salvador, in oktober 1897. Honório en Euclides reisden verder naar het zuiden, Celso nam zijn functie bij het aartsbisdom weer op. Zijn rapport over de rebellie van Canudos werd zeer op prijs gesteld door de kerkelijke autoriteiten en er werd veel over gesproken om de *sertanejos* weer op het rechte pad te brengen. Maar ten slotte verdween het rapport van Celso in een la. De Braziliaanse Kerk, die over één priester voor elke vijftienduizend zielen beschikte, had te veel werk in de steden om zich bezig te kunnen houden met de bevolking van de *sertão*.

Celso vond voor Juraci Cristiano een plaats in een weeshuis in Salvador, waar de zusters er aanvankelijk aan wanhoopten deze kleine barbaar op te kunnen voeden. Maar Juraci bleek een geduldig en lief kind te zijn, hoewel hij zich in zichzelf opsloot en melancholiek was, maar hij had een natuurlijke intelligentie.

Padre Cavalcanti vergat nooit de opmerking van Euclides betreffende Juraci en de toekomst van Brazilië, en in januari 1903 schreef hij aan de journalist, nadat hij zijn boek *Os Sertões* gelezen had: 'Mijn beste Euclides, ik dank de hemel dat een van ons de moed heeft gehad de waarheid te zeggen.'

Het werk, dat in vijf jaar was geschreven en in december 1902 gepubliceerd werd, gaf een gedetailleerd verslag van de Canudos-veldtocht, waarbij niets van alle afschuwelijkheden weggelaten werd. Da Cunha beschreef ook de harde werkelijkheid van de *caatinga* en het leven van hen die er woonden. *Os Sertões* was een overtuigend pleidooi voor de eenheid van de kuststreek en de *sertão*, van de bevoorrechten en de armen. De vroegere officier die zijn zwaard aan de wilgen had gehangen slaagde erin met zijn pen te bereiken wat geen enkele Braziliaan tot dan toe gepresteerd had. Hij confronteerde een hele generatie Brazilianen met de *sertanejos*, hun landgenoten, die voor hen vreemdelingen waren. Doordat hij dat deed, wekte hij het geweten van het land, en zette hij de inwoners ervan aan het zoeken naar hun eigen ziel. Hier werd de ware Braziliaanse identiteit geboren.

'*Padre* Celso, kijk eens uit het raam, alstublieft. Wat ziet u dan?'

'Jongens die aan het spelen zijn,' antwoordde Celso glimlachend. '*Sim*,' ging de man verder. Hij tuitte zijn lippen en deed het geluid van een motor na en zweeg toen weer. 'Dat gaat al wekenlang zo. Kijk maar... daar spelen ze mee!'

Padre Cavalcanti bekeek vol ernst de stapel in beslag genomen schatten: stukken hout en karton, blikken speelgoed.

'Ik heb geprobeerd om ze tot rede te brengen,' ging de man verder. 'Ik heb ze bedreigd, ik heb de grootste raddraaiers gestraft. Niets kan ze tot rust brengen. Zelfs in de klas, als ze naar het bord zitten te staren, dromen ze over Santos Dumont. Ach, hij heeft me wat moois uitgehaald, die *senhor*, met zijn vliegmachine!'

De man die zijn verontwaardiging de vrije loop liet op deze decemberochtend in 1906, heette frater Rodolphe en was leraar Latijn op de school van de Maristas in Olinda. Al wekenlang hadden zijn collega's en hij te kampen met een heftige bevlieging van de leerlingen betreffende de luchtvaart, een crisis die tot een hoogtepunt was gekomen toen twee jongens zich van het dak van de slaapzaal hadden geworpen met vleugels van papier-maché. De 'vliegers' hadden hun vlucht in een mangoboom beëindigd en waren ongedeerd op de begane grond terechtgekomen, waar frater Rodolphe hun vijfhonderd verzen van Vergilius te vertalen had gegeven.

Celso Cavalcanti was in juli 1903 naar Recife teruggegaan en was daar assistent van de bisschop van Pernambuco geworden. Zijn bezoek aan de school van de Maristas, vlak voor de kerstvakantie, had een persoonlijke reden. Hij was gekomen om Juraci Cristiano te halen, die sinds een jaar op deze school zat.

'Uw leerlingen zijn niet de enigen die het te pakken hebben, frater Rodolphe. Alberto Santos Dumont brengt heel Brazilië in rep en roer.'

'Vliegen met een machine, dat is niet natuurlijk, dat is gevaarlijk...'

'Het is grandioos! De hele wereld ligt aan de voeten van Santos Dumont.'

'Bah!' mompelde de leraar Latijn.

De beide mannen gingen het bureau uit en liepen door een lange gang met crèmekleurige muren, versierd met bidprentjes en voorzien van nissen waarin heiligenbeelden stonden.

'En Juraci?' vroeg Celso.

Frater Rodolphe slaakte een lange zucht – van opluchting of van wanhoop, dat kon Celso niet uitmaken.

'Is hij lastig?'

'Onze Juraci? O nee. Hij is de kluts niet kwijtgeraakt. Zijn werk bezorgt mij veel bevrediging.'

Toen zij in de buurt van de slaapzaal kwamen, aan het eind van de gang, hoorden zij de opgewonden kreten van een dertigtal kinderen die hun koffers aan het pakken waren. Toen frater Rodolphe de deur opendeed werd het opeens stil in de grote zaal.

'Juraci Cristiano?'

De jongen kwam naar voren. Hij was groot voor zijn leeftijd, dertien jaar, had een smal gezicht, een arendsneus en de donkere ogen van zijn vader, en de lichtbruine huidkleur van zijn moeder Rosalina Marques. Hij groette *padre* Celso verlegen en zacht en keek angstig naar zijn leraar Latijn.

'Heb je alles gepakt?' vroeg Celso.

'Ja, *padre.*'

'Kom dan maar mee. We hebben nog een lange reis voor de boeg.'

Twee uur later zaten de priester en het kind in de trein van Recife naar Jacuribe Norte, waarmee ze naar Santo Tomás gingen, waar Juraci de kerstvakantie zou doorbrengen. Het zou zijn eerste bezoek aan het domein van de Cavalcantis zijn.

De jongen keek uit het raam toen de trein door de buitenwijken van Recife reed, waar de huizen terrein wonnen op de steeds kleiner wordende suikerrietvelden. Tussen de Casas Grandes, waarvan de bovenste etages nog boven de muren van de nieuwe bouwsels uitstaken, lagen zones met miserabele hutten. Voorbij Caxanga, een station waar de muilezeldrijvers uit de districten waar nog geen spoorlijn was zich nog steeds verzamelden, zag het platteland er weer uit als vanouds, met grote plantages en bossen.

Toen de trein weer vertrok uit het station dertig kilometer buiten Recife, legde *padre* Calvalcanti het boek neer waarin hij zat te lezen.

'Frater Rodolphe vertelde me dat hij tevreden over je is, Juraci.'

De jongeman ging rechtop op de bank zitten, en was op zijn hoede.

'Jij blijft studeren, terwijl de anderen alleen maar aan de vliegmachine van Santos Dumont denken.'

Juraci Cristiano beet op zijn onderlip.

'Dokter Fábio en tante Renata zijn trots op jou,' ging Celso verder.

De jongeman keek opzij en mompelde heel zachtjes: 'Ik was erbij, *padre...*'

'Bij wie?'

'Luís en ik...'

'Welke Luís?'

'Luís Cardoso, de zoon van een graanhandelaar. Hij is mijn vriendje...'

Juraci pauzeerde, want het kostte hem moeite bekentenissen af te leggen tegenover *padre* Celso, van wie hij meer dan wie ook hield.

's Nachts moest hij vaak aan Canudos denken, *pai* Antônio, het vuur en de rook, de engel Gabriël, verwarde beelden van een nachtmerrie waarin maar één ding duidelijk naar voren kwam, de gestalte van zijn vader die hem tot moed aanspoorde. En dan zag hij zichzelf weer op weg naar Bahia, in de trein, met *padre* Celso...

'Wat hebben jullie gedaan, Luís en jij?'

'We hebben de tekeningen voor het vliegtuig gemaakt.'

'En waar heb jij dat geleerd, klein genie?'

'Wij hebben ze in een boek gevonden...'

Het apparaat dat Luís en Juraci hadden 'ontworpen' was het apparaat dat zijn vlucht beëindigd had in een mangoboom, maar de andere kinderen hadden de namen van de 'uitvinders' van de machine niet verklikt.

Celso pakte gauw zijn boek weer om de glimlach te verbergen die op zijn lippen kwam.

'Je moet me toch eens uitleggen hoe die vliegmachines vliegen,' zei hij.

'Afgesproken, *padre*,' antwoordde de jongeman, waarbij hij de Heilige Antonius dankte voor de clementie van *padre* Celso.

En de priester dankte God voor dat kind dat zoveel voor hem betekende. In de loop van de afgelopen negen jaar, sinds de rebellie van Canudos, sprak Celso vrijwel met niemand over wat hij voor de wees deed. Slechts met zijn oom Fábio en enkele anderen deelde hij zijn vreugde over de vooruitgang die Juraci maakte, waarbij hij loskwam uit zijn wanhopige verleden.

Padre Cavalcanti was binnen de Kerk een van de vurigste verdedigers van actieve liefdadigheid – niet voor een enkel kind maar voor de hele massa misdeelden van Brazilië. Celso was lastig, en zijn conservatieve tegenstanders in de geestelijkheid werden wanhopig over deze priester die meer dan middelmatig intelligent was, afkomstig uit een van de meest vooraanstaande families van Pernambuco, en rondzwierf tussen de zwijnekotten van de lagere klassen.

Op deze decembermiddag dacht Celso niet aan de problemen van zijn functie maar aan de leden van zijn familie, die voor Kerstmis op Santo Tomás samenkwamen. Elk jaar verzamelde de grote familie Cavalcanti zich op het domein, waar Rodrigo Alvez, nu drieënzeventig, nog steeds de baas was in het Casa Grande. Verstokt monarchist als hij was liet Rodrigo nog steeds zwarte doeken om het grote portret van Pedro II hangen, als het de sterfdag van de keizer was. Hij beschouwde de republiek als een farce die in het leven was geroepen om het plebs te amuseren en liet duidelijk zijn ergernis blijken als iemand vergat hem aan te spreken met *barão*. En dat terwijl zijn oudste zoon

Duarte, die de Usina Jacuribe dreef, een van de eersten was geweest die de republikeinse zaak omhelsden. Duarte, negenenveertig jaar, was gedeputeerde, wat de baron eigenlijk wel makkelijk vond – in afwachting van de overwinning van het gezonde verstand, zodat het keizerrijk weer hersteld zou worden.

Doctor Fábio Cavalcanti had nog steeds een bloeiende praktijk in Boa Vista. Hij was ook directeur van de Gezondheidsdienst van Recife die dertig jaar eerder veel vooruitgang boekte, maar thans weer aftakelde. Van tijd tot tijd braken er epidemieën uit, vooral in de stinkende krottenwijken, waar de helft van de bevolking van de stad woonde.

Celso dankte Fábio en Renata voor hun belangstelling in Juraci, over wie hij het vaak had als hij Recife bezocht voordat hij naar het diocees werd overgeplaatst. Ongeveer een jaar eerder had hij, toen hij op een avond was uitgenodigd om te komen eten in hun huis aan de Passagem do Madalena, een bezoeker ontmoet die stomverbaasd was geweest toen de priester sprak over Juraci en zijn vader, Antônio Paciência, een mulat die in Canudos omgekomen was.

'Antônio Paciência? Een grote man? Met een donkere huid, bijna net als een *preto*?' had de bezoeker gevraagd.

'Ja.'

'Die ken ik, Celso! Wij hebben samen in Paraguay gevochten.'

Het was Henrique Inglez, ofte wel Agamemnon Andrade de Melo, die af en toe op de planken van het Teatro Santa Isabela stond. Henrique Inglez, met wie Celso in de Club van de Termieten had gevochten om vluchtende slaven te helpen. *Senhor* Agamemnon was thans weduwnaar en zijn leven was in meer opzichten veranderd. Hij had de dertigduizend prostituées van Recife de rug toegekeerd, maar had een discrete verhouding met de zoon van een belangrijke planter.

'Met de fanatiekelingen in Canudos gedood? Ik kan het bijna niet geloven.'

'Toch is het waar, Henrique.'

De toneelspeler had verteld over zijn vriendschap met Antônio in de oorlog tegen Paraguay, zonder evenwel te vermelden dat zij samen lijken beroofden.

'We zijn met het drieënvijftigste bataljon vrijwilligers teruggekomen en ik heb hem nooit meer teruggezien sinds hij zijn moeder weer was gaan opzoeken. De arme jongen was zo trots op de vrijheid die hij verdiend had. Wat een onrechtvaardig lot, om als een hond in de *sertão* te moeten sterven!'

Na het vertrek van Henrique had Fábio alle hulp aangeboden die Juraci nodig zou kunnen hebben en later had hij op aanraden van Celso de toelatingskosten voor de school van de Maristas betaald. De beide mannen hadden zich ongerust afgevraagd hoe het weeskind het zou doen in die instelling, die vooral door zonen van rijkelui werd bezocht. Het afgelopen jaar was moeilijk geweest voor Juraci. Frater Rodolphe had Celso eens geroepen om hem te onderhouden over een leugen die het kind verspreidde. Zijn vader, *pai* Antônio, zou eens burgemeester van een stad in de *sertão* zijn geweest, een machtige *coronel* aan wie iedereen moest gehoorzamen. De leraar had erop gestaan dat de priester zelf een passende straf zou bedenken.

'Juraci spreekt de waarheid,' antwoordde Celso, voordat hij de leraar Latijn uitleg verschafte. Frater Rodolphe had daartegenin gebracht dat de *sertanejos* van Canudos gevaarlijke fanatiekelingen waren. 'Het waren toch ook Brazilianen,' had *padre* Cavalcanti gezegd, om vervolgens afscheid te nemen.

Om twee uur in de middag kwam de trein uit Recife in Jacuribe Norte aan. Het rijtuig van Santo Tomás stond op de reizigers te wachten en nam de weg die het dal inging, langs de smalle spoorweg die uitkwam bij de Usina Jacuribe. Lang voordat ze bij de raffinaderij waren rook het al naar suiker. Twintig jaar na de inwijding van de *usina* stond er thans een klein dorp rond de gebouwen, met huizen voor de arbeiders en hun families, en onderkomens voor de seizoenarbeiders.

Terwijl de koets tussen de schuren door reed, legde Celso aan Juraci uit hoe de *usina* werkte. Hij gaf de koetsier opdracht even te stoppen voor het hoofdgebouw en nam de jongeman mee naar binnen om hem de grote koldermolens te laten zien. Juraci stond met open mond naast de priester, want het lawaai in deze enorme gebouw maakte hem bang.

'Nu, beste vliegmachien-uitvinder, wat denk jij van deze machine?' vroeg Celso toen ze weer naar buiten gingen.

De wees keek naar de hoge stapels suikerriet die op de binnenplaats lagen.

'En wordt dat allemaal vermalen?'

'Dat, en nog veel meer.'

'Maar dat wordt dan een hele berg suiker!'

'Een hele berg, inderdaad.'

Ze liepen de *usina* uit, klommen weer in de koets, en de wielen denderden over de houten brug over de Rio Jacuribe. Celso kon nooit voorbij die plek komen zonder aan de dag te moeten denken waarop hij zich met Jorge Pantoffel onder de brug verborgen had om te ontsnappen aan Duarte Cavalcanti, die op zoek was naar de slaven die van Santo Tomás waren gevlucht. Duarte had ten slotte wel begrepen dat Celso bij de Termieten hoorde, maar had niets tegen hun vader gezegd. Celso zelf had de rol die hij had gespeeld bij de ontsnapping van de slaven nooit toegegeven, want al was het dan jaren geleden, Rodrigo zou het hem nooit vergeven hebben.

Aan de andere kant van de brug, anderhalve kilometer verderop, werd op de heuvel het nieuwe huis gebouwd voor Duarte en Joaquina Nogueira, die hij zes jaar geleden had getrouwd na de dood van zijn eerste vrouw. Duarte wilde uit het Casa Grande om dichter bij de raffinaderij te kunnen wonen. Bovendien werd het grote huis waarin zes generaties Cavalcantis hadden gewoond, gedurende ruim anderhalve eeuw, aardig oud, en liepen de onderhoudskosten flink op.

Voorbij de Jacuribe slingerde de weg tussen grote suikerrietvelden door. De *usina* had de Cavalcantis in staat gesteld hun domein te vergroten, zodat zij nu de streek helemaal beheersten en andere planters dwongen aan hen te verkopen of leveranciers van suikerriet te worden. De oude paternalistische verhouding met de *agregados* verdween; veel landbezetters hadden het dal verlaten, hun huizen waren afgebroken en hun gronden waren bestemd voor de suikerrietcultuur.

Een paar keer moest de koetsier de koets aan de kant sturen om karren met suikerriet, getrokken door witte zeboes, te laten passeren. Dat was niet het enige overblijfsel uit het verleden. Gewapende *capangas*, half slapend op hun zadel, hielden de ploegen rietkappers in de gaten. Toen het rijtuig bij de oude *senzala* kwam, waar nu immigranten of vrijgelaten slaven woonden, vroegen de vrouwen die rond de molen stonden, nu omgebouwd tot maniokmolen, de priester om zijn zegen.

Eindelijk dook het Casa Grande op te midden van grote palm- en tamarindebomen. Lange schaduwen vielen over de veranda en de patio, voor de kapel van Santo Tomás. Celso was ontroerd. Waarheen ze ook gingen – Celso naar Canudos, Fábio naar Paraguay, Rodrigo naar Europa – de Cavalcantis kwamen altijd weer naar het domein terug, al was het alleen maar voor de familiereünie, met een gevoel van eerbied voor dit oude huis, edel en triomfantelijk in een zee van groen en goud.

Fábio en Renata waren naar buiten gekomen om de reizigers te begroeten. De doctor liep krom, had witte haren en droeg een bril. Hij was nu negenenzestig. Hij bracht nog steeds veel tijd door in zijn kliniek in Boa Vista en bij de Gezondheidsdienst van Recife. Hij was nog steeds gek op Renata die ondanks haar zestig jaren nog altijd erg mooi was.

Terwijl Celso zijn oom omhelsde stond Juraci Cristiano naast het rijtuig.

'Juraci, kom eens gedag zeggen,' zei Celso.

De jongen kwam dichterbij, niet helemaal op zijn gemak.

'*Boa tarde, senhor doutor.*'

Fábio streek door zijn haren.

'Welkom op Santo Tomás, jongen.'

De jongen groette de *senhora* en staarde toen naar zijn stoffige schoenen terwijl de beide mannen de trap naar de veranda opliepen. Rodrigo verscheen in de deuropening en Celso rende naar zijn vader om hem te omhelzen. Ze spraken even met elkaar, en toen riep de oude man naar Juraci: 'Kom eens hier, kleintje, zodat ik je kan zien!'

Hij had wel gehoord over dè wees voor wie zijn zoon zorgde, maar hij had hem nog nooit ontmoet. Met knikkende knieën liep Juraci Cristiano naar de oude baron, veel imposanter dan zijn broer, dr. Fábio, met zijn enorme zilverkleurige bakkebaarden.

'Zo, dus Celso heeft je meegenomen voor Kerstmis?'

'Ja, *senhor barão*. Dank u, *senhor barão*,' stamelde Juraci, waarbij hij niet wist waar hij zijn handen moest laten.

'De *padre* zegt dat jij een brave jongen bent.'

Juraci keek weer naar het puntje van zijn schoenen.

'Ik doe mijn best, *senhor barão*.'

Rodrigo pakte de jongen bij zijn schouder en duwde hem naar de deur.

'Kom toch binnen, jongen.'

Celso Cavalcanti hield zich een beetje op de achtergrond, en keek hoe zijn vader de wees mee naar binnen nam. Nog steeds met zijn hand op de schouder van de jongen bleef de baron staan voor het grote portret van Dom Pedro Segundo en liet de jonge bezoeker de keizer bewonderen.

Mijn God! dacht de priester, en dan te bedenken dat dit kind bijna in de ruïnes van Canudos omgekomen was!

Hoe vaak had Celso niet horen spreken over een betere toekomst voor Brazilië? Heer, ons Brazilië is een gezegend land, dacht hij. Pedro Alvares Cabral, die in 1500 van zijn route afweek, had een paradijs ontdekt, een land van overvloed. En toch, na vier eeuwen, werd de ware rijkdom ervan nog steeds niet onderkend, namelijk het volk van Brazilië. En Celso mocht graag denken dat andere kinderen als Juraci, nu en straks, de mogelijkheid zouden krijgen om zich in Brazilië te ontplooien. Het land van de toekomst. Hun land.

Epiloog

De candangos

April 1956 – april 1960

Amílcar Pinto da Silva keek naar de tweemotorige Beechcraft die vanuit het zuidoosten op de Rio Tietê kwam aanvliegen. Het vliegtuig vloog over de rivier heen, over de witte stenen, en daalde toen naar het vliegveld van Itatinga.

Amílcar, de zoon van Aristides Tavares, was een kolos van zesenzestig jaar, met een gelige huidkleur, diepliggende ogen en een kalend hoofd. Hij was zelfverzekerd en ontspannen, wat ook aan zijn kleding te merken was. Een ruimzittend beige hemd, een kaki broek, en een beige vest met elleboogstukken. Door zijn open kraag was nog net een oude ketting te zien met een lang gouden kruis eraan, een indicatie voor zijn immense rijkdom.

Op deze 19de april 1956 stond *senhor* Amílcar in zijn tuin. Hij draaide zich om naar zijn grote huis, zag vanuit zijn ooghoek een rode vlek en wendde zich daarheen.

'Pedro! Paulina!' riep hij tegen twee grote ara's die zich verwarmden in de ochtendzon.

Pedro knikte en werd rood van opwinding – karakteristiek voor het mannetje van zijn soort, tot groot genoegen van Amílcar, terwijl Paulina deed alsof zij haar meester niet zag. Hij had de vogels een tijdje geleden in een winkel in São Paulo gekocht, maar Dona Cora da Silva, die niet kon tegen hun schelle kreten, de zaden en de poep die zij over de veranda van het herenhuis van de Da Silvas in de Avenida Paulista van de hoofdstad verspreidden, had ze naar Itatinga verbannen.

Senhor Amílcar en Dona Cora, zijn tweede echtgenote – een mooie vrouw van vijfendertig – brachten twee maanden per jaar door op de *fazenda*, waar zij meestal in april heen gingen, bij het begin van de oogst. Vier miljoen struiken bloeiden nu op de *terra roxa* van het heuvelland achter de Rio Tietê. Meer dan vijfentwintighonderd mensen woonden er verspreid over zeven kolonies, allemaal kleine dorpen. De meeste arbeiders van Itatinga waren Braziliaanse boeren die de droge gronden in het noordoosten ontvlucht waren, maar er waren ook Italianen van de tweede of de derde generatie, en een klein aantal Japanners.

Amílcar liet de ara's voor wat ze waren en ging het huis binnen via de openslaande deuren van de grote salon. In dit vertrek had hij de objecten verzameld die al eeuwenlang van de Da Silvas waren, met name een canapé waarop barones Teodora nog had gezeten, een kandelaar die ooit was geschonken aan Benedito Bueno, de admiraal van de 'moessons', door een erkentelijke *fidalgo*, omdat hij heelhuids in Cuiabá aan was gekomen.

De meest fascinerende portretten die aan de muur hingen waren die van Ulisses Tavares in het blauw-en-gouden uniform van het eerste keizerrijk, de knappe Firmino Dantas, met een melancholieke uitdrukking, en Aristides Tavares, uit wiens mond duidelijk de koppigheid bleek waarmee hij het familiefortuin had vergroot.

Twintig minuten na aankomst van het vliegtuig heette Amílcar zijn zoon Roberto en Raul Andracchio welkom, een employee van het hoofdkantoor van de onderneming van de Da Silvas, vaak co-piloot op de Beechcraft. De familie bezat of beheerde, buiten de koffieplantage, vierentwintig maatschappijen, voor het merendeel textielfabrieken, een hoogovencomplex, een bouwbedrijf, drie veeteeltbedrijven in de Mato Grosso en een kleine koopvaardijvloot.

'Zo, *pai*, het is Juscelino gelukt!' riep Roberto da Silva nadat hij zijn vader omhelsd had. 'Brazilië krijgt een nieuwe hoofdstad!'

'Dat heb ik gisteravond ook op de radio gehoord,' zei Amílcar. 'Ze hadden het ook al over een nieuwe farao voor Brazilië.'

Roberto barstte in lachen uit. Net als zijn vader had hij een enigszins koperkleurige huid, en dezelfde donkere ogen en de robuuste lichaamsbouw als zijn voorouders, *bandeirantes*. De gelijkenis werd gecompleteerd door achterover gekamde gitzwarte haren, die een hoog, breed voorhoofd accentueerden.

'Een hoofdstad in de *sertão*, wat een stommiteit!' bromde Amílcar. 'Maar Kubitschek is niet de eerste die zo'n idioot idee kreeg.'

Vanaf 1822, het jaar van de breuk met Portugal, waren de grondleggers van het keizerrijk al van plan geweest om in het binnenland een hoofdstad te bouwen die dan Brasília zou heten. Maar pas ten tijde van de republiek werden er concrete maatregelen genomen. In 1891, het jaar waarin Antônio Conselheiro zijn trouwe volgelingen naar Canudos bracht, exploreerde een kleine expeditie de Goiás, op zoek naar een geschikte plaats voor de hoofdstad. De plaats die zij ten slotte aanbeval lag dicht bij die welke uiteindelijk zestig jaar later werd gekozen.

Juscelino Kubitschek, president van de republiek, had tijdens zijn verkiezingscampagne beloofd te zullen beginnen aan de bouw van Brasília, en hij had woord gehouden. De arme jongen uit Diamantina, die arts was geworden voordat hij zich aan de politiek wijdde, klampte zich thans vast aan de realisering van zijn visionaire project, waarover Amílcar, Roberto en Raul het bij het eten nog hadden.

'Allemaal luchtfietsers!' zei Amílcar. 'Een stad zonder grondvesten, zomaar midden in het niets...'

De vorige dag had Juscelino Kubitschek in Anapolis, negenhonderd kilometer ten noorden van São Paulo, een verklaring getekend waarin de bouw van een nieuwe hoofdstad in een federaal district van 5814 km^2 werd aangekondigd, op een hoogvlakte in de Goiás.

'U hebt gelijk, *pai*, Brasília is een oude droom...'

'Een nieuw El Dorado.'

'Nee, papa, een nieuw baken voor Brazilië,' zei Roberto enthousiast.

'Wat een prachtige slogan!' antwoordde zijn vader, terwijl hij naar dona Cora knipoogde, die bij de drie mannen was komen zitten. 'Juscelino had geen betere kunnen vinden. Jij moest ook in de politiek gaan, Roberto.'

De jongeman liet zich niet van zijn stuk brengen en herhaalde: 'Een baken, jazeker.' Hij nam de zoutpot en zette die met een theatraal gebaar voor zich op tafel. 'Brasília!' Met zijn nagel trok hij een streep over het tafelkleed. 'Rio, duizend kilometer ten zuidoosten...'

De zoutpot werd het middelpunt van een ster waarvan de armen uitkwamen bij andere grote steden: Salvador, Belém do Pará, Boa Vista, Rio Branco, Porto Alegre. Ondanks het feit dat zij het niet met elkaar eens waren bekeek Amílcar zijn oudste zoon met trots. Zijn andere zoon, Lourimar, een advocaat, werkte ook voor de familiebedrijven maar miste het doorzettingsvermogen en de durf van Roberto die, nadat hij in São Paulo en de Verenigde Staten voor ingenieur had gestudeerd, het bouwbedrijf van de Da Silvas leidde.

Toch had Amílcar zich een paar jaar eerder afgevraagd of zijn zoon ooit nog eens serieus zou worden want Roberto was helemaal weg van vliegen, zoals de kleine Juraci Cristiano dat was geweest voor de vliegmachien van Santos Dumont. Roberto was pas vijftien toen hij voor de eerste keer alleen opsteeg van een aarden landingsbaan in Tiberica. In februari 1944, toen hij uit de Verenigde Staten terugkwam, had hij dienst genomen bij de Braziliaanse luchtmacht. In oktober waren Roberto en vierhonderd andere piloten naar Europa gegaan, waar zij toegevoegd werden aan de Driehonderdvijftigste Groep jachtvliegtuigen.

Toen hij eind 1945 in Brazilië terugkwam had Roberto da Silva, tot verrassing en grote opluchting van zijn vader, zich meteen voor de familiebedrijven geïnteresseerd en met name voor het bouwbedrijf, dat gespecialiseerd was in de aanleg van wegen.

'Wegen,' zei Roberto terwijl hij lijnen over het tafelkleed bleef trekken. 'Van het noorden naar het zuiden, van het oosten naar het westen. Om het land te verenigen, om het volk één te maken.'

De nieuwe hoofdstad zou eens en voorgoed afrekenen met de koloniale mentaliteit, een eind maken aan de apathie die de Brazilianen aan de kust hield. Vergeleken met Peru of met Chili was Brazilië inderdaad onafzienbaar, maar de bevolkte streken namen bij elkaar niet veel meer plaats in dan die beide andere landen samen.

'Brasília zal de Brazilianen aanzetten tot een nieuwe verovering,' besloot Roberto.

'En dat zal hun ook opnieuw hoop geven,' voegde Andracchio eraan toe.

Hij was een jaar of veertig en afkomstig uit een Italiaanse familie die omstreeks 1890 naar Brazilië was geëmigreerd.

'De armen uit de *sertão* gaan massaal naar Rio,' ging hij verder. 'Er zijn er al een half miljoen in de *favelas*.' Dat woord, afkomstig van Monte Favela, duidde op de krottenwijken die op de heuvels of de moerassige terreinen van de hoofdstad gebouwd waren. 'Dezelfde exodus vindt in São Paulo plaats. Laten we het binnenland opengooien, laten wij grond geven aan die berooiden, dan stroomt het allemaal weer terug.'

Amílcar trok zijn schouders op.

'Een Nordestino zal dat misschien nog wel doen, maar zeg nou eens, zien jullie Cariocas zich in de jungle vestigen?' Hij wendde zich tot zijn vrouw, wier familie uit Rio kwam. 'Zie jij jouw broer en zijn vrouw de hoofdstad verlaten?'

Dona Cora antwoordde dat haar broer Luís, ambtenaar op het ministerie van Onderwijs, zijn ontslag zou indienen en weer een leraarsbaantje zou nemen. Wat Ana betrof, haar schoonzuster…

'Voor haar zou het erger zijn dan verbanning naar Siberië!'

'Zie je wel!' zei Amílcar triomfantelijk. 'Brasília betekent zoveel als ballingschap.'

'Misschien is dat wel nodig voor de Cariocas,' antwoordde Roberto ondeugend. 'Met alle respect voor Luís en Dona Ana, maar het leven in Rio is veel te gemakkelijk. Er is veel te veel verleiding. Je moet wel verschrikkelijk veel wilskracht hebben om voor Copacabana langs te lopen en dan jezelf op te gaan sluiten in een ministerie. In Brasília zullen de ambtenaren zich misschien verbannen voelen, maar wellicht zullen ze dan eindelijk eens een beetje werk gaan verzetten.'

'Een hoofdstad in de wildernis,' zei Amílcar, 'ik zeg je, dat is waanzin, dat is een luxe die Brazilië zich niet kan veroorloven.'

'Misschien wel het tegenovergestelde. Een kans die we niet voorbij kunnen laten gaan. Kubitschek heeft dat ook verklaard, en ik ben het met hem eens. Als wij Brasília kunnen bouwen, kunnen we alles!'

Senhor Amílcar fronste zijn wenkbrauwen en mompelde: 'Farao Juscelino biedt ons misschien alleen een fata morgana in de woestijn aan.'

Twee jaar nadat de eerste bulldozers begonnen waren heen en weer te rijden over de rode grond van Goiás, op de plek waar de toekomstige hoofdstad moest komen, probeerde een groep boeren uit het dal van Santo Tomás ook met het verleden af te rekenen. De man die later als hun leider beschouwd zou worden was een rietkapper van negenenvijftig, Anacleto Pacheco geheten, al was het in feite zijn zoon Raimundo die de aanstichter was van de eerste troebelen in de Usina Jacuribe, in de tweede helft van 1958.

Anacleto Pacheco sneed al vierenveertig jaar riet – twaalf stengels per bos, honderd tot tweehonderd bossen per dag, afhankelijk van zijn gezondheid en zijn humeur. Zijn eigen herinnering dreef op de belangrijke gebeurtenissen van het domein, de overstroming in 1927, de explosie van de stoomketel in 1935, en een plaag van kleine knaagdieren, de *iraras*, in 1947. Hij was op Santo Tomás begonnen ten tijde van *senhor* Duarte Cavalcanti, maar had verder gewerkt voor Álvaro, Duartes zoon, en nu voor Durval en José, de zonen van Álvaro.

De familie Pacheco bezat in het zuiden van de vallei anderhalve hectare grond waarvoor ze pacht betaalde aan de Cavalcantis. Anacleto ging iedere week naar de markt in Rosário, maar kon de keren dat hij verder dan die kleine stad was gegaan op de vingers van een hand tellen.

Hij was een *caboclo* met een gezicht waarop traagheid en geduld te lezen vielen, had drieëntwintig kinderen gekregen bij drie vrouwen, van wie er twee gestorven waren. De derde, Maria, een mulattin uit Bahia, had hij acht jaar geleden op de markt in Rosário ontmoet. Twaalf van zijn kinderen waren overleden, het merendeel op jeugdige leeftijd. Raimundo, drieëntwintig jaar oud, was de enige van zijn volwassen zonen die ook op de plantage werkte, vier anderen waren van het domein weggetrokken naar de stad.

Op de eerste zaterdag in september 1958 zaten Anacleto Pacheco en zijn vriend Bald Valdemar onder de grote mangoboom die voor het huis van de rietkapper stond. Hoewel de zon nog niet achter de heuvels was gezonken, brandde het vuur van de *cachaça* hun al in de maag. Af en toe kwam Maria in de deuropening van de hut staan om hun een dreigende blik toe te werpen. De mulattin, klein en dik, was furieus want Anacleto was uit de winkel van de *usina* teruggekomen en had batterijen voor de radio vergeten. Drie jongens, onder wie twee zonen van Pacheco, speelden met een bal in het stof. *Futebol* obsedeerde hen.

De nacht viel toen Raimundo uit Rosário terugkwam en bij de twee mannen onder de boom kwam zitten, waar de conversatie over de laatste roddels van de raffinaderij ging. *Senhor* Durval had een boekhouder ontslagen onder mysterieuze omstandigheden. Sommigen dachten dat de man geld verduisterd had, anderen dat hij de tieten van de maatschappelijk werkster te pakken had gehad, *senhora* Xeniá Freitas de Melo.

Maria was bij een vergadering geweest in de loop waarvan de *senhora* de vrouwen en de dochters van de arbeiders van de *usina* verteld had dat het voor de armen wel beter zou gaan als ze zichzelf een beetje zouden helpen. De maatschappelijk werkster zou ze wel leren om hun huis schoon te maken, hun kleren te naaien en tapijten te weven die ze dan op de markt konden verkopen. Toen ze terugkwam had Maria verklaard dat ze alleen onzin had gehoord. Waar moest ze de tijd vandaan halen om nog te gaan weven? Trouwens, had ze er insinuerend aan toegevoegd, iedereen wist dat *senhora* Xeniá zich niet echt interesseerde voor de armen en hetgeen zij weefde een net was rond de zonen van *senhor* Durval.

'Er was een jonge blanke uit Recife in de bar van Nilton, vandaag,' zei Raimundo. 'Volgens hem verdoet de *senhora* haar tijd met die naailessen. De vrouwen hebben andere belangrijke dingen te leren.'

'Wie is dat, die vent?' vroeg Anacleto.

'Een zekere Eduardo Corrêa, hij is van de Liga.'

'En komt hij op Santo Tomás? Dat kost hem zijn ballen,' voorspelde Anacleto, terwijl hij de fles pakte.

Hij herinnerde zich de dag waarop *senhor* Durval de *Ligas Camponêsas* had afgeschilderd als nesten van communisten die zieltjes wilden winnen. Drie maanden eerder, bij een toespraak tot de arbeiders ter gelegenheid van Sint-Jan, had de planter gewaarschuwd dat zij die zouden proberen om het rode vergif in het dal te verspreiden onmiddellijk verjaagd zouden worden, met wat zij op hun rug konden meedragen. Sommige boeren en seizoenarbeiders die in september voor de oogst waren gekomen hadden contacten gehad met de *Ligas* maar tot nog toe had geen enkel lid van de organisatie een voet op de gronden van de Cavalcantis durven zetten.

De *Ligas Camponêsas* sproten voort uit een samenwerkingsverband dat vier jaar eerder was aangegaan door honderdveertig boerenfamilies van een plantage aan de kust, de *Engenho Galiléia*, eigendom van *senhor* Oscar Beltrão. Eind 1954 hadden die boeren, met hulp van een plaatselijke rechter, de Maatschappij van Landbouw en Veeteelt van de Planters van Pernambuco opgericht, met als voornaamste doel het creëren van een coöperatie om zaden en gereedschappen in te kopen, het bouwen van een kapel, het aannemen van een onderwijzer en de aanschaf van doodkisten waardoor de armen niet meer op onwaardige manier zomaar in de grond hoefden te worden begraven.

De oude Oscar Beltrão was blij met het initiatief van zijn boeren en stemde erin toe erevoorzitter van de Maatschappij te worden, de stichting die aanleiding was tot een *festa*. Hij gaf ook toestemming een paar bomen om te hakken om een kapel te bouwen. Maar de eerste bijlslagen waren nog niet toegebracht of hij veranderde van mening, gaf zijn titel van erevoorzitter terug en bedreigde de boeren met uitzetting als zij hun Maatschappij niet onmiddellijk zouden ontbinden.

Beltrão was beïnvloed door zijn familie en door naburige planters, die hem er ten slotte van hadden overtuigd dat de Maatschappij de voorbode was van communistische subversie. De boeren bleven koppig bij hun standpunt en nadat zij met succes weerstand hadden geboden aan pogingen om hen van Galiléia te verdrijven, richtten zij zich in januari 1955 tot Francisco Julião, een van de weinige advocaten in Recife die kleine boeren en pachters wilde verdedigen. Hij was ook een politieke persoonlijkheid, want hij was gekozen tot gedeputeerde voor de staat Pernambuco in 1954.

Deze raddraaier van drieënveertig jaar zag in de Maatschappij het begin van een massale beweging van bezitlozen. Als juridisch adviseur van de organisatie maakte hij die bekend bij de assemblée en in de hele streek. De leden noemden het simpelweg de Liga, en de tegenstanders ervan noemden het de Boerenliga, een herinnering aan een vergeefse poging van de Braziliaanse communisten om tien jaar eerder een boerenbond op poten te zetten.

Deze nieuwe *Ligas*, met hun programma van landhervorming, verspreidden zich snel en aan het eind van 1958 konden zij terecht beweren dat zij ongeveer vijftigduizend boeren uit Pernambuco en de naburige staten vertegenwoordigden. In Galiléia woonden de pachters nog steeds op de gronden van Beltrão en de overwinning kwam in zicht. Behalve dat hij een langdurige slag voerde om hun verbanning te voorkomen, oefende Julião druk uit op de assemblée om het domein te onteigenen – met schadevergoeding voor *senhor* Beltrão – en het om te vormen tot een coöperatie.

Terwijl zijn vader zich nog eens te drinken inschonk gaf Raimundo verdere details over zijn ontmoeting met Eduardo Corrêa.

'Hij zegt dat de *Liga* ook veel te bieden heeft aan de vrouwen. Alles staat in dit rondschrijven,' zei Raimundo, terwijl hij een blaadje uit zijn zak haalde.

Anacleto ging naar binnen, en kwam weer naar buiten met een lantaarn die hij zijn zoon aanreikte.

'En wat staat erin, in dat ding?'

Raimundo, het enige familielid dat kon lezen, schraapte zijn keel.

'Er staat in dat met de republiek de situatie voor veel mensen beter is geworden, maar niet voor de boeren. Wij zijn even slecht af als slaven, dat staat erin! Wij werken als beesten voor de *senhores*, en wij hebben nog steeds niks.'

'Ja, we hebben dit,' zei Bald Valdemar, terwijl hij met de fles *cachaça* zwaaide.

'En we hebben de boerderij, vergeet dat niet,' zei Anacleto.

'Maar die is niet van ons!'

'Wij eten er anders wel van...'

'En de rest is voor de *patrão*!'

'En de Liga, wat kan die dan voor ons doen?'

'Die zou het systeem kunnen afschaffen. Hoeveel zijn wij de winkel van de *usina* schuldig, ongeveer?'

Anacleto trok zijn schouders op.

'En wij werken twaalf uur per dag, terwijl het maximum acht zou moeten zijn,' ging Raimundo verder.

'Nu zit je toch onzin te verkondigen. Die vent die daarover sprak, is die groot? Is die sterk?'

'Hoe dat zo?'

'Vanwege Joazinho.'

Valdemar grinnikte. Geen man uit het district was zo gek om Joazinho Villa Nova, de *capanga*-chef van de Cavalcantis, een strobreed in de weg te leggen. En Valdemar dankte God dat hij niets met hem te maken had gehad sinds hij de karren met suikerriet van het domein moest besturen. De *Ligas* hadden gelijk, het leven was hard. Maar het zou nog harder zijn als iemand de woede van Joazinho zou wekken.

'Dat is waar,' zei Anacleto met dikke tong. 'Jouw vent moet zijn kletspraat maar ergens anders gaan verkopen. We willen geen gedonder op Santo Tomás.'

'Hij heeft niet gezegd dat hij hier zou komen,' antwoordde Raimundo.

'Des te beter! Gooi dat papiertje maar weg en vergeet die kerel maar. Laat die ons in godsnaam met rust laten.'

'En ons voor niks laten werken?'

Raimundo doelde op de *cambão*, het 'juk', een systeem volgens hetwelk de pachters eens per maand een werkdag aan de Cavalcantis afstonden, buiten de pacht en een derde van de oogst.

'Wat heb jij?' vroeg Anacleto.

'*Pai*, zie je dan niet dat de *Ligas* gelijk hebben?'

'Die kerel van jou, die...'

'Eduardo Corrêa.'

'Is hij arm?'

'Hij heeft een auto, maar...'

'Wat weet hij dan van de armen? Heeft hij riet gekapt?'

Maar Raimundo hield aan: 'Hij zegt dat ze ons bestelen en dat...'

'Die is leeg,' mompelde Valdemar, terwijl hij met de fles zwaaide.

Anacleto maakte van de gelegenheid gebruik om aan deze deprimerende discussie een einde te maken en zei tegen zijn zoon: 'Ga maar wat te drinken halen voor mijn vriend.'

De volgende ochtend zag Anacleto, toen hij met moeite naar de mangoboom liep waaronder hij zijn kater wilde gaan verzorgen, het vodje papier op de grond liggen, waar Raimundo het waarschijnlijk had neergegooid. Waarschijnlijk – want Anacleto had moeite om zich de discussie van de vorige dag te herinneren. Met trillende hand raapte hij het papiertje op, streek het glad, vouwde het op en stak het in zijn zak.

Drie weken later, op de dag van de *cambão*, toen de Pachecos de hele dag suikerriet moesten kappen in de velden van de Cavalcantis, van zonsopgang tot zonsondergang, hanteerde Raimundo het kapmes terwijl hij een liedje zong dat hij had gemaakt op het geschenk dat zij *senhor* Durval gaven – hun zweetdruppeltjes die in de handen van de *patrão* tot parels werden.

Anacleto begon te begrijpen dat de *cambão* puur diefstal was, maar toen Raimundo voorstelde om er dan niet meer aan mee te doen, werd hij boos: 'Ik ben niet gek. Ik wil geen gedonder met *senhor* Duarte, en al helemaal niet met Joazinho in de buurt.'

Een paar dagen later besloot hij een man te gaan raadplegen die hij echt vertrouwde. Op de ochtend van 4 oktober leende hij de muilezel van Valdemar en ging hij naar de kliniek, een paar kilometer verderop. In de schaduw van de oude molen van Santo Tomás wachtte hij ruim een uur tot de zieken hun medicijnen hadden gekregen, en toen, met zijn hoed in zijn hand, ging hij het gebouw binnen.

'*Doutor?*' riep hij zachtjes.

De dokter kwam uit zijn kantoor, liep de hal in en stak zijn hand uit.

'*Bom dia*, Anacleto.'

'*Bom dia, doutor*,' antwoordde de boer.

Hij zei meteen dat het goed met hem ging, en dat er niets aan zijn gezondheid mankeerde.

'Wat kan ik dan voor je doen?'

In één adem vertelde Anacleto hem over de ontmoeting van Raimundo met de man van de *Ligas*.

Juraci Cristiano leunde tegen een tafel en dacht, terwijl hij naar de oude man luisterde, aan bepaalde episodes uit zijn eigen leven. Het was al ruim een halve eeuw geleden – hij was in 1958 vijfenzestig geworden – dat Celso Cavalcanti hem uit Canudos had gehaald. Weinig mensen buiten zijn intieme vriendenkring wisten dat hij de zoon was van een fanatiekeling, Antônio Paciência geheten, want zelfs nu kreeg hij het nog steeds benauwd als hij probeerde de tragedie van Canudos te begrijpen, en hij had het er zelden over.

Monsignor Celso Caetano Cavalcanti, zonder wie Juraci's leven geheel anders zou zijn verlopen, was in 1918 gestorven, toen hij pas tweeënvijftig was, bij de grote griepepidemie. Hoewel hij door Rome tot bisschop was benoemd ging Celso toch regelmatig naar de miserabele *mocambos* waar hij tientallen zieken hielp voordat hij op zijn beurt eronderdoor ging. Juraci, die toen vijfentwintig was, rondde zijn medicijnenstudie in Salvador af. Toen hij zijn doctoraal had gehaald ging de jongeman terug naar Recife, waar hij jarenlang in het Português-hospitaal werkte, en in een katholieke kliniek voor bewoners van het district São Antônio. In 1923 trouwde hij met de dochter van een arm geworden planter uit Pernambuco, die hem vier kinderen schonk, tegenwoordig allemaal getrouwd, behalve de jongste, Antônio.

Juraci voelde zich deel uitmaken van de familie Cavalcanti tot de dood van Fábio en Renata, kort na die van Celso. Toen zij echter verdwenen waren ontstond er door zijn steeds meer revolutionaire stellingname een afgrond tussen hem en Álvaro, die ultraconservatieve ideeën had.

In 1934 werd hij militant lid van de *Alianca Nacional Libertadora* (A.N.L.), op communistische leest geschoeid, die onder het motto 'brood, grond en vrijheid' campagne voerde voor de annulering van de buitenlandse schulden, de nationalisering van buitenlandse ondernemingen, het algemeen stemrecht en landhervorming. Toen president Getúlio Vargas het jaar daarop de A.N.L. verbood, organiseerde de communistische partij in Recife, Natal en Rio de Janeiro bloedige oproeren die ten koste van veel doden de kop in werden gedrukt.

Juraci, van nature een tegenstander van gewapende strijd, had de aanhangers van de opstand krachtig bestreden. Toch werd hij gearresteerd en gevangengezet totdat Edson, advocaat en kleinzoon van Fábio, hem vrij kreeg. Álvaro was woedend en wilde niets meer van Juraci weten, maar gedreven door een sterk gevoel van loyaliteit ten opzichte van Celso en Fábio kwam hij ten slotte op zijn beslissing terug. De beide zonen van Álvaro voelden deze familiebanden even sterk en Durval zelf vroeg de 'oude communist', zoals hij hem achter gesloten deuren noemde, om de leiding van beide klinieken van Santo Tomás op zich te nemen. Sinds die tijd kwam de dokter elke woensdag en elke zaterdag, zonder ooit over te slaan, uit Recife naar de *usina*.

Toen Anacleto klaar was met zijn verhaal, hield hij de *doutor* het vlugschrift voor dat hij al wekenlang bij zich had en vroeg hij: 'Is dat waar, wat de *Ligas* zeggen?'

Juraci las snel de tekst.

'Dat is waar,' antwoordde hij met neutrale stem. 'Die feiten zijn algemeen bekend.'

De boer liet een zenuwachtig lachje horen.

'Maar wat weet hij van ons leven, die kerel die zelf in een auto rijdt...'

'Het is waar,' herhaalde Juraci.

'Mijn Raimundo, die heeft het steeds maar weer over die *cambão*. Ik zeg dat ik geen gedonder op Santo Tomás wil.'

'Dat wil niemand. Maar jouw zoon heeft gelijk. De *cambão* is onrechtvaardig. De planters doen net of ze die gebruiken om de wegen te repareren, de Jacuribe schoon te maken, en de dijken te versterken...'

'Ja, ja, riet kappen!'

'Hoe het ook zij, Durval zal het nooit goed vinden dat er een Liga in het dal wordt opgezet, en het zou een ernstige fout zijn om hem nu uit te dagen. De verandering komt toch wel, al zal het een poos duren. Wees voorzichtig, Anacleto, en zeg tegen je zoon dat hij geen stommiteiten uithaalt.'

De oude boer knikte, en wachtte of de dokter nog meer te zeggen had. Omdat Juraci niets meer zei, liep Pacheco met zware pas het gebouw uit en ging naar de rivier, waar hij de muilezels van Valdemar had laten staan. Als hij achterom had gekeken, had hij gezien hoe de dokter hem nakeek.

Staande voor het venster van de kliniek dacht Juraci aan wat hij zojuist gezegd had: 'Het kan nog lang duren...' Hoe lang zouden ze nog moeten wachten? Een eeuw? In het dal was er in vijftig jaar niets veranderd. De *cambão*, de *capanga* die zijn geweer laadde, de ongeletterde boer die amper zijn brood kon verdienen. Ook in de *caatinga* leek alles onveranderlijk. Dit jaar was er geen druppel regen gevallen. Honderdduizenden *flagelados* – slachtoffers van de droogte – ontvluchtten de *seca* en vulden de straten van Recife, terwijl nog steeds dezelfde oude oplossingen werden voorgesteld, stuwdammen, hydraulische werken. Water voor de gebarsten grond, maar nog steeds niets voor hen die er woonden en wier lijden men nog steeds weigerde te zien.

Op vrijdag 24 oktober gingen Anacleto, Raimundo en vijf andere boeren voor zonsopgang op weg om *senhor* Durval Cavalcanti te vertellen wat zij over de *cambão* hadden besloten.

Sinds zijn gesprek met dr. Juraci, drie weken eerder, had Anacleto het telkens als hij met zijn vrienden onder de mangoboom was gaan zitten, over de *cambão* gehad. Raimundo had Eduardo Corrêa nog een keer ontmoet, die hem een telefoonnummer in Recife had gegeven waarheen ze konden bellen als ze gedonder kregen. De *Ligas Camponêsas* zouden *senhor* Durval voor de rechter slepen, zij zouden de wet gebruiken tegen de Cavalcantis, had Corrêa verzekerd. Toch bleef Anacleto aarzelen. Wat hem er ten slotte van overtuigde om toch naar de *senhor* te gaan, was de terugkeer van José Cavalcanti op het domein, op 20 oktober.

Senhor José en zijn vrouw Dona Clara stonden bij de boeren bekend om hun sympathieën voor de armen. Dona Clara, voordat zij trouwde onderwijzeres, had zich ingezet voor de twee scholen in het dal, maar zij was het ook die de maatschappelijk werkster had laten komen, Xeniá Freitas de Melo. *Senhor* José organiseerde het voetbalelftal van de *usina* en was volgens zeggen van plan om er een clubhuis neer te zetten.

Op de weg naar de raffinaderij waren de leden van de *delegação*, zoals Raimundo hen dapper noemde, in een uitstekend humeur. Ze maakten grapjes over Bald Valdemar, die de vorige dag stomdronken op een bank was geklommen om te verkondigen dat hij de *patrão* was en dat de *cambão* was afgeschaft. Toen ze hem de volgende ochtend kwamen halen, vonden ze hem op de grond van de hut, terwijl hij lag te snurken dat het dak van zijn hut ervan trilde.

Durval Meneses Cavalcanti wachtte met een kop koffie in de hand op zijn veranda op de boeren. Hij was het huis uitgekomen toen een van de huisknechten hem had gewaarschuwd dat er een paar mannen de laan opkwamen. Hij was bijna vijftig, en zag er autoritair uit, zoals dat hoorde bij een man die macht had over achtentwintighonderd mensen.

De *delegação* kwam aan de voet van het trapje en richtte de gebruikelijke groeten en zegeningen tot de *patrão*, die botweg vroeg: 'Wat is er aan de hand?'

De boeren wisten even niet wat ze moesten zeggen, maar toen *senhor* José verscheen, die bij zijn broer op de veranda kwam staan, begon er een nieuw concert van begroetingen. In hun ogen was hij van nature 'coulanter' dan Durval, die zij als de echte baas beschouwden.

José, die de financiële kant van de *usina* beheerde, werd vaak van het domein weggeroepen en zelfs als hij voor zaken van Santo Tomás weg moest, verdeelde hij zijn tijd tussen zijn huis in Recife, zijn appartement in Rio en zijn vele reizen naar Europa. Met zijn kamerjas nog aan, ontving hij de boeren hartelijk, maar hij hield zijn mond toen zijn broer naar hen toe liep.

'Nou, Anacleto?' vroeg Durval, waarbij hij de man koos die hij het best kende.

'Tja, *senhor*. Wij kwamen de *patrão* opzoeken...' begon de oude man. Hij zweeg even want zijn zoon gaf hem een por in zijn zij. 'Het gaat over de *cambão*.'

'En wat is er met de *cambão*?' vroeg Durval, uiterst kalm.

Anacleto klemde zijn kaken op elkaar en wierp een blik op Raimundo, die hem met een hoofdknik aanmoedigde.

'De anderen... en ik ook, wij willen betaald worden voor ons werk. Als de *patrão* de pacht verhoogt, dan zullen wij betalen...' Weer een blik naar Raimundo. 'Maar wij willen niet langer als slaven werken.'

Anacleto had dat laatste woord amper hoorbaar uitgesproken. Hij keek naar de grond.

'Slaven?' herhaalde Durval. 'Wat is dat, een slaaf?'

'Een man die werkt zonder betaald te worden,' antwoordde Anacleto, terwijl hij naar de grond bleef kijken.

Nu verloor de planter zijn kalmte en zei: 'Ze hebben jullie opgestookt om hier te komen! Wie zit hierachter?'

'Niemand, *senhor*.'

'Je liegt, Pacheco.'

'Nee, *senhor*. Vraag het maar aan de anderen, ze zullen het bevestigen.'

Durval wendde zich tot zijn broer.

'Ze zijn hier geweest, die klootzakken.'

José Cavalcanti vroeg rechtstreeks aan Anacleto of hij lid was geworden van de *Ligas Camponêsas*.

'Nee, *senhor* José! Dat zweer ik!'

'Je liegt,' herhaalde Durval. 'Hoeveel anderen doen hieraan mee?'

'Alleen wij. Wij....'

'Hoe lang woon jij al op Santo Tomás?'

'Ik ben er geboren, *senhor*, dat weet u ook wel.'

'Je hebt dus altijd de *cambāo* meegemaakt?'

'*Sim, senhor.*'

'En nu opeens is het slavernij?'

Anacleto wist niet wat hij hierop moest antwoorden.

'Ik heb ze ik weet niet hoe vaak gewaarschuwd,' zei Durval tegen José. 'Ik wil geen rooien hier. En ik wil ook geen pastoors die aan de communisten verkocht zijn.' Nu wendde hij zich weer tot Anacleto en zei: 'Wanneer zijn ze hier geweest, die klootzakken?'

'Ze zijn hier niet geweest, *senhor*. Dat is de waarheid.'

'Ik wil geen Liga op mijn gronden!' brieste Durval.

Voordat hij verder iets kon zeggen liep Raimundo naar voren en antwoordde, waarbij hij op iedere lettergreep nadruk legde: 'Er is geen Liga op Santo Tomás... *senhor*.'

De planter trok zijn wenkbrauwen op en bekeek de jonge boer van top tot teen.

'In de bar van Nilton heeft een vent van de *Ligas*, ene Eduardo Corrêa, het over de *cambāo* gehad,' ging Raimundo verder. 'Hij heeft...'

'Zie je wel,' zei Durval tegen zijn broer. 'Ik wist wel dat ze logen!'

'Nee, *senhor*, u begrijpt het niet,' ging Raimundo verder. 'Mijn vader en de anderen waren er niet bij. Alleen ik.'

Maar Durval Cavalcanti luisterde niet naar hem en begon over de veranda te ijsberen.

'We moeten hier meteen een punt achter zetten!' zei hij tegen José. 'God weet hoever het kwaad zich al heeft verbreid! Jezus nog aan toe, wij hebben voor deze grond gewerkt, en nu willen die klootzakken dat van ons afpakken, om het te verdelen in vijfduizend percelen die je niet kunt bewerken.'

'Dat zal niet gebeuren,' zei José kalmerend.

'Natuurlijk niet! Over mijn lijk!' schreeuwde Durval. Plotseling stond hij stil en keek hij de Pachecos aan. 'Jullie kunnen nu gaan. Ga maar weer naar de velden.'

De boeren bleven stokstijf staan.

'Donder op!'

Zonder een woord te zeggen liepen de leden van de delegatie weer de laan over, met de hoed in de hand.

'Afgelopen met die Pachecos,' besloot Durval. 'Ik stuur Joazinho om ze eruit te gooien.'

Over het algemeen bracht José zijn broer tot rede als die boos werd. Wat de boeren niet wisten, was dat Durval, ondanks zijn cholerische karakter, best bereid was om hervormingen in het dal door te voeren, al was hij het niet eens met de 'liberale' ideeën van zijn broer. José wist ook dat het niet het idee was dat hij elke maand een werkdag moest verliezen, dat Durval kwaad maakte, maar veel eerder het idee dat hij iets zou moeten opgeven dat legitiem en voor altijd van de Cavalcantis was.

De oudste zoon ging het huis in, zijn broer liep achter hem aan en zei: 'Weet je, het is misschien wel waar wat de jonge Pacheco vertelt. Je kent Anacleto. Hij laat zich soms meeslepen, maar...'

Plotseling draaide Durval zich om en zei: 'Nee! Dit keer is hij te ver gegaan.'

De volgende ochtend om tien uur, toen Juraci Cristiano naar de kliniek van de *usina* kwam, zat een van de *capangas* van de Cavalcantis bij de andere zieken op hem te wachten. De man had een diepe snijwond in zijn arm – en een flinke reputatie als ruziezoeker.

'Wat is er nu weer gebeurd, Felipe?' vroeg de dokter toen hij hem verzorgde.

'Die rotzak van een Pacheco heeft me met een mes gestoken.'

Juraci schrok, keek de *capanga* aan, maar durfde geen verdere vragen te stellen. Dat was ook niet nodig.

'De *patrão* wilde dat wij ze eruit gooiden.'

'De Pachecos? Maar waarom dan?'

'Die oude imbeciel van een Anacleto zei dat hij geen *cambão* wilde geven.'

'Here God...'

'Maakt u geen zorgen, dokter, ze zijn weg.'

Vervolgens vertelde Felipe hoe Joazinho en acht mannen de vorige avond naar de Pachecos waren gegaan, het huis hadden geplunderd en de hele familie hadden gedwongen om in een vrachtwagen te stappen, zoals de *patrão* bevolen had. Maria, die hoer, had Felipe verwond, maar ze had een flink pak op haar donder gehad voordat ze met de anderen in de vrachtwagen stapte.

Een uur later reed Juraci, ondanks het feit dat er nog een paar patiënten in de wachtkamer zaten, in zijn Packard naar de Cavalcantis. Durval was naar Rosário om met zijn neef te praten, het hoofd van de politie, over de man die Raimundo in de bar van Nilton had ontmoet. José was thuis, maar wilde niet praten over de uitzetting van de Pachecos.

'Dat is een besluit van mijn broer,' zei hij.

'Anacleto heeft zijn hele leven riet gekapt op Santo Tomás,' antwoordde Juraci. 'Zijn vader en zijn grootvader ook.'

José zuchtte eens diep en zei: 'Mijn broer denkt dat de *Ligas* erachter zitten. Als hij toegeeft voor de *cambão*, is het eind zoek. Wat zullen de boeren de volgende keer dan gaan eisen?'

'Niets meer dan ze altijd gevraagd hebben. Om een beetje waardig behandeld te worden.'

'Ik heb geprobeerd de zaak te sussen,' mompelde José terwijl hij de andere kant uitkeek. 'Echt waar...'

'Daar twijfel ik niet aan. Als ik Anacleto zie zal ik het hem zeggen,' antwoordde Juraci.

De deur van het huis stond open. Binnen lag de aangestampte lemen vloer vol rommel. Stukken van stoelen, een kapotte voetbal, een opengesneden zak meel. Op de grijze muren getuigden de heldere plekken van de plaats waar schilderijen hadden gehangen, een crucifix. Op een plankje dribbelden de mieren tussen korreltjes suiker.

Juraci ging naar buiten en ging op de bank van Anacleto onder de mangoboom zitten. Hij keek naar de verwoeste hut, naar de velden maniok en bonen eromheen en dacht aan het Casa Grande.

Al eeuwenlang was het grote huis van de planters het symbool geweest van de verovering van de gronden, terwijl de *senzala* en de hutten de verovering van de mens hadden gesymboliseerd. Nu waren het Casa Grande en het huis van Anacleto Pacheco, tegenovergestelde en onlosmakelijk met elkaar verbonden werelden, allebei leeg en verlaten. Maar de leefwijze waar ze beide voor stonden was niet veranderd. Natuurlijk, José Cavalcanti wilde het lot van de boeren verbeteren, en Durval ook, al was hij koppig, maar binnen de grenzen die vierhonderd jaar geleden waren vastgelegd, toen Nicolau Gonçalves Cavalcanti zich in het dal had gevestigd. Anacleto dacht dat het tijd werd om het juk van zich af te schudden, en ze hadden hem gezegd dat hij het mis had.

'*Senhor doutor*?'

Juraci had Valdemar niet zien aankomen.

'Ah, ben jij het,' zuchtte hij.

'Ik heb alles gezien,' zei de karman.

'Weet jij waar Anacleto heen is?'

Valdemar wreef met zijn mouw de tranen uit zijn ogen.

'Raimundo denkt dat...'

'Raimundo? Waar is die?'

'Bij mij. Ik wilde net naar de kliniek gaan toen ik uw auto zag. Hij bloedt, dokter.'

Juraci stond op en volgde Valdemar naar zijn huis, waar hij Raimundo binnen aantrof, zittend met zijn rug tegen de muur. De rechterkant van zijn gezicht lag open, een broekspijp was gescheurd en bevlekt met bloed.

'Mijn God!' riep de dokter. 'Wat hebben ze met jou uitgehaald?'

'Ik ben van de vrachtwagen gesprongen.'

'En jouw vader, en Maria...'

'Ik zat niet bij hen.'

Raimundo vertrok zijn gezicht van pijn, Juraci vroeg aan Valdemar water aan de kook te brengen en hem een schoon stuk stof te geven.

'Vertel eens,' zei hij tegen de jonge boer.

Toen zij van de *patrão* kwamen, waren de leden van de delegatie naar de velden gegaan om voor de *cambão* riet te kappen, op aandringen van Anacleto. Daar waren ze toen een vriendin van Maria, die bij *senhor* Durval in huis diende, ze was komen waarschuwen dat Joazinho en zijn *capangas* op het punt stonden in te grijpen. Raimundo was naar Carlos Mota gerend, een van de weinige planters uit de streek die de boeren toestemming gaf in geval van nood zijn telefoon te gebruiken. Omdat hij niet wist hoe hij dat ding moest bedienen, had Raimundo hem het kaartje van Eduardo Corrêa gegeven en hem gevraagd het nummer te draaien dat daarop stond. Mota had gezegd dat hij even moest wachten, want er was iemand aan de lijn.

Raimundo wachtte voor het huis van *senhor* Mota, toen een vrachtwagen van de *usina* op de binnenplaats stopte. Drie *capangas* sprongen eruit en sloegen hem in elkaar, om hem vervolgens de wagen in te duwen. Carlos Mota verscheen op de veranda en vroeg aan Raimundo of hij dacht dat hij soms gek was. Opbellen naar de *Ligas*, wat dacht hij wel!

Bald Valdemar kwam terug en Juraci maakte de wonden van Raimundo oppervlakkig schoon. Met hulp van de karman hielp hij de gewonde in de Packard, en bracht hem vervolgens naar de kliniek.

'Waarheen denk je dat je vader gegaan is?' vroeg de dokter, toen hij de wang van Raimundo gehecht had.

'Vast en zeker naar mijn halfbroer Pedro, in de buurt van Gere-moaba. Hij fokt geiten in de *caatinga*.'

Juraci begon aan de beenwond toen ze aankwamen – drie *capangas* in een jeep, onder wie Joazinho Villa Nova. Het hoofd van de orde-dienst van Santo Tomás was een man met slappe wangen, een dikke neus en een rond brilletje, die een reputatie van moordenaar had, al had hij nog nooit iemand gedood. De boeren hielden echter vol dat hij tientallen mannen het graf in had geholpen en Joazinho deed niets om ze uit de droom te helpen. Al had hij dan nooit iemand vermoord, van velen had hij de dood gewenst, voordat hij ze een lesje gaf voor een of andere misstap, een brutaliteit tegen een opzichter, of in de raffinade-rij gestolen suiker. Durval Cavalcanti had een strikte gedragscode voor zijn *capangas*, maar achter zijn rug trokken zij zich daar niets van aan en gedroegen zij zich als bruten.

'*Bom dia, doutor* Juraci,' riep Joazinho vrolijk in de deuropening van de kliniek.

Juraci, die in zijn kantoor zat, had de jeep zien aankomen.

'Heilige Moeder Gods!' kreunde Raimundo, die doodsbang was.

De dokter zei dat hij rustig moest blijven.

'*Senhor doutor*?' riep Joazinho, terwijl hij door de wachtkamer liep.

Juraci hield hem tegen in de deuropening van zijn kantoor.

'Ik ben hem net aan het verzorgen,' zei hij koeltjes, zonder de *capanga* te groeten.

Joazinho antwoordde poeslief: 'U moet het begrijpen, de *patrão* wil hem spreken.'

'Hij blijft hier.'

De ogen van de ordehandhaver begonnen te tintelen achter de dik-ke glazen van zijn bril.

'De *doutor* maakt het ingewikkeld...'

'In godsnaam, wat wil je nog meer? De Pachecos zijn weg! Vieren-veertig jaar hebben ze riet gekapt in dit dal, en als beloning heeft een van jouw bruten Maria in elkaar geslagen!'

'Ze heeft Felipe verwond,' antwoordde Joazinho, die in de verdedi-ging ging.

Juraci begon te trillen van woede, kneep zijn ogen samen, en mom-pelde: 'Donder toch op!'

'Zoals u wilt,' zei Joazinho terwijl hij een stap achteruit deed. 'Heel goed, *senhor doutor*.'

Toch was de *capanga* niet van plan om zo gemakkelijk overstag te gaan. Zijn mannen zouden zich op het domein belachelijk maken als hij Raimundo zomaar liet ontglippen. Maar er was geen sprake van iets te ondernemen tegen de doctor, dat zou *senhor* Durval hem nooit vergeven.

Joazinho die bij de jeep stond besprak het probleem met de andere *capangas*, toen hij de wagen van *senhor* Durval de weg naar Rosário zag afkomen, en zag afslaan naar de kliniek.

'Aha!' juichte hij. 'Nu hebben wij hem!'

Een paar minuten later kwam Durval Cavalcanti het kantoor van de dokter binnen.

'Waar heb je hem gevonden?' vroeg hij aan Juraci.

'Wat doet dat ertoe?'

Raimundo Pacheco zat op de rand van een metalen bed, met gebogen hoofd, en keek strak naar de grond. De planter bekeek hem oprecht bezorgd en vroeg: 'Is het ernstig?'

'Het had erger kunnen zijn.'

'Zie je nu wel, dat die *Ligas* alleen maar gedonder geven? Jouw vader is alles kwijt.'

'*Sim,*' mompelde Raimundo zonder op te kijken.

'Stelletje klootzakken!' bromde Durval. 'Anacleto was een brave kerel.'

'Ja,' beaamde Juraci. 'En hij had hier best aan het werk kunnen blijven, op Santo Tomás.'

'Ik denk dat ik wel weet wat jij van die uitzetting vindt. Toen ik uit Rosário terugkwam dacht ik wel dat je niet ontevreden zou zijn als de *Ligas* mij voor de rechtbank zouden slepen. Toch heb ik het recht om te beschermen wat van mij is.'

'Ik kan niet in naam van de *Ligas* praten, Durval.'

'In naam van de partij dan? Jouw oude kameraden doen wat ze kunnen om het hoofd van die boeren vol te stoppen met bolsjewistische ideeën. En jij denkt soms dat wij lijdzaam zullen toekijken terwijl een heel leger *pamphliteiros* het land overstelpt met propaganda, om de boeren tegen ons op te zetten?'

'De boeren hebben geen propaganda nodig om te weten dat zij lijden.'

'Als ze dat uit zichzelf zeggen, zal ik naar ze luisteren.'

'Zoals je ook naar Anacleto geluisterd hebt?'

Het leek even of Durval Cavalcanti weer een uitbarsting van woede zou krijgen, toen ademde hij met veel lawaai door zijn neusgaten en ontspande hij zich onverwachts. Iets van een glimlach kwam op zijn lippen.

'Ach, Juraci... jij hebt zo jouw meningen, en ik heb de mijne,' zei hij. Hij sloeg Raimundo op de schouder. 'Sorry voor je familie, jongen, ik had liever andere families zien vertrekken... nee, zeg maar niets, Juraci. Het lukt je toch niet om mij van mening te laten veranderen. God heeft het goed geacht ons dit dal te geven, en ik ben van plan het te houden.'

Dat was Duval Cavalcanti's laatste woord. Toen Juraci hem naar zijn auto bracht, een paar minuten later, kwam Joazinho gedienstig naar hem toe.

'Je kunt naar huis gaan,' zei Durval tegen hem. 'Doctor Juraci zorgt wel voor hem.'

'De *patrão* zegt het maar,' antwoordde de *capanga* stijfjes.

Een half uur later reed Juraci zijn oude Packard tussen de heuvels aan de zuidkant van het dal door. Raimundo wilde wel bij hem in Recife logeren, tot hij in staat zou zijn naar de zijnen te gaan.

'Het is geen erg aantrekkelijke plek, de *caatinga* waar jouw halfbroer geiten fokt,' zei de dokter, die de hoop nog niet had opgegeven om de jongeman ertoe over te halen in Recife te blijven.

'Ach, ik ga er alleen maar langs om mijn familie te zien, voordat ik wegga.'

'Wegga?'

'Op de *pau-de-arara*.'

Op de 'stok van de papegaai', achter op een vrachtwagen, kon je duizenden kilometers afleggen naar streken waar werk te vinden was – en hoop.

'Naar São Paulo?'

'Nee, dokter. Naar Brasília! Daar is werk te vinden.'

Toen de wagen boven op de helling kwam keek Raimundo achterom om een laatste keer het dal te bekijken waar hij was geboren. De groene wuivende velden, de stukken bos, de groepjes hutten, het Casa Grande.

'Ja, jongen,' zei Juraci zachtjes. 'Voor de Cavalcantis is dit dal zoiets als Kanaän.'

Op 27 maart 1959, aan het eind van de middag, in een kamp midden in het regenwoud, ruim duizend kilometer van Santo Tomás, luisterde Roberto da Silva naar een opzichter die hem uitlegde waarom het werk werd gestaakt op het stuk weg van tweehonderdtweeëndertig kilometer dat de maatschappij zes maanden geleden tussen Brasília en Belém had moeten aanleggen.

'We hadden het niet verwacht, *senhor*. De vorige keer, bij kilometerpaal 96, waren het gepacificeerde wilden, die alleen cadeautjes wilden. Dit keer hebben we ze niet eens zien aankomen. Ik had zeven man die aan de kop van de weg werkten, met twee bulldozers. De wilden hebben ze bestookt...'

De opzichter begon plotseling te lachen en wees op een van de arbeiders.

'Vasco daar, kreeg een pijl in zijn kont! En er is ook nog een andere jongen geraakt. Omdat u bevolen had niet terug te schieten, hebben we dat niet gedaan. Ik heb mijn mannen tot kalmte gemaand, en ik heb bij de bomen cadeautjes neergelegd. De Indianen zijn ze niet komen ophalen. Ze hebben ons een uur of twee met rust gelaten...'

Hij deed het geluid na van een pijl die door de lucht floot.

Roberto was dertig uur geleden gewaarschuwd over het incident, door de radio op de korte golf, waarmee hij vanuit zijn bureau in São Paulo in contact bleef met de werkkampen. Een paar uur later was zijn vliegtuig geland op een strip die kaalgekapt was bij kilometerpaal 189, een kamp in de buurt van de sector waar het werk was stilgelegd. De vorige avond was Roberto in Brasília geland met zijn co-piloot, Raul Andracchio, en een passagier, Bruno Ramos Salgado, een ambtenaar van de *Serviço de Proteção dos Indios* (S.P.I.). Deze ochtend, bij zonsopgang, waren Salgado en Roberto verder met een eenmotorig vliegtuig op weg gegaan naar het werkkamp, negenhonderd kilometer ten noorden van Brasília.

Roberto inspecteerde het werk vaak, en als hij erheen vloog volgde hij altijd de nieuwe weg dwars door de *cerrado* en de bosjes. Verder naar het noorden was de vegetatie dichter, want daar bereikte de weg de zuidelijke rand van de grote wouden, om slechts nog een ader rode grond te worden te midden van een eindeloze groene vlakte. Deze rode streep deed Roberto beseffen dat een weg van tweeduizend kilometer dwars door oerbos aanleggen, een geweldige uitdaging was. Soms leek die kleine rode streep hem bijna belachelijk – als de groene golf zou opzetten zou ze zo verdwijnen.

In januari, bijna twee jaar na de eerste metingen, waren de ploegen die uit het noorden en uit het zuiden waren vertrokken om een pad door de jungle aan te leggen honderdvijftig kilometer van het werkkamp bij elkaar gekomen. Van oktober tot april werden de werkzaamheden in het regenwoud onderbroken door het regenseizoen en moesten zij de geïsoleerde arbeiders ravitailleren door levensmiddelen te droppen. In de *cerrado* vertraagde een modderzee het werk ook, maar waar het mogelijk was ging het gewoon door. Net als vroeger vorderde de strijd tegen het bos stap voor stap. Eerst werd er ontgonnen, ploegen van zes man met kapmessen en zagen begonnen aan het kreupelhout, sneden lianen zo groot als kabels weg, haalden bomen neer, reserveerden de beste voor timmerhout en staken de rest in brand. Vervolgens veegden de bulldozers de verkoolde stammen weg, en trokken ze de zwarte stompen uit de grond. Daarna begonnen ingenieurs en arbeiders de bedding van de weg die Brasília met de monding van de Amazone moest verbinden, met steenslag aan te leggen.

De mannen die de weg en de nieuwe hoofdstad zelf bouwden werden *candangos* genoemd, een pejoratieve benaming waarmee de Afrikaanse Kimbundu-slaven de Portugezen bedoelden. In Brazilië werd het woord verder gebruikt voor arme boeren die vochten om te overleven. Voor de zestigduizend Brazilianen die hun best deden om Brasília vóór de streefdatum, april 1960, door president Juscelino Kubitschek vastgesteld, af te krijgen, was het woord *candango* een erenaam geworden, en betekende het alleen nog een man die hard moest werken.

Roberto da Silva keek terwijl hij naar het rapport van de opzichter luisterde, eens naar Salgado, die met een paar arbeiders stond te praten. De procedure die de S.P.I. meestal volgde, als er kans bleek te zijn op een ontmoeting met vijandig gezinde Indianen, bestond eruit experts naar de wilden te sturen, om ze gunstig te stemmen met cadeautjes, en ze dan over te brengen naar een reservaat waar ze vervolgens voorbereid werden op assimilatie. Dit keer had niemand verwacht dat de boogschutters die weigerden te voorschijn te komen, zouden aanvallen.

'Ze hebben de cadeaus niet aangeraakt,' herhaalde de opzichter.

'Shavantes,' verklaarde Salgado terwijl hij een projectiel van bamboe pakte dat een van de arbeiders hem aangaf.

Bruno Ramos Salgado was negenendertig en bijna twee meter lang. Hij was gespierd, had zwarte sluike haren en donkere amandelvormige ogen, net als zijn moeder, en afkomstig van de Paresí-stam. Hij was de zoon van een directeur van een telegraafstation ergens in de jungle, langs de spoorlijn van Madeira naar Mamoré, en was veertien toen drie jezuïeten een missie vestigden in de streek. Hij ging eerst naar hun school, toen naar het *colégio* in Cuiabá, waar de religieuze ijver van deze voortreffelijke leerling de goede paters aanzette hem te bestemmen voor het priesterschap. Maar toen hij vierentwintig was vond Salgado in de *Serviço de Proteção dos Indios* een missie die hem beter paste.

Nadat zij even met elkaar hadden overlegd kwamen Roberto en de man van de S.P.I. overeen dat het nu te laat was om op zoek te gaan. Ze brachten de nacht door in het kamp, in een caravan, en stonden de volgende ochtend bij zonsopgang op. Salgado ging ervanuit dat hij wel contact kon leggen met de Shavantes, maar hoopte niet iets te vinden door aan de rand van de weg te gaan zitten wachten. Hij raadde Roberto en twee vrijwilligers dus aan om met hem mee te gaan, en zich klaar te maken om ten minste een dag en een nacht in het oerwoud door te brengen. Ze namen levensmiddelen mee, cadeaus voor de Indianen en wapens. Salgado zelf droeg een .38 Smith & Wesson, waarmee hij maar één keer had geschoten bij de uitoefening van zijn functie, om zich te verdedigen tegen een bende diamantzoekers die het territorium van een Paresí-stam waren binnengedrongen, niet ver van het oude telegraafstation waar hij geboren was.

Langs de weg, waar de jungle ontgonnen was, stonden zwart geblakerde bomen in grijze asvelden. Het regenseizoen was nog niet voorbij en vaak was de bruin-paarsrode grond veranderd in een modderpoel, door de korte maar hevige tropische regenval. Het materiaal – enorme gegalvaniseerde ijzeren buizen, benzinevaten, stapels schoppen en hakken – deed denken aan oorlogsmateriaal, klaar om de vijand, het bos, te lijf te gaan.

Fernandes, een van de vrijwilligers, bestuurde de jeep als een waanzinnige, plank gas, terwijl hij slalom reed om gaten te vermijden. 'Nee, *senhor*,' had hij tegen Roberto gezegd, die naast hem zat, 'u hoeft zich geen zorgen te maken. Fernandes Estavam is de zoon van een grote *motorista* die buschauffeur in de *sertão* van Bahia is geweest.'

Toen ze langs de weg in aanleg stopten, stapten Bruno Salgado en Roberto da Silva uit het voertuig en liepen ze voorzichtig naar de bomen toe. Fernandes en Silveira, de andere vrijwilliger, die in de jeep waren gebleven, vertelden elkaar schrikbarende verhalen over wilden, bijvoorbeeld over de Kayapos die in 1950, aan de oever van de Araguaia, een honderdtal kolonisten hadden gedood of verwond. En de Shavantes...

'*Nossa Senhora* bescherme ons voor hen!' riep Fernandes, waarbij hij een kruis sloeg.

Er was voldoende reden voor de angst van Fernandes. Pas aan het begin van de jaren vijftig waren er vreedzame contacten gelegd met half-nomadische Shavante-stammen, die al sinds onheuglijke tijden in de *cerrado* en de bossen in het noorden van de Mato Grosso woonden. In 1934 hadden die Indianen twee paters gedood die langs de Rio das Mortes trokken in de hoop vriendschapsbanden met ze te kunnen aanknopen. Zeven jaar later hadden de Shavantes een hele expeditie van de S.P.I. uitgemoord.

Ondanks deze tragische tegenslagen waren de *Serviço* en de paters doorgegaan met hun pogingen en in 1953, grotendeels dank zij Bruno Salgado, had een eerste Shavante-gemeenschap zich gevestigd op een post die de S.P.I. bij de Rio das Mortes had geïnstalleerd. In 1958 waren ze bezig met de assimilatie van zeven Shavante-dorpen langs de rivier, met wisselend succes.

Salgado had de twee laatste jaren bij de Shavantes doorgebracht, hun dialect en hun gewoonten geleerd. In deze periode had hij ook Roberto da Silva leren kennen, op een vergadering van ambtenaren van de S.P.I. en vertegenwoordigers van de bouwmaatschappijen. Salgado had in Roberto een van de vaste voorstanders van vreedzame relaties met de inboorlingen langs de weg in aanleg gevonden.

Salgado, die in februari bij het bureau van de S.P.I. in São Paulo was gedetacheerd, had meteen weer contact met zijn nieuwe vriend opgenomen en toen Da Silva hem twee dagen later informeerde over het incident bij kilometerpaal 96, had Salgado hem meteen zijn hulp aangeboden.

De geschenken die de opzichter zei aan de rand van het oerwoud te hebben achtergelaten waren verdwenen. Salgado liep langzaam over de kaalslag, en toen weer naar de bomen. Hij raapte drie pijlen op in de buurt van een bulldozer, en zag zijn hypothese bevestigd. Ze waren inderdaad door Shavantes gemaakt. Nadat hij zorgvuldig de grond had bestudeerd verklaarde hij dat de Indianen de weg niet waren overgestoken, maar in westelijke richting waren omgedraaid.

De vier mannen drongen het bos in, Bruno Salgado voorop, Fernandes achteraan. De magere *caboclo* draaide zich elke drie meter om, en sprong een meter omhoog als er een knaagdier door de bosjes rende. Salgado, gewend aan de jungle, liep snel, waarbij hij sporen zocht die de Shavantes hadden kunnen achterlaten. Fernandes was zo zenuwachtig dat hij grapjes begon te maken over verschrikkelijke wezens – Caipora met zijn ene been en andere demonen – die hen zaten op te wachten. Voor Roberto da Silva was het bos veel minder vreemd. Als hij zijn veeteeltbedrijven in de Mato Grosso bezocht, was hij vaak meegegaan met de *vaqueiros* om wilde katten te jagen die het vee bedreigden.

Toen ze dieper doordrongen in deze vochtige schemerwereld, week de onrustbarende stilte, alleen onderbroken door het ronkende concert van insekten en het gezang van een paar vogels, voor een stortvloed van lawaai die als een net over hen heen viel. Apen stieten in de bomen schelle kreten uit, wilde beesten vluchtten met veel lawaai als de mannen eraan kwamen.

Twee uur nadat zij van de weg waren afgegaan ontdekten zij de resten van een Shavante-kamp. Drie onderkomens van takken en bladeren, as, ara-veren, pekaribotten, resten van knollen. Het aantal onderkomens liet veronderstellen dat de inboorlingen met twaalf waren, zei Salgado. Ze hadden dit kamp op de heenweg waarschijnlijk opgeslagen, en waren er op de terugweg niet weer blijven overnachten. Het pekarivlees dat nog aan de botten zat was een paar dagen oud.

Het duurde niet lang of Salgado vond het pad van de Shavantes. Hier en daar werd het bos minder dicht en veranderde het in struiken en hoog gras. Ruim een half uur later kwamen de vier mannen bij een rivier met geel water, die door de regen gewassen was. Pas geknakt riet gaf aan dat de Indianen daar langs waren gekomen. Zij volgden de oever over een kilometer, en sloegen toen linksaf om op vastere grond te komen.

'*Silêncio!*' fluisterde Salgado plotseling.

Achter hem bleven de drie anderen stokstijf staan.

'Heeft hij wilden gezien?' mompelde Fernandes.

Maar Roberto en Silveira antwoordden niet maar beduidden hem zijn mond te houden. Salgado klom een steile helling op, bleef staan en keek naar de rivier. Plotseling draaide hij zich om toen hij achter zich een tak hoorde kraken. Roberto kwam bij hem, zo stil als hij kon.

'Shavantes?' vroeg Da Silva zachtjes.

De ambtenaar van de S.P.I. beduidde zijn vriend dichterbij te komen.

Op de andere oever stond een Indiaan, roerloos. Het was een jonge krijger, naakt, met *urucu* beschilderd en gewapend met een boog en een ploertendoder. Vanuit hun schuilplaats zagen de mannen die hem bekeken achthonderd meter stroomafwaarts een plaats waar zij makkelijk over de rivier konden. Er was geen enkele andere inboorling te zien, niet op de oever, en niet aan de rand van de bomen, achter de eenzame krijger.

'Blijf hier, Roberto,' zei Salgado terwijl hij Da Silva zijn Smith & Wesson gaf. 'Ik ga naar beneden.'

'Alleen? En ongewapend?'

'Alles gaat goed, tenminste voor het ogenblik. We wekken alleen zijn nieuwsgierigheid – en die van zijn vrienden, waar die dan ook zitten. Later, als we ze eenmaal ontmoet hebben, kan het anders lopen.'

Salgado drong eropaan dat Roberto naar de anderen terugging en ze zou vragen om verborgen te blijven. Toen begon hij naar de rivier af te dalen. Eenmaal beneden, liep hij naar de doorwaadbare plaats, en de Shavante, op de andere oever, deed hetzelfde. Roberto hoorde Fernandes Estavam en Silveira naar hem toe komen.

'*Maluco!*' riep Fernandes toen hij Salgado zag. 'Die is gek!'

De Shavante was bij de doorwaadbare plaats gekomen. Salgado stak zijn hand op als teken van vriendschap, waarbij hij meteen liet zien dat hij ongewapend was. De Indiaan bleef lange tijd onbeweeglijk staan, en stak toen plotseling zijn arm uit in stroomopwaartse richting. Toen de mesties begon over te steken, kwamen er vier andere Shavantes, gewapend met bogen, tussen de bomen vandaan.

Roberto greep automatisch naar zijn wapen, maar op datzelfde moment sprong de grote Bruno Salgado op de oever en begon daar in een soort geïmproviseerde dans langs te lopen. Twee Shavantes kwamen bij hem en deden hem na, waarbij zij aan zijn zijde renden.

Een half uur later gaf Salgado aan zijn vrienden een teken om ook naar beneden te komen. De rest van de Shavante-bende – in totaal negentien man – was ook uit het bos gekomen en stond vlak bij de doorwaadbare plaats. Net als de jonge krijger, droegen de zes andere mannen als enig kledingstuk een peniskoker. Ze hadden kaalgeschoren hoofden, geëpileerde wenkbrauwen, hun oorlellen waren doorboord en versierd met stenen. Vijf vrouwen droegen grote manden met al de bezittingen die de groep had meegenomen.

Toen Roberto en de anderen aan de rand van het water kwamen riep Salgado hen toe dat een van hen moest oversteken met de zak geschenken.

'Geef die maar aan mij,' zei Da Silva tegen Silveira.

'Ik ga wel,' stelde de kolos voor.

'Ja, doe dat,' beaamde Fernandes meteen. 'Het is veel te gevaarlijk voor de *senhor*...'

Roberto keek hem alleen maar aan en de *caboclo* zei gegeneerd: 'Ik bedoel, er mag niets met de *senhor* gebeuren...'

'Ga dan maar.'

'Ik, *senhor*?' stamelde Fernandes lijkbleek.

Roberto begon te lachen, nam de geschenken van Silveira aan en stak de rivier over.

'Toen ik daarboven stond dacht ik even dat het slecht zou aflopen,' zei hij tegen Salgado. 'Totdat jij begon te dansen als een wilde!'

'Dat was geen dans, maar een manier om hem te vertellen dat ik hun snelheid en hun lenigheid ken. Ik ben bij hun knuppelraces geweest.'

'Waar is hun dorp?'

'Verderop naar het westen. Ze zijn al weken onderweg. Ze zoeken naar een bepaalde plant die hier groeit.' De Shavantes die achter de oudste stonden en de jonge krijger hielden hun mond toen Roberto de zak opendeed. Salgado haalde er een schaar uit, spiegeltjes, vishaken en andere rommel. Hij deed de Indianen verstomd staan door een lok van zijn lange haren te knippen. Meteen stak de oudste zijn hand op om aan te geven dat hij als opperhoofd, recht had op dat cadeau. Salgado gaf hem de schaar. De oude man ging voorzichtig met zijn vinger over het staal.

De andere Shavantes vroegen ook om cadeautjes en Roberto haastte zich hen tevreden te stellen. Toen ze alles hadden uitgedeeld onderhield Salgado zich even met de oudste, en wendde zich toen tot Roberto.

'Wij gaan terug naar de andere kant van de rivier, nu,' zei hij. Da Silva leek verbaasd. 'De Shavantes blijven hier kamperen en zullen met elkaar overleggen over mijn voorstel om ze in een van onze posten te installeren. Morgenochtend zullen we weer opnieuw met ze praten.'

De vier mannen gingen terug naar de heuvel, waar ze zich klaarmaakten om de nacht door te brengen. Fernandes zocht koortsachtig hout om vuur te maken, omdat hij erg ongerust was over een opmerking van Salgado. Volgens de mesties kon de vriendschappelijke houding van de Shavantes in een paar uur omslaan, zoals ook bleek uit het bloedbad onder een expeditie van de S.P.I. in het begin van de jaren veertig. Die mannen waren ook met cadeaus voor de Indianen gekomen, want bij een van de lijken waren resten van spiegels gevonden.

De nacht viel, en er dreven wolken voor de maan. Het nachtelijke concert van het bos werd steeds sterker, tot de lucht zelf scheen te trillen. Af en toe steeg er een scherpe kreet boven het gezoem van de insekten uit. Fernandes lag te draaien in zijn slaap maar Silveira sliep als een roos naast hem. Tegen middernacht moesten de beide mannen hun kameraden aflossen, die op wacht stonden. Terwijl hij naar het vuur van de Shavantes keek vroeg Roberto zich af: 'Wat zal er van ze terechtkomen?'

'Ze zullen beschaafd worden,' antwoordde Salgado.

'Op de manier waarop jij dat zegt, klinkt dat als een catastrofe.'

'Dat is al veel te vaak gebeurd.'

'Hoe dat zo?'

'Binnen een jaar zal een kwart van hen overleden zijn,' verklaarde Bruno met een slaperige stem. 'Door ziekte. Ik veronderstel van droefenis. Wij eisen te veel van de Indianen. Wij nemen hen hun stenen bijl af, geven ze een broek, een hemd en verwachten dan van ze dat ze zich integreren in onze wereld, zomaar,' zei de mesties terwijl hij met zijn vingers knipte. 'Maar de Vilas Boas weten waarover ze praten als ze zeggen dat een stam vijftig tot zestig jaar nodig heeft om zijn leefwijze te veranderen.'

De drie gebroeders Vilas Boas' hadden het Indianenreservaat Xingu langs de rivier van dezelfde naam gevestigd, in het noorden van de Mato Grosso. Zij waren voor het eerst een streek binnengedrongen in het begin van de jaren veertig, met een regeringsexpeditie die Brazilië naar het westen moest openleggen, volgens de uitdrukking van president Getúlio Vargas. De broeders hadden contact opgenomen met twaalf kleine stammen in een zone van ongeveer vijftienduizend vierkante kilometer. Ze hadden bij de Indianen geleefd, hun achting verworven – en waren een nog steeds niet voltooide strijd begonnen om de streek tot federaal reservaat verklaard te krijgen, beschermd tegen invallen van prospectors en gronddieven. In die strijd kregen ze het aan de stok met de missionarissen, die ze de toegang tot de Indianendorpen eveneens ontzegden. Ze werkten zo tegen de officiële politiek van snelle assimilatie in, een assimilatie van tweehonderdduizend Indianen die nog in het oerwoud woonden. Maar de Vilas Boas' brachten naar voren dat het crimineel was om die overlevenden zomaar in de smeltkroes van de Braziliaanse samenleving te werpen, die voor hen nog geen plaats had.

'Bij de S.P.I. hebben wij medelijden met die Indianen, en we willen ze helpen,' zei Salgado. 'Het experiment loopt maar al te vaak slecht af en toch gaan wij door met ze van hun gronden te verjagen, in onze opmars naar het noorden en het westen. Vandaag is het de weg naar Belém. Morgen wordt Cuiabá met Porto Velho verbonden – ze hebben het daar al over.'

'Tja, ik heb ook medelijden met ze, Bruno, maar de ontwikkeling van het binnenland moet ter hand worden genomen.'

'De ontwikkeling of de plundering?'

'De ontwikkeling,' antwoordde Da Silva vastberaden. 'De wegen zullen nieuwe streken openleggen voor miljoenen mensen.'

'Laten we dat hopen.'

'Waarom ben je zo pessimistisch?'

'Om twee redenen,' zei de mesties. 'In de eerste plaats... is de grond van het bos arm. Daarom zijn de Shavantes en de andere stammen nomaden. Zij kappen een stuk, bewerken dat twee seizoenen en gaan dan weer ergens anders naartoe.'

'En de tweede reden?'

'Als wij miljoenen grondloze boeren uit het noordoosten laten komen, wat gebeurt er dan? Dan wordt er gespeculeerd, en worden er duizenden hectaren opgekocht, door Brazilianen, door buitenlanders, de laatste nog maagdelijke streken zullen een enorme toeloop doen ontstaan, en iedereen zal zijn deel willen.'

'Ja, het zijn de laatste streken die nog veroverd kunnen worden,' zei Roberto. 'En er moet plaats komen voor al die mensen die de *sertão* willen komen bevolken.'

De volgende dag, bij zonsopgang, gingen de vier mannen weer naar de rivier. Er hing een mistbank over het water, zo dik dat de tegenoverliggende oever niet te zien was. Salgado ging alleen naar de overkant, en kwam een paar minuten later terug.

'Ze zijn weg,' zei hij alleen.

'Moeten we ze achterna?' vroeg Roberto.

'Ik zal wel een rapport sturen. De S.P.I. vindt ten slotte hun dorp wel.'

Te merken aan zijn uitdrukking, hoopte de mesties niet dat dat binnenkort zou zijn.

'Ik ben het met je eens, grootvader, het is waanzinnig duur,' beaamde het meisje, 'maar waarom niet?'

Mariette Monteiro da Silva stelde die vraag alsof zij het over een buitensporige aanschaf had. Zij was de oudste van vier kinderen van Roberto en Sylvía Monteiro, pas negentien, had bruine haren en zwarte ogen, een ovaal gezicht, en dikke rode lippen. Als hij haar aankeek vond Amílcar dat zij op zijn eigen grootmoeder leek, barones Teodora, die even levendig was geweest en evenveel karakter had gehad.

Zij was tweedejaars studente rechten aan de universiteit van São Paulo, en zat naast haar vader, die op deze namiddag van 19 april 1960 de jeep bestuurde. Die ochtend was Roberto naar het vliegveld van Brasília gegaan om het meisje en zijn grootvader op te halen, evenals Dona Cora en Sylvía, een mooie vrouw van zevenendertig. Die waren in het appartement gebleven dat Roberto voor de familie had gereserveerd, tijdens de openingsceremoniën in de nieuwe hoofdstad.

'De Turken hebben Ankara, Le Corbusier heeft Chandigarh in de Punjab gebouwd,' ging Marietta verder toen haar grootvader niets zei. 'Waarom zou Brazilië dan Brasília niet mogen hebben?'

'Omdat wij ons dat, mijn lieve kind, niet kunnen veroorloven,' antwoordde Amílcar da Silva, zoals hij dat al vier jaar deed. 'Al vijfhonderdmiljoen dollar is erin gepompt, en het is nog niet afgelopen!'

'Maar u moet toch toegeven dat het fantastisch is. Absoluut grandioos!'

Amílcar maakte een weids gebaar met zijn hand, toen Roberto de jeep parkeerde.

'Wie zou dat ontkennen?'

De wagen was blijven staan aan de rand van een zesbaans boulevard van tweehonderdvijftig meter breed, waarlangs de ministeries stonden, tien etages hoog, en allemaal gelijk aan elkaar. Aan het eind van de boulevard was een plein met twee smalle wolkenkrabbers van achtentwintig etages, met onderaan twee witte koepels, waarvan één ondersteboven. Dat waren de daken van het congresgebouw en van het senaatsgebouw. Verder weg, achter het beton, het glas en het marmer, scheen de zon in het water van de Paranôa, een stuwmeer van vijfentwintig vierkante kilometer.

Arbeiders waren bezig het terrein schoon te maken waar het vorige jaar hele bataljons *candangos* vierentwintig uur per etmaal hadden gewerkt om klaar te komen binnen de termijn die door president Juscelino Kubitschek en de Novacap – de *Companhia Urbanizadora de Nova Capital* – was vastgesteld, het regeringsorgaan dat de algehele verantwoordelijkheid voor de onderneming had. 'Wij hebben vijf jaar om Brasília te bouwen,' had dr. Israél Pinheiro verklaard, een van de directeuren van de Novacap. 'Als we er langer over doen neemt de jungle weer bezit van wat wij hebben schoongemaakt.' Pinheiro, net als Kubitschek afkomstig uit Minas, bedoelde dat figuurlijk want er was geen oerwoud in de *cerrado*, maar het was duidelijk wat hij bedoelde. Er waren precies zevenendertig maanden verlopen sinds de Novacap de eerste plannen voor een stad van vijfhonderdduizend inwoners had goedgekeurd.

Mariette da Silva, die Brasília voor de eerste keer zag, was zeer gecharmeerd door de sierlijke structuren die door architect Oscar Niemeyer waren ontworpen. Niet minder dan zesentwintig Braziliaanse architectenbureaus hadden met elkaar gewedijverd en hun plannen voorgclegd aan een internationale jury. Voor het meisje leek het plan voor de hoofdstad op een enorm vliegtuig met de vleugels naar achteren. Op de plek waar die samenkwamen lag het winkelcentrum, en tussen die vleugels, van het noorden naar het zuiden, stond een honderdtal gigantische woonblokken. Aan het eind van de 'romp' lag het grote plein.

Voor Cora en Sylvía was het ook hun eerste verblijf in de hoofdstad. Dona Cora had niettemin geweigerd toen Roberto haar voorstelde de stad te laten zien. Zij zou wel wachten in het comfortabele appartement op het moment dat de president een dergelijke waanzinnige uitgave zou gaan goedpraten. Bovendien had ze tijd nodig om de jurk uit te kiezen die zij op het openingsbal zou dragen, dat gehouden zou worden in de hal van het station, volgens haar een perfect uitgezochte plaats. Toen zij in São Paulo in het vliegtuig stapte had Dona Cora duidelijk gemaakt dat zij alleen met haar man meeging omdat hij lid was van de delegatie van de staat São Paulo.

Senhor Amílcar was net zo gestemd als zijn echtgenote. Hij die het grootste deel van het jaar doorbracht in zijn eigen huis in São Paulo, midden in een stad van drieëneenhalf miljoen inwoners, geloofde niet in de toekomst van Brasília. Waar moest die droomstad midden in de *sertão* energie en macht vandaan halen? Ze zou zich nooit zo ontwikkelen als São Paulo – nog in geen honderd jaar!

Amílcar da Silva was al een paar keer naar de hoofdstad geweest. De laatste keer was twee maanden geleden, toen vier konvooien tegelijkertijd vertrokken uit Porto Alegre, Rio de Janeiro, Cuiabá en Belém, naar Brasília, als symbool van de nationale integratie. Nadat de weg van Brasília naar Belém klaar was gekomen, hadden de ondernemingen van Da Silva verschillende andere contracten gekregen, weliswaar kleiner, in het federale district zelf. Amílcar was het niet eens met Kubitschek maar had er niets op tegen om te profiteren van deze 'luchtspiegeling'.

Ondanks het feit dat hij het er niet mee eens was was *senhor* Da Silva toch wel trots op wat er op zo'n korte termijn gerealiseerd was. Precies vier jaar geleden stond er op deze plek alleen een kleine boerderij, de Fazenda do Gama, bij de rivier die was afgedamd om het stuwmeer te laten ontstaan, en verderop was het de *cerrado*, met reeën en jaguars. Het was pure Braziliaanse waanzin, deze schitterende stad midden in de wildernis. Maar mannen als zijn beide zonen waren misschien in staat om een wonder te verrichten en deze onderneming tot een goed einde te brengen.

Mariette ook wel, dacht hij terwijl hij naar de enthousiaste woorden van zijn kleindochter luisterde.

'Wie weet?' zei hij. 'Als jij je doctoraal haalt kom je misschien hier wel werken, in de *sertão*.'

'O, dat zou mij niets kunnen schelen,' zei zij. 'Helemaal niets!'

Terug in zijn appartement zei Roberto dat hij iedereen mee uit eten zou nemen in het beste restaurant van de stad.

'Het *Brasília Palace*, bij het meer?' vroeg Cora vol hoop.

'Nee, het spijt me, dat zit vol. Generaal Marcelo zou misschien nog een tafel voor ons kunnen krijgen, maar je zou geen leuke avond hebben tussen zo'n menigte.'

Marcelo Araujo da Silva, Honório's zoon, had de traditie van deze familietak gevolgd door in het leger te gaan. Na de oorlog, waarin hij zich met andere Braziliaanse piloten in Italië had onderscheiden, had Marcelo zich in Minas gevestigd en een beetje het contact verloren met de Da Silvas in Tiberica. Toch wist de familie dat zijn generaalsster rees aan het firmament van het leger, waakzamer dan ooit tegenover communisten en andere agitatoren, vooral in het roerige noordoosten.

'Dus, waar gaan we dan heen?' vroeg Cora, een beetje benauwd.

'Naar Maximilian. Jouw oude vriend Max.'

'In die *favela*?' vroeg Dona Cora verwonderd.

Max Grosskopf, afkomstig uit een Duitse immigrantenfamilie, had het restaurant dat hij in São Paulo bezat verkocht om zich te vestigen in de *Cidade Livre*, twaalf kilometer van Brasília. De *Cidade Livre* was een tijdelijk centrum, bestemd voor de arbeiders en hun families die niet op het werk woonden, en herbergde enkele tienduizenden mensen. De ongeplaveide straten, met neon verlicht, vol restaurants en winkels, waren een vrolijk tegengif tegen de rechtlijnigheid van Brasília.

Toen ze eenmaal in het restaurant waren en de eigenaar rond hun tafel dribbelde, kreeg Cora weer zin in het leven. Ze voelde zich ook op haar gemak gesteld door de aanwezigheid van andere leden van de gegoede burgerij, die de drukte van het *Brasília Palace* ontvluchtten.

'Arme Max!' zei zij over haar Wiener schnitzel heen. 'Hij had zo'n leuke zaak in São Paulo.'

'Hij gokt natuurlijk op Brasília,' zei Mariette. 'En hij zal trots zijn dat hij een van de pioniers is.'

'Een *candango*?' lachte Cora spottend.

'Precies!' riep Roberto uit, en hij sloeg zijn moeder op de schouder, alsof zij een hele intelligente opmerking had gemaakt.

Op 21 april, aan het eind van de ochtend, stond Amílcar da Silva met de Paulista-delegatie bij een van de vele ceremoniën die georganiseerd waren ter gelegenheid van het feit dat Rio de Janeiro officieel vervangen werd door Brasília. Een eindeloze stoet van tienduizend man onder leiding van een tiental fanfares trok naar het grote plein. Enorme graafmachines versierd met vlaggen en banderolles reden tussen de groepen defilerende mannen, die allemaal laarzen, spijkerbroeken en strohoeden droegen. Dat waren de *candangos*.

Roberto da Silva liep met hen mee, naast een bulldozer van zijn maatschappij, met aan het stuur Fernandes Estevam, de zoon van een grote *motorista* uit de staat Bahia. Fernandes begon luid te juichen toen het voertuig in de buurt van de officiële tribune kwam, waar president Juscelino Kubitschek en andere hoogwaardigheidsbekleders zaten.

Amílcar, die precies achter de groep van de president zat, zwaaide met zijn hand als antwoord op de groet van zijn zoon. Een van de arbeiders van het bedrijf van de Da Silvas zag de *patrão* op de tribune zitten en bleef staan om hem te groeten, zo verschrikkelijk overdreven dat *senhor* Amílcar erom moest lachen.

De man liep een beetje hinkend verder, wat te wijten was aan een vroegere wond. Maar dat was een oud verhaal, een herinnering aan de moeilijkheden die Raimundo Pacheco in een ver afgelegen Pernambuco gekend had. Twee jaar geleden was hij naar Brasília gekomen op de 'stok van de papegaai' en had zijn kans beproefd met duizenden anderen uit het noordoosten.

De feestelijkheden, die uren duurden, bevatten natuurlijk flink wat toespraken, waarvan de meest ontroerende ongetwijfeld die van president Juscelino Kubitschek zelf was: 'Sommigen van u zijn uit Minas Gerais gekomen, sommigen uit naburige staten, het merendeel van u uit het noordoosten. U hebt gehoord dat er een nieuwe ster bij de eenentwintig anderen die al in onze vlag stonden is gevoegd. Brasília bestaat alleen dank zij u, *candangos*, en ik ben blij dat ik deel kan uitmaken van uw gelederen...

Op deze eenentwintigste april, gekozen ter ere van luitenant Joaquim José da Silva Xavier, op deze honderdachtendertigste geboortedag van de onafhankelijkheid en de eenenzeventigste verjaardag van de republiek, verklaar ik de stad Brasília officieel tot hoofdstad van de Verenigde Staten van Brazilië.'

's Avonds stond Amílcar da Silva alleen voor een venster op de eenentwintigste etage van een van de wolkenkrabbers. Achter hem stond het vertrek vol met genodigden die naar een receptie kwamen die door de groep Paulista-gedeputeerden gegeven werd. Roberto was Cora, Sylvía en Mariette gaan halen, die in het begin van de middag naar het appartement waren teruggegaan om zich voor te bereiden op het bal. Door de ruiten heen keek Amílcar niet naar de stad, die onder hem lag te schitteren, maar naar de verre, donkere *cerrado*.

Die onafzienbare sertão, die zich niet alleen uitstrekt voorbij die heuvels, maar tot in het diepst van de ziel. Een paradijs of een hel voor onze voorouders. Zijn zij er nu nog, Amador Flôres da Silva en Benedito Bueno – allen die de weg hebben geëffend voor deze laatste verovering? De oude bandeirantes, kijken die met gemengde gevoelens van angst en bewondering naar deze stralende stad, naar dit El Dorado dat zij zo lang gezocht hebben?

Noot van de auteur

De Cavalcantis van Santo Tomás en de Da Silvas van Itatinga, evenals het merendeel van de gebeurtenissen waarbij deze beide families betrokken zijn, zijn verzonnen. Secundus Proot, Pedro Preto, de Ferreiras, Antônio Paciência, Henrique Inglez, Bábá Epifánia zijn allemaal ook verzonnen personages. De steden Rosário en Jurema, in Pernambuco, en Tiberica in de staat São Paulo bestaan niet.

Koning Afonso I van de Kongo, Da Nóbrega en De Anchieta, Tomé de Sousa, Mem de Sá, Raposo Tavares, Johan Maurits van Nassau-Siegen, 'Ganga Zumba', de markies van Pombal, Bento Parente Maciel, Tiradentes, keizer Pedro II, president Francisco Solano López, Eliza Alicia Lynch, Joaquim Nabuco, Antônio Conselheiro zijn echte personages en de gebeurtenissen waarin zij voorkomen maken deel uit van de geschiedenis.

De onderwerping en de afslachting van de Braziliaanse Indianen, de expedities van de *bandeirantes*, de aardbeving in Lissabon, de republikeinse opstand in Minas Gerais, de oorlog tegen Paraguay, de afschaffing van de slavernij, de opstand van Canudos, de geboorte van Brasília, zijn authentieke gebeurtenissen die in het kader van deze roman getrouw worden weergegeven.

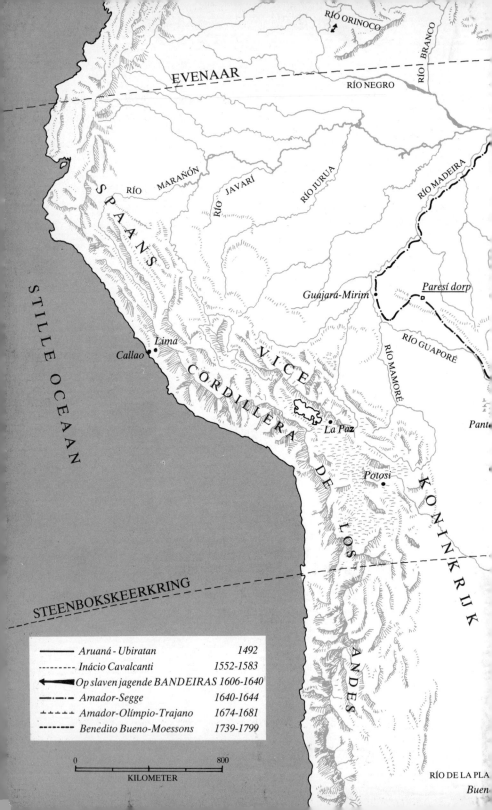

RÍO ORINOCO

RÍO BRANCO

EVENAAR

RÍO NEGRO

S P A A N S

RÍO MARAÑÓN

RÍO JAVARI

RÍO JURUA

RÍO MADEIRA

Guajará-Mirim

Paresí dorp

RÍO GUAPORÉ

V I C E

RÍO MAMORÉ

STILLE OCEAAN

Lima

Callao

C O R D I L L E R A

La Paz

D E

Pant

Potosi

K O N I N K R I J K

L O S

STEENBOKSKEERKRING

A N D E S

——	*Aruaná - Ubiratan*	*1492*
--------	*Inácio Cavalcanti*	*1552-1583*
◄━━━	*Op slaven jagende* BANDEIRAS	*1606-1640*
·—·—·	*Amador-Segge*	*1640-1644*
++++	*Amador-Olímpio-Trajano*	*1674-1681*
-------	*Benedito Bueno-Moessons*	*1739-1799*

0   800

KILOMETER

RÍO DE LA PLA

Buen